RUSSELL KIRK CENTER
FOR CULTURAL RENEWAL

COLEÇÃO
ABERTURA
CULTURAL

Copyright © 1953, 1961, 1972, 1985 by Russell Kirk
Copyright © 2001 by Regnery Publishing Inc.
Copyright da edição brasileira © 2020 É Realizações
Título original: *The Conservative Mind: From Burke to Eliot*

Editor | Edson Manoel de Oliveira Filho

Produção editorial e projeto gráfico | É Realizações Editora

Revisão técnica | Alex Catharino

Preparação de texto | Márcio Scansani

Revisão | Otacilio Palareti

Capa e diagramação | Mauricio Nisi Gonçalves

Reservados todos os direitos desta obra. Proibida toda e qualquer reprodução desta edição por qualquer meio ou forma, seja ela eletrônica ou mecânica, fotocópia, gravação ou qualquer outro meio de reprodução, sem permissão expressa do editor.

CIP-BRASIL. CATALOGAÇÃO NA PUBLICAÇÃO
SINDICATO NACIONAL DOS EDITORES DE LIVROS, RJ

K65m

Kirk, Russell, 1918-1994
  A mentalidade conservadora : de Edmund Burke a T. S. Eliot / Russell Kirk ; tradução Márcia Xavier de Brito ; apresentação à edição brasileira de Alex Catharino ; introdução à edição americana por Henry Regnery ; posfácio à edição brasileira de Alex Catharino. - 1. ed. - São Paulo : É Realizações, 2020.
  832 p. ; 23 cm. (Abertura cultural)

  Tradução de : The conservative mind : from Burke to Eliot
  Inclui índice
  ISBN 978-65-86217-23-0

  1. Conservadorismo. 2. Conservantismo. 3. Conservantismo - História. I. Brito, Márcia Xavier de. II. Catharino, Alex. III. Regnery, Henry. IV. Título. V. Série.

20-67511
CDD: 320.52
CDU: 329.11

Camila Donis Hartmann - Bibliotecária - CRB-7/6472
10/11/2020 11/11/2020

É Realizações Editora, Livraria e Distribuidora Ltda.
Rua França Pinto, 498 · São Paulo SP · 04016-002
Telefone: (5511) 5572 5363
atendimento@erealizacoes.com.br · www.erealizacoes.com.br

Este livro foi impresso pela Ipsis Gráfica em novembro de 2020. Os tipos são da família Sabon Light Std e Frutiger Light. O papel do miolo é o Pólen Soft 80 g, e o revestimento da capa, tecido Brillianta Amarelo.

A MENTALIDADE CONSERVADORA

De Edmund Burke a T. S. Eliot

Russell Kirk

TRADUÇÃO DE **MÁRCIA XAVIER DE BRITO**
APRESENTAÇÃO À EDIÇÃO BRASILEIRA DE **ALEX CATHARINO**
INTRODUÇÃO À EDIÇÃO AMERICANA POR **HENRY REGNERY**
POSFÁCIO À EDIÇÃO BRASILEIRA DE **ALEX CATHARINO**

Sumário

Apresentação à Edição Brasileira: O Lugar da Mentalidade Conservadora Kirkiana no Conservadorismo Moderno
Alex Catharino 9

Introdução à 7ª Edição Americana: A confecção de *A Mentalidade Conservadora*
Henry Regnery 51

Prefácio à 7ª Edição Revista
Russell Kirk 65

A MENTALIDADE CONSERVADORA

Capítulo 1 | A Ideia de Conservadorismo 79

Capítulo 2 | Burke e a Política dos Usos Consagrados 91
   1. A Carreira de Burke 91
   2. Os Sistemas Radicais 106
   3. Providência e Veneração 113
   4. Preconcepção e Usos Consagrados 123
   5. Os Direitos do Homem Social Civil 137
   6. Igualdade e Aristocracia 150
   7. O Princípio da Ordem 159

Capítulo 3 | John Adams e a Liberdade sob a Égide da Lei 167
   1. Federalistas e Republicanos 167
   2. Alexander Hamilton 172
   3. Os Vaticínios de Fisher Ames 179
   4. John Adams como Psicólogo 185
   5. A Aristocracia de Natureza 195
   6. As Constituições Americanas 201
   7. Marshall e as Metamorfoses do Federalismo 216

Capítulo 4 | Românticos e Utilitaristas 221
   1. Benthamismo e Walter Scott 221
   2. Canning e o Conservadorismo Esclarecido 234
   3. Coleridge e as Ideias Conservadoras 246
   4. O Triunfo da Abstração 263

Capítulo 5 | Conservadorismo Sulista: Randolph e Calhoun 267
   1. Impulsos Sulistas 267
   2. Randolph sobre os Perigos da Legislação Positiva 273
   3. Os Direitos das Minorias: Calhoun 289
   4. O Valor do Sul 305

Capítulo 6 | Conservadores Liberais: Macaulay, Cooper, Tocqueville 311
   1. A Influência de Burke no Liberalismo 311
   2. Macaulay acerca da Democracia 314
   3. Fenimore Cooper e a América dos Cavalheiros 326
   4. Tocqueville sobre o Despotismo Democrático 336
   5. A Prudência Democrática 351

Capítulo 7 | O Conservadorismo Transitório: Traços Gerais da Nova Inglaterra 363
   1. O Industrialismo como Nivelador 363
   2. John Quincy Adams e o Progresso: Aspirações e Fracassos 369
   3. As Ilusões do Transcendentalismo 380
   4. Brownson acerca do Poder Conservador do Catolicismo 387
   5. Nathaniel Hawthorne: Sociedade e Pecado 394

Capítulo 8 | Conservadorismo com Imaginação: Disraeli e Newman 407
   1. O Materialismo de Marx e os Frutos do Liberalismo 407
   2. Disraeli e as Lealdades *Tories* 415
   3. Newman: As Fontes do Conhecimento e a Ideia de Educação 430
   4. A Era do Debate: Bagehot 450

Capítulo 9 | Conservadorismo Legal e Histórico: Um Tempo de Vaticínio 455
   1. Liberalismo e Coletivismo: John Stuart Mill, Comte e o Positivismo 455
   2. Stephen sobre as Finalidades da Vida e a Política 462

   3. Maine: Posição Social e Contrato 477
   4. Lecky: A Democracia Não Liberal 491

Capítulo 10 | Conservadorismo Frustrado: América, 1865-1918 505
   1. A Era de Ouro 505
   2. As Perplexidades de James Russell Lowell 510
   3. Godkin sobre a Opinião Democrática 519
   4. Henry Adams sobre a Degradação do Dogma Democrático 528
   5. Brooks Adams e um Mundo de Energias Terríveis 541

Capítulo 11 | Conservadorismo Inglês à Deriva: o Século XX 553
   1. O Fim da Política Aristocrática: 1906 553
   2. George Gissing e o Mundo Inferior 559
   3. Arthur Balfour: Seu Conservadorismo Espiritual e a Maré do
      Socialismo 568
   4. Os Livros de W. H. Mallock: Uma Síntese Conservadora 580
   5. O Conservadorismo Soturno entre Guerras 597

Capítulo 12 | Conservadorismo Crítico: Babbitt, More, Santayana 605
   1. Pragmatismo: O Desazo da América 605
   2. O Humanismo de Irving Babbitt: o Desejo Mais Excelso em uma
      Democracia 610
   3. Paul Elmer More sobre Justiça e Fé 625
   4. George Santayana Soterra o Liberalismo 638
   5. América em Busca de Ideias 651

Capítulo 13 | A Promessa Conservadora 657
   1. A Doença do Radicalismo 657
   2. A Nova Elite 668
   3. O Erudito Confronta o Intelectual 679
   4. O Conservador como Poeta 698

Posfácio à edição brasileira: Evolução Histórica do Conservadorismo
   no Brasil 711
   Alex Catharino

Índice Remissivo 809
Índice Onomástico 819

Russell Kirk (1918-1994)

Apresentação à Edição Brasileira

O LUGAR DA MENTALIDADE CONSERVADORA KIRKIANA
NO CONSERVADORISMO MODERNO
ALEX CATHARINO

As ideias conservadoras estão se tornando mais conhecidas no Brasil devido ao crescente número de títulos publicados nos últimos anos. Entre essas obras, merecem destaque os trabalhos de Russell Kirk (1918-1994), o mais importante representante do conservadorismo no século XX, em que foi, simultaneamente, um teórico e um analista desta corrente de pensamento cultural e político. Graças ao trabalho editorial da É Realizações, foram lançados, em português, *A Era de T. S. Eliot: A Imaginação Moral do Século XX*,[1] em 2011, *A Política da Prudência*,[2] em 2013, e *Edmund Burke: Redescobrindo um Gênio*,[3] em

---

[1] O livro foi publicado originalmente em 1971 pela Randon House e recebeu uma segunda edição revista e ampliada pelo autor, que foi impressa pela Sherwood Sugden & Company em 1984 e reimpressa pela mesma casa editorial em 1988. Essa última reimpressão foi relançada em 2008 pelo Intercollegiate Studies Institute (ISI) com uma nova introdução de Benjamin G. Lockerd Jr. e serviu como original para a tradução em português lançada como: Russell Kirk, *A Era de T. S. Eliot – A Imaginação Moral do Século XX*. São Paulo, É Realizações, 2011.

[2] Lançado pela primeira vez em 1993, numa edição em capa dura, pelo Intercollegiate Studies Institute (ISI), e reimpresso pela mesma editora em forma de brochura, em 2004, com o acréscimo de uma introdução de Mark C. Henrie. Essa edição serviu de original para a tradução em língua portuguesa de *A Política da Prudência*. São Paulo, É Realizações, 2013.

[3] A obra foi publicada originalmente, em 1967, pela Arlington House e teve pela Sherwood Sudgen, em 1988, uma segunda edição revista pelo autor.

2016. A mesma casa editorial incluiu na coleção Biblioteca Crítica Social o trabalho *Russell Kirk: O Peregrino na Terra Desolada*,[4] de nossa autoria, lançado em 2015. Finalmente, a tradução do clássico *A Mentalidade Conservadora: De Edmund Burke a T. S. Eliot*,[5] fica disponível em língua portuguesa.

A primeira edição do livro, com 458 páginas, foi lançada, originalmente, em 1953, com o título *The Conservative Mind: From Burke to Santayana* [A Mentalidade Conservadora: De Burke a Santayana], pelo editor Henry Regnery (1912-1996), que, no texto seguinte do presente volume, narra o processo de produção editorial da obra e sua repercussão inicial, de modo que não iremos abordar detalhadamente essas temáticas. Desde o lançamento da primeira edição até o ano de 1986, quando finalizou a revisão da sétima edição publicada no mesmo ano, Russell Kirk continuou a trabalhar neste livro, fazendo inúmeras atualizações no texto, que, na versão definitiva em inglês, excluindo o ensaio de Henry Regnery, tem exatas 535 páginas. A partir da terceira edição, lançada em 1960, o subtítulo mudou de *From Burke to Santayana* para *From Burke to Eliot*. Além dessa mudança, a cada nova edição, o autor fazia atualizações no texto para ampliar o escopo da análise, aperfeiçoar diversos conceitos, incorporar algumas discussões e acrescentar mais referências bibliográficas. Os incrementos mais significativos nas edições posteriores foram as análises do pensamento de T. S. Eliot (1888-1965) e de Robert Nisbet (1913-1996). Passados sessenta e cinco anos do lançamento da primeira edição em inglês, *A Mentalidade Conservadora* continua sendo o mais

---

Postumamente foi impressa, em 1997, uma nova versão revisada por Jeffrey O. Nelson, que serviu de original para a edição brasileira de *Edmund Burke: Redescobrindo um Gênio*. São Paulo, É Realizações, 2016.

[4] Alex Catharino, *Russell Kirk: O Peregrino na Terra Desolada*. São Paulo, É Realizações, 2015.

[5] Esta tradução em português foi elaborada por Márcia Xavier de Brito com base na edição definitiva em inglês de *The Conservative Mind: From Burke to Eliot*. Washington, D.C., Regnery Publishing, 7. ed. rev., 1986.

importante estudo acerca do desenvolvimento histórico do conservadorismo, desde as origens, na obra do pensador e estadista irlandês Edmund Burke (1729-1797), até metade do século XX, o que a torna leitura obrigatória para todos que desejam entender essa corrente.

As outras três obras de Russell Kirk editadas em língua portuguesa, também, veiculam longos textos de apresentação de nossa autoria, cada um deles com caracterítas e objetivos distintos. Por ser o primeiro livro do ilustre conservador americano lançado em nosso país, em *A Era de T. S. Eliot*, elaboramos uma biografia intelectual na qual são detalhados aspectos da vida do autor e discutidas as linhas gerais da imaginação kirkiana.[6] Devido ao caráter mais popular de *A Política da Prudência*, decidimos contextualizar a importância do pensador americano para o movimento conservador.[7] Já em *Edmund Burke: Redescobrindo um Gênio*, nosso intento foi esclarecer os fundamentos teóricos da interpretação kirkiana acerca da obra de Edmund Burke, não apenas no volume em questão, mas, também, em outros trabalhos.[8] Assim como no ensaio que elaboramos para o último livro mencionado, esta apresentação foi escrita para colaborar, principalmente, com os estudos do público acadêmico, ao apresentar uma definição teórica do conservadorismo e situar a importância do pensamento kirkiano para essa doutrina, motivo pelo qual aconselhamos ao leitor comum, despido de alguns dos excessos academicistas, a adentrar diretamente nas páginas escritas por Russell Kirk, sem a necessidade de percorrer toda a análise que desenvolvemos nesta extensa monografia introdutória.

---

[6] Alex Catharino, "A Vida e a Imaginação de Russell Kirk". In: Russell Kirk, *A Era de T. S. Eliot: A Imaginação Moral do Século XX*. Op. cit., p. 11-104.

[7] Idem, "A Formação e o Desenvolvimento do Pensamento Conservador de Russell Kirk". In: Russell Kirk, *A Política da Prudência*. Op. cit., p. 11-57.

[8] Idem, "O Lugar de Edmund Burke no Conservadorismo Kirkiano e as Análises de Russell Kirk sobre o Pensamento Burkeano". In: Russell Kirk, *Edmund Burke: Redescobrindo um Gênio*. Op. cit., p. 11-95.

I. A DIÁSPORA DOS CONSERVADORES

A origem de *A Mentalidade Conservadora* é a pesquisa realizada por Russell Kirk como aluno de doutorado na University of St. Andrews, em Fife, na Escócia, na qual ingressou em 1948, tendo recebido, em 1952, o, atualmente extinto, título de *Literatum Doctorem*, grau mais elevado concedido pela prestigiosa instituição, estabelecida em 1413. Inicialmente, a pesquisa para o doutoramento teria como objeto, apenas, o pensamento político de Edmund Burke. Oficialmente o trabalho foi orientado pelo historiador John William Williams (1885-1957), contudo, na prática, a tese foi escrita sem nenhum tipo de orientação. O professor Williams era um erudito membro do corpo docente da University of St. Andrews, que, de acordo com as palavras do próprio Kirk, considerava-se o "último dos *whigs*". Havia "lido de tudo e escrito nada", e morava em uma bela mansão, utilizada no passado como residência do arquidiácono da catedral, com uma vasta biblioteca repleta de "antigos livros", cujos volumes tinham marcações feitas pelo proprietário.[9] Na autobiografia *The Sword of Imagination: Memoirs of a Half-Century of Literary Conflict* [A Espada da Imaginação: Memórias de Meio Século de Conflito Literário], publicada, postumamente, em 1995, encontramos o seguinte relato dos inúmeros encontros que Russell Kirk teve com o professor John William Williams:

> Em dias da semana, de tempos em tempos, Kirk sentava-se sozinho com o professor Williams naquele belo cômodo ou, talvez, se encontrava-se com ele no Royal and Ancient Club unidos por um *whisky* e soda e ainda mais *whisky* e soda. Os dois falariam de tudo, menos da tese de doutoramento de Kirk; o professor sabia que Kirk estava escrevendo sobre Burke, a quem o professor aprovava, e isso bastava. Kirk levava

---

[9] Russell Kirk, *The Sword of Imagination: Memoirs of a Half-Century of Literary Conflict*. Grand Rapids, William B. Eerdmans Publishing Company, 1995, p. 87.

ao venerável mentor – tão alto, tão erudito, tão afável – rascunho de capítulo por rascunho de capítulo da tese; estes eram colocados em cima do piano da sala de estar: a primeira página de cada capítulo logo seria profanada pelas marcas redondas deixadas pelos copos de *whisky*, e a pilha datilografada crescia mês a mês.

[...] Numa ocasião, depois do interregno de um ano, Jack Williams vislumbrou o acúmulo do aprendizado de seu único orientando de pesquisa e observou, ao oferecer-lhe outro *whisky*: "Russell, detesto coisas datilografadas. Sei pelas suas conversas que você domina o assunto. Por que você simplesmente não leva todos esses papéis de volta para seu aposento? Quando seu livro estiver publicado, eu o lerei com o maior prazer".

Isso viria a acontecer. Quando *The Conservative Mind* surgiu impresso, o professor Williams ficou muito satisfeito, fazendo a crítica apenas de que achava que o livro, de certo modo, enfatizava por demais a crença cristã de Burke (como alguns outros *whigs*, Jack Williams nutria uma suspeita invencível de eclesiásticos).[10]

A pesquisa foi além dos limites do pensamento burkeano, mesmo sendo este o fio condutor de todo o trabalho. Russell Kirk escreveu uma volumosa tese de doutorado sobre a tradição conservadora britânica e americana, abrangendo um período que vai desde o século XVIII até a primeira metade do século XX. O erudito e inovador estudo une os campos da História das Ideias Políticas e da Crítica Literária como instrumentos para abordar a mentalidade conservadora expressa tanto nos escritos de Edmund Burke quanto nos de outros teóricos políticos, literatos e estadistas, que de algum modo foram influenciados pela tradição burkeana. Entre as pesonalidades abordadas merecem destaque John Adams (1735-1826), *Sir* Walter Scott (1771-1832), Samuel Taylor Coleridge (1772-1834), John Randolph of Roanoke (1773-1833), John C. Calhoun (1782-1850), Thomas Babington Macaulay (1800-1859), James Fenimore Cooper

---

[10] Idem, bidem, p. 87-88.

(1789-1851), Alexis de Tocqueville (1805-1859), John Quincy Adams (1767-1848), Orestes Brownson (1803-1876), Nathaniel Hawthorne (1804-1864), Benjamin Disraeli (1804-1881), John Henry Newman (1801-1890), James Fitzjames Stephen (1829-1894), Henry Adams (1838-1918), George Gissing (1857-1803), Arthur Balfour (1848-1930), Irving Babbitt (1865-1933), Paul Elmer More (1864-1937) e George Santayana (1863-1952).

Com exceção dos breves períodos em que retornava aos Estados Unidos para ministrar o semestre anual do curso de História da Civilização no Michigan State College e das viagens de férias que empreendeu pela Europa e pelo Norte da África, Russell Kirk passou a maior parte do tempo, entre 1948 e 1952, a morar, inicialmente, no Hotel Victoria Room, em Queen's Garden, e, posteriormente, em uma pequena casa no subúrbio de Argyle. A principal rotina dele nesse período consistia em permanecer no quarto durante a noite para escrever os capítulos da tese ou se dedicar à redação de alguns contos de terror publicados originalmente, de 1950 a 1952, na *London Mystery Magazine*,[11] e republicados, em 1962, na coletânea *The Surly Sullen Bell: Ten Stories and Sketches, Uncanny or Uncomfortable, with A Note on the Ghostly Tales* [O Soturno e Triste Sino: Dez Narrativas e Estórias Curtas, Sinistras ou Inquietantes, com uma Nota sobre Contos de Terror],[12] pela qual o autor foi contemplado em 1966 com o Ann Radcliffe Award for Gothic Fiction. No período diurno o seu tempo era preenchido assistindo às aulas, mantendo contatos com professores e colegas, fazendo longas

---

[11] Os contos de terror publicados no periódico foram os seguintes: Russell Kirk, "Behind the Stumps". *London Mystery Magazine*, n. 4 (June-July 1950): 16-30; idem, "The Surly Sullen Bell". *London Mystery Magazine*, n. 7 (dez. 1950-jan. 1951), p. 59-75; idem, "Uncle Isaiah". *London Mystery Magazine*, n. 11 (ago.-set. 1951), p. 45-60; idem, "Sorworth Place". *London Mystery Magazine*, n. 14 (fev.-mar. 1952), p. 73-88.

[12] Russell Kirk, *The Surly Sullen Bell: Ten Stories and Sketches, Uncanny or Uncomfortable, with A Note on the Gostly Tales*. New York, Fleet Publishing Corporation, 1962.

caminhadas pela região ou indo às livrarias de Edimburgo. Associada à imensa erudição do autor, a disciplinada rotina de trabalho possibilitou a criação de uma tese brilhante.

A disciplina nos estudos não era uma novidade em sua vida, pois desde a tenra infância viveu cercado de livros, tendo dedicado a maior parte de seu tempo à leitura. Nascido em 19 de outubro de 1918, após ter sido formado no caráter e na imaginação pelos pais e pelos avós, o jovem Russell Kirk iniciou o aprendizado formal, em 1923, na Starkweather School, uma pequena escola elementar localizada a algumas quadras da casa dos pais na cidade natal de Plymouth, em Michigan, tendo ingressado, posteriormente, na Plymouth High School, na qual se graduou em 1936. Sobre esses treze anos de vida escolar, confessou: "Nunca gostei da escola, pois me mantinha longe dos livros, das caminhadas, da minha mãe e do meu avô".[13] No mesmo ano em que concluiu o ensino médio, iniciou o curso universitário, na cidade de East Lansing, no Michigan State College of Agriculture and Applied Science, a atual Michigan State University, pelo qual obteve o B. A. em História no ano de 1940. De 1946 até 1953 fez parte do corpo docente da instituição. Entre 1940 e 1941 cursou o mestrado em História na Duke University, em Durham, na Carolina do Norte, onde, sob a orientação dos professores Charles S. Sydnor (1898-1954), de História, e Jay B. Hubbell (1885-1979), de Literatura, escreveu uma dissertação que se tornaria o seu primeiro livro, *John Randolph of Roanoke: A Study in Conservative Thought* [John Randolph of Roanoke: Um Estudo sobre Pensamento Conservador],[14] lançado em 1951, que recebeu mais três edições revistas e ampliadas, denominadas *John Randolph of Roanoke: A Study in American Politics* [John Randolph of Roanoke: Um Estudo de

---

[13] Idem, *Confessions of a Bohemian Tory: Episodes and Reflections of a Vagrant Career*. New York, Fleet Publishing Corporation, 1963, p. 7.

[14] Idem, *John Randolph of Roanoke: A Study in Conservative Thought*. Chicago: University of Chicago Press, 1951.

Política Americana].¹⁵ Os planos de continuar o doutorado na mesma instituição foram frustrados pela entrada dos Estados Unidos na Segunda Guerra Mundial e pelo alistamento do estudioso pelo exército. Na carreira militar, de 1942 até 1946, Kirk não foi para a frente de batalha, tendo sido encarregado de serviços burocráticos, principalmente datilografando folhas de pagamento e outros documentos em bases militares nos estados de Utah e da Flórida, nas quais passou a maior parte do tempo vago se dedicando aos estudos de Literatura, de Filosofia, de História e de Política. Desde a infância, as diversas leituras realizadas e todo o conhecimento acumulado pareciam ter sido uma preparação para e redação da erudita tese de doutorado, que se tornou o seu mais famoso livro.

Composta por dois grossos volumes datilografados pelo próprio autor, o primeiro com 448 páginas e o segundo com 481 páginas, o texto com os resultados do trabalho de pesquisa realizado por Russell Kirk nesses anos, em que estudou na universidade escocesa, foi denominado com título extremamente pessimista de *The Conservatives' Rout: An Account of Conservative Ideas from Burke to Santayana* [A Diáspora dos Conservadores: Uma Análise das Ideias Conservadoras de Burke a Santayana].¹⁶ Essa monumental tese de doutorado foi aprovada, no início do mês de julho de 1952, por uma banca examinadora, da qual, além do "orientador" John William Williams, foram membros o filósofo *Sir* Thomas Malcolm Knox (1900-1980), também do quadro docente da University of

---

[15] Na segunda edição, publicada em 1964 pela Henry Regnery Company, o autor incluiu como anexos ao livro uma seleção de cartas e de discursos de John Randolph. Em 1978 a Liberty Press publicou uma terceira edição ampliada da obra. Postumamente foi publicada a seguinte edição: Russell Kirk, *John Randolph of Roanoke: A Study in American Politics – With Selected Speechs and Letters*. Indianapolis: Liberty Fund, 4. ed., 1997.

[16] Os arquivos em formato PDF dos dois volumes da tese de doutorado de Russell Kirk estão disponíveis no seguinte endereço: <https://research-repository.st-andrews.ac.uk/handle/10023/4544>. Acesso em: 4 jul. 2018.

St. Andrews, e o historiador e jurista William Lawrece Burn (1904-1966), professor na Durham University.

O manuscrito da tese foi enviado para ser avaliado pelo editor Alfred A. Knopf (1892-1984), que desejava publicar a obra por sua prestigiosa casa editorial de Nova York, caso o autor reduzisse o texto à metade do original. Russell Kirk se recusou a fazer cortes no trabalho e o enviou para o já citado editor Henry Regnery, de Chicago, que, no texto de introdução desse volume, narra o processo de criação do livro e seu impacto. Tanto o editor quanto o autor não tinham noção da grande recepção que a obra teria, nem o papel fundamental que esta desempenharia para o movimento conservador americano. A atuação como editor independente de Regnery voltado para o nicho de uma audiência comprometida com ideias de direita foi primordial para o ressurgimento do conservadorismo nos Estados Unidos, pois além de ter editado tanto Kirk quanto Eliot, foi o responsável pela publicação de obras de outros influentes conservadores, libertários e anti-comunistas contemporâneos.[17] Dentre os autores publicados pela Henry Regnery Company, desde a fundação da editora em 1947 até a mudança dela para Regnery Gateway em 1977, se destacam Albert Jay Nock (1870-1945), Ludwig von Mises (1881-1973), Wyndham Lewis (1882-1957), Ezra Pound (1885-1972), Max Picard (1888-1965), Freda Utley (1898-1978), F. A. Hayek (1899-1992), Roy Campbell (1901-1957), Whittaker Chambers (1901-1961), Eric Voegelin (1901-1985), James Burnham (1905-1987), Frank S. Meyer (1909-1972), James J. Kilpatrick (1920-2010), e William F. Buckley Jr. (1925-2008), dentre outros. Uma verdadeira "revolução" conservadora estava prestes a eclodir nos Estados Unidos, sendo responsável pela criação de um sólido movimento político no contexto da campanha presidencial, em 1964, do senador Barry Goldwater (1909-1998), que

---

[17] Acerca da importância deste editor para o movimento conservador americano recomendamos a leitura de suas memórias: Henry Regnery, *Memoirs of a Dissident Publisher*. Lake Bluff: Regnery Gateway, 1985.

culminaria na vitória, em 1980, do presidente Ronald Reagan (1911-2004), e cujos resultados ainda foram sentidos, em maior ou menor grau, com a triunfo eleitoral, em 2016, do presidente Donald Trump. O principal catalizador intelectual desse processo, entretanto, foi o lançamento, em 1953, de *A Mentalidade Conservadora*.

II. A REVOLUÇÃO CONSERVADORA

Na palestra "A Causa Conservadora: Dez Acontecimentos", ministrada na Heritage Foundation, em Washington, D.C., no dia 14 de junho de 1987 e publicada em 1993, como terceiro capítulo de *A Política da Prudência*, Russell Kirk iniciou a conferência com as respectivas palavras:

> Ao longo dos últimos dois séculos, os conservadores muitas vezes saíram à batalha, como os "celtas do crepúsculo" – mas raramente para ganhar. Há quarenta anos, quando terminava o livro que agora se chama *A Mentalidade Conservadora*, tinha a intenção de chamá-lo de *A Diáspora dos Conservadores* – não a *senda*, mas a *diáspora*. Meu editor, Henry Regnery, porém, dissuadiu-me da ideia em 1953; e, de fato, eu poderia ter contribuído para um desastre, transformando uma diáspora em debandada, tivesse eu insistido nesse título pessimista.[18]

Em verdade, no lugar de ter transformado em debandada esta diáspora, a publicação de *A Mentalidade Conservadora*, em 1953, foi responsável por possibilitar a convergência dos detentores de impulso conservador em uma época dominada por progressistas ou por radicais. O historiador e cientista político Lee Edwards, em *The Conservative Revolution: The Movement That Remade America* [A Revolução Conservadora: O Movimento que Refez a América],[19]

---

[18] Russell Kirk, *A Política da Prudência*. Op cit., p. 117.
[19] Lee Edwards, *The Conservative Revolution: The Movement That Remade America*. New York, Free Press, 1999.

reafirma a ideia das quatro etapas principais do moderno conservadorismo americano.

A gênese intelectual do resssurgimento conservador nos Estados Unidos é a publicação de *A Mentalidade Conservadora*, de Russell Kirk, obra que, mesmo sem ter a pretensão de ser um manual político, recebeu enorme destaque e reconhecimento do público ao expor em seis cânones os princípios fundamentais do conservadorismo, apresentar a genealogia dessa corrente e recuperar a dignidade conservadora junto à opinião pública.[20] O segundo momento é de propagação massiva das ideias conservadoras, que teve como principal instrumento o periódico *National Review*, editado por William Buckley, Jr. e lançado em 19 de novembro de 1955, no qual Russell Kirk colaborou desde o primeiro número com a coluna "From the Academy" [Da Academia], veiculada até 17 de outubro

---

[20] Além do relato de Russell Kirk em *The Sword of Imagination* (p. 139-52), recomendamos, também, as análises nos respectivos ensaios: Ronald Lora, "Russell Kirk: *The Conservative Mind* Three and One-Half Decades Later". In: *Modern Age*, vol. 33, n. 1, 1990, p. 59-74; Anne Carson Daly, "*The Conservative Mind* at Forty". In: *The Intercollegiate Review*, vol. 29, n. 1, 1993, p. 46-50; Vigen Guroian, "*The Conservative Mind* Forty Years Later". *The Intercollegiate Review*, vol. 30, n. 1, 1994. p. 23-26; George H. Nash, "*The Conservative Mind* in America". *The Intercollegiate Review*, vol. 30, n. 1, 1994, p. 27-30; Gerald J. Russello, "Russell Kirk and the Critics". *The Intercollegiate Review*, vol. 38, n. 2, 2003, p. 3-13; Mark C. Henrie, "Conservative Minds Revisited". *Modern Age*, vol. 45, n. 4, 2003, p. 291-94; Bradley J. Birzer, "More than 'Irritable Mental Gestures': Russell Kirk's Challenge to Liberalism, 1950-1960". *Humanitas*, vol. XXI, n. 1-2, 2008, p. 64-86. Em língua inglesa, foram lançados, até o presente momento, cinco livros dedicados à vida e ao pensamento de Russell Kirk, nos quais se encontram análises de *A Mentalidade Conservadora*; eis os trabalhos: James E. Person Jr., *Russell Kirk: A Critical Biography of a Conservative Mind*. Lanhan, Madison Books, 1999; W. Wesley McDonald, *Russell Kirk and the Age of Ideology*. Columbia, University of Missouri Press, 2004; Gerald J. Russello, *The Postmodern Imagination of Russell Kirk*. Columbia, University of Missouri Press, 2007; John M. Pafford, *Russell Kirk*. New York, Continuum, 2010; Bradley J. Birzer, *Russell Kirk: American Conservative*. Lexington, University Press of Kentucky, 2015.

de 1980, quando saiu o último artigo do autor, que decidiu cessar a colaboração regular no impresso para escrever apenas ocasionalmente, tendo aparecido em 31 de dezembro de 1987 o texto final de sua autoria na revista.[21] O terceiro estágio neste processo foi a estruturação do movimento conservador como uma força política efetiva em decorrência da campanha eleitoral de Barry Goldwater, em 1964, na qual mesmo tendo sido derrotado por seu opositor democrata, o então presidente Lyndon B. Johnson (1908-1973), o republicano conseguiu unir importantes forças em torno de sua candidatura, incluindo Russell Kirk.[22] Finalmente, a última etapa foi a vitória nas eleições presidenciais, em 1980, de Ronald Reagan, que foi um leitor tanto do livro *A Mentalidade Conservadora* quanto das colunas "From the Academy" na *National Review*.[23]

---

[21] A história da *National Review* e a importância dela para o movimento conservador americano, ressaltando em várias partes o papel fundamental de Russell Kirk como inspirador e colaborador de periódico, é narrado em: Jeffrey Hart, *The Making of the American Conservative Mind*. In: *National Review and its Times*. Wilmington, ISI Books, 2. ed. rev., 2006. O pensamento de William F. Buckley Jr. e o papel da *National Review* são os objetos dos cinco capítulos que compõem a segunda parte ("William F. Buckley Jr. and the Advent of *National Review*") do seguinte livro: George H. Nash, *Reappraising the Right: The Past & Future of American Conservatism*. Wilmington, ISI Books, 2009, p. 131-66. Uma biografia intelectual do jornalista e ativista conservador americano é apresentada em: Lee Edwards, *William F. Buckley Jr.: The Maker of a Movement*. Wilmington, ISI Books, 2010.

[22] Além do capítulo 6 ("The Reluctant Champion", p. 101-27) do livro *The Conservative Revolution*, Lee Edwards, a importância da campanha presidencial de Barry Goldwater para o movimento conservador americano é objeto do seguinte trabalho do mesmo autor: Lee Edwards, *Goldwater: The Man Who Made a Revolution*. Washington DC: Regnery Publishing, 1995. Ver, também, a obra: Lee Perlstein, *Before the Storm: Barry Goldwater and the Unmaking of the American Consensus*. New York, Hill & Wang, 2001.

[23] Russell Kirk discorre sobre a guinada conservadora da opinião pública americana no final da década de 1970 e a vitória de Ronald Reagan em *The Sword of Imagination* (p. 437-44, 448-54). Além dos capítulos 11 ("Winning Conservative", p. 200-24, 12 ("Golden Years", p. 225-41) e 13 ("The Reagan Doctrine", p. 242-67) no livro *The Conservative Revolution*, de Lee Edwards,

Quase três décadas antes desta vitória política de um candidato à presidência comprometido com diversos princípios do conservadorismo, quando *A Mentalidade Conservadora* foi lançada em 1953, inexistia algo que pudesse ser identificado com o atual movimento conservador americano. Tanto na década de 1980 quanto em nossos dias, parece que a maioria dos cidadãos e políticos americanos aceitam parcela significativa dos princípios básicos do conservadorismo. O papel intelectual de Russell Kirk nessa "revolução conservadora" foi decisivo, sendo reconhecido até mesmo pelo presidente Ronald Reagan, que, em 18 de janeiro de 1989, condecorou-o com a *Presidential Citizen's Medal for Distinguished Service to the United States* [Ordem de Mérito da Presidência por Eminentes Préstimos aos Estados Unidos], tendo afirmado que:

> Como profeta do conservadorismo americano, Russell Kirk ensinou e inspirou uma geração. De sua sublime e elevada posição em Piety Hill, penetrou profundamente nas raízes dos valores americanos, escrevendo e editando trabalhos centrais de filosofia política. Sua contribuição intelectual foi um profundo ato de patriotismo.[24]

Não é exagero afirmar que, no período subsequente ao término da Segunda Guerra Mundial, no processo que levou ao renascimento do pensamento conservador americano, Russell Kirk assumiu a mesma importância que Edmund Burke, no contexto da Revolução Francesa, para a formação do conservadorismo britânico. De acordo

---

e do capítulo 31 ("Ronald Reagan's Legacy and American Conservatism", p. 337-54) em *Reappraising the Right*, de George H. Nash, ver: Dinesh D'Souza, *Ronald Reagan: How an Ordinary Man Became an Extraordinary Leader*. Old Tappan: Free Press, 1999; Lee Edwards, *The Essential Ronald Reagan: A Profile in Courage, Justice, and Wisdom*. Lanham: Rowman & Littlefield Publishers, 2004; Paul Kengor, *The Crusader: Ronald Reagan and the Fall of Communism*. New York, Harper Perennial, 2006.

[24] Transcrevemos a referida passagem do documento original que se encontra nos arquivos da biblioteca do Russell Kirk Center for Cultural Renewal, na cidade de Mecosta, em Michigan, nos Estados Unidos.

com a análise do historiador George H. Nash, no livro *The Conservative Intellectual Movement in America: Since 1945* [O Movimento Intelectual Conservador na América: Desde 1945],²⁵ o retorno do conservadorismo nos Estados Unidos como uma força política teve como origem a coalizão de três vertentes antiprogressistas – os libertários, os anticomunistas e os tradicionalistas –, em que cada uma delas teve a consciência guiada por livros distintos na luta contra a agenda progressista dominante.²⁶

Herdeiros das críticas elaboradas por escritores individualistas da chamada "Old Right" [Velha Direita] ao programa governamental do *New Deal*, implementado pelo presidente Franklin Delano Roosevelt (1882-1945), os libertários tiveram como orientação inicial o livro *The Road to Serfdom* [O Caminho da Servidão]²⁷ de F. A. Hayek, lançado

---

²⁵ George H. Nash, *The Conservative Intellectual Movement in America: Since 1945*. Wilmington, ISI Books, 2ⁿᵈ rev. ed., 1996.

²⁶ Após descrever nos capítulos 1 ("The Revolt of the Libertarians", p. 1-71), 2 ("The Revolt Agaist the Masses", p. 73-83), 3 ("The Recovery of Tradition and Values", p. 85-105) e 4 ("Nightmare in Red", p. 107-96) de *The Conservative Intellectual Movement in America: Since 1945* as contribuições específicas de cada uma das três vertentes e enfatizar os livros que serviram de guia para cada uma delas, nos capítulos 5 ("Consolidation", p. 197-233), 6 ("Fission and Fusion: The Quest for Philosophical Order", p. 235-86), 7 ("What is Conservatism in America?: The Search for a Viable Heritage", p. 287-339), 8 ("What is Conservatism in America?: The Straussians, Willmoore Kendall, and the 'Virtuous People'", p. 341-94) e 9 ("Years of Preparation", p. 395-466), George Nash analisa a forma como esses três grupos distintos conseguiram, por intermédio de uma política de coalizão entre eles e com outras vertentes que emergiram posteriormente, consolidar, nas décadas de 1950 e 1960, o movimento conservador americano.

²⁷ Traduzida com base na versão inglesa de 1976, a obra está disponível em português na seguinte edição: F. A. Hayek, *O Caminho da Servidão*. Trad. Ana Maria Copovilla, José Ítalo Stelle e Liane de Morais Ribeiro. São Paulo, Instituto Ludwig von Mises Brasil, 6. ed., 2010. Além do já citado capítulo 1 ("The Revolt of the Libertarians", p. 1-71) em *The Conservative Intellectual Movement in America*, de George Nash, aconselhamos do mesmo autor o capítulo 7 ("Friedrich Hayek and the American Conservative Movement", p. 47-59) do já mencionado *Reappraising the Right*. Ver, também: Linda

em 1944, no qual o economista austríaco, discípulo de Ludwig von Mises, demonstrou a maneira como o planejamento econômico governamental conduz necessariamente à perda da liberdade individual e política. No contexto da Guerra Fria, emergiram os anticomunistas guiados pela autobiografia *Witness* [Testemunha][28] de Whittaker Chambers, publicado em 1952, na qual são narrados, dentre outros fatos, o envolvimento do autor com as ideias comunistas, a atuação dele como espião soviético, sua conversão ao cristianismo e a luta que iniciou contra a ideologia esquerdista, ao denunciar a infiltração de comunistas nos Estados Unidos em vários escalões do governo, em inúmeros órgãos culturais, em quase todas as instituições educacionais e, principalmente, na imprensa.

Finalmente, temos os tradicionalistas, chamados de paleoconservadores no embate com os neoconservadores, preferindo ser denominados apenas de conservadores. Com o lançamento, em 1953, do livro *A Mentalidade Conservadora*, de Russell Kirk, os conservadores se constituíram, não apenas como uma força econômica ou política, tal como os libertários ou os anticomunistas, mas, acima de tudo, como um grupo que compreendeu a importância da moral e da cultura como fundamentos da economia e da política, o que os levou a serem chamados, também, de conservadores culturais.[29]

C. Reader, "F. A. Hayek: A Man of Measure". In: Kenneth L. Deutsch & Ethan Fishman (ed.), *The Dilemmas of American Conservatism*. Lexington, University Press of Kentucky, 2010, p. 151-73.

[28] A edição mais recente da obra é a seguinte: Whittaker Chambers, *Witness*. Pref. William F. Buckley Jr. & Robert D. Novak. Washington DC, Gateway, 2001. Recomendamos a leitura do capítulo 4 ("Nightmare in Red", p. 107-96) em *The Conservative Intellectual Movement in America* e do capítulo 5 ("Whittaker Chambers: The Ambivalent Icon", p. 37-46) em *Reappraising the Right*, ambos escritos por George H. Nash.

[29] Além das análises de George H. Nash no capítulo 3 ("The Recovery of Tradition and Values", p. 85-105) de *The Conservative Intellectual Movement in America* e do capítulo 9 ("The Life and Legacy of Russell Kirk", p. 72-83) de *Reappraising the Right*, aconselhamos a leitura do

As raízes desse movimento de retorno à tradição foram gestadas na crítica aos erros ideológicos do período, que, por sua vez, esteve marcada pela negação dos desvios teóricos do pensamento moderno, da massificação da sociedade, da centralização e burocratização dos governos, da uniformização cultural e do intervencionismo estatal na esfera econômica.[30] A resistência intelectual ao consenso liberal progressista dominante, que, nos Estados Unidos, era vista como única alternativa ao radicalismo dos socialistas, teve como marcos a publicação dos livros *The Attack on Leviathan* [O Ataque ao Leviatã][31] de Donald Davidson (1893-1968) em 1938, *Ideas Have Consequences* [As Ideias Têm Consequências][32] de Richard M. Weaver (1910-1963) em 1948, e *The New Science of Politics* [A Nova Ciência da Política][33] de Eric Voegelin em 1952. O mes-

---

capítulo 13 ("Os Conservadores Culturais", p. 257-69) do livro *A Política da Prudência*, de Russell Kirk, bem como dos livros e ensaios listados na nota de rodapé 20, na página 19, do presente ensaio. Ver, também: Vigen Guroian, "Russell Kirk: Christian Humanism and Conservatism". In: *Reallying the Really Human Things: The Moral Imagination in Politics, Literature, and Everyday Life*. Wilmington, ISI Books, 2005, p. 31-45; Gerard J. Russello, "Russell Kirk: Tradicionalist Conservatism in a Postmoderm Age". In: Kenneth L. Deutsch & Ethan Fishman (Eds.), *The Dilemmas of American Conservatism*. Lexington, University Press of Kentuky, 2010, p. 125-49; Andre Gushurst-Moore, "Russell Kirk and the Adventures in Normality". In: *The Common Mind: Politics, Society and Christian Humanism from Thomas More to Russell Kirk*. Tacoma, Angelico Press, 2013, p. 217-30.

[30] George H. Nash, "The Revolt Against the Masses". In: *The Conservative Intellectual Movement in America*. Op. cit., p. 30-48.

[31] Donald Davidson, *Regionalism and Nationalism in the United States: The Attack on Leviathan*. Intr. Russell Kirk. New Brunswick, Transaction Publishers, 1991. Ver, também, o capítulo 7 ("Donald Davidson e o Conservadorismo Sulista", p. 177-90) no livro *A Política da Prudência*, de Russell Kirk.

[32] Richard M. Weaver, *As Ideias Têm Consequências*. Trad. Guilherme Araújo Ferreira. São Paulo, É Realizações Editora, 2012.

[33] Eric Voegelin, *A Nova Ciência da Política*. Intr. José Pedro Galvão de Sousa; Trad. José Viegas Filho. Brasília, Editora Universidade de Brasília, 1982.

mo tipo de mensagem, também, foi veiculada no Reino Unido tanto por Christopher Dawson (1889-1970), em *The Judgment of the Nations* [O Julgamento das Nações],[34] de 1942, e em outros trabalhos, quanto por T. S. Eliot, nas obras *The Idea of a Christian Society* [A Ideia de uma Sociedade Cristã],[35] de 1939, e *Notes Towards a Definition of Culture* [Notas para uma Definição de Cultura],[36] de 1948, que, em maior ou menor grau, influenciaram alguns círculos conservadores americanos. Juntamente com o livro *The Quest for Community* [Em Busca da Comunidade][37] de Robert A. Nisbet, também publicado em 1953, o lançamento de *A Mentalidade Conservadora* foi o ápice de uma gradativa resistência aos desvios ideológicos da modernidade e de uma busca pelo restabelecimento de uma sociedade orientada pelos princípios de Ordem, de Liberdade e de Justiça, que caracterizam o conservadorismo kirkiano.

A grande cruzada de Russell Kirk, contudo, não foi travada na arena da política, mas foi desenvolvida no amplo terreno da cultura. O chamado Mago de Mecosta tentou reunir os remanescentes, aqueles que estavam preocupados com a preservação do "contrato da sociedade eterna". Ao assumir a posição de Cavaleiro da Verdade, tentou erguer a "espada da imaginação" num combate incansável contra os inimigos das "coisas permanentes". Tal como ressaltado pelo biógrafo James E. Person Jr., em diversas batalhas, Russell Kirk contrapôs "a inocência e a sofisticação, a beleza e a luxúria, a verdade e o cinismo, o amor e a pornografia", "o conteúdo e a forma",

---

[34] Christopher Dawson, *O Julgamento das Nações*. Pref. Alex Catharino; intr. Michael J. Keating; trad. Márcia Xavier de Brito. São Paulo, É Realizações Editora, 2018.

[35] T. S. Eliot, *Ideia de Uma Sociedade Cristã e Outros Escritos*. Trad. Eduardo Wolf. São Paulo, É Realizações, 2016.

[36] Idem, *Notas para a Definição de Cultura*. Trad. Eduardo Wolf. São Paulo, É Realizações, 2011.

[37] Robert A. Nisbet, *The Quest for Community: A Study in the Ethics of Order & Freedom*. Pref. William A. Schambra. São Francisco, ISC Press, 1990.

"o dever e o hedonismo", "o eterno e o efêmero", ou seja, lutou "a guerra entre o humano e o desumano".[38]

III. A DISPOSIÇÃO CONSERVADORA

Na palestra "Dez Princípios Conservadores", ministrada no dia 7 de janeiro de 1987 na Heritage Foundation e publicada em 1993, como segundo capítulo de *A Política da Prudência*, Russell Kirk iniciou a apresentação com as seguintes afirmações:

> Não sendo nem uma religião nem uma ideologia, o conjunto de opiniões chamado de *conservadorismo* não tem Sagradas Escrituras, nem um *Das Kapital*, como fonte dos dogmas. Até onde é possível determinar o objeto das crenças conservadoras, os primeiros princípios do pensamento conservador derivam do que os mais ilustres escritores e homens públicos conservadores professaram ao longo dos últimos dois séculos.[39]

Mais adiante nesta mesma conferência, o eminente conservador americano proclamou:

> Talvez fosse adequado, na maioria das vezes, utilizar a palavra "conservador" mormente como um adjetivo. Não existe um modelo conservador, e o conservadorismo é a negação da ideologia: é um estado de espírito, um tipo de caráter, um modo de ver a ordem civil e social.
>
> A posição chamada conservadora se sustenta em um conjunto de sentimentos, e não em um sistema de dogmas ideológicos. É quase verdade que um conservador pode ser definido como alguém que pensa em si mesmo como tal. O movimento ou o conjunto de opiniões conservador

---

[38] James E. Person Jr., *Russell Kirk: A Critical Biography of a Conservative Mind*. Op. cit., p. 151-52.
[39] Russell Kirk, *A Política da Prudência*. Op cit., p. 103.

é capaz de acomodar uma diversidade considerável de pontos de vista sobre um bom número de assuntos [...].

Em essência, o conservador é simplesmente alguém que acha as coisas permanentes mais agradáveis que "o Caos e a Noite Antiga" – No entanto, os conservadores sabem, com Edmund Burke, que uma saudável mudança é o meio de nossa preservação.

Não é possível esboçar um catálogo sistemático das convicções dos conservadores [...].

[...] A rigor, a existência de diversos modos pelos quais os pontos de vista conservadores podem ser expressos é, em si mesma, uma prova de que o conservadorismo não é uma ideologia fixa. Quais princípios específicos serão enfatizados pelos conservadores, em cada época, dependerá das circunstâncias e necessidades daquele determinado período.[40]

Neste sentido, ao longo de quase toda a história da Civilização Ocidental, é possível encontrar posturas conservadoras, tanto no campo da política quanto na esfera da cultura, em diversos autores de diferentes períodos. Na antiguidade grega, destacam-se os trágicos Ésquilo (533-456 a.C.) e Sófocles (497-406 a.C.), o historiador Heródoto (485-425 a.C.) e o comediógrafo Aristófanes (447-385 a.C.), bem como os filósofos Platão (427-347 a.C.) e Aristóteles (384-322 a.C.). No mundo romano, vale mencionar o estadista e escritor Marco Pórcio Catão (234-149 a.C), o estadista e filósofo Marco Túlio Cícero (106-43 a.C.), o poeta Públio Virgílio Maro (70-19 a.C.), o filósofo, dramaturgo e estadista Lúcio Aneu Sêneca (4 a.C.-65 d.C.), o filósofo e imperador Marco Aurélio (121-180), o filósofo e teólogo Santo Agostinho de Hipona (354-430) e o poeta, filósofo e teólogo Anício Mânlio Torquato Severino Boécio (480-525). Dentre os inúmeros autores "conservadores" da Idade Média, os mais significativos são o educador, poeta, teólogo, hagiógrafo e

---

[40] Idem. Ibidem, p. 103-04.

clérigo Alcuíno de York (735-904), o clérigo e filósofo Bernardo de Chartres (†1124), o filósofo, historiador e bispo João de Salisbury (1115-1180), o filósofo, teólogo e cardeal São Boaventura (1221-1274), o filósofo, teólogo e clérigo Santo Tomás de Aquino (1225-1274), e o poeta e político Dante Alighieri (1265-1321). Antes do surgimento da moderna tradição conservadora, em 1790, com a crítica burkeana aos revolucionários franceses e seus admiradores britânicos, encontramos, na modernidade, elementos de conservadorismo nas obras do teólogo e clérigo inglês Richard Hooker (1554-1600), do escritor e estadista inglês George Savile (1633-1894), 1º Marquês de Halifax, do satirista, ensaísta, poeta e clérigo irlandês Jonathan Swift (1667-1745), do poeta inglês Alexander Pope (1688-1744), do magistrado, filósofo e historiador francês Charles-Louis de Secondat (1689-1755), Barão de La Brède e de Montesquieu, e do ensaísta, poeta, dramaturgo, lexicógrafo e editor inglês Samuel Johnson (1709-1784). O que une esses diferentes homens "é a afeição pelas coisas permanentes e a coragem de afirmar que a verdade não nasceu ontem",[41] para usar uma frase de Russell Kirk, pronunciada em 18 de dezembro de 1986 na palestra "Dez Conservadores Exemplares", ministrada na Heritage Foundation e publicada como quinto capítulo de *A Política da Prudência*.

Apesar de todos autores listados acima serem dotados de uma forte inclinação conservadora, o verdadeiro marco inicial para o surgimento do conservadorismo são os escritos e a atuação parlamentar de Edmund Burke, tal como ressaltado por Russell Kirk, tanto em *A Mentalidade Conservadora*, quanto em outros trabalhos. Na conferência "Dez Livros Conservadores", ministrada no dia 1º de outubro de 1986, na Heritage Foundation, e publicada como quarto capítulo de *A Política da Prudência*, o conservador americano reafirmou a posição acerca do pensador e estadista irlandês:

---

[41] Idem. Ibidem, p. 147.

Burke é o ponto de partida, pois a palavra "conservador" não fazia parte do vocabulário da política, até os admiradores franceses daquele estadista irlandês adaptarem a palavra para descrever os princípios dos homens que desejavam acrescentar, ao que havia de melhor na antiga ordem europeia, aquelas melhorias saudáveis e necessárias que poderiam preservar a continuidade da civilização. Sem os discursos e panfletos de Burke e, especialmente, sem o eloquente *Reflections on the Revolution in France* [Reflexões sobre a Revolução na França], pessoas de inclinações conservadoras ficariam intelectualmente empobrecidas.[42]

"A atitude política e moral chamada de conservadorismo não vem de um livro", defendeu Russell Kirk na mesma apresentação, pois "as fontes da ordem conservadora não são escritos teóricos, mas, em vez disso, o costume, a convenção e a continuidade". Nesta perspectiva, "o conservadorismo não é um conjunto de teorias acumulado por algum filósofo recluso", visto que de modo oposto às modernas ideologias, oriundas em especulações intelectuais abstratas que, na maioria das vezes, revoltam-se contra a moralidade tradicional e as instituições estabelecidas, "a convicção conservadora nasce da experiência: a experiência da espécie, da nação, da pessoa".[43] Ao dar continuidade a este raciocínio, finalmente, Kirk assevera:

> Livros podem trazer comentários sobre os costumes, a convenção e a continuidade; mas não podem criar tais essências sociais e culturais. A sociedade produz os livros; livros não produzem a sociedade. Enfatizo esse ponto porque vivemos em uma era de ideologias, e um bom número de pessoas – especialmente professores e estudantes de pós-graduação – acreditam na noção curiosa de que todas as instituições e toda a sabedoria são, de algum modo, extraídas de certos livros (em religião, isso é o que Coleridge chamou de *bibliolatria*). A *Bíblia* é na realidade um registro de experiências espirituais, não a *fonte* das experiências espirituais. De tempos em tempos, algum

---

[42] Idem. Ibidem, p. 135.
[43] Idem. Ibidem, p. 129.

aluno vem perguntar-me, após uma palestra, "Puxa, professor, onde o senhor pegou essa informação toda? Eu não consegui achá-la no Livro" – quer dizer, o Livro-Texto Sagrado, em geral um trabalho túrgido e superficial, escrito por um professor medíocre, cuja motivação foi a cobiça financeira. A sabedoria da espécie não está contida em nenhuma estante de livros de dois metros de altura.

Portanto, senhoras e senhores, caso estejais procurando por algum "Manual Infalível do Conservadorismo Puro" – ora, estais perdendo o vosso tempo. O conservadorismo, não sendo uma ideologia, não tem nenhum gabarito presunçoso, estimada criação de algum terrível simplificador, ao qual o cândido devoto da salvação política possa recorrer toda vez que tiver alguma dúvida. Não caiais em bibliolatria política; em particular, não considereis as "Obras de Kirk" como se tivessem sido escritas por um ser dotado de divina inspiração profética.[44]

Mais do que apresentar uma definição absoluta do que é o conservadorismo, o que deve ser examinado é a evolução histórica, em diferentes experiências nacionais, desta disposição conservadora enquanto doutrina e movimento políticos. Vale relembrar que a palavra "conservador", como rótulo político, surgiu na França durante a Era Napoleônica, quando alguns escritores políticos franceses cunharam o termo *conservateur* na busca de uma expressão para descrever o posicionamento moderado que buscava conservar tanto o melhor da velha ordem do Antigo Regime, sem assumir uma postura reacionária, quanto às salutares mudanças sociais advindas com a Revolução Francesa, sem manifestar atitudes progressistas ou revolucionárias. O vocábulo "conservador" foi utilizado por diferentes estadistas e intelectuais franceses que, em maior ou menor grau, foram persuadidos pelas ideias e pela atuação de Edmund Burke. Dentre os autores franceses, que influenciados pelo pensamento burkeano, eram associados ao conservadorismo, destacam-se os nomes de François Guizot

---

[44] Idem. Ibidem, p. 131-32.

(1787-1874), de Louis De Bonald (1754-1840), de Joseph De Maistre (1753-1821) e de François-René de Chateaubriand (1768-1848), além do já mencionado Alexis de Tocqueville.

Mesmo tendo as figuras de Edmund Burke, John Adams, *Sir* Walter Scott, Samuel Taylor Coleridge e John Randolph of Roanoke como modelos exemplares de conservadorismo, tais autores nunca se definiram como conservadores, pois, na época deles, este jargão político inexistia no Reino Unido ou nos Estados Unidos. No ambiente anglo-saxão, este conceito francês foi popularizado inicialmente na Inglaterra, apenas, em 1830, por conta de um artigo do estadista John Wilson Croker (1780-1857) no *The Quarterly Review*, que adotou a palavra *conservative* em vez de *tory* para descrever o partido britânico da ordem, surgido por volta de 1812, em decorrência da aliança dos *tories* com a facção liberal moderada dos *whigs*, tendo este autor sugerido Conservative Party como nome oficial dessa agremiação. No entanto, o primeiro a utilizar tal designação em língua inglesa foi o primeiro-ministro George Canning (1770-1827), um fiel seguidor da herança burkeana. Finalmente, em 1834, a denominação foi adotada oficialmente sob a liderança do futuro primeiro-ministro *Sir* Robert Peel (1788-1850). Desde esta época até os nossos dias, o conservadorismo tem sido uma sólida influência tanto na vida partidária do Reino Unido quanto na teoria política britânica. No presente volume, Russell Kirk aborda diversas contribuições, incluindo as dos primeiros-ministros Benjamin Disraeli e Arthur Balfour. Além dos inúmeros estadistas e teóricos discutidos em *A Mentalidade Conservadora*, é possível acrescentar ao conservadorismo britânico os nomes dos primeiros-ministros Winston Churchill (1874-1965) e Margaret Thatcher (1925-2013), bem como dos filósofos Michael Oakeshott (1901-1990), *Sir* Anthony Quinton (1925-2010) e *Sir* Roger Scruton (1944-2020).

Por volta da década de 1840, a expressão "conservador" ganhou popularidade nos Estados Unidos, tendo sido empregada com o beneplácito do estadista e escritor John C. Calhoun e do escritor Orestes Brownson, bem como do estadista Daniel Webster (1782-1852). Todavia, a popularização do conservadorismo no ambiente político americano, com a criação de um verdadeiro movimento, ocorreu após a Segunda Guerra Mundial, em grande parte, devido à publicação do livro *A Mentalidade Conservadora*, de Russell Kirk, tal como narrado ao longo da segunda parte deste ensaio.

O conservadorismo foi uma das mais significativas influências teóricas da vida política brasileira ao longo do século XIX, na vigência do regime monárquico, tendo orientado a ação de muitos estadistas, além de ter sido fundamental para a consolidação do sistema representativo em nosso país. A difusão do pensamento burkeano no Brasil ocorreu, ainda, no reinado de Dom João VI (1767-1826), antes do processo que culminou na Independência em 7 de setembro de 1822, por intermédio do trabalho de divulgação elaborado pelo filósofo, historiador, economista, jurista e estadista José da Silva Lisboa (1756-1836), o futuro Visconde de Cairu, autor profundamente influenciado pelo iluminismo britânico, com vasta produção intelectual, orientada tanto por princípios conservadores quanto pelas teorias econômicas do liberalismo clássico. Após a abdicação de Dom Pedro I (1798-1834), em 1831, e antes da declaração da maioridade de Dom Pedro II (1825-1891), em 1840, durante a Regência, foi fundado o Partido Conservador, em 1837, sob a liderança do magistrado, jornalista e estadista Bernardo Pereira de Vasconcelos (1795-1850), cujos discursos parlamentares refletem sólida posição conservadora.

Ao longo de mais de meio século, o equilíbrio entre os liberais, chamados de "luzias", e conservadores, denominados "saquaremas", juntamente com o exercício do Poder Moderador pelo monarca, garantiu o mais longo período de estabilidade política de nossa história. Os mais ilustres conservadores brasileiros no Segundo Reinado foram os estadistas Paulino José Soares de Sousa

(1807-1866), o Visconde de Uruguai; José Antônio Pimenta Bueno (1803-1878), o Marquês de São Vicente; Pedro de Araújo Lima (1793-1870); José de Costa Carvalho (1796-1860), o Marquês de Monte Alegre; Honório Hermeto Carneiro Leão (1801-1856), o Marquês de Paraná; José Joaquim Rodrigues Torres (1802-1872), o Visconde de Itaboraí; Luís Alves de Lima e Silva (1803-1880), o Duque de Caxias; Eusébio de Queirós Coutinho Matoso da Câmara (1812-1868); José Maria da Silva Paranhos (1819-1880), o Visconde do Rio Branco; Bráz Florentino Henriques de Souza (1825-1870); José de Alencar (1829-1877); e João Alfredo Correia de Oliveira (1835-1919).

O golpe militar em 15 de novembro de 1889, que implementou o regime republicano, foi um fator decisivo para o ocaso do conservadorismo em nosso país. No início da República Velha, atitudes políticas conservadoras são encontradas na atuação pública de José Maria da Silva Paranhos Júnior (1846-1912), o Barão do Rio Branco; de Joaquim Nabuco (1849-1910) e de Rui Barbosa (1849-1923), três remanescentes do período monárquico. Além desses três estadistas, os principais conservadores brasileiros, no período após o término do Império, foram o sociólogo Gilberto Freyre (1900-1987) e o historiador João Camilo de Oliveira Torres (1915-1973). O último desses dois intelectuais foi o primeiro autor a citar *A Mentalidade Conservadora*, de Russell Kirk, em nosso ambiente cultural, tendo utilizado o pensamento kirkiano como fundamento teórico para a análise feita no livro *Os Construtores do Império: Ideias e Lutas do Partido Conservador Brasileiro*,[45] escrito em 1963 e lançado, originalmente, em 1968. Maiores detalhes acerca da evolução histórica do conservadorismo no Brasil serão apresentados em nosso posfácio no presente volume.

---

[45] João Camilo de Oliveira Torres, *Os Construtores do Império: Ideais e Lutas do Partido Conservador Brasileiro*. Brasília, Edições Câmara, 2017.

IV. A DEFINIÇÃO DE CONSERVADORISMO

Na condição de fenômeno histórico condicionado por variáveis culturais, institucionais e políticas concretas, tanto como doutrina quanto como prática, não existe uma definição absoluta do que é o conservadorismo. O próprio Russell Kirk reconheceu que "o movimento ou o conjunto de opiniões conservador", por não existir uma tábua de mandamentos dogmáticos ou um manual doutrinário para guiar os fiéis, "é capaz de acomodar uma diversidade considerável de pontos de vista sobre um bom número de assuntos".[46] No artigo acadêmico "Conservatism as Ideology"[47] [Conservadorismo como Ideologia], lançado em 1957, o cientista político americano Samuel P. Huntington (1927-2008) ressaltou que o conservadorismo pode ser entendido de três maneiras distintas, incluindo nestas uma definição própria deste analista e, também, o entendimento proposto pela visão kirkiana. De acordo com a análise huntingtoniana, é possível definir a mentalidade conservadora e a ação prática dos conservadores nos seguintes modos distintos, a saber:

> 1º) A teoria *aristocrática* define o conservadorismo como a ideologia de um único e específico movimento histórico: a reação das classes agrárias feudal-aristocráticas à Revolução Francesa, ao liberalismo e à ascensão da burguesia do final do século XVIII e início do século XIX [...]. Liberalismo é a ideologia da burguesia; o socialismo e o marxismo são as do proletariado; o conservadorismo é a da aristocracia. O conservadorismo se torna, então, indissoluvelmente associado ao feudalismo, à manutenção do *status quo ante*, ao Antigo Regime, aos interesses fundiários, ao medievalismo e à nobreza; torna-se irreconciliavelmente contrário à classe média, aos trabalhadores, ao comercialismo, ao industrialismo, ao liberalismo e ao individualismo.[48]

---

[46] Russell Kirk, *A Política da Prudência*. Op cit., p. 104.
[47] Samuel Huntington, "Conservatism as Ideology". In: *American Political Sciency Review*, vol. 51, n. 2 (June 1957): 454-73.
[48] Idem. Ibidem, p. 454.

2º) A definição *autônoma* do conservadorismo estabelece que este não está necessariamente ligado aos interesses de nenhum grupo em particular, nem tampouco sua aparição depende de qualquer configuração histórica e específica das forças sociais. O conservadorismo é um sistema autônomo de ideias que são válidas num sentido amplo e genérico. Define-se nos termos de princípios universais tais como justiça, ordem, equilíbrio, moderação. Se um indivíduo em particular preza ou não esses valores, isto não depende de suas afiliações sociais, mas de sua capacidade pessoal de enxergar a verdade que lhes é inerente e, assim, desejá-los.[49]

3º) A definição *situacional* vê o conservadorismo como a ideologia que emerge de um tipo distinto, mas recorrente, de situação histórica na qual um desafio fundamental é dirigido às instituições estabelecidas, e em que os apoiadores dessas instituições empregam a ideologia conservadora para defendê-las. Assim, o conservadorismo é o sistema de ideias empregado para justificar qualquer ordem social estabelecida, não importa onde ou quando ela exista, contra qualquer contestação fundamental à sua natureza ou ao seu ser, não importa de onde advenha. A essência do conservadorismo é a afirmação apaixonada do valor das instituições existentes.[50]

Definida originalmente pelo sociólogo húngaro Karl Mannheim (1893-1947) na tese de doutorado apresentada em 1925 e publicada em 1936 na forma do livro *Das Konservative Denken* [O Pensamento Conservador], a teoria *aristocrática* procura tipificar essa vertente política e, simultaneamente, servir como instrumento para a análise das "raízes sociológicas do conservadorismo". A partir de um estudo de caso da corrente na Alemanha da primeira metade do século XIX, o autor tenta demonstrar em suas conclusões que "o pensamento é caudatário da existência".[51] O conservadorismo *é*

---

[49] Idem. Ibidem, p. 454-55.

[50] Idem. Ibidem, p. 455.

[51] Karl Mannheim, *Conservatism: A Contribution to the Sociology of Knowledge*. Ed. David Kettler, Volker Meja & Nico Stehr. London, Routledge & Kegan Paul, 1982, p. 31.

visto assim como a consciência de classe da aristocracia feudal; uma ideologia para justificar a luta contrarrevolucionária dos reacionários em defesa do Antigo Regime e de suas instituições. Em outro trabalho, Mannheim afirmou que o conservadorismo é "uma função de *uma particular* situação histórica e sociológica".[52] Tais definições *adotadas* pela chamada "sociologia do conhecimento" foram utilizadas pelo autor marxista para descrever a influência do pensamento burkeano nas ideias de Justus Möser (1720-1794), Adam Müller (1779-1829), Friedrich Julius Stahl (1802-1861) e Karl von Vogelsang (1816-1890).

Acreditamos que tal categorização é aplicável, também, aos já referidos ultramontanos franceses Joseph De Maistre e Louis De Bonald, bem como a outros defensores de formas distintas de tradicionalismo político, como, por exemplo, os franceses Félicité de Lamennais (1782-1854), Louis Veuillot (1813-1883), Charles Maurras (1868-1952) e René Guénon (1886-1951); os italianos Gioacchino Ventura di Raulica (1792-1861) e Julius Evola (1898-1974); os espanhóis Juan Donoso Cortés (1809-1853), Jaime Balmes (1810-1848), Félix Sardá y Salvany (1844-1916) e Juan Vázquez de Mella (1861-1928); os portugueses Camilo Castelo Branco (1825-1890) e António Sardinha (1887-1925); e os alemães Carl Schmitt (1888-1985) e Frithjof Schuon (1907-1998). É fato que o incisivo ataque de Edmund Burke ao processo revolucionário na França foi uma das principais fontes tanto para os contrarrevolucionários alemães, discutidos por Karl Mannheim, quanto para os ultramontanos legitimistas franceses, como De Maistre e De Bonald; entretanto, esses defensores do Antigo Regime *"pregando uma restauração sem compromissos da autocracia e da hierarquia"*, tal como observado por José Guilherme Merquior (1941-1991), *"nadaram contra a corrente*

---

[52] Idem, "Conservative Thought". In: Paul Kecskemeti (Ed.), *Essays on Sociology and Social Psychology*. New York, Oxford University Press, 1953, p. 98-99.

do próprio princípio burkeano de legitimidade: prescrição, *autoridade consagrada pela continuidade"*.[53]

Muitas vezes, a mentalidade conservadora é tomada como equivalente ao posicionamento reacionário, ao passo que esta última, em verdade, está mais próxima da ideia progressista do que do conservadorismo, ao menos no campo da ação política. Ao definir o conservadorismo, a partir dos seis cânones de Russell Kirk, o já mencionado João Camilo de Oliveira Torres diferenciou este de outras três posturas distintas, a saber:

1ª) O *imobilismo*, que, ao rejeitar *"qualquer espécie de mudança"*, deseja manter o presente estático, *"sem qualquer modificação"*;

2ª) O *reacionarismo*, que, ao condenar *"as transformações ocorridas numa determinada época recente"*, busca um retrocesso ao passado para restaurar as condições históricas anteriores;

3ª) O *progressismo*, que, fundado na crença no *"progresso continuado"*, faz tábula rasa do passado e do presente em favor de um futuro utópico, muitas vezes, assumindo a forma mais aguda do *revolucionarismo*.[54]

No livro *The Politics of Imperfection: The Religious and Secular Traditions of Conservative Thought in England from Hooker to Oakeshott* [A Política da Imperfeição: A Tradição Religiosa e Secular do Pensamento Conservador na Inglaterra de Hooker a Oakeshott], *Sir* Anthony Quinton advertiu que, ao substituir a busca por uma utopia no futuro pela tentativa de retornar a um passado utópico, o reacionário nada mais é do que um "revolucionário do avesso".[55]

---

[53] José Guilherme Merquior, *O Liberalismo Antigo e Moderno*. Apres. Roberto Campos; trad. Henrique de Araújo Mesquita. São Paulo, É Realizações, 3. ed., 2014, p. 142.

[54] João Camilo de Oliveira Torres, *Os Construtores do Império*. Op. cit., p. 24.

[55] Anthony Quinton, *The Politics of Imperfection: The Religious and Secular Traditions of Conservative Thought in England from Hooker to Oakeshott*. London, Faber, 1978, p. 19.

Acerca dessa característica do reacionarismo, Samuel P. Huntington observou que:

> Não existe uma distinção válida entre "mudar para trás" e "mudar para frente". Mudança é mudança; a história não se retrai nem se repete; e toda mudança acarreta no afastamento do *status quo*. À medida que o tempo passa, o ideal reacionário distancia-se cada vez mais de qualquer sociedade real que tenha existido no passado. O passado é romantizado e, no fim, o reacionário acaba por defender o regresso a uma Idade de Ouro idealizada, que nunca de fato existiu. Ele se torna indistinguível de outros radicais, e normalmente apresenta todas as características peculiares aos que são psicologicamente classificados como radicais.[56]

Cabe ressaltar que a mentalidade conservadora kirkiana *não é uma mera defesa do status quo*, muito menos um projeto reacionário. Na já citada palestra ministrada em 7 de janeiro de 1987, cujo texto revisto pelo autor foi publicado, em 1993, como segundo capítulo de *A Política da Prudência*, é apresentado como décimo e último princípio o entendimento de que "a permanência e a mudança devem ser reconhecidas e reconciliadas em uma sociedade vigorosa".[57] Em nosso livro *Russell Kirk: O Peregrino na Terra Desolada*, defendemos que "o conservadorismo kirkiano é uma disposição de caráter que nos move a lutar pela restauração e preservação das verdades da natureza humana, da ordem moral e da ordem social, legadas pela tradição".[58] Na conferência "Poderá a Geração Futura Redimir o Tempo?", proferida em 11 de dezembro de 1991 na Heritage Foudation e lançada como epílogo de *A Política da Prudência*, o próprio Russell Kirk reconhece que a verdadeira aspiração do tradicionalismo que advoga é "conservar a ordem, a justiça e a liberdade herdadas, nosso

---

[56] Samuel Huntington, "Conservatism as Ideology". Op. cit., p. 460.
[57] Russell Kirk, *A Política da Prudência*. Op. cit., p. 111.
[58] Alex Catharino, *Russell Kirk: O Peregrino na Terra Desolada*. Op. cit., p. 55-56.

patrimônio de sabedoria, beleza e gentileza".[59] Esta insistência nos princípios fundamentais oriundos da tradição, em detrimento das transitórias conjunturas históricas ou das ilusórias estruturas de classe, foi a razão pela qual, ainda em 1957, Samuel P. Huntington tomou o pensamento kirkiano como o principal exemplo da chamada definição *autônoma* do conservadorismo.[60]

O tipo *autônomo* de pensamento conservador proposto por Russell Kirk é uma defesa daquilo que T. S. Eliot denominou de "coisas permanentes",[61] no campo da crítica social e cultural, e que, em sua poesia, é expressa na noção de "comunicação dos mortos".[62] Em última instância, essas duas metáforas eliotianas se assemelham à ideia de "democracia dos mortos",[63] tal como descrita, em 1908, no livro *Orthodoxy* [Ortodoxia], por G. K. Chesterton (1874-1936), bem como à noção burkeana de "contrato primitivo da sociedade

---

[59] Russell Kirk, *A Política da Prudência*. Op. cit., p. 347.

[60] Samuel Huntington, "Conservatism as Ideology". Op. cit., p. 454-55.

[61] Em um trecho do prefácio de *A Ideia de uma Sociedade Cristã*, de 1939, T. S. Eliot afirmou que *"revolution is a denial of the permanent things"* (T. S. Eliot, *The Idea of a Christian Society*. London, Faber and Faber, 1939, p. 21). Na edição em língua portuguesa a passagem foi traduzida nos seguintes termos: "a revolução é uma negação do que é permanente" (T. S. Eliot, *A Ideia de Uma Sociedade Cristã e Outros Escritos*. Op. cit., p. 110).

[62] No original em inglês *"They can tell you, being dead: the communication / Of the dead is tongued with fire beyond the language of the living"* (T. S. Eliot. "Little Gidding". I, 52-53). Em português usamos a seguinte versão: "Eles podem contar, sendo mortos: a *comunicação / dos mortos* é dotada de línguas de fogo além da língua viva" (T. S. Eliot, *Poemas*. Org., trad. e pref. Caetano W. Galindo. São Paulo, Companhia das Letras, 2018, p. 279).

[63] "A tradição pode ser definida como uma extensão do direito de voto, pois significa, apenas, que concedemos o voto à mais obscura de todas as classes, ou seja, a dos nossos antepassados. É a democracia dos mortos. A tradição se recusa a submeter-se à pequena e arrogante oligarquia daqueles que parecem estar por aí meramente de passagem" (G. K. Chesterton, *Ortodoxia*. Apres., notas e anexo Ives Gandra da Silva Martins Filho; trad. Cláudia Albuquerque Tavares. São Paulo, Editora LTr, 2001, p. 69).

eterna",⁶⁴ apresentada, em 1790, na obra *Reflections on the Revolution in France* [Reflexões sobre a Revolução em França]. Esses quatro termos foram diversas vezes utilizados para descrever a "tradição", definida pelo conservadorismo kirkiano como a aliança que une todos os seres humanos em um pacto imortal "feito entre Deus e a humanidade, e entre as gerações que desapareceram da Terra, a geração que ora vive, e as gerações ainda por chegar".⁶⁵ A visão do conservadorismo "como uma parte de uma relação dinâmica entre as gerações", também, foi proposta por *Sir* Roger Scruton, ao ressaltar que a ruptura brusca do elo geracional, denominado "residência" pelo filósofo britânico, "interrompe com a relação aos que vieram antes e obscurece a obrigação para com os que virão depois".⁶⁶

Finalmente, a terceira perspectiva é a do próprio Samuel P. Huntington, que define o conservadorismo como ideologia *situacional* ou *posicional*, empregada para justificar a ordem social estabelecida. Esta definição é tomada pelo cientista político americano como a mais adequada, tendo sido adotada, também, pelo cientista político português João Pereira Coutinho no livro *As Ideias Conservadoras Explicadas a Revolucionários e Reacionários*.⁶⁷ No entanto, tal entendimento das ideias as reduz ao que Eric Voegelin denominou de "ideologia secundária", definida como "uma curiosa área cinzenta de especulações acerca da ordem que é tão característica como fenômeno dos tempos como as próprias ideologias

---

⁶⁴ Edmund Burke, *Reflections on the Revolution in France*. In: *The Works of the Right Honorable Edmund Burke, vol. III*. Boston, Little, Brown and Company, 1865, p. 359.

⁶⁵ Russell Kirk, "A Arte Normativa e os Vícios Modernos". Trad. Gustavo Santos e notas Alex Catharino. *COMMUNIO: Revista Internacional de Teologia e Cultura*, vol. XXVII, n. 4, (out.-dez. 2008): 993-1017. Cit. p. 1006.

⁶⁶ Roger Scruton, *Como Ser um Conservador*. Trad. Bruno Garschagen. Rio de Janeiro, Record, 2015, p. 272.

⁶⁷ João Pereira Coutinho, *As Ideias Conservadoras Explicadas a Revolucionários e Reacionários*. São Paulo, Três Estrelas, 2014.

a que ela se opõe".⁶⁸ Esta desaprovação é dirigida para "o tipo de pensador que é um cético, ou agnóstico, com respeito à realidade transcendente e, ao mesmo tempo, um conservador no tocante à ordem da história".⁶⁹ O denominado "cético conservador" é caracterizado por Protágoras (490-415 a.C.), Pirro de Élis (360-270 a.C) e Sexto Empírico (160-210) na Antiguidade, bem como, por Michel de Montaigne (1533-1592), Pierre Bayle (1647-1706) e David Hume (1711-1776), na modernidade. Citando uma frase de Sexto Empírico, a crítica voegeliniana descreve esse tipo com as seguintes palavras:

> No que se refere à prática da vida, o cético foi lançado de volta a um conservadorismo simples. *"Vivemos de uma maneira não dogmática, seguindo as leis, costumes e emoções naturais"*. Ele aceitou os costumes e convicções prevalentes na sociedade que o cercava pelo acaso de seu nascimento e deixou a história ser negociada sobre a sua cabeça, como era adequado para o súdito de um Império.⁷⁰

O julgamento de Eric Voegelin não se aplica à disposição conservadora defendida por Edmund Burke, T. S. Eliot e Russell Kirk, pois tais autores compreenderam que "literatura e sociedade dependem da fé na ordem transcendente".⁷¹ Diferentemente de ser uma aceitação passiva do *status quo*, o conservadorismo kirkiano reconhece a existência de "princípios éticos absolutos transcendentes que devem fundamentar a vida societária em contextos históricos distintos".⁷²

---

⁶⁸ Eric Voegelin, *Anamnese: Da Teoria da História e da Política*. Intr. e ed. David Walsh; trad. Elpídio Mário Dantas. São Paulo, É Realizações, 2009, p. 481.

⁶⁹ Idem. *Ordem e História: Volume II – O Mundo da Pólis*. Intr. Athanasious Moulakis; trad. Luciana Pudenzi. São Paulo, Loyola, 2009, p. 387.

⁷⁰ Idem. *Ordem e História: Volume III – Platão e Aristóteles*. Intr. Dante Germino; trad. Cecília Camargo Bartalotti. São Paulo, Loyola, 2009, p. 429.

⁷¹ Russell Kirk, *A Era de T. S. Eliot: A Imaginação Moral do Século XX*. Op. cit., p. 621.

⁷² Alex Catharino, *Russell Kirk: O Peregrino na Terra Desolada*. Op. cit., p. 55.

V. O CONSERVADORISMO KIRKIANO

Desde a publicação original de *A Mentalidade Conservadora*, em 1953, até os últimos escritos produzidos antes de sua morte, em 29 de abril de 1994, Russell Kirk propôs um tipo de disposição conservadora que pode ser entendida como uma resistência contra os ataques ideológicos feitos à Ordem, mas não apenas da ordem social vigente em seu caráter temporal. Ao ecoar a sabedoria tanto de Edmund Burke quanto de T. S. Eliot, bem como de outros guardiões das chamadas "coisas permanentes", o ceticismo em relação às ideologias modernas expresso pelo pensamento kirkiano se volta, também, contra algumas verdades aparentes da ordem histórica imanente, para advogar que, em nossa "grotesca civilização, é necessário um conservadorismo filosófico que transcenda a conveniência, o pragmatismo e a corrupção dos partidos".[73]

Ao explicar o entendimento kirkiano de ordem, no livro *Russell Kirk and the Age of Ideology* [Russell Kirk e a Era da Ideologia], o cientista político W. Wesley McDonald (1946-2014) ressalta que "a ordem social depende de dois fatores distinguíveis, mas inseparavelmente conectados: a ordem da alma e a ordem da comunidade".[74] Em um ensaio republicado como terceiro capítulo do livro *Redeeming the Time* [Redimir o Tempo], lançado postumamente em 1996, Russell Kirk afirma:

> A ordem, no campo da moral, é a concretização de um corpo de normas transcendentes – de fato uma hierarquia de normas ou padrões – que conferem propósito à existência e motivam a conduta. A ordem, na sociedade, é o arranjo harmonioso de classes e funções que preserva a justiça, obtém o consentimento voluntário à lei e assegura que todos, juntos, estaremos a salvo.[75]

---

[73] Russell Kirk, *A Era de T. S. Eliot: A Imaginação Moral do Século XX*. Op. cit., p. 621.

[74] W. Wesley McDonald. *Russell Kirk and the Age of Ideology*. Op. cit., p. 204.

[75] Russell Kirk, *Redeeming the Time*. Ed. e intr. Jeffrey O. Nelson. Wilmington, ISI Books, 1996, p. 33.

Conforme analisamos em *Russell Kirk: O Peregrino na Terra Desolada*, a temática da Ordem, em seus aspectos tanto imanente quanto transcendente, aparece na maioria dos escritos que compõem o vasto *corpus* kirkiano.[76] Juntamente com as noções de Justiça e de Liberdade, a ideia de Ordem foi apontada, no livro *The American Cause* [A Causa Americana], lançado pela primeira vez em 1957, como um dos três fundamentos cardeais que devem nortear uma nação civilizada, que são explicados do seguinte modo:

> "Justiça" é o princípio e o processo pelos quais a cada homem é concedido aquilo que lhe é próprio – as coisas que pertencem à sua natureza. Esse conceito os antigos gregos e romanos representavam na expressão "a cada um o que é seu". É o princípio e o processo que protegem a vida do homem, a sua propriedade, os direitos adquiridos, sua dignidade. Também é o princípio e o processo que atribuem punição ao malfeitor, que faz cumprir as penalidades para a violência ou a fraude. A figura alegórica da Justiça sempre empunha uma espada. A justiça é o pilar do mundo – a justiça divina e a justiça humana. É a primeira necessidade de qualquer sociedade respeitável.
>
> "Ordem" é o princípio e o processo pelos quais a paz e a harmonia da sociedade são mantidas. É o ajuste de direitos e deveres em um Estado para assegurar que as pessoas terão líderes justos, cidadãos leais e tranquilidade pública. Significa a obediência de uma nação às leis de Deus e a obediência dos indivíduos à justa autoridade. Sem ordem, a justiça raramente pode ser executada, e a liberdade não pode ser mantida.
>
> "Liberdade" é o princípio e o processo pelos quais um homem é senhor da própria vida. Significa o direito de todos os membros de uma sociedade adulta a fazer as próprias escolhas na maioria dos assuntos. Um escravo é uma pessoa cujas ações, em todas as circunstâncias importantes, são dirigidas por outrem; um homem livre é uma pessoa que

---

[76] Alex Catharino, *Russell Kirk: O Peregrino na Terra Desolada*. Op. cit., p. 43-53.

tem o direito – e a responsabilidade – de decidir como viverá consigo mesmo e com o próximo.[77]

Ao apresentar os "dez princípios conservadores", na conferência de 7 de janeiro de 1987, que se tornaram o segundo capítulo de *A Política da Prudência*, o primeiro princípio foi definido na sentença segundo a qual "o conservador acredita que há uma ordem moral duradoura". Ainda nessa apresentação, Russell Kirk defende que "a palavra ordem significa harmonia", para ressaltar, em seguida, que "há dois aspectos ou tipos de ordem: a ordem interna da alma e a ordem externa da comunidade política", de modo a, finalmente, asseverar que "o problema da ordem é uma preocupação primária dos conservadores desde que *conservador* se tornou um conceito em política".[78] Em *A Mentalidade Conservadora*, a "crença em uma ordem transcendente, ou em um corpo de leis naturais, que rege a sociedade, bem como a consciência", é listado como o primeiro cânone do conservadorismo, ao passo que a "convicção de que a sociedade civilizada requer ordens e classes, oposta à noção de uma 'sociedade sem classes'", é apresentado como terceiro cânone, ao que o autor acrescenta: "com razão, os conservadores muitas vezes são chamados de 'o partido da ordem'".[79] Esta última ideia não é uma exclusividade do conservadorismo no Reino Unido ou nos Estados Unidos, visto que os membros do Partido Conservador brasileiro, os chamados saquaremas, "se referiam a si mesmos como *Partido Ordeiro* ou *Partido da Ordem*, em uma clara tentativa de contrastar com os luzias [os liberais], a quem acusavam de desordem e anarquia".[80]

---

[77] Russell Kirk. *The American Cause*. Ed. e intr. Gleaves Whitney. Wilmington, ISI Books, 3. ed., 2002, p. 51-52.

[78] Idem, *A Política da Prudência*. Op cit., p. 105.

[79] Ver na presente edição a página 86 do primeiro capítulo (A Ideia de Conservadorismo).

[80] Jeffrey D. Needell, *The Party of Order: The Conservatives, the State, and Slavery in the Brazilian Monarchy, 1831-1871*. Stanford, Stanford University Press, 2006, p. 110.

Exatamente quatro décadas após o lançamento de *A Mentalidade Conservadora*, a defesa das concepções burkeanas de ordem moral e de ordem social foi apresentada por Russell Kirk, em sua versão mais aprimorada, no livro *America's British Culture* [A Cultura Britânica dos Estados Unidos], de 1993, na respectiva passagem:

> O que designamos *ordem*, palavra que significa um arranjo harmonioso, tem dois aspectos ao discutirmos as diversas culturas humanas. O primeiro deles é a ordem da alma: denominada ordem moral. O segundo é a ordem da comunidade: denominada ordem constitucional. Em ambos os aspectos, a ordem se encontra ameaçada em nossos dias, e requer uma vigorosa defesa.[81]

O ponto de partida da análise kirkiana sobre a Ordem, tal como apresentado em *A Mentalidade Conservadora*, foram as reflexões de Edmund Burke acerca da temática; contudo, ao longo dos quarenta anos seguintes, o autor acrescentou outros fundamentos teóricos para melhor esclarecer este ponto essencial do conservadorismo, dentre os quais, além dos escritos de T. S. Eliot e Christopher Dawson, destacam-se as contribuições filosóficas de Gabriel Marcel (1889-1973), de Hans Barth (1904-1965) e de Simone Weil (1909-1943), bem como o pensamento voegeliniano, sendo este último o mais importante. Nenhum autor no século XX se debruçou sobre a temática de modo tão profundo quanto o filósofo alemão Eric Voegelin, para quem a "*ordem* é a estrutura da realidade como experimentada pelo homem, bem como a sintonia entre o homem e uma ordem não fabricada por ele, isto é, a ordem cósmica".[82]

A melhor análise kirkiana acerca do pensamento de Eric Voegelin é um dos ensaios da coletânea *Enemies of the Permanent*

---

[81] Russell Kirk, *America's British Culture*. New Brunswick, Transaction Publishers, 1993, p. 83.

[82] Eric Voegelin, *Reflexões Autobiográficas*. Intr. e ed. Ellis Sandoz; trad. Maria Inês de Carvalho; notas de Martim Vasques da Cunha. São Paulo, É Realizações, 2007, p. 117.

Things: Observations of Abnormity in Literature and Politics [Inimigos das Coisas Permanentes: Observações Sobre as Aberrações em Literatura e Política],[83] publicada, originalmente, em 1969, sobre o qual o próprio filósofo alemão, em carta para Russell Kirk datada de 27 de abril de 1970, afirmou que "no capítulo que você dedica à minha obra, vejo uma tentativa heroica de tornar minhas intenções mais inteligíveis para uma maior audiência".[84] Acerca da importância da filosofia voegeliniana para o conservadorismo kirkiano, no livro *Russell Kirk: American Conservative* [Russell Kirk: Conservador Americano], o historiador Bradley J. Birzer ressalta que o conservador americano "defendeu a obra de Voegelin onde e quando possível pelo resto da vida, nunca esquecendo de citar o trabalho do alemão como uma inspiração para o seu próprio".[85] O ápice das elucubrações kirkianas sobre o tópico da Ordem se encontra em *The Roots of American Order* [As Raízes da Ordem Americana], publicado, originalmente, em 1974, no qual é feito um erudito e filosófico estudo comparado de História Universal, apresentando a influência de diferentes tradições culturais na formação da nação americana, desde o povo de Israel e da civilização greco-romana, passando pela cristandade medieval e o início da Modernidade, até a época da Independência em 1776 e da redação da Constituição dos Estados Unidos em 1787, ao demonstrar que tais experiências civilizacionais ocorridas na Filadélfia fundaram-se no legado das cidades de Jerusalém, de Atenas, de Roma e de Londres. Neste livro, ressaltou que:

---

[83] Russell Kirk, "Eric Voegelin's Normative Labor". In: *Enemies of the Permanent Things: Observations of Abnormity in Literature and Politics*. Peru, Sherwood Sugden & Company, 1984, p. 253-81.

[84] A carta original encontra-se nos arquivos da biblioteca do The Russell Kirk Center for Cultural Renewal, em Mecosta, Michigan. Citado em: Alex Catharino, *Russell Kirk: O Peregrino na Terra Desolada*. Op. cit., p. 68.

[85] Bradley J. Birzer, *Russell Kirk: American Conservative*. Op. cit., p. 199-200.

Ordem é a primeira necessidade da alma. Não é possível amar o que devemos amar, a menos que reconheçamos alguns princípios de ordem pelos quais devemos dirigir nossa própria vida.

Ordem é a primeira necessidade da comunidade. Não é possível viver em paz uns com os outros, a menos que reconheçamos algum princípio de ordem pelo qual faremos justiça.

A boa sociedade é marcada por um alto grau de ordem, justiça e liberdade. Entre estes, a ordem detém o primado, pois a justiça não pode ser implementada até que se alcance uma ordem social civil tolerável, nem a liberdade pode ser algo mais que violência até que a ordem nos confira as leis.[86]

Neste sentido, a ordem espiritual e moral interna da pessoa está intimamente relacionada à ordem social externa, que, por sua vez, está sustentada em tradições e em instituições concretas, não somente em princípios teóricos abstratos ou no senso religioso do indivíduo. Eis o motivo pelo qual Russell Kirk afirmou que "não é a vontade privada, mas a lei, o que mantém a ordem interna da alma e a ordem externa da sociedade".[87]

Por um lado, ao ressaltar tanto no primeiro cânone, em *A Mentalidade Conservadora*, a importância de um "intento divino", expresso também nas ideias de "ordem transcendente" ou "corpo de leis naturais" que "rege a sociedade,"[88] quanto no primeiro princípio,

---

[86] Russell Kirk, *The Roots of American Order*. Pref. Forrest McDonald. Wilmington, ISI Books, 4. ed., 2003, p. 10-11.

[87] Idem, *Edmund Burke: Redescobrindo um Gênio*. Op. cit., p. 250.

[88] Enquanto a redação final do primeiro cânone na sétima edição revista de *The Conservative Mind: From Burke to Eliot*, publicada em 1986 e agora traduzida para o português, fala da "crença em uma ordem transcendente, ou corpo de leis naturais, que rege a sociedade, bem como a consciência", a primeira versão da obra, publicada em 1953 como *The Conservative Mind: From Burke to Santayana*, define tal cânone conservador como "a crença de que um intento divino rege a sociedade, bem como a consciência, a forjar cadeias eternas de direitos e deveres que unem poderosos e desconhecidos,

em *A Política da Prudência*, que "o conservador acredita que há uma ordem moral duradoura",[89] a visão kirkiana se mostra distinta da postura do "cético conservador", que acaba, no final das contas, por defender um tipo de "ideologia secundária", de acordo com a crítica de Eric Voegelin que explanamos mais acima. Tal como salientado pelo historiador, advogado e editor Gerald J. Russello, no livro *The Postmodern Imagination of Russell Kirk* [A Imaginação Pós-Moderna de Russell Kirk], ao seguir os passos de Christopher Dawson, o conservadorismo kirkiano reconhece que, "sem um fundamento religioso, uma civilização entrará em colapso pelo próprio peso, independentemente do sucesso material ou econômico".[90]

Por outro lado, contudo, a definição kirkiana não deve ser limitada, apenas, ao primeiro cânone, pois, caso seja, não passará de um importante preceito moral, fundado em uma visão transcendente, mas sem nenhuma efetividade prática na arena política. Ao organizar os textos de algumas das conferências que ministrou na Heritage Foundation no formato do livro *A Política da Prudência*, após rechaçar "os erros da ideologia"[91] e listar os "dez princípios conservadores",[92] Russell Kirk decidiu que, antes de indicar "dez livros conservadores"[93] e elencar "dez conservadores exemplares",[94] seria mais importante ressaltar "dez eventos" do que denominou "a causa conservadora".[95]

---

vivos e mortos". Citamos aqui a primeira edição do livro, disponível na seguinte reimpressão: Russell Kirk, *The Conservative Mind*. Miami, BN Publishing, 2008, p. 7.

[89] Idem, *A Política da Prudência*. Op cit., p. 105.

[90] Gerald J. Russello, *The Postmodern Imagination of Russell Kirk*. Op. cit., p. 86.

[91] Russell Kirk, *A Política da Prudência*. Op cit., p. 91-102.

[92] Idem. Ibidem, p. 103-15.

[93] Idem. Ibidem, p. 129-44.

[94] Idem. Ibidem, p. 145-59.

[95] Idem. Ibidem, p. 117-28.

A precisa estratégia de organização do livro serve para reafirmar a noção de que, não sendo uma ideologia, o conservadorismo, mais do que ser guiado pelo conhecimento abstrato de algum pensador, necessita fundar suas premissas na sabedoria concreta herdada da tradição, que, em muitos casos, foi a principal inspiração para a prática daqueles que, na reflexão teórica ou na atuação política, adotaram tal disposição conservadora. Eis a importância tanto dos outros cinco cânones quanto, acima desses, das experiências de conservadorismo, em especial de diversos estadistas, narradas ao longo das páginas da obra que o leitor tem em mãos.

Próximo ao final de sua vida, na última sentença de *A Política da Prudência*, o Mago de Mecosta expressou com otimismo a "confiança de que muitos dessa nova geração descobrirão que é gratificante restaurar e redimir o próprio patrimônio – para salvar o mundo do suicídio".[96] Animados pelo mesmo espírito, nosso desejo é de que os ensinamentos relatados em *A Mentalidade Conservadora* sirvam, efetivamente, para fortalecer a inteligência e o caráter da emergente geração de conservadores brasileiros, assim como ocorreu ao longo dos últimos sessenta e cinco anos no ambiente cultural e político americano.

The Russell Kirk Center for Cultural Renewal
Mecosta, Michigan
Julho de 2018

---

[96] Idem. Ibidem, p. 350.

Henry Regnery (1912-1996)

Introdução à 7ª edição americana

A CONFECÇÃO DE *A MENTALIDADE CONSERVADORA*
HENRY REGNERY

Por volta de 1950, com a obra de Albert J. Nock (1870-1945), T. S. Eliot (1888-1965), Richard M. Weaver (1910-1963) e Eliseo Vivas (1901-1991) entre muitos outros, a crítica ao progressismo crescera e tornara-se uma literatura substancial, mas o que faltava era um ponto de vista, ou, talvez melhor, uma postura que agregasse o movimento conservador e lhe desse coerência e identidade.

A Mentalidade Conservadora, de Russell Kirk (1918-1994), foi um grande feito, poderíamos até mesmo dizer um feito histórico, publicado em 1953, que oferece o conceito unificador necessário. Não só dava provas convincentes de que o conservadorismo era uma posição honrosa e intelectualmente respeitável, mas de que era parte integral da tradição americana. Seria demasiado dizer que o movimento conservador pós-guerra começou com a publicação do livro de Kirk, mas deu nome ao conservadorismo e, mais importante, a coerência que faltava.

Quando o livro que criou a sua reputação foi publicado, Russell Kirk era um professor de História no Michigan State College. Antes escrevera um livro sobre John Randolph of Roanoke (1773-1833) e inúmeros ensaios, muitos para revistas inglesas. O cônego Bernard Iddings Bell (1886-1958) falara-me de Kirk, mas vim a conhecê-lo e tornei-me seu editor por um amigo comum, Sidney Gair, que fora um vendedor itinerante de livros didáticos para uma das maiores casas editoriais da Costa Leste e, após a aposentadoria, associara-se à nossa empresa.

Gair era um homem adorável – ótima conversa, tinha boa e ampla erudição e modos corteses. Conservador comprovado, era um grande admirador de Paul Elmer More (1864-1937) e de Irving Babbitt (1865-1933). Tudo se resume, costumava dizer, ao conservador saber que dois mais dois sempre, invariavelmente, é igual a quatro, um fato da realidade que o progressista, por outro lado, não está muito disposto a aceitar. Foi por intermédio dele que conheci Russell Kirk e publiquei *A Mentalidade Conservadora*, e por isso, sempre me recordo com gratidão de Sidney Gair.

Ao retornar, no início de 1952, de uma viagem a alguns *colleges* de Michigan, Gair contou-me que um amigo, um jovem professor da Michigan State, escrevera um manuscrito que acreditava iria interessar-me. Lembro da descrição do jovem muito claramente: "...filho de um maquinista de trem, mas de inteligência formidável – um acidente biológico. Não fala muito, tão comunicativo quanto uma tartaruga, mas quando está atrás de uma máquina de escrever, os resultados são os *mais* impressionantes".

Algum tempo depois, Gair pediu-me que lesse a carta que Kirk lhe escrevera de St. Andrews, na Escócia, em que descrevia uma caminhada de 145 quilômetros que fizera "de Edimburgo a Alnwich, na Nortúmbria, sobre as colinas desoladas dos Lammermuirs e ao longo da costa nortúmbria". Após descrever várias aventuras, expressou a esperança de que ele e eu pudéssemos nos encontrar durante o verão e, desde esse início, logo desenvolvemos uma correspondência.

Em resposta a minha expressão de interesse por seu manuscrito, Kirk contou-me que o oferecera para a Knopf, mas caso recusassem, o ofereceria a mim. "Nunca houve um livro como esse", observou na carta, "no que diz respeito à amplitude do assunto, quaisquer que sejam os vícios. O subtítulo é 'uma análise das ideias conservadoras de Burke a Santayana'." Junto com essa carta havia um cartão postal de Trier, na Alemanha, que mostrava uma fotografia da Porta Negra romana, que era meu emblema editorial.

Então, em 31 de julho de 1952, Kirk escreveu-me de St. Andrews que a Knopf estaria disposta a publicar seu manuscrito somente se ele o reduzisse a quase metade do tamanho original e que ele o enviaria para mim. Seu manuscrito dizia:

> É minha contribuição para nossa tentativa de conservar a tradição espiritual, intelectual e política de nossa civilização, e se temos de resgatar a mentalidade moderna, devemos fazê-lo muito em breve. O que Matthew Arnold (1822-1888) chamou de uma "época de confluência", em todo o caso, está prestes a acontecer. Se temos de tornar essa era que se aproxima em um período de conservadorismo esclarecido, em vez de uma era de repressão estagnante, precisamos nos mover com decisão. A batalha será decidida nas mentes da geração vindoura – e nessa geração, substancialmente, pela minoria que tem o dom da razão. Não creio tenhamos muito a temer do "progressismo" decadente da geração que se retira; como disse Benjamin Disraeli (1804-1881), "Opiniões predominantes são, em geral, as opiniões da geração que está de partida". Entretanto, precisamos afirmar algumas certezas para o benefício dos novos mestres da sociedade que estão a tentear. Mais que qualquer um nos Estados Unidos, estás fazendo exatamente isso nos livros que publicas.

Em 21 de agosto, acusei o recebimento dessa carta e passei o recibo do manuscrito que, após a descrição, estava muitíssimo ávido para ler. Meus juízos sobre manuscritos sempre foram imperfeitos, mas nesse sabia que tinha algo importante, talvez um grande livro, e, apesar de algumas dúvidas a respeito das possibilidades comerciais – que se mostraram infundadas –, estava decidido a publicá-lo. Em resposta à minha carta a esse respeito, Kirk, após instar-me a "não abandonar os estados dos Grandes Lagos pelo Leste", disse o seguinte a respeito da batalha que ambos nos sentíamos engajados:

> Pode muito bem ser que sejamos pisoteados na lama, apesar do que podemos fazer. No entanto, Catão (234-149 a.C.) venceu. E estaremos, de qualquer modo, cumprindo a parte que a Providência nos designou. Até mesmo a derrota de Charles I (1600-1649), afinal, foi, no longo curso da história, um sucesso considerável. Opondo-nos ao que parece inevitável, muitas vezes descobrimos que a força não é irresistível e, na pior das hipóteses, temos a satisfação da atitude heroica do inglês ao confrontar-se com a horda de Roderick Dhu Sutherland (1862-1915):

> *"Que venha um, que venham todos: esta pedra deve disparar*
> *Da base firme, assim como eu!"*.[1]

O manuscrito estava em bela forma, e poderia ter sido enviado para a tipografia do jeito que viera, exceto pelo título original, que nenhum de nós pensava que fosse funcionar – "A Diáspora dos Conservadores" [The Conservative Rout]. Sidney Gair sugerira "A Longa Debandada" [The Long Retreat] que era pior (ele acreditava que 'diáspora', como mencionara para Kirk em uma carta, "soava 'demasiado impetuoso'"). Russell respondeu, de maneira nada útil, que "havia uma sonoridade de pífaro e tambores em 'diáspora'", mas que continuássemos tentando, até que alguém sugeriu "A Mentalidade Conservadora" [The Conservative Mind], que Kirk aceitou prontamente.

Tivemos um grande esmero no projeto do livro, pois queria que fosse adequado à dignidade da linguagem e à importância daquilo que tinha a dizer. A capa vaticinava de maneira confiante e correta que aquele era um livro que "se tornaria um marco no pensamento contemporâneo", e na contracapa, para tornar claro que *A Mentalidade Conservadora* não era um esforço solitário de nossa parte, listamos quatro livros de publicação recente: *The Republic and the Person* [A República e a Pessoa] de Gordon Chalmers (1904-1956); *The Return to Reason* [O Retorno à Razão], ensaios em rejeição ao naturalismo por treze filósofos americanos e Charles Malik (1906-1987) do Líbano; *The Forlorn Demon: Didactic and Critical Essays* [O Demônio Desamparado: Ensaios Didáticos e Críticos] de Allen Tate (1899-1979) e *Revenge of Love* [Vingança de Amor] de Wyndham Lewis (1872-1957).

Em março ou abril de 1953, enviamos as cópias revisadas e com certo medo e receio, já que o livro representava um grande compromisso de nossa parte. Esperamos a resposta, que não demorou a chegar e excedeu em muito nossas expectativas mais otimistas.

Kirk empreendeu a difícil tarefa de apresentar o conservadorismo como uma tradição relevante para nosso tempo com duas vantagens

---

[1] No original: *Come one, come all; this rock shall fly / From its firm base as soon as I!* Em: Walter Scott, *Lady of the Lake* (1810). Canto V, estrofe 10. (N. T.)

enormes: uma grande habilidade em coordenar um vasto corpo de conhecimento com o qual estava totalmente familiarizado e um estilo literário soberbo. "Recapitular as ideias conservadoras, examinar sua validade para essa era perplexa", explica, "é o propósito deste livro." Não é, diz mais adiante:

> uma história de partidos conservadores. [...mas,] por definição, é um ensaio, um ensaio prolongado. Qual é a essência do conservadorismo britânico e americano? Quais sentimentos, comuns à Inglaterra e aos Estados Unidos, encorajaram homens de impulso conservador a resistir às teorias radicais e à transformação social desde o início da Revolução Francesa?[2]

Qualquer conservador bem-informado, prossegue:

> fica relutante em condensar sistemas intelectuais profundos e intrincados em poucas frases pretensiosas [...]. O conservadorismo não é um corpo fixo e imutável de dogmas; os conservadores herdam de Burke (1729-1797) o talento de expressar novamente suas convicções para ajustarem-se aos tempos. Como premissa de trabalho, todavia, podemos aqui observar que a essência do conservadorismo social é a preservação das antigas tradições morais da humanidade.[3]

Kirk era jovem quando escreveu *A Mentalidade Conservadora*; estava no final dos vinte anos, ainda aluno de pós-graduação da Universidade de St. Andrews, na Escócia, quando começou a pesquisa do livro e estava no início dos trinta anos quando o terminou. Podemos sentir isso no frescor da descoberta, no imenso prazer do jovem, buscando o próprio caminho em uma era confusa e aturdida, a descobrir uma visão da vida que lhe deu direção e pareceu responder às perguntas mais prementes.

Com total maturidade e sólida erudição, Kirk foi capaz de manter a qualidade da descoberta, evidente no primeiro capítulo, por todo o livro. Pode ter sido, como jovem, "tão comunicativo quanto uma tartaruga", como descrevera seu bom amigo Sidney Gair, mas escreveu com a paixão

---

[2] Russell Kirk, *A Mentalidade Conservadora*, cap. 1, p.
[3] Idem. Ibidem, p.

de um homem que descobrira uma grande verdade e deseja comunicar a descoberta aos outros. Foi essa qualidade de frescor de descoberta, bem como de erudição, talvez, que triunfou em *A Mentalidade Conservadora* e fez dele um dos livros mais influentes do período do pós-guerra.

A primeira indicação que a resposta ao livro de Kirk poderia ser favorável foi um aviso prévio do um tanto imprevisível *Kirkus Book Review Service*, no dia 15 de março, que era tudo o que havíamos pedido e, por certo, mais do que eu esperara: "um belo estudo do pensamento conservador na política, religião, filosofia e literatura, de 1790 a 1952". Isso foi acompanhado de uma recomendação no *Library Journal*, no dia 1º de maio, que dizia "já que o livro, por certo, provocará uma controvérsia acalorada [...] as bibliotecas devem ter cópias disponíveis".

No dia 17 de maio, um dia antes da publicação, o caderno de resenhas dominicais do *New York Times* aumentou nossas esperanças e elevou os espíritos imensuravelmente com uma resenha excelente de meia página, em local de destaque, escrita por Gordon Chalmers.

O livro começou a mostrar sinais de vida e, numa carta a Kirk, relatei que estávamos vendendo cerca de cem cópias por semana. Entretanto, o que realmente o colocou no centro dos debates foi a resenha, longa e inteligente, da revista *Time* na edição de 4 de julho (datada de 6 de julho). Toda a seção de resenha de livros foi dedicada a um único livro: *A Mentalidade Conservadora*, com George Washington (1732-1799) na capa e com o livro de Kirk abarcando toda a seção literária – e também mencionado na seção de notícias – o tema da edição poderia ser considerado como a continuidade da tradição conservadora americana.

A resenha, que me disseram fora escrita por Max Ways, não só era favorável, mas era o tipo de resenha que estimulava o interesse e a curiosidade do leitor, o que não é verdade em toda resenha, favorável ou não. Tudo isso, e a circunstância de a resenha aparecer naquela edição e com o destaque que teve, fez a publicação de *A Mentalidade Conservadora* ser um acontecimento significativo. As vendas aumentaram imediatamente – para quatrocentos livros por semana, escrevi a Kirk – e a primeira tiragem vendida antes do final de julho. Uma segunda tiragem de cinco mil unidades foi entregue em agosto e, uma terceira, antes do fim do ano. Russell Kirk, de um professor um tanto obscuro naquilo que posteriormente chamou de "universidade Beemote", tornara-se uma personalidade nacional.

O impacto de *A Mentalidade Conservadora,* quando apareceu pela primeira vez em 1953, agora é difícil de imaginar. Depois de longa dominância do progressismo, da adulação ao "homem comum", da fé nas soluções políticas, da rejeição aos aspectos trágicos e heroicos da vida e na prosa, não exatamente inspiradora, com que essas ideias são, em geral, expressas, após tudo isso, repito, tais sentimentos como a "graça natural da existência", as "cadeias eternas de direitos e deveres que unem poderosos e desconhecidos, vivos e mortos", uma visão da política como "arte de apreender e aplicar a justiça que está acima da natureza" vieram como a chuva após uma longa estiagem.

August Heksher (1913-1997) começou sua resenha no *New York Herald-Tribune* (2 de agosto de 1953): "Ser um conservador nos Estados Unidos há muito é considerado idêntico a ser retrógrado e, até mesmo, ligeiramente estranho, de modo que a justificação altiva do termo feita pelo sr. Kirk deve ser bem-vinda". Harrison Smith, em uma resenha distribuída por uma agência de notícias que apareceu em vários jornais, dentre eles o *Washington Post*, acolheu com prazer o livro, com as seguintes palavras: "Americanos pensantes, preocupados com a rapidez com que as teorias totalitárias e revoluções se espalham por grande parte do mundo, deveriam ler o marco no pensamento contemporâneo escrito por Russell Kirk".

Peter Viereck (1916-2006) resenhou o livro no *Saturday Review*; houve uma resenha bastante favorável e eficaz na *Fortune*, e a *Partisan Review* discutiu extensivamente o livro em duas edições separadas. Um longo ensaio sobre *A Mentalidade Conservadora* apareceu na *Kenyon Review* escrito por John Crowe Ransom (1888-1974) (posteriormente reimpresso em uma coletânea de ensaios) e outro, em parte uma resposta a Ransom, escrito por Brainard Cheney (1900-1990) na *Sewanee Review*. Foi resenhado no suplemento literário do *London Times* e tanto Golo Mann (1909-1994) como Wilhelm Röepke (1899-1966) escreveram ensaios extensos sobre o livro em publicações alemãs. O movimento conservador pós-Segunda Guerra Mundial alcançara respeitabilidade intelectual e identidade, e estava a progredir.

A resenha na revista *Time*, devemos a Whittaker Chambers. Eu o encontrara pela primeira vez em 1952, quando recebeu um diploma honorário do *Mount Mary College* em Milwaukee. Ao ouvir que ele estava em Milwaukee, telefonei para perguntar se poderia vê-lo. Fiz isso, devo dizer, com alguma hesitação, já que relutava invadir sua privacidade e fiquei, portanto, ainda mais satisfeito quando ele disse que ficaria encantado em receber-me e que fosse imediatamente.

A admiração que sentia por ele desde que li *Witness* [Testemunha] rapidamente se transformou em amizade calorosa. Visitei Chambers inúmeras vezes em sua fazenda em Maryland, visitas das quais guardo as lembranças mais agradáveis, e correspondi-me com ele até o fim da vida. Ter conhecido Whittaker Chambers e ter sido capaz de vê-lo como amigo foi um grande privilégio. Sentindo o que sentia a respeito do manuscrito, falei com Chambers sobre *A Mentalidade Conservadora* logo após a leitura e enviei-lhe as provas assim que ficaram à disposição.

A resposta foi a seguinte carta, datada de 26 de junho de 1953:

Escrevi recentemente para Roy Alexander (†1978), editor da *Time*, para dizer que creio que o livro de Russell Kirk foi um dos livros mais importantes que provavelmente apareceu em tempos e para sugerir que a *Time* bem que poderia dedicar toda a seção de livros para resenhá-lo [...]. Também disse por que acreditava que *A Mentalidade Conservadora* fosse importante, o que ela era e o que fez.

Ontem, Roy telefonou-me para dizer que a *Time* concordou e que toda a próxima seção de livros seria dedicada ao livro de Kirk. Será na edição de 4 de julho com G. Washington na capa. Assim, sou capaz, finalmente, de fazer alguma coisa por você, que tanto tem feito por nós – e fazer algo pelo livro de Kirk, que concordamos ser uma coisa grandiosa. Incidentalmente, isso demonstra que coisas podem ser feitas pelo simples ato de tomar a pena, se temos vontade de vencer a inércia.

Não posso alegar que nunca fiz algo por Whittaker Chambers, além de oferecer-lhe a minha amizade. Senti-me mais do que retribuído pela resposta dele. Foi um dos grandes homens de nossa época e, por assumir o terrível fardo de ser, como ele mesmo expressou, "uma testemunha involuntária da graça de Deus e do poder fortalecedor da fé", todos temos para com ele uma dívida imensa.

A sensação de extrema felicidade que todos sentimos quando os primeiros exemplares chegaram ainda é clara na memória. Sidney Gair, que inicialmente recomendara o livro, estava em um estado que beirava o êxtase. "Veja", disse, batendo na revista com as mãos, ostentando-a, "fotografias de Paul Elmer More e de Irving Babbitt na revista *Time* e tudo porque você decidiu entrar no ramo editorial".

Nem todas as resenhas, desnecessário dizer, foram favoráveis e nem a *Harper's* ou a *Atlantic* encontraram espaço para resenhar o livro. Os progressistas obstinados da academia, em especial, não estavam dispostos a reconhecer nada em Russell Kirk. Peter Gay (1923-2015) da Universidade Colúmbia, por exemplo, terminou sua resenha na *Political Science Quarterly* (dezembro de 1953) com a seguinte observação: "Ao tentar refutar a posição de Lionel Trilling (1905-1975) (de que os americanos não têm filosofia e se expressam somente 'por ações ou por sinais mentais irritados') Kirk somente a confirmou".

Stuart Garry Brown resenhou o livro na *Ethics* (outubro de 1953), uma publicação trimestral da Universidade de Chicago e não estava, absolutamente, impressionado. Resenhou, ao mesmo tempo, *Essays in Politics* [Ensaios sobre Política] de Scott Buchanan (1895-1968) em que disse "é o melhor livro". Norman Thomas (1884-1968) no *United Nations World* (agosto de 1953) concluiu, numa resenha extensa e prolixa, que deu a impressão de a leitura do livro ter sido um tanto pontual, com a seguinte observação: "O que nos é dado é uma porção eloquente de razões especiais que é, em parte, uma filosofia falsa e, em suma, total e perigosamente inadequada para nossa época".

Em contraste com as opiniões de Peter Gay e Stuart Garry Brown, Clinton Rossiter (1917-1970), na *American Political Science Review* (setembro de 1953) afirma sem rodeios que "a erudição [de Kirk] é, obviamente, da mais alta ordem". E conclui sua resenha: "Por certo, o assim chamado 'neoconservadorismo' do período pós-guerra assume nova substância e significado com a publicação desse livro". L. P. Curtis (1900-1976) resenhou *A Mentalidade Conservadora* junto com o livro *King George II and the Politicians* [Rei George II e os Políticos] de Richard Pares (1902-1958) na *Yale Review* (outono de 1953) e expressou sua opinião:

> Esse livro eloquente e ousado deveria encorajar os atuais conservadores e abrir os olhos de muitos para o esplendor de sua herança moral. Deveria deter os planejadores sociais e os sentimentais que repudiam os presságios do Ulisses de Shakespeare como algo fora de moda [...] apesar das deficiências, Kirk cumpre um dos propósitos supremos do historiador: ensina-nos o caminho de vida, aliás, um caminho testado pela experiência e nascido de nossa condição.

A aceitação do "conservadorismo" como descrição de um movimento crescente em oposição à regra do progressismo não foi automática ou destituída de oposição vigorosa. Tanto Frank S. Meyer (1909-1972), que, por fim, tornou-se um dos líderes do movimento conservador, como F. A. Hayek (1899-1992), que fez muito mais do que qualquer outra pessoa para dar direção e fundamento sólido ao movimento em oposição à economia planejada, escreveram energicamente contra o conservadorismo ao descrever suas posições.

Ainda que reconhecido como um dos "pais fundadores" do movimento conservador, Hayek nunca esteve disposto a se descrever como um conservador. Preferia ser conhecido como um "*Old Whig*", um rótulo que requer várias páginas de explicação e que, provavelmente, convencerá todos os que a lerem, exceto o próprio professor Hayek, que realmente era, no fundo, um conservador. Tudo isso oferece um bom exemplo da "prolífera variedade e mistério da vida tradicional" que Kirk nos diz, os conservadores, em particular, apreciam.

A rejeição de Hayek ao conservadorismo foi apresentada pela primeira vez em forma de artigo no encontro da *Mont Pèlerin Society*, uma organização internacional de liberais – no sentido tradicional – economistas e outros que partilham a preocupação com a sociedade livre.

O primeiro encontro da sociedade aconteceu na Suíça, em abril de 1947. Desde então, encontros anuais, que normalmente acontecem em setembro, dão oportunidade para considerar os problemas e questões contemporâneas no mais alto nível. Hayek foi o fundador da sociedade e ainda era o presidente quando apresentou esse artigo "Por que não sou conservador" no encontro de 1957. Incluiu esse artigo, como um posfácio, no monumental livro *Constitution of Liberty* [Fundamentos da Liberdade], publicado pela primeira vez em 1960.

Muito embora *A Mentalidade Conservadora* ou Russell Kirk sejam mencionados de maneira específica no artigo, esse foi, obviamente, inspirado pelo sucesso do livro de Kirk e pela posição influente que as ideias que expressava alcançaram, atestado pelo fato de Kirk ter sido convidado a defender sua posição imediatamente após, o que fez de modo improvisado, sem qualquer tipo de nota e com grande brilhantismo e eficácia.

Esse encontro em um hotel suíço elegante, diante de uma plateia internacional de notáveis, entre um dos economistas mais respeitados de sua época, honrado com cátedras nas universidades de Viena, Londres e Chicago, e o jovem escritor de Mecosta, Michigan, foi uma ocasião pitoresca e memorável. Como testemunha bastante tendenciosa, não estaria preparado para dizer que o jovem de Mecosta foi bem melhor.

Como mencionei antes, Russell Kirk era um professor de História no Michigan State College (posteriormente universidade, é claro) quando *A Mentalidade Conservadora* foi publicado. Michigan State é um daqueles vastos conglomerados educacionais que se desenvolveram em consequência da crença generalizada de que se a educação superior é útil e proveitosa para alguns, a justiça e os princípios da democracia exigem que seja disponibilizada a todos. Cursos são oferecidos, como observou Kirk, em todas as áreas, de Filosofia Medieval a lançamento de anzol elementar e avançado e, a principal função, na sua opinião, é destituir os jovens que passam por seus portões de quaisquer preconcepções ou princípios morais que tragam consigo para enviá-los ao mundo tendo--lhes dado nada em retorno, no sentido de valores ou compreensão para ajudá-los a chegar a um acordo com as realidades da vida.

Não muito depois da publicação de *A Mentalidade Conservadora*, Kirk pediu demissão de seu cargo no Michigan State College, usando a ocasião para começar a dinamitar o então presidente John Hannah (1902-1991) – "um bacharel em criação de aves e doutor em Direito pela própria instituição" como mais tarde o descreveu – bem como todo o conceito de uma instituição como a Michigan State.

Quando me contou da sua intenção em fazer isso, pedi que reconsiderasse, apontando as vantagens de um posto acadêmico relativamente seguro com salário mensal em contraste com as incertezas de uma vida como escritor e palestrante, para não dizer da retribuição a se esperar da instituição acadêmica. A essa admoestação respondeu--me, em carta, na sua maneira característica:

> A pobreza nunca me incomodou; posso viver com quatrocentos dólares por ano, se for preciso. Tempo para pensar e liberdade de ação são-me muito mais importantes no presente que qualquer possível vantagem econômica. Sempre tive de viver à custa de meus esforços, sofrendo a oposição, e não tendo o amparo, dos tempos e dos homens que conduzem as coisas, e não me importo em continuar dessa maneira.

Trilhou o próprio caminho. Russell Kirk, verdadeiramente podemos dizer, tornou-se um dos homens mais influentes de nosso tempo. Nós o ouvimos porque falou com autoridade, não com a autoridade exterior de um fiscal de impostos ou de um funcionário público, mas com a autoridade interior de um homem que refletiu profundamente sobre o que disse, exprimia isso e estava disposto a se colocar em risco por isso.

Escolheu viver no diminuto vilarejo ao norte de Michigan, Mecosta, onde passara muitos verões felizes quando menino com vários parentes, uma região de pequenos lagos, colinas arenosas e tocos de grandes pinheiros que outrora cobriam a região. A casa de seus avós, onde Kirk vivera quando solteiro, ardeu em chamas, com fantasmas e tudo o mais, na época em que sua nova casa, uma construção sólida de tijolos encimada por uma cúpula resgatada de um prédio público demolido, estava sendo acabada para oferecer acomodações amplas para a família, para a esposa enérgica e pé no chão, para as quatro filhas e para os inúmeros visitantes. Muito apropriadamente, como a casa do cidadão mais eminente, a construção domina o vilarejo.

Uma antiga marcenaria, cerca de 260 metros da casa, foi convertida em estúdio, e lá, cercado dos livros acumulados durante anos de estudo disciplinado, realizou sua obra. Um aluno ou *protégé*, normalmente, estava como residente, e grupos de alunos apareciam durante os feriados para estudar ou debater. A vila de Mecosta, um tanto obscura e remota, tornou-se um centro intelectual importante e, sem dúvida, teve mais influência positiva no mundo das ideias que grandes "universidades", as quais Kirk abandonou em seu favor.

Um dos aspectos mais notáveis da carreira de Kirk foi sua consistência decidida. Em uma época desordenada, de maneira incansável e eloquente, tornou clara a necessidade e as fontes da ordem. Contra falsos profetas que proclamavam que todos os valores eram relativos, derivados da vontade e do desejo, demonstrou a imutabilidade. E, para aqueles que acreditavam que o homem é capaz de todas as coisas, ensinou a humildade e que o início da sabedoria era o respeito pela criação e pela ordem do ser.

Embora Russell Kirk não esteja mais entre nós, ainda podemos nos consolar e extrair forças de suas palavras e obras, de seus escritos excepcionais; e o primeiro deles é *A Mentalidade Conservadora*.

Chicago, Illinois
Junho de 1995

Russell Kirk (1918-1994)

Prefácio à 7ª edição revista

RUSSELL KIRK

Escrito há uns trinta e cinco anos – em grande parte na assombrada St. Andrews e em algumas casas de campo antigas de Fife – esse ensaio extenso sobre a história das ideias adquiriu uma influência incomum para esse tipo de livro em nossa época. Sejam aqui perdoados os poucos comentários breves do autor.

Publicado pela primeira vez por Henry Regnery (1912-1996) em 1953, *A Mentalidade Conservadora* passou por seis edições revistas em língua inglesa – entre elas, a edição inglesa da Faber & Faber, organizada por T. S. Eliot (1888-1965) – e também traduções publicadas em Zurique e Madri. Esta sétima edição revista, para a qual estes parágrafos servem de prefácio, possivelmente é a versão final do livro.

O autor, aos trinta anos de idade quando começou a escrever o segundo livro, esperava que seu estudo acerca do pensamento conservador mudasse a opinião pública. No entanto, o sucesso do livro excedeu as expectativas. Cordialmente recomendado por grande parte dos resenhistas da imprensa durante a primavera e o verão de 1953, o livro *A Mentalidade Conservadora* se tornou conhecido por um público mais extenso do que aquele que comumente faz estudos sérios em História e Teoria Política. Também foi debatido em revistas acadêmicas críticas e de alto nível, e novamente resenhado. De maneira direta ou parafraseada, seus capítulos, dentro em pouco, alcançavam aquelas pessoas que, como dizia A. V. Dicey (1835-1922) são os verdadeiros (ainda que irreconhecíveis) formadores da opinião pública:

uma multidão de homens e mulheres pensantes, bastante obscuros, que influenciam os vizinhos e as comunidades. O livro foi lido por profissionais em geral. Em pouco tempo surgiu nas mesas dos administradores políticos, legisladores e líderes dos partidos; começou a funcionar como um catalizador na renovação ou na recrudescência de uma política conservadora – ou assim, mais tarde, o autor seria informado por poderosos, até mesmo por presidentes dos Estados Unidos. A resposta pública, em suma, a esse estudo um tanto difícil da história das ideias era quase comparável à recepção cordial do público francês à obra O *Gênio do Cristianismo*, de François-René de Chateaubriand (1768-1848), um século e meio antes.

Por não ser um líder das massas, o autor ficou surpreso ao descobrir que contribuíra, por meio do poder da palavra, para um grande movimento político nos Estados Unidos – um movimento que, em poucos anos, suplantaria em poderio o progressismo americano dos últimos tempos. De fato, o título original que escolhera era *A Diáspora Conservadora*, por perceber que conservadores dos Estados Unidos e da Grã-Bretanha, ao longo de dois séculos, foram expulsos da trincheira à paliçada. Entretanto, o editor do livro o convenceu a alterar o título para *A Mentalidade Conservadora*. Essa decisão, por si só, pareceu converter a diáspora em um reagrupamento de forças. Como se a profissão da inteligência tivesse apagado a difamação aos conservadores feita por John Stuart Mill (1806-1873) como "o partido estúpido". Logo, os conservadores americanos começaram a pensar e a agir. Mais livros de feitio conservador foram escritos por acadêmicos e homens de letras; semanários conservadores e revistas quadrimestrais foram fundados; estudantes universitários formaram clubes de debates conservadores.

Os fãs do novo livro afirmaram que o autor conjurara o gênio esquecido do conservadorismo. Certos críticos progressistas e radicais, por outro lado, sugeriram que o autor semeara dentes de dragão. No entanto, realmente, não soara um chamado às armas; ao contrário, aspirava renovar aquela "visão armada" que, na expressão de Samuel Taylor Coleridge (1772-1834), o fio da navalha se torna um serrote. Somente pelo novo despertar de uma imaginação moral, argumentou o jovem autor, a ordem, a justiça e a liberdade poderiam ser mantidas em nossa época turbulenta.

Ao agitar os pombais progressistas em 1953, o livro tomou de surpresa muito dos árbitros usuais da crítica literária americana e da opinião política. Meses, e até mesmos anos, se passaram antes que esses guardiões pudessem concordar acerca de uma frente comum contra esses pontos de vista, tão desconcertantes quanto antigos. Assim, muitas penas voaram nessa batalha de ideias a respeito de *A Mentalidade Conservadora*, de modo que o autor ficou tentado a chorar à maneira de Coriolano: "Eu, eu só!".[1] Por fim, foi repelido dos baluartes literários dos Coriolis – da cidade de Nova York, a saber – e ingressou na vida da guerrilha literária, vindo a descobrir agradáveis aventuras.

Por que toda essa agitação a respeito de um único livro? Porque o livro serviu como "a voz de uma ortodoxia despossuída e desamparada" [para tomar de empréstimo uma expressão de George Santayana (1863-1952)], "a profetizar o mal". De algum modo as classes progressistas, observa Santayana, foram incapazes de silenciar tal voz: "e o que torna essa voz mais inquietante é que não pode mais ser compreendida". O que é perigoso a respeito desse livro em especial estava relacionado à sua lucidez: concebivelmente, alguns leitores poderiam compreendê-lo e, diante dessa perspectiva, gerou calafrios às pessoas que Gordon Chalmers (1904-1956), naqueles anos chamou de "progressistas fragmentados".

A Mentalidade Conservadora descreve uma casta de intelectuais ou um tipo de temperamento, uma tendência a acalentar as coisas permanentes na existência humana. Em muitas questões prudenciais

---

[1] William Shakespeare. *Coriolano*. Ato V, Cena V. (N. T.)

e em alguns princípios gerais, os conservadores podem discordar de tempos em tempos entre si; este livro, igualmente, apresenta certa diversidade de opiniões. Entretanto, as pessoas chamadas de "conservadoras" ingressam na resistência à destruição de certos padrões de vida antigos, à deterioração dos fundamentos da ordem social civil e a redução do empenho humano à produção material e ao consumo.

O livro de modo manifesto não proporciona aos leitores uma "ideologia conservadora", pois o conservador abomina todas as formas de ideologia. Um conjunto abstrato rigoroso de dogmas políticos: isso é ideologia, uma "religião política" a prometer o paraíso terrestre aos fiéis e, normalmente, esse paraíso deve ser obtido pela tormenta. Tais projetos *a priori* para aperfeiçoar a natureza humana e a sociedade são anátemas para o conservador que os conhece por intermédio das ferramentas e das armas dos fanáticos dos cafés.

Para o conservador, o costume, a convenção, a constituição e o uso consagrado são as fontes de uma ordem civil tolerável. Não sendo anjos, um paraíso terrestre não pode ser forjado por entusiastas metafísicos; contudo, um inferno terrestre pode ser muito rapidamente providenciado por ideólogos de um ou outro matiz. Foi precisamente isso o que ocorreu em grande parte do mundo durante o século XX.

Aos princípios gerais da política – diferenciados dos dogmas ideológicos fanáticos – subscreve o conservador. São princípios alcançados pela convenção e transigência, em grande parte, e testados por uma longa experiência. Entretanto, esses princípios gerais devem ser aplicados de modo variado e com prudência, visto que as circunstâncias da humanidade diferem muito de lugar para lugar ou de época para época. O conservador se recusa a aceitar políticas utópicas como substituto da religião; [na expressão de Eric Voegelin (1901-1985), o ideólogo imanentiza os símbolos religiosos de transcendência]. *A Mentalidade Conservadora*, em parte, trata de tais princípios gerais, mas não indica o caminho para Sião.

Este livro, portanto, é uma análise histórica de um modo de ver a ordem social civil; não é um manual para a ação partidária. Definir os termos "conservador" e "conservadorismo" referindo-se a opiniões e ações de determinados autores e homens públicos importantes; apreender os princípios conservadores da ordem moral e social – tais são os fins limitados de *A Mentalidade Conservadora*.

Este livro foi escrito por convicção; não por motivação ideológica. "Aforismos irrompem como bombas na pena de Kirk", afirmou um dos primeiros resenhistas não conservador. Talvez assim seja; o autor era um jovem otimista, até mesmo sanguinário, ainda que desafiasse o campo atingido da dispersão conservadora em que "a chama que conflagrou a ruína do combate / Brilhou ao seu redor, sobre os mortos".[2] As bombas metafóricas do autor tencionavam desviar as bombas literais – para se opor à anarquia do mundo antagonista.

Essa pequena milícia conservadora, no transcorrer do tempo, não foi fatalmente derrotada como esperavam os radicais e como temiam os conservadores (juntamente com alguns progressistas). No início da década de 1950, a opinião pública nos Estados Unidos e na Grã-Bretanha começara a mudar em direção a medidas e candidatos conservadores, por causa da ameaça do poderio soviético e pelo desapontamento popular com os frutos do humanitarismo político.

Este livro e outros ofereceram explicação e justificativa para o impulso conservador. As pesquisas de opinião pública, ao longo de sucessivos anos, demonstrariam que uma proporção cada vez maior do público americano – e, de modo menos significativo, do público britânico – estavam prontos para se denominar conservadores. Por volta dos anos 1980, tanto o progressismo americano quanto o socialismo britânico ingressavam no outono de sua existência.

---

[2] No original: "*The flame that lit the battle's wreck / Shone round him o'er the dead*". Versos do poema *Casabianca*, de Felícia Dorothea Hemans (1793-1835), publicado em agosto de 1826 e ensinado por mais de um século nas escolas primárias do Reino Unido e dos Estados Unidos. (N. T.)

Tais sucessos eleitorais, no entanto, podem ser ilusórios. É possível vencer as eleições mesmo estando sobrecarregado pelas circunstâncias sociais e a prosperidade material mascarar, por um tempo, a dissolução moral.

O presente estado geral deste mundo é de avançada decadência. Durante os anos que se passaram desde que este livro foi publicado, culturas inteiras imergiram na ruína final. As quadras mais remotas do mundo, anteriormente pouco afetadas pela tecnologia moderna e a fúria ideológica, foram as mais devastadas desde a década de 1950 pelos quatro cavaleiros do Apocalipse: Tibete, Indochina, El Salvador, Afeganistão, Ruanda, Timor, Chipre, quase todos os antigos refúgios do costume, da convenção e da tradição. A África "emergente", durante o breve espaço de influência deste livro, tornou-se uma África submersa, afogada em violência e tolices econômicas. Milhões de seres humanos foram massacrados ou morreram de fome na Ásia. Governos representativos e o Estado de Direito agora pareciam razoavelmente seguros apenas em poucos países. Em tais nações, como ainda mantinham o arcabouço de uma ordem social civil tolerável, ocorreu a famosa rebelião das massas de Ortega y Gasset (1883-1955): em especial desde os anos de 1950, a destruição de todos os tipos de padrão, a redução disseminada da vida civilizada para a grande satisfação de mesquinhos apetites materiais.

As distopias igualitárias de Jacquetta Hawkes (1910-1996), Robert Graves (1895-1985), Aldous Huxley (1894-1963) e George Orwell (1903-1950) foram sentidas na carne. A evanescente era liberal do mundo, cumprindo a profecia de Santayana, está abandonando o espírito. A ordem externa do Estado cai nas garras de ideólogos implacáveis ou de oligarcas sórdidos: a ordem interna da alma é rompida pelo "reducionismo" de noções recentes da moda e pelo triunfo de apetites destrutivos.

Este prefácio, todavia, não é lugar para inquirir sobre as particularidades de nossas aflições. Para um relato sobre o que aflige a humanidade hoje, podemos ouvir as vozes nobres e proféticas de nossa geração: o russo Alexander Solzhenitsyn (1918-2008), o inglês Malcolm Muggeridge (1903-1990), o suíço Max Picard (1888-1965), o francês Gustave Thibon (1903-2001) e muitos outros dotados de imaginação moral e do senso trágico da vida. Vem à memória, num instante eminente, o livro intitulado *The Tares and the Good Grain* [Os Joios e a Boa Semente], do filósofo sueco Tage Lindbom (1909-2001) – antes, marxista; hoje, um súdito do Reino de Deus.

Lindbom relata de modo comovente que, ao desertar do Reino de Deus, a humanidade recaiu no próprio Reino do Homem, e o Reino do Homem passará pela destruição. Escravizados por nossas concupiscências prontamente recompensadas, reduzidos à fatuidade de nossos brinquedos engenhosos, ignoramos o MENÊ, TEQUEL E PERÊS (Dn 5,25) em nossos muros.[3] "Só a partir da Segunda Guerra Mundial que ingressamos na época da grande colheita do Reino do Homem", escreve Lindbom:

> Agora sabemos como lidar com a geração secularizada para a qual a existência material é tudo e a vida espiritual não é nada. É uma geração para a qual tudo o que é simbólico se torna cada vez mais incompreensível [...]. É uma geração que está em processo de eliminar da consciência a noção de família [...].
>
> O caos de que formos preservados por tanto tempo surge como ameaça diante de nós, e essa ameaça não pode ser posta de lado por um guia secular, a não ser de certo modo: por uma ditadura, uma ditadura tecnocrática. Na verdade, essa ditadura, pouco a pouco, já começou a penetrar.
>
> O caos exterior e essa ameaça externa de ditadura não são, no entanto, essenciais. Nada são senão a projeção de algo incomparavelmente mais

---

[3] Essas são as palavras que, segundo o relato do livro de Daniel, apareceram no muro durante a Festa de Belsazar que, interpretadas pelo profeta, indicavam que Belsazar teria os dias abreviados por Deus, e seu império dado aos estrangeiros. (N. T.)

sério e mais perigoso – o caos interior, a confusão que reina no coração dos homens. É, agora, a questão de uma geração que, no conjunto, é incapaz de discernir a verdade das mentiras, o verdadeiro do falso, o bom do mau. É chegada a hora da colheita para o Reino do Homem.

A voz de Lindbom ecoa a de Edmund Burke (1729-1797), passados dois séculos. Aqueles que, exigindo o impossível, revoltam-se contra a lei e a natureza, operam a própria ruína, clamou Burke: "e os rebeldes são proscritos, expulsos e exilados deste mundo de razão, ordem, paz, virtude e de expiação frutífera, para um mundo antagônico de demência, discórdia, vício, confusão e sofrimento inócuo".[4]

Quanto do mundo da lei e da natureza ainda pode ser preservado? Nos Estados Unidos, ao menos, cada vez mais é avivado um impulso vago de tutela, de defesa dos inimigos da ordem, da justiça e da liberdade. O substantivo "conservador" significa o guardião, o defensor ou o preservador. Esse impulso pode ser direcionado pela imaginação e reta razão? Quando o Reino do Homem é ceifado e descobrimos ser uma produção de joio, apta apenas para ser queimada – ora, será que nada de nossa civilização vai ser poupado? Absolutamente nada de nossa vanglória?

Mesmo agora, parece ser concebível que muito daquilo que vale a pena ser conservado em nossa cultura possa ser protegido e renovado – graças a uma força de vontade e de talento conservadores na geração vindoura. Nenhuma derrocada universal em um mundo antagonista está ineslutavelmente decretada por uma História deificada. Burke, em 1795, negou com veemência que os grandes Estados estão, de maneira inescapável, sujeitos a ciclos de crescimento e decadência.

> No exato momento em que alguns pareciam metidos em abismos insondáveis de desgraça e desastre, subitamente, emergiram. Principiaram um novo curso e iniciaram um novo cômputo; e mesmo na

---

[4] Edmund Burke. *Reflexões sobre a Revolução Francesa* (1790). Trad., apres. e notas José Miguel Nanni Soares. São Paulo, Edipro, 2016, p. 115-16. (N. T.)

profundeza de sua calamidade, e nas próprias ruínas de seu país, lançaram os fundamentos de uma grandeza altaneira e duradoura. Tudo isso ocorreu sem nenhuma mudança aparente nas circunstâncias gerais que provocaram as dificuldades. A morte de um homem em uma conjuntura crítica, seu desgosto, seu recolhimento, sua desgraça, trouxeram inumeráveis calamidades a toda a nação. Um soldado comum, uma criança, uma menina na porta de uma estalagem, mudaram o rosto da sorte e quase da natureza.[5]

Nas duas frases finais, Burke faz referência aos reveses de Péricles (495-429 a.C.), de Coriolano (†V a.C.), de William Pitt (1708-1788), o *Velho*, e de Charles III (1490-1527), o Condestável de Bourbon. Seu soldado comum é Arnold von Winkelried[6], que se atirou sobre as lanças austríacas em Sempach; sua criança é Aníbal Barca (248-183 a.C.), ao jurar, aos doze anos, que faria guerra eterna a Roma; sua rapariga na porta de uma estalagem é Joana d'Arc (1412-1431). O acaso, a providência ou as decisões individuais firmes, declara Burke, podem alterar abruptamente toda a aparente direção de uma nação ou civilização.

Homens e mulheres com disposição para preservar e habilidade para reformar precisam, muitas vezes, trazer em mente esse argumento de Burke: pode animá-los nos dias sombrios. Para relembrar a tais homens e mulheres de sua herança de pensamento e sentimento que *A Mentalidade Conservadora* foi escrito.

A sétima edição revista do livro chega a uma nova geração de leitores. "Testemunho a geração vindoura!", exclamou Burke no discurso final na Câmara dos Comuns. E, de fato, a geração vindoura de ingleses veio a agir conforme os conselhos de um Burke morto.

---

[5] Edmund Burke, "Letters on a Regicide Peace". In: E. J. Payne (ed.), *Burke: Select Works: Four Letters on the Proposals for Peace with the Regicide Directory of France*. Oxford, Clarendon Press, 1878, p. 6.

[6] Arnold von Winkelried é um herói legendário da história da Suíça, cujo sacrifício levou à vitória a antiga Confederação Suíça na Batalha de Sempach em 1386. (N. T.)

Pode vir a ocorrer que a purificada geração nascente, nestes anos crepusculares do século XX, ao perceber a dor de nossos esforços, trabalhará de maneira enérgica para manter o que vale ser preservado aqui embaixo.

Este livro vos apresenta um corpo de sabedoria convencional. Os sofistas, economistas e calculistas de nossa época muitas vezes empregam, de modo derrogatório, a expressão "sabedoria convencional" – como se, tanto a convenção (ou seja, o acordo geral) como a sabedoria (ou seja, o bom juízo com base na experiência) fossem desprezíveis. Este livro defende o oposto – ao concordar com a observação de Robert Frost (1874-1963), que:

> A maioria das mudanças que cremos ver na vida
> deve-se a verdades favorecidas e desfavorecidas.[7]

Compreendida da maneira correta, a sabedoria convencional é feita de "verdades que continuam voltando e voltando".

Tanto o impulso para melhorar quanto o impulso para conservar são necessários para o funcionamento saudável de qualquer sociedade. Unirmos nossas forças ao partido do progresso ou ao partido da permanência dependerá das circunstâncias do tempo. Mudanças rápidas, saudáveis ou doentias, parece certo que experimentamos mais que o bastante nos anos finais deste século. Se o impulso conservador na sociedade moderna pode ser suficiente para evitar a desintegração da ordem moral e da ordem civil pela velocidade vertiginosa da alteração – ora, isso deve se adequar a quão bem os conservadores de hoje assimilam seu patrimônio.

R. K.
Piety Hill, Mecosta, Michigan
Julho de 1986

---

[7] Robert Frost, "The Black Cottage".

A MENTALIDADE CONSERVADORA

Em todo estado, não integralmente bárbaro, uma filosofia, boa ou má, deve existir. Por mais tênue que seja a moda de especular e teorizar, em contraposição (oposta de modo tolo ou disparatado) à prática, não seria difícil provar que, assim como o espírito existente de especulação, ao longo de qualquer dado período, assim será o espírito e o tom da religião, da legislação e da moral, mas não só também, o mesmo das belas-artes, dos costumes e dos modismos. Nem é menos verdade, pois a grande maioria dos homens vive como morcegos, somente no crepúsculo, que conhece e sente a filosofia de sua época somente por reflexos e refrações.
Samuel Taylor Coleridge (1772-1834)
Essays on His Own Times (1850)

Russell Kirk (1918-1994)

Capítulo 1 | A Ideia de Conservadorismo

"O partido estúpido": essa é a descrição dos conservadores de John Stuart Mill (1806-1873). Assim como outras máximas que os liberais do século XIX criam ser eternamente triunfantes, esse juízo precisa ser revisto em nossa época de noções desintegradoras, progressistas e radicais. Certamente, muitas pessoas embotadas e incautas entregaram a própria inércia à causa do conservadorismo: "Em geral, basta, para propósitos práticos, que os conservadores, sem dizer nada, apenas se sentem e pensem, ou mesmo, que simplesmente se sentem", observou F. J. C. Hearnshaw (1869-1946).[1] Edmund Burke (1729-1797), o maior dos pensadores conservadores modernos, não tinha vergonha de admitir sua submissão aos homens humildes, cujas certezas são inclinações e usos consagrados, pois, com afeição, os comparava ao gado sob os carvalhos ingleses, surdos aos insetos da inovação radical. No entanto, o princípio conservador foi defendido, nesses últimos dois séculos, por homens de erudição e gênio. Rememorar as ideias conservadoras, analisar-lhes a validade para esta era perplexa, é o propósito deste livro, que não pretende ser uma história de partidos conservadores. Este estudo, por definição, é um ensaio prolongado. Qual é a essência do conservadorismo britânico e americano? Quais sentimentos, comuns à Inglaterra e aos Estados Unidos,

---

[1] F. J. C. Hearnshaw, *The Social and Political Ideas of Some Representative Thinkers of the Revolutionary Era*. London, Harrap, 1931, p. 8.

encorajaram homens de impulso conservador a resistir às teorias radicais e à transformação social desde o início da Revolução Francesa?

Caminhai ao longo do Rio Liffey, em Dublin, um pouco a leste do domo do Four Courts, e chegareis a uma antiga soleira em uma parede vazia. Essa é a ruína destelhada de uma casa do século XVIII e, até há pouco, a casa ainda estava ali, habitada, ainda que condenada: número 12, Arran Quay; antes, uma construção de tijolos de três pavimentos, que de início era uma residência de cavalheiros, decaiu para a condição de loja. Atualmente era utilizada como uma repartição governamental de tipo insignificante e foi demolida em 1950 – uma história sugestiva das mudanças, em escala maior, da sociedade irlandesa desde 1729. Nesse ano, ali nasceu Edmund Burke. As recordações da Dublin moderna não vão muito além da era de Daniel O'Connell (1775-1847)[2], e a destruição do local de nascimento de Burke parece não ter ocasionado protesto algum. Ainda mais recentemente, muitas das antigas casas ao longo dos Quays foram demolidas; na verdade, a maioria das cidades setecentistas foi abandonada. O passado físico fenece. Atrás da casa de Burke (ou da triste ruína que ali resta), na direção da antiga igreja de St. Michan, em que, dizem, foi batizado; estende-se um bairro miserável de tijolos oscilantes onde crianças descalças escalam muros despedaçados. Se dobrardes em direção à rua O'Connell, uma caminhada fácil vos conduzirá até a nobre fachada do Trinity College e às estátuas de Edmund Burke e de Oliver Goldsmith (1730-1774); ao Norte, perto da Parnell Square, podeis ouvir, ao vivo, tribunos irlandeses a proclamar, em amplificadores, que sabem como vos conduzir pelas ruelas e não pelas ruas principais. E podeis refletir, com Burke, "Que sombras somos e que sombras perseguimos!".

Desde os anos de Burke, houve demasiadas alterações em Dublin. Ainda assim, ao visitante, a Irlanda, por vezes, parece um refúgio da

---

[2] Daniel O'Connell, muitas vezes chamado de "O Libertador" ou " O Emancipador". Como líder político, lutou pela emancipação católica e pelo direito de os católicos possuírem cadeiras no Parlamento de Westminster. (N. T.)

tradição em meio à mudança contínua de nossa época; Dublin, antiga cidade conservadora, e assim são. Um mundo que amaldiçoa a tradição, exalta a igualdade e dá as boas-vindas à mudança; um mundo que ficou aferrado a Jean-Jacques Rousseau (1712-1778), o engoliu por inteiro e exigiu profetas ainda mais radicais; um mundo maculado pelo industrialismo, uniformizado pelas massas, unificado pelo governo; um mundo estropiado pela guerra, vacilante ante os colossos do Oriente e do Ocidente e a espreitar, por sobre uma barricada espedaçada, o vórtice de dissolução: essa, nossa era, é a sociedade predita por Burke, com toda a inflamada força de sua retórica, em 1790. Em geral, os pensadores radicais venceram. Por um século e meio, os conservadores abriram a guarda de tal modo que, salvo por ações ocasionais de retaguarda bem-sucedidas, deveria ser descrita como uma debandada.

Até agora as causas da derrota esmagadora não estão totalmente claras. Duas explicações gerais são possíveis, entretanto: a primeira, de que por todo o mundo moderno "as *coisas* estão em posição de mando" e as ideias conservadoras, ainda que corretas, não podem resistir às forças irracionais do industrialismo, da centralização, do secularismo e do impulso nivelador; a segunda, diz que os pensadores conservadores não tiveram perspicácia suficiente para se opor às difíceis questões dos tempos modernos. Ambas as explicações têm algum fundamento.

Este livro é uma crítica ao *pensamento* conservador, e o espaço não permite nenhuma discussão aprofundada das forças materiais que foram, ao mesmo tempo, o viveiro e a safra das ideias conservadoras. Por razões similares, podemos lidar, apenas de maneira lacônica, com os adversários radicais do conservadorismo. No entanto, existem boas histórias políticas desde 1790, e as doutrinas do progressismo e do radicalismo estão suficientemente consolidadas na mentalidade popular, ao passo que o conservadorismo teve poucos historiadores. Ainda que o estudo das ideias conservadoras francesas e alemãs [vinculadas ao pensamento britânico e americano pela dívida de Edmund Burke a Joseph De Maistre (1753-1821), Louis De Bonald (1754-1840), François Guizot (1787-1874), Friedrich von Gentz (1764-1832), Klemens von Metternich (1773-1859) e uma dúzia de outros homens de grande talento] seja repleto de interesse, esse assunto é deveras intrincado para tratarmos aqui; somente Alexis de Tocqueville (1805-1859), de todos os homens de ideias continentais, foi apropriadamente reconhecido neste volume e, principalmente em razão de sua influência contínua nos americanos e nos ingleses.

A Mentalidade Conservadora, portanto, está confinada aos pensadores britânicos e americanos que permaneceram por tradição e por instituições antigas. Somente a Grã-Bretanha e os Estados Unidos, dentre as grandes nações, escaparam de revoluções desde 1790, o que parece atestar que seu conservadorismo está em firme crescimento e que a análise pode ser recompensadora. Para nos confinarmos em um campo ainda mais estreito, este livro é uma análise de pensadores na linha de Burke. Convencido de que Burke é a verdadeira escola do princípio conservador, apartei de minha apreciação a maioria dos liberais mais antidemocráticos, como Robert Lowe (1811-1892), individualistas mais antigovernamentais, como Herbert Spencer (1820-1903), autores mais antiparlamentaristas, como Thomas Carlyle (1795-1881). Cada pensador conservador discutido nos capítulos a seguir – mesmo os federalistas que foram contemporâneos de Burke – sentiram a influência do grande *whig*, ainda que, às vezes, as ideias de Burke lhes penetrassem somente por uma espécie de filtro intelectual.

O conservadorismo consciente, no sentido moderno, não se manifestou até 1790, com a publicação de *Reflections on the Revolution in France* [Reflexões sobre a Revolução em França]. Naquele ano, os poderes proféticos de Edmund Burke fixaram na consciência pública, pela primeira vez, os polos opostos da conservação e da inovação. "*La Carmagnole*"³ anunciava o início de uma nova era e a energia enfumaçada do carvão e do vapor no Norte da Inglaterra era o sinal de outra revolução. Se tentarmos traçar as ideias conservadoras desde um período anterior na Grã-Bretanha, logo estaremos enredados em whiggerismo, torismo e em arqueologia intelectual. As questões modernas, embora tenham tomado corpo antes, ainda não eram distintas. Nem a contenda americana entre conservadores e radicais se tornou intensa até que o cidadão Edmond-Charles Genêt (1763-1834) e Thomas Paine (1737-1809) transportaram, ao cruzar o Atlântico, o entusiasmo pela liberdade francesa: a Revolução Americana, substancialmente, fora uma reação conservadora; na tradição política inglesa, foi contra a inovação real. Se realmente devemos encontrar um preceptor, não podemos nos satisfazer com Henry St. John (1678-1751), 1º Visconde Bolingbroke, cujo ceticismo em religião o desqualifica, ou com o maquiavélico Thomas Hobbes (1588-1653) ou com aquele absolutista antiquado do *Sir* Robert Filmer (1588-1653). De fato, Lucius Cary (1610-1643), 2º Visconde de Falkland; Edward Hyde (1609-1674), 1º Conde de Clarendon; George Savile (1633-1695), 1º Marquês de Halifax; e Thomas Wentworth (1593-1641), 1º Conde de Strafford, merecem estudo; mais ainda, em Richard Hooker (1554-1600) descobrimos profundas observações conservadoras que Burke herdou do anglicanismo que Hooker, em parte, absorveu dos escolásticos e de suas autoridades; mas já estaremos voltando ao século XVI e, então, ao século XIII, e este livro está preocupado com os problemas modernos. De modo prático, Burke é o fundador de nosso conservadorismo.

George Canning (1770-1827), Samuel Taylor Coleridge (1772-1834), *Sir* Walter Scott (1771-1832), Robert Southey (1774-1843) e William Wordsworth (1770-1850) devem seus princípios políticos

---

³ Canção sarcástica que exaltava os feitos dos *Sans-Cullotes* durante a Revolução Francesa. (N. T.)

à imaginação de Edmund Burke; Alexander Hamilton (1757-1804) e John Adams (1735-1826) leram Burke nos Estados Unidos, John Randolph of Roanoke (1773-1833) promulgou as ideias de Burke nos Estados do Sul. Os discípulos franceses de Burke adotaram o nome "conservador", que John Wilson Croker (1780-1857), George Canning e Robert Peel (1750-1830) puseram na grande facção que não mais era *Tory* ou *Whig*, uma vez que os seguidores de William Pitt (1759-1806), *o Jovem*, e de William Henry Cavendish-Bentnick (1738-1809), 3º Duque de Portland, tinham unido as forças. Tocqueville aplicou a sabedoria de Burke às próprias finalidades liberais; Thomas Babington Macaulay (1800-1859) copiou os talentos reformistas de seu modelo. E esses homens transmitiram a tradição burkeana às gerações posteriores. Com tal rol de discípulos, deve ser difícil negar o direito de Edmund Burke falar para o verdadeiro gênio conservador. Ainda assim, acadêmicos de certa importância esforçaram-se para instituir Georg W. F. Hegel (1770-1831) como uma espécie de assistente de Burke. "Senhor", disse Samuel Johnson (1709-1784) a respeito de David Hume (1711-1776) "o sujeito é um *tory* por acaso". Igualmente, o conservadorismo de Hegel é acidental, como observa Tocqueville:

> Hegel pleiteou submissão aos antigos poderes instituídos de sua época, que tinha como legítimos, não só pela existência, mas por origem. Seus estudiosos desejaram instituir poderes de outra espécie [...]. Dessa caixa de Pandora fugiram toda a sorte de doenças morais das quais ainda sofrem as pessoas. No entanto, observei que está ocorrendo uma reação geral contra essa filosofia sensual e socialista.[4]

Friedrich Schlegel (1772-1829), Joseph von Görres (1776-1848) e Friedrich Leopold von Stolberg (1750-1819) – e a escola de Hippolyte Taine (1828-1893) na França – eram admiradores tanto de

---

[4]Alexis de Tocqueville, *Memoir, Letters and Remains of Tocqueville*. Vol. II. M. C. M. Simpson (ed.). Boston, Ticknor and Fields, 1862, p. 260.

Georg W. F. Hegel quanto de Edmund Burke, o que talvez explique a confusão da semelhança superficial com a hostilidade fundamental. A metafísica de Hegel fora tão aborrecida para Burke quanto seu estilo; o próprio Hegel não parecia ter lido Burke, e as pessoas que pensam que esses dois homens representam facetas diferentes do mesmo sistema correm o risco de confundir autoritarismo (no sentido político) com conservadorismo. Karl Marx (1818-1883) podia compreender a revista de Hegel, mas nada o satisfazia em Burke.

Tais distinções, todavia, são mais apropriadas em um capítulo de conclusão do que em um prefácio. Nesse momento, é necessária uma definição preliminar da ideia conservadora.

Qualquer conservador bem informado fica relutante em condensar sistemas intelectuais profundos e intrincados em poucas frases pretensiosas; prefere deixar essa técnica ao entusiasmo dos radicais. O conservadorismo não é um corpo fixo e imutável de dogmas; os conservadores herdam de Burke o talento de expressar novamente suas convicções para ajustarem-se aos tempos. Como premissa de trabalho, todavia, podemos aqui observar que a essência do conservadorismo social é a preservação das antigas tradições morais da humanidade. O conservadorismo respeita a sabedoria dos ancestrais (essa expressão era de Strafford e de Hooker antes de Burke a esclarecer); têm dúvidas quanto a alteração total. Pensam a sociedade como uma realidade espiritual, detentora de vida eterna, mas numa constituição delicada: não pode ser sucateada e remodelada como se fosse uma máquina. "O que é o conservadorismo?", perguntou, certa vez, Abraham Lincoln (1809-1865). "Não é a adesão ao antigo e ao experimentado, em oposição ao novo e ao nunca experimentado?" É isso, mas é algo mais. F. J. C. Hearnshaw, na obra *Conservatism in England* [Conservadorismo na Inglaterra], lista uma dezena de princípios de conservadores, mas é possível que estes possam ser compreendidos em uma classificação mais abreviada. Creio que há seis cânones do pensamento conservador:

1) Crença em uma ordem transcendente, ou em um corpo de leis naturais, que rege a sociedade, bem como a consciência. Problemas políticos, no fundo, são problemas morais e religiosos. Uma racionalidade limitada, que Samuel Taylor Coleridge chamou de Entendimento, não pode, por si, satisfazer as necessidades humanas. "Todo *tory* é um realista", diz Keith Feiling (1884-1977): "sabe que há grandes forças no Céu e na Terra que a filosofia dos homens não pode sondar ou penetrar".[5] A verdadeira política é a arte de perceber e aplicar a Justiça que deve preponderar em uma comunidade de almas;

2) Afeição pela prolífera diversidade e mistério da existência humana, em oposição à uniformidade limitadora, ao igualitarismo e aos propósitos utilitaristas da maioria dos sistemas radicais; os conservadores resistem ao que Robert Graves chama de "Logicalismo" na sociedade. Tal predisposição foi chamada de "conservadorismo do prazer" – um senso de que a vida vale a pena ser vivida, segundo Walter Bagehot (1826-1877), "a fonte adequada de um conservadorismo vibrante";

3) Convicção de que a sociedade civilizada requer ordens e classes, oposta à noção de uma "sociedade sem classes". Com razão, os conservadores muitas vezes são chamados de "o partido da ordem". Se as distinções naturais entre os homens forem eliminadas, oligarcas preencherão esse vazio. A igualdade definitiva no julgamento divino e a igualdade perante a lei são reconhecidas pelos conservadores; mas igualdade de condição, acreditam, significa uma igualdade na servidão e no tédio;

4) Crença de que liberdade e propriedade estão estreitamente ligadas: separemos a propriedade da posse privada, e o Leviatã se tornará o mestre absoluto. Igualdade econômica, defendem, não é progresso econômico;

5) Fé no uso consagrado e desconfiança dos "sofistas, calculistas e economistas" que reconstruirão a sociedade com base em projetos abstratos. O costume, a convenção e os antigos usos consagrados são freios

---

[5] Keith Feiling, *Toryism: A Political Dialogue*. London, 1913, p. 37-38.

tanto para o impulso anárquico do homem quanto para a avidez do inovador pelo poder;

6) Reconhecimento de que a mudança pode não ser uma reforma salutar: a inovação impetuosa pode ser uma conflagração destruidora, em vez da tocha do progresso. A sociedade deve se modificar, pois a mudança prudente é o meio da preservação social; no entanto, um estadista, em seus planos, deve levar em conta a Providência, e a maior virtude de um estadista, segundo Platão (427-327 a.C.) e Edmund Burke, é a prudência.

Já houve vários desvios desse conjunto de opiniões, e há inúmeros acréscimos; mas, em geral, os conservadores têm, por dois séculos, aderido a tais convicções ou sentimentos com certa firmeza. Listar os princípios dos oponentes é mais difícil. Ao menos cinco grandes escolas de pensamento radical competem pelo favoritismo do público desde que Edmund Burke ingressou na política: o racionalismo dos *philosophes*, a libertação romântica de Jean-Jacques Rousseau e de seus aliados, o utilitarismo dos benthamitas, o positivismo da escola de Auguste Comte (1798-1857) e o coletivismo materialista de Karl Marx e outros socialistas. Essa listagem deixa de fora aquelas doutrinas científicas, cuja principal é o darwinismo, que fizeram tanto para solapar os primeiros princípios de uma ordem conservadora. Expressar esses vários radicalismos em termos de um denominador comum é, provavelmente, presunçoso, alheio aos princípios filosóficos do conservadorismo. De modo apressado e generalizado, contudo, podemos dizer que o radicalismo, desde 1790, preferiu atacar o arranjo social dos usos consagrados com base nos seguintes fundamentos:

1) A perfectibilidade do homem e o ilimitado progresso da sociedade: meliorismo. Os radicais acreditam que a educação, a legislação positiva e a alteração do ambiente podem produzir homens semelhantes a deuses; negam que a humanidade tenha uma inclinação natural à violência e ao pecado;

2) Desprezo pela tradição. A razão, o ímpeto e o determinismo materialista são seriamente preferidos como guias do bem-estar social, mais confiáveis do que a sabedoria dos ancestrais. A religião formal é rejeitada e várias ideologias são apresentadas como substitutas;

3) Nivelamento político. Ordem e privilégio são condenados; a democracia total, tão direta quanto possível, é o ideal professado pelos radicais. Aliadas a esse espírito estão, geralmente, a aversão ao antigo sistema parlamentarista e a ânsia por centralização e consolidação políticas;

4) Nivelamento econômico. Os velhos direitos de propriedade, em especial, a propriedade da terra, são postos em dúvida por quase todos os radicais, e os reformadores coletivistas destroem por completo a instituição da propriedade privada.

Como quinto ponto, poder-se-ia tentar definir uma visão comum aos radicais a respeito da função do Estado; mas, aqui, o abismo entre as opiniões das principais escolas da inovação é profundo demais para permitir qualquer generalização satisfatória. Podemos apenas observar que os radicais estão irmanados no ódio à descrição burkeana do Estado como algo divinamente ordenado e a concepção da sociedade como o que eternamente une, por um laço moral, mortos, vivos e aqueles que ainda estão por nascer – a comunidade das almas.

Isso é o bastante para um delineamento preliminar. O radical, no fim das contas, é um "novilinguista", apaixonado pela mudança; o conservador, é o que diz com Joseph Joubert (1754-1824), *Ce sont les crampons qui unissent une generation à une autre* – a essas instituições antigas da política e da religião. *Conservez ce qu'on vu vos pères.*[6] Se buscarmos via definição mais do que isso, quanto antes nos voltarmos para determinados pensadores, em campos mais seguros estaremos. Nos capítulos a seguir, o conservador é descrito como estadista, como crítico, como metafísico e como homem de letras.

---

[6] "São os pregos que unem uma geração à outra" e "conservai o que viram vossos pais". As citações podem ser encontradas em: *Archives nationales, dossier de travaux de restauration de la cathédrale d'Amiens*, 1881. (N. T.)

Homens de imaginação, e não líderes partidários, determinam o curso supremo das coisas, como sabia Napoleão Bonaparte (1769-1821) e, segundo isso, escolhi meus conservadores. Há alguns pensadores conservadores – Robert Gascoyne-Cecil (1830-1903), 3º Marquês de Salisbury, e o juiz Joseph Story (1779-1845), por exemplo – sobre quem gostaria de ter escrito mais; alguns discípulos interessantes de Edmund Burke, entre eles Matthew Arnold (1822-1888), John Morley (1838-1923) e James Bryce (1838-1922), omiti porque não eram conservadores habituais. Entretanto, a corrente principal das ideias conservadoras é seguida de 1790 a 1986.

Em uma época revolucionária, por vezes, os homens experimentam todas as novidades, cansam-se de todas e voltam aos antigos princípios há tempo muito em desuso, que lhes parecem refrescantemente saudáveis quando redescobertos. A história muitas vezes parece uma roleta; há verdade na antiga ideia grega de ciclos e, em nova volta, deve vir um número que significa uma ordem conservadora. Uma daquelas nuvens flamejantes que negamos à divindade, mas apropriamo-nos para emprego próprio, pode apagar nossas construções elaboradas do presente de modo tão abrupto quanto o toque do sino de alarme em Faubourg St. Germain finda uma era igualmente cansada de si mesma. No entanto, essa alegoria de roleta seria repugnante a Edmund Burke (ou a John Adams), que sabiam que a história era o desdobrar de um desígnio. O verdadeiro conservador acredita que esse processo, que parece sorte ou destino é, melhor dizendo, a ação de uma lei da polaridade moral. E Burke, se pudesse ver o nosso século, nunca admitiria que uma sociedade de consumo, tão próxima ao suicídio, é o fim para o qual a Providência preparou o homem. Se uma ordem conservadora deve, de fato, retornar, devemos conhecer a tradição que a ela se aferra, de modo que possamos reconstruir a sociedade; se não deve ser restaurada, ainda devemos compreender as ideias conservadoras para que possamos esquadrinhar das cinzas quais fragmentos chamuscados de civilização escaparam do fogo da vontade incontida e do apetite.

Edmund Burke (1729-1797)

Capítulo 2 | Burke e a Política dos Usos Consagrados

1. A CARREIRA DE BURKE

Quando a Era do Milagre desvaneceu na distância como uma tradição incrível, e mesmo a Era dos Convencionalismos estava, nesse momento, obsoleta; e a existência do homem por muitas gerações repousara em meras fórmulas que se tornaram vazias no decurso do tempo e parecia não mais existir realidade alguma, mas apenas espectros de realidades e o universo de Deus, em grande parte, obra do Alfaiate e do Tapeceiro, e os homens, meras máscaras espúrias que seguiam por aí a acenar e fazer caretas – de repente, a Terra abriu-se em duas partes, e, em meio aos vapores do Tártaro e num clarão de brilho ofuscante, surge o sans-cullotismo, de múltiplas cabeças, hálito fumegante, e pergunta: "Que vós pensais de mim?".[1]

Assim escreveu Thomas Carlyle a respeito da erupção de 1789. A respeito de sua obra *French Revolution* [Revolução Francesa], escreveu John Emerich Edward Dalberg-Acton, 1º Barão Acton (1834-1902): "libertou a mentalidade inglesa da sujeição a Burke". Lorde Acton, por sinal, teria enforcado Maximilien Robespierre (1758-1794) e Edmund Burke no mesmo patíbulo, um juízo, em sentimentos,

---

[1] Thomas Carlyle, *The French Revolution, a History*. Vol. I: "The Bastille". Leipzig, Bernhard Tauchnitz, 1851, p. 271. (N. T.)

bem representativo da opinião liberal acerca da questão durante o século XIX, uma vez que sua execução teria sido odiosa à prática liberal.[2] Dos dias de Carlyle em diante, grande parte do público sério acreditou que a verdade sobre a Revolução Francesa deveria estar em algum lugar entre Edmund Burke e – ora, Marie Jean Antoine Nicolas de Caritat (1743-1794), Marquês de Condorcet, caso precisemos escolher um nome.

Ao longo de um século de ascendência, a crítica liberal sustentou que Burke cometera erros desastrosos a respeito do significado do cataclismo. Henry Thomas Buckle (1821-1862) chegou a ponto de explicar, em páginas pesarosas, que Burke enlouquecera em 1790.[3] Apesar disso, as defesas intelectuais da Revolução nunca se recuperaram da chama de Burke. James Mackintosh (1765-1832), da própria geração de Burke, capitulou incondicionalmente diante do grande adversário, os românticos desertaram da causa igualitária em resposta ao apelo de Burke, e Carlyle não acreditou ser possível partilhar a visão extática de Paine. As *Reflexões* de Burke conquistaram a imaginação da parcela mais expressiva da geração ascendente, pois seu estilo "bipartido e lépido como o relâmpago, encapelava-se como a serpente" [na descrição de William Hazlitt (1778-1830)] eclipsando a flama de Rousseau aos olhos da maioria dos membros da juventude inglesa: sua obra não apenas sobreviveu à investida de Paine, mas a ofuscara. Estabelecera o curso para o conservadorismo britânico, tornara-se um modelo de estadista continental e insinuara-se até mesmo na alma rebelde da América. As máscaras espúrias não poderiam escapar do cataclismo, e o próprio Burke proclamara a revolução "mais assombrosa que até agora aconteceu no mundo". Entretanto,

---

[2] Citado em: Alfred Cobban, *Edmund Burke and the Revolt Against the Eighteenth Century. A Study of the Political and Social Thinking of Burke, Wordsworth, Coleridge and Southey*. New York, Macmillan, 1929, p. 85.

[3] Henry Thomas Buckle, *History of Civilization in England*. Vol. I. London, J. W. Parker and Son, 1857-1861, p. 424-25.

Burke não era de falsidades; nem pertencia à Era dos Convencionalismos. Acreditava na Era dos Milagres – na vetusta Era dos Milagres, não na nova era de esforços humanos para criar milagres. Acendeu uma fogueira para apagar o incêndio na França.

    Mais tarde, no verão de 1789, o próprio Thomas Paine [a quem Burke anteriormente protegera] escreveu para Burke, de Paris, na esperança de que o grande orador pudesse ser persuadido a introduzir na Inglaterra "um sistema de liberdade mais amplo", tornando-se o porta-voz do descontentamento público e da soberania popular. Honoré Gabriel Riqueti (1749-1791), Conde de Mirabeau, também, ao citar longas passagens da Assembleia Nacional a partir dos discursos de Burke (às vezes dando crédito e outras não), louvava o líder dos *whigs* com fervor. Agora, essas lembranças podem ser surpreendentes, mas, na ocasião, raramente era de estranhar, quando o jovem Charles Dupont (1767-1793)[4] podia, com toda franqueza, esperar um elogio da Revolução vindo de um opositor do rei George III (1738-1820). Burke, o conservador, também era Burke, o liberal – o inimigo do poder arbitrário na Grã-Bretanha, na América e na Índia. No entanto, de modo consistente, posicionou-se tenazmente contra a Revolução em particular e contra a revolução em geral.

    Burke, o amante da tradição era um membro da Câmara dos Comuns e um homem novo. O último terço do século XVIII foi uma época dominada pelos homens novos: por toda a Europa Ocidental e, sobretudo, na Inglaterra, a igualdade intelectual e espiritual que os revolucionários em breve exigiriam com paixão, já fora alcançada, de modo substancial, alguns anos antes da queda da Bastilha. Uma verdadeira ascensão de "talentos empreendedores" possibilitou

---

[4] Muitas vezes o jovem Charles-Jean-François Dupont é confundido com o tradutor francês de *Reflections on the Revolution in France*, Gaétan-Pierre-Marie Dupont (1762-1817). Essa confusão duradoura foi estabelecida por H. V. F. Somerset, "A Burke Discovery". In: *English: Journal of the English Association*. Vol. 8, n. 46, 1951. (N. T.)

o cataclismo revolucionário que foi professado como prelúdio necessário à paga de mérito obscuro. Na geração de Burke, a maioria dos nomes célebres dos ingleses são homens novos, advindos da classe média ou mesmo de classes mais altas: Adam Smith (1723-1790), Samuel Johnson, Sir Joshua Reynolds (1723-1792), John Wilkes (1725-1797), Oliver Goldsmith (1730-1774), Richard Sheridan (1751-1816), George Crabbe (1754-1832), David Hume e tantos outros. O rol dos *philosophes* é bastante parecido. Aquela aristocracia natural, a que Burke confiaria os destinos nacionais dizia respeito a ele mesmo, ao falar no St. Stephen Hall.

Esse homem novo, filho de um advogado de Dublin, tornara-se filósofo e organizador do liberalismo aristocrático. Ao escrever sobre Edmund Burke e John Randolph of Roanoke e, ao perguntar por que aquele não era um *tory* e este não era um federalista, J. G. Baldwin (1815-1864) afirma: "São *whigs*, no sentido antigo, por causa do amor vigoroso pela liberdade pessoal – tão profundo e inconquistável quanto o próprio orgulho; e em razão de fortes sentimentos de *casta*; em outras palavras, pela lealdade aos próprios direitos e aos direitos de sua ordem".[5]

Definir o whiggerismo não é fácil. Os *whigs* eram os opositores do poder monárquico arbitrário, defensores da reforma interna da administracão; homens, em geral, desconfiados dos empreendimentos arriscados da Inglaterra no exterior. Quando Burke ingressou na Câmara dos Comuns, o partido já existia havia sete reinados; tão antigo quanto o atual partido conservador hoje em dia. Estava relacionado, embora apenas de maneira vaga, com o interesse comercial, bem como com os grandes proprietários de terra. Muitas coisas no programa *whig* podiam atrair a imaginação de um jovem como Burke: a

---

[5] J. G. Baldwin, *Party Leaders: sketches of Thomas Jefferson, Alexander Hamilton, Andrew Jackson, Henry Clay, John Randolph, of Roanoke, including notices of many other distinguished American Statesmen*. New York, D. Appleton and Co., 1855, p. 144-45.

liberdade sob a égide da lei, o equilíbrio das ordens na comunidade, um grau considerável de tolerância religiosa, o legado intelectual de 1688. Os *tories* também teriam dado as boas-vindas a tal recruta, e a Burke não faltava conhecimento entre eles; mas davam apoio à autoridade moral de um rei inflexível, a um esquema de gerenciamento colonial e doméstico, por vezes, estupidamente rigoroso na aplicação e um estilo brusco com os dissidentes, incômodo para quem quer que tivesse testemunhado a inaptidão com os católicos irlandeses. Não havia nem um átomo de radicalismo em ambas as facções, tampouco de verdadeiro conservadorismo. Burke escolheu os Rockingham Whigs[6], que precisavam dele.

"Mesmo nos assuntos de Estado que tomavam a maior parte do tempo dos *whigs*, estes pouco se importavam com os detalhes áridos da teoria econômica ou da prática administrativa", observa lorde David Cecil (1902-1986).

> A política, para eles, significava, primeiramente, todas as personalidades e, em segundo lugar, os princípios gerais. E, os princípios gerais eram uma ocasião de expressar, e não de pensar. Nem sonhavam questionar os cânones fundamentais da ortodoxia *whig*. Todos acreditavam na liberdade ordenada, na tributação baixa e no cercamento dos campos; todos desacreditavam o despotismo e a democracia. A única preocupação que tinham era restabelecer essas verdades incontestáveis de um modo revigorado e eficaz.[7]

Essas deficiências do sistema *whig* dispensam comentários, e o recruta infatigável que Charles Watson-Wentworth (1730-1782), 2º

---

[6] Nome dado à facção de *whigs* liderada por Charles Watson-Wentworth (1730-1782), 2º Marquês de Rockingham quando foi o líder da oposição na Câmara dos Lordes durante o governo de Frederick North (1732-1792), 2º Conde de Guilford, entre 1770 e 1782, e durante os dois mandatos de Rockingham como primeiro-ministro, em 1765-1766 e 1782. Edmund Burke foi um dos líderes desse grupo na Câmara dos Comuns. (N. T.)

[7] Lorde David Cecil, *The Young Melbourne and the Story of his Marriage with Caroline Lamb*. London, 1939, p. 20.

Marquês de Rockingham, protegeu começou, de imediato, a trabalhar, revestindo com argamassa as rachaduras perigosas da desconexa casa de campo *whig*. Profundamente interessado em Economia Política, capaz de dominar uma infinidade de detalhes forçosamente repulsivos para a maioria dos políticos, só Edmund Burke pôde esboçar e forçar aos Comuns um plano de reforma econômica; contudo, ao mesmo tempo, era o mesmo homem a expressar de maneira mais lúcida e mais bela aquelas ideias gerais que amavam. Estava disposto a trabalhar, virtude partilhada por poucos *whigs*; era o maior orador numa época de discursos; era um escritor admirado de maneira afetuosa até mesmo pelo dr. Samuel Johnson, um dos críticos mais cáusticos. Sobre Edmund Burke foi depositado quase todo o fardo intelectual do partido e uma parcela desproporcional das obrigações administrativas, mesmo depois de Charles James Fox (1749-1806) ficar a seu lado. Ali estava o gênio que, como disse o dr. Johnson, podia fazer qualquer coisa e tudo o mais – poderia ter sido bispo, governador, poeta, filósofo, advogado, professor, soldado, tudo com alto grau de sucesso. Todavia, até na época aristocrática de Burke, causava surpresa que tal homem fosse um dos administradores de um grande partido. Era brilhante e, muitas vezes, homens de gênio falham no mundo político. É difícil imaginar Burke desfrutando de poder semelhante, caso fosse levado a um encontro com potenciais eleitores após 1832. Por faltar-lhe a flexibilidade de um Benjamin Disraeli (1804-1881) e a astúcia hipócrita de um William Ewart Gladstone (1809-1898), o homem que foi rejeitado pelos eleitores de Bristol desprezou as artes da gestão democrática.

Quatro assuntos enormes separam a carreira de Edmund Burke em períodos distintos: 1º) a restrição da autoridade monárquica sob o Parlamento; 2º) a controvérsia americana e a Revolução nos Estados Unidos; 3º) os debates sobre a Índia e o julgamento de Warren Hastings (1732-1818); 4º) a Revolução Francesa e a consequente guerra. Só a primeira dessas contendas fez Burke experimentar um triunfo prático. Ele e seus companheiros foram incapazes de conseguir a conciliação com a América; Hastings foi libertado e até mesmo o curso da Inglaterra na guerra contra a França jacobina foi conduzido por William Pitt, *o Jovem*, e Henry Dundas (1742-1811) de modo bem diferente do que defendia Burke. Ainda em outro esforço basilar de sua carreira parlamentar, a reforma econômica – para nós, agora, bastante obscurecida, mas, na ocasião, uma medida de primeira magnitude – Burke teve mais sorte, e outorgou um benefício duradouro à administração britânica. Para o propósito presente, o que nos importa é a evolução das ideias conservadoras de Burke ao lidar com as questões prementes; e como essa evolução foi regular desde a época de seu protesto contra a corrupção da facção da corte até a *Paz Regicida*. "Não há crítica mais rasa que acusar Burke, nos seus últimos anos, de apostasia das, assim chamadas, opiniões liberais", diz Augustine Birrell (1850-1933).

> Burke foi por toda a vida um mantenedor apaixonado da ordem instituída das coisas e odiava ferozmente as abstrações e a política metafísica. As mesmas ideias que explodiram como bombas ao longo de suas diatribes contra a Revolução Francesa podem ser encontradas a brilhar, em suave refulgência, na calma comparativa de seus primeiros escritos [...] Burke, ao ver a humanidade apinhar-se como abelhas dentro e fora das colmeias de seus afazeres, está sempre a se perguntar: "Como esses homens se salvarão da anarquia?".[8]

Conservadorismo constante; mas a conservação de quê? Edmund Burke apoiou, resoluto, a preservação da Constituição britânica, com a tradicional divisão de poderes, um sistema reforçado em sua mente pelos argumentos de Richard Hooker, de John Locke (1632-1704) e de Charles-Louis de Secondat (1689-1755), Barão de La Brède e de Montesquieu, como o sistema mais propício à

---

[8] Augustine Birrel, *Obiter Dicta*. Second Series. London, E. Stock, 1894, p. 188-89.

liberdade e à ordem a ser reconhecida em toda a Europa. Defendeu a preservação de uma constituição da civilização ainda mais extensa. Anacharsis Cloots (1755-1794) pode pleitear ser o orador da raça humana; Burke era o conservador da espécie. Uma constituição universal de povos civilizados está implícita nos escritos e discursos de Burke e estes são os principais artigos: a reverência à origem divina do arranjo social; confiança na tradição e na preconcepção para orientar o público e o privado; a convicção de que os homens são iguais aos olhos de Deus, mas somente assim; a afeição à liberdade pessoal e à propriedade privada; a oposição à alteração doutrinária. Nas *Reflexões*, essas crenças, de modo separado, encontram sua expressão mais ardente e séria:

> Como os fins de tal associação não podem ser obtidos em muitas gerações, torna-se uma associação não somente entre aqueles que estão vivos, mas entre os que vivem, os que estão mortos e os que ainda estão por nascer. Cada contrato de cada Estado particular é apenas uma cláusula do grande contrato primitivo da sociedade eterna, a vincular as naturezas inferiores às superiores, a ligar o mundo visível ao invisível, de acordo com um pacto fixo sancionado pelo juramento inviolável que mantém todas as naturezas físicas e morais nos respectivos lugares.
>
> A Preconcepção é de pronta aplicação na emergência; obriga, de modo prévio, a mente a um curso regular de sabedoria e virtude, e não deixa o homem hesitar no momento de decisão: cético, perplexo e irresoluto. A preconcepção faz, da virtude do homem, hábito; e não uma série de atos desconexos [...].
>
> Teríeis tido um povo protegido, satisfeito, laborioso e obediente, instruído a buscar e reconhecer a felicidade que há de ser encontrada pela virtude em todas as circunstâncias; em que consiste a verdadeira igualdade moral da humanidade, e não na ficção monstruosa, que, por inspirar ideias falsas aos homens destinados a vagar em vias obscuras da vida penosa, servem somente para agravar e amargar aquela desigualdade verdadeira que nunca pode ser removida e que a ordem civil

institui tanto para o benefício dos que devem ser deixados em estado humilde quanto dos capazes de exaltar uma condição mais esplêndida, contudo, não mais feliz.

Nessa associação, todos os homens têm direitos iguais; mas não a coisas iguais.

Por essa sábia inclinação somos ensinados a olhar com horror para os filhos do país que prontamente se precipitam a rasgar esse pai idoso em pedaços e pô-lo no caldeirão dos magos, com esperanças de que, por venenosas ervas e selvagens feitiços, possam regenerar a constituição paterna e renovar a vida do pai.[9]

Entretanto, estamos nos antecipando. A ordem moral, os bons e velhos usos consagrados, a reforma prudente – esses não são elementos meramente ingleses, mas de aplicação geral. Para Edmund Burke, são válidos tanto em Madras, na Índia, quanto em Bristol, na Inglaterra, e os discípulos franceses e alemães, ao longo de todo o século XIX, creram neles como aplicáveis às instituições continentais. O sistema intelectual de Burke, portanto, não é simplesmente a defesa das instituições políticas britânicas. Se fosse somente isso, para nós, metade da importância seria apenas arqueológica. No entanto, um olhar breve naquela constituição específica enaltecida por Burke merece atenção renovada – um olhar na sociedade do século XVIII sobre a qual se sustentava e que, por sua vez, dependia dessa constituição política. Recentemente, foram lançados muitos panegíricos nostálgicos ao século XVIII, mas há razões seguras para que os homens modernos admirem aquela época.

---

[9] Os referidos trechos das *Reflexões* são nova tradução. Podemos consultar a obra em várias edições brasileiras, como por exemplo: Edmund Burke, *Reflexões sobre a Revolução em França*. Trad. Renato de Assumpção Faria; Denis Fontes de Souza Pinto; Carmem Lídia Richter Ribeiro Moura. Brasília, Editora da Universidade de Brasília, 1982; Idem, *Reflexões sobre a Revolução na França*. Trad. Eduardo Francisco Alves. Rio de Janeiro, Topbooks/Liberty Fund, 2012; Idem, *Reflexões sobre a Revolução na França*. Trad., apres. e notas José Miguel Nanni Soares. São Paulo, Edipro, 2014. (N. T.)

A Constituição da Inglaterra existiu para a proteção dos ingleses de todas as posições sociais, afirmou Burke: para assegurar as liberdades, a igualdade aos olhos da justiça, a oportunidade de viver com decência. Quais eram as origens? A tradição dos direitos ingleses, os estatutos outorgados pelos reis, o arranjo instituído entre soberano e Parlamento após 1688. No governo da nação, o povo participava por intermédio dos representantes – não de *delegados*, mas de representantes eleitos pelos antigos corpos coletivos da nação, e não por uma massa amorfa de súditos. O que constituía o povo? Na opinião de Burke, o público consistia em cerca de uns 400 mil homens livres, com tempo disponível, propriedade ou associados a um organismo responsável que lhes permitisse captar os elementos da política. (Burke admitia que a extensão do sufrágio era uma questão a ser determinada pela prudência e conveniência, a variar com a característica da época). Os nobres proprietários de terra, os fazendeiros, as classes profissionais, os comerciantes, os fabricantes, os diplomados das universidades em alguns distritos eleitorais, os vendedores e os artesãos prósperos, os que pertenciam à "representação de quarenta shillings":[10] homens dessas classes sociais tinham o privilégio de votar. Eram o peso e o contrapeso aptos a exercer influência política – a coroa, a aristocracia, a fidalguia rural, as classes médias, os antigos vilarejos e as universidades do reino. No seio de uma ou de outra dessas categorias, o verdadeiro interesse de cada pessoa da Inglaterra era alcançado. No bom governo, o objeto da eleição não é permitir a todo homem expressar seu ego, mas representar seu interesse, dê ou não o voto de modo pessoal e direto.

---

[10] No original, *forty-shilling freeholder*. É uma regra eleitoral censitária das ilhas britânicas que estabelece o limite a partir do qual algumas pessoas, normalmente proprietários de terra, poderiam votar. A regra foi aplicada com esse limite de 1430 a 1832, e permaneceu em vigor, com um limite maior, até meados do século XX. (N. T.)

Agora todos conhecem a lista de acusações contra o sistema eleitoral britânico do século XVIII. Ninguém compreendia melhor que Edmund Burke (que era o editor da revista *The Annual Register*) o estado da nação; ninguém captou melhor os argumentos a favor da reforma. No entanto, a reforma, afirmou Burke, necessita de um toque delicado. Os "municípios podres" ou "de bolso";[11] as novas cidades industriais, imperfeitamente representadas; a corrupção comum das campanhas eleitorais e que chegava ao próprio Parlamento; a preponderância dos grandes magnatas *whigs* – com tudo isso estava familiarizado. A reforma, obtida ao remendar e reforçar o próprio tecido da sociedade inglesa, estava disposto a promover, mas não a suposta reforma com uma novíssima roupagem, a romper a continuidade do progresso político. Com a exigência do sufrágio universal e parlamentos anuais feita por Charles Lennox (1764-1819), 4º Duque de Richmond, não simpatizava; sempre foi um liberal, não um democrata. Dos elementos que qualificam um homem para o direito a voto, ao menos dois – tempo disponível e terras – podem ter sido muito difundidos na época quanto o são agora. A educação alastrou-se desde seus dias, mas não a educação comum do tipo que Burke pretendia e, embora o rendimento pessoal tendesse à igualdade, a proporção de pessoas com a renda que Burke cria ser apropriada para se tornar eleitor, provavelmente, não era muito grande em toda a população. Burke teria abominado o Estado democrático moderno.

Muitas vezes a época de Burke é chamada de aristocrática, todavia, em sentido estrito, não era: a base do poder era muito mais ampla que a alta e a pequena nobreza. O próprio Burke obteve muito apoio

---

[11] A denominação "município podre" indica uma circunscrição eleitoral de pouca população e a que o sistema eleitoral outorga importância igual aos de maior densidade populacional. Os chamados "municípios 'de bolso'" são aqueles que tinham "caciques" que nomeavam os representantes que desejassem. No caso, por exemplo, dos "municípios podres da Cornualha", a pequena região inglesa de 3500 km^2 elegia sozinha a mesma quantidade de representantes de toda a Escócia, cerca de 42 parlamentares. (N. T.)

das classes médias e podia dizer: "Não sou amigo da aristocracia, [...] preferiria decididamente vê-la desintegrada em qualquer outra forma a vê-la perdida naquele domínio austero e insolente".[12] A erudição de Tocqueville descreve de maneira sucinta essa Inglaterra liberal:

> O mesmo acontece na Inglaterra, onde pensaríamos, à primeira vista, que ainda vigora a antiga constituição da Europa. Esquecendo os velhos nomes e afastando as velhas formas, encontraremos, desde o século XVII, o sistema feudal abolido em sua substância, classes que se interpenetram, uma nobreza apagada, uma aristocracia aberta, a riqueza tornada poder, a igualdade dos encargos, a igualdade perante a lei, a publicidade dos debates, ou seja, princípios novos que a sociedade medieval ignorava. E são precisamente estas novas coisas introduzidas com arte neste velho corpo que o reanimaram sem o risco de dissolvê-lo, dando-lhe novo vigor sem tirar-lhe as formas antigas.[13]

A continuidade espiritual, a imensa importância de seguir modificando dentro do arcabouço do costume, o reconhecimento de que a sociedade é um ser imortal: essas verdades profundas estavam impressas na mente de Burke ao observar as instituições inglesas livres. Certos autores, que deveriam saber mais a esse respeito, gostam de dizer que Burke considerava a sociedade um "organismo" – um termo que sugere positivismo e evolução biológica. Na verdade, Burke foi cuidadoso em não se prender a essa analogia temerária. Falou da sociedade como uma unidade *espiritual*, uma associação eterna, uma corporação que sempre está a perecer e, ainda assim, sempre a se renovar, muito semelhante à outra corporação e unidade perpétuas – a Igreja. Da preservação dessa visão de sociedade, cria Burke, dependia

---

[12] Edmund Burke, "Thoughts on the Cause of the Present Discontents". In: *The Works of the Right Honourable Edmund Burke*. Boston, Wells and Lilly, 1826, vol. I.

[13] Alexis de Tocqueville, *O Antigo Regime e a Revolução*. Trad. Yvonne Jean. 4. ed. Brasília, UnB, 1997, Livro Primeiro, cap. IV, p. 65. (N. T.)

o sucesso das instituições inglesas – ao defender a visão implícita no pensamento inglês, tão prístina quanto em Hooker, mas nunca enunciada de maneira tão clara.

A liberdade, sabia Burke, surgira como um processo elaborado e delicado, e seu perpetuar dependia da manutenção dos hábitos de pensamento e ação que guiaram o selvagem nessa ascensão vagarosa e cansativa ao estado de homem social civil. Por toda a vida, a maior preocupação de Burke fora com a justiça e a liberdade, que deveriam permanecer ou quedar em conjunto – a liberdade sob a lei, uma liberdade definida, os limites determinados pelos usos consagrados. Defendera a liberdade dos ingleses contra o rei, a liberdade dos americanos contra o rei e o Parlamento e a liberdade dos indianos contra os europeus. Defendera aquelas liberdades não porque eram inovações, descobertas na Era da Razão, mas porque eram prerrogativas antigas, garantidas pelo uso imemorial. Burke era liberal porque conservador. E, esse ânimo, Thomas Paine não tinha capacidade alguma de apreciar.

Ao considerar, até aqui, a vida política do século XVIII, Burke estava substancialmente satisfeito. Por não ser um meliorista, preferia essa época de paz e tranquilidade comparativas, quaisquer que fossem as falhas, à perspectiva incerta de uma sociedade remodelada por visionários. Com todo o poderio titânico de seu intelecto, lutou para proteger os principais lineamentos de sua época. No entanto, essa é uma das poucas acusações que, com êxito, podem ser apresentadas em oposição à presciência de Burke (digressionando, por um momento), de que parecia ter ignorado as influências econômicas que grafavam a morte, em meados do século XVIII, de modo tão certo quanto o *Contrato Social* repudiava a mentalidade desse mesmo período. Estava totalmente familiarizado com a ciência da Economia Política: segundo W. A. Mackintosh (1895-1970), o próprio Adam Smith disse a Burke: "Depois de conversarem sobre questões de economia política, que ele [Burke] era o único homem que, sem comunicação, pensava sobre aqueles tópicos exatamente como ele [Smith]".[14] O que dizer, contudo, sobre o silêncio de Burke acerca da decadência da sociedade rural britânica? A inovação [como sabiam Edmund Burke e Thomas Jefferson (1743-1826)] provinha das cidades, onde o homem desenraizado busca juntar as peças de um novo mundo. O conservadorismo sempre teve os adeptos mais leais no campo, onde o homem tarda para romper com velhos hábitos que o unem a Deus, no firmamento infinito, e com o pai, na cova sob seus pés. Mesmo quando Burke defendia a imperturbabilidade do gado sob os carvalhos ingleses, o total cercamento dos campos, fonte de muito do poderio dos magnatas *whigs*, estava dizimando o conjunto dos pequenos proprietários rurais, campônios e moradores rurais das mais modestas variedades; à medida que os camponeses livres diminuíam em número, a influência política dos latifundiários, por certo, diminuía. "Até que alcance máximo seria sensato, ou praticável, forçar o cercamento de terras comuns e devolutas", escreveu Burke, "pode ser uma questão duvidosa, em alguns pontos de vista; mas ninguém os crê excessivos". Seus pressentimentos não foram além disso.

Essa é uma exceção, todavia. Burke nem sempre deixava de considerar influências materiais importantes. Era eminentemente, de modo quase onisciente, prático. "Devo ver as coisas; devo ver os homens." Elevou a "conveniência" política do plano maquiavélico comum à dignidade de uma virtude, a Prudência. "Liderei cada centímetro do caminho que percorri", disse, certa vez, Burke a respeito de sua prática política.

Liderar não é uma prática célebre dos oradores irlandeses. Os devaneios de eloquência de Edmund Burke todos conhecem e, por certo, não parecia, no julgamento de Warren Hastings, aos amedrontados espectadores *tories*, um homem jurado a sondar cuidadosamente as

---

[14] Robert Bisset, *The Life of Edmund Burke*. Vol. II. London, G. Cawthorne, 1800, p. 429.

profundezas. Ainda assim, Burke falou com precisão a respeito de sua política geral como um estadista, pois fundamentou cada uma de suas decisões importantes em um exame atento dos particulares. Detestava a "abstração" – e por isso não indicava um princípio, mas, em vez disso, a generalização presunçosa sem respeito à fraqueza humana e às circunstâncias particulares de uma época e de uma nação. Assim, uma vez que acreditava nos direitos dos ingleses e em determinados direitos naturais de aplicação universal, desprezava os "direitos do homem" que Paine e os doutrinários franceses estavam prestes a proclamar invioláveis. Edmund Burke acreditava em uma espécie de constituição de povos civilizados; com Samuel Johnson aderiu à doutrina de uma natureza humana universal. Entretanto, o exercício e a extensão desses direitos somente podem ser determinados pelos usos consagrados e pelas circunstâncias locais; nisso Burke leu Montesquieu com maior fidelidade que os reformadores franceses. Um homem sempre tem o direito à autodefesa, o direito de trazer consigo uma espada empunhada.

Tinha quase sessenta anos quando o caldeirão francês começou a borbulhar. Grisalho na oposição ao governo, negou-se a assumir postos de governo, exceto por dois breves períodos durante toda a carreira parlamentar: Burke deve ter parecido a Paine, a Mirabeau e a Cloots o maior líder natural imaginável para promover a varredura do Antigo Regime na Grã-Bretanha. Por décadas denunciara homens de autoridade com tal veemência que ninguém na França, nem mesmo Voltaire (1694-1778), ousou imitar: Burke chamara o rei da Inglaterra de tirano maquinador e o conquistador da Índia de um espoliador sem princípios. No entanto, o que Paine, Mirabeau e Cloots esqueceram era que Edmund Burke lutou com George III e Warren Hastings porque eram inovadores. Ele anteviu na Era da Razão um plano de inovação projetado para virar a sociedade de ponta-cabeça e expôs essa nova ameaça à permanência com repugnância arrebatadora que excedia todas as suas invectivas contra os *tories* e nababos. O grande porta-voz prático dos *whigs* sabia mais dos desejos da humanidade do que toda a galáxia de economistas e letrados franceses. "Burke permaneceu o manual perpétuo de sabedoria política sem o qual os estadistas são como marinheiros em um mar inexplorado." Não foi Winston Churchill (1874-1965) quem disse isso, nem Robert A. Taft (1889-1953), mas Harold Laski (1893-1950). À análise de Burke das teorias revolucionárias, o conservadorismo filosófico deve a existência.

2. OS SISTEMAS RADICAIS

Reflexões sobre a Revolução em França foi publicado em 1790, após Edmund Burke romper com os *whigs* de Charles James Fox. A *Letter to a Member of the National Assembly* [Carta a um Membro da Assembleia Nacional] e *An Appeal from the New to the Old Whigs* [Uma Súplica dos Novos aos Antigos Whigs] surgiram no ano seguinte. *A Letter to a Noble Lord* [Uma Carta a um Nobre Senhor] e as cartas anteriores de *Thoughts on a Regicide Peace* [Considerações sobre a Paz Regicida], em 1796, e a conclusão dessa última série em 1797. Em conjunto, essas obras de um gigante perto do fim são o mapa do conservadorismo. Desdenhoso, como era, daquilo que chamava de "filosofia dos cafés" e sistemas abstratamente fabricados, Burke pouco se esforçou para conformar suas ideias num compêndio regular de doutrina política, contudo, os princípios universais, ele os aplica ao transitório cenário de terror francês e transcendem o tópico imediato. A própria riqueza de detalhes históricos e biográficos em que estão cravadas as opiniões de Burke muitas vezes torna seu pensamento duas vezes mais legível que os tratados dos oponentes. Seus panfletos, primeiramente, introduziram na Grã-Bretanha um entusiasmo pela inovação francesa; dentro em pouco, tornou possível o ataque de patriotismo britânico de Pitt contra a França e, então, inspirou a reação contra os princípios niveladores que mantinham a Constituição inglesa quase inalterada durante quatro décadas. Sua influência ainda é forte no mundo.

Até os últimos anos, a grande maioria das críticas sérias às ideias de Burke foi escrita por liberais, homens incapazes de partilhar a suspeita burkeana pelo "progresso" e pela "democracia", otimistas (ao escrever antes da Primeira Guerra Mundial e da Revolução Russa), olhavam adiante, para uma visão encantadora de feitos materiais e culturais ao longo de toda a sociedade. Certamente, Burke deve ter compreendido mal a tendência geral do movimento revolucionário na França, concordam os críticos, pois a revolução era um passo necessário rumo à igualdade universal, à liberdade e à prosperidade, embora desagradável nas manifestações imediatas. O curso dos acontecimentos, todavia, parecem ter justificado, ao fim, as profecias de Burke, e nosso atual "período de desordem" tem visto a desintegração literal daquelas esperanças ilimitadas da Era das Revoluções: os "deuses dos cabeçalhos dos cadernos de cópia" retornam com fogo e morticínio. Com habitualidade, pensava a respeito de tendências e consequências de longo prazo. Todos os vaticínios de Burke vieram a acontecer: a dissolução das nações em meros agregados de indivíduos, o novo rateio da propriedade pelo maquinário político, a era da guerra inclemente, o surgimento de homens a cavalo para forjar tirania em meio à anarquia, a doença horrível da moralidade e dos pudores sociais. Burke descobriu a fonte desses terrores nas visões radicais dos pensadores revolucionários.

Até 1914, era comum entre os comentadores de Burke observar que ele exagerara, também, no perigo imediato do sancullotismo na Inglaterra. Esses críticos não testemunharam o triunfo do marxismo na Rússia; de todos os Estados europeus, aparentemente, o menos propício aos experimentos comunistas. É possível que Burke tenha superestimado a força do radicalismo na Inglaterra, mas quanto à vitória do conservadorismo ter sido resultante direta das próprias admoestações de Burke e das precauções de William Pitt, *o Jovem*, dificilmente podemos dizer agora – a não ser que as políticas de Burke e de Pitt foram de imensa importância. Burke impediu a corrente de fervor por doutrinas abstratas de igualdade que, por volta de 1790, fizeram tanto progresso na Inglaterra de modo que, John Russell (1766-1839), o 6º Duque de Bedford, posaria como um "Filipe Égalité"[15] inglês; que lordes, a saber, o já mencionado Charles Lennox, 4º Duque de Richmond, juntamente com Edward Smith-Stanley (1752-1834), 12º Conde de Derby, Charles Howard (1746-1815), 11º Duque de Norfolk, Dunbar Douglas (1722-1799), 4º Conde de Selkirk, e Thomas Howard (1746-1791), 3º Conde de Effingham, seriam membros da radical Sociedade Constitucional; que Charles James Fox e Richard Sheridan (1751-1816) errariam a direção dos ventos revolucionários; que os jovens, mais tarde, se tornariam discípulos de Burke – Coleridge, Southey, Wordsworth –, devessem ser arrebatados por delírios niveladores; até mesmo eruditos como Soame Jenyns (1704-1787), "o *tory* cósmico", aprovaria o "princípio do sorteio" e outras adaptações da democracia clássica. O estado do trabalhador agrícola inglês, oprimido pelo cercamento dos campos; a vida terrível das comunidades de mineiros e das novas classes industriais no Norte; o feroz populacho de Londres que podia paralisar a capital com um líder nada melhor que o bufão de ópera do lorde George Gordon (1751-1793), os tumultos em Leith; o pavoroso olhar ameaçador da Irlanda naqueles anos; o radicalismo sentimental dos clérigos racionalistas, mais da metade dos quais parecia, originalmente, nutrir simpatia

---

[15] Referência ao príncipe Luís Filipe II (1747-1793), Duque de Orléans, primo do rei Luís XVI (1754-1793) e pai do futuro monarca Luís Filipe I (1773-1850). Ativo apoiador da facção revolucionária, adotou na fase mais radical da Revolução Francesa o nome de *Philippe Égalité* [Felipe Igualdade], mas durante o Período do Terror foi aprisionado, julgado, condenado e guilhotinado. (N. T.)

pela sublevação na França – Burke estava acostumado a traçar paralelos. A circunstância material na França dificilmente fora mais propícia para uma conflagração; a propaganda revolucionária forneceu o estopim. Burke estava determinado a apagar a fagulha de seu lado do Canal. Caso não tivesse apagado o pavio ou, ao menos, se estivesse unido a Fox ao aplaudir a liberdade, igualdade e fraternidade, talvez ninguém tivesse podido apagar a chama. Os críticos de Burke escreveram há menos de um século após o acontecimento, e um século é um período curto para estimar as consequências de um mundo de ponta-cabeça. Um comentador de Burke, ele mesmo um partidário célebre da democracia, era mais sábio que a maioria: "Burke foi ele mesmo e estava correto", quando advertiu a Inglaterra da Revolução na França. Essas são palavras de Woodrow Wilson (1856-1924).[16]

Conceber um sistema para refutar as hipóteses de igualitarismo era uma tarefa incompatível com a natureza de Burke. Mesmo quando se pôs obstinadamente a fazê-lo, como nas *Reflexões*, podia expressar princípios em abstrato somente por poucos parágrafos consecutivos. Ainda assim, percebeu a necessidade de opor ideias com ideias, apesar de desgostar da generalidade divorciada da contingência e, por volta de 1793, seu artifício tremendo tinha frustrado de maneira efetiva os devotos britânicos da reforma revolucionária. "Cheguei a um momento de minha vida em que não é permitido desperdiçar a existência", escreveu para o lorde William Wentworth-Fitzwilliam (1748-1833), 4º Conde Fitzwilliam, naquele ano temível:

> Recaí em um estado no mundo que não sofrerei por participar de pequenos escárnios ou por enfraquecer a parte que sou obrigado a tomar, por considerações colaterais menores. Não posso prosseguir como se as coisas continuassem no castigado círculo de acontecimentos tal como o conheci por meio século. O estado moral da humanidade

---

[16] Woodrow Wilson, "Edmund Burke and the French Revolution". In: *The Century Magazine*, LXII, n. 5, p. 792.

enche-me de horrores e desalento. O próprio abismo do Inferno parece escancarar-se diante de mim. Devo agir, pensar e sentir segundo as exigências dessa razão terrível.[17]

Nunca um estadista esteve mais relutante em se tornar um filósofo político; mas nunca, talvez, a metamorfose foi mais importante.

"Nada mais áspero pode ser imaginado do que o coração de um metafísico puro", escreveu, "Aproxima-se mais da malignidade de um espírito perverso que da fragilidade e paixão de um homem. É como o do próprio espírito do mal; um mal incorpóreo, puro, sem mescla, desassociado e dejetado".[18] Em 1798, não obstante, um Hazlitt relutante e admirado contou a Southey que "Burke era um metafísico; Mackintosh, um simples lógico".[19] Por força das circunstâncias, Burke fora compelido a ingressar no reino da abstração, embora não tenha dado um passo adiante naquele domínio tempestuoso além do exigido. Assim como Johnson, estava convencido de que os primeiros princípios, na esfera moral, vinham-nos por intermédio da revelação e da intuição.

O argumento conservador de Edmund Burke foi uma resposta a três escolas radicais independentes: o racionalismo dos *philosophes*; o sentimentalismo romântico de Rousseau e seus discípulos, e o utilitarismo nascente de Jeremy Bentham (1742-1832). É difícil poder elencar aqui os infinitos projetos e teorias de Voltaire; Paul-Henri Thiry (1723-1789), Barão de D'Holbach; Claude Adrien Helvétius (1715-1771); Denis Diderot (1713-1784); Anne Robert Jacques Turgot (1727-1787); o Marquês de Condorcet; abade Emmanuel Joseph Sièyes (1748-1836), Jean-Jacques Rousseau; Étienne-Gabriel

---

[17] Carta de Burke para Fitzwilliam (29 de novembro de 1793), Wentworth Woodhouse Papers, Book I, p. 945, Sheffield Central Library.

[18] Edmund Burke, "Letter to a Noble Lord". In: *The Works of Edmund Burke*. Vol. V. London, George Bell & Sons, 1903. (N. T.)

[19] P. P. Howe, *The Life of William Hazlitt*. New York, G. H. Doran, 1922, p. 60.

Morelly (1717-1778); Gabriel Bonnot de Mably (1709-1785); Thomas Paine; William Godwin (1756-1836); Richard Price (1723-1791); Joseph Priestley (1733-1804); e todo o resto dos eloquentes inovadores da Era da Razão, muito menos distingui-los com precisão. Burke estava bem ciente da hostilidade entre o racionalismo dos companheiros de Voltaire e o idealismo romântico dos adeptos de Rousseau; investiu contra ambos, embora, em geral, tenha preparado a artilharia pesada contra Rousseau, o "Sócrates insano". No curso de sua investida junto a esses sistemas diferentes, Burke repudiou uma grande parcela dos princípios de Locke, o filósofo oficial do whiggerismo. As teorias lockianas foram herdadas por diversos legatários como Jean-Jacquess Rousseau em Genebra, Richard Price na *Old Jewry*,[20] Charles James Fox em St. Stephen,[21] Jeremy Bentham em sua biblioteca e Thomas Jefferson em Monticello;[22] mas entre as ideias gerais daquele filósofo, o conservadorismo pós-Burke reteve quase nada, salvo a contenda de Locke de que o governo se origina da necessidade de proteger a propriedade.

Apesar das diferenças entre essas escolas, Burke sabia estar argumentando contra um espírito de inovação dotado de uma característica geral reconhecível. Poderíamos arriscar condensar os princípios do radicalismo ao final do século XVIII no seguinte elenco:

1) Se há uma autoridade divina no universo, essa nitidamente difere em natureza da ideia cristã de Deus: para alguns radicais, é o Ser distante e impassível dos deístas; para outros, o nebuloso e recém-fabricado Deus de Rousseau;

---

[20] *Old Jewry* é uma rua na antiga *City* de Londres que concentra muitas entidades financeiras. (N. T.)

[21] Na St. Stephen Chapel, capela do antigo Palácio de Westminster, funcionou a Câmara dos Comuns de 1574 a 1834, quando foi destruída por um incêndio. (N. T.)

[22] Monticello era a propriedade de Thomas Jefferson em Charlottesville, na Virgínia. (N. T.)

2) A razão abstrata ou (alternativamente) a imaginação idílica deve ser empregada não apenas para estudar, mas para dirigir, o curso do destino social;

3) O homem é naturalmente benévolo, generoso, sadio, mas, nessa época, está corrompido pelas instituições;

4) As tradições da humanidade, em grande parte, são mitos complicados e ilusórios dos quais pouco temos a aprender;

5) A humanidade, capaz de um melhoramento infinito, está lutando para subir aos Campos Elísios e deveria fixar o olhar sempre no futuro;

6) O propósito do reformador moral e político é a emancipação – a libertação das antigas crenças, dos antigos juramentos, das antigas instituições. O homem do futuro deve regozijar-se na liberdade genuína, na democracia ilimitada, no autogoverno, na autossatisfação. O poder político é o instrumento mais eficaz da reforma – ou, de outro ponto de vista, a demolição do poder político existente.

A essas profissões de radicalismo, as escolas utilitária e coletivista, posteriormente, apresentaram emendas, mas preocupamo-nos, nesse momento, com as teorias inovadoras que Burke confrontou. Não admitia aos inimigos premissa alguma. Iniciou e findou sua campanha pela conservação da sociedade com base em um grande projeto de piedade. A seus olhos reverentes, tudo na realidade terrena era uma expressão da ordem moral.[23] Isso é o que alça Burke tão acima da "ciência política", de modo que alguns acadêmicos confessam ser incapazes de seguir seu encadeamento de ideias e, ainda assim, Burke permanece tão atento ao caráter prático que deixa alguns metafísicos perdidos. Ao examinar o sistema conservador de Burke, portanto, é bom começar do plano altivo da crença religiosa. Para Burke, as fórmulas baseadas na existência do homem se esvaziaram.

---

[23] John Adams, sempre severo, suspeitava que Burke e Johnson eram "cristãos políticos", mas Adams não conhecia nenhum dos dois, e o veredito dos biógrafos não corrobora o de Adams.

3. PROVIDÊNCIA E VENERAÇÃO

"Os *tories* sempre insistiram que, se o homem cultivasse as virtudes individuais, os problemas sociais se encarregariam de si mesmos". Assim, com desdém, Granville Hicks (1901-1982), certa vez, escrevera a respeito de Robert Louis Stevenson (1850-1894). Há muito nessa observação, embora isso esteja mais próximo da verdade para Samuel Johnson do que para Edmund Burke. Isso não é toda a opinião de Burke acerca dos males da sociedade, pois ninguém conhecia melhor do que ele o poder do bem ou do mal que repousa nas instituições, mas é verdade que Burke via a política como um exercício de moral e, uma grande parte da doutrina conservadora, nesse particular, provém de Burke. Para conhecer o Estado, primeiro devemos conhecer o homem ético, pensava Burke.

"Rousseau é um moralista ou não é nada". Após externar seu juízo, Burke inicia um ataque tão impiedoso ao genebrino que somos tentados a acrescentar a observação sarcástica: "e ele não era um moralista". Mesmo assim, Burke não subestimou o *Contrato Social*. A moralidade de Rousseau era falsa, mas pretensiosa, e contra isso, deve ser instituída uma mais nobre. A moralidade ultramoderna era uma impostura monstruosa. Burke voltou nessa questão, como na maioria das vezes, aos usos consagrados e ao precedente, antigos materiais à disposição do verdadeiro reformador, de modo a prover uma moralidade oposta, capaz de curar as feridas infligidas pelas doutrinas morais revolucionárias. O louvor à humildade estava sempre nos lábios de Burke e em seu sistema de moral; ao menos demonstrou-se um homem humilde. Ao desprezar uma exibição vã de invenção, desenvolveu os argumentos de Aristóteles (384-322 a.C.) e Marco Túlio Cícero (106-43 a.C.), dos Padres da Igreja, de Richard Hooker e de John Milton (1608-1674) e incutiu novo ardor a suas frases, de modo que as ideias desses pensadores flamejassem acima das tochas jacobinas. Ao rejeitar a noção de um mundo sujeito apenas ao impulso súbito e ao apetite físico, expôs a ideia de um mundo governado por propósitos fortes e sutis. A essa antiga moralidade, incutiu o estímulo da imaginação irlandesa, que transformou a centelha da religião formal do pensamento clássico e neoclássico em uma língua de fogo.

A Revelação, a razão e uma certeza além dos sentidos nos dizem que o Autor de nosso ser existe, e que é onisciente. O homem e o Estado são criações da beneficência de Deus. Essa ortodoxia cristã é o cerne da filosofia de Burke. O propósito de Deus entre os homens é revelado via o desenrolar da história. Quem somos nós para conhecer a mente e a vontade de Deus? Por intermédio das preconcepções e das tradições do milênio da experiência humana com o sagrado foram implantados os meios e os juízos na mentalidade da espécie. E qual é nosso propósito no mundo? Não é satisfazer nossos apetites, mas prestar obediência ao decreto divino.

Essa visão da natureza das coisas pode parecer ilusória para o utilitarista e o positivista; parecerá uma verdade transcendental ao homem religioso, mas, seja ela perfeita ou errônea, não há nada de incompreensível, ou mesmo de obscuro, nessa profissão de fé. A posição de Burke é apresentada acima no mais simples dos termos: transforma a própria hipótese em linguagem, ao mesmo tempo, mais lúcida e mais nobre. Por mil anos, dificilmente, algum erudito europeu discordou dessa crença. No entanto, os estudiosos do "realismo político" no século XX, impregnados da noção de que a sociedade pode ser gerenciada por princípios científicos, foram longe demais ao chamar isso de "obscurantismo" – a defesa da tradição moral socrática e paulina em sua origem. O professor Robert Morrison MacIver (1882-1970) exclama, com veemência a beirar o horror: "É um desserviço à compreensão quando Burke, mais uma vez, envolve o ofício do governo em obscuridade mística e, na esfera da política, recorre, novamente, à tradição e à religião contra a razão".[24]

---

[24] Robert Morrison MacIver, *The Modern State*, The Clarendon Press, 1926, p. 148.

No entanto, essa objeção não está a suplicar por uma pergunta? A Era da Razão, protestou Burke com todo o esplendor de retórica, era, na verdade, a Era da Ignorância. Se (como acreditou a maioria dos homens, desde o início da história humana) o fundamento do bem-estar humano é a providência divina, então a limitação da política e da ética a uma "razão" débil é um ato tolo, o refúgio de uma presunção ridícula. Foi precisamente essa cegueira à refulgência da sarça ardente, essa surdez ao trovão sobre o Sinai, aquilo que Burke proclamou ser o erro primordial do "esclarecimento" dos franceses. Até mesmo Rousseau brada contra tal confiança excessiva na racionalidade humana que, apesar de desaprovar, insolente, a direção sobrenatural, afirma a própria infalibilidade.

Quase nenhuma controvérsia a respeito dos primeiros princípios foi resolvida, e o próprio Burke teria concordado que, se os argumentos de Aristóteles, Sêneca (4 a.C.-65 d.C.) e Santo Tomás de Aquino (1225-1274) a respeito do propósito no universo não podem convencer o cético, este nunca seria convertido senão pela graça. Burke estava indignado, contudo, pelo modo como os filósofos do Iluminismo dispensavam aleatoriamente a fé das eras anteriores e as provas de gênio com uma fórmula complacente ou com um riso abafado e uma saída espirituosa. Para o espírito elevado de Burke, não havia suspensão de juízo satisfatória nesses assuntos. A ordem do cosmo é real ou tudo é o caos. Se estamos à deriva no caos, então as frágeis doutrinas igualitárias e os programas de emancipação dos reformadores revolucionários não têm importância, pois no turbilhão do caos só importam a força e o apetite.

> Admito que, se não existe soberano supremo algum, sábio para criar e potente para fazer cumprir a lei moral, não há sanção a nenhum contrato, virtual ou real, contra a vontade do poder prevalecente. Nessa hipótese, deixemos qualquer grupo de homens se tornar forte o bastante para definir suas funções quando provocados, e esses não mais serão deveres. Temos apenas um recurso contra o poder irresistível:

Si genus humanum et mortalia temnitis arma,
At sperate Deus memoris fandi atque nefandi.[25]

Dado que não escrevo para os discípulos da filosofia parisiense, devo presumir que o terrível Autor de nosso ser é o responsável por nosso lugar na ordem da existência e que, ao nos dispor e guiar por uma tática divina, não segundo a nossa vontade, mas segundo a Dele, estava, nesse e por esse arranjo, realmente, nos sujeitando a desempenhar o papel que pertence à parte que nos foi designada. Em geral, temos obrigações para com a humanidade, que não são consequência de pacto voluntário especial algum. Surgem da relação entre homens e da relação do homem com Deus, que não são objeto de escolha [...]. Quando casamos, a escolha é voluntária, mas os deveres não são objeto de escolha [...]. Os instintos que dão origem a esse processo misterioso da natureza não são obra nossa, mas das causas físicas que nos são desconhecidas, talvez incognoscíveis, brotam deveres morais que, como somos perfeitamente capazes de compreender, somos obrigados a cumprir de maneira indispensável.[26]

Essa é uma grande prédica. Ninguém jamais expressou de modo mais persuasivo a impotência da razão humana diante do mistério divino ou a necessidade de uma obediência jovial diante do mistério divino, caso a "grande incorporação misteriosa da raça humana" deva perdurar. Nunca penetraremos, nesta vida breve, diz Burke, no conhecimento preciso dos propósitos da Providência; o filósofo que desperdiça tempo esforçando-se por racionalizar o transcendente, a nada mais chega, senão ao estímulo de um ceticismo raso e acre entre os homens, cuja única certeza repousa na obediência às verdades consagradas pelo uso. Se não há sanção sobre-humana à moralidade, então a "razão", o "esclarecimento" e a "comiseração" são alguns dos muitos produtos dos sonhos, pois, num mundo sem justiça

---

[25] Virgílio, *Eneida*. Livro I, 570-571. Na tradução de Manuel Odorico Mendes: "Se as armas desprezais e as leis humanas, / O Céu mede as ações, premeia e pune". (N. T.)

[26] Edmund Burke, "Appeal from the New to the Old Whigs". Works III, p. 79.

e propósito, os homens podem muito bem esquecer das noções de conhecimento e caridade.

> Iluminar as lutas do passado, dignificar e intensificar as responsabilidades do presente e garantir o futuro da decadência e da derrota que, em um mundo turbulento de arbítrios humanos constantemente ameaçado, pareceu-lhe a âncora maior de uma fé política verdadeira que todo o grande drama da vida nacional devesse ser reconhecido com reverência como ordenado por um poder que o passado, o presente e o futuro sejam estágios organicamente ligados em um plano divino.[27]

Assim disse J. H. MacCunn a respeito da fé de Burke. "Há uma ordem que mantém as coisas firmes em seus lugares", disse o próprio Burke, ao penetrar na verdadeira essência do instinto conservador, "ela é feita para nós e, nós, para ela".

Burke não aprova a religião porque é um baluarte da ordem; ao contrário, diz que a ordem mundana deriva e permanece parte da ordem divina. A religião não é apenas um mito conveniente para manter os apetites populares contidos; não tinha simpatia pela sugestão de Políbio (206-124 a.C.) de que os antigos inventaram a religião para salvar os homens da anarquia, ou pela disposição de Platão de criar uma mitologia religiosa com base em um todo uniforme, de modo que o homem reverenciaria a ordem instituída na ilusão de que era ordenada pelo próprio princípio das coisas. Política e moral, viu Burke, são deduzidas da crença ou do ceticismo; os homens nunca realmente tiveram êxito em se convencer da realidade das coisas sobrenaturais apenas como sustentáculo das coisas naturais. Implícitas nos escritos de Burke estão as provas de Aristóteles e dos escolásticos e dos teólogos ingleses a respeito da realidade do propósito providencial e da direção inteligente do cosmos. O instinto universal para a perpetuação da espécie, as compulsões da consciência, as indicações

---

[27] John MacCunn, *The Political Philosophy of Burke*. New York, Longmans Green and Company / London, Edward Arnold, 1913, p. 127.

de imortalidade, a profunda consciência humana de que partilham uma grande continuidade e essência – essas provas luzem ao longo de suas obras do início ao fim, mas Burke não se aventura em novas provas fantasiosas, deixando a teologia para as escolas. Um homem sempre e desesperadamente ocupado, sem tempo para esmiuçar a lógica, partilhava da exasperação do dr. Johnson de regatear com verdades intuitivas – a convicção do conhecimento instintivo que provocou Johnson a resmungar: "Ora, senhor, *sabemos* que a vontade é livre, e há um fim para isso!". Somente os ateus inquietos, rasos, autointoxicados que se recusam a admitir a existência de qualquer coisa maior que eles mesmos, realmente podem ter a imprudência de negar essas fontes de discernimento religioso. E o espetáculo do intelecto variado de Burke, tão humildemente convicto, sua erudição ao manter o veredito dos Pais da Igreja, o espírito prudente, prático e reformador submetido à disciplina da tradição religiosa é, talvez, uma prova tão boa quanto qualquer evidência direta à disposição do homem de que nosso mundo é somente uma pequena parte de uma grande hierarquia espiritual. É a fé de um homem impregnada na sabedoria cristã e clássica. Uma piedade helênica, quase platônica no tom, permeia a declaração de Burke de que o Estado é ordenado de maneira divina:

> Aquele que moldou nossa natureza perfectível devido à nossa virtude quis também os meios necessários para sua perfeição – e, por essa razão, ele quis o Estado e que esse estivesse ligado à fonte e ao arquétipo original de toda perfeição.[28]

A defesa sentimental das simpatias humanas indiscriminadamente generosas ou o predomínio de uma piedade universal não bastam para salvar a sociedade que negou o ordenamento divino.[29] Cada Es-

---

[28] Edmund Burke, *Reflexões sobre a Revolução na França*, trad., apres. e notas José Miguel Nanni Soares, São Paulo, Edipro, 2016, p. 116. (N. T.)

[29] "Observei que os filósofos, para insinuar seu ateísmo poluído às mentes jovens, sistematicamente embelezam as paixões naturais e as não naturais. Explodem, tornam odiosas ou desprezíveis aquela classe de virtudes que

tado é criação da Providência, seja ou não o cristianismo sua religião. O cristianismo é a mais excelsa das religiões; mas cada credo honesto é um reconhecimento do propósito divino no universo, e toda a ordem mundana depende da reverência pelo credo religioso que um povo herdou de seus pais. Essa convicção redobrou a repulsa de Edmund Burke por Warren Hastings: o governador-geral tratara com rudeza a tradição religiosa nativa e cerimonial da Índia.

Burke não concebia uma ordem social duradoura sem o espírito de religiosidade. Os estadistas, de modo bem similar aos bispos, exercem uma tarefa consagrada:

> Essa consagração foi feita para que todos os que administram o governo dos homens, representando a pessoa do próprio Deus, tenham noções dignas e elevadas de sua função e destino; para que sua esperança esteja repleta de imortalidade; para que não tenham em vista o proveito mesquinho do momento, nem o efêmero e transitório louvor do vulgo, mas uma existência sólida e permanente da parte perene de sua natureza, assim como a fama e a glória eternas, no exemplo que deixarão como um rico legado ao mundo.[30]

Um governo popular, ainda mais que a monarquia ou a aristocracia, requer tal consagração porque o povo, aí, desfruta de uma parcela do poder e deve ser levado a compreender as responsabilidades do poder.

---

restringem o apetite. São pelo menos nove das dez virtudes. Em lugar disso, põem uma virtude que chamam humanidade ou benevolência. Por esse expediente, a moralidade não tem ideia de restrição ou, na verdade, de nítido princípio instituído de espécie alguma. Quando seus discípulos são assim libertados e guiados apenas pelo sentimento presente, não mais se subordinam ao bem ou ao mal. Os homens que hoje arrebatam os piores criminosos da justiça irão, amanhã, assassinar os mais inocentes." – Carta de Edmund Burke para o Chevalier de Rivarol (1791). *Wentworth Woodhouse Papers*, Book I, p. 623, Sheffield Central Library.

[30] Edmund Burke, *Reflexões sobre a Revolução em França*. Trad., apres. e notas José Miguel Nanni Soares. São Paulo, Edipro, 2016, op. cit., p. 111. (N. T.)

> Todas as pessoas que detêm alguma porção do poder deveriam estar forte e profundamente imbuídas da ideia de que agem como mandatárias, devendo, portanto, prestar contas de sua conduta nesse encargo ao único grande mestre, autor e fundador da sociedade.[31]

Descrever como "obscurantista" e "mística" essa religiosidade vívida e sagaz de Burke é um abuso flagrante dos termos filosóficos, a ilustrar a semântica da Idade das Trevas em que o século XX está recaindo. A fé de Burke era sublime, mas também era a fé de um homem prático, aliada às ideias de honra pública e de responsabilidade. Um homem que crê em um Deus justo a governar o mundo; que o curso da história é determinado, embora comumente de maneira inescrutável, pela Providência; que a posição individual na vida é fixada por uma "tática divina"; que o pecado original e a aspiração ao bem, ambos, são parte do desígnio de Deus; que o reformador deve, primeiro, esforçar-se por discernir os lineamentos de uma ordem providencial e, então, tentar conformar os arranjos políticos aos ditames de uma justiça natural – os céticos podem crer equivocado um homem que professa tais convicções, mas os céticos estarão confusos se o chamarem de "místico". Esses são princípios religiosos de um homem profundamente familiarizado com o mundo da experiência. E Burke continua a tornar, mais ainda, seu credo uma parte da vida política e privada. Se nosso mundo, de fato, é ordenado segundo uma ideia divina, devemos ter cuidado ao ajustar a estrutura da sociedade, pois embora seja da vontade de Deus servirmos como instrumentos de alteração, primeiro precisamos satisfazer nossa consciência a esse respeito. Mais uma vez Burke afirma que existe a igualdade universal entre os homens, mas essa é a igualdade do cristianismo, a igualdade moral ou, de maneira mais precisa, a igualdade no juízo final de Deus: somos tolos, ou mesmo ímpios, ao ambicionar qualquer outro tipo de igualdade. Leonard Woolf (1880-1969), o mais arguto dos humanitários, reconhece esse

---

[31] Idem. Ibidem, p. 111-12. (N. T.)

elo entre cristianismo e conservadorismo cultural: "O Cristianismo prevê uma estrutura para a sociedade humana em que as misérias terrenas ocupam um lugar declarado, permanente e honroso. São provações enviadas pelos Céus para nos testar e ensinar; como tais, é impiedade lhes repelir".[32] Burke teria aceitado essa crítica.

Por recusar a noção de perfectibilidade humana, Burke formulou sua psicologia no arcabouço cristão do pecado e da tribulação. Pobreza, brutalidade e infortúnio são, de fato, porções da ordem eterna das coisas; o pecado é um fato terrivelmente real e demonstrável, consequência de nossa depravação, não de instituições errantes; a religião é o consolo para esses males que nunca pode ser dispensada pela legislação ou pela revolução. A fé religiosa torna a existência tolerável; a ambição sem a coibição piedosa deve findar em fracasso, a envolver, muitas vezes, aquela reverência bela que conforta os homens comuns com a obscuridade e pobreza de seus destinos.

Para inculcar essa veneração entre os homens, para consagrar a função pública, Burke acreditava que a igreja deveria ser entrelaçada com o tecido da nação. Sua igreja é uma instituição anglicana idealizada, porém, mais que anglicana. Há nela algo clássico; algo católico também, de modo que os intolerantes [entre eles, Thomas Pelham-Holles (1693-1768), o venerável Duque de Newcastle] murmuravam que Burke deveria ter sido educado no seminário papista de St. Omer. "A religião está longe, em minha opinião, de estar fora da província de um magistrado cristão", escreveu Burke, "deve estar, e tem de estar, não só sob seus cuidados, mas ser a principal coisa sob sua guarda; e seu objeto, o bem supremo, o fim último e o objetivo do próprio homem."[33] Entretanto, essa não era, no todo, a ideia de igreja medieval. Como Alfred Cobban (1901-1968) observou

---

[32] Leonard Woolf, *After the Deluge: A Study of Communal Psychology*. Penguin Books, 1937, p. 177.

[33] Edmund Burke, "Speech on the Petition of the Unitarians", *Works*, VI, p. 115.

com justeza: "Seu ideal não é nem do protestantismo erastiano nem da teocracia católica, assemelha-se muito mais ao Reino de Deus na Terra".[34]

Ainda que o Estado e a Igreja nunca devam ser entidades apartadas, a verdadeira religião não é simplesmente uma expressão do espírito nacional; ascende muito acima da lei terrena, por ser, na verdade, a fonte de toda a lei.

Com Cícero e Fílon (20 a.C-50 d.C.), Burke enuncia a doutrina do *jus naturale*, a lei do universo, a criação da mente divina da qual as leis dos homens são somente manifestações imperfeitas. "Todas as leis humanas, propriamente ditas, são apenas declaratórias; podem alterar o modo e a aplicação, mas não têm poder sobre a substância da justiça original."[35] Os homens não têm o direito de alterar as leis ao bel-prazer; a lei superior, não cabe à comunidade política alguma alterar.

Portanto, nossa é a ordem moral, e nossas leis derivam das leis morais imortais; a felicidade suprema é a felicidade moral, diz Burke, e a causa do sofrimento é o mal moral. Orgulho, ambição, avareza, vingança, luxúria, sedição, hipocrisia, zelo desenfreado, apetites desgovernados – esses vícios são a verdadeira causa das tempestades que atormentam a vida. "Religião, costumes, leis, prerrogativas, privilégios, liberdades, direitos dos homens são os *pretextos*" para a revolução empreendida por humanitários sentimentais e agitadores maldosos que acreditam ser as instituições estabelecidas a fonte de nossas aflições. No entanto, o coração humano, na verdade, é a fonte do mal.

> Não curareis o mal ao deliberar que não existirão mais monarcas, nem ministros de Estado, nem o Evangelho, nem os intérpretes das leis, nem alto oficialato, nem conselhos públicos [...]. Homens sábios aplicarão remédios aos vícios, não a nomes.[36]

---

[34] Alfred Cobban, *Edmund Burke and the Revolt Against Eighteenth Century*. AMS Press, 1929, p. 93.

[35] Edmund Burke, "Tracts on the Popery Laws". *Works*, VI, p. 22.

[36] Idem. Ibidem, p. 32-33.

Essa ordem moral não pode ser transformada por um processo de contagem de cabeças, nem mesmo pode ser aprimorado por violar antigas instituições.

> Quando sabemos que até mesmo as opiniões da maior das multidões são padrão de retidão, creio-me obrigado a tornar essas opiniões as mestras de minha consciência. Entretanto, caso seja posto em dúvida que a própria Onipotência é competente para alterar a constituição essencial do certo e do errado, certo estou de que tais *coisas*, como eles e eu, não têm tal poder.[37]

De tempos em tempos, Burke louva duas grandes virtudes, as chaves do contentamento privado e da paz pública: prudência e humildade. A primeira, de modo notável, é o resultado da filosofia clássica; a segunda é, acima de tudo, uma vitória da disciplina cristã. Sem elas, o homem será miserável; e um homem destituído de piedade dificilmente perceberá qualquer uma dessas qualidades raras e abençoadas.

Para o homem solitário em busca de paz espiritual, para a sociedade em busca da ordem permanente, a Providência supriu os meios pelos quais a humanidade deve perceber esse universo moral. Tradição e usos consagrados são os guias do homem social civil, e, por isso, Burke eleva à dignidade de princípios sociais as convenções e os costumes que, antes do século XVIII, a maioria dos homens aceitou com confiança irrefletida.

4. PRECONCEPÇÃO E USOS CONSAGRADOS

"Eis a razão por que admiramos primeiro as coisas que são mais elevadas e depois as que são mais antigas; porque uma está menos distante da substância infinita, e a outra, da duração

---

[37] Idem. Ibidem, 21-22.

infinita de Deus."[38] Edmund Burke podia repetir de memória essa frase de Richard Hooker; e isso expressa o cerne da filosofia dos usos consagrados.

Burke enfrentava a necessidade de voltar a apresentar, na Era da Razão, as premissas do homem que tem fé em um ordenamento de vida duradouro. Qual o fundamento da autoridade moral e da política? Por qual padrão os homens devem julgar a prudência de um determinado ato e sua justiça? Confiar na inspiração divina, por certo, não bastará para as condutas comuns da vida: não podemos esperar que o universo sobrenatural gerencie os conceitos rotineiros do universo natural. Burke respondeu que a Providência ensinara à humanidade, por experiência e reflexão de milhares de anos, uma sabedoria coletiva: a tradição, com a têmpera da conveniência. O homem deveria ser governado, nas decisões necessárias, por um respeito decente aos costumes da humanidade, e deveria aplicar esse costume ou princípio às circunstâncias particulares por uma conveniência cautelosa. Burke, embora desprezasse as abstrações, estava longe de rejeitar princípios gerais e máximas. Sua doutrina de um propósito divino propõe um abismo imenso entre sua "conveniência" e a conveniência de Nicolau Maquiavel (1469-1527) – e, nesse particular, isso o separa do determinismo geográfico e histórico de Montesquieu e do próprio discípulo, Taine. O indivíduo é tolo, mas a espécie é sábia; preconcepções e usos consagrados são os instrumentos que a sabedoria da espécie emprega para salvaguardar o homem das próprias paixões e apetites. Por vezes, Burke aproxima-se muito de uma teoria de intelecto humano coletivo, um conhecimento, parte instintivo, parte consciente, que cada indivíduo herda como direito de nascença e como proteção. Alerta para todo o mistério dos atributos humanos, interessado nos complexos impulsos psicológicos

---

[38] Richard Hooker, *The Ecclesiastical Polity and Other Works of Richard Hooker*, vol. II. London, Holdsworth and Ball, 1830, p. 547. (N. T.)

que as teorias associacionistas não podem dar conta, Burke rejeitou, implicitamente, o conceito de *tabula rasa* de Locke como inadequado para explicar a individuação do caráter e as capacidades imaginativas que distinguem o homem dos animais. Os seres humanos, diz Burke, participam da experiência acumulada dos inúmeros ancestrais e pouquíssimo é de todo esquecido. Somente uma pequena parte desse conhecimento, no entanto, é formalizada na literatura e na instrução deliberada; grande parte permanece incrustada no instinto, nos costumes comuns, nas inclinações e nos usos ancestrais. Ignorar essa carga enorme de conhecimento racial ou remendá-la de maneira imprudente é deixar o homem a boiar terrivelmente em um mar de emoções e ambições, apenas com um estoque escasso de conhecimento formal e débeis recursos da razão individual para sustentá-lo. Muitas vezes os homens não percebem o significado de preconcepções e costumes imemoriais – de fato, mesmo o mais inteligente dos homens não pode esperar compreender todos os segredos da moral tradicional e todos os arranjos sociais, mas podemos estar certos de que a Providência, ao agir por intermédio dos erros e acertos humanos, desenvolveu todos os hábitos antiquíssimos por algum propósito importante. É exigida maior prudência ao homem quando tem de acomodar esse conjunto de opiniões herdado às exigências dos novos tempos. A preconcepção não é fanatismo ou superstição, ainda que possa nisso degenerar. A preconcepção é pré-julgamento, a resposta que a intuição e o consenso de opinião ancestral oferecem ao homem quando lhe falta tempo ou conhecimento para chegar à decisão com base na razão pura.

No século XX, psicólogos especulativos começaram a investigar conceitos da mentalidade coletiva em homens e animais, com seriedade cada vez maior; essas opiniões prescientes de Edmund Burke, junto com a ênfase na importância do costume na vida da sociedade e a predominância das motivações habituais ou instintivas sobre a razão nos assuntos corriqueiros da humanidade, já revelaram uma influência vasta que pode ser delineada, de modo variado, nas ideias de Samuel Taylor Coleridge, Maine de Biran (1766-1824), Walter Bagehot, Graham Wallas (1858-1932), Alfred North Whitehead (1861-1947) e de uma dúzia de outros pensadores importantes. É provável que nenhum homem instruído, hoje, sustente que a natureza humana é simples como Étienne Bonnot de Condillac (1714-1780), por exemplo, acreditava. Burke, em vez do apologista antiquado defensor de superstições moribundas, transpassou a máscara da Era da Razão até as obscuras complexidades da existência humana, de modo que permanece uma influência viva no pensamento, ao passo que a maioria dos opositores radicais nada mais são que nomes na história das tendências intelectuais.

Nisso, os românticos seguiram Burke. No entanto, para a maioria dos escritores do século XIX, Burke foi consagrado como uma espécie de utilitário, na suposição de que sua psicologia fora fundamentada no cálculo simples de Locke. Não há visão mais superficial das premissas de Burke. Sabia que sob a pele do homem moderno agitava-se o selvagem, o bruto, o demônio. Milênios de experiência amarga ensinaram ao homem como conter a natureza indômita com um freio precário, esse conhecimento medonho é expresso no mito, no ritual, nos usos, no instinto, nas inclinações. A Igreja, também, sempre pressentiu essa verdade [como Paul Elmer More (1864-1937) observa com admiração reflexiva no ensaio sobre Lafcadio Hearn (1850-1904)] e olhava com suspeição o avanço do racionalismo científico, porque poderia desvelar ao homem moderno os segredos hediondos de sua origem brutal.

Ainda assim, Edmund Burke foi confundido com um precursor dos empiristas e pragmatistas, principalmente porque expressou sua determinação para lidar com as circunstâncias, não com abstrações. Henry Thomas Buckle é um entusiasta dessa suposta faceta do caráter de Burke, diz que ele resistiu à tentação de confiar nas próprias generalizações e, tornou suas opiniões subservientes à marcha dos acontecimentos; reconheceu como objeto do governo, não a preservação de instituições particulares, mas a felicidade do povo em geral [...]. Burke nunca se cansou de atacar o argumento comum de que por um país ter se desenvolvido sob um determinado costume, este, portanto, deve ser bom.[39]

Aí, Buckle é perverso, ao traduzir as exceções de Burke em regras. O teste da maior felicidade do maior número e a análise de todo o costume à luz da utilidade imediata foram características do recluso Jeremy Bentham (1742-1832), não do estadista Edmund Burke. Acima de tudo, a filosofia de Burke tem estampada no frontispício o princípio e o uso consagrado. Burke ataca a abstração e o abuso, não o princípio e o uso consagrado.

> Não ponho as ideias abstratas totalmente fora de alguma questão, porque sei bem que, sob esse nome, devo repudiar princípios e, sem tais princípios, todos os raciocínios em política, assim como em tudo o mais, seriam apenas uma mistura confusa de fatos particulares e detalhes, sem meios de sacar qualquer tipo de conclusão teórica ou prática.[40]

O princípio é a reta razão expressa de forma permanente; a abstração é a sua corrupção. A conveniência é a aplicação sábia do conhecimento geral às circunstâncias particulares; o oportunismo é a sua degradação. Chegamos ao princípio pela compreensão da natureza e da história, vistas como manifestações de propósito divino. Adquirimos prudência pela observação paciente e investigação cautelosa e esse propósito divino torna-se o diretor, o regulador e o padrão de todas as virtudes. A conveniência implementa o princípio, mas nunca suplanta o princípio, pois este é nossa expressão de reconhecimento de um propósito providencial.

---

[39] T. H. Buckle. Op. cit., I, p. 418-19.
[40] Edmund Burke, "Speech on the Petition of the Unitarians", Works, VI, p. 112-13.

A História [e o conhecimento histórico de Edmund Burke foi respeitado por Edward Gibbon (1737-1794) e David Hume] é a revelação gradual de um propósito supremo – muitas vezes obscurecido aos olhos vacilantes, mas sutil, irresistível e beneficente. Deus faz a história pela ação do homem. Burke não tem matiz do determinismo categórico-imperativo de Hegel, pois Burke, fiel à doutrina cristã do livre arbítrio, diz que a história não é dirigida por um impulso arbitrário, irrazoável, mas pelo caráter e conduta humanos. A Providência age de maneiras naturais. Pode ser ímpio resistir a esse grande desígnio, se a direção deva ser vista de modo claro, mas a plena compreensão das finalidades de Deus raramente está em nosso poder. O estadista e o filósofo devem conhecer mais que história: devem conhecer a natureza. A "natureza" de Burke é a natureza humana, que brota da conduta comum para os povos civilizados, não da natureza quase panteísta dos românticos. A expressão "estado de natureza" era irritante ao intelecto preciso de Edmund Burke; "direitos naturais" como afirmados por Jean-Jacques Rousseau e por Thomas Paine, ele rejeitava, mas o uso de "natureza" empregado por Cícero também era o de Burke. Ao conhecer história e natureza, o homem pode humildemente aspirar a apreender as dispensações providenciais.

Ainda assim, o estudo da história e do caráter humano nunca pode conter a maior parte da sabedoria humana. A experiência da espécie é entesourada, em grande parte, na tradição, nas preconcepções e nos usos consagrados – em geral, para a maioria dos homens e, às vezes, para todos os homens, são guias mais seguros para a conduta e a consciência do que livros e especulações. O hábito e o costume podem ser a sabedoria do iletrado, mas provêm do antigo e sadio coração da humanidade. Mesmo o mais sábio dos homens não pode viver somente pela razão; a razão puramente arrogante, a negar os apelos das inclinações (que, com frequência, também são apelos da consciência), leva a uma terra devastada de esperanças ressequidas e solidão gritante, esvaziada de Deus e do homem: o deserto em que

Satanás tentou Cristo não era mais terrível que a expansão árida da vaidade intelectual privada de tradição e intuição em que o homem moderno é tentado pelo orgulho próprio.

> Tememos colocar os homens para viver e negociar cada qual com o seu estoque particular de razão, pois suspeitamos que o fundo de cada homem é bem pequeno, e que os indivíduos fariam melhor aproveitando-se do capital do banco geral das nações e dos séculos. Muitos de nossos filósofos, em vez de desacreditarem os preconceitos gerais, empregam sua sagacidade em descobrir a sabedoria latente que eles encerram. Se encontram o que buscam (e raramente falham), consideram mais sensato continuar com o preconceito, juntamente com a razão que o envolve, do que, prescindindo dessa capa, deixar a razão nua; porque o preconceito torna a razão ativa e, pela afeição que lhe inspira, confere-lhe permanência.[41]

Essa veneração do hábito e do costume, de maneira incidental, é uma das distinções primordiais entre Burke e os românticos. O Romantismo (exceto por aqueles autores diretamente influenciados por Edmund Burke, às vezes, à custa de suas consistências), como escreve Irving Babbitt (1965-1933), é "claramente hostil ao hábito porque parece levar a um mundo estereotipado, um mundo sem vivacidade e surpresa". Burke abominava o individualismo intenso; o hábito e a preconcepção induzem àquela conformidade sem a qual a sociedade não pode perdurar. Encorajar a extravagância moral pelo bem da novidade, como experimento, é algo demasiado perigoso para o homem aceitar.

"A preconcepção" – o conhecimento, em parte, intuitivo que possibilita aos homens enfrentar os problemas da vida sem uma

---

[41] Edmund Burke, *Reflexões sobre a Revolução em França*. Trad., apr. e notas José Miguel Nanni Soares. São Paulo, Edipro, 2016, op. cit., p. 106. [Vale recordar que a tradução do termo *prejudice* nessa passagem como "preconceito" é no sentido de pré-concepção, predisposição ou inclinação, termos que preferimos alternar ao traduzir a palavra ao longo do livro para evitar mal-entendidos. (N. T.).]

lógica retalhada; "os usos consagrados" – o direito consuetudinário que brota das convenções e dos acordos de sucessivas gerações; a "presunção" – a inferência conforme a experiência comum da humanidade: ao empregar esses instrumentos, os homens administram a vida comum com algum grau de prosperidade e cordialidade. A Constituição inglesa é consagrada pelo uso e "sua única autoridade é a que existe desde tempos imemoriais. Vosso rei, vossos lordes, vossos jurados, grandiosos e insignificantes, todos são consagrados pelo uso".[42] O uso consagrado, a presunção e a preconcepção bastam para direcionar a consciência individual e os antepassados contemplados. Sem eles, a sociedade só pode ser salva da destruição pela força e por um mestre. "Em algum lugar deve haver controle sobre a vontade e o apetite; e quanto menos disso houver internamente, mais deverá existir externamente." Se essas aferições forem abolidas, permanece apenas um instrumento para evitar que o homem recaia naquele estado primitivo do qual esgueirou-se de maneira tão dolorosa ao longo de milênios, cuja existência, Burke (apesar de na maioria das questões estar em conflito com Hobbes) também sabia ser "pobre, desagradável, brutal e curta". O instrumento de sobrevivência é a racionalidade; e a razão, cara aos iluminados do século XVIII, parecia a Burke uma ferramenta, na melhor das hipóteses, fraca; muitas vezes traiçoeira. O conjunto da humanidade, sugere Burke, dificilmente raciocina, no sentido mais elevado, nem mesmo pode: privada da sabedoria popular e da lei popular, que são as preconcepções e os usos consagrados, nada podem fazer senão dar vivas ao demagogo, enriquecer o charlatão e submeter-se ao déspota. O homem comum não é ignorante, mas seu conhecimento é uma espécie de sabedoria coletiva, soma de lentas majorações de milhares de gerações. Perdido isso, é lançado novamente no seu estoque privado de razão, com as

---

[42] Edmund Burke, "Speech on a Motion in the House of Commons" (7 maio 1782). In: *The Works of The Right. Hon. Edmund Burke*. Vol. 2. London, Holdsworth and Ball, 1834, p. 487.

consequências associadas ao naufrágio. Até mesmo os homens mais perspicazes ficam inflados de vaidade ao tentar apor o fruto da própria razão ao consenso dos séculos. É possível, Burke admite, que em um aspecto ou noutro o tempo possa ter mudado, a experiência passada, naquele particular, seja inválida e o inovador esteja certo, mas, ordinariamente, o pressuposto é o contrário e, de qualquer modo, pode ser mais sábio prosseguir em uma prática antiga, mesmo que pareça discípula do erro, do que romper de maneira radical com o costume e correr o risco de envenenar o corpo social por uma afeição doutrinária pela precisão matemática ou pela uniformidade de almanaques e estatísticas.

> Observe, senhor, como sou suficientemente audaz para confessar nesta época ilustrada que somos geralmente homens de sentimentos naturais; que, em vez de prescindir de nossos velhos preconceitos, nós os cultivamos em um grau muito considerável e, para nossa maior vergonha, nós os cultivamos porque são preconceitos; de modo que quanto mais tenham durado e mais tenham prevalecido, mais os cultivamos.[43]

A afeição de Burke pela preconcepção e pelo uso consagrado não é novidade no pensamento inglês. Lorde Chesterfield (1694-1773) escrevera:

> O pré-conceito não é de modo algum (embora, muitas vezes se pense) um erro; ao contrário, pode ser uma verdade realmente incontestável, ainda que seja uma predisposição naqueles que, sem análise alguma, o tomem em confiança e acalentem pelo hábito [...]. O conjunto da humanidade não tem tempo livre ou conhecimento suficientes para raciocinar corretamente; por que deveriam ser ensinados a raciocinar? Não seria melhor incitar o espírito honesto e deixá-los guiar por juízos prévios do que por um raciocínio parcial?[44]

---

[43] Edmund Burke, *Reflexões sobre a Revolução em França*. Trad., apres. e notas José Miguel Nanni Soares. São Paulo, Edipro, 2016, op. cit., p.106.

[44] Philip Stanhope, *The World*. N. 112.

Isso era exatamente o que Burke queria indicar. E Hume apresentou uma forte deferência aos juízos prévios e às suas vantagens sociais [como Carl Becker (1873-1945) nos recorda na obra *The Heavenly City of the Eighteenth Century Philosophers* (A Cidade Celestial dos Filósofos do Século XVIII)] quando, espantado pelas próprias especulações quanto às origens da moral, inquiriu: "Mas essas ideias são muito úteis?" – e trancou as anotações na escrivaninha. No entanto, a investida de Burke na razão ultramoderna se opôs à grande tendência intelectual da moda de seu tempo, o movimento caracterizado pela Enciclopédia. Era necessário ter coragem para fazer declarações em defesa das preconcepções; em um homem menor, tal postura teria tido o desdém do público literário. A Burke, todavia, não podiam desprezar, pois a razão era-lhe tão notável quanto a qualquer homem na Inglaterra. É certa a indicação da força da humildade cristã em Burke o fato de que ele, com mente arguta e de grande alcance, pudesse participar do instinto da espécie contra a vaidade do homem de gênio.

Os apetites dos homens são vorazes e sanguinários, sabia Burke; restringem-se por essa sabedoria coletiva e imemorial que chamamos de preconcepção, tradição, moralidade costumeira; a razão, por si só, nunca pode vinculá-los ao dever. Sempre que a crosta das inclinações e dos usos consagrados é perfurada em qualquer ponto, vertiginosamente sobem chamas e um perigo terrível ameaça alargar a rachadura, até a aniquilação da civilização. Se os homens são eximidos da reverência aos usos ancestrais, tratarão este mundo, quase certamente, como se fosse propriedade privada a ser consumida para a gratificação pessoal e, assim, na lascívia por entretenimento, destruirão a propriedade das futuras gerações, dos próprios contemporâneos e, na verdade, o próprio capital:

> Um dos primeiros e mais importantes princípios sob o qual a nação e as leis são consagradas consiste na precaução que se deve ter para que aqueles que têm o usufruto temporário e são os inquilinos vitalícios,

indiferentes com o que tenham recebido de seus ancestrais ou com o que se deve transmitir à posteridade, não ajam como se fossem os mestres absolutos; não pensem que entre os seus direitos estejam o de interromper ou dilapidar a herança, destruindo, a seu bel-prazer, todo edifício original de sua sociedade, arriscando deixar para os que vierem depois deles nada além de ruínas no lugar de uma habitação – e ensinando esses sucessores a ter por suas obras um respeito tão grande quanto o que eles tiveram em relação às instituições de seus antepassados. Com essa facilidade desordenada de mudar o Estado tão frequentemente e de tantas maneiras quanto os caprichos e os modismos passam, toda a corrente e a continuidade da nação se romperiam. Nenhuma geração poderia ligar-se à outra, e os homens valeriam pouco mais do que moscas de verão.[45]

O espetáculo moderno de florestas devastadas e terras erodidas, de petróleo desperdiçado e mineração implacável, de débitos nacionais imprudentemente aumentados até serem repudiados e a revisão contínua do direito positivo são prova do que uma época sem veneração faz a si mesma e aos sucessores. Burke viu no futuro, onde Condorcet e Mably enxergaram simplesmente as próprias fantasias cor-de-rosa e tomaram-nas por inspiração profética.

As preconcepções e os usos consagrados, apesar da idade avançada – ou, melhor, por causa disso – são cultivos delicados, lentos para crescer, fáceis de ferir e dificilmente possíveis de ressuscitar. O metafísico abstrato e o reformador fanático, ao pretender depurar a sociedade, podem achar que a limparam:

> Um homem ignorante, que não é tolo o bastante para interferir no mecanismo do próprio relógio, é, contudo, confiante o suficiente para pensar que pode desmontar e montar ao bel-prazer uma máquina moral de outro estilo, importância e complexidade, composta de muitas outras engrenagens, molas e balanças e de forças que

---

[45] Edmund Burke, *Reflexões sobre a Revolução em França*. Trad., apres. e notas José Miguel Nanni Soares. São Paulo, Edipro, 2016, op. cit., p. 113-14. (N. T.)

neutralizam e cooperam [...]. A boa intenção ilusória não é uma espécie de desculpa para a soberba.[46]

A observância aos juízos prévios e aos usos consagrados, então, condenam a humanidade a perpetuamente seguir os passos dos ancestrais? Burke não esperava que os homens pudessem se ver livres da mudança social; nem é desejável a rigidez da forma. A mudança é inevitável, diz, e é projetada de maneira providencial para a maior conservação da sociedade; propriamente dirigida, a mudança é um processo de renovação. No entanto, deixemos a mudança vir como consequência de uma necessidade sentida pela generalidade, não inspirada por abstrações de tessitura delicada. Nossa parte é remendar e polir a antiga ordem das coisas, tentar discernir a diferença entre uma alteração profunda, lenta, natural e alguns entusiasmos do momento. Em geral, a mudança é um processo independente de empenho humano consciente, se é uma mudança benéfica. A razão humana e a especulação podem auxiliar no ajuste da antiga ordem às coisas novas, caso sejam empregadas em espírito de reverência, despertas para a própria falibilidade. Até mesmo as antigas inclinações e usos consagrados devem, às vezes, contrair-se diante do avanço do conhecimento positivo; mas a mentalidade jacobina é incapaz de distinguir entre uma inconveniência menor e a decrepitude atual. O reformador perceptivo combina a habilidade para reformar com a disposição para preservar; o homem que ama a mudança está totalmente desqualificado, por sua concupiscência, a ser agente de transformação.

A questão da tradição contra a razão abstrata nunca foi tão bem apresentada. No entanto, Burke pouco detinha da tendência de sua época de deixar cada homem formar a própria opinião com as

---

[46] Edmund Burke, "An Appeal from the New to the Old Whigs". In: *The Works of the Right Honorable Edmund Burke, volume IV*. Boston, Little, Brown and Company, 1865, p. 209-10.

próprias luzes, segundo circunstâncias transitórias e conhecimento imperfeito. O aumento do grau de instrução, o preço barato dos livros e jornais e a atração natural de doutrinas individualistas nas multidões de homens – essas influências eram demais para os poderes persuasivos de Burke. Graham Wallas (1858-1932) compreende a convicção de Burke de que os homens não podem agir com sabedoria com base no raciocínio privado:

> Entretanto, o seguimento deliberado dos usos consagrados que Burke defendia era algo diferente, pois era o produto da escolha, de uma lealdade ao passado, sem cálculos. Os que provaram da árvore do conhecimento não podem esquecer.[47]

Irving Babbitt acredita que a batalha por juízos prévios e usos consagrados foi perdida; "uma sabedoria superior à reflexão" não domina mais a vida dos milhões de industriosos.

> Não é mais possível pôr de lado os modernistas como meros insetos barulhentos do momento ou opor a uma atividade instável do intelecto a simples solidez e inacessibilidade do pensar – o grande gado rumina à sombra do carvalho inglês.[48]

Essas críticas são um tanto extensas; afinal, os usos consagrados a favorecer direitos locais, propriedade privada e hábitos de vida, as preconcepções a favorecer antigos decoros, a família e os dogmas religiosos ainda são forças de grande poder entre as nações mais urbanizadas e industrializadas. É mais fácil expor as fraquezas das defesas de Burke do que oferecer algum sistema alternativo para resistir a um atomismo intelectual corrosivo. Sistemas de escolarização estatal imensamente caros não foram bem-sucedidos em consertar o dano ao caráter privado e à vida pública que foi feito quando o juízo pessoal começou a suplantar a opinião tradicional.

---

[47] Graham Wallas, *Human Nature in Politics*, Londres, 1908, p. 182-83.
[48] Irving Babbitt, *Democracy and Leadership*. Boston, 1924, p. 116.

Em um aspecto, todavia, Burke venceu o impulso inovador indiscriminado. Ensinou aos estadistas ingleses como ir ao encontro da mudança com coragem e destreza, abrandando as consequências, preservando o melhor do antigo, reconciliando os inovadores à sobrevivência. Não ocorreu uma única rebelião formidável desde que Burke saiu da política – nada pior do que tumultos e conspirações excêntricas; e caso tivessem sido postas em execução as recomendações de Burke para a Irlanda, é possível que o testemunho da sociedade fosse, ali, igualmente admirável. Na presente década, o governo na Inglaterra é intercambiado, sem transtorno, entre partidos amargamente hostis, porque os ingleses sabem que se a mudança há de vir, esta causa menor dano quando a paz é mantida.

> Todos devemos obedecer à lei da mudança. É a lei mais poderosa da natureza e o meio, talvez, de sua conservação. Tudo o que podemos fazer, e que a sabedoria humana pode fazer, é cuidar para que essa alteração proceda em estágios insensíveis. Isso traz todos os benefícios que possam existir na mudança, sem nenhuma das inconveniências da mutação. Esse modo irá, por um lado, evitar, *de uma vez, os antigos interesses incorrigíveis*: algo que é capaz de gerar um descontentamento hostil e intratável naqueles que estão, no momento, desprovidos de influência e consideração. Esse curso gradual, por outro lado, evitará que os homens, sob longa depressão, fiquem intoxicados por um grande projeto de poder novo, que sempre violam com insolência licenciosa.[49]

Nunca o conservadorismo é mais admirável do que ao aceitar, de boa vontade, pelo bem de uma conciliação geral, as mudanças que desaprova; e o impetuoso Burke, mais que todos os homens, fez o que pôde para instituir esse princípio.

---

[49] Edmund Burke, "Letter to *Sir* Hercules Langrische on the Catholics", 1792, *Works*, III, p. 340.

5. OS DIREITOS DO HOMEM SOCIAL CIVIL

O radicalismo, no final do século XVIII, expressou sua hipótese a respeito de "direitos naturais". Desde que foi publicada a obra *The Rights of Man* [Os Direitos do Homem], de Thomas Paine, a noção de direitos naturais inalienáveis foi abraçada por uma massa de homens, de maneira vaga e beligerante, que, em geral, confundiam "direitos" com desejos. Essa confusão de definição aflige, hoje, a sociedade, particularmente na "Declaração Universal de Direitos Humanos", de 10 de dezembro de 1948, elaborada pela Organização das Nações Unidas (ONU): trinta artigos e um número um tanto maior de "direitos" ali definidos, dentre eles, o direito à educação gratuita, o direito de "fruir das artes", o "direito de proteção dos direitos materiais e morais ligados à autoria", o direito a uma ordem internacional, o "direito ao pleno desenvolvimento da personalidade, o direito ao salário igual, o direito de casar e muitos outros mais, que na verdade não são, de modo algum, direitos, mas apenas aspirações. O adágio conservador de que todos os "direitos naturais" radicais são, simplesmente, em essência, uma declaração do direito de ser indolente está sugerido no artigo 24: "Toda pessoa tem direito ao repouso e aos lazeres, especialmente a uma limitação razoável da duração do trabalho e às férias periódicas pagas". Esse catálogo extenso de "direitos" ignora duas condições essenciais relacionadas a todos os direitos verdadeiros: primeiro, a capacidade de os indivíduos reivindicarem e exercerem o suposto direito; segundo, o dever correspondente unido a cada direito. Se um homem tem o *direito* a se casar, alguma mulher deve ter o dever de desposá-lo; se um homem deve ter o *direito* ao descanso, alguma outra pessoa deve ter o dever de sustentá-lo. Se os direitos, portanto, são confundidos com aspirações, a multidão dos homens sempre deve sentir que uma conspiração imensa, intangível frustra a obtenção daquilo que lhe dizem ser seu direito de nascença inalienável. Burke (e depois dele, Coleridge), ao perceber o perigo de instituir na sociedade um rancor e uma frustração permanentes, tentou definir o verdadeiro direito natural e a verdadeira lei natural.

Numa época em que o mundo estava afeiçoado por elaborar constituições, em que o abade Sièyes compunha documentos orgânicos por atacado, em que todos os cafés tinham um filósofo qualificado a revisar os estatutos de uma nação com base em um plano racional, em que a América acabara de lançar quatorze constituições novas e pensava em mais algumas, Burke declarou que os homens não fazem leis: simplesmente ratificam ou distorcem as leis de Deus. Disse que os homens não têm o direito de fazer o que lhes apraz: seus direitos naturais são apenas os que podem ser deduzidos diretamente da natureza humana. O reformador *whig*, o defensor da conveniência ilustrada, disse à Inglaterra que, na verdade, há uma lei imutável, e que há, de fato, direitos inalienáveis, mas que são de caráter e origens profundamente diferentes dos que os *philosophes* e os niveladores acreditavam ser.

Diferentemente de Bolingbroke e de Hume, cuja política aparente nalguns aspectos se assemelhava à dele, Burke era um homem piedoso: "As questões mais importantes acerca da raça humana, Burke respondeu com base no Catecismo da Igreja da Inglaterra".[50] Acreditava em um universo cristão, ao qual um Deus justo conferira uma ordem moral, de modo a permitir a salvação do homem. Deus deu uma lei ao homem e, com essa lei, direitos: essa é a premissa de Burke em todas as questões morais e jurídicas. Entretanto, essa lei e os direitos que dela derivam foram mal compreendidos pela mentalidade moderna.

> Os direitos dos *homens*, isto é, os direitos naturais da humanidade são, de fato, coisas sagradas; e se qualquer medida pública prova afetá-los miseravelmente, a objeção a tal medida deve ser fatal, ainda que nenhuma carta régia possa ser-lhe contraposta. Se esses direitos naturais, ainda assim, são afirmados e declarados por alianças expressas; se são

---

[50] Ross J. S. Hoffman e Paul Levak, *Burke's Politics*, 1949, p. xiv-xv.

> definidos de maneira clara e protegidos de chicanas, do poder e da autoridade, por instrumentos escritos e compromissos positivos, estão em condição ainda melhor: tomam parte não só da santidade do objeto assim assegurado, mas da própria fé pública solene que assegura um objeto de tamanha importância [...]. As coisas garantidas por tais instrumentos devem, sem falsa ambiguidade alguma, ser muito apropriadamente denominadas de *direitos promulgados do homem*.[51]

Dessa maneira, Edmund Burke discursou sobre a lei de Charles James Fox a respeito das Índias Orientais, entre duas revoluções, acerca daquelas afirmações de direito natural que estavam prestes a convulsionar o mundo. Persiste nesse discurso, talvez, certa relutância em lidar com a questão geral. Burke demonstra, todavia, duvidar de direitos abstratos e indefinidos, consagrados às prerrogativas garantidas por usos consagrados e por cartas régias. Logo seria compelido a fazer distinções mais enfáticas.

Tanto quanto conseguimos discernir, ainda que de maneira vaga, um propósito na história, diz Burke, então vemos existir decretos divinos de autoridade divina que tentam apreendê-lo pelo estudo da história e a observação do caráter humano. Os direitos do homem existem somente quando o homem obedece a lei de Deus, pois o direito é o filho da lei. Tudo isso é radicalmente diferente dos "direitos naturais" lockianos, cuja fraseologia Burke, às vezes, adota; e o conceito de direito natural burkeano, obviamente, deriva de fontes bem distintas da noção rousseauniana. Rousseau infere o direito natural de uma condição primitiva mítica de liberdade e uma psicologia extraída principalmente de Locke; o direito natural de Burke é o *jus naturale* ciceroniano, reforçado pelo dogma cristão e pela doutrina do direito consuetudinário inglês. Hume, por sua vez, de um terceiro ponto de vista, defende que o direito natural é uma questão de convenção; e Bentham, ainda de um outro ponto, declara que o direito natural é um rótulo inexistente. Burke, por detestar

---

[51] Edmund Burke, "Speech on Fox's East-India Bill", *Works*, II, p. 278.

todos esses racionalistas, diz que o direito natural é um costume humano segundo o desígnio divino.

Burke não considera o direito natural como uma arma adequada para a controvérsia política; tem muitíssima reverência por sua origem. Seja no papel de reformador ou de conservador, raramente invoca o direito natural contra as medidas dos adversários ou em defesa das próprias medidas. Não gosta de ter de defini-lo de modo rigoroso. O direito natural é uma ideia alcançada somente pelo intelecto divino; onde exatamente começa e termina, não somos juízes aptos. Pensar que a lei divina não pode operar sem a sanção de nossa legislação humana seria presunção, mas até onde conseguimos delinear as características da justiça natural, sugere Burke, é a experiência da humanidade que fornece nosso conhecimento da lei divina, e a experiência da espécie nos ensina não só pela história, mas pelo mito e pela fábula, pelo costume e pelos juízos prévios.

Do início ao fim da carreira, Burke denunciou a fantasia idílica de um estado de natureza livre, feliz, desregrado e sem propriedade popularizada por Rousseau. Nem a história nem a tradição, vociferou Burke, amparam a ideia de uma condição primitiva em que o homem, liberto das convenções mundanas, viveu contente, segundo os impulsos simples do direito natural. A lei natural pode introduzir-se em nossa cognição apenas à medida que é incorporada nos usos sociais consagrados ou nos documentos promulgados. O restante continua a ser, para nós, um livro cerrado. Conhecemos a lei de Deus somente por meio das nossas próprias leis que tentam copiar as leis Dele, pois Ele não nos brindou com uma aliança fácil, com nenhuma constituição utópica. Por certo, como demonstra Cícero, a lei humana não basta por si só; nossos estatutos imperfeitos são apenas um esforço na direção de uma ordem eterna de justiça, mas Deus, raras vezes, escreve literalmente nos muros. Tateamos, vagarosa e debilmente, rumo à Sua justiça, a partir das antigas imperfeições de nossa natureza.

Embora seja tolo pensar que o homem pode seguir a lei natural sem a força determinante da lei social, Burke sugere que seria igualmente arrogante tentar definir em um decreto jurídico toda a lei natural. Num ou noutro momento, os *philosophes* cometeram ambos os erros. Deus e a natureza de Deus (pois Burke inverteu a expressão de Jefferson) podem, de fato, nos guiar para o conhecimento da justiça, mas precisamos recordar que Deus é o guia, não o discípulo. O homem, cheio de vanglória, no papel de guia, munido de um mapa compendiado com base nas próprias abstrações, pode levar a sociedade à destruição. A obra que primeiro trouxe notoriedade pública a Burke foi *A Vindication of Natural Society* [Uma Vindicação da Sociedade Natural], uma paródia tanto do racionalismo, de Bolingbroke, como da fantasia idílica de Rousseau, e *Letters on a Regicide Peace* [Cartas sobre a Paz Regicida], resplendente de gênio fatal, é exaltada ao distinguir entre os reais e os pretensos direitos dos homens. Burke estava sempre em guarda contra os conceitos de lei natural perigosamente vagos e os conceitos perigosamente exatos.

Assim como o Dr. Samuel Johnson, Edmund Burke detestava a ideia de natureza não refinada, pois "a arte é a natureza do homem", escreveu. Na opinião de Burke, a natureza humana reside no homem naquilo que é mais excelso e não no mais elementar.

> Nunca, nunca, a natureza disse uma coisa e a sabedoria, outra. Nem são sentimentos de enlevo, por si, túrgidos e artificiais. A natureza nunca é, por si, mais verdadeira que nas formas mais excelsas [...]. O Apolo de Belvedere (se o ladrão universal[52*] ainda o deixou em Bel-

---

[52*] Referência ao então general Napoleão Bonaparte, que ao longo das inúmeras campanhas militares travadas nas chamadas Guerras Revolucionárias Francesas, entre 1792 e 1802, saqueou diversas obras de arte, levando-as para o então Museu Central de Artes, atual Museu do Louvre. Na época em que Edmund Burke escreveu o texto a estátua helenística de Apolo do Belvedere ainda se encontrava no Museu Pio-Clementino, localizado no Cortile del Belvedere, conhecido, também, como Palácio dos Museus Vaticanos. No entanto, em 1797, a escultura foi confiscada pelas tropas napoleônicas e levada para

vedere) é tão mais natureza quanto qualquer figura a lápis de Rembrandt (1606-1669) ou quaisquer deleites rústicos de David Teniers (1610-1690).[53]

Não o homem "natural", mas o homem civilizado é o objeto da solicitude de Burke. E, caso a sociedade tente aplicar os "direitos naturais" de um selvagem hipotético aos privilégios muito mais reais e valiosos de um inglês – ora, o risco terrível é a penalidade.

> No instante em que penetram a vida prática, esses direitos metafísicos são como raios de luz que, ao atravessarem um meio denso, sofrem, pelas leis da natureza, um desvio de sua linha reta. Com efeito, na imensa e complicada massa de paixões e preocupações humanas, os direitos primitivos dos homens sofrem uma tal variedade de refrações e reflexos, que se torna absurdo discuti-los como se continuassem na simplicidade de sua condição original.[54]

A natureza do homem é intrincada, a sociedade, maravilhosamente complexa: a simplicidade primitiva é ruinosa quando aplicada aos interesses políticos dos grandes Estados.

> Quando ouço falar da simplicidade do plano proposto e elogiado em qualquer das novas constituições políticas, não encontro dificuldades para concluir que seus artífices são rematados ignorantes, ou totalmente negligentes do seu dever.[55]

No seu *Fragments of a Tract Relative to the Laws Against Popery in Ireland* [Fragmentos de um Panfleto Relativo às Leis contra o Papado na Irlanda], publicado postumamente, Burke ataca de novo o primitivismo social. O propósito de uma sociedade civil é "a conservação e o gozo seguro de nossos direitos naturais" e abolir ou suspender

---

Paris, sendo devolvida para o Vaticano apenas em 1815, após a queda do regime bonapartista. (N. T.)

[53] Edmund Burke, "Letters on a Regicide Peace". *Works*, II, p. 278.
[54] Edmund Burke, *Reflexões sobre a Revolução na França*. Op. cit., p. 81. (N. T.)
[55] Idem. Ibidem, p. 82. (N. T.)

esses direitos naturais verdadeiros, de modo a conformá-los a algum esquema fanático para instituir direitos naturais inventados, ou com o pretexto de protegê-los com maior segurança, "é um procedimento tão disparatado e cruel na argumentação quanto opressivo e cruel nos efeitos".[56]

Propostas igualitaristas para realizar a restauração de um pretenso "direito natural" de igualdade, a abolir a aristocracia artificial e a natural, apresentam esse caráter cruel e falacioso.

> O estado da sociedade civil, que necessariamente gera essa aristocracia, é um estado de natureza; e é muito mais verdadeiro que o modo de vida selvagem e incoerente. O homem é por natureza razoável e nunca está perfeitamente em seu estado natural, a não ser quando posto onde a razão é mais bem cultivada e mais predominante [...]. Estamos, ao menos, em um estado de natureza em formação de humanidade, assim como a infância imatura e desamparada.[57]

Aqui, como noutros lugares, Burke está mais disposto a dizer o que as leis da natureza *não* são, a dizer o que elas são; nem tenta esconder a relutância em introduzir uma definição precisa. Escreve sobre os inimigos, os homens de letras igualitaristas:

> Os direitos que esses teóricos pretendem obter são todos extremos, e moral e politicamente falsos na mesma proporção em que são metafisicamente verdadeiros. Os direitos do homem estão em uma espécie de meio-caminho, impossível de serem definidos, mas que se pode, todavia, discernir. Os direitos dos homens nos governos são suas vantagens, as quais costumam estar em equilíbrio entre diferentes bens, algumas vezes em compromissos entre o bem e o mal, e, por vezes ainda, entre o mal e o mal [...]. Os homens não têm nenhum direito ao que não é razoável e ao que não é para o seu benefício.[58]

---

[56] Idem, "Tracts on Popery Laws". *Works*, VI, p. 29-30.
[57] Edmund Burke, "Appeal from the New Whigs". In: *Works*, III, p. 108-09.
[58] Idem, *Reflexões sobre a Revolução na França*. Op. cit., p. 82. (N. T.)

O direito natural, continua a explicar, não é idêntico ao poder popular e, caso deixe de agir conforme a justiça, deixa de ser um direito. A *administração* da justiça (ainda que a justiça em si tenha uma origem superior à invenção humana) é uma artificialidade benéfica, o produto de uma convenção social. Em pactos humanos, o propósito principal é facilitar essa administração da justiça. Para obtê-la, o homem "natural" há muito desistiu da liberdade anárquica (e a essa concordância implícita continua a render-se), que é inconsistente com a justiça. O pacto social é muito verdadeiro para Burke – não um acordo histórico, não um mero contrato de empresa, nem mesmo um conceito jurídico, mas, antes, um contrato reafirmado a cada geração, a cada ano e dia, por todos os homens que depositam a confiança no próximo. Nosso bem-estar comum, concordavam os ancestrais, hoje, assentimos, e nossos descendentes aquiescerão, rende-se a uma "liberdade" natural sem recompensas para receber os benefícios da confiança aplicada pela justiça mundana. Em consequência, não existe direito natural que exima o homem de obedecer aos executores da justiça.

> Uma das primeiras razões de ser da sociedade civil, e que se torna uma de suas regras fundamentais, é a de que *nenhum homem pode ser juiz de sua própria causa*. Por isso, cada pessoa renunciou de imediato ao primeiro direito fundamental do indivíduo isolado, a saber, o de julgar por si mesmo e o de defender a sua própria causa. Abdicou de todo direito a ser seu próprio governante. Abandonou, inclusive, em grande medida, o direito à legítima defesa, a primeira lei da natureza [...]. A fim de assegurar alguma liberdade, entrega-a por inteiro em confiança à sociedade.[59]

Uma rendição em *confiança*, no entanto, notamos; embora um homem não possa desfrutar simultaneamente de direitos civis e não civis quando abre mão da anarquia, recebe em seu lugar uma

---

[59] Idem. Ibidem, p. 80. (N. T.)

garantia de justiça. A violação dessa confiança pode justificar a resistência, mas nada mais o pode. Não só os ditames da justiça unem os homens em dependência mútua, mas os ditames da moralidade geral também o fazem. Nem o selvagem ou o homem civilizado podem evitar esbarrar no próximo e, sempre que fazem, em certo grau, sua liberdade "natural" deve ser restringida, pois põem em risco as prerrogativas de outrem. A devoção francesa à "liberdade absoluta" [ainda exigida sem nenhuma qualificação por Alphonse de Lamartine (1790-1869), meio século após o escrito de Edmund Burke) foi um disparate histórico e social:

> Quanto ao direito dos homens de agir, em qualquer lugar, ao bel-prazer, sem nenhuma amarra moral, tal direito não existe. Os homens nunca estão em um estado de independência total uns dos outros. Essa não é a condição de nossa natureza; nem é concebível como qualquer homem possa buscar um curso de ação considerável sem ocasionar algum efeito sobre os demais; ou, é claro, sem ter certo grau de responsabilidade por sua conduta.[60]

E os direitos naturais não existem independentemente de circunstâncias: o que pode ser um direito para uma ocasião e para um homem, pode ser uma tolice injusta para outro em uma época diferente. A prudência é o teste do direito real. A sociedade pode negar prerrogativas aos homens por não estarem aptos a exercê-las. "Entretanto, seja a negativa sábia ou tola, justa ou injusta, prudente ou covarde, isso depende totalmente do estado dos recursos do homem".[61]

Todas essas coisas *não* são direito natural. Então, em que isso consiste? Em benefícios muito práticos e indispensáveis, afirma Burke, cuja preservação é o propósito principal dessa ordem mundana. A melhor descrição de Burke do verdadeiro direito natural aparece na obra *Reflexões sobre a Revolução em França*:

---

[60] Edmund Burke, "Regicide Peace", *Works*, II, p. 216.
[61] Idem, "Petition of the Unitarians", *Works*, VI, p. 124.

Longe estou de negar totalmente, na teoria, e de sonegar no coração, na prática (se fosse facultado o poder de dar ou de negar), os *verdadeiros* direitos do homem. Ao negar essas falsas pretensões de direito, não pretendo ofender os que são reais, porque então, como tais, os pretensos direitos se destruiriam completamente. Se a sociedade civil é feita para o proveito do homem, todas as vantagens para a qual é feita tornam-se direito dela. É uma instituição de beneficência; e a própria lei só é beneficência ao agir segundo uma regra. Os homens têm o direito de viver por essa regra; têm o direito de fazer justiça aos irmãos, estejam seus confrades na função política ou nas ocupações ordinárias. Têm direito aos frutos de sua indústria e aos meios de tornar essa indústria frutuosa. Têm direito às aquisições dos pais, a nutrir e aprimorar seus rebentos; à instrução na vida e à consolação na morte. O que quer que cada homem possa fazer separadamente, sem afetar os outros, tem o direito de fazê-lo a si mesmo e tem direito a uma porção justa de toda a sociedade, com tudo o que as combinações de habilidades e de força podem realizar a seu favor. Nessa associação, todos os homens têm direitos iguais; mas não a coisas iguais. Aquele que não tem senão cinco *shillings* na associação tem direito a ela tanto quanto o que possui quinhentas libras o tem em proporção maior. Entretanto, não é um direito a um dividendo igual no produto do capital social; e, no que concerne à parcela de poder, autoridade e direção que cada indivíduo deve ter no gerenciamento da situação, nego que esteja entre os direitos diretos originais do homem na sociedade civil, pois tenho em conta o homem social, e nenhum outro. É algo a ser estabelecido por convenção.[62]

---

[62] O referido trecho das *Reflections on the Revolution in France* é uma nova tradução. Nas edições brasileiras da obra podemos encontrar o trecho em Edmund Burke, *Reflexões sobre a Revolução em França*. Trad. Renato de Assumpção Faria; Denis Fontes de Souza Pinto; Carmem Lídia Richter Ribeiro Moura. Brasília, Editora da Universidade de Brasília, 1982, p. 88-89; Idem, *Reflexões sobre a Revolução em França*. Trad. Eduardo Francisco Alves. Rio de Janeiro, Topbooks/Liberty Fund, 2012, p. 220-21; Idem, *Reflexões sobre a Revolução na França*. Trad., apr. e notas José Miguel Nanni Soares. São Paulo, Edipro, 2014. Op. cit., p. 79-80. (N. T.)

De todas as obras de Burke, a passagem acima é, talvez, a contribuição mais importante para o pensamento político. A justiça igualitária é, de fato, um direito natural, mas o dividendo igual não é, absolutamente, um direito. As leis da natureza – ou seja, a natureza que a humanidade adquire na civilização – não preveem partilha de bens alguma sem levar em conta as energias individuais ou méritos, nem o poder político é naturalmente igualitário. Até que ponto deve ser levado o nivelamento político e econômico é uma questão a ser determinada recorrendo-se à prudência. Proteger-se das ofensas é um direito natural; o poder de ofender os outros não é. Para assegurar o reino da justiça e proteger a justa parcela de cada homem na sociedade é instituído o governo. O governo é uma criação prática, a ser administrado segundo considerações práticas, pois Burke distingue entre o "Estado" ou ser social, que é determinado por Deus, e "governo" ou administração política, que é o produto da convenção. O fundamento do governo "está posto, não nos direitos imaginários dos homens (que, na melhor das hipóteses, é uma confusão de princípios jurídicos e civis), mas na conveniência política e na natureza humana; seja essa natureza universal ou modificada por hábitos locais e aptidões sociais". O governo destina-se a atender às nossas necessidades e a obrigar-nos a cumprir os deveres. Não é um brinquedo a ser manipulado segundo nossas vaidades e ambições.[63]

Entusiasmo excessivo como direito natural nas questões práticas de governo deve terminar em anarquia, em um individualismo feroz e intolerante. Até mesmo os parlamentos não suportarão caso os doutrinários do direito natural triunfem, pois, qualquer forma de governo representativo é, em determinado grau, uma invasão da "liberdade absoluta". Aqui, Burke ataca a visão rudimentar de Rousseau de uma vontade geral, em que todos os homens participam sem a interposição das instituições parlamentares.

---

[63] Idem, "Appeal from the New Whigs", *Works*, III, p. 108-09.

> Os que pleiteiam um direito absoluto não podem satisfazer-se com nada menos que a representação pessoal, porque todos os direitos naturais devem ser direitos de indivíduos, assim como por natureza não existe tal coisa como a política ou a personalidade corporativa, todas essas ideias são meras ficções de direito, são criaturas de uma instituição voluntária, homens, como homens, são indivíduos e nada mais.[64]

No entanto, a participação pessoal em todos os interesses do governo ou o envio de um representante pessoal são completos absurdos nos grandes Estados modernos. Essa determinação fanática de participar diretamente das complexidades do governo, por certo destrói os próprios "direitos naturais" professados com tamanho zelo; visto que, há muito, qualquer governo que assim se conduziu recaiu na anarquia, em que toda descrição de direito é irreconhecível, declara Burke. À tais catástrofes, sempre tende a confusão dos pretensos direitos com os direitos verdadeiros.

Os verdadeiros direitos naturais dos homens, portanto, são a justiça equânime, a certeza do trabalho e da propriedade, as amenidades das instituições civilizadas e os benefícios de uma sociedade ordenada. Para tais propósitos, Deus estabeleceu o Estado, e a história demonstra que são direitos desejados pelo homem natural *autêntico*. Esses direitos genuínos, sem os quais o governo é usurpação, Burke contrasta com os "direitos dos homens" imaginados e ilusórios, tão desejados do outro lado do Canal – "direitos" que realmente são a negação da justiça, pois se alcançassem (contingência impossível), de modo efetivo, em sentido absoluto, o exigido por seus devotos, infringiriam, imediatamente, uns aos outros e precipitariam os homens no caos moral e civil. A "liberdade absoluta", a "igualdade absoluta" e projetos similares, longe de serem direitos naturais, são condições

---

[64] Idem, "Motion in the House of Commons on the Reform of Representation" (7 maio 1782). In: *The Works of Edmund Burke: with a Memoir*. New York, G. Dearborne, 1835, vol. 2, p. 468.

sempre não naturais – empregando o termo "natureza" no sentido de Rousseau – pois só podem existir, ainda que de modo temporário, em Estados altamente civilizados. Ao confundir as questões de conveniência social e convenção com a ordem natural sutil e quase indefinível de Deus, os filósofos do Iluminismo e os seguidores de Rousseau ameaçam a sociedade com a dissolução de instituições sociais.

Por essas várias razões, Burke rejeita, com desdém, o "direito natural" arbitrário e abstrato dos metafísicos, seja da escola de Locke ou da de Rousseau. Ainda assim, deve haver uma sociedade de princípio natural, caso os homens tenham de ser salvos de suas paixões. Que outra base há para perceber a ordem moral natural na sociedade? "A razão", Voltaire poderia ter respondido; "A utilidade", Bentham diria; "a satisfação material das massas", os marxistas responderiam seis décadas depois. Burke viu na razão um sustentáculo débil, pouco suficiente para a maioria dos homens; a utilidade era-lhe um teste de meios, não de fins; e a satisfação material, uma aspiração extremamente baixa. Outro fundamento para o princípio social é o de Burke. "Obedecer ao desígnio divino" – de modo que podemos parafrasear seu conceito como obediência à ordem natural. Ao considerar apropriadamente os usos consagrados e as inclinações, descobrimos os meios para a obediência respeitosa. A sabedoria coletiva da espécie, filtrada pela experiência da humanidade, nos preserva da anarquia dos "direitos dos homens" e da presunção da razão.

A verdadeira conformidade aos ditames da natureza requer reverência ao passado e solicitude para com o futuro. A "natureza" não é simplesmente a sensação de um momento que passa; é eterna, ainda que nós, homens evanescentes, experimentemos apenas um fragmento. Não temos o direito de pôr em perigo a felicidade da posteridade por ajustes imprudentes na herança da humanidade. Um entusiasta do "direito natural" abstrato obstrui a operação da verdadeira lei natural:

> Uma nação não é uma ideia somente de proporção local e de agregação individual momentânea, mas é uma ideia de continuidade que se estende no tempo, bem como em números e no espaço. E isso é a escolha não de um dia ou de um grupo de pessoas, não é uma escolha tumultuada e vertiginosa, é uma escolha deliberada de eras e de gerações; é uma constituição feita por aquilo que é dez vezes melhor que a escolha, é feita por circunstâncias peculiares, ocasiões, temperamentos, disposições, hábitos morais, civis e sociais do povo que se revelam somente em um longo espaço de tempo. Nem os usos consagrados de um governo são formados com base em preconcepções cegas e sem sentido – pois o homem é o ser mais insensato e o mais sábio. O indivíduo é tolo; a multidão, por ora, é tola, quando age sem ponderação; mas a espécie é sábia e, quando lhe é dado tempo, como espécie, sempre age corretamente.[65]

Só ao enunciar princípios gerais com relutância, como se estivessem divorciados das questões práticas particulares, Burke aplicou, de imediato, esses pontos de vista ao grande movimento igualitário de sua época. A igualdade política e social, declarou, não recai na categoria de *verdadeiros* direitos do homem. Ao contrário, a hierarquia e a aristocracia são o arcabouço natural, original, da vida humana; se modificarmos sua influência, é por prudência e convenção, não por obediência a um "direito natural". Esses são os postulados para seu enaltecimento da aristocracia natural e a condenação do nivelamento.

6. IGUALDADE E ARISTOCRACIA

Será a igualdade, de qualquer espécie, consequente da natureza que Deus nos dotou? Somente um tipo, diz Edmund Burke: a igualdade moral. A misericórdia divina não nos julga pela posição social

---

[65] Idem, "Reform of Representation", *Works*, VI, p. 145-47.

terrena, mas pela bondade, e isso, afinal, transcende em muito a igualdade política do mundo. Ao reprovar os franceses, Burke expressa sua opinião em uma passagem caracterizada pela alta capacidade enternecedora que, com frequência, emprega:

> Um povo protegido, satisfeito, laborioso e obediente, habituado a buscar e a reconhecer a felicidade que pode ser proporcionada pela virtude em todas as condições; nisso consiste a verdadeira igualdade moral da humanidade, e não aquela ficção monstruosa que, inspirando ideias falsas e esperanças vãs nos homens destinados a trilhar o caminho obscuro de uma vida laboriosa, serve apenas para agravar e amargar aquela desigualdade real de que ela é incapaz de suprimir, e que a ordem da vida civil estabelece seja em benefício dos que devem permanecer em uma posição obscura, seja dos que se elevam a uma condição mais esplêndida, mas não mais feliz.[66]

Na natureza, óbvio, os homens são desiguais: desiguais em razão, em corpo, em energias e em todas as circunstâncias materiais. Quanto menos civilizada a sociedade e, de modo mais generalizado, a vontade e o apetite prevalecem sem freios, menos igual é a situação dos indivíduos. A igualdade é o produto da arte, não da natureza; e se o nivelamento social é levado tão adiante a ponto de obliterar a ordem e a classe, reduzindo o homem à "glória de pertencer ao quarteirão 71", a arte terá sido empregada para desfigurar o desígnio de Deus a respeito da verdadeira natureza do homem. Burke abominava a monotonia improdutiva de qualquer sociedade destituída de diversidade e individualidade; predisse que tais sociedades deveriam imergir em uma nova condição de desigualdade – a de um mestre ou de um punhado de mestres e o povo de escravos.

O governo da maioria não é um direito mais natural que a igualdade. Quando aceitamos o princípio das maiorias na política, o fazemos por prudência e conveniência, não por causa de uma injunção

---

[66] Idem, *Reflexões sobre a Revolução na França*. Op. cit., p. 58. (N. T.)

moral abstrata. Ter direito a voto, ter um cargo executivo e confiar poderes ao povo são questões a ser instituídas com base em considerações práticas, variando conforme a época, circunstância e o temperamento da nação. A democracia pode ser totalmente má, admissível com certas reservas ou totalmente desejável, segundo o país, a época e as circunstâncias particulares pelas quais é adotada. Burke cita Montesquieu em apoio a sua posição. Se apelarmos à ordem natural das coisas, aliás, destruiremos a regra da maioria porque esse modo de decisão é um artifício altamente elaborado.

> Afora a sociedade civil, a natureza disso nada reconhece; nem os homens, mesmo quando organizados segundo a ordem civil, senão por um treino deveras longo, tudo conduziram para que a isso se submetesse [...]. Esse modo de decisão, em que as vontades podem ser quase tão iguais, que segundo as circunstâncias o número menor pode ser a força mais potente e que a razão aparente pode estar toda de um só lado e, noutro, pouco mais que o apetite impetuoso; tudo isso deve ser o resultado de uma convenção muito particular e especial, confirmada posteriormente pelos hábitos duradouros da obediência por um tipo de disciplina na sociedade e por uma mão forte, investida de um poder fixo, permanente, para fazer cumprir essa espécie de vontade geral construtiva.[67]

Como o defensor mais eloquente das liberdades parlamentares, Burke acreditava na regra da maioria, devidamente compreendida. No entanto, a conveniência sempre apresenta a questão: o que constitui a verdadeira maioria? Ao repudiar o "direito natural" dos homens de exercer o poder político como uma ficção sem fundamento histórico, físico ou moral, Burke defende que uma maioria adequada só pode ser esboçada por um corpo qualificado pela tradição, posição, educação, propriedade e natureza moral para exercer a função política. Na Grã-Bretanha, esse corpo, "o povo", incluía quatrocentos mil homens, afirmou Burke, e uma maioria competente deveria ser a

---

[67] Idem, "Appeal from the New Whigs", *Works*, III, p. 83.

maioria dessas pessoas, não simplesmente toda a população tomada de modo indiscriminado. A partilha no poder político não é um direito imutável, mas, ao contrário, um privilégio a ser ampliado ou contratado segundo a inteligência e integridade da população. "Vejo pouco de política, assim como de utilidade ou de direito, ao estabelecer um princípio em que a maioria dos homens, contada por cabeça, vem a ser considerada povo e, como tal, sua vontade deve ser a lei".[68] Se o direito natural for posto em dúvida, de fato, os homens detêm um direito natural que os impede de se intrometerem na autoridade política de modo desqualificado, e isso nada lhes trará senão prejuízo. A natureza que herdamos não é só uma natureza de permissão, também é uma natureza de disciplina. Nem todo direito natural que o homem tem é-lhe palatável, mas as limitações de nossa natureza são projetadas para proteção. O plebeu publicano *tory*, vetusto e austero, da peça *The Bird in Hand* [O Pássaro na Mão], de John Drinkwater (1882-1937), ecoa um antigo princípio conservador (que Burke expressa melhor que ninguém) ao resmungar que o propósito do Estado é governar aqueles que não são aptos a se autogovernar.

"O governo é uma invenção da sabedoria humana para atender às *necessidades* humanas", afirma Burke:

> Os homens têm o direito a que essas necessidades lhes sejam satisfeitas por meio daquela sabedoria. Conta-se, entre elas, na sociedade civil, a necessidade de que se exerça suficiente constrangimento sobre as paixões. A sociedade exige não apenas que as paixões dos indivíduos sejam dominadas mas também que, mesmo na massa e no conjunto, bem como nos indivíduos, as inclinações dos homens sejam frequentemente contrariadas, sua vontade controlada e suas paixões reprimidas. Isso apenas pode ser obtido através de um *poder independente dos indivíduos*; e, no exercício de suas funções, não sujeitos à vontade e às paixões, as quais, pelo contrário, eles têm o dever de restringir e subjugar. Nesse sentido, os direitos dos

---

[68] Idem. Ibidem, p. 85.

homens compreendem tanto suas liberdades quanto as restrições que lhes são impostas.[69]

A dimensão dessa restrição variará conforme o grau de civilização e de veneração religiosa na sociedade; não pode ser estabelecida com base em regras abstratas. A negação de Burke da teoria da maioria onicompetente (que não é competente, segundo o próprio excesso de poder, para refrear-se) e a ideia de democracia de um homem, um voto apresenta-se, de modo vigoroso, em uma passagem anterior de *Reflexões*:

> Diz-se que vinte e quatro milhões devem prevalecer sobre duzentos mil. Verdade, se a constituição de um reino for questão de aritmética. Esse tipo de discurso se sai muito bem tendo os postes de iluminação[70] por auxiliares: para homens que *podem* raciocinar, é ridículo. A vontade de muitos e seus *interesses* diferem com bastante frequência; e enorme será a diferença quando fizerem uma má escolha.[71]

---

[69] Idem, *Reflexões sobre a Revolução em França*. Trad. Renato de Assumpção Faria; Denis Fontes de Souza Pinto; Carmem Lídia Richter Ribeiro Moura. Brasília, Editora da Universidade de Brasília, 1982, p. 89. Nas outras edições da obra em português podemos encontrar a passagem, com traduções diferentes, em: Idem, *Reflexões sobre a Revolução na França*. Trad. Eduardo Francisco Alves. Rio de Janeiro, Topbooks/Liberty Fund, 2012, p. 222; Idem, *Reflexões sobre a Revolução na França*. Trad., apr. e notas José Miguel Nanni Soares. São Paulo, Edipro, 2014, p. 80; Idem, *Reflexões sobre a Revolução na França*. Trad. Marcelo Gonzaga de Oliveira; Giovanna Louise Libralon, pref. João Pereira Coutinho. Campinas, Vide Editorial, 2017, p. 103-04. (N. T.)

[70] Alusão aos postes de iluminação utilizados pela multidão de Paris e dos campos para linchamentos e enforcamentos de contrarrevolucionários nos meses de julho e agosto de 1789. (N. T.)

[71] A passagem foi retraduzida, porém pode ser encontrada nas seguintes edições brasileiras: Edmund Burke, *Reflexões sobre a Revolução em França*. Trad. Renato de Assumpção Faria, Denis Fontes de Souza Pinto e Carmem Lídia Richter Ribeiro Moura, Brasília, Editora da Universidade de Brasília, 1982, p. 83; Idem, *Reflexões sobre a Revolução na França*. Trad. Eduardo Francisco Alves, Rio de Janeiro: Topbooks/Liberty Fund, 2012, p. 211; Idem, *Reflexões sobre a Revolução na França*. Trad., apres. e notas José Miguel Nanni Soares. São Paulo, Edipro, 2014, p. 73; Idem, *Reflexões sobre a Revolução na França*.

Ainda que os princípios políticos de Burke tenham retrocedido diante das ideias utilitaristas e igualitárias de nossa época, sua crítica pungente ao conceito de direitos naturais da autoridade política democrática derrotou as abstrações dos oponentes. Adeptos inteligentes da democracia no século XX encontraram o fundamento para a difusão mais ampla do poder político, não em um direito natural de igualdade, mas na conveniência. David Thomson (1912-1970) expressa a opinião reinante do que Burke e Disraeli imprimiram no pensamento político:

> O caso do sufrágio universal e da igualdade política não se baseiam em alguma superstição de que cada homem, ao adquirir o voto, torna-se igualmente sábio ou igualmente inteligente. Repousa, tanto histórica quanto filosoficamente, na crença de que se alguma seção da comunidade está privada da capacidade de votar, então seus interesses estão sujeitos a ser negligenciados, e o nexo de ofensas provavelmente seja criado e infestará o corpo político.[72]

A igualdade política é, em certo sentido, artificial, conclui Burke; e a aristocracia, por outro lado, é, de certo modo, natural. O líder *whig* só admirava a aristocracia com numerosas reservas: "Não sou amigo da aristocracia, ao menos no sentido em que essa palavra costuma ser compreendida".[73] Incontrolada, é um "domínio austero e insolente". "Se se chegar ao último extremo e a uma contenda de sangue – Deus nos livre! Deus nos livre! –, meu partido está tomado; abraçarei minha sina ao lado dos pobres, dos pequenos e dos fracos".[74] No entan-

---

Trad. Marcelo Gonzaga de Oliveira e Giovanna Louise Libralon. Pref. João Pereira Coutinho. Campinas, Vide Editorial, 2017, p. 92-93. (N. T.)

[72] David Thomson, *Equality*. Cambridge, Cambridge University Press, 1949, p. 68.

[73] Edmund Burke, "Thoughts on the Cause of the Present Discontens", *Works*, I, p. 323.

[74] Idem, "Speech on a Bill for the Repeal of the Marriage Act", in: *The Works of the Right Honorable Edmund Burke*. Boston, Little, Brown & Co., 1884, vol. VII.

to, a natureza dotou a sociedade de materiais para uma aristocracia que o Estado sabiamente conduzido reconhecerá e honrará – sempre reservando, todavia, um contrapeso à ambição aristocrática. Assim como é um fato da natureza que o conjunto dos homens é mal qualificado para exercer o poder político, da mesma maneira está escrito na constituição eterna das coisas que poucos homens, de várias causas, estão aptos, mental e fisicamente, para a liderança social. O Estado que rejeita os serviços deles está condenado à estagnação ou destruição. Esses aristocratas são, em parte, "os mais sábios, os mais experimentados e os mais opulentos", e devem conduzir, ilustrar e proteger "os mais fracos, os de menor conhecimento e os menos providos de bens da fortuna".[75] O nascimento, também, Burke respeita, mas menciona, de modo muito particular, o clero, a magistratura, os professores, os comerciantes: não o acidente do nascimento, mas a natureza fez desses homens aristocratas. É sábio e justo e está de acordo com a verdadeira lei da natureza que tais pessoas devam exercer uma influência social muito superior à do cidadão mediano.

> A verdadeira aristocracia natural não é um interesse apartado do Estado ou dele separável. É parte integrante essencial de qualquer grande corpo devidamente constituído. É formada por uma classe de presunções legítimas que, tomadas como generalidades, devem ser admitidas como verdades reais.[76]

A descrição dessa aristocracia que está inextrincavelmente entrelaçada com o tecido de toda sociedade civilizada é uma das passagens mais memoráveis de Burke; teve sua parcela na preservação do governo constitucional britânico e do americano:

> Ser criado em um lugar estimado; não ver nada de baixo e de sórdido na infância; aprender o respeito pelo próprio eu; ser habituado a

---

[75] Edmund Burke, "An Appeal for the New to the Old Whigs". In: *Works*, III, p. 85.
[76] Idem. Ibidem, p. 86.

uma inspeção censória aos olhos do público; olhar primeiro a opinião pública, permanecer em um plano elevado de modo a poder ter uma visão ampla e generalizada das combinações infinitamente diversificadas de homens e de assuntos na grande sociedade; ter tempo livre para ler, refletir e conversar; ser capaz de agradar e de chamar a atenção dos sábios e eruditos onde quer que esteja; habituar-se nos exércitos a comandar e a obedecer; ser ensinado a desprezar o perigo em busca da honra e do dever; ser formado com o maior grau de vigilância, de previdência e de circunspecção em um estado de coisas em que não exista falta impune e os menores erros levem às mais ruinosas consequências; ser levado a guardar e regular a conduta, no sentido de ser tido como um instrutor de seus concidadãos nos mais altos interesses e de agir como reconciliador entre Deus e o homem; empregar-se como um administrador da lei e da justiça e estar, assim, entre os primeiros benfeitores da humanidade; ser professor de alta ciência ou de arte liberal e inventiva; estar entre os ricos comerciantes, os quais, pelo sucesso, supõe-se que tenham visões agudas e vigorosas e que tenham as virtudes da diligência, da ordem, da constância, da regularidade, e que tenham cultivado especial consideração pela justiça comutativa: essas são as circunstâncias dos homens que formam o que eu chamaria de aristocracia natural, sem a qual não existe nação.[77]

Mais do que qualquer outra ordem na história, talvez, as classes altas inglesas dos séculos XVIII e XIX mereceram esse tributo: como corpo: honradas, inteligentes, morais e vigorosas. A ascendência dessa classe, afirma Burke, é realmente natural. O domínio da sociedade pela mediocridade é contrário à natureza. Um dos deveres do estadista é empregar os dons intelectuais da aristocracia natural a serviço da comunidade, em vez de submergi-los à massa da população, em que só podem ameaçar a estabilidade da sociedade.

A liderança de homens de capacidade intelectual, nascimento e riqueza é um dos aspectos mais naturais e benéficos da vida civilizada. "Natureza" é a excelência do caráter do homem em uma ordem

---

[77] Idem. Ibidem, p. 86.

civilizada. Os direitos do homem estão unidos aos deveres do homem, e quando são distorcidos em exigências extravagantes por uma espécie de liberdade, igualdade e de engrandecimento humano que o temperamento do homem não pode sustentar, degeneram de direitos em vícios. Igualdade aos olhos de Deus, igualdade perante a lei, segurança naquilo que é a própria parte nas atividades e confortos da sociedade – esses são os verdadeiros direitos naturais. As exigências presunçosas de Rousseau, Condorcet, Helvétius e Paine de liberdades absolutas com as quais nenhum Estado na história jamais concordaria são o exato oposto da justiça natural; são artificiais porque ímpias, "resultado de um temperamento egoísta e de visões restritas". Na esfera política, essas exigências são absurdas, pois o exercício de qualquer direito deve estar circunscrito e ser modificado para ajustar-se às circunstâncias particulares.

A verdadeira harmonia com a lei natural é obtida ao adaptar a sociedade a um modelo em que a natureza eterna, física e espiritual, nos é posta – não por exigir uma alteração radical com base nas reivindicações fantásticas do primitivismo social. Somos parte de uma ordem natural eterna que sustenta todas as coisas em seus lugares.

> Nosso sistema político encontra-se em justa correspondência e simetria com a ordem do mundo, e com o modo de existência decretado para um corpo permanente composto de peças transitórias, no qual, por meio da disposição de uma estupenda sabedoria que molda a grande e misteriosa encarnação da espécie humana, o todo, em um determinado momento, nunca é velho, ou de meia-idade, ou jovem, mas, em um estado de constância imutável, segue em frente por meio do variado sistema de decadência, queda, renovação e progressão perpétuas. Assim, seguindo o método natural na condução do Estado, no que melhoramos, nunca somos completamente novos.[78]

---

[78] Edmund Burke, *Reflexões sobre a Revolução na França*. Op. cit., p. 55-56. (N. T.)

A reforma política e a justiça imparcial conduzidas com base nesses princípios incorporam a humildade e a prudência que os homens devem cultivar se têm de se conformar a uma ordem moral transcendente. Essas definições de natureza e direito, as visões de permanência e mudança, elevam Burke a um plano de reflexão muito acima dos simples postulados da especulação reformista francesa e dão às suas ideias uma estatura duradoura, superior às vicissitudes da política.

7. O PRINCÍPIO DA ORDEM

Ainda que Edmund Burke não tenha podido tornar imutáveis a Constituição britânica e a sociedade de usos consagrados – mesmo que desejasse se opor a toda mudança, o que nunca foi o seu objeto – mesmo assim, a influência restritiva de suas ideias na tendência da política e da especulação foi incalculavelmente poderosa. O próprio Burke, no final de 1791, perdeu as esperanças de influir na corrente de inovação; viu o jacobinismo varrer tudo diante de si, inundando até o Partido *Whig*, e escreveu para 4º Conde Fitzwilliam, que ainda não estava completamente convencido da presciência de Burke:

> Vedes, meu caro senhor, que não tenho por base diferença alguma a respeito do melhor método de evitar o crescimento de um sistema que, em comum, creio, desgostamos. Não divirjo convosco porque não creio que método algum possa evitá-lo. O Mal ocorreu; o ato foi realizado em princípio e em exemplo, e devemos aguardar as boas graças de uma mão mais excelsa que a nossa para o momento da perfeita consumação.[79]

Era demasiado humilde. O verdadeiro jacobinismo nunca ter chegado à Inglaterra ou à América é, em medida considerável, obra

---

[79] Carta de Burke para Lorde Fitzwilliam (21 nov. 1791). In: *Wentworth Woodhouse Papers*, Sheffield Central Library, Book I, p. 712.

do gênio conservador de Edmund Burke. Primeiramente, foi bem-sucedido em voltar o poderio resoluto da Inglaterra contra as energias revolucionárias francesas e, por volta de sua morte, em 1797, tinha instituído uma escola política fundamentada nos conceitos de veneração e prudência que, desde então, opôs os talentos ao apetite por inovação. "Veneramos o que atualmente não podemos compreender", ensinou à geração nascente. Sua reverência pela sabedoria dos ancestrais, pelas quais opera o desígnio da Providência, é o primeiro princípio de todo o pensamento conservador consistente.

Burke sabia que a economia e a política não são ciências independentes: são nada mais que manifestações de uma ordem geral e, tal ordem é moral. Aplicou seu grande intelecto prático a um esboço brilhante desse princípio de ordem, e sua obra é impregnada da imaginação de um poeta e da agudeza de um crítico. Ainda que desgostasse enormemente de uma familiaridade simples com a metafísica, viu que a batalha entre a ordem e a inovação nos tempos modernos é motivada pela metafísica e pelo problema religioso: como ressalta Basil Willey (1897-1978), Burke notou que a raiz do mal na sociedade:

> Está na intromissão do instinto que ousa interferir com a marcha misteriosa de Deus no mundo. Burke estava na companhia dos que estão continuamente cônscios do peso de todo esse mundo ininteligível; estava mais ciente das forças complexas que nos cercam e da condição de todos do que qualquer capacidade que temos de reagir e modificar o próprio ambiente que nos limita.[80]

Homens nunca serão deuses, Burke estava convencido. São necessárias toda a vontade e toda a virtude caso tenhamos de alcançar a simples humanidade genuína, e (como disse Aristóteles) um ser que pode existir isolado deve ser uma fera ou um deus. Inovações

---

[80] Basil Willey, *Eighteenth-Century Background: Studies on the Ideas of Nature in the Thought of the Period*. Columbia University Press, 1940, p. 244-45.

radicais nos separam do passado, destruindo os laços imemoriais que unem geração a geração; isolam-nos da memória e da aspiração e, nessa condição, descemos à condição de animais: "Não perdemos (como concebo) a generosidade e a dignidade de pensar do século XIV; nem ainda nos sutilizamos em selvagens". Entretanto, como podemos ser salvos da avassaladora corrente de energia demoníaca, da enxurrada de ambiciosos talentos sem princípios e da inveja feroz chamada jacobinismo?

A esperança de proteção das consequências das falácias intelectuais repousa na pronta adesão à opinião correta. No todo, o feito de Burke é a definição de um princípio de ordem, e uma breve análise desse princípio é a recapitulação deste capítulo. Seu sistema é uma refutação antecipatória do utilitarismo, do positivismo e do pragmatismo, bem como um ataque ao jacobinismo. O talento quase sem paralelos de Burke para o prognóstico social preveniu-o de que a Revolução em França não fosse uma contenda política simples, não fosse o ápice do Iluminismo, mas o princípio de uma convulsão moral da qual a sociedade não se recuperaria até que a doença, a revolta contra a Providência, seguisse seu curso. Para aferir isso, adaptou a visão reverencial de sociedade, a ideia de Aristóteles, de Cícero, dos escolásticos e de Hooker às questões difíceis do mundo moderno.

Uma ordem na sociedade, boa ou má, justa ou tirânica, sempre deve existir. Fomos "guiados por uma tática divina" para nos unir em um Estado que reconheça a verdadeira ideia de justiça. Os homens são salvos da anarquia pela veneração ao divino e pela fidelidade à sabedoria consagrada. São salvos por preconceções e gradações. Há uma única maneira de verdadeiramente apreciar Burke, e isso se dá ao lê-lo inteiro. No entanto, ao reduzir as vastas e esplêndidas profundezas a escassas paráfrases, podemos delinear o que Burke quer indicar por obediência à ordem providencial. Aventurar-se mais em um autor como Burke – ora, "o resto é vaidade, o resto é crime".

1) A ordem temporal é somente uma parte da ordem transcendente; e o fundamento da tranquilidade social é a reverência. Ao faltar veneração, a vida se torna nada mais que uma batalha interminável entre usurpação e rebelião. Embora Burke não leve a defesa do ordenamento e da subordinação tão adiante quanto o dr. Johnson, é enfático ao afirmar que a primeira regra da sociedade é a obediência – obediência a Deus e às concessões da Providência, que agem por processos naturais. "Das causas físicas, por nós desconhecidas, talvez incognoscíveis, surgem os deveres morais que, como somos perfeitamente capazes de compreender, estamos, de modo indispensável, obrigados a cumprir." W. Somerset Maugham (1874-1965), em um ensaio interessante sobre o estilo de Burke, observa que nós, modernos, somos incapazes de chegar ao princípio da veneração.[81] Ele está certo, ou quase certo. No entanto, quando a veneração deixa a sociedade, com ela muito se esvai, como sabia Burke, por parecer estabelecer-se um processo cíclico, assegurando que a humanidade deve, dentro em pouco, experimentar o desastre; depois, o medo; a seguir, o temor e, por fim, a veneração ressuscitada. A veneração pode ser o produto de uma perspectiva patriarcal. Quando é erradicada pela sofisticação, a Providência tem um meio de nos fazer retornar, de modo rude, ao patriarcado.

2) Depois da ordem de Deus, afirma Burke, vem a ordem dos valores espirituais e intelectuais. Todos os valores não são os mesmos, nem todos os impulsos, nem todos os homens. A gradação natural ensina aos homens a ter caros alguns sentimentos e a desmerecer outros. O radicalismo nivelador empenha-se para pôr no mesmo nível de mediocridade todas as emoções e sentimentos e para apagar a imaginação moral que separa os homens dos animais. "Nessa nova ordem de coisas, um rei é apenas um homem; uma rainha, apenas uma mulher; uma mulher, apenas um animal, e não o de uma ordem

---

[81] W. S. Maugham, "After Reading Burke". In: *The Cornhill Magazine*, 1950-1951.

muito elevada."⁸² Quando Burke escreveu que "o ensino será lançado na lama e pisoteado pelos cascos de uma multidão suína", frase que suscitou a crítica mais amarga (até mesmo de John Adams), estava apenas parafraseando Mateus 7,6⁸³, é claro. Quis indicar o que alguns críticos socialistas eminentes estavam começando a temer, que a multidão dos homens, despojada de liderança intelectual apropriada, seria indiferente a que "toda a roupagem decente da vida" fosse "rudemente rasgada" ou talvez fosse hostil a tudo o que não fosse carnal.

3) A anarquia física e moral é evitada pela aquiescência geral de distinções sociais de dever e privilégio. Se uma aristocracia natural não é reconhecida entre os homens, o sicofanta e o bruto ocupam as funções abandonadas em nome de um "povo" sem rosto. Se o caráter ilibado, o intelecto sadio, o bom berço e a astúcia prática são honrados na sociedade, então, enquanto "perdurarem, e se o Duque de Bedford estiver seguro, estaremos todos seguros juntos – contra as altas pragas da inveja e da espoliação da rapacidade; contra a baixa mão de ferro da opressão e do desprezo insolente de desdém".⁸⁴ Essa deve ser a verdadeira aristocracia natural, em vez de um corpo administrativo de reformadores ambiciosos e hábeis. Contra a ideia inovadora de uma "elite" recrutada com base na conformidade do fanatismo ao partido e da adesão entusiástica ao credo intelectual virulento, Burke escreveu na segunda carta à Paz Regicida

> Para eles a vontade, o desejo, o querer, a liberdade, a labuta, o sangue dos indivíduos é como se nada fossem. A individualidade é deixada fora do projeto de governo. O Estado é tudo em tudo. Tudo se refere à

---

⁸² Edmund Burke, *Reflexões sobre a Revolução na França*. Op. cit., p. 96. (N. T.)

⁸³ "Não lanceis aos cães as coisas santas, não atireis aos porcos as vossas pérolas, para que não as calquem com os seus pés, e, voltando-se contra vós, vos despedacem" (Mateus 7,6). (N. T.).

⁸⁴ Edmund Burke, "A Letter to a Noble Lord". In: *The Works of Edmund Burke*. Vol. V. London, George Bell & Sons, 1903, p. 137-38. (N. T.)

força de produção; depois, tudo é confiado ao uso dele. É militar nos princípios, nas máximas, no espírito e em todos os movimentos. O Estado tem por únicos objetivos o domínio e a conquista: domínio sobre a mente pelo proselitismo e sobre os corpos pelas armas.[85]

Esses eram os jacobinos; a descrição aplica-se muito bem aos comunistas e à regra nazista de uma "elite". Aqui apreendemos, num momento, tudo o que *não* é o princípio da ordem de Burke, e percebemos o abismo que separa Burke de Hegel. A imaginação construtiva de Burke, contudo, diz ainda mais ao século XX que sua denúncia do planejamento social fanático, da democracia plebiscitária, e possivelmente a presente geração começará a lutar novamente em busca do princípio burkeano de verdadeira ordem, uma sociedade guiada pela veneração e pelos usos consagrados.

A sociedade é imensuravelmente maior que um instrumento político. Por saber disso, Burke esforçava-se por convencer sua geração da imensa complexidade da existência, a "grande incorporação misteriosa da raça humana". Se a sociedade é tratada como simples engenhoca a ser conduzida por séries matemáticas – os jacobinos, os benthamitas e muitos outros radicais assim a viam –, então o homem será reduzido a algo muito menor que um parceiro no contrato imortal que une os vivos, os mortos e os que ainda hão de nascer, o elo entre Deus e o homem. A ordem neste mundo é contingente da ordem superior.

Se visitarmos Beaconsfield hoje, não encontraremos a casa de campo de Burke, pois esta, há muito, foi incendiada; mas, na antiga igreja, há uma modesta placa a recordar que Edmund Burke está enterrado ali, nalgum lugar. Exatamente onde, ninguém sabe; pois Burke, temendo que os jacobinos ingleses triunfantes dessacralizassem seus ossos, deixou instruções para que o corpo fosse enterrado em segredo. O dia da profanação nunca chegou; ao contrário, a

---

[85] Edmund Burke, "Letters on a Regicide Peace". In: *The Works of the Right Honourable Edmund Burke*, vol. VI. London, Henry G. Bohn, 1856, p. 255. (N. T.)

sociedade britânica caminhou na direção conservadora, cujo impulso o próprio Burke foi o primeiro motor. A lembrança de Burke e de Disraeli parece ter encantado Beaconsfield e, ali, pouca coisa mudou: as boas casas antigas de quatro séculos, a hospedaria bem arrumada, com meia parede revestida de madeira, os grandes carvalhos e as alamedas sossegadas como eram nos dias de Burke, ainda que o vilarejo e a nova expansão de casas novas de Londres tenham dilacerado profundamente Buckinghamshire e a nova indústria leve esteja invadindo as cidades vizinhas. Em Stoke Poges, há poucos quilômetros de distância, um tremendo e horrendo condomínio de casas de monotonia irrecuperável chegou à borda do adro da igreja do condado de Gray. No entanto, o antigo centro de Beaconsfield é uma ilha da antiga Inglaterra e um mar industrial e proletário de humanidade.

As ideias de Edmund Burke fizeram mais que instituir ilhas em um mar de pensamento radical: ofereceram, em grande escala, as defesas do conservadorismo que ainda restam de pé e, em nossa época, não são passíveis de cair. Mais de um século e meio após a morte de Burke, o que Matthew Arnold chamou de "uma era de concentração" parece, mais uma vez, estar prestes a acontecer. Os impulsos revolucionários e os entusiasmos sociais, em expansão desde que explodiram na Rússia em 1917, estão começando a render-se diante do espírito conservador. A Inglaterra na "era da concentração" de Arnold, a Inglaterra de Walter Scott, de Coleridge, de Robert Southey, de Wordsworth, de William Pitt e de George Canning – apesar da desilusão – era uma sociedade de grandes realizações intelectuais, a energia revolucionária latente desviou-se para finalidades reconstrutivas. Que a era de concentração tenha apresentado qualidades morais e intelectuais tão enérgicas, Arnold atribuiu à influência de Burke. Nossa época, também, parece tatear em busca de certas ideias que a inspiração de Edmund Burke formou em modelo de preservação social. Ao enfraquecer nesses ou nalguns outros princípios genuínos, nossa própria era de concentração é passível de recair em uma apatia sardônica e em uma repressão fatigada.

John Adams (1735-1826)

Capítulo 3 | John Adams e a Liberdade sob a Égide da Lei

Jus cuique; a regra de ouro; fazei como teria de ser feito; que toda a igualdade possa ser sustentada, defendida pela razão ou conciliada ao senso comum [...] minha "Defesa das Constituições" e os "Ensaios sobre Davila" lançaram as bases da imensa impopularidade que recaiu sobre mim como a Torre de Siloé. Vossa firme defesa dos Princípios democráticos e vossa opinião invariavelmente favorável à Revolução Francesa lançaram as bases de vossa ilimitada popularidade.
Sic transit Gloria Mundi.[1]

1. FEDERALISTAS E REPUBLICANOS

John Adams (1735-1826), filho de um fazendeiro de Braintree, deixou o inimigo persuadi-lo a escrever um livro. *A Defense of the Constitutions of Government of United States* [Uma Defesa das Constituições do Governo dos Estados Unidos] foi o livro, e Thomas Jefferson (1743-1826), o inimigo – amigo, num momento, todavia, depois, adversário por longos anos e, próximo ao fim, mais uma vez, amigo. Escandalizado com as tolices de Marie-Joseph Paul Yves Roch Gilbert du Motier (1757-1834), Marquês de Lafayette; de François Alexandre Frédéric de La Rochefoucauld-Liancourt (1747-1827),

---
[1] Carta de John Adams a Thomas Jefferson em 13 de julho de 1813. (N. T.)

Duque de La Rochefoucauld e de Liancourt e Visconde de Noailles; do Marquês de Condorcet; e de Benjamin Franklin (1706-1790), ao condenar a ignorância da história, esse advogado de Massachusetts, de baixa estatura, severo e decidido, passou grande parte da vida a declarar, com perfeita indiferença à popularidade, que a liberdade só pode ser alcançada e mantida por homens sóbrios, que veem a humanidade como ela é, não como a humanidade deve ser. Erudição e coragem tornaram-no grande, e tornou-se o fundador do verdadeiro conservadorismo na América. Treze anos após perder a presidência dos Estados Unidos, Adams escreveu o trecho acima, sem acrimônia, para o homem que o derrotara. Em geral, os federalistas eram um grupo sorumbático; e Adams subestimou a influência que suas ideias e exemplo exerceriam nas futuras gerações nos Estados Unidos. Apesar dos erros graves, os Estados Unidos permanecem, hoje, uma nação forte e próspera, em que a propriedade e a liberdade estão, de maneira tolerável, asseguradas. John Adams, que não preservava uma opinião exagerada acerca da sabedoria e virtude do conjunto da humanidade, teria ficado razoavelmente satisfeito com esse feito. Mais que qualquer outro, ensinou o valor das leis boas e práticas, que transcendem as paixões do momento. E, mais que qualquer um, manteve o governo americano como um governo de leis, não de homens.

Em geral, a Revolução Americana não foi uma sublevação inovadora, mas uma restauração conservadora das prerrogativas coloniais. Acostumados, desde o início, ao autogoverno, os colonos sentiram que, por herança, detinham os direitos dos ingleses e, pelos usos consagrados, certos direitos eram-lhes peculiares. Quando um rei artificioso e um parlamento distante atreveram-se a estender para a América os poderes de tributação e administração nunca antes exercidos, as colônias se insurgiram para reivindicar sua liberdade consagrada e, depois de passado o momento do acordo, foi com relutância e receio que declararam a independência. Assim, homens essencialmente conservadores se viram rebeldes triunfantes e foram compelidos a reconciliar suas ideias tradicionais com as necessidades de uma independência dificilmente antevista. Foi um problema profundo: o Jefferson republicano como o chefe entre eles, empenhou-se em resolvê-lo pela aplicação de conceitos *a priori* e veio a simpatizar com as ideias igualitaristas francesas. Seus oponentes, os federalistas, invocaram as lições da história, o legado das liberdades britânicas e as garantias das instituições consagradas.

Esses federalistas, a primeira facção conservadora em uma América independente, viram-se ameaçados por dois radicalismos: um de origem francesa, a mesma convulsão social e intelectual enorme que Burke enfrentou; a outra, um crescimento, parte nativo e parte inglês, do republicanismo agrário nivelador, que Jefferson mostrava ser o primeiro representante, entusiasmado por eliminar a sucessão hereditária, a primogenitura, as instituições da Igreja e todos os vestígios de aristocracia, e a se opor à centralização, ao governo forte, ao débito público e ao exército. Os federalistas tendiam a ser um partido de cidades, de interesses comerciais e manufatureiros e os credores; os republicanos, o partido do campo, dos interesses agrícolas, os devedores. A Revolta de Shay[2] e, mais tarde a Insurreição Whiskey[3] deu aos federalistas uma noção altamente desagradável do poder e das aspirações de seus oponentes, inspirando-os a se opor, em decisão quase desesperada, ao radicalismo local por meio de uma consolidação conservadora.

---

[2] A Rebelião de Shay foi uma revolta armada na região de Massachusetts, nos anos de 1786 e 1787. Os rebeldes, liderados pelo veterano da Revolução Americana, Daniel Shay (1747-1825), tentaram tomar as armas e derrubar o governo. O episódio serviu como catalisador para a convocação da Convenção Constitucional dos Estados Unidos e trouxe o general George Washington (1732-1799) novamente à vida pública. (N. T.)

[3] A insurreição Whiskey foi uma revolta popular iniciada em 1791 e culminou, em 1794, em uma rebelião na Pensilvânia. Essa revolta ocorreu pouco após a substituição dos Artigos da Confederação por um governo federal mais forte com a Constituição de 1789. (N. T.)

Dentre os republicanos agrários e democratas assomava-se a figura angular de Thomas Jefferson, cujas doutrinas sempre foram mais radicais que a prática e muito menos extremas que as noções francesas de liberdade. Jefferson tentou fazer de tudo pela primeira vez e, muitas vezes, foi bem-sucedido; e assim como seus talentos eram imensamente variados, seu temperamento apresentava facetas estranhas e, por vezes, inconsistentes. Esse defensor da pureza política e da simplicidade podia indicar o infame Gideon Granger (1767-1822), que "comprou e vendeu corrupção no bruto" para um posto na Suprema Corte dos Estados Unidos; esse expoente da construção estrita da Constituição pôde adquirir a Louisiana. Apesar do amor pela variedade e de sua capacidade de invenção, pôde dispor o território do Noroeste em um padrão quadriculado de "sofistas" e "calculistas" que ainda faz com que os Estados dessa região sejam tristemente monótonos no desenho das estradas e tenham fronteiras internas arbitrárias. Por tudo isso, contudo, e por sua amizade com os *philosophes* e afeição pela França, Thomas Jefferson teve *Sir* Edward Coke (1552-1634), John Locke (1632-1704) e Henry Home (1696-1782), o Lorde Kames, por verdadeiros mentores políticos; e, como eles, tinha uma mentalidade meio conservadora – e, às vezes, mais da metade dela.

Não obstante, se podemos dizer que ocorreu uma verdadeira Revolução Americana, essa se deu com os sucessos de Jefferson e dos republicanos que culminaram em 1800; foi uma alteração interna e quase sem sangue. O que havia de melhor no federalismo, entretanto, não morreu por completo depois de 1800; e não se extinguiu até hoje. John Adams tem um grande quinhão nessa continuidade.

Atualmente, John Adams não é lido; fui o primeiro a abrir as páginas dos dez volumes grossos de minha coleção de sua obra, embora tenham sido publicados cem anos antes. Adams escreveu com vigor, perspicácia e precisão invejáveis, mas as pessoas não o leram: suas ideias penetraram na mentalidade americana mais por osmose do que por uma assimilação consciente. É para Alexander Hamilton

(1757-1804) que as pessoas se voltam ao buscar um conservador entre os Pais Fundadores – não que, tampouco, tenham lido Hamilton, pois era um cavalheiro de personalidade e particularidades e (com a exceção parcial de O Federalista), escreveu muito pouco que possa ser considerado pensamento social. No entanto, Alexander Hamilton, o financista, o gestor do partido, o construtor do império, fascina inúmeros americanos, para os quais o instinto aquisitivo é confundido com a tendência conservadora e, esses, por sua vez, convenceram o público que "o primeiro homem de negócios americano" foi o primeiro célebre conservador americano. Hamilton não o foi; mas foi importante para o futuro americano. Ele, Fisher Ames (1758-1808) e John Marshall (1755-1835) dividem este capítulo com John Adams, porque foram os melhores espécimes de federalismo antidemocrático, defensor da propriedade, centralizador e um tanto míope, ao qual Adams sempre se alçou superior. Homens como Alexander Hamilton e Fisher Ames, Timothy Pickering (1745-1829) ou Timothy Dwight IV (1752-1817) parecem ter acreditado em algo muito parecido com o antigo torismo. John Adams, de visão mais ampla e mais perspicaz ao discernir os lineamentos do futuro, representou, em vez disso, aquele amálgama de ideias liberais com a sabedoria consagrada que os discípulos de Edmund Burke denominaram conservadorismo. A família brilhante que fundou – assemelhada, no patriotismo firme, a algumas das casas romanas antigas – por gerações, fermentou a massa social americana com a integridade prudente de John Adams.

Sempre austero, por vezes pomposo e, de uma maneira perversa, quase soberbo quanto aos entusiasmos públicos, é de surpreender que Adams, em face disso, possa ter alcançado popularidade suficiente para tornar-se presidente dos Estados Unidos. As pessoas comuns, em grande parte, entretanto, reverenciavam esse homem que não as adulava. Reconheciam sua total honestidade, sua diligência infatigável, sua dedicação às antigas singelezas de espírito e lealdades. Confiavam nele como os atenienses criam em Nícias (470-413 a.C.), com resultados mais afortunados. Hamilton, ao tramar contra Adams antes das eleições de 1796 e 1800, achou demasiado fácil separar os chefes dos partidos da obediência ao cáustico estadista de Massachusetts, mas nem Hamilton ou seus representantes puderam conter a defecção do grosso dos eleitores federalistas. "Nenhuma democracia jamais existiu ou pode existir", disse Adams, sem rodeios; e a própria audácia fez com que fosse apreciado pelos fazendeiros, pescadores e comerciantes que o enviaram à Filadélfia em 1774, a Paris em 1777, a Londres em 1785 e a Washington em 1793 e 1797. Entretanto, antes de examinar as opiniões resolutas desse conservador, que era um líder revolucionário, precisamos apreciar o federalismo quase ortodoxo de Hamilton e Ames.

2. ALEXANDER HAMILTON

"No começo de uma revolução, que teve nascimento a partir das usurpações da tirania, nada mais natural que a mentalidade pública fosse influenciada por um espírito extremo de ressentimento". Assim, Alexander Hamilton falou à Convenção em Nova York, em 1788.

> Resistir a tais usurpações e nutrir esse espírito era o objeto grandioso de nossas instituições públicas e privadas. O zelo pela liberdade tornou-se predominante e excessivo. Ao formar nossa Confederação, somente essa paixão pareceu nos incitar, e aparentávamos não ter outra ideia senão nos defender do despotismo [...]. Entretanto, há outro objeto, igualmente importante, e que nosso entusiasmo nos fez pouco capazes de perceber. Digo do princípio da força e da estabilidade na organização do governo e o vigor em suas operações.

Tanto a virtude como a fraqueza de Hamilton como pensador conservador podem ser detectadas nessa breve passagem. Seus princípios políticos eram simples: desacreditava os impulsos populares e locais e cria que a salvação das consequências das ideias niveladoras estava no estabelecimento de uma autoridade nacional invencível. Teria gostado de um governo central; cônscio de que isso era totalmente inaceitável na América, contentou-se com um governo federal e tornou-se o organizador e o panfletário mais enérgico. A ele, juntamente com James Madison (1751-1836) e John Jay (1745-1829), os Estados Unidos devem a adoção da Constituição. Assim era a sabedoria de Hamilton, e tais foram os feitos que mantiveram sua memória viva, até nesta geração, a celebrar o bicentenário da Constituição, e que, de muitas maneiras, mal compreende Hamilton. No entanto, ao general Hamilton não foi concedido o dom da profecia, o talento mais excelso de Burke e (em grau menor) de Adams. Parece que dificilmente ocorreu a Hamilton que uma nação consolidada também poderia ser uma nação niveladora e inovadora, ainda que tivesse o exemplo da França jacobina bem diante de si, não parecia ter refletido sobre a possibilidade de que a força no governo pudesse ser aplicada para outros propósitos que a manutenção de uma ordem conservadora. Mesmo em economia política, era mais um financista prático que um pensador econômico, e ignorava a probabilidade de que a nação industrializada que projetou podia convocar não só industriais conservadores, mas também trabalhadores radicais – esses, infinitamente mais numerosos e mais prejudiciais às ideias antiquadas de classe e ordem do que todos os agrarianos da Virgínia de Jefferson. Ora, o plano de Hamilton para estimular a indústria americana não era limitado ou interesseiro, isso deve ser dito: vislumbrava benefícios verdadeiramente gerais. "Hamilton pediu proteção, não para conferir privilégios à indústria ou para aumentar os lucros, mas para colocar a ocupação natural de uma nação livre, a saber, a agricultura, na corrente do avanço cultural", escreve C. R. Fay (1884-1961).[4] Entretanto, suas habilidades

---

[4] C. R. Fay, *English Economic History, Mainly since 1700*. Cambridge, W. Heffer & Sons, 1940, p. 48.

práticas, esplêndidas, tinham por substrato um conjunto de pressupostos tradicionais, quase cândidos e, raramente, especulava acerca do composto que poderia resultar da mistura das preconcepções com o elixir do vigor industrial americano.

Vernon Parrington (1871-1929), ainda que, cá e acolá, seja culpado por usar os termos "*tory*" e "liberal", quase nunca de modo judicioso, é preciso ao observar que Hamilton era, no fundo, um *tory* sem rei, e seus mestres foram Hume e Hobbes. Não obstante todo o ardor revolucionário, Hamilton amava a sociedade inglesa como um colono inglês a adorava. Sua visão da América vindoura era a de uma outra Inglaterra do século XVIII, mais forte, mais rica. As dificuldades no caminho de seu sonho, quase as esquecera. A hostilidade americana à sua proposta de uma magistratura governante mais poderosa, de preferência hereditária, o afligiu, surpreendeu e, com pesar, desistiu do plano. Assim como a Inglaterra era um Estado único, de soberania indivisível e parlamento onicompetente, assim a América deveria ser: tirou, sem paciência, dos ombros as considerações de extensão territorial, origem histórica e prerrogativa local que Burke teria sido o primeiro a reconhecer e aprovar.

"É fato reconhecido na natureza humana que as afeições geralmente se enfraquecem à medida que aumenta o afastamento ou a extensão do objeto de que ela é alvo" escreveu esse "pirralho bastardo de um vendedor ambulante escocês" (epíteto de Adams) de Nevis. Não tinha nenhum dos afetos locais à ancestralidade ou ao nascimento que fizeram com que líderes como Josiah Quincy (1772-1864) e John Randolph of Roanoke (1773-1833) amassem o Estado com uma paixão que, se comparados, fariam do nacionalismo um fogo lânguido.

> Segundo o mesmo princípio que faz o homem mais afeiçoado à sua família do que a seus vizinhos, a seus vizinhos do que à comunidade em geral, o povo de cada Estado tende a ser mais tolerante com seus governos do que com relação ao da União, a menos que a força daquele

princípio seja anulada por uma administração muito mais eficiente por parte deste último.[5]

No entanto, o próprio exotismo de Alexander Hamilton, que permitia a seu patriotismo ignorar as distinções locais, tendeu a dissimular-lhe a resolução obcecada, latente, em vários governos estaduais e em afeições locais. Apesar das observações acima, em geral, tomou erroneamente esses impulsos profundos por meras ilusões transitórias; pensou que podiam ser erradicadas pelo braço forte de um governo nacional – por cortes federais, pelo Congresso, pela pauta aduaneira, pelo banco e por todo um programa nacionalizante. A longo prazo, seus instrumentos, de fato, esmagaram o particularismo da terra, mas só ao provocar uma Guerra de Secessão, que fez mais que todas as especulações de Thomas Jefferson por dissipar a tranquila sociedade aristocrática do século XVIII, o que, na verdade, era a aspiração de Alexander Hamilton. Hamilton interpretou mal tanto a tendência da época (que naturalmente rumava à consolidação, não ao localismo, sem muita necessidade de assistência de políticas governamentais perseguidas de modo deliberado) e a coragem obstinada dos oponentes. Um pensador político de primeira magnitude tem presciência maior.

De modo análogo, aquela industrialização da América que Hamilton promoveu com sucesso foi tributada de consequências que os aristocratas arrogantes e violentos não perceberam. O comércio e as manufaturas, acreditava, produziriam um corpo de homens ricos, cujos interesses coincidiriam com os da comunidade nacional. É provável que tenha concebido esses pilares da sociedade como muito semelhantes aos dos grandes mercadores ingleses – que compraram propriedades rurais; formaram, em pouco tempo, uma classe social estável que tinha tempo livre, talento e meios;

---

[5] *O Federalista*. N. 17. In: Alexander Hamilton, James Madison e John Jay, *O Federalista*. Trad. Heitor Almeida Herrera. Brasília, Universidade de Brasília, 1984, p. 194. (N. T.)

ofereceram liderança moral, política e intelectual para a nação. O homem de negócios americano do presente, *grosso modo*, veio a ser um tipo diferente de pessoa: é difícil reproduzir classes sociais com base em um modelo quase cinco mil quilômetros além-mar. Os capitães da indústria modernos surpreenderiam Hamilton, as cidades modernas, escandalizá-lo-iam e o poder do trabalho industrial o assustaria: Hamilton nunca compreendeu bem as propriedades transformadoras da mudança social que, ao operar, é mais milagrosa que científica. Assim como o serviçal do dr. Fausto, Hamilton pôde evocar forças ocultas, mas, uma vez materializado, esse novo industrialismo saiu do controle de virtuosos do século XVIII, como o magistral Secretário do Tesouro. De fato, Hamilton contemplava não tanto a criação de um novo industrialismo, bem como a reprodução dos sistemas econômicos europeus que o espírito da época já estava a apagar:

> Preservar a balança de comércio em favor de uma nação deve ser o propósito principal da política. A avareza dos indivíduos pode, com frequência, encontrar causa na busca de canais de tráfico prejudiciais àquele equilíbrio, ao qual o governo deve ser capaz de opor impedimentos efetivos. Pode existir, por outro lado, a possibilidade de abrirem-se novas fontes que, embora venham acompanhadas de grandes dificuldades no começo, na ocasião, recompensariam de maneira ampla o transtorno e a despesa de levá-las à perfeição. A tarefa, muitas vezes, pode exceder a influência e o capital do indivíduo e requerer grande auxílio, tanto de proventos públicos, bem como da autoridade do Estado.[6]

Isso é mercantilismo. Alexander Hamilton lera Adam Smith com atenção, mas seu coração estava no século XVII. A influência do governo, de acordo com seu ponto de vista, poderia ser exercida, apropriadamente, para encorajar e enriquecer determinadas classes sociais

---

[6] Alexander Hamilton, "The Continentalist", n. V, (18 abr. 1782), in: *Works of Hamilton*, I, p. 255.

e profissões; a consequência natural disso seria um beneficiamento último da nação em geral. Tivesse a América deixado incultivo o que Hamilton tinha em mãos, seu crescimento industrial teria sido mais lento, mas não menos certo; e as consequências poderiam ter sido mais perceptíveis de modo menos assolador. Hamilton, todavia, estava fascinado com a ideia de uma produtividade planejada:

> Parecemos não refletir que na sociedade humana raramente há um plano, ainda que salutar para o todo e para todas as partes, pela parcela que cada um tem na prosperidade comum, de um modo ou de outro, atuará mais para o benefício de umas partes que de outras. A menos que possamos superar essa disposição limitada e aprender a estimar as medidas por tendências gerais, nunca seremos um povo grande ou feliz, caso, de algum modo, permaneçamos a ser um povo.[7]

Edmund Burke – que, apesar da energia reformista, teria postergado indefinidamente qualquer alteração se essa ameaçasse a propriedade legal e a prerrogativa de um único inspetor de alfândega – suspeitava extremamente de tais doutrinas na forma inglesa. Justificar a injustiça presente via argumentação de uma tendência geral bem-intencionada é terreno traiçoeiro para um conservador, e nesse momento, sugestivo é o argumento de quão mais familiarizado Hamilton estava com particularidades do que com princípios.

Quanto ao restante, Hamilton dá pequenas pistas de como essa América mercantilista deve ser gerida; parece ter pensado (já que não desprezava por completo as pessoas) que de alguma maneira, por meio da manipulação política, pela aplicação firme das leis e da consolidação nacional, os ricos e bem nascidos manteriam seus postos e conduziriam esse sistema imperial como fidalgos rurais ingleses. Essas eram as esperanças de um homem que pensava em termos de curto prazo. Sete anos antes, o jovem e sagaz John Quincy Adams (1767-1848) escrevera da Europa ao pai:

---

[7] Idem. Ibidem.

Desde o momento em que um grande número de nações na Europa foi ensinado a indagar por que este ou aquele homem tinha tal ou qual prazer à nossa custa e do que fôramos privados, foi dado o sinal de uma guerra civil nos arranjos sociais da Europa que não pode terminar senão na ruína total de suas instituições feudais.[8]

Aqueles poderes que Alexander Hamilton estava tão disposto a conferir ao Estado, por fim, seriam desviados dos fins nos antípodas de Hamilton; e a população urbana, estimulada por suas políticas, seria o fundamento de força para um radicalismo ainda mais novo. O lado mais conservador da natureza complexa de Thomas Jefferson censurou essa intromissão arbitrária de populações e ocupações; logo, John Randolph of Roanoke e, depois dele John C. Calhoun (1782-1850), denunciaram com fúria impotente a vinda de uma nova era industrial, mais detestável aos olhos deles que a antiga condição colonial. Em vários aspectos, eram conservadores mais confiáveis que Hamilton, pois este era, eminentemente, um homem de cidade, e a veneração definha nas calçadas. "É difícil aprender a amar o novo posto de gasolina", escreve Walter Lippmann (1889-1974), "que está onde havia um pé de madressilva". Hamilton, contudo, nunca passou da superfície da política para os mistérios da veneração e do pressuposto.

Por tudo isso, não devemos confundir Hamilton com os utilitaristas; se errou, foi segundo a moda dos antigos *tories* e não à moda dos radicais filosóficos. Permaneceu cristão, da maneira formal do século XVIII, e escreveu a respeito das tolices da Revolução Francesa:

> O político que ama a liberdade, os vê com pesar, como se um abismo pudesse engolir a liberdade a que é consagrado. Sabe que deposta a moralidade (e a moralidade *deve* cair com a religião), os terrores do despotismo podem, por si sós, refrear as paixões impetuosas do homem e confiná-lo nos limites do dever social.[9]

---

[8] Carta de John Quincy Adams para John Adams, (27 de julho de 1795), in: *Select Writtings of John and J. Q. Adams*, I, p. 388-89.

[9] Alexander Hamilton, "The Stand", *Works of Hamilton*, V, p. 410.

Os vaticínios de Edmund Burke, aqui, tinham-no abalado, assim como afetaram John Adams, John Quincy Adams, John Randolph of Roanoke e tantos outros americanos; mas a influência burkeana não foi mais profunda. Alexander Hamilton foi um retrógrado aquém de sua época em vez do profeta de um novo dia. Por uma coincidência muito curiosa, esse grandioso cavalheiro antiquado morreu com uma bala do revólver de Aaron Burr (1756-1836), amigo e discípulo de Jeremy Bentham.

3. OS VATICÍNIOS DE FISHER AMES

"É, de fato, uma lei da política, bem como da física, que um corpo em ação deva subjugar um corpo igual em repouso."[10] Isso, disse Ames, é uma dificuldade eterna do conservadorismo; e pensou que o jogo já fora jogado e perdido nos Estados Unidos.

Fisher Ames, de Dedham, em Massachusetts, a quem A. J. Beveridge (1826-1927) chamava de "aquele reacionário encantador", esteve muitos anos a morrer. Talvez, sua constituição inválida o tenha impedido de cumprir a promessa esplêndida de seus primeiros anos no Congresso, quando derrotou Samuel Adams (1722-1803) nas eleições – embora a própria morosidade de temperamento e seu desdém pela humanidade não fossem qualidades calculadas para trazer sucesso em época de violenta efervescência nacional. O mais eloquente dos federalistas apresentava uma maestria no estilo literário que poderia tê-lo levado a grandes coisas, mas confinou-se a discursos ocasionais, panfletos e cartas, e viveu para ver o triunfo prolongado dos jeffersonianos e expirou imerso em profundo desespero, profetizando a mediocridade no espírito e a anarquia na sociedade.

---

[10] Fisher Ames, "Dangers of American Liberty". In: *Works*, 1809, p. 434.

Muito depois de o Partido Federalista ter deixado de existir, John Quincy Adams resumiu em poucas frases sua história e epitáfio:

> O mérito de formalizar a instituição da Constituição dos Estados Unidos pertence ao partido chamado Federalista – o partido favorável à concentração de poder no comando federal. Os propósitos para os quais o exercício desse poder era necessário eram, principalmente, a proteção da propriedade e, desse modo, o Partido Federalista ficou identificado com a parte aristocrata da comunidade. Os princípios do federalismo e da aristocracia foram, assim, mesclados no sistema político dos federalistas e uniu-se a eles a grande maioria dos homens de posses e de educação de toda a União. Os antifederalistas sempre tiveram a vantagem dos *números*. Seus princípios, por serem os da democracia, sempre favoreceram a maioria do povo e sua causa, sendo mais conveniente à nossa Revolução, deu-lhes a oportunidade de tornar os adversários tão desagradáveis quanto os *tories*. Os remanescentes dos *tories* da Revolução, em geral, aliavam-se aos federalistas e lhes geravam um efeito duplamente desvantajoso: primeiro, ao infundir as principais opiniões contrárias à Revolução e ao governo republicano e, em segundo lugar, ao expor todo o Partido Federalista ao ódio e ao descrédito daqueles pontos de vista. Essa mistura de doutrinas *tory* com princípios do federalismo foi a primeira causa dos desastres e de todos os erros subsequentes, até a dissolução ostensiva como partido.[11]

Dessa propensão aristocrática entre os federalistas, notada pelo jovem Adams, Ames foi o porta-voz mais talentoso. Era um moralista sério, e, com poucas exceções, moralistas convencionais duvidaram da virtude do homem comum na política. O agourento Ames era, também, o mais persuasivo representante daquela inclinação pessimista para restringir os direcionamentos que prevaleceram entre os federalistas após começarem a perder terreno para o republicanismo. Alexander Hamilton, John Marshall e George Cabot (1752-1823) eram firmes defensores da expansão territorial e econômica, de um

---

[11] J. Q. Adams, "Parties in the United States". In: *Select Writtings of John and J. Q. Adams*, p. 325-26.

nacionalismo ativo; mas, Ames, ao falar para a maioria do partido, logo começou a recear as potencialidades inovadoras que estavam ao alcance do governo nacional – um caminho que, com o tempo, os levou à Convenção Hartford.[12] O único conselho de Fisher Ames foi para permanecer desesperadamente firmes contra a mudança: um conservadorismo tão condenado à destruição quanto o de John Scott (1751-1838), 1º Conde de Eldon; o de J. W. Crocker (1780-1857) e o Arthur Wellesley (1769-1852), 1º Duque de Wellington, nascido com um esgar sardônico de morte no rosto, mas que Ames expressou com ironia e discernimento dignos de Voltaire. Ao retomar a crueza da democracia jeffersoniana contemplada por Ames, com a ameaça aparente de "proscrever a aristocracia dos talentos", podemos fazer concessões ao seu pesar exagerado. Era costumeiro entre os historiadores e críticos americanos escarnecer de toda a propensão da análise da mentalidade americana de Ames. No entanto, essa mesma insensibilidade para com as estocadas, em parte, justificam sua denúncia pública da democracia.

> Nosso país é demasiado grande para a união, demasiado sórdido para o patriotismo, demasiado democrático para a liberdade. O que virá a ser dele, Ele, quem o fez, mais sabe. O vício o governará, ao praticar a loucura. Isso é o destinado às democracias.[13]

Uma obra nunca publicada em vida, *The Dangers of American Liberty* [Os Perigos da Liberdade Americana], foi a crítica mais rigorosamente racional e vigorosa do idealismo americano, porém eram as mesmas ideias gerais que disseminou entre os admiradores, ano após ano, ao definhar em sua fazenda em Dedham. O governo, diz, tem por objeto a proteção da propriedade e a tranquilidade da

---

[12] Série de reuniões do Partido Federalista da Nova Inglaterra, ocorridas entre dezembro de 1814 e janeiro de 1815, em que discutiram os problemas da guerra de 1812 e o crescente poder do governo federal. (N. T.)

[13] Fisher Ames, carta de 26 de outubro de 1803. In: *Works*, p. 483.

sociedade. A democracia falha nesses dois pontos essenciais; pois a democracia – a democracia pura, que percebia a América estar a rumar – fundamenta-se na areia movediça da fantasia idílica. Até mesmo o federalismo estava baseado nessa premissa falaciosa: "a suposta existência de virtude política suficiente e de permanência e autoridade da moral pública". Ao contrário, todavia, a paixão, o sentimento iludido e um anseio destrutivo por simplicidade (simplicidade que significa despotismo) são características dos povos que trocaram a liderança do "bom, do rico e do bem-nascido"[14*] pela intoxicação de autoexpressão e de negação da disciplina. "O povo, como corpo, não pode deliberar"; portanto, seus apetites são adulados por demagogos, que satisfazem o impulso popular para a ação por intermédio da demonstração de violência e do espetáculo da mudança incessante.

> Os políticos supuseram o homem realmente ser o que deve; que a razão fará tudo o que puder, e as paixões e inclinações não farão mais do que devem; visto que a razão é mera observadora; é moderação, quando deveria ser zelo; é sempre corrompida a justificar, quando deveria condenar; é uma covarde ou uma oportunista que aceitará suborno. A razão popular nem sempre sabe como agir corretamente, nem sempre age direito, quando sabe. Os agentes que movem a política são as paixões populares; e estas sempre estão, pela própria natureza das coisas, sob o comando dos perturbadores da sociedade [...]. Poucos podem raciocinar, todos podem sentir; e assim o argumento é ganho, tão logo seja proposto.

O ponto principal do século XVII nessas frases, o sabor de Thomas Fuller (1608-1661), é característico dos panfletários federalistas que, em geral, eram homens que haviam lido James Harrington (1611-1677) e Algernon Sidney (1623-1683), Thomas Hobbes e John Locke. Com o passar do tempo, Fisher Ames ficou mais intenso.

[14*] Essa frase, encontrada com tanta frequência nas páginas de Ames e de Hamilton, não teve origem em John Adams – que, de fato, a emprega mais em um sentido cautelar que recomendatório.

A democracia não pode durar, pois, dentro em pouco, o despotismo militar sucederia à tirania intolerável e dissipadora daquilo "que é chamado de povo". Quando a propriedade é arrebatada de mão em mão, quando a tranquilidade é assassinada de maneira hedionda, então, a sociedade submete-se covardemente à imortalidade da lei da espada; preferível, ao menos, à extinção. "Assim como a epidemia ardente que destrói o corpo humano, nada pode subsistir à dissolução, a não ser os vermes."

De todos os terrores da democracia, o pior é a destruição dos hábitos morais. "Uma sociedade democrática logo encontrará a moral na incumbência da raça, a companheira rude de alegrias licenciosas [...]. Em uma palavra, não haverá moral sem justiça; e ainda que seja possível a justiça amparar a democracia; essa, contudo, não pode amparar a justiça." Aqui fala o antigo calvinismo, que encontra expressão mais branda em John Adams.

Não há análise desses excessos? Algumas pessoas pensam que uma imprensa livre "surgiu, como um outro sol no firmamento, para lançar luz e alegria no mundo político". Isso é estupidez. Na atualidade, a imprensa oferece estímulos inesgotáveis à imaginação e paixão populares; a imprensa vive do drama acalorado e vulgar e da inquietação incessante. "Inspirou a ignorância com soberba, de modo que aqueles que não podem ser governados pela razão, não mais ficam impressionados pela autoridade."

Nem podem as constituições, artisticamente projetadas, bastar para conter os homens que abraçaram as doutrinas da igualdade completa e de um direito popular inalienável ao poder. "As Constituições", afirma Ames, "nada são senão papel; a sociedade é o substrato do governo." Assim como Samuel Johnson, o pessimista da Nova Inglaterra encontra a chave para a decência política na moralidade privada.

> Há muitos que, por acreditar que uma pena com tinta pode transmitir uma energia imortal à Constituição, e, ao ver acrescentados à nossa,

com orgulho e alegria, dois ou três pergaminhos, como novos muros ao redor de uma fortaleza, ficarão cheios de admiração [...]. Nossa liberdade presente nasceu em um mundo sob a lâmina desse assassino e, agora, coxeia como aleijado, a fugir dessa violência.

A corrupção não é intimidada por um título fraco. Quando devorados o antigo respeito pela hierarquia e o título consagrado pelo uso, o que conta é somente a força bruta, e uma Constituição pode ser rasgada em um instante. Tal é o estado da América; em consequência, "mitigar a tirania, é tudo o que resta às nossas esperanças".

Pouca novidade existe nas denúncias de Ames acerca de igualdade e inovação; uma beleza medonha de invectiva, a qual dificilmente faremos justiça aqui, é o mérito. Ames até podia rir, mas é o riso dos condenados:

> Nossa doença é a democracia. Não é a pele que supura – os próprios ossos são cariosos e o tutano enegrece de gangrena. Quais tratantes deverão vir primeiro, isso é coisa que não importa – nosso republicanismo deve morrer e, por ele, lamento. Entretanto, por que devemos nos incomodar com qual coveiro estará trabalhando em nosso funeral? Não obstante, ainda que não nutra esperança alguma, aufiro entretenimento nas querelas da família da *madame* Liberdade. Depois de levar consigo tantas liberdades, suponho que não seja mais *senhorita* e virgem, embora ainda seja uma deusa.[15]

Assim como a voz de Ames se desvaneceu, a aproximação da guerra de 1812 foi lançando sombra sobre a Nova Inglaterra. A catástrofe iminente, a influência não contida das doutrinas jeffersonianas, as vitórias napoleônicas e a decadência interna dos princípios federais combinadas para demonstrar, no ponto de vista conservador fanático, que fontes de grande profundeza foram destruídas e que a sociedade americana estava condenada à degeneração. Ames estava errado, no que dizia respeito ao futuro imediato; pois já se fazia

---

[15] Fisher Ames, Carta de 10 de março de 1806, in: *Works*, p. 512.

sentir o peso de um contrabalanço ao radicalismo americano. Essa influência salvífica era, em parte, produto de uma moderação inata na sociedade latifundiária que Jefferson representava e, noutra parte, da sobriedade prática dos Adams, pai e filho, que converteram uma causa perdida em uma tradição americana. Isso, contudo, Ames não percebeu. Em 1807, deu de ombros, virou-se para a parede e disse adeus a um amigo com aquele encanto audaz que, vez por outra, chamejara na carreira melancólica:

> Minha saúde é demasiado frágil. Enquanto estou sentado ao fogo e mantenho os pés aquecidos, não estou enfermo. Ouvi a pergunta de um colega de faculdade, que, de modo sofrível, descreve meu caso: "O vazio, sem vida ou existência, é melhor que ser ou não ser?". Não posso resolver problema tão profundo, mas enquanto permitires um posto em tua estima, continuarei a considerar melhor que "não ser" para ser.
>
> Caro senhor,
> teu amigo, &c.
> Fisher Ames.[16]

4. JOHN ADAMS COMO PSICÓLOGO

Entre os princípios centralizadores e ambiciosos de Alexander Hamilton e a provocação taciturna de Fisher Ames, encontra-se John Adams, o verdadeiro conservador. "É um homem de imaginação sublimada e excêntrica; não é favorável nem a demonstração regular de julgamento prudente, nem a perseverança invariável em um plano sistemático de conduta", Hamilton escreveu a respeito de Adams em 1800. "Comecei a perceber o que se passava, visto que muito manifesto, que a esse defeito acrescentam-se as fraquezas desafortunadas de uma vaidade sem limites e uma desconfiança capaz de desbotar cada

---

[16] Idem, Carta de 6 de novembro de 1807. In: *Works*, p. 519.

objeto."¹⁷ Por vir de Hamilton, esse juízo é bastante divertido, mas em momento algum falta-lhe um pouco de verdade. Por conta da grande lista de diários e cartas, os presidentes John Adams e seu filho John Quincy Adams são conhecidos mais a fundo pelos historiadores que quaisquer outros americanos de distinção. John Adams tinha alguns defeitos de gênio, e, não obstante, era abençoado com qualidades que, muitas vezes, também faltam aos gênios: diligência, castidade, honestidade absoluta e piedade. Era um homem muito sábio, mas, várias vezes, nada político, pois a conveniência política, nalguns momentos, requer que a verdade não seja dita. Adams abstinha-se de um pouco de popularidade com um tanto de discrição, e por esse atrevimento, destroçou a própria carreira, mas sua integridade ajudou a salvar a América das piores consequências de duas ilusões radicais: a perfectibilidade do homem e o mérito do Estado unitário.

Como amostra do vigor audaz desse puritano aprimorado, tomemos seu anátema contra Thomas Paine, em uma carta a Benjamin Waterhouse (1754-1846), em 1805:

> Estou disposto a que chames a esta de a Era da Frivolidade, como fazes; e não deverei objetar caso a denomines de a Era da Tolice, Vício, Delírio, Fúria, Brutalidade, Demônios, Buonaparte, Tom Paine, ou de a Era da Desonra Ardente em um Poço sem Fundo ou qualquer outra coisa que não seja a Era da Razão. Não sei se algum homem neste mundo teve mais influência sobre os habitantes, ou nos assuntos terrenos, que Tom Paine. Não pode haver sátiro mais cruel nesta época. Pois tal mestiço de porco e cão, gerado de um javali com uma loba, nunca antes, em nenhuma era do mundo, sofreu pela poltronaria da humanidade para traçar uma carreira de danos. Chamemo-la, então, de a Era de Paine. Merece muito mais que a cortesã consagrada a representar a deusa no templo em Paris, cujo nome, Tom conferiu à era. A verdadeira faculdade intelectual não tem relação alguma com a era, com a rameira ou com o Tom.¹⁸

---

¹⁷ Alexander Hamilton, *Works*. VI, p. 391.
¹⁸ *Selected Works of John and J. Q. Adams*, p. 148.

Essas são frases de um homem severo, prático, irônico e heroico; um homem que não temia arriscar ser enforcado pelas liberdades de Massachusetts, que não temia advogar para o Capitão Thomas Preston (1722-1798) após o Massacre de Boston, sem medo de denunciar o entusiasmo francófilo suscitado pelo embaixador francês Edmond-Charles Genêt (1763-1834), o "Cidadão Gênet". A independência intransigente da natureza de Adams o levou a publicar, em 1787, sua obra *A Defense of the Constitutions of Government of United States* e, desse modo, tornou-se um conservador confesso três anos antes de Burke denunciar as ilusões francesas.

Assim como Burke, Adams veio a detestar as fantasias dos *philosophes* e dos discípulos de Rousseau durante o período de residência na França. Assim como Burke, fora tido como um progressista inovador e, mais uma vez, como qualquer outro estadista prático, ficara aterrado diante do caráter visionário da especulação política francesa. O próprio Adams fora menino de fazenda, professor, advogado, legislador e embaixador; conhecia homens e coisas. Um discurso a respeito de um "estado de natureza" ou de uma "igualdade natural" ou de uma benevolência universal exasperava tanto o seu senso comum quanto a sua moralidade de nativo da Nova Inglaterra. Viu as noções francesas de liberdade ganhando curso nos estados da Confederação e, para neutralizá-las, escreveu o tratado interminável e erudito da *A Defense of the Constitutions*, publicado na esperança de influenciar os delegados da Convenção Constitucional.

A *Defense* é uma refutação das teorias de Turgot e de Rousseau de absolutismo democrático. Três anos mais tarde, na mesma época em que Burke estava lançando seu grande ataque ao radicalismo, Adams publicou uma série de ensaios para um jornal chamada de *Ensaios sobre Davila* – uma refutação da noção de perfectibilidade humana e institucional de Condorcet e de certos pressupostos revolucionários franceses. Em 1814, idoso, apartado do mundo, John Adams iniciou uma correspondência com Thomas Jefferson a respeito de aristocracia e democracia; e no ano seguinte dirigiu a John Taylor da Carolina (1753-1824) uma série de cartas sobre tópicos semelhantes. Considerado no todo, esse corpo de pensamento político excede, tanto em volume quanto em reflexão, qualquer outra obra sobre governo feita por um americano.

Quando John Adams se refere a Edmund Burke, em geral, seu falar é duro, como se o Federalista estivesse aflito para ser considerado a representação de um meio-termo entre os extremos da reação inglesa e do jacobinismo francês, mas os radicais reduziram-no de modo tão selvagem quanto haviam golpeado Burke. Na verdade, é difícil traçar qualquer linha clara de demarcação entre as ideias do *whig* e do Federalista. Ambos declaram a necessidade da crença religiosa para sustentar a sociedade, ambos exaltaram as considerações práticas acima da teoria abstrata, ambos contrastaram a verdadeira natureza imperfeita do homem com as fantásticas reivindicações dos *philosophes*, ambos defendiam um governo equilibrado que reconhece as distinções naturais de homem para homem, de classe para classe, de interesse para interesse. Burke dificilmente vai além de John Adams no horror à Revolução Francesa – não além, por certo, que o jovem Adams, nas *Letters of Publicola* [Cartas de Publicola]. Apenas a ligação de Burke à ideia de uma coroa inglesa (um respeito pela magistratura hereditária que Adams era, em grande medida, acusado de partilhar, ainda que erroneamente) e a defesa de Burke das instituições da Igreja conflitam com as principais ideias de Adams. John Adams foi mudando, aos poucos, em direção ao Unitarismo, e não podia tolerar as igrejas católica, anglicana ou presbiteriana, mas não se submeteu a Burke na devoção pela religião: "É possível que o governo das nações venha a recair nas mãos de homens que ensinem os mais tristes dos credos, de que os homens não passem de pirilampos e de que *tudo* não tenha um pai?"[19] Em vez disso, "que nos dê

---

[19] John Adams, "Ensaios sobre Davila". In: *Escritos Políticos de John Adams – Seleções Representativas*. Trad. Leonidas Gontijo de Carvalho. São Paulo, Ibrasa, 1964, p. 176. (N. T.)

novamente os deuses dos gregos".[20] Assim John Adams escreve nos *Ensaios sobre Davila*. Com coincidência quase tão notável quanto as semelhanças entre as obras *Candide*, de Voltaire, e *Rasselas*, de Samuel Johnson, Edmund Burke afirmou, ao mesmo tempo que John Adams, que tais premissas ateias reduzem os homens ao nível das "moscas de verão".[21]

Esses dois grandes conservadores ocupam um terreno comum, mas fazem investidas separadas, com armas diferentes, contra o radicalismo. Onde Burke falou de predisposição, uso consagrado e direitos naturais, Adams atacou a doutrina da perfectibilidade e a ideia de um estado unitário. Sem muito considerar a evolução cronológica das ideias de Adams, segue, aqui, um breve exame de seus princípios: primeiro, a análise da natureza humana; segundo, a análise do Estado.

Napoleão Bonaparte cunhou um novo sentido para a palavra "ideologia", e a repulsa dele ao espírito que tal epíteto definia não era menos intensa que a de John Adams.

> As palavras inglesas "idiotismo" ou "idiotice" expressam não a força ou o significado delas. Presume-se que a definição apropriada seja a ciência da idiotice. E que ciência profunda, abstrusa e misteriosa ela é! Deveis descer mais profundamente do que os mergulhadores na *Dunciada* para fazer quaisquer descobertas, e, por fim, descobrireis não haver fundo. É o anticlímax, a teoria, a arte, a habilidade de mergulhar e afundar no governo. Foi ensinada na escola da insensatez, mas, ai de mim! Benjamin Franklin, Anne Robert Jacques Turgot, o Duque de La Rochefoucauld e o Marquês de Condorcet, sob Thomas Paine, foram os grandes mestres dessa Academia![22]

O velho John Adams, curiosamente, foi elogiado por causa do "utilitarismo" e do "materialismo" por alguns autores cuja boa

---

[20] Idem. Ibidem.

[21] Edmund Burke, *Reflexões sobre a Revolução em França*. Op. cit.

[22] John Adams, *The Works of John Adams – Volume VI*. Boston, Charles C. Little and James Brown, 1851, p. 403.

opinião poderia fazê-lo sentir-se melindrado. A fonte da maioria de tais observações é sua observação para John Taylor.

> Que a primeira necessidade do homem é alimentar-se, e a segunda ter sua companheira, eram verdades bastante conhecidas de todo democrata e aristocrata antes mesmo que o grande filósofo Thomas Malthus (1766-1834) viesse pensar ter esclarecido o mundo com essa descoberta.[23]

Entretanto, essa é uma mera meia concessão insolente; a natureza do homem, acreditava Adams, é algo muito mais profundo que os simples desejos materiais. Os homens são fracos e tolos, em especial quando privados de liderança apropriada e boas instituições; mas não são simples criaturas de apetites, nem são, por instinto, egoístas. O moralista François de La Rochefoucauld (1613-1680) errou quando pensou que o amor-próprio era a paixão que governava a humanidade – ou, ao menos, não definiu apropriadamente essa ânsia, que, de maneira mais específica, é "o desejo de serem observados, considerados, estimados, louvados, amados e admirados pelos companheiros".[24]

O anseio por uma boa reputação, portanto, pode ser afastado de um curso possível de vício para um curso de benefício geral. No entanto, a fraqueza e a ignorância do homem podem deixá-lo continuamente exposto ao amor tentador pelo ouro, ao amor por elogios e à ambição, bem como para impulsos bem menos elevados do que os das "paixões aristocráticas". Somente a fé religiosa, as instituições estáveis e o reconhecimento franco das próprias falhas podem impedir a destruição espiritual que o espreita por trás desses apetites.

> É fraqueza e não maldade que torna os homens incapazes de se encarregarem do poder ilimitado. As paixões são todas ilimitadas; a

---

[23] John Adams, "Cartas a John Taylor, de Carolina, Virgínia". In: *Escritos Políticos de John Adams – Seleções Representativas*. Op. cit., p. 187. (N. T.)

[24] John Adams, "Ensaios sobre Davila". Op. cit., p. 160. (N. T.)

natureza as deixou assim; se pudessem ser limitadas, seriam extintas e, não há dúvidas, que são de importância indispensável para o atual sistema. Por certo, aumentam, também, pelo exercício, como o corpo.

Os homens devem tentar alcançar um equilíbrio entre afeições e apetites, governado pela razão e pela consciência.

> Caso se rendam à orientação, por qualquer decurso de tempo, de uma paixão, podem contar por descobri-la, no fim, uma tirana usurpadora, dominadora e cruel. Tencionam, por natureza, viver juntos em sociedade e, desse modo, restringirem-se uns aos outros; em geral são uma espécie muito boa de criaturas, mas conhecem tão bem a imbecilidade de cada um que nunca devem levar ninguém a cair em tentação. A paixão que é por tempo muito satisfeita e continuamente gratificada torna-se desvairada; é uma espécie de delírio; não deve ser chamada de culpa, mas de insanidade.[25]

Apesar da observação, John Adams aprendeu com Platão somente duas coisas: que soluços são a cura do espirro e que maridos e artesãos não devem ser dispensados do serviço militar. Podemos observar, aí, um tom do método platônico – a comparação da emoção nos indivíduos com a emoção na sociedade. A ordem social, como a sanidade humana, dependem da preservação de um equilíbrio delicado; e do mesmo modo como homens que, ao abandonar tal equilíbrio, se destroem, igualmente, qualquer sociedade que joga os pesos numa das extremidades da balança deve terminar quebrada e desolada. A balança social é a justiça; abandonemos o equilíbrio; a justiça com isso se esvai, e o resultado é a tirania.

O Marquês de Condorcet, ao confiar em uma benevolência natural do temperamento humano, teria rejeitado todos os pesos que mantêm o equilíbrio e confiado na razão pura como guia da sociedade. John Adams, indignado com essa confiança tola em um intelecto humano, que sabia ser vacilante e falível, prossegue exaustivamente

---

[25] John Adams, *The Works of John Adams. Vol. VI*. Op. cit., p. 444-45.

a demonstrar pelo precedente histórico a falta de razoabilidade do homem. Observar essa controvérsia do ponto de vista vantajoso do século XX faz parecer que em Condorcet, com precisão, Adams escolheu seu antagonista mais irreconciliável: Condorcet, que acreditava que todas as instituições tinham por propósito o benefício físico, intelectual e moral das classes mais pobres; Condorcet, que proclamou: "Não somente a igualdade de direito, mas a igualdade de fato é o objetivo da arte socialista". Esse otimismo inextinguível, de convicções inabaláveis, mesmo quando as carroças levavam seus companheiros para o patíbulo, era, em filosofia moral, a negação de tudo o que Adams acreditava. No reconhecimento da falibilidade individual, do respeito pela propriedade e na aceitação das diferenças naturais e inescapáveis entre os homens repousa a tranquilidade da raça humana; e tudo isso Condorcet ignorava ou negava. Adams empenhou-se para moderar o sarcasmo na fé de Condorcet, intoxicada pelo progresso:

> Em meio a toda a exaltação, americanos e franceses devem se lembrar de que a perfectibilidade do homem é apenas perfectibilidade humana e terrestre. O frio ainda congelará e o fogo jamais cessará de queimar; doenças e vícios continuarão a desregular, e a morte continuará a aterrorizar a humanidade. A emulação, seguida à autopreservação, será sempre a grande mola das ações humanas, e somente o equilíbrio de um governo bem ordenado poderá impedir que a emulação degenere em perigosa ambição, rivalidades irregulares, facções destruidoras, sedições devastadoras e sangrentas guerras civis.[26]

Mais adiante na vida, John Adams informou Thomas Jefferson que era, de fato, um crente "na provável improbabilidade e aperfeiçoamento, na melhoria e melhoramento dos afazeres humanos"; mas nunca pôde compreender a doutrina da perfectibilidade da mente humana, que lhe parecia fantástica como a confiança dos faquires

---

[26] John Adams, "Ensaios sobre Davila". Op. cit., p. 175. (N. T.)

hindus na repetição cerimonial como meio de adquirir onisciência.[27] O progresso, ao contrário, é a ascensão lenta e dolorosa do cego conduzido pelo caolho, dependente de instituições conservadoras e da vontade de Deus. O verdadeiro progresso seria obliterado, indefinidamente, por violentos lapsos de perfeição aos moldes do projeto de Condorcet, de Mably, de Morelly e de Rousseau. Essas teorias postulam uma sagacidade mental generalizada ou um impulso de benevolência geral que Adams, treinado no manejo dos assuntos políticos, sabia ser inatingível.

A inteligência e a moralidade que os inovadores franceses esperavam encontrar na nova sociedade deveria ser encorajada, é verdade, pela educação; no entanto, Adams duvidava que a humanidade seria capaz de arcar com o custo de uma verdadeira educação para a multidão dos homens. "Os apetites humanos, as paixões, as predisposições e o amor-próprio nunca serão dominados somente pela benevolência e pelo amor, apresentados por meios humanos", John Adams disse para seu primo Samuel Adams.[28] O mundo está ficando mais ilustrado, afirma a opinião popular; e há certa verdade na crença de que jornais, revistas e bibliotecas públicas tornaram a humanidade mais sábia, mas com o orgulho que acompanha o jovem aprendiz vem o perigo da vaidade popular, o risco de que as antigas opiniões possam ser descartadas.

> Se todo decoro, disciplina e subordinação tiverem de ser destruídos e o pirronismo universal, a anarquia e a insegurança de propriedades tiverem de ser introduzidos, as nações desejarão logo ver seus livros reduzidos a cinzas, procurarão as trevas da ignorância, a superstição e o fanatismo como bênçãos, e acompanharão os padrões do primeiro déspota louco que, com o entusiasmo de outro Maomé, se esforçará por obtê-las.[29]

---

[27] John Adams, *Works*, VI, p. 101.
[28] Idem. Ibidem, p. 416.
[29] John Adams, "Ensaios sobre Davila". Op. cit., p. 172. (N. T.)

Ele mesmo um homem de livros e, outrora, professor, John Adams zomba de Denis Diderot (1713-1784) e de Jean-Jacques Rousseau pela exaltação da selvageria idílica, a pretensa descoberta "de que conhecimento é corrupção, que artes, ciência; e o gosto deformou a beleza e destruiu a felicidade da natureza humana, que só aparece na perfeição em estado selvagem – os filhos da natureza".[30] Ainda assim, não podemos esperar que a educação formal altere radicalmente os impulsos comuns do coração; somente o inculcar da moralidade, muito mais difícil, que provém da lentíssima influência do exemplo histórico e das constituições justas, e não de legislação deliberada, pode efetuar esse aperfeiçoamento moral que é o verdadeiro progresso da humanidade.

> Não há ligação necessária entre conhecimento e virtude. Simples inteligência não tem ligação com moralidade. Que ligação existe entre o mecanismo de um relógio e o sentimento de bem e mal moral, de certo ou errado? A faculdade ou qualidade de distinguir o bem e o mal, a felicidade física e a miséria, isto é, o prazer e a dor, ou, em outras palavras, a *consciência* – velha palavra quase fora de moda – é essencial à moralidade.[31]

As lições profundas da vida não são aprendidas nas escolas, nem podem ser evitadas ao experimentarmos com elísios terrestres. Somos como Deus nos fez; a natureza da espécie só muda vagarosamente, se é que muda; e os filósofos que prometem salvar-nos de todas as dores a que o curso natural da vida nos levará, só nos guiarão, em vez disso, a tormentos ainda mais profundos. Aqui, Adams notadamente nos recorda o dr. Johnson. Em uma tirada de extrema beleza, descreve a emoção universal e inescapável do luto, ao mesmo tempo, punitiva e salutar.

---

[30] John Adams, *Works*, VI, p. 518.

[31] John Adams, "Cartas a Thomas, Norman Mattoon, de Carolina, Virgínia". Op. cit., p. 189. (N. T.)

O amante desolado e as relações frustradas são compelidas, pelo luto, a refletir sobre a vaidade dos desejos e as expectativas humanas; a aprender a lição essencial da resignação, a rever a própria conduta para com o falecido; a corrigir quaisquer erros ou faltas na conduta futura com os amigos que restaram e com todos os homens; a relembrar as virtudes do amigo perdido e resolver imitá-las; as tolices e vícios, caso os tivesse, decidir evitá-los. O luto conduz os homens ao hábito da reflexão séria, aguça a compreensão e abranda o coração; compele a instigar a razão, a afirmar seu império sobre as paixões, propensões e inclinações, a elevá-los a uma superioridade acima dos acontecimentos humanos, a dar-lhes a *felicis animi immotam tranquilitatem*[32]*; em suma, torná-los estoicos e cristãos.[33]

As dores e pesares de nossa vida são essenciais para o equilíbrio de nosso caráter; faltassem, não seríamos humanos; e, assim, o homem que espera "aperfeiçoar" a raça humana distorceria e destruiria a humanidade ao tentar separar de nossa natureza as qualidades das quais dependem todos os demais atributos.

5. A ARISTOCRACIA DE NATUREZA

Então, em sabedoria e impulso, diz John Adams, os homens não são o que os especuladores franceses (sejam discípulos de Voltaire ou de Jean-Jacques Rousseau) consideram ser. Homens são tolos, homens são corruptos pela paixão da emulação e por outros apetites. Supor que os homens sejam sagazes e benevolentes é entregá-los à anarquia. E, noutro aspecto, esses teóricos franceses cometem um grande disparate moral e psicológico igualmente grave: pensam que, por os homens serem naturalmente iguais, a sociedade será perfeita quando esse estado de igualdade ingressar

---

[32]* A tranquilidade imutável da alma feliz. (N. T.)
[33] John Adams, *Works*. X, p. 218.

na legislação. No entanto isso, Adams sabe, é perfeita tolice: toda a natureza ao nosso redor clama a desigualdade dos homens desde a própria constituição das coisas. O perfeccionista que espera reformar a sociedade com base no plano da igualdade ignora o verdadeiro caráter do progresso.

"É verdade que todos os homens nascem com igualdade de direitos", John Adams escreve a John Taylor. "Todo ser humano tem direitos próprios, tão claros, tão morais e tão sagrados quanto os de qualquer outro ser. Isso é tão inegável quanto um governo moral no universo". (Esse ponto de vista é idêntico ao de Edmund Burke, e as próprias palavras estão tão próximas das expressões das *Reflexões* que somos levados a pensar que ter lido Burke tornou a opinião do americano mais lapidar e enérgica).

> Mas declarar que todos os homens nascem com poderes e faculdades iguais, com igual influência na sociedade, com igualdade de propriedades e vantagens na vida, constitui enorme fraude, berrante imposição sobre a credulidade do povo como jamais foi praticada pelos monges, pelos druidas, pelos brâmanes, pelos sacerdotes do imortal Lama ou pelos que, na Revolução Francesa, se intitulavam filósofos. Por amor à honra, à verdade e à virtude, sr. Taylor, deixemos que os filósofos e políticos desprezem tal fraude.[34]

Os homens têm igualdade moral que provém de Deus; têm igualdade jurídica, a cada um o direito que lhe caiba, a essência da justiça; mas que são muitos seres físicos equipolentes, muitos átomos, é despropósito. Isso se assemelha bastante a Burke, mas não devemos supor que a crença na desigualdade natural de Adams deriva das ideias de Burke, não importando quanto Burke deva tê-la reforçado. Na *Defence*, Adams se expressara antes, com invariável franqueza, ao refutar a argumentação de Turgot que as repúblicas são "fundadas na

---

[34] John Adams, "Cartas a John Taylor, de Carolina, Virgínia". Op. cit., p. 182. (N. T.)

igualdade de todos os cidadãos" e que "ordens" e "equilíbrios" são desnecessários – na verdade, nocivos.

"Mas que devemos aqui compreender por igualdade?", escreveu Adams a respeito de Turgot,

> Devem os cidadãos ter a mesma idade, o mesmo sexo, a mesma altura, a mesma força, a mesma estatura, a mesma atividade, a mesma coragem, a mesma robustez, a mesma operosidade, a mesma paciência, o mesmo engenho, a mesma riqueza, o mesmo conhecimento, a mesma fama, o mesmo espírito, a mesma temperança, a mesma constância e a mesma sabedoria?[35]

Por toda a vida prosseguiu na mesma linha. "A igualdade de natureza é somente moral e política, a denotar que todos os homens são independentes", afirmou John Adams para a esposa Abgail Adams (1744-1818)":

> Uma desigualdade física, todavia, uma desigualdade intelectual do tipo mais sério, é instituída de maneira imutável pelo Autor da natureza; e a sociedade tem o direito de instituir quaisquer outras desigualdades que julgar necessárias para o próprio bem. O preceito, contudo, *faça como gostarias que fizessem a ti*, encerra uma igualdade que é a verdadeira igualdade de natureza e do cristianismo [...].[36]

Da percepção de diferenças inerradicáveis entre os indivíduos, Adams desenvolveu a teoria célebre de aristocracia.

De todas as opiniões daquele homem contundente, porém mal compreendido, nada foi interpretado de modo mais errôneo, mais distorcido, e foi mais inconsideradamente condenado do que o seu conceito de aristocracia. O público americano não o compreendia; nem Thomas Jefferson, nem John Taylor – até que esclareceu esses dois amigáveis inimigos, já na velhice dos três estadistas. Essa confusão,

---

[35] John Adams, "Defesa das Constituições dos Estados Unidos". Op. cit., p. 121. (N. T.)

[36] John Adams, *Works*, I, p. 462.

na verdade, tem uma origem antiga e é de natureza tão persistente, que seria mais bem dissipada por uma espécie de catálogo descritivo.

1) Um aristocrata, na definição de Adams, é qualquer pessoa que possa controlar dois votos, o próprio e o de outro homem. Esse é o rudimento de governo por aqueles que estão mais qualificados para governar, o sentido literal de "aristocracia". "Por aristocracia concebo todos os que podem comandar, influenciar ou obter mais que uma média de votos; por aristocrata, todo homem que puder e influenciar um homem, além de si, a votar. Poucos homens negarão haver uma aristocracia natural de virtudes e talentos em todas as nações e partidos, em toda cidade e vilarejo.[37]

2) A aristocracia não é simplesmente uma criação da sociedade; é, em parte, natural, e, noutra, artificial, mas não pode ser erradicada em Estado algum. Sua existência pode ser negada por hipócritas, mas, contudo, sobreviverá, pois em qualquer sociedade imaginável alguns homens exercerão influência política sobre seus semelhantes – alguns serão seguidores, outros, líderes, e os líderes da sociedade política são aristocratas; chamem-lhes do que quiserem. "Tomai a primeira centena de homens que desejardes, e fazei uma república. Todo homem tem direito de voto igual; mas quando se abrirem as deliberações e discussões, vereis que vinte e cinco, pelos talentos, sendo iguais as virtudes, serão capazes de levar cinquenta votos. Cada um desses vinte e cinco é um aristocrata no sentido que emprego a palavra; seja por obter um voto além do próprio por nascimento, fortuna, vulto, ciência, erudição, habilidade, astúcia ou mesmo por ser sociável e *bon vivant*".[38]

3) A forma mais comum de aristocracia é produzida por diferenças na natureza que a legislação positiva não pode alterar substancialmente. Um aristocrata é um cidadão que comanda dois votos ou mais. "Seja por suas virtudes, seus talentos, sua cultura, sua loquacidade, sua taciturnidade, sua franqueza, sua reserva, seu rosto, sua figura, sua eloquência, sua graça, seus ares, sua atitude, seus movimentos, sua riqueza, seu nascimento, sua arte, seu endereço, sua intriga, sua

---

[37] John Adams, *Works*, VI. Op. cit., p. 451-52.
[38] Idem, *Selected Writings of John and J. Q. Adams*, p. 169.

sociabilidade, sua bebedeira, sua devassidão, sua fraude, seu perjúrio, sua violência, sua traição, seu pirronismo, seu deísmo ou seu ateísmo; pois por qualquer um desses instrumentos têm sido obtidos e serão obtidos votos. Parece julgardes que a aristocracia consiste inteiramente em títulos artificiais, condecorações, jarreteiras, fitas, águias douradas e velos de ouro, cruzes, rosas e lírios, privilégios exclusivos, linhagem hereditária estabelecidos pelos reis ou por leis positivas da sociedade. Nada disso!"[39]

4) Mesmo a aristocracia hereditária não depende da lei positiva para sua existência. Na América democrática, a aristocracia de linhagem permanece incontida. Aaron Burr obteve cem mil votos por descender de Jonathan Edwards; em Boston, os Crafts, Gores, Dawes e Austins constituem a nobreza; John Randolph of Roanoke é tão aristocrata, graças ao grande nome, quanto os Montmorenci ou os Howard.

5) A aristocracia não é destruída pela venda das terras ou confisco da riqueza. "Se John Randolph alforriasse um de seus negros e o afastasse de sua fazenda, esse negro se tornaria um aristocrata tão grande quanto John Randolph." Uma vez que o poder acompanha a propriedade, a aristocracia pode ser transferida, mas não abolida.

6) Mesmo o esforço das leis para instituir a igualdade resulta em reforço à aristocracia. "Quanto mais educais, sem um equilíbrio no governo, mais aristocrático serão o povo e o governo." Assim, o Estado cria uma elite que comanda os votos dos cidadãos menos instruídos.

7) Nenhum povo aboliu a aristocracia. Os jacobinos não o fizeram, porque não fizeram todos os homens e mulheres igualmente sábios, elegantes e belos. Na melhor das hipóteses, substituíram os antigos indivíduos por novos; permanece uma aristocracia, talvez sem títulos, mas ainda possuidora do mesmo poder político.

8) Adams não advoga a aristocracia; simplesmente, assinala que é um fenômeno da natureza, que não deve ser negado racionalmente. Assim como a maioria das coisas na natureza, a aristocracia tem suas virtudes

---

[39] John Adams, "Cartas a John Taylor, de Carolina, Virgínia". Op. cit., p. 183-84. (N. T.)

e vícios. Aristocracias foram arrogantes e extorsivas, mas, por outro lado, se, de vez em quando, na história, as aristocracias não tivessem apresentado resistência contra monarcas e multidões, "um despotismo horrendo, tão pavoroso quanto o da Turquia, teria sido a sina de toda nação na Europa".

À força de repetir e desenvolver o assunto, Adams, por fim, praticamente compeliu Taylor e Jefferson a admitir que a aristocracia, no sentido de Adams, é fato incontroverso. Persistiu, entretanto, uma vaga impressão popular de que Adams estava defendendo algum tipo de administração oligárquica para os Estados Unidos. De modo simples, Adams só afirmava com vigor e perspicácia um princípio que todo aluno sério de Política percebe hoje em dia. Como expõe John Chipman Gray (1839-1915), na obra *The Nature and Sources of the Law* [A Natureza e as Fontes do Direito]: "Não se podem descobrir os verdadeiros governantes de uma sociedade política. São pessoas que dominam a vontade de seus semelhantes". Albert J. Nock observou que toda nação tem sua aristocracia e que os Estados Unidos têm a sua – um tipo desafortunado de aristocracia; referia-se à ascendência de plutocratas e políticos a exercer a influência de uma aristocracia do Antigo Regime sem as coações da *noblesse oblige*.

Esse problema de reconhecer a aristocracia entre o povo, controlando os vícios e utilizando as energias para o benefício do Estado, nunca esteve muito distante dos pensamentos de Adams. "Há uma voz dentro de nós que parece intimar que o verdadeiro mérito deva governar o mundo; e que os homens devam ser respeitados somente à medida de seus talentos, virtudes e serviços. Entretanto sempre a questão é: como esse arranjo pode ser efetuado?"[40] Encontrou a resposta, tanto quanto era possível obtê-la, em um governo de freios e contrapesos e nos arranjos sociais que vinculam honra, terras e poderes constitucionais a homens que lhes sejam dignos, prestando

---

[40] John Adams, *Works*. VI. Op. cit., p. 249.

guarda, ao mesmo tempo, à ambição cada vez maior dos aristocratas, naturais ou artificiais. Suas honras e preferências devem ser ideadas para torná-los defensores do povo contra a usurpação do despotismo.

> A natureza, que estabeleceu no universo uma cadeia de seres e uma ordem universal, descendo dos arcanjos aos animálculos microscópicos, ordenou que não haveria dois objetos perfeitamente semelhantes, nem duas criaturas perfeitamente iguais. Embora, entre os homens, todos estejam sujeitos por natureza a *leis iguais* de moralidade e, na sociedade, tenham direito a *leis iguais* para o governo, ainda assim, não há dois homens exatamente iguais em pessoa, propriedade, compreensão, atividade e virtude e jamais poderá ser assim por qualquer poder menor do que o que lhes criou. Quando quer que isso tornar-se duvidoso entre dois indivíduos ou famílias, qual é superior, começa uma agitação que perturba a ordem de todas as coisas até que se assente, e cada um conhece seu lugar na opinião do público.[41]

Qual modo de governo diminui esse agito e reconcilia os homens ao estado social a que sua natureza lhe ordena? Essa pergunta, Adams esforçou-se por responder ao refutar Turgot.

6. AS CONSTITUIÇÕES AMERICANAS

A felicidade da sociedade, escreveu John Adams, é a finalidade do governo. Igualmente o disse Jeremy Bentham; ainda, nessa questão, o fez Edmund Burke. "Desse princípio derivará", Adams prossegue, ao escrever no ardente ano de 1776, "que a forma de governo que comunica tranquilidade, conforto, segurança ou, em uma palavra, felicidade ao maior número de pessoas e em maior grau é a melhor." Essas observações soam extraordinariamente utilitárias e podemos notar que "liberdade", mesmo em 1776, foi omitida da lista de benefícios. No entanto, Adams logo acrescenta: "Todos os

---

[41] Idem. Ibidem, VI, p. 285-86.

perquiridores moderados da verdade, antigos e modernos, pagãos e cristãos, afirmaram que a felicidade do homem, bem como a dignidade, consiste na virtude".[42]

Virtudes públicas e privadas são a preocupação primordial de John Adams, que é tão moralista quanto Jean-Jacques Rousseau, embora de um tipo diferente. Adams empregou a palavra "liberdade" com menos frequência do que fizeram os homens públicos de seu tempo, pois, no fundo, estava a convicção de que a fraqueza humana confunde liberdade com licenciosidade. Assim como os conservadores franceses do século XIX (sob a liderança de Joseph Joubert) falaram com ênfase de "justiça", em vez de liberdade, como o propósito da sociedade, Adams, igualmente, preferiu o conceito de virtude ao de liberdade, mas não pensava que aquela excluía esta; ao contrário, a liberdade estável é filha da virtude. A liberdade não tem de ser alcançada por uma proclamação simples, é criação da civilização e de esforços heroicos de pouquíssimas almas valentes. Samuel Adams dissera a seu parente que o amor pela liberdade está entremeado na alma do homem. "Assim também o está, segundo Jean de La Fontaine (1621-1605), na do lobo", respondeu John Adams, cáustico;

> e duvido se é muito mais racional, generosa ou social, em um que no outro, até que no homem seja iluminada pela experiência, reflexão, educação, por instituições civis e políticas que, no início, são produzidas, constantemente auxiliadas e melhoradas por uns poucos [...]. Inúmeros homens em todas as épocas preferiram o conforto, o torpor e um bom brinde à liberdade quando estiveram na competição. Não podemos confiar apenas no amor à liberdade na alma do homem para sua preservação.[43]

Como Edmund Burke, John Adams sabia que a verdadeira liberdade só é apreciada por uns poucos; a massa de homens é-lhe

---

[42] Idem. Ibidem, IV, p. 193.
[43] Idem. Ibidem, VI, p. 418.

indiferente, exceto quando um apelo à liberdade venha a servir aos interesses materiais imediatos. Temia pela liberdade na própria Nova Inglaterra, visto que "o comércio, a luxúria e a avareza destruíram todo governo republicano" e a Nova Inglaterra era culpada pelo pecado da cobiça. "Mesmo os fazendeiros e negociantes são viciados em comerciar", escreveu a Mercy Otis Warren (1728-1814), "e isso é tamanha verdade que a propriedade lá é padrão de respeito tanto quanto em qualquer outro lugar."[44] (Os alunos de História Americana muitas vezes esquecem que Adams não confiava na influência incontida da propriedade, tanto quanto desconfiava da influência incontrolada dos números.) A liberdade, em suma, não pode ser discutida em abstrato como se fosse totalmente independente da virtude pública e do arcabouço das instituições. Foi o conhecimento de Adams de que a liberdade é uma planta delicada, que mesmo a regando com sangue de mártires este é um nutriente dúbio, que o impeliu a esboçar um sistema prático para a liberdade perante a lei. A liberdade deve estar sob a lei; não há alternativa satisfatória. A liberdade sem a lei perdura tanto quanto o cordeiro entre lobos. Mesmo o limite da lei civil não resguarda o bastante a liberdade: sob o manto das melhores leis imagináveis, a liberdade ainda pode ser infringida se faltar a virtude. "Definiria a liberdade como o poder de fazer como gostaria que fizessem a mim."[45] Que espécie de governo, então, estimulará essa virtude pública e privada indispensável, encerrada na regra de ouro? Em geral, uma república – "ainda que, de modo infalível, empobreça a mim e a meus filhos, produzirá força, intrepidez, atividade e qualidades sublimes na natureza humana, em abundância. Uma monarquia, de um modo ou outro, provavelmente, tornar-me-ia rico [...]"; contudo, em uma monarquia, o povo "nada pode ser além de perverso e tolo".[46]

---

[44] Idem. Ibidem, IX, p. 602.
[45] Idem, *Selected Writings of John and J. Q. Adams*, p. 57-58.
[46] John Adams. *Works*. X. Op. cit., p. 377.

Uma república de que tipo? Uma aristocracia é uma república e, da mesma maneira, o é uma democracia; ambas, na forma pura, são contrárias à liberdade. É aqui que Adams apodera-se de Turgot para sacudi-lo como uma ratazana nas presas de um terrier. Em carta escrita no dia 22 de março de 1778 para o adversário de Edmund Burke, o Dr. Richard Price (1723-1791), o financista francês denegrira as constituições dos novos estados americanos com base nos princípios grandiosos e altivos da escola francesa. Os americanos, declarou Turgot, erraram ao concordar com Montesquieu que "a liberdade consiste em estar sujeito à lei"; a liberdade, acreditava Turgot, deveria ser totalmente superior às leis embaraçosas. E por que os americanos não instituíram a "vontade geral" enunciada por Rousseau, em vez de imitar a Inglaterra ao providenciar um sistema de freios e contrapesos, legislaturas bicamerais e entraves similares à vontade imediata da maioria? Por que eram tão zelosos a respeito da independência local, quando o progresso exigia consolidação e centralização? (Aqui Turgot estava a incitar a adoção dos princípios administrativos da monarquia francesa em vez de uma ideia democrática progressiva, como Tocqueville deixa claro na obra O *Antigo Regime e a Revolução*, mas Turgot esqueceu-se da fonte de inspiração). Os Estados devem formar uma união geral, totalmente amalgamada, tornarem-se homogêneos. A diversidade de leis, costumes e opiniões deve ser erradicada e a uniformidade reforçada por causa do progresso. Na mente de Turgot, de um puro planejador econômico, isso está evidente, não na mente de um estadista. Quem, prossegue, deveria governar essa massa homogênea de democratas indiferenciados? Ora, o próprio povo: deve reunir "toda a autoridade em um centro, a nação".

Como intendente de Limousin, Turgot fora um governador de homens, ainda que realmente nunca tenha sido uma pessoa do povo. Tinha, de pronto, em mãos, a autoridade conferida pela monarquia, e a dificuldade em substituir a coroa por um soberano chamado "o povo" dificilmente passou-lhe pela cabeça. No entanto, Adams fora uma pessoa do povo: essa referência abstrata a um grande corpo de indivíduos e de interesses como se possuísse uma personalidade única exasperava sua natureza prática. Oito anos após Turgot ter expressado esses pontos de vista, Adams os demoliu em um livro enorme, organizado às pressas em Londres, para influenciar a iminente Convenção Constitucional na Filadélfia, e logo foi seguido de outros dois grossos volumes com o mesmo título. *A Defence of the Constitutions* corresponde a mais de mil e duzentas páginas na obra de Adams – o tratado mais completo sobre instituições políticas jamais produzido nos Estados Unidos, uma tarefa deveras formidável para ganhar admiração do mais industrioso dos escritores insípidos. Adams fez rapidamente o trabalho em meio a vinte outras tarefas.

Como diria Burke quatro anos mais tarde, o princípio a que a Revolução Francesa aderiu ao longo de todas as transmigrações foi a ideia de simplicidade na estrutura política. Os pensadores revolucionários, escreveu Burke em *Reflexões,* detestavam essa complexidade em um Estado; realmente a principal salvaguarda dos homens contra a ação arbitrária e a opressão. Os interesses opostos e conflitantes dentro de uma nação

> interpõem um exame salutar a todas as resoluções precipitadas. Tornam a deliberação uma questão, não de escolha, mas de necessidade; tornam toda a mudança um assunto de transigência que necessariamente causa moderação; produz disposições, evitando o mal dolorido da reforma severa, crua e inapta, apresentando a todos os esforços precipitados do poder arbitrário, no pouco, no muito, para sempre impraticável.

A isso, *philosophes* como Turgot eram insensíveis. A liberdade absoluta e o poder absoluto em um governo central pareciam-lhes bastante compatíveis: todas as ideias que interferiam com a ideologia democrática deveriam ser esmagadas, todos os organismos corporativos e prerrogativas locais que impediam a operação da centralização deveriam ser abolidos. Assim, a história da Revolução, da ascensão dos girondinos nos últimos dias do diretório, apresenta uma constância: a devoção a uma perfeita simplicidade fanática. No início, era a ideia da liberdade individual absoluta a romper com todas as antigas restrições à ação e ao impulso; no final, era a ideia de poder absoluto nas mãos de uma administração centralizada. Burke e Adams estremeciam diante de ambas manifestações dessa paixão pela simplicidade – a França de 1789 ou a França de 1797. A evolução da Gironda ao Diretório era natural e inevitável, pois, novamente nas palavras de Burke:

> Quando percebo a simplicidade das invenções que criam, para o orgulho de seus idealizadores, novas constituições políticas, não consigo decidir-me quanto a considerar seus autores grosseiramente ignorantes do negócio ou totalmente negligentes em seu dever.[47]

Sendo o homem complexo, seu governo não pode ser simples. Os teóricos humanitaristas que inventam projetos de engenhosa simplicidade devem chegar, dentro em pouco, a coroar a simplicidade do despotismo. Começam com um individualismo licencioso, todo homem destituído das antigas sanções e lançado aos próprios recursos morais; e quando esse estado de coisas se mostra intolerável, é então levado a um coletivismo grave e intolerante. A direção central visiona compensar as tolices da moral temerária e do atomismo econômico. Os idealistas revolucionários dessa estirpe são fiéis à simplicidade, ainda que haja mais nada sob o céu e a Terra. Não podem tolerar nenhum meio entre a liberdade absoluta e a consolidação absoluta.

Assim, no princípio do liberalismo moderno[48], Edmund Burke e John Adams viram a úlcera da decadência progressista na flor do

---

[47] Edmund Burke, *Reflexões sobre a Revolução em França*. Trad. Renato de Assumpção Faria; Denis Fontes de Souza Pinto; Carmen Lídia Richter Ribeiro Moura. Brasília, Editora da Universidade de Brasília, 1982, p. 90. (N. T.)

[48] Os termos "*liberalism*" e "*liberal*" sofreram uma modificação de significado no século XX. Mesmo guardando alguns pontos em comum com o legado

vigor liberal. Os postulados de um novo liberalismo, na França, Inglaterra e na América dependiam de antigas verdades que os próprios progressistas já estavam a repudiar; dos pressupostos cristãos de que os homens são iguais aos olhos de Deus e da ideia de uma ordem moral duradoura, divinamente sancionada. Os deístas descartaram a maior parte dos ensinamentos cristãos, e Burke e Adams sabiam que os herdeiros intelectuais dos deístas rejeitariam por completo o dogma e o impulso religioso. O novo liberalismo não toleraria autoridade alguma. "O liberalismo, como expressão política do individualismo, abraçou, portanto, a liberdade para o indivíduo apartado de toda a autoridade pessoal e arbitrária", afirma de modo imperativo John H. Hallowell (1914-1991):

> A começar da premissa do valor e dignidade absolutos da personalidade humana, os progressistas necessariamente exigiam liberdade para cada indivíduo, [liberdade] do Estado, de toda a vontade arbitrária. Só quando o liberalismo uniu a teoria contratual com a crença na verdade e no valor objetivo a transcender todos os indivíduos, unindo uns aos outros sem compromisso, pôde reconciliar a liberdade da autoridade arbitrária com a ideia de uma comunidade ordenada.[49]

No entanto, a teoria contratual da sociedade baseava-se em pressupostos religiosos; e, como a fé religiosa declinou entre os progressistas, a confiança nos próprios predicados estava enferma. Mais do que isso, o individualismo sentimental logo ficou abalado com as próprias consequências práticas: a competição econômica e o isolamento

---

dos pensadores liberais clássicos, a terminologia "liberal", tal como empregada nos Estados Unidos ao longo do século XX, está mais associada a uma visão política de esquerda, ou "progressista", visto que a ênfase na crença no progresso é uma característica intrínseca do pensamento liberal, tanto na vertente clássica quanto na acepção moderna do termo. Portanto, visando evitar a confusão entre o moderno liberalismo e o liberalismo clássico, alternaremos, na tradução, o termo "*liberal*" e "*liberalism*" com "progressistas" e "progressismo". (N. T.)

[49] Hallowell, *The Decline of Liberalism as an Ideology*, p. 23.

espiritual, resultantes do triunfo de suas ideias, provocou entre eles uma reação em favor de poderosos governos benevolentes a exercer coações. Esse processo intelectual e político, que a França de 1789 a 1797 era o microcosmo, agora parece ter sido o curso do liberalismo do século XVIII ao XX. O avanço das políticas liberais britânicas, de Charles James Fox a H. H. Asquith (1852-1928), das ideias liberais americanas, de Thomas Jefferson a Franklin Delano Roosevelt (1882-1945), sugerem a regra.

Edmund Burke e John Adams foram liberais no sentido de acreditarem em liberdades consagradas, ainda que não cressem em uma liberdade abstrata. Foram individualistas no sentido de que acreditaram na individualidade – diversidade do caráter humano, variedade de ação humana –, embora detestassem a apoteose do individualismo como princípio moral supremo. Quando os doutrinários liberais repudiaram a ideia de Providência, mantiveram apenas um conceito moral despojado das sanções religiosas e abandonado, a murchar, no simples egoísmo. De modo similar, quando os liberais doutrinários separaram a liberdade política da complexidade política que abriga a liberdade, involuntariamente, cortaram as raízes dos "direitos inalienáveis". Burke reparou nisso em 1790, mas Adams, na *Defence*, antecipara-lhe.

Turgot, escreveu Adams, estava cego para a verdade sobre a liberdade que, praticamente falando, é composta de liberdades particulares, locais e pessoais; Turgot ignorava o grande pré-requisito para o governo justo: o reconhecimento de governos locais, interesses e diversidades e sua salvaguarda no Estado. Turgot era a favor de "reunir toda a autoridade em um centro, a nação" (nas palavras do próprio Turgot). "É fácil compreender", comentou Adams:

> como toda autoridade pode ser reunida em "um centro", em um déspota ou monarca; mas como será feito quando o centro tiver de ser a nação, permaneceremos exatamente onde principiamos, e não teremos, absolutamente, nenhuma união de autoridade. A nação

será a autoridade, e a autoridade, a nação. O centro será o círculo, e o círculo, o centro. Quando uma quantidade de homens, mulheres e crianças são, simplesmente, congregados, não há autoridade política entre eles; nem autoridade natural alguma, senão a dos pais para com os filhos.[50]

Essa centralização é uma ilusão, e a autoridade não repousa em lugar algum ou é um fato e, portanto, uma tirania dos homens que, na realidade, constituem o centro. Esse dilema, o enigma das "democracias plebiscitárias" de nossa época, Adams continua a analisar à luz da história, pois, com Burke, olhava para a história como fonte de toda a convenção social esclarecida.

Como observa Gilbert Chinard (1882-1972), a *Defence* é um sumário de advogado em vez de um tratado filosófico. Mas que sumário! Adams está decidido a provar que somente o equilíbrio dos poderes – executivo, Senado, Câmara dos Deputados, empregai os termos equivalentes que quiserdes – torna possível um governo livre. Primeiro, analisa as repúblicas democráticas modernas – San Marino, Biscaia, sete cantões autônomos da Suíça e as províncias unidas dos Países Baixos; depois, volta-se para as repúblicas aristocráticas – nove exemplos suíços, Lucca, Gênova, Veneza e, mais uma vez, as províncias unidas. Depois, traz três exemplos de repúblicas régias, Inglaterra, Polônia e Neuchâtel; após isso, traz a "Opinião dos Filósofos": Jonathan Swift (1667-1745), Benjamin Franklin e Richard Price; a seguir, "Autores sobre o Governo": Nicolau Maquiavel, Algernon Sidney, Montesquieu e James Harrington, o que leva à "Opinião dos Historiadores": Políbio (203-120 a.C.) [o favorito de John Adams entre os antigos], Dionísio de Halicarnasso (60 a.C.-7 D.C.), Platão, John Locke, John Milton (1608-1674) e David Hume. O sétimo capítulo é uma análise de doze repúblicas democráticas antigas; a oitava, de três antigas

---

[50] John Adams, *Works*, IV, p. 301.

repúblicas aristocráticas; e a nona, de três antigas repúblicas monárquicas. Não é necessário tabular o conteúdo do segundo e do terceiro volumes da obra para ficar convencido da erudição de Adams. Aqui há uma sede por informação digna de comparação com a de Aristóteles e de Francis Bacon (1561-1674). Ele resume todo o conjunto de provas em um parágrafo:

> Pelos autores abalizados e pelos exemplos já citados convencer-se-á de que os três ramos do poder se fundamentam, inalteravelmente, na natureza; existem em toda sociedade natural ou artificial, e se todos eles não são reconhecidos em qualquer constituição do governo, ver-se-á que ela é imperfeita, instável e logo escravizada; as autoridades legislativa e executiva são, naturalmente, distintas; e essa liberdade e as leis dependem inteiramente de uma separação delas na estrutura do governo; o poder legislativo é natural e necessariamente soberano e supremo sobre o executivo; e, portanto, deve-se fazer que este último seja um ramo essencial do primeiro, mesmo com o veto; caso contrário não poderá defender-se, será logo usurpado, solapado, atacado ou, de um modo ou de outro, totalmente arruinado e aniquilado pelo primeiro.[51]

Sem o equilíbrio no governo não pode haver lei verdadeira; e sem lei, não há liberdade. As opiniões de Adams a respeito de soberania (a predileta dos teóricos políticos) são diretas, de uma maneira revigorante. A soberania é, com acerto, indivisível, mas seu exercício pode ser fixado para contrabalançar corpos ou divisões sem destruir a eficácia. A soberania simples, todo o poder abraçado por um único grupo, carece de equilíbrio, por natureza é injusto para com outros interesses da comunidade e, portanto, não promulga leis verdadeiras – somente decretos arbitrários. Uma soberania dividida que não alcança um equilíbrio – ou seja, uma soberania em que o poder é alocado para interesses diferentes e

---

[51] John Adams, "Defesa das Constituições dos Estados Unidos". Op. cit., p. 130. (N. T.)

classes, mas é alocado desigualmente – deve estar sempre em guerra, a buscar, sem sucesso, o equilíbrio e, consequentemente, não tem uma lei verdadeira.

> A longitude e a pedra filosofal não foram procuradas com mais seriedade por filósofos que um guardião das leis foi estudado por legisladores, de Platão a Montesquieu; mas cada projeto não parece ser melhor que entregar o cordeiro à custódia do lobo, exceto o chamado *equilíbrio de poder*.[52]

Em qualquer Estado, a soberania se sustenta onde quer que esteja a propriedade. A América é notável pela igualdade da posse da terra. "A soberania, então, de fato, assim como a moralidade, deve residir em todo o corpo do povo."

Na arte prática de obter o equilíbrio político, Adams tinha experiência. Dominara a convenção que concebeu a primeira Constituição de Massachusetts e seus primeiros escritos influenciaram os constituintes de outros estados. Pleiteava um executivo forte, com veto nos outros dois ramos da legislatura (pois o chefe supremo, ainda que incorporado à *soberania* da legislatura, exerce uma *autoridade* à parte); um Senado ou Câmara Alta, representando substancialmente a riqueza e a posição social; e a Câmara dos Deputados, ou Câmara Baixa, a ter por base, em essência, a população. E essa divisão não é feita, em primeiro lugar, para a proteção do rico, do bem-nascido e hábil contra a massa do povo, mas, ao contrário, é feita para proteger a multidão da ambição da aristocracia, natural ou artificial. Em Massachusetts, as cadeiras senatoriais foram repartidas entre os distritos em proporção aos impostos diretos pagos ao tesouro estatal de cada região; outros métodos, também, podem servir para fazer a distinção nos distritos eleitorais dos membros eleitos para a Câmara Alta e dos membros para a Câmara Baixa.

---

[52] John Adams, *Works*. IV. Op. cit., p. 431.

> Os ricos, os bem-nascidos e os capazes de adquirem uma influência junto ao o povo que, dentro em pouco, será demais para a honestidade simples e o senso comum, na Casa de Representantes. Os mais ilustres deles devem, portanto, ser apartados do conjunto e se colocarem em um senado; ou seja, para todas as intenções honestas e úteis, um ostracismo [...]. O Senado torna-se o grande objeto de ambição, e os mais ricos e mais sagazes desejarão o mérito de progredir-lhe por serviços ao público na Casa.[53]

O representante do executivo deve representar o povo em geral, um homem de caráter augusto e independente, a considerar, de modo imparcial, os clamores dos dois outros ramos do governo. Vernon Parrington alega que John Adams não oferece meios de seleção do executivo, que deveria, verdadeiramente, representar o conjunto do povo, e não o elemento aristocrático que tende a dominar todas as sociedades. E, contudo, a presidência nacional americana não evoluiu para algo muito próximo da instituição que Adams descreve, até onde as coisas terrenas podem aproximar-se de uma ideia?

Assim, o poder é distribuído de maneira justa entre os principais interesses da sociedade; a aristocracia natural inerradicável, a qual Adams dedicou grande parte dos escritos políticos, é reconhecida e, em certa medida, afeiçoada a corpos separados pela instituição de um senado; a paixão do momento e a tirania da onipotência do órgão legislativo são verificadas por dispositivos constitucionais. Anos antes, Adams censurara os defeitos de uma assembleia simples – estava passível a todas as debilidades de um indivíduo, era avarenta, tinha ambição de poder perpétuo, era inapta a exercer a autoridade executiva, tinha poucas aptidões em direito para exercer o poder judicial e tendia a julgar todas as disputas em favor próprio.[54] Esses males, a proposta de Turgot lançaria em uma nação infeliz; somente o equilíbrio poderia mantê-las cerradas.

---

[53] Idem. Ibidem, IV, p. 290.
[54] Idem. Ibidem, IV, p. 290.

A democracia era temida por Adams, não mais do que temia qualquer outra forma de governo não mista:

> Não posso dizer que a democracia é mais perniciosa, no conjunto, que qualquer outra das formas. Suas atrocidades são mais transitórias, a das outras têm sido mais permanentes [...]. A democracia deve ser uma parte essencial, integral da soberania, e ter controle sobre todo o governo ou não pode existir liberdade moral, ou qualquer outro tipo de liberdade. Sempre me afligiu o abuso flagrante dessa palavra respeitável.[55]

No entanto, as liberdades morais também não podem perdurar se a democracia não for apurada por outros interesses sociais; pois, nesse sentido, a democracia pura destrói-se, visto que o desejo de sabedoria e moderação acaba em despotismo.

> Onde as pessoas têm voz e não existe equilíbrio, haverá flutuações eternas, revoluções e horrores até que um exército de prontidão, encabeçado por um general, ordenará a paz ou a necessidade de um equilíbrio que seja flagrante a todos e adotada por todos.[56]

Essa advertência previdente de John Adams foi escrita três anos antes de Edmund Burke atiçar-se para advertir a França e a civilização (como comenta Harold Laski, com muita justeza) para a "ditadura militar que tão maravilhosamente anteviu".

Quanto ao sufrágio universal, Adams, em princípio, não lhe ofereceu oposição, mas duvidava da eficácia, pois a aristocracia que deveria prevalecer em toda sociedade, fosse reconhecida ou ignorada, seria a verdadeira senhora no sufrágio universal. Poderia muito bem ser uma aristocracia de pilhagens, inapta por educação e experiência a receber o poderio econômico, inescapavelmente atrelado à autoridade política.

---

[55] Idem. Ibidem, VI, p. 477-78.
[56] Idem. Ibidem, IV, p. 588.

> É difícil dizer que todo homem não tem igual direito, mas admitamos esse direito e poder iguais, o resultado seria uma revolução imediata. Em todas as nações da Europa, o número de pessoas que não possuem um centavo é duas vezes maior do que os possuidores de uma moeda de prata; permitamos a todos estes uma igualdade de poder e logo vereis como as moedas de prata serão divididas.[57]

Na América, tendia a favorecer o sufrágio amplo, mas sabia que a sensatez de seu arranjo dependia de uma distribuição ampla e continuada da propriedade, pois nenhum homem reconhecia, mais que John Adams, o casamento eterno de propriedade e poder. Predisse, sem o temor de Fisher Ames, mas também sem a ânsia de Alexander Hamilton, que em poucas gerações os Estados Unidos seriam povoados por mais de cem milhões de pessoas.

> Nas eras futuras, se os atuais estados se tornarem grandes nações, ricas, poderosas e exuberantes, bem como numerosas, os próprios sentimentos e o bom senso ditar-lhes-ão o que fazer; poderão efetuar transições para mais se assemelharem à constituição da Grã-Bretanha, por uma nova convenção, sem a menor interrupção à liberdade. Entretanto, isso nunca tornar-se-á necessário até que grandes parcelas de propriedade cheguem a poucas mãos.[58]

Nessa passagem, Adams demonstra depositar uma confiança maior na sabedoria do futuro do que costumava pôr na própria geração. Uma constrição nos direitos políticos, como observou Tocqueville, é extremamente difícil de aplicar – um tanto quanto desviar um curso d'água morro acima.

Todos os tratados e panfletos, todas as cartas e multidão de provas, John Adams produziu para apoiar sua premissa conservadora simples: "Minha opinião é, e sempre foi, a de que o poder absoluto intoxica, igualmente, déspotas, monarcas, aristocratas, democratas,

---

[57] Idem. Ibidem, X, p. 267.
[58] Idem. Ibidem, p. 359.

jacobinos e *sans-culotes*". Os argumentos em favor de uma divisão apropriada de poderes se tornaram tão familiares aos americanos que parecem truísmos cansativos. No entanto, foi Adams quem os fez truísmos; sua erudição e franqueza, quase sozinho, obstruiu, nos Estados Unidos, uma enxurrada de simpatia intelectual por teorias francesas de benevolência idílica, assembleias únicas e onicompetentes e estados unitários. Sacrificou a popularidade para opor-se a tais opiniões revolucionárias. A longo prazo, contudo, ele e os amigos triunfaram, e o governo americano moderno, ainda que desfigurado a seus olhos pela introdução fortuita dos instrumentos da "democracia direta", mesmo assim, provavelmente, isso lhe pareceu uma justificação suficiente para sua luta política. Foi o federalista mais verdadeiro de todos, pois, onde Alexander Hamilton aceitou o sistema federal apenas como um substituto tolerável para o governo central e onde Timothy Pickering, Timothy Dwight IV e os outros homens da Convenção Hatford aderiram à ideia federal somente quando conveio aos interesses da Nova Inglaterra, John Adams acreditou no princípio federal como o melhor governo possível para a América. Mais que qualquer outra nação no mundo, os Estados Unidos apegam-se, afetuosamente, à ideia de equilíbrio político e, em grande medida, esse é o resultado do conservadorismo prático de Adams.

Um conservador, sempre o foi. Em 1811, escreveu a Josiah Quincy (1772-1864):

> Ao deixar minha imaginação divagar no futuro, julgo antever mudanças e revoluções como as que o olho não viu e o ouvido não ouviu [...] não vislumbro, no momento, melhor princípio senão realizar o menos possível de inovação, manter as coisas fluindo, tanto quanto possível, na presente marcha.[59]

A mudança na América, embora enorme, ainda assim foi uma marcha regular – um legado de Adams e seus coadjutores.

---

[59] Idem. Ibidem, p. 630-31.

7. MARSHALL E AS METAMORFOSES DO FEDERALISMO

No capítulo sobre os Federalistas, quase não foi mencionado seu memorável escrito: a Constituição dos Estados Unidos da América. Foi o instrumento conservador mais bem-sucedido da história do mundo. A parte de John Adams nessa obra, muito embora a considerável influência, ainda assim, foi totalmente indireta, pois ele estava em Londres quando a Convenção se reuniu. Thomas Jefferson também estava fora do país, em Paris, de modo que os dois principais pensadores políticos americanos do período não participaram do feito político transcendente da própria época – uma reflexão a moderar qualquer autor que tente delinear a influência das ideias nos acontecimentos. A aplicação e cumprimento da Constituição, no entanto, converteram esse documento, de início uma espécie de compromisso entre duas poderosas facções nos estados, no gládio do federalismo. Eis aqui uma ideia que não só sobreviveu à escola que a criou, mas que floresceu com muito mais vigor do que quando os federalistas dirigiam a nação, após a extinção do Partido Federalista.

John Marshall, juiz presidente da Suprema Corte dos Estados Unidos, era um homem grande, desmazelado, sensato, antiquado e amável, apreciador da boa-vida, das boas companhias e da boa ordem. Não era filósofo, e seu interessante biógrafo observa que Marshall tinha somente uma ideia senão aquele princípio da união nacional. Federalista consistente, fora secretário de Estado de John Adams, e foi Adams quem indicou Marshall para o posto que dignificou, mas o federalismo de Marshall lembrava o de Hamilton e não o de Adams. Num sentido prático e imediato, Marshall fez mais do que qualquer um dos dois estadistas: fez da Suprema Corte o árbitro da Constituição, e fez da Constituição a encarnação do conservadorismo federalista. Sua opinião no caso de *Marbury versus Madison* (1803) instituiu o poder da Suprema Corte determinar a constitucionalidade dos atos do Congresso; em *Fletcher versus Peck* (1810), fez a autoridade federal obstar os estados de repudiar os contratos; em *Sturges versus Crowninshield* (1819), jurisdição similar sobre a interferência estatal nos contratos entre pessoas privadas; no caso do *Dartmouth College* (1819), a imortalidade das corporações; em *M'Culloch versus Maryland* (1819), a construção "liberal" da Constituição; em *Cohens versus Virginia* (1820), a supremacia da Constituição como lei transcendente do país; em *Gibbons versus Ogden* (1824), o poder federal sobre o comércio interestadual. Essas e outras opiniões célebres, asseguraram que os Estados Unidos cumpririam a visão dos federalistas de uma nação em expansão, unida, comercial, em que os direitos de propriedade e a divisão de autoridade estavam assegurados. Essas eram as tendências conservadoras, em parte; contudo, noutro sentido, abriram caminho para mudanças ilimitadas de industrialização e consolidação e feriram de modo desesperador outro tipo de conservadorismo, o do Sul e do interesse agrícola.

Ora, o fato surpreendente a respeito das decisões de John Marshall – muitas delas sem nenhum tipo de precedente (até quanto é possível precedente em uma nova nação) e inegavelmente projetadas para entremear no tecido social americano as ideias do autor – com uma única exceção que suas regras de imediato se tornaram lei e foram aplicadas sem demora e com habitualidade. Marshall foi o último federalista verdadeiro que restou na vida pública; quase por todo o período de mandato como presidente da Suprema Corte foi detestado pelos presidentes no poder, e sua filosofia política não era consoante com as profissões de fé que dominavam o Senado, a Câmara dos Deputados e o público. Se o governo, como alguns acreditam, é um véu para a força potencial (e se isso é verdade em qualquer lugar, deve ser verdade nos estados novos, onde os usos consagrados e a obediência habitual ainda agem de modo imperfeito), como um único indivíduo audaz, sem apoio de poder militar algum, sem importar quão elevado é seu posto, podia desviar o fluxo da economia americana e da influência política para o canal que escolhesse?

A resolução produz maravilhas; mas não faz tudo isso sem ajuda. Primeiro, a tendência da época era a de Marshall, pois tornava-se cada vez mais evidente que os progressos materiais facilitados pelas decisões de Marshall operariam em favor de uma porção considerável da nação – talvez a maioria. E, além disso, Marshall foi apoiado por um corpo de opinião constantemente maior que venceu os argumentos federalistas. John Taylor, da Carolina, o antigo democrata vigoroso, com grande espanto observou essa reação contra o igualitarismo e os poderes do Estado; muitos homens bons e sábios, afirmou:

> alarmados pelas ilusões de Jean-Jacques Rousseau e William Godwin e as atrocidades da Revolução Francesa creem, honestamente, que esses princípios têm presas e garras, sendo oportuno que se retraiam e sejam aparadas, não importando quão constitucionais sejam, sem levar em conta que tal operação sujeitará o leão generoso à raposa ladina.[60]

John Adams e o finado Alexander Hamilton, apesar do colapso do partido, estavam ganhando prosélitos entre os antes amargurados oponentes e, uma vez que as adesões não fizessem recrudescer o Partido Federalista, essa tendência ainda permearia o Partido Republicano dominante até que a facção fosse transformada.

Esse destilado de conservadorismo penetrou nos capitães do republicanismo, de fato, pois estavam no poder, e homens no poder consideram difícil rejeitar a autoridade adicional oferecida, qualquer que seja a fonte. Com toda a indignação de um zelote abandonado pelos companheiros, John Randolf de Roanoke bradou que Thomas Jefferson, James Madison e James Monroe (1758-1831) tinham acolhido com prazer os poderes e preferido medidas que, nos dias de privação, denunciaram como perigosas. Estava certo. O conservadorismo federalista entrou nas mentes da administração e do público de maneira furtiva e, logo, dominou a consciência nacional – um federalismo

---

[60] John Taylor, *Construction Construed and Constitutions Vindicated*. Richmond, Shepherd & Pollard, 1820, p. 77.

diluído e ainda escarnecido nominalmente, mas não menos pervasivo. Segundo essa moda, o povo americano veio a concordar com as decisões de James Marshall, às vezes, para aplaudi-las.

E, por um prolongar dessa influência, a essência conservadora do federalismo perdurou na América moderna. Se foi para ser o pilar da cupidez que John Adams detestava, ainda é o meio de preservar o princípio do equilíbrio político de Adams, a liberdade sob a égide da lei. O federalismo tem grande parcela no mérito em manter os Estados Unidos a potência mais conservadora a existir no mundo e, assim, em meados do século XX, o conservadorismo de Adams exercer uma influência tão forte quanto os princípios sociais radicais disseminados por seus adversários franceses. Tanto, John Adams, com sua visível vaidade e humildade interior, nunca teria esperado.

Samuel Taylor Coleridge (1772-1834)

Capítulo 4 | Românticos e Utilitaristas

> Essa prática execrável de sempre considerar *somente* o que parece *oportuno* para a ocasião, desarticulada de qualquer princípio ou de sistemas de ação amplos, de nunca ouvir a verdade e os impulsos infalíveis de nossa melhor natureza, é que levou os homens de coração mais frio ao estudo da economia política, que tornou nosso Parlamento um verdadeiro comitê de segurança pública. Nisso está investido todo o poder e, em poucos anos, seremos governados por uma aristocracia ou, o que ainda é mais provável, por uma oligarquia democrática abjeta de economistas loquazes, comparada com a qual, a pior forma de aristocracia seria uma bênção.
> *Table Talk*, Coleridge[1]

1. BENTHAMISMO E WALTER SCOTT

Ao cruzar o Mound[2], em Edimburgo, após um debate da Faculdade dos Advogados sobre a reforma jurídica escocesa, em 1806, Sir Walter Scott (1771-1832) foi ridicularizado pelo arqui-*whig* Francis Jeffrey (1773-1850) da *Edinburgh Review* e outros de seus amigos reformistas.

---

[1] *The Table Talk and Omniniana of Samuel Taylor Coleridge*. Oxford, Oxford University Press, 1917, p. 433. (N. T.)

[2] O *Mound* é uma colina artificial no centro de Edimburgo que separa a cidade nova da cidade antiga, e alguns dos prédios e instituições mais notáveis da cidade estão situados nos arredores. (N. T.)

– Seus sentimentos, no entanto, progrediram para um ponto muito além da compreensão, exclamou.

– Não, não. – Isso não é assunto de zombaria; pouco a pouco, quaisquer que sejam os seus desejos, destruirás e debilitarás, até que nada do que torna a Escócia, Escócia deva permanecer.

E voltou a face ao muro do Mound para esconder as lágrimas.[3]

Assim como Samuel Taylor Coleridge, Robert Southey e William Wordsworth, *Sir* Walter Scott percebeu, na ideia utilitária, a inimiga da variedade na vida, a algoz do passado; os grandes românticos logo declararam que o materialismo árido de Jeremy Bentham era tão hostil à beleza e à veneração quanto a fúria jacobina. Edmund Burke tivera Jean-Jacques Rousseau por adversário natural; os românticos (politicamente, discípulos de Burke, ainda que, de algum modo, matizados com algo de rousseanismo) lutavam com Bentham como o profeta do novo secularismo industrial intolerante.

"Por intermédio de Bentham, os princípios revolucionários contra os quais Burke tanto lutou ingressaram na política inglesa."[4] Apesar do manifesto desprezo pelo sentimentalismo rousseauniano, Jeremy Bentham fez mais pela instituição do igualitarismo na Inglaterra que os feitos de Thomas Paine, de Joseph Priestley, de Richard Price e William Godwin em conjunto; detestava Jean-Jacques Rousseau pelo emocionalismo, não com a indignação altamente religiosa de Edmund Burke. As ideias de Bentham submetiam o pensamento moderno a uma série avassaladora de mudanças radicais que, ao mesmo tempo, refletiam e encorajavam o avanço da produção industrial e a ascensão das massas ao poder político. Em parte, essas alterações resultavam do próprio utilitarismo, e em parcela ainda maior, do marxismo, que é utilitarismo com notas de hegelianismo e convertido aos usos do

---

[3] J. G. Lockhart, *Narrative of the Life of Sir Walter Scott*, II, 1848, p. 111.

[4] Crane Brinton, *English Political Thought in the Nineteenth Century*. London, Ernest Benn, 1933, p. 15.

proletariado revolucionário. "O pai da inovação inglesa", escreve John Stuart Mill, "tanto em doutrina quanto instituições, é Bentham; ele é o grande subversivo."[5] Seu método analítico, "de partir em pedaços cada questão antes de tentar resolvê-la", era a culminância da metodologia de Francis Bacon, de Thomas Hobbes e de John Locke, desdenhoso das delicadas essências, certo de que o todo nada mais é que a soma das partes; eis o fundamento de toda a verdadeira filosofia radical moderna.

O teste de mérito do benthamismo, a *utilidade* (determinada, em cada caso, por uma ponderação judiciosa entre dores e prazeres) atraía, de modo possante, os industriais agressivos da nova era que não gostavam, tanto quanto o próprio Bentham, de expressões como "reta razão", "justiça natural" e "bom gosto". Por faltar-lhe totalmente uma imaginação mais elevada, por ser incapaz de apreender tanto a natureza do amor quanto a do ódio, Bentham ignorou no homem a aspiração espiritual e, como se para equilibrar a balança, nunca falou de pecado. O caráter nacional, a imensa variedade de motivos humanos, o poder de paixão nas questões humanas – essas, omitiu de seu sistema. Irradiava confiança absoluta na racionalidade. Ao tomar a própria personalidade como a encarnação da humanidade, pressupôs que os homens só devem ser apresentados à resolução de equações de prazer e dor, e que serão bons; os interesses os levarão à cooperação, à diligência e à paz. Foi o mais limitado dos moralistas e o mais complacente dos teóricos políticos. A política, assim como a natureza humana, não tinha mistérios: a solução de todas as dificuldades políticas reside, simplesmente, em deixar a maioria decidir cada questão. Essa democracia absoluta era a vontade geral de Rousseau desnudada da espiritualidade nebulosa.

O objeto da sociedade é o maior bem para o maior número: Burke dissera algo assim, no entanto, queria indicar uma coisa

---

[5] F. R. Leavis (ed.), *Mill on Bentham and Coleridge*. Londres, 1950, p. 42.

muito diferente. O fundador do conservadorismo compreendera a complexidade dos interesses humanos e a sutil distinção do Bem. O maior bem para a maioria dos homens, não é provável que resida na igualdade política, afirmou Burke, ou na libertação dos usos consagrados e das predisposições ou na obsessão com objetos econômicos. O bem maior, disse Burke, emana da conformidade à ordem providencial do universo: da piedade, do dever, do amor permanente. Bentham, entretanto, descartou, com desdém, o mundo do espírito e da imaginação de Burke. Bentham nunca falou de um Autor da nossa existência; para ele, religião era simplesmente uma estrutura para a moral. Na política, o bem maior para o maior número deveria ser obtido por uma reconstrução igualitária da sociedade com base em linhas estritamente razoáveis, um tabuleiro de xadrez social. O sufrágio masculino universal, a reforma parlamentar, um executivo poderoso, a educação popular – essas e sua revolução projetada na teoria e nos processos jurídicos eram especificidades (logo se tornariam dogmas do liberalismo) que garantiriam a liberdade universal e o progresso. Admitiu não haver necessidade de separação de poderes, não via objetivo em criar constituições; nada deveria impedir o poder da maioria de decidir por seus interesses, sem ser tolhida pela mão morta do passado ou por objeções mesquinhas de reacionários. Ao entronizar a maioria como soberana, "exauriu todos os recursos de engenho ao conceber meios de fixar o jugo da opinião pública cada vez mais perto das cervizes de todos os funcionários públicos", disse Stuart Mill, "e excluiu toda a possibilidade do exercício da menor ou da mais temporária influência, seja de uma minoria ou das próprias noções de correção dos funcionários". Nossa época conhece o custo tremendo da tirania da mediocridade virulenta sobre as minorias, mas Bentham, certo de que a racionalidade não pode ser derrubada, uma vez instituída por decreto, estava decidido a aniquilar a própria ideia de minorias.

Depois de quase um século e meio de ascensão bombástica das noções morais benthamitas, como expressas no credo do liberalismo oitocentista, John Maynard Keynes (1883-1946), em *Two Memoirs* [Duas Autobiografias], expressou o que poderia ser o veredito da história a respeito do utilitarismo. O benthamismo, diz:

> "Vejo, agora, como um verme que esteve a corroer os intestinos da civilização moderna e é o responsável pela presente decadência moral. Costumávamos ver os cristãos como o inimigo, pois pareciam ser os representantes da tradição, da convenção e do logro. Na verdade, foi o cálculo benthamita, baseado na supervalorização do critério econômico, que estava destruindo a qualidade do ideal popular".

A *reductio ad absurdum* final do benthamismo, prossegue Keynes, é conhecida como marxismo; drenados espírito e imaginação pelos objetivos brutos dos utilitaristas, terminamos sem defesas diante da descendência brutal da filantropia benthamita.[6]

Entretanto, embora seja bastante seguro hoje criticar a pobreza da moral e do sistema político de Bentham, suas reformas jurídicas ainda são amplamente elogiadas. O jovem Mill afirmou que por expelir o misticismo da filosofia jurídica, esclarecendo a confusão, em geral, relacionada à ideia de lei, ao demonstrar a necessidade de codificação, ao aplicar o teste da utilidade aos interesses materiais e purificar o processo judicial, Bentham outorgou um benefício enorme à sociedade. Os homens deveriam fazer e desfazer suas leis, acreditava Bentham, com base no princípio da utilidade; a lei deveria ser tratada como a matemática ou a física, tornada um instrumento de conveniência; as antigas ilusões de que a lei detinha uma sanção sobrenatural, uma origem superior ao homem, a noção ciceroniana ou escolástica de que era uma tentativa humana em busca de sanção divina, deveria ser rejeitada no interesse da eficiência em uma era industrial. O "realismo" e pragmatismo jurídicos do século XX, agora triunfantes

---

[6] John Maynard Keynes, *Two Memoirs*. Londres, 1949, p. 96-97.

na Suprema Corte dos Estados Unidos e por quase todo o mundo, derivam de Bentham. É possível, contudo, que a filosofia jurídica de Bentham (distinta da reforma administrativa imediata do processo legal que foi realizada como consequência de seus escritos) possa vir a ser considerada como prenhe de decadência social, como alguns pensadores hoje creem ser suas ideias morais. As doutrinas da lei natural, ao menos no sentido histórico e oportuno como compreendido por Burke, parecem estar em renascimento contínuo. Ora, foi sobre essa questão da reforma legal que Walter Scott teve problemas imediatos com os discípulos de Bentham e, nela, demonstrou uma compreensão sensível do pensamento conservador de Burke. Há dois fundamentos da lei, dissera Burke: equidade e utilidade. A equidade deriva da justiça original; a utilidade, propriamente compreendida, é uma visão superior dos interesses gerais e permanentes, e não deve ser invocada para justificar a supressão dos direitos privados ou das minorias. A maioria das pessoas:

> Não tem direito de fazer uma lei prejudicial a toda a comunidade, mesmo que os delinquentes em realizar tal ato devam, eles mesmos, ser as principais vítimas; pois isso seria feito contra o princípio de uma lei superior, que não está no poder de nenhuma comunidade, nem de toda a raça dos homens, alterá-la – tenciono a vontade Dele que deu-nos nossa natureza e, ao nos dar, nela imprimiu uma lei invariável. Seria difícil assinalar qualquer erro mais verdadeiramente subversivo de toda a ordem e beleza, de toda a paz e felicidade, da sociedade humana, que a posição de qualquer conjunto de homens ter o direito de fazer quais leis lhes aprouver, ou que da simples instituição dessas leis possa derivar qualquer autoridade, independentemente da qualidade da matéria de discussão.[7]

Isso aguarda a era das "cortes populares" e a extirpação das minorias; e Scott, ao acreditar, como Burke, que uma fusão lenta do governo e da lei com os princípios utilitaristas seria mortal para todas as

---

[7] Edmund Burke, "Tracts on the Popery Laws". *Works*, VI, p. 22.

antigas liberdades e costumes, empregou seus talentos surpreendentes como novelista e poeta para impedir esse movimento.

Na crise de 1792, escreveu Scott: "Burke surgiu, e toda a linguagem sem nexo sobre a legislação superior da França dissolveu como um castelo encantado no momento em que o rei prometido sopra seu corne diante dele".[8] Como observa Leslie Stephen (1832-1904) [e D. C. Somervell (1885-1965) faz-lhe eco], *Sir* Walter Scott teve sucesso em popularizar as doutrinas altivas e sutis de Edmund Burke. As *Reflexões sobre a Revolução em França* venderam dezenas de milhares de exemplares durante 1790, mas os romances Waverley[9] levaram as ideias de Burke para uma multidão que nunca as teria alcançado pelos panfletos.

> O que Scott fez, mais tarde, foi demonstrar, precisamente, em casos concretos, retratados de maneira vívida, o valor e o interesse de um conjunto natural de tradições. Como muitos dos contemporâneos mais capazes, viu, com alarme, o grande movimento, cuja corporificação óbvia era a Revolução Francesa, varrer para longe todos os modos de tradição local e ameaçar engolfar a diminuta sociedade na Escócia que ainda mantinha uma característica específica [...]. Os radicais os denunciaram como meros sentimentalismos; os *whigs* genuínos, que imaginavam que a Revolução nunca iria além do Projeto de Reforma de 1832, riram e os tomaram por simples obstrutores; de nossa parte, quaisquer que sejam nossas opiniões, falamos com a vantagem da experiência passada, e devemos admitir que tal conservadorismo tinha justificativa e que homens bons e de visão podem muito bem olhar com alarme para mudanças cujas consequências de longo alcance não podem ser estimadas.[10]

---

[8] J. G. Lockhart, *Narrative of the Life of Sir Walter Scott*. X, 1848, p. 32.

[9] Série de vinte e seis romances históricos de autoria de *Sir* Walter Scott publicados entre 1814 e 1831, iniciados pelo livro *Waverley* (1814), em que, também, se inclui *The Antiquary* (1816), *Rob Roy* (1818) e *Ivanhoe* (1820). Publicados no anonimato até 1827, passaram a ser reconhecidos pelo público como "romances do autor de Waverley". (N. T.)

[10] Leslie Stephen, *Hours in a Library*, I, p. 163-64.

Nos romances Waverley, *Sir* Walter Scott torna o conservadorismo de Edmund Burke algo vivo e brando – na figura de Edie Ochiltree,[11] demonstra como os benefícios e a dignidade de uma sociedade hierárquica se estendem até aos mendigos; em Balfour of Burley,[12] ilustra o espírito destruidor do fanatismo reformista; em Montrose[13] entre os clãs, a "graça natural da existência"; em Monkbarns[14] ou no Barão Bradwardine,[15] a bondade rústica dos antigos proprietários de terra. Os fundamentos de uma ordem moral civilizada são a reverência pelos antepassados e a observância dos deveres consagrados pelo uso, Scott parece afirmar em todos os romances; a história é a fonte de toda a sabedoria mundana; o contentamento está na devoção sincera. Deleitando-se da variedade, como todos os românticos, repelido pelo princípio empedernido de conduta de prazer e dor, Scott, com clareza, viu no utilitarismo um sistema que poderia eclipsar a nacionalidade, a individualidade e toda a beleza do passado. O utilitarismo era uma apologia grosseira de um industrialismo hediondo e voraz. Diferentemente de outros poetas românticos, nunca sentiu impulso algum para a crença revolucionária; sabia que o bem-estar do castelo e do chalé eram inseparáveis e, se somos fiéis à tradição, "unidos, estamos seguros". Portanto, os princípios nos quais os utilitaristas propunham reformar a lei e os tribunais eram detestáveis a Scott. No "*Essay on*

---

[11] Personagem do romance *The Antiquary*, de Walter Scott. Considerado uma das melhores criações de Scott, o personagem pertence a uma classe legalmente protegida de pedintes e é uma espécie de portador de notícias, menestrel e, às vezes, historiador do distrito. (N. T.)

[12] Personagem do romance *Old Mortality*, centrado nos acontecimentos reais de uma revolta dos presbiterianos na Escócia em 1679, que descreve as batalhas de Drumclog e Bothwell Bridge. (N. T.)

[13] O Conde de Montrose é o personagem principal do romance histórico *A Legend of Montrose*, passado na Escócia dos anos 1640, durante a Guerra Civil. (N. T.)

[14] Nome da casa do personagem Jonathan Oldbuck que passa a designar o próprio personagem no romance *The Antiquary*. (N. T.)

[15] Personagem do romance *Waverly*, lorde de simpatias jacobitas. (N. T.)

a Judicial Reform" [Ensaio para uma Reforma Judiciária], traz um exemplo muito convincente de uso jurídico consagrado, como não poderíamos encontrar em lugar algum.

> Um sistema consagrado não é para ser experimentado por testes que podem, com perfeita exatidão, ser aplicados a uma nova teoria. Uma nação civilizada, que há muito possui um código legal, sob o qual, com todas as inconveniências, encontrou meios de desenvolver-se, não é para ser vista como uma colônia infante, em que experimentos legislativos possam, sem ameaça de imprudência, ser arriscados. Um filósofo não tem o direito de investigar tal sistema por meio das ideias que fixou na própria mente como padrão de possível excelência. O único teste infalível de todas as instituições antigas é o *efeito* que na verdade produziu; pois deve ser considerado bom, de onde deriva o bem. As pessoas, em graus, modelam os hábitos à lei que são obrigadas a cumprir; para algumas imperfeições, foram encontrados remédios, para outras, reconciliaram-se; até que, por fim, a partir de causas variadas, alcançaram o objetivo que o visionário mais otimista poderia prometer a si mesmo com base no próprio sistema perfeito *incorpóreo*.[16]

Em estilo e sentimento, a inspiração disso está em Burke. Assim é o juízo dos homens do mundo (e dos acadêmicos no direito), como Burke e Scott, a respeito das abstrações de um recluso como Bentham, que pensa na vida como um problema matemático. [É deveras curioso que vários autores conservadores tenham repreendido Burke por "não ser prático" – Paul Elmer More, que entre eles, deveria saber melhor que ninguém – uma vez que o impulso subjacente às modernas filosofias revolucionárias foi produzido por dois homens infinitamente menos práticos que o líder *whig*: Rousseau e Bentham]. A lei não é produzida – ela cresce; a sociedade cura os próprios males ou efetua os próprios ajustes por um processo, ao mesmo tempo, natural e providencial. O reformador doutrinário impertinente, por certo, não observará esse processo sem oferecer algum substituto arbitrário

---

[16] J. G. Lockhart. Op. cit., III, p. 305-06.

aceitável. Para Scott, há algo majestoso e adorável nessa capacidade de cura autônoma da sociedade; há algo hórrido em talhar e retalhar a lei para satisfazer uma vantagem temporária e ilusória. Até o governo nominalmente conservador de 1826, observou, estava infectado dessa paixão pela uniformidade e utilidade,

> ao destruir, gradualmente, o que resta da nacionalidade e ao fazer *tabula rasa* do país para doutrinas de inovação audaz. Esse afrouxamento e esfacelamento de todas as peculiaridades que nos distinguem como escoceses lançará o país em um estado que será, universalmente, transformado em democracia e, em vez de Saunders[17] sensatos, teremos uma vizinhança de britânicos do Norte muito perigosa.[18]

Assimilai as leis da Escócia às leis da Inglaterra e destruireis o caráter do povo, pois a lei é a expressão do ser social; semeais dentes de dragão. Essa política é proveito para um simplório, ou para um filósofo de gabinete. Scott conhecia os compatriotas, e qualquer um familiarizado com a moderna Glasgow ou com os distritos mineiros de Lothians, Ayrshire e Fife compreende o que Scott profetizou ao escrever a respeito de "uma vizinhança de britânicos do Norte muito perigosa".

Na visão de homens como Burke e Scott, a lentidão e a falta de jeito da lei antiquada devem ser toleradas (ao menos, até que um ajuste gradual possa ser feito) em razão das salvaguardas à liberdade e à propriedade que definham em qualquer sistema legal que conceda lugar de honra à velocidade e à destreza. As leis e os tribunais requerem, na verdade, um cuidadoso e constante escrutínio e uma renovação ou melhoramento cauteloso; mas, ainda que, por vezes, requeiram até mesmo uma reforma total; mesmo assim, ao chegar tal reforma, essa deve ser conduzida no feitio da Reforma Econômica

---

[17] Saunders Mucklebackit é um personagem secundário do romance *The Antiquary,* um velho pescador que, mesmo de luto, volta a consertar o barco em que o filho morreu por saber que tem outros filhos para criar. (N. T.)

[18] J. G. Lockhart. Op. cit., VIII, p. 290.

de Burke – com brandura ao lidar com as prerrogativas antigas, com toda a precaução para assegurar que nenhuma pessoa ou classe sofra uma determinada injustiça em nome de um aparente benefício geral. Bentham e sua escola tinham feroz impaciência com a solicitude para com os antigos costumes e os direitos privados. A desconsideração utilitarista pela segurança perante o Estado e a maioria é bem ilustrada pelo desejo de Bentham de instituir leis administrativas e um tribunal administrativo sem o controle das regras comuns da justiça. Até mesmo o que elogia a reforma jurídica de Bentham deve hesitar diante disto: o problema mais alarmante da legislação inglesa e americana modernas é o crescimento muito rápido da legislação administrativa, ante a qual o cidadão fica quase sem recursos e, uma expressão que ocorre com monotonia espantosa na legislação penal soviética segue "com base na sentença de um tribunal de direito ou de um *corpo administrativo*". Talvez, ao ignorar a ameaça latente dos tribunais administrativos, Bentham acionou o sinal para um mal potencial mais significativo que todos os anacronismos jurídicos que conseguiu extirpar.

Nas observações anteriores, somente uma faceta do sistema benthamita não foi abordada, e apenas um aspecto da aversão dos autores românticos. No entanto, o utilitarismo jurídico de Jeremy Bentham e a consequente indignação de *Sir* Walter Scott são representativas de toda a batalha entre o radicalismo filosófico e o conservadorismo romântico. O que os românticos temiam em um mundo sujeito à dominação utilitária era a destruição indiscriminada da variedade, da graciosidade e dos antigos direitos em nome de um industrialismo devorador e de um materialismo burguês. Odiavam Jeremy Bentham, James Mill (1773-1836) e seus companheiros porque o utilitarismo significava a era da máquina, a cidade opressiva e a esterilidade da moral liberal. Os benthamitas aplaudiram a transformação do mundo moderno em uma comunidade industrial densamente povoada; aspiravam obsessivamente a satisfação dos sentidos; seu padrão, uma mediocridade grosseira. "O estado da sociedade agora leva a tais acúmulos de humanidade que não nos admiremos se fermentar e tresandar como um monturo de esterco", escreveu Scott em seu diário, em 1828.

> A natureza tencionava que a população fosse disseminada sobre o solo na proporção de sua extensão. Acumulamos nas grandes cidades e em manufaturas sufocantes números que deveriam estar espalhados pela face do país; e é de espantar que devam ser corrompidos?[19]

O igualitarismo falso desses novos reformadores, acreditava, era, de fato, capitular à mais viciosa desigualdade – a desigualdade espiritual. Para Maria Edgeworth (1768-1849), afirmou com sentimento intenso:

> O estado de alta civilização a que chegamos mal é, talvez, uma bênção nacional, visto que *poucos* são aprimorados no mais alto grau, e *muitos* são, em proporção, atormentados e degradados, e a mesma nação apresenta, ao mesmo tempo, o estado mais elevado e o mais baixo que possa existir na raça humana em relação ao intelecto [...]. Ao crescerem nossos números, nossos desejos multiplicaram-se – e cá estamos, lidando com as crescentes dificuldades por força de repetidas invenções. Se, por fim, iremos comer-nos uns aos outros, como outrora, ou se a Terra, antes, será açoitada pela cauda de um cometa, quem, a não ser o reverendo sr. Edward Irving (1792-1834) arriscar-se-á a anunciar?[20]

Perto do fim da vida, um tropel de artesãos radicais, no condado em que era xerife, tentou virar sua carruagem e feri-lo. Isso abalou Scott de modo mais terrível que qualquer outra coisa em sua carreira: a selvageria niveladora do futuro, ocultando-se por trás das fantasias de humanitaristas como Bentham, tinham começado como algo luciferino. "E esses artífices sujos vão, daqui em diante, escolher

---

[19] J. G. Lockhart. Op. cit., IX, p. 218.
[20] Idem. Ibidem, IX, p. 298.

os legisladores", escrevera um pouco antes, "O que pode se esperar deles, a não ser que tal plebeu bronco seja um colérico estouvado guiado pelo capricho?"[21] Scott foi um homem que amou o povo, e lutava contra uma escola de reformadores que, bradava, tencionava abolir as pessoas e substituí-las por material humano eficiente para a vinda do mecanismo social utilitário. De emotividade apaixonada, dificilmente Scott teria suportado os impulsos fatais de sua época, não fosse dotado de um estranho estoicismo escocês. "Paciência, primo", diria, "e embaralhe as cartas."

Os utilitaristas e novos *whigs*, apesar de todas as profissões de sabedoria terrena, não têm noção dos problemas que suscitaram, nem de como governar as massas de indivíduos emancipados que exaltam, dissera Walter Scott mais de uma vez. Em novembro de 1825, Francis Jeffrey escreveu um ensaio dirigido aos mecânicos, advertindo-lhes acerca dos injuriosos efeitos econômicos das associações na restrição do comércio. Tudo muito bem exposto, observou Scott, mas pouco bem fará.

> Basta uma mão liliputiana para acender a fogueira, mas, para apagá-la, serão necessários os poderes diuréticos de Gulliver. Os *whigs* viverão e morrerão na heresia de que o mundo é regido por panfletinhos e discursos e, se puderdes demonstrar que uma linha de conduta é mais consistente com os interesses dos homens, tereis demonstrado, ao fim e ao cabo, que irão adotá-la imediatamente, após uns poucos discursos acerca da questão. Nesse caso não necessitaremos de leis ou de igrejas.[22]

A influência de *Sir* Walter Scott como romancista e poeta e, em menor extensão, como panfletário foi incalculavelmente animadora para o Partido *Tory* e para o impulso conservador no mundo de língua inglesa. A expressão política prática de seus sentimentos

---

[21] Idem. Ibidem, X, p. 50.
[22] Idem. Ibidem, VIII, p. 124.

conservadores, todavia, é mais bem estudada no caráter e nos feitos de George Canning; ao passo que o verdadeiro filósofo do conservadorismo entre a geração dos românticos é Samuel Taylor Coleridge. Scott respondeu ao utilitarismo com o coração; Coleridge, com a razão, e Canning, com as armas da sagacidade e do talento político. Os três se bateram com os filósofos radicais porque a imaginação romântica lhes informara que o benthamismo era uma espécie de possessão diabólica da mente moderna, uma lascívia por remodelar a sociedade com base em linhas que seriam tão desumanas quanto poderiam ser precisas. Os utilitaristas desejavam intrometer-se na essência vivente da sociedade de modo a conformá-la às noções de exatidão matemática e conveniência administrativa. Os benthamitas nunca admitiram para si mesmos que o produto da distorção, até mesmo da distorção cientificamente engendrada, é uma monstruosidade. Assim como os *philosophes*, os benthamitas menosprezavam a irregularidade e a variedade góticas; ansiavam pelas praças e *boulevards* utilitários do planejamento social. Os utilitaristas projetaram paisagens extensas e caras; mas, ao fim de cada avenida, os românticos divisavam a forca.

2. CANNING E O CONSERVADORISMO ESCLARECIDO

Henry Brougham (1778-1868), 1º Barão de Brougham and Vaux, chamou George Canning de *tory* liberal. Outros duvidaram se Canning era, de algum modo, um *tory* e, estritamente falando, não o era. Fundou o Partido Conservador e fez da palavra "conservador" parte do vocabulário político inglês. Foi seu rival e sucessor, Robert Peel, é claro, quem abandonou a antiga nomenclatura "*tory*" por "Conservador"; mas Canning [que sabia mais do que Peel o que realmente era o conservadorismo] tornou possível essa transformação. O breve ministério de Canning, findo pela morte inesperada, marcou o fim do antigo torismo. Extirpara o Duque de Wellington e o Conde de Eldon e os magnatas *tories* e, embora tenham retornado aos postos depois de sua morte, foram esmagados, em pouco tempo, pela agitação da reforma. Ao enterrar o antigo torismo, tornou possível a sobrevivência das opiniões conservadoras.

Relacionar o nome de Canning aos românticos, talvez seja uma associação forçada. Seria esse homem prático, intrigante, imensamente ambicioso, mais espirituoso que caprichoso, um romântico? Ainda assim, os próprios poetas românticos reconheciam a afinidade: aliado de *Sir* Walter Scott e de Samuel Taylor Coleridge, também ganhou a admiração de George Gordon Byron (1781-1824), Lorde Byron, e William Godwin até tentou persuadir George Canning a liderar os radicais francófilos, assim como Thomas Paine convidara Edmund Burke a guiar o jacobinismo inglês. A percepção romântica de Benjamin Disraeli discerniu que Canning representava a verdadeira linha de continuidade *tory*. Canning era romântico no sentido que Burke fora um romântico: percebia a complexidade, a variedade, o mistério da criação e da natureza humana. Sabia que o passado governa o presente, que razões e causas não podem ser reduzidas a fórmulas rígidas, que "todas as formas de governo são más", que muito no caráter humano está além das leis mundanas. Seus talentos românticos permitiram-lhe dominar Robert Banks Jenkinson (1770-1828), 2º Conde de Liverpool; Henry Addington (1757-1844), 1º Visconde Sidmouth; o Conde de Eldon; o Duque de Wellington e todo o grupo dos antigos *tories*, que buscaram fatos moderados e segurança – e, portanto, foram sugados no turbilhão de 1832. Quando jovem, ao editar o jornal *Anti-Jacobin*, Canning expôs a tolice jacobina de aplicar noções abstratas independentemente das circunstâncias particulares; como o mais bem-sucedido dos ministros das Relações Exteriores, repeliu toda a tolice legitimista de tentar aplicar doutrinas de uniformidade política entre nações por medidas repressoras; como estadista inglês, empenhou-se para evitar as tolices dos reformadores utilitaristas de tratar a política como se a humanidade fosse regida por regras de geometria e cálculo. "É inútil, mero pedantismo", exclamou, "negligenciar os pendores da natureza."[23] William Pitt, *o Jovem* [embora não desfrutasse, entre os esplêndidos talentos, do mais alto tipo de imaginação] sabia que o jovem Canning era o líder mais imaginativo e vigoroso da geração nascente, e fez tudo o que pôde para colocá-lo em lugar de destaque no Partido *Tory*. De Burke e Pitt, Canning tirou sabedoria política. Crocker, Eldon e outros homens pensantes entre os antigos *tories* tiraram inspiração das mesmas fontes, mas Canning, que principiara como um *whig*, nada devia a Bolingbroke ou à tradição cavalheiresca; sua política começou com a Revolução Francesa e, livre dos rancores e lealdades antigos aos magnatas *tories*, estava proporcionalmente mais bem armado para medir as forças da inteligência conservadora com a ameaça da democracia pura e o apetite do novo industrialismo.

A sagacidade lampejante tornou-o suspeito para muitos *tories* influentes, que estavam prestes a entrar em pânico desde 1785. Não queriam "nenhum desses abomináveis homens de gênio" – imaginando, por vezes, sem dúvida, Charles Alexandre de Calonne (1734-1802), Jacques Necker (1732-1804) e Anne Robert Jacques Turgot. Até mesmo o indômito William Pitt, outrora tão zeloso da reforma moderada, tão abrangente nos pontos de vista sociais, tremera diante de cada especulação desde 1793, fizera das *Reflexões* de Edmund Burke sua Bíblia e [nas palavras de Coleridge] começou

> com a repetição infindável das mesmas *expressões genéricas* [...]. Pressionassem-no para especificar um fato *individual* da vantagem advinda da guerra e respondia: Segurança! Recorressem a ele para particularizar o crime e exclamava: Jacobinismo!

George Canning tinha de ganhar a confiança de um partido que fora guiado pelo medo por uma geração. Era uma tarefa complicada

---

[23] Citado por Keith Feiling, *Sketches in Nineteenth Century Biography*. London/New York, Longmans, Green & Co., 1930, p. 39.

e nunca conseguiu cumpri-la. Os grandes proprietários *tories*, ao pensar em sua infância pobre e aspirações arrogantes, pensavam se ousariam confiar as defesas a um aventureiro, quase um *condottiere*; e os interesses manufatureiro e comercial, pelos quais George Canning e seu amigo William Huskisson (1770-1830) tanto fizeram, fazia com que temessem sua ousadia. Como Samuel Taylor Coleridge expressa em sua *Table Talk*:

> O interesse pelo negócio de ações e monetário é tão forte neste país, que, mais de uma vez, preponderou nos gabinetes de relações exteriores, mais que a honra nacional e a justiça nacional. Canning sentiu isso profundamente, e disse ser incapaz de lutar contra as divisões de soldados da *city*.

Apesar dessa hostilidade, Canning fez milagres no campo das relações exteriores, mas no que dizia respeito às políticas domésticas da Grã-Bretanha, em sentido imediato, quase nada fez. Foi primeiro-ministro por apenas quatro meses e, na ocasião, somente pela tolerância *whig*. A única peça de legislação positiva durante o breve momento de triunfo, a *Corn Bill*,[24] foi derrotada na Câmara dos

---

[24] As *Corn Laws* eram tarifas e restrições comerciais aplicadas aos alimentos importados e grãos na Grã-Bretanha, aplicadas entre 1815 e 1846. Projetadas para favorecer a produção local, impunham altas taxas à importação, mesmo quando o suprimento de alimento era deficitário, o que elevava o custo de vida e dificultava o crescimento de outros setores da economia. Em 1820, após vários tumultos populares por causa dos altos preços dos alimentos, os comerciantes apresentaram uma petição à Câmara dos Comuns solicitando o fim das tarifas protecionistas e a adoção do livre-comércio. Lorde Liverpool bloqueou a petição e manteve as medidas protecionistas. Em 1821, Huskisson, então presidente do *Board of Trade*, preparou um relatório para a Câmara dos Comuns recomendando a remoção das medidas protecionistas para que o comércio voltasse a ser como antes de 1815. Em 1822, foi aprovada uma lei de importação em escala móvel que, apesar de aprovada, nunca foi aplicada, pois os preços foram mantidos artificialmente altos pelos proprietários de terra. Em 1827, a proposta de Huskisson foi rejeitada pela Câmara, e os governos *whigs*, maioria entre 1830 e 1848, não repeliram as *Corn Laws* por completo, muito embora a oposição tenha

Lordes por influência de Wellington. Não o que fez como conservador, mas o exemplo que deu para as gerações posteriores de um estadista conservador é o motivo de seu nome ser eminente em qualquer história do Partido Conservador. Os teimosos proprietários das unidades administrativas abandonaram Canning no momento em que começou a formar sua administração, e a exaustão física precipitou a audaz tentativa de tentar arrastar o partido consigo pareceu ter sido a causa de sua morte prematura.

Talvez, nenhum outro político tenha sido tão mal compreendido pela própria geração. Os antigos *tories* romperam no momento em que Canning poderia tê-los resgatado da imobilidade, pois nutriam medos vagos de que resvalaria para o liberalismo, transigiria com os radicais, faria concessão após concessão até que o torismo fosse completamente eliminado. Não o conheciam. Nenhum estadista estava menos inclinado a aceitar os acordos de buliçosa mediocridade ou fazer concessões de hesitação receosa. Propôs reter todo o antigo arcabouço da Constituição britânica, mas vencer, por uma administração enérgica, cada interesse potente, demonstrando como podiam encontrar satisfação dentro da tradição inglesa. Era contra a reforma parlamentar, não via necessidade na extensão do sufrágio; teria mantido os *Test Acts* e os *Establishment Acts*.[25] Desdenhava de todas as doutrinas de direitos abstratos e de todos os cálculos utilitários com base em noções de individualismo atomista. Por intermédio de um governo eficiente, por admitir os direitos das classes e interesses quando tais influências tivessem se tornado merecedoras de ganhar

---

acirrado entre 1837 a 1844 e agravado nos anos de 1845 e 1846 por causa da Grande Fome na Irlanda. (N. T.)

[25] Os *Test and Establishment Acts* (ou *Corporation Acts* de 1661) eram leis penais que serviam como teste religioso para cargos públicos e condenavam católicos e não conformistas como inaptos. Foram repelidos em 1828 pelo governo conservador com pouca controvérsia. (N. T.)

consideração especial, por remendar e aprimorar o tecido do Estado, pretendia preservar a Grã-Bretanha que Burke amara.[26]

Por que os antigos *tories* suspeitavam da lealdade de George Canning? Por dois motivos: o principal, pela defesa da emancipação católica na Irlanda e sua popularidade nos círculos liberais no embate contra Klemens von Metternich (1773-1859) e Robert Stewart (1769-1822), 2º Marquês de Londonderry e Visconde Castlereagh. Na primeira questão, nada mais fez que seguir a política recomendada por Edmund Burke e William Pitt, mas que George III frustrara; a emancipação católica teria sido, a longo prazo, uma medida salutarmente conservadora e, tivesse sido adotada em 1827, a história subsequente da Irlanda e da Inglaterra poderia ter sido muito diferente. Quanto a reconhecer a existência do Novo Mundo para corrigir o equilíbrio do Velho Mundo – ora, também nisso Canning agiu conforme o sistema conservador de Burke. Canning não desejava patrocinar o espírito revolucionário na América do Sul, na Grécia ou em Portugal, mas compreendeu que o verdadeiro espírito nacional de independência, uma vez revelado e afirmado seu poder, deveria ser aceito como realidade; tentativas de repressão falhariam, prejudicando mais a causa conservadora que arranjos amigáveis firmados em momento oportuno. Isso nada mais era que o princípio conservador aplicado por Burke à Revolução Americana. Na verdade, o modo como Canning tratou a emancipação católica e a Quádrupla Aliança[27] foram provas da profundidade de seu conservadorismo. Entretanto, por esses motivos, os antigos *tories* o abandonaram e, uma vez fora, ficaram por

---

[26] Ver *Sir* Charles Petrie, *Life of Canning*. London, Eyre & Spottiswoode, 1930, p. 136-37.

[27] Tratado assinado em Paris, em 20 de novembro de 1815, entre Reino Unido, Áustria, Prússia e Rússia como um pacto de segurança contra a França após as Guerras Napoleônicas, embora na prática tenha sido ampliado para evitar uma nova guerra europeia. (N. T.)

trás de Robert Peel, que cedeu aos liberais mais do que Canning jamais sonhara conceder.

Assim, a oportunidade de salvação sob a liderança de um gênio foi perdida pelos *tories* em 1827. *Sir* Charles John Greville (1780-1836), reconhecendo isso, escreveu, três anos depois:

> Se Canning estivesse vivo agora, poderíamos esperar contornar essas dificuldades, mas se estivesse vivo, provavelmente, não as teríamos. Foi o único estadista que teve a sagacidade de adentrar e compreender o espírito dos tempos e colocar-se à frente do movimento que não mais podia ser contido. A marcha do liberalismo (como é denominado) não seria estancada, sabia disso, e decidiu governar e guiar, em vez de fazer-lhe oposição. Os idiotas que tanto se rejubilaram com a remoção dessa inteligência excepcional (que sozinha poderia ter-lhes salvado dos efeitos da própria tolice) creram conter a corrente em seu curso e foram, por ela, submersos.[28]

Um dos obstáculos dos conservadores na política é que a grande proporção dos que os apoiam, agindo como se o fizessem com base nas inclinações e usos consagrados, tendem a fugir das ideias audazes e dos talentos vigorosos; Canning caiu ante essa timidez patética. Ele declarara que a nação estava à beira de uma batalha enorme entre a propriedade e a população. Somente uma legislação moderada e liberal poderia evitá-la, sabia; e, então, morreu. Depois disso, a *Reform Act*[29] e o triunfo das ideias utilitárias foram inescapáveis.

---

[28] *The Greville Diary*, I, p. 317-18.

[29] A *First Reform Act* (Primeira Lei de Reforma) ou *Great Reform Act* (Grande Lei de Reforma), aprovada em 1832, foi proposta pelos *whigs* e passou por muita pressão popular, apesar da oposição da facção dos adeptos de Pitt e da Câmara dos Lordes. A lei deu assento na Câmara dos Comuns às grandes cidades surgidas após a Revolução Industrial e retirou assento dos "municípios podres", aqueles com eleitorado pequeno e dominado por um patrono rico. Essas medidas ampliaram o eleitorado de 500 mil para 800 mil eleitores. (N. T.)

No entanto, suponhamos que Canning tivesse vivido e, em tempo, tornado cativos por sua oratória e engenho, os Peels, os Wellingtons, os Newcastles e os Nothumberlands, a marcha dos acontecimentos teria sido diferente? Uma lei de reforma não teria passado, de qualquer modo, possivelmente não em 1832, mas em 1839 ou em 1842? O interesse agrícola não teria sucumbido, fizesse Canning o que pudesse, diante do crescimento do interesse industrial? Não teria o progresso da sociedade inglesa rumo à democracia pura ("tirania e anarquia combinadas", na descrição de Canning), posto de lado os *tories*, não importando quem os liderasse, e imposto o passo firme do ideal de igualdade benthamita? Ao longo do século XIX, o conservadorismo tentava impedir o avanço de duas forças mais potentes que os exércitos mundiais: o industrialismo e a democracia. Uma vez que as melhorias do comércio no século XVIII, aliadas ao progresso nos campos médico e sanitário, tenham suscitado um aumento rápido da população europeia, não seria a industrialização eficiente uma consequência necessária para que as novas massas da humanidade pudessem ser alimentadas? E, uma vez que a alfabetização, o juízo privado e os privilégios da livre contratação tenham se tornado gerais, a democracia, por certo, não suplantaria uma sociedade de veneração e classes sociais? E dadas essas premissas, o conservadorismo não parece ter sido um fútil a agarrar-se nas barras do destino?

Essas questões, todavia, não são simplesmente retóricas. Por certo, a população inglesa ter dobrado entre 1740 e 1820 significou que novas fontes de produtividade deveriam ser empregadas, principalmente a das máquinas; com certeza a popularização das ideias e a extensão dos elementos contratuais na vida econômica requereriam a admissão de novos interesses para uma parcela no exercício da autoridade. Ainda assim, disso não deriva que *formas* particulares da mudança que destruiu a sociedade britânica fossem inevitáveis; e os conservadores cumpriram o dever supremo de manter a mudança dentro de um padrão de vida tradicional, até onde isso esteve em seu poder. Sem a oposição conservadora tenaz, o Estado industrializado e igualitário moderno poderia ter se tornado a contemplação de um terror. Burke, e os melhores entre os seus discípulos, sabiam que a mudança na sociedade é natural, inevitável e benéfica; o estadista não deve lutar em vão para obstruir todo o curso da alteração porque, assim, está a se opor à Providência. Em vez disso, o dever do estadista é reconciliar a inovação e a verdade consagrada pelo uso, guiar as águas da novidade para os canais do costume. Feito isso, mesmo que possa parecer-lhe ter falhado, o conservador executou a tarefa que lhe foi destinada na grande incorporação misteriosa da raça humana; e se não preservou intactos os amados modos de outrora, ainda assim, modificou imensamente o aspecto repulsivo dos novos costumes.

George Canning teria agido dessa maneira para modificar a força e a direção das energias industriais e democráticas que se avultavam diante dele; e Benjamin Disraeli aprendeu com seu exemplo, como a faculdade da prudência deveria ser empregada. O problema imediato da democracia que Canning enfrentou foi a reforma parlamentar; o problema imediato da industrialização, as *Corn Laws*. Nesses casos, o curso que projetara estava de acordo com o método de Burke.

A Constituição britânica, disse Canning, era "o melhor governo prático que o mundo jamais vira" e estava decidido a fazer tudo o que podia para evitar sua subversão por noções abstratas de igualdade absoluta e direito absoluto. Riqueza, capacidade, conhecimento e classe social qualificam os homens para o posto; a nação que administram é a grande comunidade unida pela cooperação e pela proteção mútuas, "respeitar e manter as várias ordens e classes sociais, e não só permitir as gradações devidas e justas da sociedade, mas, sobre elas, de modo irrestrito, construir". A genialidade da política inglesa é um espírito de corporação, baseado na ideia de vizinhança: cidades, paróquias, povoados, guildas, profissões e ofícios são os corpos corporativos que constituem o Estado. O direito de voto deve ser dado a pessoas e classes, visto que têm as qualificações para um juízo reto e são membros dignos das suas corporações particulares; se o voto se torna um direito universal e arbitrário, os cidadãos tornam-se meros átomos políticos, em vez de membros de veneráveis corporações e, no devido tempo, essa massa anônima de eleitores degenerar-se-á em uma democracia pura "ornada com uma nobreza, encimada por uma coroa", mas, na realidade, a entronização da demagogia e da mediocridade.

O que os homens realmente buscam, ou devem buscar, não é o direito a se governarem, mas o direito a serem bem governados. Por eficiência e administração justa, solícitas a detectar e a remediar ofensas econômicas e políticas, a Constituição quase-aristocrática da Inglaterra poderia ser mantida indefinidamente; e pudesse ter acrescido George Canning que o governo inteiro fora gerido como William Huskisson e ele conduziram o *Board of Trade* e o *Board of Control*[30], as exigências dos radicais pela ampliação do sufrágio teriam tido menos apoio. A mudança social iria, de fato, tornar aconselháveis, que de tempos em tempos, novos corpos de pessoas fossem admitidos a partilhar o poder político, mas deveriam ser levados em conta os méritos particulares da reivindicação corporativa, não como simples indivíduos que buscam afirmar um "direito" que não existe na natureza.

Desde que Canning mantivesse a ascendência nos conselhos dos *tories*, os radicais despertariam pouco entusiasmo pela reforma. Com o tempo, com ou sem Canning, alguma medida de reforma parlamentar iria ocorrer, mas tivesse ele ou sua escola a gestão do Parlamento na década de 1830, provavelmente a lei de reforma teria sido uma medida elaboradamente sábia, emendando e podando

---

[30] O *Board of Trade* é um departamento do governo britânico que lida com o comércio e a indústria, vinculado ao Departamento de Comércio Internacional, o *Board of Control* ou *India Board*, por sua vez, era um braço do governo do Reino Unido responsável por gerir os interesses britânicos na Índia Britânica e a Companhia das Índias Orientais que esteve em funcionamento de 1784 a 1858. Canning foi presidente do *Board of Control* de 1816 a 1820, quando se demitiu do cargo por desentendimentos políticos. (N. T.)

a Constituição, porém não admitindo, de modo súbito, a grandes parcelas da população, o direito de voto com base em considerações econômicas arbitrárias, nem a abolição de antigos distritos eleitorais e direitos sem levar em consideração a associação histórica ou a verdadeira utilidade. Da maneira como ocorreu, a antiga cidade pela qual o próprio George Canning ganhou um assento, e antes dele, Edmund Burke e John Hampden (1595-1643) – Wendover, em Buckinghamshire – desapareceu na reforma utilitarista de 1832 e, com isso, levou para bem longe algo maior, toda a ideia de representação de interesses corporativos, contraposta à visão de indivíduos como inúmeras partículas da humanidade. Disraeli tentou reviver o conceito de representação parlamentar como um dispositivo para expressar os anseios e o espírito das cidades, suas vocações e missões econômicas; mas nada pôde fazer, pois os dogmas individualistas do liberalismo tinham penetrado muito profundamente, por volta de 1867, na consciência política da Inglaterra.

Quanto ao embate vindouro entre a agricultura e a indústria mecanizada, a *Corn Bill* de 1827 de Canning, que fora abortada, prometia principiar um equilíbrio tolerante e de longo alcance entre a terra e os moinhos. Dada a visão ampla e paciente de Canning e de Huskisson acerca da economia política, os *tories* poderiam ter convencido uma grande proporção de seus opositores que uma agricultura próspera, uma pequena nobreza amigável de proprietários de terra e a grande população rural eram tão importantes para o futuro quanto as chaminés de Manchester, Leeds, Birmingham e Sheffield; a sabedoria dos direitos preventivos poderia ter sido reconhecida, e a vida rural britânica poderia ter sofrido apenas desarticulações menores ao longo do século.[31] Ao contrário, a vitória estéril do Duque

---

[31] C. R. Fay imagina Huskisson (supondo que não tivesse sido morto pela locomotiva *Rocket* em 1830) chegando à Câmara dos Comuns, em 1845, para propor um imposto fixo de cinco *shillings* por quartel nos grãos, e as receitas aplicadas nas colônias do Império – fazendo, assim, com que os próprios

de Wellington e dos grandes proprietários em 1828 manteve o quase monopólio por poucos anos fugazes; depois Robert Peel, que não era um homem de ideias, sucumbiu, por uma espécie de osmose, às teorias do livre-comércio dos liberais; Richard Cobden (1804-1865) e John Bright (1811-1889)[32] eliminaram tudo o que estava diante deles e a Inglaterra tornou-se, por completo, a nação mais industrializada do mundo, perigosamente superpovoada, decadente, de maneira entristecedora, em bom gosto e beleza. Cada vez mais, o tom nacional era dado pela *Black Country*[33] e pelos apinhados portos marítimos, em vez das paróquias rurais e pequenos vilarejos que sustentaram a estabilidade política, a literatura e o encanto ingleses. A massa da população, de 1840 em diante, foi arrastada à condição de proletariado. Disraeli e a oposição do "gado gordo" não podiam reverter a corrente; mas na época de Canning, alguma coisa poderia ter sido feita. A Grã-Bretanha teria mantido uma economia equilibrada comparativamente à França, Alemanha ou América.

Isso teria sido um feito magnífico para os conservadores, mas o momento esvaneceu-se; e como as massas industriais da Grã-Bretanha subsistirão na última década do século XX, as antigas vantagens naturais diminuindo e a competição mais feroz ainda dos rivais, ninguém sabe.

Isso basta para o leite derramado. Canning indicou para os conservadores a linha de resistência mais esclarecida e astuta, se nada mais fez. Instilou no conservadorismo aquela maleabilidade de raciocínio e largueza de propósito que teria permitido aos

---

meios de salvar a agricultura britânica fossem usados para aliviar a superpopulação que a manufatura, de imediato, sustentava e fazia aumentar (Fay, *Huskisson and His Age*, I, p. 31).

[32] Fundadores da *Anti-Corn Law League*. (N. T.)

[33] Região das *West Midlands* que se tornou, durante a Revolução Industrial, uma das partes mais industrializadas por causa das minas de carvão, fundições de ferro, siderúrgicas, fábricas de vidro e de tijolos e transformou-se em uma das regiões mais poluídas da Inglaterra. (N. T.)

conservadores ingleses traçar um curso tenaz e razoavelmente consistente por um século e três quartos, mais longo que qualquer outro partido político na história.

3. COLERIDGE E AS IDEIAS CONSERVADORAS

"Da filosofia popular e do populacho filosófico, Bom Senso, livrai-nos!", disse Samuel Taylor Coleridge nos *Lay Sermons* [Sermões Laicos]. O homem interior não floresce no regime da biblioteca pública e da imprensa periódica; pois ideias deliberadamente popularizadas começam a ser as ideologias que puseram fogo na Europa em 1789. Quando dez mil homens falam com uma voz, verdadeiramente é a voz de um espírito, mas resta a pergunta que o sacerdote e o filósofo devem fazer: se é a palavra de Deus ou o guincho de uma possessão diabólica. Por saber disso, Coleridge nunca aspirou ser um líder do povo. Por certo, não há perigo de sua filosofia – expressa de maneira espasmódica, desordenada e em termos de eloquência, mais redolente dos teólogos do século XVII que dos reformadores do século XIX – vir a ser popular. Ainda que tenha sido um mestre invulgar da língua inglesa, Samuel Taylor Coleridge [para falar das obras filosóficas e políticas] nunca foi tão lido quanto os tratados de Jeremy Bentham, que, quanto mais escrevia, imergia com velocidade assustadora na incoerência pedante. Coleridge falava em termos de imponderáveis ideias; Bentham, em termos de matéria, estatísticas. A era da industrialização e do empreendedor só compreendeu essa última forma de argumento.

Ainda assim, o sonhador de Highgate provou ser, ao fim, mais que um competidor para o excêntrico fundador da Universidade de Londres. John Stuart Mill afirmou que em Samuel Taylor Coleridge e em Jeremy Bentham reconheceu as duas grandes mentes seminais do século XIX e, apesar da própria sucessão ao cetro utilitário do próprio Bentham e de seu pai James Mill, as simpatias do jovem Mill, em grande parte, foram ganhas por Coleridge. Como a corrente do radicalismo filosófico, hoje, esgota-se rapidamente em um "lodaçal serboniano"[34] de coletivismo, as premissas idealistas e a intuição poética do metafísico romântico devem ser deixadas no domínio triunfante do campo contestável, a respeito do qual disputaram as duas escolas, ao longo de todo o século XIX. Bentham fundamentou seu sistema no árido racionalismo mecânico de John Locke, David Hartley (1705-1757) e no ceticismo desdenhoso dos *philosophes*. Coleridge aderiu aos padres da Igreja e a Platão, ao declarar que, embora o século XVIII tenha sido repleto de iluminadores, estivera terrivelmente destituído de iluminação. O primeiro sistema foi moldado em torno da negação, o segundo, em torno da esperança; e por mais que a popularidade imediata de uma filosofia destrutiva possa tornar-se grande, a longo prazo, uma filosofia de afirmação vencerá, a menos que o tecido da civilização desintegre-se.

Coleridge, como filósofo, figura na augusta linha do pensamento cristão inglês: prossegue a tradição que, de maneiras várias, aderiram Richard Hooker, John Milton, os platonistas de Cambridge, Joseph Butler (1692-1752) e Edmund Burke. Os escritos de Immanuel Kant (1724-1804) e Friedrich Schlegel (1772-1829) foram influências menores; John Stuart Mill falou inadvertidamente ao supor que o sistema metafísico de Coleridge era importado da Alemanha. Entretanto, este não é o lugar para uma discussão adequada de sua metafísica: o lúcido Basil Wiley (1897-1978) escreveu o melhor breve relato a

---

[34] Relativo ao Lago Serbon (hoje, Lago Bardawil), no Egito, que segundo Heródoto tinha aparência de terra firme, entretanto, era um pântano. A imagem foi empregada por John Milton, no *Paraíso Perdido* (canto II, linhas 592-94) como um golfo que engoliu exércitos inteiros e, por Edmund Burke, nas *Reflexões sobre a Revolução na França* (em português, na edição Unipro, p. 207). O termo é metaforicamente empregado para situações complicadas, de que é difícil sair. (N. T.)

respeito do pensamento de Samuel Taylor Coleridge.[35] Para empregar a expressão de John Stuart Mill, sempre que Jeremy Bentham considerava uma opinião apresentada, perguntava: "É verdade?", ao passo que Coleridge, confrontado à mesma opinião, perguntava: "O que isso significa?". Eis o legado de Burke – nunca condenar as preconcepções por *serem* preconceitos, mas, analisá-las como um veredito coletivo da espécie humana e fazer o esforço de tornar claro o significado nelas latente. Bentham acreditava que a certeza poderia ser assegurada pela análise científica e por métodos estatísticos. Coleridge, no entanto, insistiu que nunca podemos resolver a questão de se a opinião é "verdade" em bases abstratas, como se pudesse ser divorciada do contexto da humanidade; todas as opiniões antigas detêm verdades; devemos tentar, em vez disso, apreendê-las e explicá-las. Para o entendimento, a falta de fé e de intuição nunca bastarão para tornar o homem sábio. Coleridge faz a distinção entre "entendimento" – que é "uma mera faculdade reflexiva" e depende de sentidos falíveis, da percepção física – e razão, que é faculdade superior, a empregar nossos poderes de intuição, o órgão do suprassensível. O entendimento ocupa-se dos meios; a razão, dos fins. Os filósofos radicais, ao deixar para os cálculos todo o hiperbóreo domínio do conhecimento que está além do carnal, condenariam a humanidade a uma filosofia de ateísmo e de morte, apagando a vida do espírito que torna a vida corpórea tolerável. Essa obliteração dos instintos superiores da humanidade principiou com René Descartes (1596-1650) e John Locke, e com os benthamitas tentaram levar à última conclusão de um determinismo sem Deus e sem propósito.

Platão era mais sábio que todos os estatísticos diligentes que viriam a reduzir a ciência a um registro insípido dos fenômenos

---

[35] Basil Willey, *Nineteeth Century Studies: Coleridge to Matthew Arnold*. New York, Columbia University Press, 1949, p. 1-44.

observáveis. O homem não move a si mesmo; não luta por uma existência moral por intermédio do burlesco instrumento de associação de David Hartley. Não, o homem é arrastado por uma força além de si mesmo, que opera por ideias. Uma ideia é uma verdade espiritual imutável comunicada ao homem pela faculdade da intuição (variando em intensidade de um homem para outro), e esse conhecimento não pode ser obtido por nenhum outro meio. As ideias estão além do alcance de um mero entendimento. E as ideias, bem ou mal apreendidas, governam o mundo. A mentalidade dos benthamitas, a mentalidade dos economistas políticos não alcançam nada mais elevado que o útil, porém limitado, entendimento e, portanto, nunca atingem a verdade geral – somente a um meio particular e a um método. Sem a fé para conter o entendimento (e a fé é o produto da verdadeira razão), a humanidade sucumbe, primeiramente, à morte do espírito e, depois, à morte do corpo. Coleridge, na introdução do segundo *Lay Sermon*, faz a caricatura do utilitarista como um vetusto filósofo de olhos baços que "falava muito e de maneira veemente a respeito de uma infinita série de causas e efeitos", o que acaba por ser uma fileira de cegos, um após o outro, a agarrar o fraque do predecessor, todos, marchando confiantes adiante. "Quem vai à frente a lhes guiar?", pergunta Coleridge; e o sábio insolente lhe informa: "Ninguém; a fileira de cegos segue para sempre, sem princípio algum; pois embora um cego não possa se mover sem tropeçar, a cegueira infinita, no entanto, supre o desejo de visão".[36]

Essa teoria é apenas outra face da superstição das duas faces de Janus, exclama Coleridge. Todas as formas de vida são animadas por uma força que não se origina nelas; progridem por educação.

> No elo mais inferior na vasta e misteriosa cadeia do Ser, há um esforço, embora aparentemente escasso, para a individuação; mas quase é perdido na mera natureza. Um pouco mais acima, o indivíduo é aparente

---

[36] Samuel Taylor Coleridge, *Lay Sermons*, p. 149-50.

e apartado, todavia, subordinado a algo no homem. Por fim, o animal ascende para estar a par com a força mais inferior da natureza humana. Há alguns de nossos desejos naturais que só permanecem no estado mais perfeito na Terra como meio de agir das forças mais excelsas.[37]

O propósito, a vontade, emana de Deus; e a vontade Dele criou nossa humanidade e nos guia, agora, em caminhos além de nossa compreensão para um fim que nem a nossa razão distingue com clareza. A Providência age por instintos e intuições de nossa débil matéria. Por assim ser, o homem que toma o materialista, o mecanicista e o utilitarista por preceptores acerca dos fins da vida é um miserável néscio.

A fé luminosa e a inteligência penetrante de Coleridge, como parcamente sugeridas no resumo precedente de sua doutrina metafísica, tornaram-se a força cardeal no robustecimento da convicção religiosa britânica, tão desolada e desgastada (exceto pela tempestade anti-intelectual do wesleyanismo) após os golpes de que foram objeto nas mãos do racionalismo do século XVIII. Samuel Taylor Coleridge prenunciou as carreiras de John Keble (1792-1866) e de John Henry Newman (1801-1890); resgatou a piedade, a veneração e a metafísica desacreditadas por David Hume; e levou a classe sacerdotal do campo indefensável dos estudos bíblicos ao reduto do idealismo. E foi mais longe ainda: melhor ainda que Edmund Burke, demonstrou que religião e política são inseparáveis, que a decadência de uma deve ocasionar a decadência da outra. A conservação da ordem moral deve correr em paralelo com a conservação da ordem política. A Igreja (da qual o cristianismo, "um feliz acidente", é uma forma, mas não idêntica à ideia da própria Igreja) vive não apenas em parceria com o Estado, mas com ele constitui uma unidade. Com base em considerações quanto à praticidade e conveniência, devemos separar a atuação presente do governo da autoridade eclesial, mas, no fundo, Igreja e

---

[37] Idem, *Table Talk*, p. 52; ver também *Aids to Reflexion*, p. 105.

Estado estão para sempre unidos. A sociedade não pode subsistir a menos que os dois elementos constituintes prosperem.

Isso nos leva ao conservadorismo social de Coleridge. Não era mero "cristianismo político"; ele atacou o individualismo atomista e o materialismo estatístico dos benthamitas porque sabia que se os utilitaristas fossem bem-sucedidos em desacreditar a consagração religiosa do Estado, apagariam a ideia de ordem; e se fossem bem-sucedidos em convencer os homens de que somos somente feixes de sensações associadas, cegariam a humanidade para as esperanças e fins sobrenaturais e eternos. O democrata puro é o ateu prático: ao ignorar a natureza divina da lei e da instituição divina da hierarquia espiritual, é instrumento inconsciente dos poderes diabólicos para a destruição da humanidade. Reduzi o mistério solene e a variedade infinita da vida humana a um princípio pseudomatemáico de maior felicidade para o maior número e estabelecereis, neste mundo, uma tirania de esnobes, um inferno de solidão num mundo de espírito.

> *Vosso* modo de felicidade tornar-*me*-ia extremamente infeliz. Andar por aí fazendo tanto bem quanto possível para tantos homens quanto for possível é, na verdade, um objetivo interessante de se propor; mas então, para não sacrificar o verdadeiro bem e a felicidade de outros às vossas visões particulares, que devem ser bem diferentes das de vosso semelhante, deveríeis fazer aos outros *esse* bem que a razão, comum a todos, enuncia ser o bem para todos. Nesse sentido, vossa bela máxima é tão verdadeira quanto é um mero truísmo.[38]

Quando os filósofos radicais negam a existência da razão intuitiva, perdem qualquer padrão para determinar o que é bom e o que é mau e, portanto, não é possível saber como fazer o bem às pessoas, ou como elas podem buscar o próprio bem. As políticas dos homens, em especial as políticas do reformador intrometido, são contingentes de sua religião.

---

[38] Idem, *Table Talk*, p. 135.

A transição da contribuição à teologia e à metafísica mais importante de Samuel Taylor Coleridge, *Aids to Reflection* [Auxílios à Reflexão], de 1825, para a principal obra político-religiosa, *The Constitution of Church and State* [A Constituição da Igreja e do Estado], de 1830, é natural e fácil. Religião e sociedade nunca devem ser entidades separadas, no modo de pensar de Coleridge, nem mesmo nos dias juvenis de entusiasmo pela Revolução Francesa; e por volta de 1817 e 1818, de fato, quando publicou os *Lay Sermons*, já estava ciente de que o Estado só pode ser preservado pela invocação do sentimento religioso, e que a Igreja só poderia ser mantida pela sobrevivência de um Estado cônscio de sua essência moral. "Lançou o peso de sua opinião", diz Henry Nelson Coleridge (1798-1843):

> Na balança *Tory* ou Conservadora, por estes dois motivos: primeiro, de modo geral, porque tinha uma profunda convicção de que a causa da liberdade e da verdade estão, agora, seriamente ameaçadas pelo espírito democrático, a crescer, cada vez mais enfurecido todos os dias e ao não fazer promessas dúbias à tirania que há de vir; e, em segundo lugar, de modo particular, porque a igreja nacional era, para ele, a arca da aliança de seu amado país, e viu os *whigs* quase aderir com aqueles cujos princípios manifestos levar-lhes-iam a pôr nela as mãos da espoliação.[39]

De modo perspicaz, Crane Brinton (1898-1968) distingue três espécies de conservadores: o conservador do dicionário, que aceita as coisas como são; o conservador da matéria, que, ao desdenhar de sua época mutável, idealiza o passado; e o conservador filosófico, "um homem que faz generalizações consistentes e atemporais, aplicando-as ao comportamento dos homens na política".[40] Coleridge, como discípulo de Burke, é um representante nobre desse último tipo, e

---

[39] Henry Nelson Coleridge, Prefácio a *Table Talk*, p. 10.
[40] Crane Brinton. Op. cit., p. 74-75.

sua exposição sistemática de um conservadorismo fundamentado em ideias tem início nos *Lay Sermons*.

Escrito em meio à depressão econômica, ocorrida no final das guerras napoleônicas, os sermões exortam as classes alta e média a elevarem-se acima do radicalismo benthamita. Nenhuma ordem pode perdurar se não tiver ideias; e entre os atuais descontentes, os homens que lideram a sociedade devem reforçar a conveniência com princípio. Sem ideias:

> a própria experiência nada mais é que um ciclope andando para trás, sob o fascínio do passado: e devemos à feliz coincidência das circunstâncias externas e das contingências, a última das coisas a ser calculada em tempos como o presente, caso uma experiência caolha não seduza seu adorador em anacronismos práticos.[41]

Coleridge vai além de Burke, talvez, na busca pelo princípio; duvida da suficiência da história como guia; não pode confiar totalmente no conhecimento do passado, mas deve buscar o propósito da política, o fim ao qual a Providência destina o Estado, e isso pode ser averiguado apenas na ideia de sociedade, que nossa intuição, vagamente, nos permite vislumbrar. Uma falsa concepção da ideia política foi a grande causa da Revolução Francesa; somente uma concepção verdadeira pode salvar a Grã-Bretanha das falácias niveladoras.

> Para a imensa maioria de homens, mesmo nos países civilizados, a filosofia especulativa sempre foi, e deve continuar a ser, terra incógnita. Ainda assim, não é menos verdade que todas as revoluções que fizeram época nas revoluções do mundo cristão, as revoluções de religião e, com elas, os hábitos civis, sociais e domésticos da dita nação, coincidiram com a ascensão e queda dos sistemas metafísicos. Assim, poucas são as mentes que verdadeiramente regem a máquina da sociedade e incomparavelmente mais numerosas e mais importantes as consequências indiretas das coisas que os efeitos diretos e antevistos.

---

[41] Samuel Taylor Coleridge, *Lay Sermons*, p. 46-47.

No esforço em apreender ideias, contudo, devemos exercer uma prudência profunda, pois a confusão das preocupações práticas com as abstrações foi um erro cardeal dos jacobinos, "a razão abstrata mal-empregada aos objetos que pertencem, por completo, à experiência e à compreensão".

Um exame prudente dos atuais descontentes, prossegue Coleridge, revela que a fonte da dificuldade nacional é o "desequilíbrio do espírito comercial em consequência da falta ou da fraqueza dos contrapesos". O próprio comércio, devidamente conduzido, é indispensável à nação, mas o espírito utilitário o degenerou em avareza desgovernada, a verificação moral no comércio foi prejudicada por

> uma negligência geral de todos os estudos mais austeros; o eclipse longo e sinistro da filosofia; a usurpação daquele nome venerável pelo empirismo físico e psicológico e a inexistência de um público erudito e filosófico, que, talvez, seja a única forma inócua de um *imperium in império*.

A decadência das antigas inclinações aristocráticas contra a especulação gananciosa, a destruição da fé cristã ortodoxa (que proíbe a avareza) pelas facções radicais dissidentes, os espaços livres nas Highlands, a perversão da agricultura a uma preocupação em obter grandes somas de dinheiro: esses aspectos particulares de uma concentração ampla e voraz nos lucros são algumas das muitas ilustrações de nossa pecaminosa confusão de valores. Um economista político disse a Coleridge:

> Que mais alimento seja produzido como consequência dessa revolução, que o carneiro deva ser comido noutro lugar, qual a diferença de onde o é? Se três foram alimentados em Manchester, em vez de dois em Glencoe ou em Trosachs, o equilíbrio da satisfação humana está favorável ao primeiro.

Ao observar "operários" a entrar e a sair das fábricas, Coleridge discordou desse douto senhor. "Os homens, ainda penso, devem ser avaliados, não contados. O merecimento deve ser a estimativa de seu valor."

A conduta da agricultura, como a conduta do Estado, requer o conhecimento de causas e de fins. Os princípios da agricultura não são idênticos aos do comércio, e os direitos dos proprietários são balanceados pelos deveres. As causas finais da agricultura são idênticas às causas finais do Estado. Dois fins negativos do Estado existem: a própria segurança e a proteção da pessoa e da propriedade. Os três fins positivos postam-se ao lado desses: assegurar mais facilmente os meios de subsistência para cada indivíduo; assegurar a cada um de seus membros a esperança de melhoria de condições ou das condições dos filhos; e o desenvolvimento das faculdades que são essenciais à sua humanidade, ou seja, ao seu ser moral e racional. Por conhecer esses fins, devemos reformar nossos cursos, remodelar as medidas e nos tornar pessoas melhores. "Paliemos onde não podemos remediar, confortemos onde não podemos aliviar e, quanto ao restante, confiemos na promessa do Rei dos Reis, dita pela boca do profeta: Bem-aventurados sereis por semear à margem de todos os cursos de água" (Isaías 32,20).

As sementes do socialismo cristão de Frederick Denison Maurice (1805-1872) e de Charles Kingsley (1819-1875) estão aí, embora o próprio Coleridge não partilhasse das aspirações do estado de bem-estar beneficente expressas por Robert Southey. A manufatura deveria ser regulamentada, disse Samuel Taylor Coleridge; caso contrário, a esperança de reforma repousaria no melhoramento moral de todas as classes na sociedade, na educação cristã e na redenção de teorias materialistas. O formato que essa reanimação deveria assumir foi descrita em *The Constitution of the Church and State, According to the Idea of Each* [A Constituição da Igreja e do Estado, Segundo a Ideia de Cada Um].

A cláusula modificante desse título não deve ser negligenciada. Coleridge não estava escrevendo acerca da Constituição, da condição em que se encontrava na sua época, nem como esteve em qualquer momento específico na história da Inglaterra; escrevia sobre a ideia de Igreja e Estado, da Constituição como deveria ser, "elaborada pelo conhecimento ou senso de finalidade última de cada um deles". Ideias existem sem que os homens sejam capazes de expressá-las de modo definitivo ou mesmo sem que estejam cientes, de maneira consciente, da existência delas. Poucos homens têm ideias; a maioria é possuída por elas. A Providência ordenou, desde o princípio, o desenvolver de uma constituição, e podemos perceber, vagamente, os fins do Estado nas suas origens e evolução; o processo deixa-nos uma pista. Assim, a ideia, em natureza, é uma profecia. Rousseau, ao confundir ideias com teorias e acontecimentos, recaiu no erro de acreditar que o contrato social fora uma ocorrência histórica. Jamais algum acontecimento desse tipo ocorreu, mas o contrato social é verdadeiro no sentido compreendido por Burke – a *ideia* de um contrato "sempre originário" entre Deus e o homem e entre os vários elementos da sociedade, uma realidade espiritual que só pode ser discernida pela percepção espiritual.

Ora, a ideia de um Estado é a de "um corpo político que traz, em si, o princípio da unidade" e sua unidade é consequência do "equilíbrio e interdependência de grandes interesses opostos [...] sua permanência e progressão". A permanência tem a fonte no interesse territorial; a progressão, no comercial, na manufatura, na distribuição e nas classes profissionais. Os barões maiores e menores – a baixa nobreza, os cavaleiros e os proprietários de terra não nobres – constituem, na Inglaterra, o interesse permanente, os burgueses, a progressão; ambos são necessários para o bem-estar do Estado. Essas classes foram incorporadas nas duas casas do Parlamento, com o rei a atuar como o braço da balança. [No entanto, o rei é muito mais que isso: é o cabeça da Igreja nacional e do clero, o protetor e curador supremo da nacionalidade, o chefe e a majestade de toda a nação].

Além desses dois estados, existe um terceiro: o clero ou uma classe de funcionários intelectualizados, que servem à Igreja de uma nação. Sua função é manter e fazer progredir a cultura moral do povo. Para essa investidura é reservada uma porção da riqueza da nação, que Coleridge chama de "propriedade nacional" (*Nationalty*), distinta da propriedade privada ou Propriedade (*Propriety*). Parte do dever do clero é estar a serviço da teologia, mas, outra parte tem a função da educação nacional. Alguns dos membros desse estamento devem estar engajados no estudo e na meditação; a maioria, deve difundir o conhecimento ao povo. Ainda que a Igreja cristã tenha essas funções, elas não pertencem, em particular, à religião cristã; são os deveres da classe de funcionários intelectualizados de qualquer nação, de qualquer credo. Essa classe são os agentes da cultura e os meios de sustento, a propriedade nacional, não pode, por direito, ser alienada da Igreja. Grande parte dessa "propriedade nacional" foi saqueada pelo rei e pela nobreza na Reforma, e esse equilíbrio deve ser reparado, de modo que o cultivo da moralidade e do caráter nacionais deva ser levado adiante. [Nessa denúncia dos confiscos dos Tudor, Samuel Taylor Coleridge – tendo William Cobbett (1763-1835) como uma espécie de coadjutor – é o primeiro de uma série de pensadores: depois dele, Benjamin Disraeli e, depois deste, Hilarie Belloc (1870-1953).] Assim é a ideia de constituição. O estado de coisas existente na Inglaterra é apenas uma aproximação do ideal, com inúmeros defeitos e desarmonias; a tarefa do reformador sábio não é a subversão da ordem existente, mas a melhoria, de modo que ela se aproximará mais da ideia de Igreja e Estado.

Coleridge anseia por uma nação cujos negócios sejam conduzidos por cavalheiros e eruditos, com base em elevados princípios morais; será uma nação em que os donos de propriedades reconhecem os deveres relacionados à terra, bem como os direitos concomitantes. É uma sociedade aristocrática, e até hierárquica; mas, nela, justiça e sabedoria terão parte muito maior do que têm agora. As classes serão cuidadosamente representadas no governo, e a preponderância presente dos interesses territoriais será modificada. A propriedade nacional receberá de volta a parte que foi, amiúde, perdendo para a propriedade; a instrução moral e humanista será restaurada à multidão dos homens e a ideia de uma igreja nacional será revivida na Igreja da Inglaterra, que permitiu-se decair à posição de mera seita. Esse programa viria a ser a inspiração de Disraeli e dos reformadores conservadores um século depois.

Coleridge sabia que a maré da modernidade se opunha a todo esse plano de restauração e de aperfeiçoamento conservador. A educação, retirada da jurisdição do clero, era reformada com base no *dictum* baconiano de que conhecimento é poder – transformada em princípios empíricos e utilitários, reduzida às artes mecânicas e às ciências materiais; a ética degradada a um digesto de legislação criminal e a palestras sobre saneamento. A economia nacional, agora dominada pela avareza, era forçada a um molde de industrialização uniforme pela instrumentalidade de um sistema Speenhamland[42] de alívio à pobreza, pelas manufaturas de algodão e pelo "restante da população mecanizada em engrenagens para os novos ricos fabricantes"; depois, viria a espoliação da propriedade nacional, cuja maior parte da riqueza ainda estava reservada para o apoio da cultura nacional e viria a ser apropriada pelos proprietários de terras e pelos corretores de ações. As antigas verdades eram substituídas por uma "teoria mecânico-corpuscular alçada à filosofia mecânica" e por "um estado de natureza, ou os primeiros

---

[42] Sistema assistencial criado em 1795, na Inglaterra e no País de Gales, para suplementar a renda dos trabalhadores que não conseguiam o bastante para viver. A subvenção foi criada como uma espécie de imposto negativo sobre os rendimentos dos contribuintes. Havia um nível de renda mínima estipulado e o subsídio variava conforme o número de membros da família do favorecido e o preço de mercado dos grãos. O sistema, que nunca foi aplicado uniformemente nesses países, perdurou até 1834. (N. T.)

dez capítulos do Livro do Gênesis substituídos pela teologia 'orangotânguica' da origem da raça humana". O gim tornara-se prerrogativa dos pobres, os crimes quadruplicaram, os governos eram intimidados por clubes de expedicionários a agir com base em teorias abstratas de direitos inalienáveis divorciadas de deveres. Os líderes liberais e utilitários no Parlamento deixaram de captar todo o grande conceito de um "clero nacional ou igreja, um elemento essencial de uma nação apropriadamente constituída, sem o qual, deseja, igualmente, mais segurança para permanecer e progredir"; depositaram a confiança em sociedades panfletárias, escolas lancastristas[43] e "bazares de palestras sob o absurdo epíteto de universidades". O Estado decaía sujeitando-se a um Parlamento onipotente, que desafiava as restrições da constituição, que desdenhava das prerrogativas de outros elementos na nação, substituindo a ideia de justiça pelo impulso de uma maioria numérica. Professais uma avidez pela difusão da aprendizagem, Coleridge advertiu os benthamitas, e, ainda assim, não apreenderdes a ideia do conhecimento:

> Desejais o esclarecimento geral, contudo, incentivais os dedos dos pés da sociedade; instruireis os escalões mais altos *per ascensum ab imis*. Começareis, portanto, com a tentativa de popularizar a ciência, mas o único efeito que tereis será a "plebeificação". É tolice crer que tornareis todos, ou muitos, em filósofos ou mesmo em homens de ciência e conhecimento sistemático. Entretanto, é dever e sabedoria buscar tornar tantos quanto for possível em pessoas sóbrias e invariavelmente religiosas, visto a moralidade

---

[43] Sistema escolar baseado nos ensinamentos de Joseph Lancaster (1778-1838), também conhecido como Sistema Monitorial, em que alunos mais avançados auxiliavam os mais atrasados. Isso permitiu baixos custos na educação das massas, visto que não eram necessários muitos mestres. O sistema foi muito influente entre 1798 e 1830, mas substituído por métodos mais "modernos", como o agrupamento de alunos por faixas etárias ou por metodologias inspiradas na linha de montagem taylorista. (N. T.)

que o Estado exige dos cidadãos para o próprio bem-estar e imortalidade ideal, sem referência ao interesse espiritual como indivíduos, só existir para as pessoas em forma de religião. No entanto, a existência de uma verdadeira filosofia, ou o poder e o hábito de contemplar particulares no espelho frontal da unidade de uma ideia – isso, em governantes e mestres de uma nação é indispensável para um estado de religião saudável em todas as classes. Por fim, a religião, verdadeira ou falsa, é e sempre foi o centro de gravidade em um reino, para a qual todas as outras coisas devem e irão acomodar-se.[44]

Assim era o espírito da época. As verdadeiras ideias, todavia, foram comunicadas a poucos, que puderam apreendê-las de maneira clara. Com o tempo, respingaram na multidão dos homens, entre os quais se tornaram preconceitos inflexíveis. Se as ideias de Constituição, Igreja e Estado são reinstituídas no modo de pensar dos líderes da sociedade, esses podem vir a ser bem-sucedidos em desfazer a corrupção utilitária da ação pública e do espírito privado. Nossa esperança não está nesta geração, mas na próxima ou na geração seguinte.

A Constituição da Igreja e do Estado não teve influência significativa no curso imediato dos assuntos. Dois anos antes de sua publicação, o Parlamento rendera-se aos arruaceiros reformistas e à insistência de Charles Grey (1764-1845) e do Lorde John Russell [6º Duque de Bedford], demonstrando, na *Reform Bill* de 1832, total ignorância da ideia de uma constituição inglesa. Os reformadores esqueceram-se que a ideia de Estado, propriamente compreendida, é uma aristocracia, disse Coleridge; a democracia é como um sangue saudável que circula pelas veias de um sistema, mas que nunca deve aparecer exteriormente. Existe uma necessidade premente, de fato, de reforma da representação no Parlamento, mas a reforma de 1832 só poderia criar novos males:

---

[44] Samuel Taylor Coleridge, *The Constitution of Church and State*, p. 79.

> Ora, quando o mal e a escassez são conhecidos, temos de abandonar as acomodações que a necessidade do caso elaborou para si e começar, novamente, com um plano territorial de representação rígido!

Isso ignoraria a verdadeira necessidade de reforma do Parlamento, que era o reconhecimento dos interesses imperiais de uma nova Grã-Bretanha que florescera no último século.

> A tendência miserável de tudo isso é a destruição da nacionalidade, que consiste, por gradação de princípio, em nosso governo representativo, e a conversão deste em uma delegação degradante do populacho. Não há unidade para um povo senão na representação dos interesses nacionais; uma delegação a partir das paixões e dos desejos dos próprios indivíduos é uma corda de areia.

A reforma de 1832, ao restringir os direitos de voto da pequena nobreza e o verdadeiro patriotismo da nação, lançou o equilíbrio do poder político nas mãos dos comerciantes, a classe menos patriota e menos conservadora de todas. Por meio dos métodos empregados para intimidar a Câmara dos Lordes, os reformistas subverteram a independência de uma grande ordem e a harmonia da Constituição.

> A simples ampliação do direito de voto não é o mal: deveria estar feliz por vê-lo ampliado: – Não há mal *per se*; o estrago é que o direito de voto é ampliado nominalmente, mas para determinadas classes e de tal maneira, que a retração prática do privilégio eleitoral de todos os que estão acima, e o descontentamento de todos os que estão abaixo, uma classe favorecida, são os resultados inevitáveis.

Uma democracia brutalizadora, sem a direção da consagração religiosa, seria a consequência, após alguns anos e, então: "O despotismo direto e pessoal aparecerá, dentro de pouco tempo, após a multidão satisfazer-se com a ruína e os despojos das antigas instituições do país".

Os antigos ideais da Inglaterra foram submetidos aos comerciantes e aos economistas políticos modernos, lamentou Coleridge – a uma classe de pessoas que tencionava desnacionalizar a sociedade, homens que desenterrariam as fundações de madeira do templo de Éfeso para queimá-las como combustível de uma locomotiva a vapor. [O National Coal Board, cento e vinte anos depois, realizou esse tipo de operação em Hamilton Palace, em Wentworth Woodhouse e noutros monumentos do passado nacional aristocrático]. Tendo subvertido o Estado, voltar-se-iam, em seguida, contra a Igreja, "a única relíquia de nossa nacionalidade"; o clero, fossem padres ou professores, serão os pobres na sociedade utilitária. Os liberais e utilitaristas, contudo, obteriam mais do que previram:

> Necker, recordais, pediu que o povo viesse ajudá-lo contra a aristocracia. O povo acorreu, pressuroso, ao chamado, mas de um modo ou de outro, não partiu ao terminar a tarefa. Espero, lorde Grey, não vos ver, ou a vossos amigos, na circunstância lamentável de um conjurador, que, com zelo e esforços infinitos, invocou demônios a fazer algo para si. Atenderam ao chamado, aglomerando-se sobre ele, sorrindo, uivando, dançando e balançando as longas caudas em contentamento diabólico, no entanto, quando pediram o que dele queriam, o pobre miserável, tomado de temor, só podia balbuciar: – Imploro-vos, meus amigos, descei novamente! A isso, os demônios, em uníssono, replicaram: – Sim, sim, desceremos! Desceremos! Mas levar-te-emos conosco para nadar ou para afogar![45]

O individualismo atomista sombrio de Jeremy Bentham e dos reformadores, predicado aos homens com razoabilidade acre, com base na premissa de que o autointeresse esclarecido substituiria qualquer piedade antiga, chegou a este fim; e a reação que provocou foi a de um coletivismo cáustico, tão destituído de ideais quanto o sistema utilitarista. O liberalismo radical de Bentham e da escola de Manchester é, hoje, letra morta, mas o sistema de pensamento conservador sobreviveu-lhe, em parte, porque Coleridge percebeu a realidade das ideias, o papel da imaginação e a santidade das constituições.

---

[45] Coleridge, *Table Talk*, p. 118.

4. O TRIUNFO DA ABSTRAÇÃO

Se as teorias de Jeremy Bentham e de James Mill foram a inspiração próxima da reforma de 1832, o exemplo do sucesso revolucionário na França e a ferocidade confusa das massas da classe trabalhadora que puseram fogo no Nottingham Castle e no palácio do bispo de Bristol foram as causas imediatas da passagem a seguir. Disse Samuel Taylor Coleridge, em março:

> Ouvi apenas dois argumentos, sem peso algum, a favor da aprovação dessa lei de reforma e, em substância são estes: 1) Explodiremos vossa cabeça, caso não a faça aprovar; 2) Jogar-vos-emos na tina dos cavalos, caso não a faça aprovar e, em ambas, há uma boa dose de força.

Bentham e Scott faleceram no ano da reforma; Coleridge, dois anos depois. Por quase meio século, a defesa apaixonada de Burke em favor da tradição preservou imutável a Constituição da Inglaterra; agora o dique havia se rompido, e o igualitarismo começou a inundar a sociedade inglesa.

"Uma lei para permitir a representação do povo": desse modo, essa abstração "o povo", pela primeira vez, encontra espaço na Constituição britânica. Anteriormente, o povo não fora pensado como uma massa homogênea, que deveria ser representada em base matemática, em distritos iguais. Esse era um conceito utilitário e industrial, a reconhecer, confusamente, a existência de um novo proletariado. Antes, os homens eram representados por qualificação profissional, como livres-proprietários de uma cidade, inquilinos de um proprietário, bacharéis de uma universidade ou membros de um ofício ou de uma profissão. Dantes, o Parlamento refletia os vários interesses do reino; desse momento em diante, representaria um "povo" cuja vontade, disseram ser soberana, mas que não tem, em verdade, uma mentalidade comum ou propósito discernível para o estadista sincero. As abstrações de Rousseau, Bentham e Hegel tornaram-se parte da legislação da Inglaterra. O governo de outrora fora considerado como um arranjo entre os grandes interesses do reino, para benefício mútuo, apoiado por contribuições voluntárias chamadas imposto; dali em diante, o governo tenderia a ser mais uma instituição abstrata, investida de uma "soberania" abstrata austiniana,[46] a dirigir a sociedade como se a nação fosse um enorme panóptico reformado.

Os historiadores trataram severamente a *Reform Bill*. A lei de 1832, F. J. C. Hearnshaw escreveu, um século depois (ao falar por uma influente escola de pensamento), não reformou a antiga constituição, mas criou uma nova. Certas provisões foram benéficas: a retificação da representação para comportar o crescimento de novas cidades e a decadência das antigas, a diminuição do jogo das municipalidades, a concessão do direito de voto a classes que mereciam representação adequada. As premissas e os métodos, contudo, foram altamente indignos de uma nação com um grande corpo de experiência política.[47]

Muito melhor que Charle Grey ou que John Russell, o imaginativo Samuel Taylor Coleridge compreendeu a natureza peculiar da reforma parlamentar – assim escreveu John Stuart Mill, poucos anos depois. Coleridge vira que a reforma não tinha um princípio, e sabia que medidas sem princípio são medidas sem escrúpulos. Percebeu que reforma correspondia quase a revolução, mas não continha o remédio para as causas que a provocaram. Todos os partidos, nesse momento, parecem concordar que os pontos de vista de Coleridge eram acertados, prossegue Stuart Mill:

> A lei de reforma não foi calculada materialmente para melhorar a composição geral da legislatura. O bem que fez, que é considerável, consiste, principalmente nisto: por ser uma mudança demasiado grande, enfraqueceu o sentimento supersticioso contra grandes mudanças.[48]

---

[46] Referência à teoria da soberania de John Austin (1790-1859), discípulo dos utilitaristas e pai da jurisprudência analítica. (N. T.)

[47] F. J. C. Hearnshaw, *Conservatism in England*. London, 1933, p. 190-91.

[48] J. S. Mill, *Dissertations and Discussions*. Vol. I, 1859, p. 449.

Na perspectiva do século XX, parece uma apologia curiosa para 1832. Mill ilustra como prova do benefício proveniente da avidez popular por grandes mudanças sociais, a *Poor Law Amendment*[49] e o *Penny Postage Acts*.[50] O liberalismo, com a grande confiança no progresso humano ilimitado, pressupôs que grandes mudanças, após 1832, estariam confinadas à promoção da legislação humanitária. Teria divertido Coleridge descobrir-se admirado por um filósofo que acreditava que o *Penny Postage Act* era uma compensação quase suficiente para a destruição da ideia de constituição. Em todas as nações ocidentais, o utilitarismo eclipsaria as ideias, a democracia engoliria as antigas constituições e, então, oferecidas as libações ao progresso, os Estados da Europa despedaçar-se-iam entre si em furor inigualável desde as guerras de religião. "Caiu facilmente, a antiga Constituição", escreveu *Sir* Walter Scott em seu diário:

> Sem os ataques do intimidante Mirabeau, sem o eloquente cardeal Jean-Sifrein Maury (1746-1817) para defendê-la. Foi lançada fora como um brinquedo de criança quebrado. Bem, *transeat*, o bom-senso das pessoas é muito confiável, vejamos o que fará por nós. A maldição de Oliver Cromwell (1599-1658) sobre os orgulhosos trouxe-nos a este ponto. *Sed transeat*. É vão lamentar sobre o que não pode ser reparado.[51]

---

[49] Conhecida como *New Poor Law*, substituiu, em 1834, a legislação do século XVII que ainda estava em vigor. Foi chamada de "o exemplo clássico de legislação reformada do período *whig*-benthamita", e tinha por base os princípios de Thomas Malthus (1766-1834) e o cálculo da felicidade de Bentham. O novo auxílio seria dado somente aos mais necessitados, em locais de trabalho, o que permitia a redução dos custos do auxílio aos pobres e o combate aos abusos. (N. T.)

[50] Lei de 1840 que instituiu a tarifa única (*um penny*) às postagens nas ilhas britânicas, tornando-as mais acessíveis ao cidadão. A medida facilitou e revolucionou as comunicações e o comércio, visto que pelo antigo sistema de postagem, dependendo da distância, a carta poderia custar até metade do salário mensal de um trabalhador. (N. T.)

[51] *Journal of Sir Walter Scott 1829-1832*, p. 154-55.

John Randolph of Roanoke (1773-1833)

Capítulo 5 | Conservadorismo Sulista:
Randolph e Calhoun

> Eles, que amam a mudança, que deliciam-se na confusão, que desejam abastar o caldeirão e fazê-lo ferver, devem votar, se quiserem mudanças futuras. No entanto, por qual encantamento, por qual fórmula ireis atar todas as pessoas a todo o tempo futuro? *Quis custodiet custodes*?
> *John Randolph de Roanoke*

1. IMPULSOS SULISTAS

John Randolph of Roanoke (1773-1833), o mais singular dos grandes homens na história americana, assim discursou diante da convenção constitucional em 1829. A descrição de Joseph Joubert (1754-1824) feita por Madame Louise-Marie-Victorine de Chastenay (1771-1855) também poderia ser aplicada a Randolph: "como um espírito que, por acidente, encontrou um corpo e lidou com isso da melhor maneira que pôde". Na convenção, a figura alta, cadavérica; os olhos flamejantes como os de um demônio ou o de um anjo; o dedo acusador ossudo que pontuara a acusação do juiz Samuel Chase (1741-1811) há quase três décadas; o rosto atormentado, quase de menino, quase de defunto, emoldurado por um cabelo negro, liso, lembrança de sua ancestral, a índia Pocahontas (1596-1617); o jorro de eloquência extemporânea como um profeta inspirado – por uma geração, o Congresso e a América assistira esse Ismael da política, esse porta-voz aristocrático do *Tertium Quid*s, esse dono de escravos, *ami des noirs*; esse fazendeiro da antiga escola; esse duelista fantástico, esse inimigo fanático da corrupção, esse implacável São Miguel que denunciara John Adams (1735-1826), Thomas Jefferson (1743-1826), James Madison (1751-1736), James Monroe (1758-1831), Henry Clay (1777-1852), Daniel Webster (1782-1852) e John C. Calhoun (1782-1850) com repulsa imparcial. Durante toda a carreira, Randolph medicou-se com *brandy* para aplacar a dor da doença, que, não obstante, o deixou viver até os sessenta anos; e, nesse momento, voltava-se para o ópio. Era um homem que, às vezes, via demônios nas escadas; era um homem que dissera a um visitante de sua cabana solitária em Roanoke: "Em outro cômodo um ser está à mesa, escrevendo um testamento finado, com a mão do morto". E também era um gênio, o profeta do nacionalismo do Sul e o arquiteto do conservadorismo sulista.

O regime da política conservadora nos Estados do Sul, que pode ser rememorado de George Mason (1725-1792) na convenção constitucional até a presente geração de parlamentares sulistas, teve origem em quatro impulsos: um desgosto um tanto indolente pela alteração; a determinação de preservar a sociedade agrícola; o amor pelo direito local; a sensibilidade pela questão negra – uma "instituição peculiar" antes da Guerra de Secessão, depois, uma fronteira de cor. Durante início da república, as três primeiras preocupações ofuscaram a última, mas, por volta de 1806, o dilema da escravidão negra começou a se insinuar no primeiro plano da política nacional e, por volta de 1824, John Randolph demonstrou que o problema da escravidão estava inescapavelmente relacionado com a interpretação, ampla ou estrita, da Constituição, dos poderes estatais e das melhorias internas. Do último ano em diante, portanto, a controvérsia escravagista confundiu e obscureceu qualquer análise de princípio político no Sul: o historiador dificilmente consegue discernir onde, por exemplo, o verdadeiro amor pela soberania estatal desaparece e começam as alegações interessadas pela propriedade de escravos. Tanto Randolph quanto Calhoun entremearam, de modo deliberado, o debate a respeito das tarifas (no fundo, uma questão: se os interesses industriais ou agrícolas deveriam predominar na América) e o debate sobre as liberdades locais e sobre a escravidão, pois assim eram capazes de reagrupar para seus campos um grande grupo de senhores de escravos que, de outro modo, poderiam ter ficado indiferentes às questões em jogo. Anos depois de Appomatox,[1] na convenção dos veteranos confederados, aquele simples homem de cavalaria, magnífico, o general Nathan Bedford Forrest (1821-1877) ouviu uma série de discursos ambiciosos dos antigos companheiros de armas como apologia pela causa perdida; mas a escravidão raramente era mencionada. Então, Forrest levantou-se, desapontado, e anunciou que se não tivesse pensado que estava lutando para manter seus negros e os negros de outros companheiros, em primeiro lugar, nunca teria ido à guerra. A escravidão humana era um campo ruim para a tomada de posição dos conservadores; no entanto, precisamos lembrar que as exigências e as expectativas bárbaras dos abolicionistas eram igualmente instáveis como fundamento para o decoro político. Todo o problema cruel da escravidão, para o qual nenhuma resposta satisfatória era possível, distorceu e descoloriu a mentalidade política americana em ambos os lados do debate durante os primeiros dois terços do século XIX. Dentro do possível, devemos tentar esclarecer algo da controvérsia partidária acerca da escravidão e, como alternativa, penetrar, sob as espumas das arengas abolicionistas e da disposição extremamente militante dos sulistas, naquelas ideias conservadoras que Randolph e Calhoun enunciaram.

---

[1] Uma das últimas batalhas da Guerra de Secessão, ocorrida em 9 de abril de 1865. Após essa batalha, o general Robert E. Lee (1807-1870) rendeu-se às forças da União. (N. T.)

Tanto o virginiano quanto o carolino começaram como democratas e (seguindo o modismo) radicais. Com menos de trinta anos de idade, o parlamentar John Randolph era o espírito dominante no Congresso dos Estados Unidos, regozijando-se com Jefferson diante do colapso do Partido Federalista nas eleições de 1800, decidido a cessar o poder conservador no judiciário federal. Em idade semelhante, uma década depois, o parlamentar John C. Calhoun era um *War Hawk*,[2] um nacionalista, um expoente dos melhoramentos nacionais à custa da despesa federal, e um inovador geral. Entretanto, Randolph tornou-se um discípulo americano de Burke, e Calhoun foi convertido por seu primeiro adversário em um homem de ferro, que se opunha, de modo inalterável, ao "progresso", à centralização e ao humanismo abstrato. Tornaram-se conservadores porque perceberam que o forte impulso do mundo não era rumo à vida tranquila, agrícola e antiquada que amavam, mas rumo a uma nova ordem industrial e consolidada. Reuniram ao redor de si a sociedade dos grandes latifundiários do Sul e, de 1860 a 1865, o Sul prestou às ideias de Randolph e Calhoun a medida plena de sua devoção.

Entre o conservadorismo do federalismo (em especial, como defendido por Hamilton) e o conservadorismo que cresceu ao sul da linha Mason-Dixon[3], estava estabelecido o golfo. Os federalistas acreditavam que determinados valores antigos da sociedade – segurança de propriedade, governo estável, respeito pela convicção religiosa, reconhecimento de distinções benéficas entre os homens – poderia ser mais bem protegido por um governo comum, forte, investido de amplos poderes e capaz, de fato, de expansão indefinida.

---

[2] Terminologia da política americana para indicar o grupo dos favoráveis à guerra. Os *Hawks* (falcões) se opõem aos *Doves* (pombas). (N. T.)

[3] Limite de demarcação de fronteira entre os estados da Pensilvânia, Virgínia, Delaware e Maryland, utilizada como fronteira cultural, como marco de Norte e Sul dos Estados Unidos. (N. T.)

Os sulistas estavam convencidos de que a consolidação política ou econômica criaria uma brecha no muro da tradição e instituiria na América um Estado unitário, arbitrário, onicompetente, manipulado para o benefício de uma maioria dominante, ditada pelos cabeças – e com a maioria popular, para favorecer os mestres da nova indústria. [O federalismo no Sul, que fora liderado por homens como John Marshall (1755-1735) e Charles C. Pinckney (1746-1825), desfez-se depois de 1800 ou encolheu em um *whiggismo* vago]. Na América moderna – até onde pode ser dito que o conservadorismo mantém uma existência filosófica na mente dos políticos – ambos os impulsos conservadores, mesmo que pervertidos, ainda contendem entre si e contra inimigos comuns.

Salvo Randolph, Calhoun e alguns autores sulistas em anos recentes, a mentalidade do Sul teve pouquíssimos apologistas competentes. As sociedades rurais quase sempre trabalham na desvantagem; as cidades criam os casuístas e os energúmenos. Entretanto, sob a violência do orador sulista e langor do cidadão privado do Sul, podemos estabelecer um conjunto de hipóteses ou características, vagamente expressas, mas não menos realistas, que conferem à tradição conservadora sulista uma tenacidade curiosa. Essas já foram sugeridas, mas talvez requeiram um exame mais atento.

> 1) A preferência pelos processos lentos de mudança natural, distintos da inovação artificial – o espírito de "ir com calma"; esse impulso, encontrado com tanta frequência nas terras cálidas e entre os povos rurais, era reforçado por uma desconfiança dos *yankees* empreendedores, que começou no século XVII e ainda não se extinguiu;

> 2) Uma profunda afeição pela vida agrícola e um desdém pelo comércio e manufaturas. Essa visão, de origem interessante e complexa, foi conjugada com a falta de recursos minerais no antigo Sul para produzir uma determinação sulina generalizada de não ser industrializada pelos entusiastas nortistas nem se submeter à taxação, por tarifas que subsidiariam a indústria do Norte;

3) Um individualismo assertivo, social e político, de certo modo, mais forte que o da Nova Inglaterra. A independência altiva do Sul branco fez com que se ressentisse de governança a partir de qualquer ponto mais distante que a prefeitura do condado e, ao mesmo tempo, a ausência, no Sul, de algo como a cidade da Nova Inglaterra privou os cidadãos sulistas do assentimento voluntário aos atos de governo que devem, por vezes, modificar o individualismo renitente. Essa inclinação fez dos sulistas os defensores mais consistentes das liberdades locais e dos poderes dos Estados;

4) Uma consciência inquieta – que, às vezes, irrompia em provocação; noutras, era embalada pela sonolência – a respeito dos problemas imensos que existem quando duas raças ocupam o mesmo território. O Sul tinha de viver com o negro; o número de negros devia aumentar, não diminuir, e a ameaça de um povo abissalmente pobre, ignorante e depreciado, fora da proteção das leis (exceto como bens móveis) e substancialmente fora do âmbito das igrejas – isso estava sempre no subconsciente de cada sulista branco. Sobre as ramificações do problema econômico que a escravidão apresentou, não podemos ingressar aqui de modo adequado. No entanto, o mistério de uma classe de escravos, descontente, em potência, com todo o tecido da sociedade instituída, tendia a produzir na mente dos dominantes uma ânsia em preservar cada detalhe da estrutura presente e uma desconfiança ultravigilante da inovação.

Nesse solo cresceu o conservadorismo político sulista. Essa voz política falou com clareza apenas duas vezes, mas nessas ocasiões falou com força e eloquência. Ambos os porta-vozes abriram mão de grandes promessas para assumir a defesa sulista: Randolph perdeu a liderança da Câmara e Calhoun, a esperança da presidência. Certos ou errados, eram homens de princípios firmes, e cada um deles expôs uma determinada doutrina conservadora com lucidez, desde então incomparável. Randolph denunciou, com ardor, a propensão democrática a aumentar a esfera da lei positivada; Calhoun defendeu os direitos da minoria.

2. RANDOLPH SOBRE OS PERIGOS DA LEGISLAÇÃO POSITIVA

> Disse, em ocasião anterior, que se fosse Filipe, empregaria um homem para dizê-lo, todo dia, que o povo deste país, se algum dia perder as liberdades, o farão por sacrificar algum grande princípio de governo a uma paixão temporária. Há certos grandes princípios, que se não se mantiverem inviolados, em qualquer época, farão extinguir a liberdade. Se deles desistirmos, é perfeitamente irrelevante qual seja o caráter do soberano, rei ou presidente, eletivo ou hereditário – é perfeitamente irrelevante qual seja seu caráter – seremos escravos – não é um governo eletivo que preservar-nos-á disso.[4]

Em 1813, quando expressou essa opinião, John Randolph havia se tornado um dos homens menos populares da América, impopular até no Sul, pois protestara com veemência contra a guerra com a Grã-Bretanha, quando esta se aproximava, e denunciara a condução da guerra, após começar. Anos mais tarde, parte considerável da antiga popularidade que fizera dele o mestre escorraçado do Congresso, retornou-lhe e, salvo por um breve intervalo, o fascínio que exerceu sobre os constituintes imediatos não falhou. Como observou seu meio-irmão, Nathaniel Beverley Tucker (1784-1851), aos olhos dos fazendeiros que se congregaram em torno de Randolph na sede do governo de Charlotte, suas excentricidades faziam-no parecer uma espécie de dervixe investido de sabedoria sobre-humana. Na época, também, a Virgínia ainda não era democrática, somente os cidadãos livres votavam. A democracia, geralmente, demonstra antipatia pela excentricidade ou qualquer manifestação de singularidade provocante, como observa Alexis de Tocqueville, e é pouco provável que um candidato com as extravagâncias poéticas e o temperamento irascível de Randolph conseguisse se eleger hoje. Viveu como um cavaleiro errante e confessou a uma pessoa próxima, perto do fim da vida, que

---

[4] *Annals of Congress*, Twelfth Congress, Second Session, p. 184-85.

fora um Quixote. Ali, na sede do governo de Charlotte, no coração do Sul, no primeiro furor da juventude, destruíra o idoso Patrick Henry (1736-1799) e, na sede do governo de Charlotte, em 1832, o moribundo Randolph, literalmente, assustou a multidão ao denunciar Andrew Jackson (1767-1845). "Não nasci para tolerar um mestre", certa vez escreveu, e, mais uma vez, "sou como um homem que teve a pele arrancada."

Não obstante todas as tentações que se reviravam nas profundezas da natureza de Randolph, o propósito presente é a análise de suas ideias e, como Burke, a mente de Randolph era fértil e complexa. Sua carreira política era não menos intrincada, embora consistente. Porque amava a liberdade, não suportava o intento centralizador do federalismo, e por detestar a hipocrisia e a degradação do dogma democrático, não tolerava o jeffersonianismo. Fremiu a lança contra moinhos prodigiosos. O esforço fervoroso de conter o federalismo aziago da Suprema Corte – ou seja, o *impeachment* e o julgamento do juiz Chase – findou em fracasso e, o amistoso inimigo de Randolph, John Marshall, um dos poucos líderes de idade a quem Randolph respeitava e amava, fez placidamente passar a obra de consolidação. Quando, pouco tempo depois, o descontentamento de Randolph com a administração de Jefferson chegou ao ponto de ebulição com os escândalos Yazoo[5], o grosso do Partido Republicano ficou ao lado do presidente, que tinha benesses a ofertar e proteção a estender, e Randolph foi deixado com uma desanimadora minoria, junto aos

---

[5] O escândalo das terras Yazoo foi uma enorme fraude imobiliária perpetrada em meados de 1790 pelo governador da Georgia, George Matthews (1739-1812) e pela Assembleia Geral desse Estado. Esses políticos venderam grandes extensões de terra ao sul do Rio Yazoo (atualmente, parte do Alabama e do Mississípi) a preços muito baixos para seus apadrinhados, em 1794. Após muitas manobras legislativas e empresariais, o caso terminou por ser decidido na Suprema Corte em 1810. Em decisão histórica, a Suprema Corte anulou a lei estadual de Matthews e justificou muitas das reivindicações sobre a propriedade das terras. (N. T.)

obdurados republicanos da ala mais antiga, homens comprometidos à pureza política, à interpretação estrita, à economia extrema no governo, ao dinheiro difícil e ausência de débito, à paz com todo o mundo e à vida agrícola. Ainda assim, Randolph era um daqueles homens intoleráveis no triunfo [na verdade, é de duvidar que o próprio Randolph gostasse de poder], heroico na adversidade: por três décadas punha-se contra todos os homens, mas, próximo ao fim da vida, pôde ver o Sul se voltando para a posição que sustentava.

"Abatidos: cavalos, infantaria e dragões" foi o relato do próprio Randolph a respeito do estado em que os antigos republicanos, os *tertium quids*, foram derrubados após passar o embargo de Jefferson. Esse foi um tempo de danos terríveis à economia sulista por atos não comerciais: o embargo, a guerra de 1812 e as tarifas protecionistas; essa foi a era das melhorias internas à custa federal, da expansão para o Oeste, do banco dos Estados Unidos, da interpretação ampla da Constituição e do aumento da ascendência federal. Uma única voz eloquente manteve o espírito dos poderes estatais e dos modos antigos na consciência pública – até, depois do debate de Missouri, os Estados do Sul começarem a reverter aos primeiros princípios e o vice-presidente Calhoun, ponderando de maneira austera, de sua cadeira acima do Senado, as coruscações intermináveis dos discursos do senador Randolph, foi transmutado de expansionista a conservador. "Altamente talentoso, eloquente, severo e excêntrico" – essa é a descrição de Calhoun do homem de Roanoke – "com frequência, desviando-se da pergunta, mas, amiúde, proferindo a sabedoria digna de um Francis Bacon e a perspicácia que não faria desonra a um Richard Sheridan, cada orador, espontaneamente, o perdoou quanto aos modos peculiares, e isso sem responsabilidade ou censura".[6]

A fonte de grande parte da sabedoria de John Randolph era Edmund Burke – e também da sagacidade feroz: "Este cãozinho,

---

[6] "Onslow to Patrick Henry", *Works of Calhoun*. VI, p. 347.

vede, e os outros, *Gracioso, Fiel* e *Neve*, se atiram contra mim",[7] John Randolph replicou, desdenhosamente, aos parlamentares. Isso é da peça *Rei Lear*, de William Shakespeare (1564-1616), é claro; mas Edmund Burke citara a passagem em circunstâncias idênticas. Randolph não fazia segredo do quanto devia a Burke, e os contemporâneos de Randolph não costumavam reconhecer um quarto do que provinha dessa inspiração – ora, o próprio Randolph observou que apenas aquele ousou citar Shakespeare e Milton aos parlamentares. "Duvidamos muito", escreveu Beverley Tucker a respeito do meio-irmão, "se algum dia tornou-se um converso aos pontos de vista de Burke, até que os acontecimentos dos últimos quatro anos da administração do sr. Jefferson levaram-no a suspeitar de que poderia haver algo no gozo da liberdade que, logo, desqualificaria um povo ao autogoverno, o que nada mais é senão outro nome para a liberdade."[8]

De 1805 em diante, todavia, Randolph aplicou às questões americanas os primeiros princípios de política estabelecidos pelo filósofo do conservadorismo.

Os discursos e cartas de Randolph nunca foram coligidos, temos de tatear pelos tomos empoeirados dos "Anais do Congresso" e nos atrapalhar com os jornais esfarrapados de Richmond para obter um eco de sua bela e arrogante retórica, que, um dia, aturdiu a nação. Como hoje parecem pomposos e superficiais os discursos de Webster e Clay se comparados aos dessa paixão arrojada! O leitor que desejar descobrir a fonte do credo político sulista deve examinar os discursos de Randolph sobre a resolução de Andrew Gregg (1755-1835) em 1806, em que louva o livre-comércio e denuncia a interpretação "liberal" da Constituição; seu ataque, no mesmo ano à proposta federal de

---

[7] William Shakespeare, "O Rei Lear", Ato III, Cena VI, *Tragédias: – Teatro Completo*. Trad. Carlos Alberto Nunes. Rio de Janeiro, Agir, 2008, p. 697. (N. T.)

[8] Beverley Tucker, "Garland's Life of Randolph". In: *Southern Quarterly Review*, jul. 1851.

controle à passagem de escravos de um Estado para outro; o discurso sobre relações internacionais em dezembro de 1811, no qual se opõe às doutrinas de igualdade racial; suas ferozes observações a respeito da representação legislativa durante o rateio do Congresso de 1822; o desdém pelo nivelamento, por garantias em papel e pela consolidação expressas na controvérsia sobre a tarifa de 1824; a exposição sobre as falácias dos "direitos naturais" e as abstrações políticas nos discursos da Missão ao Panamá em 1826; e, sobretudo, sua participação na Convenção da Virgínia de 1829-1830, quando declarou: "Mudar não é reformar", mas tudo não pode ser analisado aqui; em vez disso, nossa proposta é considerar a crença de Randolph de que a paixão democrática por legislar é uma ameaça à liberdade.

"Vemos por volta de novembro – perto da época em que começa a cerração – homens bastantes, reunidos nas várias legislaturas, na geral e nas dos Estados, para fazer um regimento", disse Randolph, em 1816, na Câmara dos Deputados;

> então, a larva legislativa começa a morder; em seguida, surge a fúria de criar leis novas e de repelir as antigas. Não creio que nos encontraríamos de todo piores se nenhuma lei de natureza geral tivesse passado, seja nos governos, geral ou dos Estados, nos últimos dez ou doze anos. Assim como o sr. Jefferson, sou avesso a demasiada regulamentação – avesso a tornar o remédio extremo da Constituição nossa refeição diária.[9]

Randolph retornou a esse tema, de tempos em tempos, ao longo da vida. Para ele, o direito consagrado, a lei consuetudinária e o costume propiciavam as verdadeiras garantias de justiça e de liberdade. Uma vez que os homens começassem a remendar o corpo governamental, desbastando, acrescentando, estimulando e remodelando, poriam em perigo aquelas antigas prerrogativas e imunidades, frutos das muitas gerações de cultivo. A lei mudará, de fato, com o tempo,

---

[9] *Annals of Congress*, Fourteenth Congress, First Session, p. 1132.

mas a intervenção arbitrária no processo, a revisão rude com base em conceitos arbitrários à *la* França é um caminho limitado e vil para a caducidade social. Quando um povo começa a pensar que pode melhorar infinitamente a sociedade por uma incessante alteração da lei positiva, nada permanece estável: cada direito, cada porção de propriedade, cada um dos caros pertences para a permanência da família, do lar e do campo são postos em risco. Tal povo logo suporá ser onicompetente e, quanto mais seus negócios recaírem em confusão, mais entusiasmados ficarão por alguma panaceia legislativa que promete cortar todos os nós à moda górdia.

> De minha parte, desejaria que nada tivéssemos feito senão falar, a menos que, de fato, tivéssemos dormido por muitos anos, e, ao coincidir no sentimento que desertara o cavalheiro de Nova York, dessem-me cinquenta discursos, não importa se tediosos ou estúpidos, em vez de uma só lei no código legal.[10]

Certa vez disse: "Somos um povo espalhafatoso e disparatado". Os Estados Unidos, em particular, são amaldiçoados por essa urgência moderna de alteração, de mutilação e de paralisia pelo *fiat* legislativo, e a causa dessa ilusão americana é uma interpretação bárbara e nada prática das doutrinas de igualdade natural. Randolph concordou com Adam Smith (1723-1790), Jean-Baptiste Say (1767-1832) e David Ricardo (1772-1823) que o homem econômico é mais próspero quando deixado a executar algo por conta própria e, portanto, abominava a regulamentação legislativa do comércio; ao aderir ao velho ponto de vista inglês de que um corpo parlamentar, na realidade, é uma assembleia de críticos, declarou que a função regular do Congresso e das legislaturas estaduais não é a criação da lei, mas, ao contrário, a supervisão e a justa aplicação da lei. A vanglória popular, contudo, não fica contente com essa limitação da soberania prática e empenha-se por interferir em uma variedade imensa de assuntos privados.

---

[10] *Annals of Congress*, Seventeenth Congress, First Session, p. 820-21.

A vanglória pública é transformada em vantagem pessoal e de classe por demagogos e especuladores hábeis, de modo que o governo se torna um meio para extrair dinheiro e direitos de uma porção da população para servir aos interesses de homens que manipulam o sistema. As boas constituições políticas, por si sós, não bastam para resistir a essa obsessão legislativa: primeiro, a ilusão de que o Estado é competente para regular todas as coisas deve ser implodida e, depois disso, o poder deve ser contraposto a outro poder, uma vez que o simples pergaminho da lei não é garantia contra a opressão.

Permitam-me dizer que existe na natureza do homem, *ab ovo*, *ab origine*, do homem degradado e decaído – pois o primogênito era um assassino – uma disposição para fugir aos próprios deveres e intentar os deveres de alguém ou de qualquer outra pessoa.[11]

Um povo que tolera, em si, essa disposição, logo será como um marinheiro de fala capciosa na proa da embarcação; a condição mísera atual em contraste com a grandiloquência das pretensões. Na estrada de Washington para Roanoke, disse Randolph, esse mendigo extravagante apresentava-se em cada estalagem suja como uma *venta*[12] espanhola:

> Envolvemos nossas capas sujas em volta do corpo, servimo-nos de outro bocado de tabaco para mascar, circulamos o cômodo com vileza ou arruinamos a grelha e os ferros de atiçar o fogo onde não estão enferrujados e tentamos chegar a conclusões sobre pontos constitucionais.[13]

A academia do Lagado é um modelo adequado para um Estado empenhado em intrometer-se perpetuamente nas leis. Em essência, e num sentido não propriamente atinado pela maioria das pessoas, a lei é, de fato, natural, produto da onisciência; mas o esforço desastrado de reformulá-la com base em um projeto mal concebido de igualdade natural é a

---

[11] *Register of Debates*, Nineteenth Congress, Second Session, II, p. 125-29.
[12] Antiga pousada situada em locais despovoados e nos caminhos. (N. T.)
[13] Hugh A. Garland, *Randolph of Roanoke*, II, p. 345.

tentativa mais artificial de todos os feitos humanos, tanto destrói a liberdade quanto é incapaz de atrair uma verdadeira igualdade de condições.

Por estar desiludido com as práticas das repúblicas democráticas, Randolph foi levado a analisar os fundamentos sobre os quais as ideias de nivelamento americanas foram erigidas. Descobriu bases perigosamente inseguras. John Randolph de Roanoke repudiou por completo a interpretação comum da Declaração de Independência, denunciou Thomas Jefferson como um "Flautista de Hamelin" e virou as costas para as abstrações políticas, buscando segurança nos usos consagrados e numa vigilância ininterrupta aos direitos pessoais e locais. Assim como Edmund Burke escolhera Jean-Jacques Rousseau e Richard Price como antagonistas, como John Adams flagelou Turgot e Condorcet, Randolph escolheu Thomas Jefferson, cujas "joias eram cristais de Bristol", como adversário natural.

> Assim como os turcos seguem uma norma sagrada, que é um par de calções verdes como os de Maomé, somos governados pelos velhos calções escarlates do "Príncipe dos Arquitetos", Santo Tomás de Cantingbury, e, por certo, o próprio Tomás Becket (1118-1170) nunca teve tantos peregrinos em seu santuário quanto o santo de Monticello.[14]

Os homens não nascem livres e iguais, disse Randolph. As diferenças físicas, morais, intelectuais são manifestas, para não mencionar as diferenças de berço e de riqueza. Supor que uma "igualdade" mística dê direito a grande parcela da humanidade de remendar ao bel-prazer a sociedade; brincar como se fosse um brinquedo; nela empregar talentos mesquinhos, é reduzir a humanidade ao único estado de vida em que não vigora nada que se assemelhe à igualdade de condições: a selvageria. As doutrinas niveladoras de Jefferson, se tomadas na literalidade, significam anarquia, "o estado de crisálida do despotismo".

> Senhor, minha única objeção é que com tais princípios, se levados às consequências extremas – de que todos os homens nascerem livres e

---

[14] Hugh A. Garland, *Randolph of Roanoke*, II, p. 347.

iguais – nunca poderei assentir, pois no melhor de todos os juízos, não são verdade e, assim como não posso concordar com o sentido intrínseco da palavra Congresso, embora sancionada pela Constituição dos Estados Unidos, do mesmo modo, não posso concordar com uma falsidade, e a mais perniciosa das falsidades, muito embora a encontre na Declaração de Independência, configurada na questão do Missouri e noutras, como primordial à Constituição. Digo falsidade perniciosa – esta deve ser, se verdadeira, autoevidente, pois é incapaz de ser demonstrada, e há milhares e milhares delas que enganam o grande vulgo, bem como o pequeno [...]. Todas essas grandes posições, de que os homens nascem igualmente livres e, fé sem obras, são, num certo sentido que quase nunca é admitido pela multidão, verdadeiras; noutro sentido, todavia, em que quase invariavelmente são aceitas pela multidão, por dezenove entre vinte pessoas, são falsas e perniciosas [...]. Em relação a esse princípio, de que todos os homens nascem livres e iguais, se há um animal na Terra a que isso não se aplica – que não nasce livre, é o homem – nasce em estado da mais abjeta escassez, e num estado de perfeito desamparo e ignorância, que é o fundamento do laço conjugal [...]. Quem deverá dizer que todo solo no mundo é igualmente rico, uma taxa territorial primitiva em Kentucky e nas *highlands* da Escócia, porque o conteúdo de superfície do acre é o mesmo, e seria tão justo quanto manter a igualdade absoluta do homem em virtude do nascimento. O infeliz raquítico e escrofuloso que vê a primeira luz em uma oficina ou num bordel e que sente os efeitos do álcool antes dos efeitos do ar vital não é igual, em nenhum aspecto, ao bebê corado de um trabalhador camponês honesto; mais que isso, vou adiante, e digo que o príncipe, não mais bem-nascido que o torne sangue azul, não é igual ao saudável rebento de um camponês.[15]

Nisso, o ponto de vista de Randolph é idêntico ao daquele homem cuja derrota fora seu primeiro esforço político – John Adams. Randolph segue a descrever a falibilidade do homem, a credulidade, o egoísmo, a indolência, a violência. Randolph fala como um devoto cristão, um "membro da Igreja da Inglaterra, senhor", não um mero episcopaliano

---

[15] *Register of Debates*. Op. cit.

americano. O homem é corrupto e, portanto, a melhor oportunidade de obter justiça e liberdade reside em manter as mãos dos ambiciosos longe do poder que os convida à corrupção. "Ninguém, a não ser as pessoas, pode forjar as próprias cadeias. Adular e iludir com promessas que nunca se realizarão é uma prática obsoleta, mas bem-sucedida, do demagogo, assim como, na vida privada, do sedutor".[16] Sendo fraco, ao homem pode ser confiada a própria liberdade, mas a ele não podemos confiar a liberdade de outros homens, a menos que as grandes forças dos usos consagrados e da veneração demarquem a esfera de governança. A lei positiva, recém-decretada por algum congresso transitório ou outro corpo popular, não tem a influência para embasar e circunscrever a tradição e as predisposições, portanto, o público deve promulgar uma nova lei positiva somente sob pressão de extrema necessidade. Os governantes tomarão liberdades sob a nova lei que nunca ousariam transgredir na lei antiga. Até mesmo a Constituição dos Estados Unidos não é venerável o bastante para restringir os apetites ambiciosos de homens e de classes sociais; e as potencialidades para a expansão do poder oculto, sob algumas das cláusulas, são alarmantes para as liberdades futuras da América. Como recurso último, uma vez que os homens tenham ingressado no vício de legislar indiscriminadamente para propósitos imediatos e interesses especiais, só a força pode opor-se à força arbitrária dissimulada de "leis", não melhores que exações.

> Com todas as teorias fanáticas e absurdas sobre os direitos do homem (falo das *teorias*, não dos próprios direitos), não há nada, senão o poder, que possa restringir o poder [...]. Podeis entrincheirar-vos em pergaminhos até os dentes, diz Lorde Chatham, a espada encontrará o caminho aos órgãos vitais da Constituição. Não tenho fé em pergaminho, senhor, não tenho fé no "abracadabra" da Constituição: não creio nisso [...]. Nunca houve, sob o Sol, uma Constituição em que, pelo exercício insensato dos poderes de governo, o povo não fosse levado ao extremo da resistência pela força [...]. Se, sob um poder para regular

---

[16] Richmond *Enquirer*, 1º abr. 1815.

o comércio, derramásseis a última gota de sangue de vossas veias; se, *secundum artem*, lançásseis mão do último *shilling* de vosso bolso, quais são as contrapartidas que nos oferece a Constituição? Constituição uma figa! Quando o ferrão do escorpião nos penetra até a medula, deveremos pausar para retalhar a lógica? Devemos reunir alguns funcionários eruditos e perspicazes para dizer se o poder de fazer isso deve ser encontrado na Constituição e, então, caso ele, por qualquer motivo, mantiver a afirmativa, como o animal, cuja lã forma parte tão material nesta conta, devemos nos submeter quietos e ser tosados?[17]

Essa planície dolorosa, em que forças desguarnecidas lutam entre si, é o limite extremo a que deverão chegar todos os povos que ignorarem por completo a existência da força na política, assim como ignoram a maioria das outras realidades políticas; é o Tofet[18] das sociedades que tentam tratar os homens como se fossem divinamente razoáveis, competentes para legislar em bases abstratas. A suposição fácil de que aos homens pode ser, com segurança, confiado tanto poder sobre os demais, levou-nos aos impostos, às melhorias internas e aos esquemas inventivos de política externa, todos a conspirar, para tornar uma parte da nação pedinte em proveito de outra parte. O sentimentalismo abstrato termina em verdadeira brutalidade. O Marquês de Condorcet, Jacques Pierre Brissot (1754-1793) e o Conde de Mirabeau foram homens de boas intenções, eruditos, até mesmo gênios, mas eram metafisicamente insanos; confiavam nos pergaminhos e nas bugigangas políticas, a despeito da fragilidade da razão humana, da corrupção do caráter humano e dos grandes interesses dominantes da vida civilizada. Insistiam na liberdade absoluta ou nada; e conseguiram o último.

Qual foi a consequência de não deixar de negociar, em abstrato, com os direitos imprescritíveis do homem? É, agora, termos todo o tempo livre para meditar sobre os direitos imprescritíveis dos reis em concreto

---

[17] Ibidem, 4 de junho de 1824.
[18] Lugar de chamas e de morte. Ver: Isaías 30, 33; Jeremias 7,31 e 19,11-14; II Reis 23,10. (N. T.)

> [...]. Vi homens que não conseguiam escrever um livro ou mesmo fazer um discurso – que não conseguiam nem mesmo soletrar essa palavra famosa "Congresso" (soletravam-na com K) que tinham mais senso prático e eram mais confiáveis, como estadistas ou generais, que qualquer matemático, naturalista ou literato, sob o Sol.[19]

Se a constituição não é confiável como barreira diante do apetite e da força, se os intelectos humanos mais vastos não conseguem compreender o método de administrar a sociedade, onde encontraremos segurança diante do poder? Ora, disse Randolph, na restrição habitual do escopo do governo a limites estritos e aí, alicerçar todo governo e participação em considerações práticas, não nas fantasias dos *philosophes* ou de Jefferson. Deixemos que os objetos de governo sejam poucos e claramente definidos; deixemos todos os poderes importantes na América reservados aos Estados (como pretendiam os que conceberam a Constituição), fora do escopo da autoridade federal. Os astutos amantes da liberdade asseverarão constantemente os poderes estatais, de modo que possam perdurar as liberdades pessoais e locais; quanto menor a unidade de governo, menor a possibilidade de usurpação e mais imediata e intensa será a ação de influências consagradas pelo uso. "Eu, por exemplo, agarro-me a eles", disse Randolph de vários Estados, na resposta a Calhoun, em 31 de janeiro de 1816:

> Porque ao aferrar-me a eles mantenho-me fiel ao meu país, pois amo meu país como amo minhas relações imediatas; visto que o amor a um país nada mais é que o amor de todo homem a sua mulher, criança ou amigo. Não sou por uma política que venha findar em destruição e destruição rápida, também da totalidade dos governos estaduais.[20]

Calhoun nunca se esqueceu desse debate e, poucos anos mais tarde, começou a sacrificar a ambição que o consumia à defesa daqueles direitos que o adversário aristocrático enunciara.

---

[19] *Register of Debates*. Op. cit.

[20] *Annals of Congress*, Seventeenth Congress, First Session, p. 844-45.

"A doutrina do direito dos Estados era, em si, uma doutrina sólida e verdadeira", escreve Henry Adams (1838-1918), herdeiro da tradição federalista e de uma antipatia familiar escusável por Randolph; "como ponto de partida da história americana e do direito constitucional, não há outro que suportará uma análise de importância".[21] E a preservação na época atual, apesar da grande tendência de consolidação das eras, em algum grau, dos poderes dos estados na América do Norte – em parte, esse é o resultado das exortações de Randolph. O conservadorismo dele era de particularismos, de localismos. Sem o espírito do particularismo, a ideia de associações locais e de direitos locais, talvez não seja praticável nenhum tipo de conservadorismo.

A segunda defesa de Randolph por justiça e liberdade repousa em um governo de bom-senso. "Sr. Presidente, voto por uma estabilidade solida." A maioria dos homens pode ser confiável para escolher os próprios representantes, mas poucos, em política, podem ser mais confiáveis: as ilusões da democracia direta levam à tirania direta. O direito a voto deve ser o privilégio de cidadãos cuja participação esteja na comunidade e cujo caráter moral, em alguma medida, faça com que se elevem acima das tentações de poder a que a natureza humana corrompida está terrivelmente suscetível. Os livres-proprietários só deveriam ter o voto; a propriedade deve ter sua representação especial e proteção, já que a propriedade caminha com o poder – "só as faça mudar de mãos", e se o poder for transferido para os que não têm propriedade, logo se farão afluentes. O governo não é uma questão de simples contar cabeças: "não, senhor, um menino negro com uma faca e uma talha numérica é um estadista pleno nesta escola". Coroar os números, o princípio de determinar questões profundas (realmente importa ser determinado pela aplicação de princípios morais elevados e conveniência ilustrada) por um cômputo de cabeças, é torná-los o déspota de ferro dos tempos modernos. A aplicação arbitrária de "métodos

---

[21] H. B. Adams, *John Randolph*, Boston, 1895, p. 273.

democráticos" a toda controvérsia, sem levar em conta circunstâncias particulares e complexidades, é rematada estupidez. "Não é um feitiço. Não é um talismã. Não é bruxaria. Não é um torpedo a nos paralisar."[22] Randolph asseverou que sairia da antiga Virgínia se chegasse um tempo em que essa noção fosse aplicada com todo rigor. Tributação sem representação, por certo, é tirania, ainda assim, exatamente isso é introduzido pelos democratas ao dar poder às classes que não possuíam propriedades: homens com propriedades, o baluarte de um Estado, são deixados de lado para ser discretamente saqueados pela oligarquia.

> Entre as noções estranhas que têm sido abordadas desde que ingressei na cena política, há uma que ultimamente apossou-se da mente dos homens, a de que todas as coisas devem ser-lhes feitas pelo governo e que não devem fazer nada para si mesmos: o governo não é o único a cuidar dos grandes interesses que são de sua alçada, mas deve intervir e aliviar os indivíduos de suas obrigações naturais e morais. Noção mais perniciosa não poderia triunfar! Vede aquele sujeito esfarrapado cambaleando ao sair da loja de *whiskey*, e vede aquela mulher desmazelada que lá foi resgatá-lo; onde estão as crianças deles? Correndo por aí, maltrapilhas, ociosas, ignorantes, candidatas aptas à penitenciária. E por que tudo isso? Perguntai ao homem e ele responder-vos-á: "Ah, o governo comprometeu-se a educar as crianças para nós".[23]

Quando poderes ilimitados de legislar são entregues à massa dos homens, em obediência aos ditames de um igualitarismo arbitrário, seguir-se-á, seguramente, tal transferência de deveres privados ao encargo público.

No entanto, as doutrinas políticas jeffersonianas não poriam abaixo; não desvaneceriam seu amado "país", a antiga Virgínia, que Randolph conhecia e, na época da Convenção da Virgínia de 1829-1830, era iminente o triunfo completo no antigo território. Marshall estava na Convenção, além de Madison e Monroe; todos, homens idosos, e

---

[22] *Proceedings and Debates of the Virginia State Convention*, p. 317.
[23] Ibidem, p. 319.

todos perturbados com a onda de revisão constitucional que varria os Estados litorâneos. Foi então que a voz esganiçada de Randolph ergueu-se acima do burburinho e a Convenção ouviu, em silêncio tenso, à suprema repreenda contra a propensão democrática de alteração incessante. "Mudar não é reformar", repetiu; elogiava a antiga Constituição da Virgínia como Burke defendera os antigos costumes ingleses; falou pela preponderância dos condados mais ricos do Leste, pelas cortes aristocráticas dos condados, pelo sufrágio dos livres-proprietários, pelos vestígios das antigas instituições inglesas. Tudo isso fora varrido em 1830, mas as palavras de Randolph sobreviveram à sociedade que as evocou. Na história do pensamento político americano, foram poucos os discursos ou ensaios tão abundantes em verdades notáveis e lampejos de discernimento, como o discurso de abertura da Convenção.

> Sr. Presidente, a coisa mais sábia que este corpo poderia fazer seria retornar ao povo donde veio, *re infecta*. Estou deveras disposto a prestar auxílio a quaisquer reformas, pequeníssima ou moderada, que sou levado a crer ser o que requer nosso antigo governo. Muito melhor seria, no entanto, nunca fossem feitas, e nossa Constituição permanecesse imutável como a de Licurgo, a destruir os próprios pilares do edifício [...]. Isso já foi mais bem dito do que sou capaz de fazê-lo, que a cobiça pela inovação – pois é uma luxúria – é o termo próprio para um desejo ilícito – essa luxúria inovativa – essa *rerum novarum libido* – foi a morte de todas as repúblicas. Lembrai-vos que mudança nem sempre é aperfeiçoamento. Lembrai-vos que tendes de conciliar às novas instituições toda a multidão dos que estão satisfeitos com o que têm e que não buscam mudança – e além desses, todos os desapontados da outra classe [...].[24]

Em 30 de dezembro de 1829, opôs-se à inserção de qualquer cláusula de emenda na nova Constituição, qualquer convite ao "capricho da inovação" e qualquer sugestão que pudesse suscitar paixões por emendas na próxima década ou na geração seguinte. A mudança viria em breve, sem que lha preparemos as veredas.

---

[24] Ibidem, p. 492.

> Senhor, o grande opróbrio do governo popular é sua *instabilidade*. Foi isso que fez o povo de cepa anglo-saxã aferrar-se com tanta pertinácia a um judiciário independente como o único meio de resistir a esse vício de governos populares [...]. Um povo pode ter a melhor forma de governo que a inteligência do homem jamais vislumbrou e, mesmo assim, somente pela própria incerteza deve, com efeito, viver sob o pior governo do mundo.[25]

Quase nas últimas observações na Convenção, Randolph falou de "um princípio que aprendera antes de ingressar na vida pública e, por meio do qual fora governado ao longo de toda a vida, de que sempre era imprudente – sim, altamente imprudente, perturbar algo que estava em repouso".[26] Aqui refulgiu a essência da sabedoria política desse homem feroz e galante. Começara como um "jacobino *enragé*" e aprendera que a sociedade não pode ser reparada em leito de Procusto. Viu sua antiga Virgínia esvanecer-se ao redor de si; ouviu a questão dos escravos, "a disparar o sino de incêndio à noite", soar ainda mais alto; no último ano de sua existência, a *Tariff of Abominations*[27] e o *Force Act*[28] ameaçavam reduzir o Sul à condição

---

[25] Ibidem, p. 789-91.

[26] Ibidem, p. 802.

[27] Tarifas protecionistas aprovadas em maio de 1828 pelo Congresso dos Estados Unidos, projetadas para proteger a indústria do Norte do país, sobretaxando a maioria dos bens importados em 38%. Para o Sul, além da maioria dos bens de consumo mais caros, a medida trouxe dificuldades adicionais no comércio do algodão, uma vez que, com as exportações britânicas reduzidas, estes tinham dificuldades de pagar pelas mercadorias. A Carolina do Sul (com o apoio incógnito do vice-presidente John Calhoun) se opôs a essas tarifas e declarou a nulidade das leis em seu território, ameaçando separar-se da União. Diante da crise, houve uma segunda tentativa de implementar tarifas protecionistas com alíquotas reduzidas (Lei de Tarifas de julho de 1832), mas, ainda assim, a medida não agradou a Carolina do Sul. (N. T.)

[28] A *Force Bill* de 1833 foi uma resposta à crise de nulidade das leis tarifárias iniciada em 1828 pela Carolina do Sul. A lei autorizava o uso da força militar, se necessário, contra qualquer Estado que resistisse às leis tarifárias protecionistas. (N. T.)

de província subordinada. Randolph esperava que pudesse terminar como "um galo de briga no rinhadeiro"; e enquanto a crise da anulação consternava a América, John Randolph of Roanoke expirou do mesmo modo como viveu, com nobreza fantástica.

Deixou um sucessor cujas ambições sempre suspeitara e que, no momento, pareciam aproximar-se da ruína: John Caldwell Calhoun. Primeiro, Randolph convertera Calhoun a pontos de vista estritos acerca da soberania estatal e, logo, à convicção de que o fundamento da abstração política subjacente ao sentimento popular americano era pérfido. Poucos anos mais e Calhoun, o filho de um rude democrata da fronteira, escreveria que as teorias de igualdade de Jefferson eram perniciosas:

> Começamos agora a experimentar o perigo de admitir que tamanho erro teve lugar na declaração de nossa independência. Por muito tempo permaneceu adormecido, mas com o passar do tempo começou a germinar e produzir frutos venenosos [...]. Então, em vez de todos os homens terem os mesmos direitos à liberdade e à igualdade como é reivindicado por aqueles que sustentam que todos nasceram livres e iguais, a liberdade é a recompensa mais nobre e mais suprema conferida ao crescimento mental e moral, associada à circunstância favorável.[29]

A sociedade de grandes fazendeiros do Sul, que por um tempo usou a máscara igualitária, veio a perceber o próprio conservadorismo inato.

3. OS DIREITOS DAS MINORIAS: CALHOUN

O zelo que fulgurou como fogo grego em Randolph, também ardeu em Calhoun, mas estava contido no homem de ferro como em uma fornalha, e a paixão de Calhoun resplandeceu somente nos olhos. Nenhum homem foi mais imponente, mais reservado, mais

---

[29] Calhoun, "Discourse on the Constitution". *Works*, I, 6 vols. Nova York, 1851-1856, p. 511-12.

governado, com regularidade, por uma vontade inflexível. O calvinismo não só moldou o caráter de John C. Calhoun como deu forma a seus discursos e livros; pois, embora o dogma propriamente dito para ele estivesse morrediço, como declinara nos Adams – de modo que Calhoun, como John Adams, inclinava-se para o unitarismo –, ainda ali permanecia a aceitação implacável da lógica, a moralidade rígida, a sujeição ao dever; e essas coisas fizeram dele o homem constante em propósito, pródigo em vigor.

Diferentemente de John Randolph of Roanoke – que possuía, juntamente com a antiga linhagem, a biblioteca mais opulenta da Virgínia – por toda a vida John C. Calhoun foi um homem de poucos livros, e fiava-se na meditação independente. Ainda que há muito distasse dos "anais breves e simples do pobre" Abraham Lincoln, os Calhouns eram carolinos rijos do interior, testados e purgados pelos terrores dos índios das fronteiras, defensores beligerantes da democracia fronteiriça. No momento em que o menino Randolph lia os romancistas e dramaturgos ingleses, *Dom Quixote*, de Miguel de Cervantes (1547-1616), e *Gil Blas*, de Alain-René Lesage (1668-1747), o jovem Calhoun memorizava passagens da obra *The Rights of Man* [Os Direitos do Homem], de Thomas Paine. Foi a experiência do mundo, ao fluir em direção contrária à disciplina dos primeiros dias, que o fez conservador. Em Yale, quando aluno, ousou refutar o federalíssimo professor Timothy Dwight IV, e ingressou na política como jeffersoniano, nacionalista e expansionista, defensor das melhorias internas e *War Hawk*. Desde o princípio tinha perspectivas elevadas e, em pouco tempo, seu alvo tornou-se a presidência dos Estados Unidos. No entanto, uma convicção instigadora, que prevaleceu em Calhoun sobre todas as outras ideias e até governou sua ambição ardorosa, interveio para convertê-lo no inimigo mais resoluto da consolidação nacional e das maiorias democráticas onicompetentes: a afeição à liberdade. Este princípio o arruinou como político. Como pensador e força na história, o transfigurou.

"Se há uma proposição política universalmente verdadeira", disse Calhoun:

> "que brote diretamente da natureza do homem e seja independente das circunstâncias – é esta: o poder irresponsável é incompatível com a liberdade e deve corromper aqueles que o exercem. Nesse grande princípio repousa nosso sistema politico."[30]

Calhoun amava a Constituição dos Estados Unidos; não havia nele nada da desconfiança de Randolph acerca da organização nacional, desde o início, "a borboleta com veneno sob as asas". Por amá-la, a levou à beira da destruição em 1832. Por amá-la, propôs que fosse alterada – ou fortalecida – para proteger os direitos de minorias regionais. Caso contrário, disse Calhoun, uma guerra civil sacudiria a nação desde os fundamentos e, qualquer que fosse o desfecho da guerra, os Estados Unidos nunca mais seriam, novamente, o mesmo povo sob as mesmas leis. Foi um profeta muito preciso.

Ingressar no labirinto de políticas mortas e esperanças desenganadas dos primeiros doze anos de Calhoun como político nacional não é o propósito presente. Aqueles foram anos em que Calhoun ouvira a paixão sarcástica de Randolph, inicialmente, com antagonismo severo, logo depois, com sobrevinda convicção; então, a tarifa de 1824 descerrou o grande abismo diante de Calhoun e tomou ciência de que nos primeiros anos compreendeu miseravelmente mal a natureza da política e a tendência da nação. Acreditara na República guiada por uma razão popular benevolente e, agora, estava manifesto que se a razão agiu ao sancionar uma nova tarifa, essa foi uma razão maligna, calculada para saquear o povo de uma região em benefício de uma classe de pessoas doutra região do país. Calhoun não era um particularista limitado; partilhava das ambições nacionais de 1812, mas, aí, descobriu uma imposição descarada, o desdém pelos direitos do Sul, uma vez que a legislação beneficiasse

---

[30] "The South Carolina Exposition and Protest", *Works*, VI, p. 29.

os constituintes de uma maioria do congresso. Calhoun acreditara que a Constituição era uma salvaguarda segura contra a opressão de uma região ou classe e, agora, parecia que, dado o interesse egoísta bastante potente, as maiorias poderiam distorcer a Constituição para adequá-la aos próprios fins. Calhoun crera que apelar ao senso de justiça popular poderia reparar uma injustiça legislativa ocasional e, nesse momento, dificilmente poderia se negar que os parlamentares que votaram pela tarifa de 1824 estavam apenas recompensando a avareza das pessoas que representavam.

Uma mente como a de Calhoun opera com solenidade e ponderação. Não foi, de imediato, passando por cima de Randolph e o desafiando, mas, com o transcorrer dos anos, Calhoun rumou, sem hesitação, para o repúdio do otimismo, do igualitarismo, do meliorismo e da democracia jeffersoniana. Em breve, superaria Randolph. Calhoun desejou, de maneira apaixonada, popularidade e cargos, mas não punha essas coisas acima de sua consciência; portanto, renunciou à reputação nacional para proteger seu estado, a região, a ordem e as tradições da sociedade rural americana. "A democracia, como entendo e aceito, requer de mim que eu me sacrifique *pelas* multidões, não *para* elas. Quem não sabe que se quiserdes salvar o povo deveis, muitas vezes, fazer-lhe oposição?"[31] E Calhoun pensava ser capaz de salvar algo além disso: a União. É inegável que fracassou em cada uma dessas esperanças, mas foi bem-sucedido em dotar um conservadorismo sulista estúpido e desnorteado de uma filosofia política e descreveu, de modo inequívoco, o problema desagradável dos direitos dos indivíduos e grupos ameaçados pela vontade das maiorias autoritárias.

"Despida de todos os envoltórios", asseverou Calhoun, de maneira lapidar e inexorável,

---

[31] Margaret L. Coit, *John C. Calhoun: American Portrait*. Boston, 1950, p. 335.

> a questão simples é: se nosso governo é federal ou consolidado; constitucional ou absoluto, um governo que fundamenta-se, em última análise, em bases sólidas de soberania dos Estados ou na vontade irrestrita de uma maioria; uma forma de governo como todas as outras formas ilimitadas, em que a injustiça, a violência e a força devem, por fim, triunfar.[32]

Não falava só da Carolina do Sul, nem apenas dos Estados do Sul, dizia Calhoun: uma vez que o poder absoluto da maioria faça como queira com as minorias e seja aceito, as liberdades de quaisquer regiões ou classes estão a salvo. Ao submeter a Carolina do Sul, os interesses que fizeram passar a *Tariff of Abominations* e o *Force Act* seguiriam adiante noutras conquistas. Previu exploração semelhante dos trabalhadores da indústria nas cidades do Norte:

> Depois que estivermos exauridos, a disputa será entre os capitalistas e os operários, pois nessas duas classes deverá a sociedade ser dividida. A questão da disputa aí deverá ser a mesma que ocorre na Europa. Durante a operação do sistema, os salários devem encolher mais rapidamente que os preços dos bens necessários à vida, até que a porção dos produtos do trabalho que lhes reste, mal será suficiente para preservar a existência. No presente, a pressão está no nosso setor.[33]

Essas palavras foram escritas em 1828, duas décadas antes da promulgação do Manifesto Comunista, e foram escritas por um fazendeiro conservador de Fort Hill, para admoestar os velhos interesses agrícolas e o novo interesse industrial, e as massas ainda incipientes de mão de obra industrial de que, quando a lei é empregada para oprimir qualquer classe ou segmento, o fim das constituições e a substituição por um poder implacável está prestes a acontecer. Dessa maneira, o conservadorismo industrial de Alexander Hamilton, o grande interesse manufatureiro do Norte, foi convidado pelo conservador agrícola John C. Calhoun a perquirir o futuro.

---

[32] John C. Calhoun, *Works*, VI, p. 75.
[33] Ibidem, VI, p. 26.

Ao tentar um remédio prático, Calhoun voltou-se para a nulificação, deduzida das resoluções da antiga Virgínia de Jefferson e do Kentucky: um Estado pode desafiar qualquer ato do Congresso claramente inconstitucional, recusar que a medida opere dentro de suas fronteiras e recorrer aos demais Estados para auxílio e refrigério, de modo que a maioria inescrupulosa que promulgou a legislação opressiva possa vislumbrar o poder das leis e ser compelida a retirar sua petição. A nulificação, óbvio, era uma doutrina cheia de perigos para a existência nacional e John Randolph disse isso para seus constituintes, "Nulificação é disparate" – um Estado não pode, ao mesmo tempo, estar dentro e fora da União. O temperamento intrépido do presidente Andrew Jackson levou as matérias quase ao teste de força, em que a Carolina do Sul teria sido esmagada, quando o acordo de Henry Clay (endossado, com relutância, por Calhoun) ignorou os princípios em pauta e por alguns anos maquiou o tremendo problema ao reduzir a tarifa.

Calhoun sabia que falhara e, pelos dezoito anos de vida restantes, buscou, dolorosamente, meios de reconciliar os clamores da maioria com os direitos das minorias, sob a égide do Estado de Direito. A nulificação tivera sucesso até aí, e provou que o poder somente pode sofrer oposição bem-sucedida pelo poder. Ainda assim, a essência do governo civilizado é a confiança, não no poder, mas no consentimento. Os direitos das minorias podem ser ajustados ao grande princípio do consentimento? Caso não sejam, o governo é uma imposição. Por isso, afirmou Calhoun, os governos, no fundo, são projetados, principalmente, para proteger minorias – numéricas, econômicas, regionais, religiosas ou políticas. Maiorias preponderantes não precisam de proteção e, de um modo grosseiro, podem existir sem governo próprio: têm a força bruta para se manter. Os autores da Constituição reconheceram que o governo é o abrigo das minorias e fizeram o melhor possível para garantir proteção pela limitação estrita dos poderes federais e a garantia adicional de uma declaração de direitos. Esses não bastaram:

Agimos, com algumas exceções, como se o governo geral tivesse o direito de interpretar os próprios poderes, sem limitação ou fiscalização; e, embora muitas circunstâncias tenham nos favorecido e impedido imensamente o curso natural dos acontecimentos sob tal operação do sistema, ainda que a vejamos em qualquer direção a que voltemos o olhar os sintomas crescentes de desordem e decadência – o crescimento da parcialidade, da cupidez, da corrupção, da degradação do patriotismo, da integridade e do desinteresse. No meio da juventude vemos faces coradas e respiração curta e febril, a marca do aproximar-se da hora fatal, e virá, a menos que tenhamos uma mudança rápida e radical – um retorno aos grandes princípios conservadores que deram autoridade ao Partido Republicano, mas que, ao deter poder e prosperidade, há muito já não recordam.[34]

"Princípios conservadores" – aqui Calhoun, já em 1832, começara a discernir uma necessidade maior que o "liberalismo", o "progresso" e a "igualdade". Esses princípios conservadores, se eficazes, deveriam ser radicais – deveria ir às origens das coisas, mas o propósito é conservar a liberdade, a ordem e os antigos modos tranquilos que os homens amam. Calhoun fala de um "conservadorismo" americano no mesmo ano da lei da reforma inglesa, apesar da dependência costumeira da América em relação à Grã-Bretanha nas descobertas filosóficas. Temos aqui um vislumbre da presciência de uma mente solitária, potente e melancólica que trespassou a nuvem do regatear político transitório até um futuro de turbulência social e de desolação moral.

Por dezoito anos, então, Calhoun sondou, em sua mente escoto-irlandesa, esses enigmas e, no ano posterior ao seu falecimento, foram publicados dois tratados que condensavam suas meditações em formato tão convincente e lógico quanto as *Institutas* de João Calvino (1509-1564). O germe de sua argumentação, expressara de modo cogente em carta a William Smith (1762-1840), no dia 3 de julho de 1843:

---

[34] Ibidem, VI, p. 192.

A verdade é: o governo de uma maioria numérica descontrolada, nada mais é senão uma *forma de governo popular absoluta e despótica*, assim como uma vontade descontrolada de um homem, ou de uns poucos, é a da monarquia ou a da aristocracia, e tem, para pouco dizer, uma forte tendência à opressão e ao abuso do poder como ambas as outras.[35]

Como um governo democrático pode ser congruente com a justiça? *A Disquisition on Government* [Uma Disquisição sobre o Governo] esforça-se por oferecer uma resposta geral a essa questão; *A Discourse on the Constitution and Government of the United States* [Um Discurso sobre a Constituição e o Governo dos Estados Unidos] é uma aplicação desses princípios gerais às exigências da América de meados do século XIX.

"Qualquer caminho que tomemos, por fim, chegamos à figura austera de Calhoun, a controlar cada estrada da mentalidade sulista", observa Parrington, com o caráter pitoresco que, às vezes, obtém.

Sujeitou a filosofia dos pais da pátria à análise crítica; chamou atenção para o que cria ser errôneo; rejeitou algumas das doutrinas mais sagradas; ofereceu outro fundamento para a fé democrática que professou. E quando terminou a grande obra de reconstrução, o antigo jeffersonianismo que satisfizera a mentalidade da Virgínia foi reduzido a farrapos e remendos, reconhecido pelos seguidores como filosofia equivocada, cega pelo idealismo romântico e desviada pelo humanitarismo francês.[36]

John C. Calhoun, portanto, completa a obra de John Randolph ao demolir a igualdade e liberdade abstratas jeffersonianas, direitos que Thomas Jefferson supôs ser complementares; e Calhoun, ao aceitar a advertência de Randolph contra as tendências tirânicas inerentes à manipulação da lei positiva por maiorias

---

[35] Ibidem, VI, p. 229.
[36] Vernon L. Parrington, *Main Currents In American Thought*. II, New York, 1930, p. 71-72.

indiferentes, luta para conceber uma fiscalização eficiente sobre a preponderância numérica.

O vetusto senador da Carolina do Sul, ao escrever apressado, ciente do fim próximo, não faz esforço algum para seguir o método histórico de John Adams de estudar as contrapartidas efetivas ao poder arbitrário.

> O que proponho é muito mais limitado: explicar em quais princípios o governo deve ser formado para resistir, pela própria estrutura interior – ou, para usar um termo único, *organismo* –, à tendência de fazer mau uso do poder. Essa estrutura, ou organismo, é o que expresso por Constituição, no sentido mais estrito e comum.[37]

Começou, então, por empregar um termo que, desde então, tornou-se da maior importância em qualquer discussão sobre Estado, "organismo"; e prosseguiu em um curso igualmente moderno. Repudiou totalmente a teoria compacta do governo, como fizera Edmund Burke (exceto pela adaptação metafórica da expressão) e John Adams; o governo não é mais uma questão de escolha do que a capacidade de respirar, ao contrário, é um produto da necessidade. Nenhum "estado de natureza" em que os homens viveram independentes dos semelhantes jamais existiu, nem poderá existir. "Seu estado natural é o social e o político – aquele que o Criador fez para ele, e o único pelo qual pode preservar e aperfeiçoar a raça." Entretanto, *Constituição*, longe de ser produto da necessidade, deve ser uma obra de refinada arte e, sem essa construção delicada, o fim do governo será, em grande medida, frustrado. "A Constituição é um artifício do homem, ao passo que o governo é um ordenamento divino. Ao homem é dado aperfeiçoar o que a sabedoria do Infinito ordenou."

Ora, as constituições verdadeiras sempre estão baseadas no princípio conservador: são o produto das lutas de uma nação; devem brotar do seio da comunidade; a sagacidade humana não é adequada

---

[37] "Disquisiton on Government," *Works*, I, p. 7.

para construí-las em abstrato. São produção natural, visto que são a voz de Deus expressa por meio do povo, mas a natureza e Deus agem por intermédio da experiência histórica, e todas as constituições sólidas são a encarnação efetiva de *concessões*.

Reconciliam os interesses diversos ou porções da comunidade umas com as outras para impedir a anarquia.

> Todos os governos constitucionais, de quaisquer classes que sejam, captam, por suas partes, um senso do todo da comunidade – cada uma por seu órgão apropriado e consideram o sentido de todas as partes como o sentido do todo [...]. E, por isso, a distinção grande e geral de governo não é a de um, de poucos ou de muitos, mas entre a do constitucional e a do absoluto.[38]

Não devemos, portanto, julgar se um estado é governado de maneira justa e livre pela igualdade abstrata dos cidadãos. A verdadeira questão é se indivíduos e grupos são protegidos em seus interesses distintos, do monarca ou da maioria, por uma Constituição fundamentada na transigência. Se (por exemplo) o governo, por uma ação fiscal desigual, dividir a comunidade em duas classes principais, a dos que pagam impostos e a dos que recebem benefícios: em tese, isso é tirania, ainda que igualitária. E, assim, Calhoun chegou à doutrina das maiorias concorrentes, sua única e mais importante contribuição para o pensamento político. Uma verdadeira maioria (para expressar o conceito nos termos mais simples) não é mera contagem de cabeças: ao contrário, é o equilíbrio e o acordo de interesses em que concorrem todos os elementos importantes da população, a sentir que todos os direitos foram respeitados:

> Há dois modos diferentes em que o senso de comunidade pode ser entendido. Um, simplesmente pelo direito ao sufrágio, só; o outro, pelo raciocínio correto de um organismo próprio. Cada um reúne um senso da maioria. No entanto, um vê apenas os números e considera toda a

---
[38] Ibidem, p. 36-37.

comunidade como uma unidade, que nada mais tem, em toda a parte, senão um interesse comum e capta o senso de maior número do todo como o da comunidade. O outro, ao contrário, vê interesses, bem como números – considerando a comunidade como formada por interesses diferentes e conflitantes, no que concerne a ação governamental; e toma o sentido de cada uma, pela maioria ou órgãos apropriados, e une o sentido de todas como o senso da comunidade inteira. Aquela, chamarei de maioria absoluta ou numérica, e esta, de maioria constitucional ou concorrente.[39]

Calhoun rejeitou com desprezo a abstração demagógica chamada "o povo". Não existe "povo" algum como um corpo com interesses idênticos, homogêneos: isto é uma fantasia de metafísicos. Na realidade, há apenas indivíduos e grupos. Votar na maioria numérica é tentar determinar o senso do povo, mas é diferente de descobrir a percepção da verdadeira maioria, pois os direitos de grupos importantes podem ser inteiramente negligenciados em tal arranjo. Na obra *A Discourse on the Constitution and Government of the United States* [Um Discurso sobre a Constituição e o Governo dos Estados Unidos], Calhoun cita como exemplo dessa injustiça a tendência de simples maiorias numéricas lançarem todo o poder nas mãos de uma população urbana, na verdade, retirando o direito de voto das regiões rurais.

> O peso relativo da população depende tanto das circunstâncias como dos números. A população concentrada das cidades, por exemplo, teria, nessa distribuição, muito mais peso no governo que o mesmo número da população dispersa e esparsa do campo. Cem mil indivíduos concentrados em uma cidade de cinco quilômetros quadrados teriam muito mais influência que o mesmo número disperso em quinhentos quilômetros quadrados [...]. Distribuir o poder, então, em proporção à população seria, de fato, dar o controle do governo, por fim, às cidades e sujeitar a população rural e agrícola àquela descrição de população que normalmente os congrega – e, por fim, à escória da população.[40]

---

[39] Ibidem, p. 29.
[40] "Discourse on the Constitution." *Works*, I, p. 397-98.

Em geral, a visão de John C. Calhoun é muito semelhante à opinião de Benjamin Disraeli de que os votos devem ser ponderados, bem como contados; ainda assim, Calhoun propõe ponderar não só os votos individuais de pessoas físicas, mas as várias inclinações de grandes grupos da nação. Propõe levar em conta os elementos econômicos divergentes, as regiões geográficas, talvez, ainda, outros interesses distintos e deverão ser protegidos das usurpações, uns dos outros, por uma negativa mútua, ou, melhor, uma negativa comumente disponível.

> É esse poder negativo, o poder de evitar ou deter a ação do governo, seja chamado do termo que for – veto, interposição, nulificação, fiscalização ou equilíbrio de poder – que, de fato, forma uma Constituição. Nada mais são senão nomes diferentes para o poder negativo.[41]

Talvez tal arranjo atraia o impasse do *liberum veto* polonês[42], mas Calhoun acredita que a conveniência comum dissuadirá esses interesses ou grupos principais de intervir de maneira mesquinha na condução dos assuntos. A prontidão de agir, de fato, é diminuída, mas um ganho compensador em poder moral ocorre, em harmonia e unanimidade, em confiança e proteção da opressão, tornando grande tal nação.

Em nenhum desses tratados Calhoun tenta esboçar uma reorganização precisa do governo americano com base nesses princípios, embora sugira que um executivo plural possa ser um dos meios de efetivar o projeto: cada membro do executivo a representar

---

[41] "Disquisiton on Government." *Works*, I, p. 35.

[42] O *liberum veto* (veto livre) foi um dispositivo parlamentar da República das Duas Nações (Polônia e Lituânia) que permitia a qualquer membro do legislativo forçar o fim imediato de uma seção do parlamento ou forçar a anulação de qualquer lei que já tivesse sido aprovada. Baseava-se na premissa de que todos os nobres eram iguais e que todas as medidas parlamentares tinham de ser unânimes. Foi instituído em meados do século XVII e abolido em 1791, embora já houvesse caído em desuso desde 1764. (N. T.)

um determinado segmento e a conduzir uma determinada porção dos negócios executivos, tais como relações exteriores ou questões domésticas, mas deve ser exigida a aprovação desses servidores públicos para a ratificação de atos do Congresso. Calhoun afirma que a verdadeira responsabilidade para realizar uma reorganização benéfica está no Norte, onde principiou a tarifação opressiva e a agitação antiescravagista; o Norte colocara o trem dos acontecimentos em movimento, o Norte deveria estar preparado para elaborar uma solução.

Instituições democráticas serão mais seguras em um Estado que adote o princípio das maiorias concorrentes, Calhoun continua a demonstrar, e sob tais condições o sufrágio deve ser mais ampliado do que a prudência permitiria, caso contrário, "não poderá ser tão extenso nos de maioria numérica, sem colocá-los, por fim, sob o controle de porções mais ignorantes e dependentes da comunidade". Onde prevalece a teoria da maioria *concorrente*, o rico e o pobre não irão acotovelar-se em campos opostos, mas enfileirar-se-ão nas respectivas divisas de suas regiões e interesses; a luta de classes diminuirá por ser instituída uma comunidade de vantagens.

Nesse ponto, Calhoun começa uma espécie de digressão a respeito de liberdade absoluta *versus* liberdade real. A aplicação do princípio da maioria concorrente, diz, permitirá a cada segmento ou região moldar suas instituições de acordo com as necessidades particulares, uma maioria numérica tende a impor padrões uniformizados e arbitrários a toda a nação, o que é uma afronta à liberdade social. Existem duas finalidades do governo: proteger e aperfeiçoar a sociedade. A origem histórica, a característica da população, a configuração física e uma variedade de outras circunstâncias distinguem, naturalmente, uma região da outra. O meio de proteger e aperfeiçoar essas sociedades apartadas deve variar, segundo elas mesmas. Essa é a doutrina da diversidade, oposta à doutrina da uniformidade; Calhoun ressoa Burke e Montesquieu.

Liberdade e segurança são essenciais para a melhoria do homem, e o grau e a regulamentação particulares da liberdade e da segurança, em qualquer sociedade, devem ser determinados localmente; cada povo conhece melhor as próprias necessidades.

> A liberdade, de fato, embora figure entre as grandes bênçãos, não é tão grande quanto a da proteção; visto que, como fim, aquela é o progresso e o aprimoramento da raça, ao passo que esta é sua preservação e perpetuação. E, por isso, quando as duas entram em conflito, a liberdade deve, e sempre deverá, submeter-se à proteção, assim como a existência da raça é de maior importância que sua melhoria.[43]

Calhoun refere-se, aqui, de modo indireto, à ameaça da escravidão no Sul, mas expressa-se com propriedade em termos gerais. Algumas comunidades requerem, para a própria proteção, um montante de poder maior que outras; essas necessidades locais serão reconhecidas pela ideia da maioria concorrente ou de direito mútuo de veto.

A liberdade, *per se*, logo se torna o tópico de Calhoun; e rompe completamente com a teoria jeffersoniana. A liberdade imposta a um povo inapto para aceitá-la é uma maldição, traz anarquia. Nem a todos os povos é igualmente permitida a liberdade, que é "a mais nobre e mais suprema recompensa para o desenvolvimento de nossas faculdades, moral e intelectual". A liberdade e a igualdade completa, longe de inseparáveis, são incompatíveis, se, por pura igualdade considerarmos a igualdade de *condição*. O progresso, moral e material, deriva da desigualdade de condições e, sem progresso, a liberdade declina:

> Ora, como os indivíduos muito diferem uns dos outros, em inteligência, sagacidade, vigor, perseverança, talentos, hábitos de diligência e economia, potência física, posição social e oportunidade, o efeito necessário de deixar todos livres para se esforçarem em melhorar a própria condição deve ser a desigualdade correspondente entre os que têm essas qualidades e vantagens em alto grau. Os únicos meios pelos

---

[43] "Disquisiton on Government." *Works*, I, p. 55.

quais tais resultados podem ser evitados são: impor tais restrições nos esforços dos que as têm em alto grau, como colocar-lhes no mesmo nível com aqueles que não as têm; ou privá-los do fruto de seus esforços. Entretanto, impor-lhes tais restrições seria destrutivo à liberdade, ao passo que, privá-los dos frutos de seus esforços, seria destruir o desejo de melhoria de condição. Isto, de fato, essa desigualdade de condições entre as classes de vanguarda e de retaguarda na marcha do progresso dará um impulso demasiado grande à primeira para manter-se na posição e, à ultima, para avançar fileiras. Isso dá ao progresso o maior dos impulsos. Forçar as classes de vanguarda a retroceder ou tentar avançar as classes de retaguarda para se alinharem com as primeiras pela intromissão do governo seria pôr fim ao impulso e, deter, de maneira eficaz, a marcha do progresso.[44]

Isso foi exposto de modo impressionante, tão nítido como requisitório do tédio social latente em um coletivismo igualitário quanto permite a literatura da política. Calhoun imediatamente acrescenta: "Esses erros imensos e perigosos têm origem na opinião prevalente de que todos os homens nascem livres e iguais; e nada pode ser mais infundado e falso." Pretendia que suas observações fossem aplicadas, em particular, à escravidão negra, mas podemos destacá-las do significado transitório e adaptá-las aos princípios do conservadorismo em nossos dias.

Liberdade e segurança, portanto, devem ser avaliadas e aplicadas em considerações práticas e locais e não em clamores de direitos universais. A verdadeira liberdade é mais bem assegurada pela maioria concorrente e, assim, o ímpeto rumo ao progresso que acompanha e nutre a liberdade é mais saudável na harmonia da concorrência. É possível, no entanto, qualquer arranjo desse tipo em um governo? Não são os grandes interesses demasiado diversos para a concorrência, e o acordo não seria obtido muito tardiamente para uma ação estatal eficiente? Calhoun acredita que pode responder a tais

---

[44] Ibidem, p. 56-57.

objeções. A necessidade proporcionará incentivo suficiente. Não poderiam doze indivíduos que compõem um júri gerenciar essa cooperação? A necessidade de uma conciliação mútua não promoverá um sentimento de bem comum? Superior a todos os exemplos históricos, não estava o poder de veto como característica essencial da república romana? Calhoun confessará não haver obstáculo que a prática e a paciência não possam superar.

Algumas pessoas devem objetar, diz Calhoun, que a imprensa livre possa fazer o bem que espera do princípio da maioria concorrente. Uma opinião tão exaltada a respeito da função dos jornais pode parecer divertida no século XX, visto a imprensa não ter seguido a linha de progresso que os otimistas do século XIX lhe concederam; mas Calhoun responde essa sugestão de maneira sóbria. Seu argumento é um resumo aceitável de toda a sua doutrina da concorrência.

> O que é chamado de opinião pública, em vez de ser a opinião unificada de toda a comunidade é, costumeiramente, nada mais que a opinião ou a voz do interesse mais forte ou da combinação de interesses, e não, de modo infrequente, de uma porção pequena, mas enérgica e ativa, do todo. A opinião pública, em relação ao governo e à política, é tão mais dividida e diversificada quanto são os interesses da comunidade, e a imprensa, em vez de ser o órgão do todo, em geral, nada mais é senão, respectivamente, o órgão desses interesses vários e diversificados; ou, melhor, dos partidos que deles surgem. É por eles utilizada como meio de controlar a opinião pública e, assim, de moldá-la, para promover seus interesses peculiares e auxiliar a conduzir a campanha do partido. No entanto, como órgão e instrumento dos partidos, em governo de maioria numérica, é tão incompetente quanto o próprio sufrágio para neutralizar a tendência à opressão e ao abuso de poder – e pode, não mais que isso, suplantar a necessidade de uma maioria concorrente.[45]

Essas são opiniões audazes e férteis. A *Disquisiton* de John C. Calhoun está aberta às muitas objeções que comumente se aplicam

---

[45] Ibidem, p. 75.

aos projetos detalhados de reforma política. Passa por cima de objeções formidáveis, evita qualquer descrição muito precisa de como o princípio pode ser aplicado e, na verdade, tem muito pouca esperança de haver qualquer consequência concreta dessas ideias práticas. No entanto, as falhas mostram, de maneira mais conspícua, o hiato entre os grandes projetos de reforma popular de nossa era – marxismo, socialismo fabiano, distributismo, sindicalismo e planejamento de produção. Calhoun não está no papel de Licurgo; descreve um princípio filosófico e traz uma das sugestões mais sagazes e vigorosas já desenvolvidas pelo conservadorismo americano. A própria maioria concorrente; a representação dos cidadãos por segmentos e interesses, em vez da representação somente por números; a percepção de que a liberdade é um produto da civilização e a recompensa da virtude, não um direito abstrato; a distinção precisa entre igualdade moral e igualdade de condição; o elo entre liberdade e progresso; o protesto eficaz contra o domínio de classe e região à guisa de maioria numérica – esses conceitos, que provocam o pensar e podem ser aplicados modernamente, dão a John C. Calhoun um lugar ao lado de John Adams como um dos dois mais célebres autores políticos americanos. Calhoun demonstrou que o conservadorismo pode projetar, bem como criticar.

4. O VALOR DO SUL

A devoção sombria de John Randolph desloca-se para a violência do *Partisan Leader* de Beverley Tucker; a lógica exigente de John C. Calhoun é seguida por uma década de devoramento de fogo e, depois, de explosão. No que dizia respeito à preservação do antigo Sul, o conservadorismo deles era impotente – de fato, esse andou, nos Estados sulistas, junto à via para a Guerra de Secessão, que, em quatro anos, entre 12 de abril de 1861 e 9 de abril de 1865, fez mais para eliminar a sociedade do Sul do que uma geração de domínio civil do Norte poderia ter feito. O nervosismo repressivo do Sul após a Nulificação não era uma atmosfera que encorajasse o pensar sério, e a pobreza de espírito e de corpo que, como o Velho Homem do Mar, uniu-se à Reconstrução, desencorajou qualquer conservadorismo intelectual respeitável. Apenas impulsos cautelares vagos, conduzidos pelo Sul após 1865, combinados à desconfiança popular do negro e a falta de recursos materiais, abrandaram o ritmo de alteração social. Não poderia ser dito ao Sul moderno que obedecesse, de modo consciente, quaisquer ideias conservadoras – somente instintos conservadores, expostos a toda corrupção que o instinto não iluminado pelo princípio encontra numa era letrada. A afeição pela soberania estatal, os deveres de um cavalheiro e as tradições da sociedade que John Randolph e John C. Calhoun enalteceram encontraram a personificação mais nobre no general Robert E. Lee (1807-1870) e, com ele, essas ideias cederam à força superior em Appomattox. O representante político desses princípios era um homem de grande coragem e dignidade, Jefferson Davis (1808-1889). Oitenta anos depois, a vulgarização progressiva dos instintos sulistas pôs no senado do Mississípi, que fora de Jefferson Davis, um homem como Theodore G. Bilbo (1877-1947).[46]

John Randolph e John C. Calhoun não deixaram discípulos realmente dignos de tais preceptores, nem salvaram a sociedade de grandes proprietários rurais. Os medos e predisposições sulistas que o brilhantismo errático de Randolph sublimou em libertarianismo aristocrático e que a sabedoria precisa de Calhoun condensou em um resumo legislativo, libertaram-se do delgado fio pelo qual essas duas mentes solitárias controlaram o feroz vigor. A força do entusiasmo popular sulino foi esmagada pela violência

---

[46] O senador Theodore G. Bilbo era sinônimo de "supremacia branca" e, como muitos democratas do Sul de sua época, ainda acreditava na segregação e fazia parte da Ku Klux Klan. (N. T.)

mais jovem do industrialismo e nacionalismo do Norte; muito depois disso, os sulistas tatearam, atordoados, pela floresta negra do mundo moderno, infelizes e invejosos da era mecanizada que não fora feita para tipos como eles.

A grande maioria das pessoas do Sul, de fato, nunca compreendeu muito as doutrinas de John Randolph e John C. Calhoun além do esteriótipo de que eram uma apologia à escravidão e uma defesa desta por intermédio dos poderes estaduais. Os detalhes mais sutis e estáveis do conservadorismo dos quais falavam tais estadistas se perderam na mentalidade do sulista comum – a desconfiança das afeições populares, o anseio pela continuidade das instituições, a dedicação a uma liberdade enobrecedora. No próprio Sul, o impulso nivelador e inovador que dominou todos os recônditos da vida americana operou, sem remorsos, enquanto os tribunos sulistas fingiam seguir o orador virginiano e o profeta carolino. Uma série de convenções constitucionais estaduais – a da Virgínia em 1829-1830 é apenas a primeira – baniram as proteções à propriedade, aqueles delicados equilíbrios de poder e as vantagens de fazer acordos louvadas por Randolph e Calhoun, visto que as novas constituições expressaram o triunfo da alteração doutrinária. A Carolina do Norte, em 1835; Maryland, em 1836; a Geórgia, em 1839; e uma segunda onda na década de 1950, do século XIX, chegando a mudança a Maryland em 1850-1851; por uma segunda vez, na Virgínia, em 1850; e na forma de emendas constitucionais, uma grande alteração na Constituição da Geórgia ainda mais adiante durante aqueles anos – essas vitórias populares trouxeram uma maior igualdade de direito político abstrato, mas, dificilmente, maior liberdade. As demandas populares por igualdade e simplicidade não encontraram oposição efetiva nos novos Estados do Sul – Alabama, Mississípi, Louisiana, Tennessee, Kentucky e Flórida. Assim, o caminho foi aberto por constituições radicais dos dias da Reconstrução, às subsequentes desgraça e reação, e ao caráter permanentemente arruinado da vida política do Sul.

Democratização e simplificação do governo não eram particularidades do Sul, é claro, mas apenas a manifestação local de uma tendência nacional. O magistrado James Kent (1763-1847), em Nova York, falou contra isso de modo tão implacável quanto John Randolph na Virgínia. A aristocracia latifundiária do Sul não podia suportar mais essa maré de sentimento do que, no Norte, os federalistas e herdeiros dos *whigs*. Melhor que qualquer outro, Alexis de Tocqueville analisa esse entusiasmo americano por alteração constitucional e nivelamento social. Foi o impulso expansionista de um povo, cujos laços com a sociedade tradicional estavam quase cortados e para o qual, a grande distribuição de terra fez decrescer a reverência pelos juízes e instituições. Jean-Jacques Rousseau, Thomas Paine e Thomas Jefferson nada mais fizeram que oferecer uma miudeza com a qual o impulso social esperançoso foi podado. Na América, sobretudo durante o fluxo universal do século XIX, as *coisas* estavam no comando. Randolph e Calhoun podiam planear o Sul em um segmento, podiam reunir sulistas numa defesa dos próprios interesses econômicos, podiam imprimir na imaginação popular a ameaça da centralização a uma instituição peculiar, mas os talentos deles foram insuficientes para revigorar ideias conservadoras mais profundas, até mesmo em uma região tão inclinada aos costumes antigos como os Estados do Sul. Não impediram muito o avanço dos impulsos rumo à consolidação, à secularização, ao industrialismo e ao nivelamento que eram, em todos os lugares, as características da inovação social do século XIX.

John Randolph e John C. Calhoun discerniram, ambos, com grande acuidade, a natureza da ameaça à tradição, mas dificilmente puderam opor mais que vaticínios e a capacidade de despertar um espírito de particularismo violento e confuso na multidão dos sulistas. Isso não era o bastante. Apesar das falhas racionais e afetivas, o Sul – somente, entre as comunidades civilizadas do século XIX – tinha audácia suficiente para levantar armas contra a nova ordem férrea que, um instinto vago sussurrava aos sulistas, era antagônica ao tipo de humanidade que conheciam. Ulysses S. Grant (1822-1885) e William T. Sherman (1820-1891) fundaram o valor na pólvora; emancipação e reconstrução demoliram a estrutura instável da antiga sociedade, o domínio econômico os esmagou, transformando-os na máquina produtiva dos tempos modernos. Nenhuma filosofia política teve um período de tempo mais breve do que o obtido por Randolph e Calhoun.

Ainda assim, esses leais líderes sulistas merecem ser lembrados – Randolph, pela qualidade da imaginação; Calhoun, pela severidade da lógica. Ilustram a verdade de que o conservadorismo é algo mais profundo que a mera defesa de quotas e dividendos; algo mais nobre que o simples temor do novo. Os argumentos, e mesmo as falhas desses autores, revelam quão intrincadas e unidas estão a mudança econômica, a política estatal e o tecido frágil da tranquilidade social. É provável que John Randolph, John C. Calhoun e outros estadistas do Sul não tenham empregado plenamente a virtude conservadora transcendente da prudência que Edmund Burke, com tanta frequência, recomendava. Entretanto, a provocação era severa e o eco da luta que o condenado conservadorismo sulino empreendeu em nome dos direitos consagrados ainda não morreu na imensa caverna enfumaçada da vida moderna americana.

Alexis de Tocqueville (1805-1859)

Capítulo 6 | Conservadores Liberais: Macaulay, Cooper, Tocqueville

> Defendeis os princípios conservadores sobre os quais nosso antigo sistema de sociedade, na Europa, está fundamentado, a liberdade e a responsabilidade individual que lhes são subordinados; defendeis, em especial, a instituição da propriedade. Estais bem certa, dificilmente poderíeis conceber a vida sem essas primeiras leis, não mais que eu.
> Ainda tenho para mim que esse velho mundo, além do qual nenhum de nós poderá ver, parece-me um tanto fatigado; a máquina imensa e venerável, creio estar mais fora do eixo a cada dia e, embora não possa antecipar, minha fé na continuidade do presente está abalada [...]. Entretanto, não é menor o dever das pessoas honestas de defender o único sistema que compreendem e, até mesmo morrer por isso se um ser melhor não lhe for apresentado.
> Tocqueville para a Sra. Grote, 24 de julho de 1850.

1. A INFLUÊNCIA DE BURKE NO LIBERALISMO

Voltemo-nos agora aos gentios. O liberalismo britânico e americano começou a flertar com o coletivismo perto do final do século XIX e, desde então (como movimento) rendeu-se, quase sem reservas, às seduções intelectuais daquilo que Herbert Spencer (1820-1903) chamou de "o novo torismo". Corremos risco de esquecer quanto os antigos liberais estavam fortemente vinculados à *liberdade*. O liberalismo político antes de meados do século XIX (o que quer que possa ser dito do liberalismo econômico) era conservadorismo de um certo tipo: pretendia conservar a liberdade. Os grandes liberais estavam imbuídos do espírito de Edmund Burke. Anteviram no espírito nivelador da época, na tendência a governos onicompetentes, um grave perigo à liberdade pessoal – uma ameaça até à verdadeira natureza humana. Thomas Babington Macaulay (1800-1859) brinda-nos, talvez, com o estudo mais interessante acerca da mentalidade conservadora na Inglaterra; James Fenimore Cooper (1789-1851) combina esses elementos nos Estados Unidos; e Alexis de Tocqueville (1805-1859), bem mais importante que os demais companheiros neste capítulo, talvez o único pensador social de primeira classe desde o final do século XVIII, esforça-se por reconciliar-se com uma tendência inevitável da sociedade para antigos costumes e normas subsistentes, que Edmund Burke atestara de modo retumbante.

Todos os três conservadores liberais foram influenciados por Burke; Macaulay é um dos mais vigorosos eulogistas de Burke, e as obras de Tocqueville estão repletas das ideias de Burke. Por um bom tempo, Edmund Burke exerceu influência muito forte tanto na mentalidade liberal quanto na conservadora do século XIX; liberdades pessoais e locais; limitação do escopo do governo e reforma inteligente, que tanto significa para os liberais, todos são conceitos que Burke erigiu em princípios. O liberal William Ewart Gladstone (1809-1898) leu Edmund Burke tão avidamente quanto o conservador Benjamin Disraeli (1804-1881) e, durante anos, não se soube ao certo qual deles tornar-se-ia o líder *tory*. Thomas Macaulay decidiu que o jovem William Gladstone era a nova luz do torismo e, portanto, criticou-o na *Edinburgh Review*; nem Gladstone jamais negou a influência de Burke. (Burke, disse Gladstone, estava certo em quatro das cinco grandes questões com que lidou – a exceção, no entanto, foi a Revolução Francesa).[1] Essa é a afeição liberal pelo grande *whig* irlandês que,

---

[1] Ver: John Morley, *The Life of William Erwart Gladstone*, II, 2 vols. London, 1908, p. 530.

repetidamente, acontece nas páginas de Walter Bagehot (1826-1877), John Morley (1838-1923), Augustine Birrell (1850-1933) e Woodrow Wilson (1856-1924), que Lorde Acton não consegue reprimir e que está latente em coletivistas como Harold J. Laski (1893-1950). Burke ensinou aos liberais que a liberdade não é uma novidade a ser criada, mas um legado a ser conservado. "Sou, ao mesmo tempo, um político liberal e conservador", Macaulay disse na Câmara dos Comuns em sua última fala importante.

E Burke ensinou-lhes muito mais. Reforçou-lhes a ideia de ter sensibilidade para com a propriedade privada e suspeitar de qualquer poder político que não estivesse fundado na importância da propriedade. Recordou-lhes que um "povo" não é apenas um agregado de pessoas contadas por cabeça. Os receios de Burke com relação ao governo estavam quase tão manifestos quanto sua veneração ao Estado, e os liberais herdaram o ideal de governo que gere o menos possível, com prudência, e que, de raro, invoca os poderes reservados. Esforçaram-se por empregar tal sabedoria política aos problemas do século XIX, às forças gigantescas da democracia e do industrialismo, a uma época em que o sacerdote e o fidalgo rural sucumbiam ao sofista e ao calculista.

Às vezes, Macaulay e Cooper estavam tão dispostos a mostrar-se no papel de conservadores quanto Tocqueville e a Sra. Grote na passagem que abre o presente capítulo. Em geral, os liberais temem o futuro. Nassau William Senior (1790-1864), George Grote (1794-1871) e Harriet Grote (1792-1878), e John Stuart Mill (1806-1873), todos amigos de Alexis de Tocqueville, questionavam se a democracia poderia ser reconciliada com a liberdade. Na geração seguinte – vemos a tendência em Matthew Arnold (1822-1888) – os liberais começaram a preferir a igualdade à liberdade. Esse desfecho da especulação social era temido pelos três grandes liberais discutidos neste capítulo, e tal ameaça induziu Tocqueville a elaborar, muito provavelmente, o estudo mais arguto sobre as instituições democráticas já escrito. Macaulay escolhera representar aqui o elemento conservador no liberalismo britânico, tanto por causa de seus talentos resplandecentes como pelas deficiências em ilustrar as perplexidades que, naquele momento, praticamente haviam erradicado o Partido Liberal. Cooper é o pensador mais decidido entre os americanos, que defendeu uma democracia de elevação, opondo-se a uma democracia de degradação. Tocqueville, o único homem levado em conta detalhadamente neste livro, que não é nem britânico nem americano, é incluído por conhecer muito bem a tradição anglo-americana, pela influência considerável em ambas as nações e por ser, depois de Burke, um crítico ímpar da sociedade. Avessos ao destino geral da dialética social, as ideias deles adquiriram, no século XX, um significado ainda maior do que tinham originalmente.

2. MACAULAY ACERCA DA DEMOCRACIA

> Há muito estou convencido de que instituições puramente democráticas devem, cedo ou tarde, destruir a liberdade ou a civilização, ou ambas. Na Europa, onde a população é densa, o efeito de tais instituições seria quase instantâneo [...]. Os pobres pilhariam os ricos e a civilização pereceria, ou a ordem e a prosperidade seriam salvas por um governo militar forte, e a liberdade pereceria.
>
> – Macaulay para Henry Stephens Randall, 23 de maio de 1857.

O presidente Franklin Delano Roosevelt (1882-1945), infeliz, por vezes, na escolha de seus *ghost-writers*, certa feita denunciou a passagem precedente como uma difamação ao justo título da democracia americana, escarnecendo os falsos vaticínios daquele "*tory* inglês, Lorde Macaulay". Thomas Babington Macaulay (embora o humor não tenha sido seu ponto forte) poderia ter rido dessa justificação inconsciente de seus temores pelo futuro da civilização nas democracias: de que um presidente dos Estados Unidos viesse a tomar o *whig* dos *whigs* por um *tory*, de que o presidente estivesse desatento à decadência interna das instituições democráticas ao redor do mundo e que o presidente tivesse dado ênfase no "*Lorde Macaulay*", um barão notavelmente nada baronial, um cidadão comum por cinquenta e sete ou cinquenta e nove anos de sua vida. Macaulay cometeu erros, mas não o erro específico que o presidente Roosevelt pensou estar expondo.

Todos comparam Macaulay com Burke e, é claro, seus talentos e carreira são curiosamente similares. Entre outras coincidências, ambos tiveram uma grande relação com a Índia e foram reformadores: mas reformadores de cunho diferente. As reformas de Burke tencionavam purgar os ingleses da Índia das doenças do poder arbitrário e da avareza, para assegurar aos indianos as leis nativas, costumes e religiões. Para ele, os usos consagrados eram tão válidos tanto em Madras, na Índia, quanto em Beaconsfield, na Inglaterra. Essa tolerância católica não era a de Macaulay; e, com a precipitação que, com frequência, encontramos nos liberais, Macaulay pressupôs que as instituições e ideias apropriadas para um povo deveriam ser, de pronto, implantadas – ou firmadas – em outros povos, notadamente diferentes. Em 1835, Macaulay foi nomeado presidente do Comitê de Instrução Pública da administração britânica na Índia; comitê que antes estivera dividido, cinco contra cinco, a respeito da questão que indaga se o governo deveria prosseguir estimulando o aprendizado índico ou deveria adotar, em vez disso, "a promoção da literatura e ciência europeias entre os nativos". A minuta de Macaulay sobre o assunto é um monumento, ao mesmo tempo, à volubilidade e à superficialidade de boa parte do liberalismo do século XIX.[2]

---

[2] O argumento de Macaulay está resumido em: Otto G. Trevelyan, *The Life and Letters of Lord Macaulay*, I, 2 vols. New York, 1875, p. 353-54. Mas James Mill foi o grande arquiteto dessa política na Índia. Ver: Duncan Forbes, "James Mill and India". In: *The Cambridge Journal*, out. 1951.

Toda a atenção à veneração, à investigação cuidadosa, ao respeito pelos direitos públicos que Burke teria manifestado em circunstâncias semelhantes, Macaulay desprezou. Com base na recomendação dele, Lorde William Bentnick (1774-1839) decretou que a ocidentalização deveria erradicar a cultura tradicional da Índia. Delinear a confusão espiritual e intelectual que os indianos sofreram desde então seria tedioso e consternador. E. M. Forster (1879-1970) retratou-nos o produto final. Macaulay parecia não distinguir dificuldade alguma na maneira de converter indianos em ingleses, de preferência, em ingleses *whig*. O erro de Macaulay foi, apenas, o erro geral de todos os colonizadores e conquistadores do século XIX, dos quais isentam-se poucas administrações coloniais, mas continua a ser o ato de um homem cujos instintos conservadores foram mal orientados e erráticos, intimidado pelo mundo que ele mesmo ajudou a iniciar. Está a um mundo de distância de Burke.

O entendimento de Macaulay a respeito das relações entre causa e consequência sociais na própria Inglaterra da "Era Soturna" dificilmente seria menos míope. Durante toda a vida, apresentou uma inquietação com o aumento da população industrial, um certo terror de sua influência política potencial e de sua condição moral e, ainda assim, ninguém louvou de maneira mais calorosa a industrialização, o progresso urbano, a mecanização e toda espécie de fusão. Esse era um paradoxo totalmente liberal, Manchester não propunha nenhuma solução, a não ser uma vaga confiança na educação pública universal e mais do mesmo que lhes afligia – ou seja, uma produção industrial mais eficiente. Na *Edinburgh Review*, Thomas Macaulay destruiu o paternalismo dos *Colloquies on Society* [Colóquios sobre a Sociedade] de Robert Southey com um bramido de desdém; mas o sarcasmo não curaria o câncer do proletariado. Duas gerações mais e as propostas *tory* de Southey tornar-se-iam propostas socialistas. O proletariado não deixa de ser proletário porque foi compelido a cochilar em escolas estatais ou porque o preço do grão baixou cinco *shillings* por quartel.

> Se fôssemos profetizar que no ano de 1930 uma população de cinquenta milhões, mais bem alimentada, vestida e abrigada que os ingleses de nossa época, cobrirão essas ilhas; que Sussex e Huntingdonshire serão mais abastados que as partes mais ricas do condado de York, West ding, o são agora; que o cultivo, rico como o de um jardim, será levado até os cumes de Ben Nevis e de Helvellyn; que as máquinas construídas com base em princípios ainda não descobertos estarão em todas as casas; que não existirão rodovias, só estradas de ferro; que viagem alguma não será senão a vapor; que nosso débito, imenso como nos parece, parecerá aos nossos netos um fardo insignificante que poderá ser pago com facilidade em um ou dois anos, muitas pessoas nos crerão insanos.[3]

A profecia de Macaulay chegou razoavelmente perto, no que dizia respeito à população e ao débito, mas quanto ao restante, foi bom ele não ter visto a Inglaterra não whiggerista de 1930.

O método de Southey, disse Macaulay, era "ficar de pé numa colina, olhar o chalé e a fábrica, e decidir qual era o mais belo" – e assim, julgar as sociedades.[4] Talvez esse não seja um método muito prático, mas pode ser preferível ao método do cálculo benthamita, visão para a qual (apesar das brigas com os utilitaristas) Macaulay tendia constantemente. Francis Bacon era o modelo de filósofo para Macaulay: "duas palavras compõem a chave para a doutrina baconiana, utilidade e progresso".[5] Raras vezes o materialismo recebeu elogios mais pródigos que os apresentados por Macaulay nesse ensaio. Estava confiante no progresso ilimitado, irresistível, da ciência aplicada e

---

[3] T. B. Macaulay, "Southey's Colloquies on Society". In: *Miscellaneous Works of Macaulay*, I, 5 vols. New York, 1880, p. 433-34.

[4] Ibidem, p. 405-406.

[5] T. B. Macaulay, "Lord Bacon". In: *Miscellaneous Works of Macaulay*, II, p. 410.

das manufaturas, a desdenhar, com acerto, do moralismo de Sêneca, que contrastava com a praticidade de Bacon. "Os sapatos evitaram que muitos se molhassem; e duvidamos que Sêneca tenha evitado que muitas pessoas tenham ficado com raiva."[6] Eis aqui o progenitor do materialismo dialético. O contentamento de Macaulay com a industrialização estendeu-se até o entusiasmo pelas "vilas alegres" que começaram a enfear a paisagem inglesa.[7]

Apesar da nobreza das *Lays of Ancient Rome* [Canções da Roma Antiga] e do brilhantismo da *The History of England from the Accession of James II* [História da Inglaterra desde a Posse de James II], nesses momentos, Thomas Babington Macaulay pode ser culpado pela aspereza que John Ruskin (1819-1900) atribuiu à Inglaterra vitoriana. Uma rudeza de classe média. Ora, suponhamos que as classes mais baixas tenham se tornado igualmente rudes e, similarmente, objetivassem o progresso material em interesse próprio; qual exortação de Sêneca ou de São Paulo, ou mesmo de Thomas Babington Macaulay, os persuadiria à docilidade? Macaulay pensava muitas vezes a respeito desse problema e sua única solução era manter os pobres estritamente afastados do poder político. Se as massas, alguma vez, tomassem as rédeas, toda essa prosperidade tranquila, progressiva e eficiente terminaria. Macaulay estava certo disso. Não tencionava conservar a Inglaterra de Southey, mas tinha plena intenção de preservar a Inglaterra manchesteriana. Muita munição do conservadorismo britânico do século XX veio de tais repositórios liberais postos em risco.

Macaulay tornou-se cônscio desse perigo no início da carreira política. Ao falar sobre a *Reform Bill*, em 1831, declarou que o sufrágio universal produziria uma revolução destrutiva, pois, "infelizmente, as classes trabalhadoras na Inglaterra, e em todos os países antigos,

---

[6] Ibidem, p. 411.

[7] Ver: J. Cotter Morison, *Macaulay*. Londres, 1882, p. 170.

estão, vez ou outra, em situação de grande aflição".[8] Dado o sufrágio, violariam a lei e a ordem no esforço vão de melhorar seu quinhão material. Quando os cartistas[9] estavam mais ativos, exclamou:

> Minha convicção firme é de que, em nosso país, o sufrágio universal é incompatível, não com essa ou aquela forma de governo, mas com todas as formas de governo e com tudo por aquilo que as formas de governo existem; é incompatível com a propriedade e isso é, consequentemente, incompatível com a civilização.[10]

Esse é o legado de John Locke. Na verdade, não existe cura para a desigualdade de condições materiais que sempre tornarão impraticável confiar às massas de pessoas despossuídas poder político: quanto mais rico torna-se um país, mais populoso, e a desigualdade de rendas aumenta, em vez de diminuir. Assim escreveu Thomas Macaulay em resposta a James Mill, em março de 1829:

> O aumento da população é acelerado por um governo bom e econômico. Portanto, quanto melhor o governo, maior é a desigualdade de condições; e, quanto maior a desigualdade de condições, mais fortes são os motivos que impelem o populacho à espoliação. Quanto à América, recorremos ao século XX.[11]

A sociedade industrial, parece, está permanentemente sobrecarregada por uma imensa massa de pessoas que devem continuar sem propriedade e, portanto, devem ser excluídas da influência política. Essa conclusão, entre outras, induziu os *whigs* de Lorde John Russell (1792-1878), o "Jack Finality"[12], a falar da reforma de 1832

---

[8] T. B. Macaulay, *Miscellaneous Works of Macaulay*, V, p. 19.

[9] Partidários do Cartismo, movimento pela inclusão política da classe operária, iniciado na década de 1930 do século XIX na Inglaterra. (N. T.)

[10] T. B. Macaulay, *Miscellaneous Works of Macaulay*, V, p. 258.

[11] T. B. Macaulay, "Mill's Essay on Government". In: *Miscellaneous Works of Macaulay*, I, p. 316.

[12] Um dos apelidos de Lorde John Russell, adquirido após o discurso de 20 de novembro de 1837. (N. T.)

como se essa fosse imutável como as leis dos medos e dos persas, e inspirou a resistência fervorosa que Robert Lowe (1811-1892) e seus adulamitas[13] ofereceram, tanto a Benjamin Disraeli quanto a William Ewart Gladstone, quando a nova lei de reforma esteve prestes a acontecer em 1866. Thomas Babington Macaulay e os aliados contemplaram uma grande e permanente exclusão do direito de voto – a exclusão de um interesse genuíno e consciente, e Edmund Burke, ainda que, por certo, não fosse proponente de uma reforma parlamentar extensa, argumentara mais de meio século antes que a Constituição britânica não fora projetada para suportar tais exclusões. A exclusão deveria cessar ou cessaria a constituição. Disraeli optou pela primeira, em 1866-1867, e a fez antes que a demanda se tornasse insuportavelmente forte, de modo que a reforma pareceria uma dádiva aos recém-dotados de direito a voto, não uma concessão estimulada pelos senhores da sociedade. Nisso, assim como em muitas outras coisas, seguiu o conselho específico de Burke. A exclusão que Macaulay e Lowe criam indispensável não poderia perdurar nos tempos modernos, sob um governo parlamentar, a menos que a sociedade fosse transformada de uma condição de contrato para uma condição de posição social. Mesmo se devesse ser negado privilégio político ao proletariado na sociedade livre moderna, não poderiam ser excluídos sem uma alteração revolucionária na estrutura do Estado. No entanto, embora essa posição fosse indefensável, Macaulay prestou um serviço honroso ao conservadorismo ao defendê-la, dando o melhor de seu talento. O temor da multidão de despossuídos o levou a destruir a teoria política utilitarista. Nos artigos da *Edinburgh Review* sobre "Mill on Government" [Mill sobre o Governo] e "The Utilitarian Theory

---

[13] Os adulamitas foram uma facção antirreforma de curta duração dentro do Partido Liberal do Reino Unido em 1866. O nome tem referência bíblica e refere-se à caverna de Adulam, onde Davi e seus aliados buscaram refúgio de Saul. (N. T.)

of Government" [A Teoria de Governo Utilitarista], bombardeia os utilitaristas com uma precisão que tem algo mais que o toque de gênio de Burke e com um espírito que Burke teria elogiado.[14] Desse bombardeio dirigido por um homem que, em vários aspectos, não se distanciava muito deles, os utilitaristas amargaram uma grande perda. Ainda que a autoridade de Jeremy Bentham e de James Mill permanecesse poderosa, foram derrotados com suas táticas particulares de propaganda em periódicos. Macaulay revelou que eles, "que para alguns são os luminares do mundo e, para outros, demônios encarnados, têm, para os homens comuns, entendimentos limitados e pouca informação".[15] Reduz os métodos *a priori* dos utilitaristas ao absurdo inerente; desvela, sem compaixão, a falta de conhecimento prático; as rígidas abstrações, as empala em sua lança.

> O sr. Mill não legisla para a Inglaterra ou para os Estados Unidos, mas para a humanidade. Então, o interesse do turco é o mesmo das moças que fazem parte de seu harém? O interesse de um chinês é o mesmo da mulher a quem ele amarra ao arado? O interesse de um italiano é o mesmo da filha a quem ele consagra a Deus? O interesse de um respeitável inglês, devemos dizer, sem impropriedade, é idêntico ao de sua mulher? Mas, por que é assim? Porque a natureza humana *não é* o que o sr. Mill concebe ser; porque os homens civilizados, ao buscar a própria felicidade em um estado social, não são grosseirões disputando por carniça; porque há prazer em ser amado e estimado, bem como em ser temido e servilmente obedecido?[16]

Macaulay prossegue demolindo os princípios democráticos dos utilitaristas. Mill afirmara que os homens, de modo infalível,

---

[14] Arrependido, contudo, da arrogância de juventude para com Mill, Macaulay omitiu esses artigos da edição coligida de seus *Critical and Historical Essays*.

[15] T. B. Macaulay, "Mill's Essay on Government". In: *Miscellaneous Works of Macaulay*. I, p. 280.

[16] Idem. Ibidem, p. 310-11.

buscariam o próprio interesse; seu argumento, então, deve se aplicar à multidão de pobres de seu projeto democrático utópico, com direito universal ao voto. Seria do interesse do pobre saquear os que trabalham. Na verdade, pode não ser o interesse deles a longo prazo, mas se monarcas raras vezes pensam a respeito de benefícios a longo prazo, como podemos esperar que uma massa de pessoas humildes postergue as próprias recompensas por amor à posteridade?

> Como é possível, para qualquer pessoa que defenda as doutrinas do sr. Mill duvidar que o rico, numa democracia tal como ele recomenda, seria pilhado de modo tão impiedoso quanto sob o domínio de um paxá turco? Não há dúvidas, no interesse da próxima geração e, talvez, no interesse remoto da presente geração, que a propriedade seja tida como sagrada. E assim, sem dúvida no interesse do próximo paxá, e mesmo no interesse do presente paxá, se for mantido no posto por tempo bastante, que os habitantes de seu sultanato devam ser encorajados a acumular riquezas [...]. Entretanto, os déspotas, vemos, saqueiam os súditos, embora a história e a experiência lhes digam que, por reclamar prematuramente os meios de abastança, estão, de fato, devorando a semente de onde deve brotar a futura renda da colheita. Por que, então, devemos supor que as pessoas serão dissuadidas de buscar alívio e deleite imediato por temor de calamidades distantes – de calamidades que, talvez, não sejam sentidas até o tempo de seus netos?[17]

Sem correr o risco de ingressar no grande deserto salobro da controvérsia utilitária, vale ainda notar aqui que, ao derrubar o pilar do sufrágio universal que suportava o templo utilitário, Thomas Babington Macaulay demoliu uma parte do telhado, e algo dele caiu na própria cabeça. Pôs em questão cada ponto da lógica e da visão de natureza humana dos utilitaristas e causou-lhes muito dano. Em razão disso, merece a gratidão dos conservadores políticos e

---

[17] Idem. Ibidem, p. 315.

espirituais. O utilitarismo é o ancestral do socialismo "científico"; no fundo, os princípios de Jeremy Bentham não eram liberais. Bentham ansiava por uma sociedade de "planejamento", com algo de instinto poético, mais que por qualquer motivo lógico, o materialista Macaulay os atacou. Visto que Macaulay era o cavaleiro errante do liberalismo, escolheu o ogro correto. O outro avô do socialismo moderno foi Georg W. F. Hegel, cujas doutrinas geraram o aspecto totalitário do sistema e Alexis de Tocqueville detectou essa origem de pendor sinistro na Esquerda Continental.[18] Não obstante as denúncias de Karl Marx dos próprios progenitores intelectuais, as duas famílias opostas do idealismo e do utilitarismo geraram um bastardo formidável. Ao lado dele, o socialismo de guilda, sentimental, que culminou em William Morris (1834-1896) foi um rebento insignificante. Macaulay teve a presunção de atacar, muito no início, essa escola poderosa e, com o tempo, suas críticas foram mais danosas, talvez, que os protestos dos *tories* românticos.

Esse foi o principal serviço de Macaulay para a causa conservadora. No entanto, uma peça diferente, escrita no fim da vida, depois de tornar-se cavaleiro em Kensington, é mais bem conhecida. Henry Stephens Randall (1811-1876), o biógrafo de Thomas Jefferson, expressou surpresa por Thomas Macaulay não admirar seu herói, e o temível *whig* respondeu que admirava muito pouco a democracia americana. "A política de Jefferson deve continuar a existir sem causar nenhuma calamidade fatal" desde que terras livres estejam disponíveis; mas uma vez que a Nova Inglaterra estiver tão densa em população quanto a velha Inglaterra, uma vez que os salários estejam baixos e flutuem, uma vez que as grandes cidades industriais dominem a nação, o governo democrático provar-se-á incompetente para impedir que os pobres espoliem os ricos.

---

[18] No entanto, para uma defesa vigorosa do coletivismo de Hegel, ver: C. E. Vaugham, *Studies in the History of Political Philosophy before and after Rousseau*, II, 2 vols. Manchester, 1925, p. 163.

> Virá o dia em que, no Estado de Nova York, uma multidão de pessoas, ninguém com mais do que meio café da manhã ou que espere ter mais de meia refeição, escolherá a legislatura. É possível ter dúvidas quanto ao tipo de legislatura escolhida? [...]. Não há nada para vos conter. Vossa Constituição é toda vela e nenhuma âncora. Como disse antes, quando uma sociedade entra em progressivo declínio, deve perecer a civilização ou a liberdade [...] Vossos hunos e vândalos serão engendrados em vosso próprio país, por vossas próprias instituições.[19]

Isso foi expresso com força; e embora a América ainda não tenha experimentado plenamente a pobreza que Macaulay previu, que aboliria a civilização ou a liberdade, o século XX, ao qual se dirigiu, ainda não acabou. De maneira rude e firme, Thomas Macaulay alertou a sociedade moderna para a tendência iliberal da democracia. No entanto, o que fez para deter essa ameaça? A educação era um paliativo, acreditava: o pobre pode ser persuadido a "encontrar prazer no exercício do intelecto, ensinado a reverenciar o Criador, ensinado a respeitar a autoridade legítima, e, ao mesmo tempo, ensinado a buscar reparar os verdadeiros erros por meios pacíficos e constitucionais".[20] Isso é pedir muito da escolarização, caso esperemos que compense os males sociais desesperados. Um dos principais motivos de Macaulay para deplorar as consequências da violência ignorante é patético, divertido e revelador: em tempos recentes "um belo e caro maquinário fora reduzido a cacos em Yorkshire". E esse homem também se destacou nas belas letras! Ficamos tentados a parodiar John Keats (1795-1821). Macaulay teve sua parte na instituição desse curioso culto moderno ao Deus-Máquina. Não é de surpreender, contudo, que tenha

---

[19] O texto completo dessa carta está impresso em: H. M. Lyndenberg (ed.), *What Did Macaulay Say about America?*. New York, New York Public Library, 1925.

[20] T. B. Macaulay, *Miscellaneous Works of Macaulay*. V, p. 450.

superestimado o poder da educação estatal: o mesmo fizeram Thomas Jefferson, Robert Lowe, William Gladstone e Benjamin Disraeli. John Adams era cético, mas poucos outros homens na primeira metade do século XIX anteviram as limitações da escolaridade formal. Aristófanes (477-386 a.C.), que duvidava muitíssimo que a virtude pudesse ser ensinada, conhecia mais o homem. Em um país onde a educação compulsória foi a mais completa, onde as crianças foram ensinadas a exaltar a razão, o respeito à autoridade e a buscar a correção compulsória – na Alemanha –, a explosão social do século XX viria a ser mais feroz.

Outro profilático de Macaulay era o poderio das constituições políticas rígidas a excluir o proletariado do direito de voto. Esse princípio mostrou-se inadequado para deter a aprovação da lei da reforma de 1867, o ato parlamentar de 1911, o imposto de renda progressivo e impostos sobre a herança, a ascensão do trabalhismo e os desdobramentos paralelos por toda a sociedade ocidental. A Constituição britânica, contrariamente à expectativa de Macaulay, resistiu a essas inovações de modo bem pior que a americana. Desde que um Estado moderno permaneça, em teoria, liberal, e desde que uma grande parcela de seu povo seja substancialmente de proletários, o nivelamento econômico permanecerá uma pressão constante. Se formos julgar o curso da política ocidental desde os dias de Macaulay, a pressão é atenuada somente com o triunfo de sistemas não liberais ou por certa restauração da propriedade, do propósito e da dignidade das multidões de uma nação. Macaulay não imaginou prevenção para nenhum desses cursos; não era um radical nem um conservador de verdade. Desse modo, os *whigs* dos quais descendia estão extintos, e os liberais que o sucederam estão moribundos.

Em verdade, este breve ensaio não foi justo com Macaulay. Sua obra incomparável, *The History of England from the Accession of James II*, quase não foi mencionada, nem as *Lays of Ancient Rome* que celebram as excelsas virtudes antigas de Roma. Todo educando deveria conhecê-las. Todo educando *deveria*, mas não conhece: pois a filosofia baconiana que Macaulay louvou e o sistema de "educação prática" padronizada que estimulou prejudicaram o estudo da leitura agradável da História e da Literatura pura. "Devemos educar nossos mestres", disse Lowe, em 1867. Cada época tem a escolarização que procura, e esta era tem insistido no aprendizado materialista e igualitário, de modo que Macaulay está parcialmente esquecido e, logo, sem dúvida, será totalmente esquecido, já não estejam certas forças compensatórias reagindo ao caos da escolarização moderna. Um movimento educacional conservador deve ressuscitar Macaulay. O conservadorismo, como o que detinha, era de um tipo fadado ao fracasso, mas serviu à causa conservadora numa crise de desatenção e, por isso, além de seus grandes dons, Macaulay merece ser lembrado.

3. FENIMORE COOPER E A AMÉRICA DOS CAVALHEIROS

> Nas democracias há uma disposição constante de tornar a opinião pública mais forte que a lei. Essa é a forma particular com que a tirania se apresenta em um governo popular, pois onde quer que esteja o poder, encontrar-se-á a disposição para violá-lo. Quem quer que se oponha aos interesses ou desejos do público, ainda que correto em princípio ou justificado pelas circunstâncias, encontra pouca comiseração, visto que, numa democracia, resistir aos desejos de muitos é resistir ao soberano em seus caprichos. Todo bom cidadão é obrigado a separar a influência dos sentimentos privados dos deveres públicos e prestar atenção nisso enquanto finge lutar pela liberdade, pois, ao contender para a vantagem do maior número não está ajudando o despotismo. A forma mais insinuante e perigosa de despotismo em que a opressão pode eclipsar uma comunidade é a do controle popular.
>
> Fenimore Cooper, *The American Democrat*

Quem quer que se esforce para traçar uma evolução paralela das ideias na América do Norte e na Europa deve sentir, por vezes, estar lidando com semelhanças superficiais; que a mentalidade americana nada mais era senão um espelho de circunstâncias sociais únicas e que o fantasma pálido da civilização europeia era tão impotente para alterar o curso de pensamento na América quanto o coro era impotente para controlar a ação em um drama de Sófocles (496-406 a.C.). No entanto, José Ortega y Gasset (1883-1955), o defensor arguto e urbano da cultura europeia, observaria (no livro A *Rebeli*ão das Massas) que mesmo hoje a civilização não perduraria na América, caso estivesse morta na Europa. Na primeira metade do século XIX, quando a América era mais inexperiente, a importância das ideias europeias era correspondentemente maior. Infiltravam-se nos Estados Unidos, muitas vezes com protesto de um público americano arrogante, e os americanos que temperavam a ultraconfiança democrática com a prudência do Velho Mundo deveriam receber em nossa geração a gratidão negada na própria época. O pensador mais ousado nessa descrição era James Fenimore Cooper, americano beligerante, crítico severo do americanismo.

Fenimore Cooper era um democrata, mas filho de um grande proprietário de terras de opiniões conservadoras e, ele mesmo, defensor dos *Patroons*[21] do Rio Hudson. Esse polemista e romancista infatigável fez o mais que pôde para desviar o curso entre a consolidação capitalista e o separatismo sulista. Tentou com bastante afinco reconciliar o espírito do cavalheiro com a igualdade política. Teimoso como Catão, *o Jovem* (95-46 a.C.) em Útica e, igualmente honesto, nunca cedeu um centímetro à ilusão pública nem tolerou a

---

[21] Nos Estados Unidos, um *patroon* (expressão derivada do patronato holandês) era o proprietário de terras com direitos senhoriais a grandes extensões de terra nas colônias holandesas do século XVII em terras americanas, concedidas por cartas patentes pela antiga Companhia Holandesa das Índias Ocidentais. (N. T.)

menor infração a seus direitos privados e, assim, fez-se, logo, amargamente detestado pela opinião popular, exatamente na sociedade democrática que defendeu e repreendeu com franqueza imprudente. Uma retidão inflexível desse tipo, ainda que incômodo no momento, torna-se adorável em retrospecto. Cooper acreditou no progresso, na liberdade, na propriedade e na gentileza. Proporciona um elo entre o liberalismo de Thomas Babington Macaulay e o liberalismo de Alexis de Tocqueville.

Cooper sabia que a democracia americana deveria ser purgada da ignorância e da estupidez, se tivesse de perdurar. A ilegalidade da avareza agrária americana ele retratou no velho Thousandacres e seus descendentes na obra *The Chainbearer* [O Medidor de Terrenos],[22] de 1845; o individualismo brutal do espírito pioneiro no personagem Ishmael Bush,[23] em *The Prairie* [A Pradaria], de 1827; a vulgaridade do *self-made man* americano, em Aristabulus Bragg,[24] de *Home as Found* [O Lar como Encontrei], de 1838; o ubíquo democrata profissional em Steadfast Dodge,[25] de *Homeward Bound* [Rumo ao Lar], de 1838. E, ao longo de muitos de seus livros demonstra uma desconfiança inata do temperamento anárquico americano, uma inclinação a não respeitar nenhum uso consagrado, a intolerância que franze o

---

[22] Em português, a obra pode ser encontrada na seguinte edição: Fenimore Cooper, *O Medidor de Terrenos*. Lisboa, Typ. Lisbonense de Aguiar Vianna, 1855. (N. T.)

[23] Descrito como um imigrante rude, sujo, preguiçoso e grosseiro. É chamado de "posseiro", pois reivindica terras que não comprou nem do governo nem dos índios. É um fora da lei por ter ajudado a sequestrar uma mulher. (N. T.)

[24] Advogado ianque que se mudou para Nova York e tornou-se o agente e procurador da propriedade dos Effinghams. Igualitarista extremado, crê que até a vida pessoal deve ser regida pela opinião da maioria. É presunçoso e grosseiro à sua maneira, arrogante em seu provincianismo, desdenha da tradição e materialista consistente ao defender a vanguarda. (N. T.)

[25] Editor ianque de um jornal chamado "*The Active Inquirer*". Por ser um ultrademocrata progressista, acredita que nenhum homem é melhor que o outro e insiste na infalibilidade da maioria. (N. T.)

cenho a cada afirmação bombástica de liberdade absoluta. Cooper era conservador em cada fibra de seu ser, preocupado igualmente com a tradição, as constituições e a propriedade, assim como com os grandes contemporâneos jurídicos, como o magistrado James Kent e o juiz da Suprema Corte Joseph Story. Notou, todavia, que não é possível nenhum tipo de conservadorismo na América a menos que, primeiro, a democracia política esteja assegurada e certa. A América não tinha alternativa política: podia escolher somente entre a democracia purificada das ilusões populares e a democracia corrompida pelas paixões. O simples propósito de seus feitos literários era demonstrar como qualquer sociedade, se civilizada, deveria submeter-se à disciplina moral, às instituições permanentes e às reivindicações beneficentes de propriedade. Essa sujeição geral do apetite à razão só é possível se a sociedade consentir ser guiada por um cavalheiro. Muito inglesa essa ideia, mas da maior importância nos Estados Unidos, talvez, que nossa época ouse pensar.

Quando no estrangeiro, Cooper tinha um orgulho tão agressivo de seu país quanto era crítico da América quando em casa. Esteve fora por bons anos e, durante esse período, escreveu três romances históricos de reviravoltas políticas, pretendendo que agissem como advertência aos americanos para mostrar como instituições veneráveis poderiam ser corrompidas: *The Bravo* [O Bravo], de 1831[26], *The Heidenmauer, or The Benedictines – a Story of the Rhine* [O Heidenmauer, ou Os Beneditinos – Uma História do Reno], de 1832, e *The Headsman: The Abbaye of Vignerons* [O Executor: A Abadia de Vignerons], de 1833. Temia o privilégio, a consolidação e os ajustes constitucionais tanto quanto John Randolph e os antigos republicanos. Em *The Heidenmauer*, tão enfadonhamente didático como romance, tão interessante como exercício político, encontramos essa passagem vigorosa:

---

[26] Em português, a obra pode ser encontrada na seguinte edição: Fenimore Cooper, *O Bravo*. Lisboa, Typographia de Jose Carlos de Aguiar Vianna, 1852. (N. T.)

Por mais puro que possa ser um sistema social ou uma religião, no início de seu poderio, a posse de uma ascendência inconteste seduz todos igualmente nos excessos fatais à consistência, à justiça e à verdade. Essa é uma consequência do exercício independente da volição humana, que parece quase inseparável da fragilidade humana. Aos poucos começamos a substituir a inclinação e o interesse pelo direito, até que os fundamentos morais da razão sejam minados pela indulgência e, o que outrora fora visto com a aversão que o erro incita no inocente, vem a ser, não só familiar, mas justificável pela conveniência e pelo uso. Não há mais certos sintomas de decadência dos princípios requisitados para manter até mesmo nosso padrão imperfeito de virtude, de modo que, quando o apelo de necessidade é requisitado na defesa de qualquer afastamento de seu mandato, já que é um chamado em auxílio à engenhosidade para assistir as paixões, uma coalisão que raramente falha em prostrar as defesas débeis de uma moralidade instável.[27]

A América não era exceção a essa regra geral. O tamanho do país, de fato, era uma certa proteção contra a corrupção, pois, apesar de Montesquieu e Aristóteles, as repúblicas são melhores em escala maior que menor, "uma vez que o perigo de todos os governos populares é o dos erros populares, é menos provável que um povo de interesses diversificados e propriedades territoriais extensas seja sujeito às paixões sinistras de uma única cidade ou país".[28] Porque a centralização reduziria os Estados Unidos à condição de república unitária, exposta aos apetites das multidões e às manipulações do privilégio, James Fenimore Cooper permaneceu um defensor consistente dos poderes estatais.[29]

---

[27] James Fenimore Cooper, "The Heidenmauer". In: *Works*. Mohawk Edition, n. d., p. 65-66.

[28] James Fenimore Cooper, "The Bravo". In: *Works*. Mohawk Edition, n. d., p. iii-iv.

[29] James Fenimore Cooper, "On the Republick of the United States". N: *The American Democrat*.

No final de 1833, Fenimore Cooper e a família voltaram para a América após um longo *grand tour*, e menos de quatro anos depois, viu-se profundamente envolvido na primeira das duas controvérsias desoladoras que destruíram sua popularidade e prejudicaram sua prosperidade. Ambas foram o resultado de hipóteses igualitárias populares que Cooper não podia aceitar. O primeiro caso, insignificante no início, foi uma altercação com as pessoas da comunidade Cooperstown que, sem permissão, utilizaram-na como parque público – e deixaram rastros ruins – no pedaço de terra que era de Cooper. Ele expulsou o público; por isso, foi insultado de maneira fantástica pelos editores do jornal local do tipo que, mais tarde, Mark Twain (1835-1910) condenou à fama imortal. Processou as pessoas por calúnia e, por fim, venceu, mas à custa de azedume e muito litígio. Enquanto se desenrolavam tais processos, Cooper publicou *The American Democrat* [O Democrata Americano], um livro repleto de clareza e coragem, convincente e digno. Talvez seja bom que esse pequeno tratado tenha sido escrito antes do prolongamento de sua batalha contra os editores e depois que a *Anti-Rent War*[30] tenha exacerbado Cooper.

The American Democrat é uma tentativa de fortalecer a democracia ao balizar os limites naturais. O livro antecipa, em muito, a análise de Tocqueville da sociedade americana. As democracias tendem a forçar os próprios limites, a converter a igualdade política em nivelamento econômico, a insistir que oportunidades iguais se tornem mediocridade, a invadir todos os direitos pessoais e a privacidade; colocam-se acima da lei, substituem a justiça pela opinião das massas. No entanto, existem compensações a esses vícios – ou tendências em direção aos vícios. A democracia eleva o caráter do povo; reduz as instituições militares; promove a prosperidade nacional; encoraja a percepção da justiça natural; tende a servir a toda a comunidade em

---

[30] A *Anti-Rent War* foi um protesto civil dos arrendatários do Estado de Nova York entre os anos de 1839 e 1846. (N. T.)

vez de a uma minoria; é a forma de governo mais barata; está pouco sujeita a tumultos populares, o voto substitui o mosquete; a menos que estimulada, respeita mais a justiça abstrata que a aristocracia e a monarquia.[31] Portanto, estimamos a democracia, mas não estimamos a democracia sem limites e sem lei.

> Tem de estar impresso na mente de todo homem, em letras de bronze, "*Que, numa democracia, o público não tem poder algum que não seja o concedido pelas instituições e que esse poder, ademais, só deve ser utilizado sob as formas prescritas pela Constituição. Além disso, é opressão, ao assumir o feitio de atos, e de modo não infrequente, ao se restringir à opinião*".[32]

Como o público pode ser persuadido da necessidade dessas limitações? Pela exposição dos enganos a respeito da igualdade e do governo e pela influência dos cavalheiros na sociedade democrática.

> Na América é indispensável que cada simpatizante da verdadeira liberdade deva compreender que os atos de tirania só procedem do público. O público, então, tem de ser vigiado [...]. Embora a liberdade política deste país seja maior que a de quase todas as outras nações civilizadas, dizem que a liberdade pessoal é menor.[33]

Fenimore Cooper ocupa-se de analisar as falhas da concepção popular que põem em risco a liberdade privada. A igualdade não é absoluta; a Declaração de Independência não é para ser entendida literalmente, nem mesmo no sentido moral; a própria existência de governo demonstra a desigualdade. E, "a liberdade, como a igualdade, é uma palavra mais utilizada que compreendida. A liberdade perfeita e absoluta é incompatível com a existência da sociedade, como igualdade de condição". Adotamos a política popular não por ser perfeita,

---

[31] James Fenimore Cooper, *The American Democrat*. H. L. Mencken (ed.). New York, 1931, p. 54-61.

[32] Idem. Ibidem, p. 139-40.

[33] Idem. Ibidem, p. 141.

mas porque é menos passível de incomodar a sociedade que qualquer outra. A liberdade, devidamente entendida, está subordinada à justiça natural e deve ser restrita aos limites. Falsas teorias de representação, ao reduzir os representantes a meros delegados, são um perigo para a liberdade americana; do mesmo modo, a consolidação, em um sistema projetado, como o nosso, para a difusão. Uma imprensa venal e virulenta ameaça a vida decente: "Se jornais são úteis em derrubar tiranos, o são apenas para instituir a própria tirania". A tendência dos povos democráticos de usurpar os títulos da vida privada é uma perversão revoltante da democracia liberal, pois a "individualidade é o propósito da liberdade política": a felicidade e a profundeza do caráter disso dependem. Com esses e outros argumentos similares, muitas vezes empregados por conservadores, mas expressos aqui com força e precisão raramente alcançadas, Cooper tentou despertar o público americano para a consciência dos próprios vícios. Pisou em muitos calos, tornou-se detestado e nunca teve seu livro lido como merecia.

Junto com a emergência de despertar o povo para a necessidade de contenção no exercício dos poderes, Cooper acreditava que a esperança da democracia estava na sobrevivência dos cavalheiros, os líderes da comunidade, superiores aos impulsos vulgares, capazes de resistir à maioria das formas de intimidação legislativa ou extralegal. "A posição social é a que a pessoa tem nas associações ordinárias, depende do nascimento, da educação, das qualidades pessoais, da propriedade, dos gostos, hábitos e, em alguns casos, do capricho ou da moda."[34] A posição social é uma consequência da propriedade e não pode ser suprimida em uma sociedade civilizada; enquanto existir civilização, a propriedade é seu sustentáculo. Temos de esforçar-nos de modo tal que os detentores de uma posição social superior sejam dotados de um senso de dever. Um homem *não* é tão bom quanto o outro, mesmo no grande sistema moral da Providência.

---

[34] Idem. Ibidem, p. 71.

Essa desigualdade social da América é o resultado inevitável das instituições, embora nelas não seja proclamado em lugar algum, as diferentes constituições mantêm um silêncio profundo acerca do assunto, e os que as estruturaram, provavelmente por saber que isso tanto é uma consequência da sociedade civilizada quanto o respirar é uma função vital da vida dos animais.[35]

A posição social tem seus deveres, privados e públicos. Devemos ver que esses deveres são cumpridos por cavalheiros.

O significado de democracia corresponde a participar igualmente nos direitos o quanto for praticável. Tencionar que a igualdade social seja uma questão de instituições populares é pressupor que essas destroem a civilização, pois nada é mais autoevidente que a impossibilidade de criar todos os homens nos padrões mais elevados de gosto e refinamento; a alternativa seria reduzir toda a comunidade aos mais baixos.[36]

A existência do cavalheiro não é inconsistente com a democracia, pois "aristocracia" não significa a mesma coisa que "cavalheiros".

A palavra "cavalheiro" tem um significado positivo e limitado. Significa uma pessoa que se destaca da massa da sociedade pelo nascimento, modos, feitos, caráter e condição social. Assim como a sociedade civilizada pode existir sem essas diferenças sociais, nada se ganha ao negar o uso do termo.[37]

Os feitos liberais distinguem o cavalheiro das outras pessoas; os simples instintos cavalheirescos não bastam. O dinheiro, contudo, não é critério de distinção. Se o cavalheiro e a senhora desaparecerem de uma sociedade, levam consigo a instrução polida, a força civilizatória dos costumes, o exemplo da cultura elevada e aquele senso elevado de posição social que eleva o dever privado e público acima da mera aquisição de salário. Caso eles se vão, por fim, a civilização os seguirá.

---

[35] Idem. Ibidem, p. 76.
[36] Idem. Ibidem, p. 89.
[37] Idem. Ibidem, p. 112.

Em um livro que alguém terá de escrever sobre a ideia do cavalheirismo, as observações de James Fenimore Cooper merecerão lugar de honra. No entanto, elas não exerceram grande influência. Os cavalheiros não foram de todo extirpados da América, mas as condições econômicas e sociais necessárias para sua sobrevivência sempre foram desfavoráveis e estão se tornando precárias. Somente dois anos após a publicação do *The American Democrat*, a *Anti-Rent War* em Nova York, que afervorou Fenimore Cooper à beira da loucura, revelou como era difícil a posição do cavalheiro nos Estados Unidos. A existência do cavalheiro estava fundamentada na posse herdada da terra, e os radicais do movimento "contra o arrendamento" estavam decididos a que os proprietários da região central de Nova York cedessem aos fazendeiros e posseiros; nenhum uso consagrado, nenhum título legal deveria agir contra a demanda da maioria pela propriedade dos campos. A longo prazo, os fazendeiros e posseiros ganharam pela intimidação dos proprietários de terra e timidez das cortes diante do entusiasmo popular. Os grandes proprietários do Hudson desapareceram da história. Essa violação dos direitos de propriedade, e os meios pelos quais isso foi realizado, consternaram imensamente Cooper. Se a sociedade democrática estava empenhada em erradicar a classe dos cavalheiros, como sustentar a própria liderança? Como manter um tom elevado? Essa questão nunca foi respondida satisfatoriamente nos Estados Unidos, e uma hostilidade acentuada para com a grande propriedade da terra parece cravada no caráter americano. "A reforma da terra" foi uma das primeiras sanções americanas no Japão conquistado, ao desapropriar o elemento conservador e moderado na sociedade japonesa. Os Estados Unidos insistiram na "reforma agrária" na Itália e em El Salvador e por um bom tempo favoreceram os "reformadores agrários" da China comunista. Com o mesmo tipo de hostilidade que os manchesterianos tinham com os proprietários de terra ingleses, a sociedade industrial americana ressentiu-se da sobrevivência das propriedades territoriais.

"A instabilidade e a impermanência da vida americana", escreve o melhor crítico de Fenimore Cooper,

> que Cooper, na última metade de sua carreira vê como algo que põe em perigo o direito do gentil-homem à propriedade e, por fim, no último de seus romances, o direito literal à própria vida, foi um dos temas nos anos de seu início calmo [...]. Nunca encontrou um símbolo totalmente adequado em que concentrar sua visão trágica, talvez porque nas profundezas de sua natureza, o coração era alegre e a amargura estava na superfície de sua mente, para o mundo inteiro ver.[38]

Um otimismo seguro, James Fenimore Cooper nunca perdeu por completo, e dele abundaram desafiadoramente muitas das melhores características americanas. Entretanto, perdeu a luta por uma democracia crivada de homens de bom berço e altos princípios. A maioria dos americanos ponderados deve recair, de vez em quando, em sérias considerações acerca da extensão dessa deficiência. Talvez, a falta de cavalheiros nos Estados Unidos seja mais perceptível nas regiões rurais, nas cidades pequenas e nos grandes Estados vazios do Oeste, mas mesmo nas cidades mais antigas, a sociedade, muitas vezes, parece insistir em um tédio, antes, característico apenas dos senescentes, pela falta de liderança e de espírito. Quiçá, sem cavalheiros, as sociedades entediem-se até a morte. Em tal povo não há o fermento da diversidade. "O efeito do tédio em larga escala, na história, é subestimado"[39], escreve o deão William Ralph Inge (1860-1954). Hoje, parece uma força que tem de ser enfrentada. E, por tal transição, chegamos a Alexis de Tocqueville.

4. TOCQUEVILLE SOBRE O DESPOTISMO DEMOCRÁTICO

> Acredita-se que as sociedades novas estarão sempre a mudar de fisionomia, e receio que acabem sendo invariavelmente demasiado fixadas

---

[38] James Grossman, *James Fenimore Cooper*. Stanford, 1967, p. 263-64.
[39] W. R. Inge, *The End of an Age*. London, 1948. p. 216.

nas mesmas instituições, nos mesmos preconceitos, nos mesmos costumes; de tal sorte que o gênero humano se detenha e se limite que o espírito se dobre e torne a dobrar eternamente sobre si mesmo, sem produzir ideias novas; que o homem se esgote em pequenos movimentos solitários e estéreis e que, embora a se agitar constantemente, a humanidade não mais avance.[40]

Alexis de Tocqueville – *A Democracia na América*

A facilidade dos franceses de generalizar, que virou o mundo de ponta-cabeça, atingiu o auge em Alexis de Tocqueville. Empregou os métodos e o estilo dos *philosophes* e dos enciclopedistas para mitigar, mais de meio século depois, as consequências dos livros deles. Em alguns aspectos, o discípulo, Alexis de Tocqueville, excede o mestre filosófico, Edmund Burke: certamente, *A Democracia na América* contém uma análise imparcial da nova ordem que Burke nunca teve tempo ou a paciência de realizar. Tocqueville é um escritor que não deve ser lido em versões condensadas, mas no todo, pois cada frase tem importância, cada observação, sagacidade. Os dois volumes grossos de *A Democracia na América* são uma mina de aforismos, *O Antigo Regime e a Revolução* é o germe de uma centena de livros, as *Lembranças de 1848* é apinhado de um brilhantismo lapidar na narrativa que poucos livros de memórias têm. Algumas pessoas, além dos professores, ainda leem Tocqueville. Eles têm de fazê-lo porque foi o melhor amigo que a democracia já teve, e seu crítico mais sincero e judicioso.

Ainda que tenha sido juiz, legislador, ministro das Relações Exteriores e tenha desfrutado de grande sucesso literário, Alexis de Tocqueville sentia-se quase um fracasso. No ensaio de Thomas Macaulay sobre Nicolau Maquiavel temos uma passagem que atingiu a imaginação de um leitor omnívoro como John Randolph, embora não

---

[40] Alexis de Tocqueville, *A Democracia na América*. Trad. e notas Neil Ribeiro da Silva. 3. ed. Belo Horizonte/São Paulo, Itatiaia/Ed. da Universidade de São Paulo, 1987, Livro II, terceira parte, cap. XXI, p. 494. (N. T.)

conhecesse o nome do autor quando se surpreendeu com o artigo na *Endinburgh Review*. Randolph aplicou essa descrição à própria situação e, por certo, os sentimentos de Tocqueville eram similares.

> É difícil conceber situação mais dolorosa que a de um grande homem condenado a observar a agonia prolongada de um país exausto, vigiá-la durante os achaques alternados de estupefação e desvario que precedem a dissolução, e ver os sintomas de vitalidade desaparecer, um a um, até que nada reste, senão indiferença, cegueira e corrupção.

O espírito cavalheiresco e os talentos superiores de indivíduos notáveis, acreditava Alexis de Tocqueville, rumavam em direção à mediocridade contagiosa, e a sociedade confrontava-se com a perspectiva de uma morte em vida. O fútil bradar contra a tendência cega e surda dos tempos fez Tocqueville tornar-se consciente, de modo doloroso, de sua impotência e insignificância. Entretanto, não era um simples nada diante das circunstâncias; nunca perdeu a esperança de melhorar os problemas que resultaram da propensão niveladora da sociedade, e sua influência na posteridade é mais considerável do que esperava.

Despotismo democrático: nessa expressão, que o hesitante Tocqueville adotou apenas na falta de uma melhor, descreveu o enigma da sociedade moderna. A análise do despotismo democrático é seu feito supremo como teórico político, sociólogo, liberal e conservador. "Não me oponho às democracias", escreveu a M. Alexandre Pierre Freslon (1808-1867), em 1857:

> Podem ser grandiosas, podem estar de acordo com a vontade de Deus, caso sejam livres. O que me entristece não é que nossa sociedade seja democrática, mas que os vícios que herdamos e adquirimos tornam deveras difícil que obtenhamos ou mantenhamos a liberdade bem regulamentada. E não conheço nada mais triste que uma democracia sem liberdade.[41]

---

[41] M. C. M. Simpson (ed.), *Memoirs, Letters and Remains of Alexis de Tocqueville*. London, 1861, II, p. 384.

Harold Laski observa que Alexis de Tocqueville, em essência, um aristocrata, era "incapaz de aceitar, sem dor, a disciplina coletivista" para a qual a políticas democráticas centralizadoras tendem sem remorsos. O poder legislativo, uma vez que esteja nas mãos da multidão dos homens, é aplicado para os propósitos de nivelamento econômico e cultural.[42] Concordo; a disciplina coletivista era mais repulsiva a Tocqueville – e a qualquer liberal ou conservador, de quaisquer origens – que as piores estupidezes do Antigo Regime. Assim como Aristóteles (e alguns autores bem-conceituados afirmaram que Tocqueville foi o maior pensador político desde Aristóteles, ainda que o próprio Tocqueville pouco encontrou n'*A Política* algo que fosse aplicável aos problemas modernos), Tocqueville estava sempre a buscar por fins. Um sistema político que esqueça os fins e venere os meios, uma "disciplina coletivista", para ele era uma servidão pior que a escravidão do tipo antigo. A sociedade deve estar projetada para encorajar as mais altas qualidades morais e intelectuais no homem; a pior ameaça do novo sistema democrático é que a mediocridade não só é promovida, mas deve ser inculcada. Tocqueville receia a redução da sociedade humana a um arranjo do tipo dos insetos, a verdadeira tendência cuja condição fora descrita por Wyndham Lewis (1882-1957) nas histórias de *Rotting Hill* e por C. E. M. Joad (1891-1953) em *Decadence*.[43] Variedade, individualidade, progresso: essas lutas, Tocqueville conservaria.

> Toda vez que as condições são iguais, a opinião geral tem um peso imenso sobre o espírito de cada indivíduo; ela o envolve, dirige e oprime: isso se deve à própria constituição da sociedade, muito mais que as suas leis políticas. À medida que todos os homens mais se parecem, cada um se sente cada vez mais fraco em face do todo. Nada descobrindo que o eleve muito acima deles e que o distinga, passa a desconfiar

---

[42] Harold Laski, "Tocqueville". In: Hearnshaw, *Social and Political Ideas of some Representative Thinkers of the Victorian Age*. London, 1932, p. 111-12.

[43] C. E. M. Joad, *Decadence: A Philosophical Inquiry*. London, 1948, p. 393.

de si mesmo desde que lhe deem combate; duvida não somente de suas forças, mas vem a duvidar de seu direito e chega bem próximo de reconhecer que não tem razão, quando afirma a maioria. A maioria não tem necessidade de constrangê-lo: ela o convence.

Não importa como sejam organizados os poderes de uma sociedade democrática nem o peso que se lhes dá; será sempre muito difícil acreditar que a massa seja rejeitada e que se professe aquilo que ela condena.[44]

Tais generalizações, ainda que ousadas como as dos *philosophes*, eram muito mais bem fundamentadas em um conhecimento particular do que as especulações *a priori* que caracterizaram as ideias sociais do século XVIII. Por pesquisas extensas da vida americana, pela amizade com a Inglaterra, pela carreira política e por sua erudição despretensiosa, Alexis de Tocqueville estava preparado para proclamar com autoridade acerca da natureza humana e social. Escreveu com cuidado, preocupado por ser justo. "De todos os autores, é o mais amplamente aceito e o mais difícil de encontrar erro. Sempre sábio, sempre justo como Aristides (530-468 a.C.)."[45] Essa é a opinião de Lorde Acton. Tocqueville estava determinado a fugir da autoilusão, a qualquer custo, para acalmar a razão. Ao acreditar, junto com Burke, que a Providência prepara as veredas para mudanças enormes no mundo, e que, se opor a tais mudanças quando o curso é manifesto, equivale à impiedade, estava disposto a render muito à nova democracia – mesmo, em considerável medida, a dignidade da razão. "Na sociedade democrática de que tanto te orgulhas", disse o gênio corajoso de Pierre Paul Royer-Collard

---

[44] Alexis de Tocqueville, *A Democracia na América*. Trad. e notas Neil Ribeiro da Silva. 3. ed. Belo Horizonte/São Paulo, Itatiaia/Ed. da Universidade de São Paulo, 1987, Livro II, terceira parte, cap. XXI, p. 493. (N. T.)

[45] Lord Acton, *Lectures on the French Revolution*, Figgis & Laurence (ed.). London, 1950, p. 357.

(1763-1845) a Alexis de Tocqueville, "não haverá dez pessoas que ingressarão totalmente no espírito de teu livro."[46] Tocqueville, todavia, não estava disposto a deixar a democracia tornar-se autofágica; resistiria, até onde pudesse, a sacrificar as virtudes democráticas no altar dos desejos democráticos.

O vício insidioso da democracia, Tocqueville discerniu, é devorar a si mesma, e, logo, restar somente o corrupto e o hediondo – ainda, talvez, preservando sua característica essencial de igualdade, mas destituída de todas as aspirações de liberdade e progresso que inspiraram seu triunfo inicial. A maioria dos críticos da democracia declararam que o igualitarismo político deve findar em anarquia – ou, para impedir isso, a tirania. Alexis de Tocqueville não era escravo do passado, embora tivesse grande respeito pelo conhecimento histórico: o futuro nem sempre precisa ser como o que ocorreu antes, escreveu, e nenhuma dessas alternativas respeitáveis é a consumação provável do igualitarismo moderno. O que ameaça a sociedade democrática nessa época não é o simples colapso da ordem, nem mesmo a usurpação por um único poder individual, mas uma tirania da mediocridade, uma padronização da mente e do espírito, condição reforçada por um governo central, precisamente o que Laski chama de "disciplina coletivista". Previu a chegada do "Estado de Bem-Estar Social", que aceita oferecer tudo a seus súditos e, por sua vez, exige conformidade rígida. O nome democracia permanece; mas o governo é exercido de cima para baixo, como no Antigo Regime, não pelas massas. Essa é uma sociedade de planejadores, dominada por uma elite burocrática, mas os governantes não formam uma aristocracia, pois todas as antigas liberdades, privilégios e individualidades que a aristocracia preza foram erradicados para abrir caminho para uma igualdade monótona que os gestores da sociedade partilham.

---

[46] M. C. M. Simpson (ed.), *Memoir*, II, p. 64.

Não creio, pois, que a espécie de opressão de que os povos democráticos se acham ameaçados se assemelhe a algo do que a precedeu no mundo; nossos contemporâneos não poderiam encontrar na lembrança a sua imagem. Em vão procuro uma expressão que reproduza exatamente a ideia que tenho e que a encerre; as antigas palavras, despotismo e tirania, não convêm de maneira alguma. O fenômeno é novo; é preciso, pois, defini-lo, já que não posso dar-lhe um nome.

Procuro descobrir sob que traços novos o despotismo poderia ser produzido no mundo: vejo uma multidão inumerável de homens semelhantes e iguais, que sem descanso se voltam sobre si mesmos, à procura de pequenos e vulgares prazeres, com os quais enchem a alma. Cada um deles, afastado dos demais, é como que estranho ao destino de todos os outros: seus filhos e seus amigos particulares para ele constituem toda a espécie humana; quanto ao restante dos seus concidadãos, está ao lado deles, mas não os vê; toca-os e não os sente; existe apenas em si e para si mesmo, e, se ainda lhe resta uma família, pode-se ao menos dizer que não mais tem pátria.

Acima destes, eleva-se um poder imenso e tutelar, que se encarrega sozinho de garantir o seu prazer e velar sobre a sua sorte. É absoluto, minucioso, regular, previdente e brando. Lembraria mesmo o pátrio poder, se, como este, tivesse por objeto preparar os homens para a idade viril; mas, ao contrário, só procura fixá-los irrevogavelmente na infância; agrada-lhe que os cidadãos se rejubilem, desde que não pensem senão em rejubilar-se. Trabalha de bom grado para a sua felicidade, mas deseja ser o seu único agente e árbitro exclusivo; provê à sua segurança, prevê e assegura as suas necessidades, facilita os seus prazeres, conduz os seus principais negócios, dirige a sua indústria, regula as suas sucessões, divide as suas heranças; que lhe falta tirar-lhes inteiramente, senão o incômodo de pensar e a angústia de viver?

É assim que todos os dias torna menos útil e mais raro o emprego do livre-arbítrio; é assim que encerra a ação da vontade num pequeno espaço e, pouco a pouco, tira a cada cidadão até o emprego de si mesmo. A igualdade preparou os homens para todas essas coisas, dispondo-os a sofrer e muitas vezes até a considerá-las como um benefício.[47]

Aqui está descrita uma espécie de sociedade egípcia ou peruana – justamente o tipo de Estado coletivista britânico e americano que os reformadores projetam hoje em dia. Muitos dos defensores da economia planejada, de fato, dificilmente compreendem o ódio de Alexis de Tocqueville por uma existência como essa. O Estado onicompetente, paternalista, a guiar todos os negócios da humanidade, a satisfazer todos os desejos individuais, é o ideal dos planejadores sociais do século XX. Esse programa de ação tenciona gratificar as demandas materiais da humanidade, e a aspiração social do século XX, tão saturado das ideias de Jeremy Bentham e Karl Marx, dificilmente concebe desejos que não sejam materiais. Que os homens sejam mantidos em uma infância perpétua – que, em espírito, nunca se tornem seres humanos crescidos – não parece uma grande perda para uma geração de pensadores acostumados à educação compulsória, ao seguro compulsório, ao serviço militar compulsório e, mesmo, ao voto compulsório. Um mundo de coação universal é a morte da variedade e da vida da mente; por saber disso, Tocqueville sentia que o materialismo que a democracia encoraja pode obcecar, assim como sufocar, a opinião pública em todas as almas, exceto numas poucas independentes, as ideias de liberdade e variedade.

> O habitante dos Estados Unidos apega-se aos bens deste mundo como se tivesse certeza de que jamais morrerá, e é com tanta precipitação que procura apoderar-se daqueles que passam ao seu alcance, que ser diria que teme a cada instante deixar de viver antes de os ter gozado.[48]

---

[47] Alexis de Tocqueville, *A Democracia na América*. Trad. e notas Neil Ribeiro da Silva. 3. ed. Belo Horizonte/São Paulo: Itatiaia/Ed. da Universidade de São Paulo, 1987, Livro II, quarta parte, cap. VI, p. 531-32. (N. T.)

[48] Idem. Ibidem. Livro II, segunda parte, cap. XIII, p. 409. (N. T.)

Essa paixão pela avareza não é um vício específico à América, explica Alexis de Tocqueville; em geral, é produto da época democrática. Um aristocrata, e a sociedade a que dá o tom, pode deter riquezas com desdém – valor, honra e o orgulho da família são os impulsos mais fortes, mas onde o comércio fascina até a classe mais influente entre o povo, logo, esse interesse exclui todos os outros. As classes médias, pelo exemplo, convencem a massa de pessoas que o enaltecimento é o objeto da existência. E, uma vez que as multidões abracem essa convicção, não sossegam até que o Estado esteja reorganizado para lhes dotar de gratificações materiais. Já na América esse materialismo tende à padronização do caráter: "o que dá a todas as suas paixões certa semelhança e nunca tarda a tornar fatigante o seu quadro".[49] Como as nações mais antigas sujeitaram-se ao impulso democrático, sucumbem, de modo proporcional, ao materialismo.

Como força governante da sociedade, o materialismo está aberto a duas objeções irresistíveis: primeiro, debilita as faculdades superiores do homem; segundo, desfaz-se. O materialismo pode ser um vício negativo, e não positivo:

> A censura que faço à igualdade não é a de arrastar os homens à procura dos prazeres proibidos; é a de absorvê-los inteiramente na procura dos prazeres permitidos. Assim, bem se poderia estabelecer no mundo uma espécie de materialismo honesto, que não corromperia as almas, mas que as abrandaria e acabaria por enfraquecer sem ruído todas as suas molas.[50]

Como isso é mais profundo que a alegria ingênua de Macaulay com o "belo e caro maquinário"! Em breve, essa absorção no finito quase obscurece qualquer feito do infinito; e o homem, esquecido da existência dos poderes espirituais ou do próprio Deus, deixa de ser verdadeiramente humano.

---

[49] Idem. Ibidem. Livro II, terceira parte, cap. XVII, p. 470. (N. T.)
[50] Idem. Ibidem. Livro II, segunda parte, cap. XI, p. 408. (N. T.)

> A democracia favorece o gosto pelos prazeres materiais. Esse gosto, quando se torna excessivo, dispõe logo os homens a crer que tudo é apenas matéria; e o materialismo, por sua vez, arrasta-os, finalmente, com um ardor impensado para esses mesmos prazeres. Tal é o círculo fatal com o qual as nações democráticas são impelidas. É bom que vejam o perigo e se contenham.[51]

Com o passar do tempo, essa preocupação com o comprar e gastar destrói, aos poucos, a estrutura social que torna possível a acumulação material.

> Se os homens chegassem jamais a contentar-se com os bens materiais é de crer que perderiam pouco a pouco a arte de produzi-los e que acabariam por gozá-los sem discernimento e sem progresso, como os brutos.[52]

Pois, o que quer que dilate a alma, no processo, torna a alma apta aos talentos práticos. A decadência moral, primeiro, dificulta e, depois, sufoca o governo honesto, o comércio regular, e, até mesmo, a capacidade de fruir com prazer genuíno dos bens deste mundo. A coação é aplicada a partir de cima como autodisciplina, à medida que relaxa no nível inferior, e as últimas liberdades expiram sob o peso de um Estado unitário. Uma vez a sociedade tenha ido tão longe, não resta quase barreira alguma para resistir ao absolutismo.

> Tendo a religião perdido o seu domínio sobre as almas, revertido se acha o limite mais visível que separava o bem e o mal; no mundo moral, tudo parece duvidoso e incerto; os reis e os povos marcham ao acaso, e ninguém saberia dizer onde se acham os limites naturais do despotismo e as peias da licença.[53]

O Estado pressupõe-se no direito de invadir cada detalhe da vida privada; essa usurpação é endossada pela aversão que as democracias,

---

[51] Idem. Ibidem. Livro II, segunda parte, cap. XV, p. 416. (N. T.)
[52] Idem. Ibidem. Livro II, segunda parte, cap. XVI, p. 418. (N. T.)
[53] Idem. Ibidem. Livro I, segunda parte, cap. IX, p. 240. (N. T.)

indiscriminadamente, manifestam para com as diferenças individuais; e finalmente, o impulso comercial e industrial que dá início a essa cadeia de causação é rompido pela interferência inoportuna e pelo fardo insuportável do super-Estado.

O triunfo do despotismo democrático é inevitável? A amplitude das instituições democráticas por todo o mundo é, por certo, inevitável, responde Alexis de Tocqueville, e muito parece obra da Providência que devamos aceitar isso como um processo divinamente ordenado. No entanto, a perversão da sociedade democrática no oceano de seres anônimos, partículas sociais, privadas de família verdadeira, de liberdade verdadeira, de propósito verdadeiro, ainda que terrivelmente possível, não é, até o momento, inevitável. Contra isso, os homens inteligentes devem lutar como fanáticos, pois o sonho benthamita de organização social, em que os solitários, os sem amigos, os egoístas e os indivíduos sem esperança confrontam o Estado leviatã, em que todas as antigas afeições e agrupamentos foram erradicados e o materialismo foi substituído pelos deveres tradicionais – isso pode ser evitado pela força das ideias, ou assim devemos esperar. A eterna vigilância e a crítica incessante, contudo, serão necessárias, se a tendência dos povos democráticos para uma monotonia de morte em vida, uma sonolência bizantina, tem de ser, em qualquer grau, detida. As forças que impelem a humanidade para o despotismo democrático são de um poder tremendo. Tocqueville as analisa detidamente, em especial na quarta parte do segundo livro, *A Democracia na América*. A principal entre essas causas, além do materialismo já observado, estão as propensões democráticas à simplicidade de conceito e de estrutura, à centralização e à padronização.

Primeiro, os povos democráticos têm uma aversão profundamente enraizada à hierarquia, às ordens intermediárias, privilégios e a todo tipo de associações especiais. Complexidade e diversidade são incomodamente difíceis para a apreciação das mentes comuns, e essa contrariedade é erigida tendo a repulsa por princípio. Até mesmo os seres sobrenaturais, intermediários entre Deus e o homem, tendem a desaparecer da religião das sociedades democráticas; a média dos homens prefere o relacionamento simples do indivíduo confrontando diretamente a divindade. Se as democracias não tolerarão anjos ou demônios, menos provavelmente suportarão os vestígios de aristocracia, de direitos de voto limitados, pessoas com privilégios e aquelas outras instituições que interpõem barreiras entre o governo e os interesses privados dos cidadãos. Assim, a tendência da simplificação democrática é apagar, aos poucos, aquelas mesmas salvaguardas que tornam possível a democracia libertária. Tocqueville, repetidamente, descreve a função de uma aristocracia na proteção da liberdade.

> O que existe no mundo de mais fixo, na sua opinião, é uma aristocracia. A massa do povo pode ser seduzida pela sua ignorância ou por suas paixões; pode-se surpreender o espírito de um rei e fazê-lo vacilar nos seus próprios projetos; e ademais, um rei nada tem de imortal. Mas um corpo aristocrático é por demais numeroso para ser desviado pela intriga, muito pouco numeroso para ceder facilmente ao envenenamento das paixões irrefletidas. Um corpo aristocrático é um homem firme e esclarecido que jamais falece.[54]

Esse instrumento, contudo, para fiscalizar o poder arbitrário e assegurar a continuidade da civilização, invariavelmente, é erradicado por uma democracia triunfante.

Segundo, a prontidão dos Estados democráticos para concentrar no governo central todo o verdadeiro poder, em pouco tempo, envenena a raiz da verdadeira democracia, que é um produto de instituições locais e de independência. Mais perspicaz que os Federalistas e muitos dos *tories*, Alexis de Tocqueville percebeu, como John Randolph e John C. Calhoun, que a liberdade está intimamente relacionada ao particularismo. A consolidação é o instrumento da inovação e do despotismo. O Antigo Regime na França errou ao considerar a

---

[54] Idem. Ibidem. Livro I, segunda parte, cap. V, p. 178. (N. T.)

consolidação um dispositivo conservador: ao contrário, a consolidação tornou possível a derrubada de uma multidão de antigos interesses por uma única onda de violência revolucionária. A máquina de governo consolidada dos Bourbon instituída foi prontamente convertida para os propósitos jacobinos.

> Um povo democrático não é apenas levado pelos seus gostos a centralizar o poder, mas as paixões de todos aqueles que o conduzem a isso o impelem incessantemente. Pode-se prever facilmente que quase todos os cidadãos ambiciosos e capazes que um país democrático encerra trabalham sem descanso para ampliar as atribuições do poder social, porque todos esperam dirigi-lo um dia. É perder tempo desejar provar a estes que a extrema centralização pode ser prejudicial ao Estado, pois eles mesmos centralizam. Entre os homens públicos das democracias quase não há pessoas muito desinteressadas ou muito medíocres, que desejem descentralizar o poder. Uns são raros, os outros, impotentes.[55]

O espetáculo dos Estados da união americana, hoje – ressentidos, mas a parecer mendicantes, com receio da consolidação, mas amaldiçoados com um apetite insaciável por verbas de auxílio federais – é ilustração suficiente da observação de Alexis de Tocqueville. Só uma coisa está livre da revolução, disse Tocqueville, a centralização. Só uma coisa não pode ser instituída na França – um governo livre; e uma só coisa não poderia ser destruída – o princípio centralizador. Mesmo com homens cientes dessa natureza perigosa, "o prazer que lhes proporciona imiscuir-se em tudo e ter todo o mundo em suas mãos faz com que suportem seus riscos".[56] A centralização promete favores especiais a todos os tipos de interesses, e suas possibilidades tentam o simples democrata de maneira quase irresistível. A centralização, no entanto, é totalmente hostil à democracia, transferindo poder para o operador da máquina do governo. "Creio que, nos séculos

---

[55] Idem. Ibidem. Livro II, quarta parte, cap. III, nota do autor, p. 566. (N. T.)
[56] Idem, *Lembranças de 1848: As Jornadas Revolucionárias em Paris*. Trad. Modesto Florenzano. São Paulo, Cia das Letras, 1991, cap. XI, p. 178. (N. T.)

democráticos que se estão abrindo, a independência individual e as liberdades locais serão sempre um produto da arte. A centralização será o governo natural."[57]

Terceiro, as nações democráticas são enamoradas pela uniformidade, pela padronização; odeiam o excêntrico, o grandioso, o privado e o misterioso. Exigem que a legislação seja abrangente e inflexível.

> Como cada um deles se considera pouco diferente de seus vizinhos, mal compreende por que a regra aplicável a um homem não o seria igualmente a todos os outros. Os menores privilégios repugnam, pois, à sua razão. As mais leves dissemelhanças nas instituições políticas do mesmo povo o ferem, e a uniformidade legislativa parece-lhe ser a condição primeira de um bom governo.[58]

Quando classe e casta desaparecem, em pouco tempo até mesmo o gosto de ser diferente, de ser um indivíduo distinto, se esvai; os homens ficam envergonhados da personalidade. Ao passo que na época da aristocracia os homens buscavam criar diferenças imaginárias mesmo onde não existiam verdadeiras distinções, nos tempos democráticos tudo resvala para a névoa da mediocridade.

> Os homens se tornam semelhantes e mais ainda sofrem, de algum modo, por não se assemelhar. Longe de querer conservar aquilo que ainda pode singularizar cada um deles, só desejam perdê-lo para se confundir na massa comum, a única coisa que, aos seus olhos, representa o direito e a força.[59]

Em consequência, a liderança diminui, o vigor avivado do contraste evapora do povo e o homem se torna quase inexpressivo, mera cifra, idêntico e intercambiável no sistema social. A inteligência reduz

---

[57] Idem. *A Democracia na América*, Livro II, quarta parte, cap. III, p. 517. (N. T.)

[58] Idem. Ibidem. Livro II, quarta parte, cap. II, p. 512-13. (N. T.)

[59] Idem. Ibidem. Livro II, terceira parte, cap. XXVI, nota do autor, p. 507. (N. T.)

proporcionalmente. Como candidatos para qualquer tipo de progresso se parecem cada vez mais, as democracias tendem a selecionar homens por preferência, não por reconhecimento dos talentos peculiares, mas por regulamentações cansativas e rotinas.

> Por ódio ao privilégio e por embaraço de escolha, todos os homens são afinal forçados, seja qual for sua estatura, a passar através das mesmas provas, e todos, indistintamente, são submetidos a uma série de pequenos exercícios preliminares, em meio aos quais a sua juventude se perde e a sua imaginação se extingue; de tal sorte que perdem a esperança de jamais poder gozar plenamente dos bens que lhes são oferecidos; e, quando chegam afinal a poder fazer coisas extraordinárias, perderam o gosto para isso.[60]

Qualquer pessoa familiarizada com as tendências educacionais americanas, ou com os métodos do funcionalismo público, sabe bem o que Tocqueville está a indicar. Quando a ambição é deliberadamente reprimida dessa maneira, o tom da vida coletiva sofrerá.

De modo geral, essa análise das tolices democráticas é um retrato desalentador da sociedade a claudicar rumo à condição de servidão chamada democracia, mas, na verdade, um novo absolutismo. Os contornos tornam-se mais claros em nossa época. A descrição mais sucinta de Tocqueville desse perigo escancarado surge próxima ao início de *A Democracia na América*:

> Percebo que destruímos as existências individuais que podiam lutar separadamente contra a tirania; vejo, no entanto, que só o governo herda todas as prerrogativas tiradas às famílias, às corporações ou aos homens; por isso à força, às vezes opressiva, mas frequentemente conservadora, de um pequeno número de cidadãos, sucedeu a fraqueza do todo. A divisão das fortunas reduziu a distância que separava o pobre do rico; todavia, ao se aproximarem um do outro, parecem ter achado razões novas para se odiar, e, atirando, um contra o outro, olhares cheios de terror e inveja, mutuamente se repelem do poder; para um

---

[60] Idem. Ibidem. Livro II, terceira parte, cap. XIX, p. 482. (N. T.)

como para o outro, a ideia dos direitos absolutamente não existe, e a ambos parece ser a força a razão exclusiva do presente e a garantia única do futuro.[61]

O que deve ser feito? Karl Marx, nesses mesmos anos, estava repleto de visões de um mundo totalmente purgado da antiga ordem, problemas resolvidos por uma sublevação proletária, a sociedade reconstituída da base ao pináculo – ou melhor, toda a sociedade acima da base extirpada. A mente calma, intrincada e analítica de Alexis de Tocqueville, ciente de que nenhum nó é realmente desfeito segundo o método de Alexandre (356-323 a.C.), *o Grande*, ao deparar-se com nó de Górdio, voltou-se, em vez disso, à necessidade enfadonha e nada romântica de reconciliar antigos valores com novas crenças – uma função conservadora, tão ridicularizada, tão difícil de ser executada, assaz indispensável para a sobrevivência da civilização.

5. A PRUDÊNCIA DEMOCRÁTICA

> Sempre pensei que nas revoluções, e sobretudo nas revoluções democráticas, os loucos, não os que recebem esse nome por metáfora, mas os verdadeiros, desempenham um papel político muito considerável. O que há de certo, ao menos, é que uma semiloucura não é inconveniente nesses tempos e serve mesmo, com frequência, ao sucesso.[62]

Isso é Alexis de Tocqueville escrevendo nos apavorantes anos de 1848 – quando, como fantasmas de 1793, figuras furiosas tais como Louis Auguste Blanqui (1805-1881) e Armand Barbès (1809-1870) invadiram as tribunas da Câmara dos Deputados e clamaram por um novo Terror. Tocqueville esteve presente a essa feroz briga de rua, que

---

[61] Idem. Ibidem. Introdução, p. 16. (N. T.)

[62] Idem, *Lembranças de 1848: As Jornadas Revolucionárias em Paris*. Op. cit., cap. VII, p. 138. (N. T.)

foi o primeiro arrebatamento nítido do poder pelos socialistas; viu o balão do marxismo, por ora, ser furado; e, logo, tornou-se ministro das Relações Exteriores no governo de Luís Napoleão Bonaparte (1778-1846). O *coup d'état* de 1851 pôs fim à carreira do crítico da democracia, que não teria mais de submeter-se a um ditador plebiscitário do que ao populacho parisiense. Ser testemunha dessas oscilações do pêndulo revolucionário e ainda ter esperança no futuro da sociedade atesta a notável força mental de Tocqueville.

Alexis de Tocqueville acreditava que os homens e as sociedades tinham livre-arbítrio. Desprezava profundamente Georg W. F. Hegel e toda a sua escola, zombava das teorias deterministas da História, com sua cadeia de fatalidades, e notava os fatores do acaso e da causa desconhecida nos movimentos históricos – "acaso – ou antes o entrelaçamento de causas secundárias, que assim chamamos".[63] A fé na Providência, tão genuína e penetrante quanto a de Edmund Burke, opunha-se por completo a essas teorias pretensiosas de fado determinado e destinos nacionais.

> Se essa doutrina da fatalidade, que tem tantos atrativos para aqueles que escrevem a história nos tempos democráticos, passando dos escritores a seus leitores, penetrasse assim em toda a massa de cidadãos e se apoderasse do espírito público, pode-se prever que logo paralisaria o movimento das sociedades novas e reduziria os cristãos a turcos.[64]

Movimentos grandes e misteriosos, certamente, estavam em ação no mundo do século XIX, mas a opinião e as instituições políticas podiam modificar e moldar a ação dessas tendências. Mesmo o Antigo Regime poderia ter sido preservado e reformado sem destruição indiscriminada, caso se permitissem um pouco de paciência e uma boa conduta.

---

[63] Idem. Ibidem. Segunda parte, cap. I, p. 84. (N. T.)

[64] Idem. *A Democracia na América*, Livro II, primeira parte, cap. XX, p. 377. (N. T.)

A revolução não irrompeu quando os males eram piores, mas quando estava a principiar a reforma. A meio caminho de descida, lançamo-nos pela janela, para chegar logo ao fundo. De fato, esse é o curso comum dos acontecimentos.[65]

O curso comum, sim; mas não o curso inevitável; e uma paralisação decidida teria evitado a vinda do despotismo democrático.

Verdade, as dificuldades apresentadas pela nova democracia inexperiente eram muitíssimo formidáveis. Impaciência e ignorância são características de eras democráticas; homens grosseiramente ambiciosos, em geral, estão à frente do Estado; a dignidade está ausente da conduta dos negócios, embora não falte arrogância; a decadência da família, em especial na América, à condição de mera unidade agregada familiar, retira uma das bases de apoio mais antigas da tranquilidade social; as opiniões humanas disseminadas como pó, incapazes de concordar, tornando difícil reagrupar a opinião pública em torno de qualquer ação inteligente relacionada; os gostos literários superficiais, a leitura, apressada; a placidez sendo preferível à nobreza; o isolamento intelectual empestando a comunidade de intelectos e, talvez a mais perigosa de todas, a liberdade de pensar e debater muito dificultadas.

> Na América, a maioria traça um círculo formidável em volta do pensamento. Dentro de seus limites, o escritor é livre; mas infeliz daquele que ousar ultrapassá-los. Não é que tenha de temer um auto-de-fé, mas corre o risco dos desgostos de todos os gêneros e perseguições constantes. A carreira política lhe é fechada, pois ofendeu o único poder que tem a faculdade de abri-lo. Tudo lhe é recusado, até a glória. Antes de publicar suas opiniões, acreditava ele ter partidários; parece-lhe que não mais os tem, agora que se descobriu diante de todos, pois aqueles que pensam como ele, sem ter sua coragem, calam-se e afastam-se. Ele cede, vencido, afinal,

---

[65] Carta de Tocqueville a Freslon em 28 de setembro de 1853. In: Simpson, *Memoir*, II, p. 234-35.

pelo esforço de cada dia e de novo cai no silêncio, como se sentisse remorsos por ter dito a verdade.⁶⁶

Pela força das ideias, contudo, a democracia pode ser impedida de recair no despotismo. Somente pela influência da razão, e nunca pela violência, os antigos métodos da sociedade podem ser conservados. A galantaria entre a aristocracia inglesa não preserva esse corpo, se não puder ser sustentado por um sistema de ideias. "Os serviços militares não bastam para preservar uma aristocracia", escreveu Tocqueville à sra. Grote:

> Se bastassem, os nossos não estariam, no momento, reduzidos a cinzas. Quem mais poderia, em todas as épocas, esbanjar a vida de maneira mais pródiga, senão os nobres da França, do maior ao menor? [...] A última arma que defendeu a antiga mansão de Tournaville, meio afundada no chão, serviu apenas como estaca para atar o gado e, a própria casa foi transformada em uma fazenda [...] a sina de uma aristocracia que sabe como morrer, mas não como governar.⁶⁷

Entre os adereços de ordem na sociedade democrática, o principal é a religião; e Tocqueville encontrou em suas observações americanas a reafirmação desse traço. Os povos democráticos, certamente, simplificam a religião; mas ela pode persistir com força duradoura, ajudando a contrapor o materialismo que guia o despotismo democrático. O anticlericalismo que coexiste com as lutas da democracia francesa não é necessariamente concomitante ao igualitarismo. A separação da Igreja e do Estado, os padres católicos na América disseram a Tocqueville, institui um território pacífico para a religião. "Enquanto uma religião se apoie apenas sobre sentimentos que são a consolação de todas as misérias, pode atrair para si o coração de

---

⁶⁶ Idem. *A Democracia na América*. Livro I, segunda parte, cap. VII, p. 197. (N. T.)

⁶⁷ Carta de Tocqueville à sra. Grote em 24 de fevereiro de 1855. In: Simpson, *Memoir*, II, p. 279.

todo o gênero humano."⁶⁸ O amor pelo eu, um vício, em especial, ameaçador nas democracias, é provado de modo perceptível nos Estados Unidos na devoção aos objetivos não mundanos, inculcada pela religião. A propensão americana por inovação, que doutro modo não encontraria resistência, é compelida a respeitar os ditames da fé religiosa, uma limitação das mais importantes, pois não aceitará a teoria da onipotência no Estado. Os radicais americanos, afirma Tocqueville:

> São obrigados a professar ostensivamente certo respeito pela moral e pela equidade cristã, que não lhes permite violar facilmente as suas leis quando se opõem à execução de seus desígnios; e, se pudessem elevar-se eles próprios acima de seus escrúpulos, sentir-se-iam ainda detidos pelos de seus partidários. Até hoje, não se encontrou ninguém, nos Estados Unidos, que tenha ousado avançar a máxima de que tudo é permitido no interesse da sociedade – máxima ímpia, que parece ter sido inventada num século de liberdade para legitimar todos os tiranos do futuro.
>
> Assim, pois, ao mesmo tempo que a lei permite ao povo americano tudo fazer, a religião impede-o de tudo conceber e proíbe-lhe de tudo ousar.⁶⁹

Tocqueville, cuja piedade era inteligente e estável, sabia que um povo democrático com fé religiosa respeitaria os direitos privados e a porção da posteridade de maneira muito mais reverente do que um povo democrático com o sucesso material por objetivo.

Leis e costumes, também, se instituídos nas afeições populares podem evitar que a democracia se corrompa. Qualquer coisa que impeça a concentração de poder preserva a liberdade e a vida tradicional. Nos Estados Unidos, a estrutura federal, o governo municipal e o poder judicial autônomo são, todos, meios de assegurar essa

---

⁶⁸ Alexis de Tocqueville, *A Democracia na América*. Livro I, segunda parte, cap. IX, p. 229. (N. T.)

⁶⁹ Idem. Ibidem, p. 225. (N. T.)

separação; e, em geral, a descentralização mantém afastada das mãos da maioria, que gostaria de ser déspota, os principais instrumentos da tirania. Enquanto o poder puder ser negado às simples cifras, enquanto os grandes campos da atividade humana estiverem fora da ação do governo, enquanto as constituições limitarem o alcance da legislação – enquanto perdurarem essas coisas, o despotismo democrático estará em xeque. Se a democracia pode ser persuadida a aceitar como hábito tais limitações à sua soberania, a aprová-los por conta da razão e das predisposições, a liberdade poderá continuar a existir com a igualdade, no mesmo mundo. O esteio mais certo – de fato, o único apoio durável – dessas restrições está nos costumes, nos hábitos coletivos de um povo; mas as constituições podem servir para guiar as nações nas marés de paixão ou de loucura.

> A grande utilidade das instituições populares é manter a liberdade durante aqueles intervalos em que a mente humana está ocupada de modo diverso – oferecendo uma espécie de vida vegetativa, que pode mantê-la existindo durante os períodos de desatenção. As formas de um governo livre permitirão que os homens fiquem, temporariamente, fatigados da própria liberdade sem perdê-la.[70]

Ele, todavia, não tentou tornar as constituições imutáveis, pois, desse modo, provocaria ressentimento; as rédeas deveriam ser seguras com leveza.

> Há muito tempo pensava que, em lugar de procurar tornar nossos governos eternos, era preciso contribuir para renová-los de uma maneira fácil e regular. Isso me parecia, em todo caso, menos perigoso que o sistema contrário; e eu pensava que convinha tratar o povo francês como a esses loucos que não se devem amarrar, por temor de que a coação os torne furiosos.[71]

---

[70] "France Before the Revolution". In: Simpson, *Memoir*, I, p. 256.

[71] Idem, *Lembranças de 1848: As Jornadas Revolucionárias em Paris*. Op. cit., cap. XI, p. 187. (N. T.)

Ora, que as multidões exerçam influência direta na conduta dos negócios públicos, a principal garantia contra o abuso de poder está em vinculá-las à justiça e à liberdade pela mesma tênue rede de afeições e inclinações que contam muito mais que o peso da lei positiva.

Vestígios de aristocracia, onde ainda são encontrados, podem ser empregados para temperar o impulso das maiorias, guiadas por seu cabeça, a empregar a tirania por toda a sociedade. Na América, a classe dos advogados, tornados conservadores por treinamento e interesses, forma uma espécie de aristocracia artificial de talentos e influência. Tocqueville sabia muito bem que a opinião pública detestava uma aristocracia, não importando quão grandes fossem os méritos:

> É impossível imaginar algo mais contrário aos instintos secretos do coração humano, que uma sujeição dessa natureza: entregues a si mesmos, os homens preferirão sempre o poder arbitrário de um rei à administração regular dos nobres. Para durar, uma aristocracia precisa fundar a desigualdade como princípio, de antemão legalizá-la e introduzi-la na família, ao mesmo tempo que a propaga na sociedade.[72]

A longo prazo, então, provavelmente a aristocracia em todos os lugares deve extinguir-se. Como seus membros perdem o contato imediato com os dependentes e inferiores, perdem a função de protetores e magistrados; quando aumenta o rendimento, o poder, de ordinário, diminui; e quando o poder se esvai das mãos dos aristocratas, as rendas logo são arrancadas. Essa tendência, às vezes violenta, outras vezes quase imperceptível, dificilmente pode ser rebatida. Entretanto, a sociedade de onde a aristocracia desapareceu para nunca mais ressurgir, é uma civilização aberta ao despotismo; e a tirania, uma vez estabelecida, mantém-se por incensar os vícios da sociedade. Extirpado o ressentimento pela liberdade pessoal que as aristocracias contêm, põe, soberano onipotente e súdito indefeso, face a face. "Enquanto preservardes vossa aristocracia, preservareis vossa liberdade", disse Alexis

---

[72] Idem, *A Democracia na América*. Livro I, segunda parte, cap. X, p. 306. (N. T.)

de Tocqueville a Nassau Senior por ocasião da lei de reforma de 1854. "Caso isso passe, estais no risco de recair na pior das tiranias – a de um déspota nomeado e controlado, se é que controlado, pela turba."[73] A França, justo na ocasião, era controlada pela primeira dessas "democracias plebiscitárias" modernas; o mundo do século XX conhece cada uma de suas características. Sede fiéis, portanto, enquanto podeis, ao que quer que tenha restado do orgulho e do tom aristocrático, é o conselho de Tocqueville; mesmo o eco esvaecido do clarim aristocrático desperta alguma resistência ao absolutismo político.

Outro meio ainda de aperfeiçoar as falhas democráticas é a educação pública. Na América, a educação geral manteve o povo informado de seus direitos e deveres imediatos e, ainda que muitas vezes a educação americana seja superficial, cautela e discernimento imolaram a instrução demasiado precipitada de muitos, apesar da quantidade de instrução ter mantido os americanos afastados da impraticabilidade ignorante que resultou nos acontecimentos de 1789 na França:

> Não foi a necessidade, mas as ideias, que provocaram a grande revolução; ideias quiméricas sobre as relações entre trabalho e capital, teorias extravagantes quanto ao grau de interferência do governo entre trabalhador e empregador, doutrinas de ultra-centralização que, por fim, convenceram um grande número que dependia do Estado não só para salvá-los da miséria, mas para proporcionar-lhes circunstâncias calmas, confortáveis.[74]

Tocqueville, entretanto, não partilhou da confiança arrogante na eficácia da escolarização que tantos estadistas deste século abraçaram. A instrução e o aprendizado livresco são pouco úteis a menos que integrados à "uma educação moral que aperfeiçoe o coração".

Antes de tudo, o simpatizante da sociedade moderna deve esforçar-se tenazmente para estimular e acolher as diferenças individuais,

---

[73] M. C. M. Simpson (ed.), *Memoir*, II, p. 251.
[74] Alexis de Tocqueville, *O Antigo Regime e a Revolução*.

a variedade de caráter. A uniformidade é a morte da suprema luta humana. "Em uma era democrática, o grande perigo é, podeis estar certos, de que as partes que compõem a sociedade possam ser destruídas ou muito debilitadas por causa do todo." Para essa armadilha precipitava-se a escola de Hegel.

> Tudo o que em nossos dias exalta o individual é útil. Tudo o que tende a enaltecer os gêneros e a atribuir uma existência aparte para as espécies é perigoso. Essa é a inclinação natural da mentalidade pública no presente. A doutrina realista transportada para a política leva a todos os excessos da democracia; facilita o despotismo, a centralização, o desprezo pelos direitos individuais, a doutrina da indispensabilidade; em suma, toda instituição e toda doutrina que permitam à sociedade colocar os homens sob seus pés e considerem a nação como tudo e as pessoas como nada.[75]

O mundo moderno está tresloucadamente desejoso para concretizar o sonho dos economistas do século XVIII, que acreditavam que o Estado deveria fazer mais que governar a nação: deveria moldar a nação. "Deve transformar, bem como reformar seus súditos; talvez até mesmo criar novos súditos, se crer conveniente."[76] Tocqueville dedicou seus esforços à defesa dos homens como *homens*, à humanidade tradicional com as adoráveis forças e imperfeições antigas; estava horrorizado com a noção de uma raça humana "planejada". O socialismo que Étienne-Gabriel Morelly e seus camaradas profetizavam entusiasmados é o veículo dessa padronização e desumanização do homem, ao utilizar o Estado centralizado, utilitário como caminho. "Então, a verdade é que a centralização e o socialismo são naturais do mesmo solo: um é erva silvestre, o outro, planta de jardim".[77]

---

[75] M. C. M. Simpson (ed.), *Memoir*, II, p. 251.

[76] Carta de Tocqueville para Senior (10 de abril de 1848). In: M. C. M. Simpson (ed.), *Memoir*, I, p. 91.

[77] M. C. M. Simpson (ed.), *Memoir*, II, p. 59-60.

Publicamente, Tocqueville instigava a atenção incessante para esses corretivos da democracia; mas, em privado, às vezes, afligia-se com as tentativas de reforma, duvidando da eficácia da literatura em uma época de mudança contínua e apetites.

> Não creio que em tempos como estes possa se obter a menor influência por escritos como os meus ou mesmo por quaisquer escritos, a não ser as novelas ruins que tentam nos tornar ainda mais imorais e perversos do que somos.[78]

Um interminável panorama de uniformidade cinzenta, sem remorsos, disciplinado e restrito; indivíduos totalmente absortos no corpo político; alinhados, basicamente desnudos diante do olho da mente. "É provável que a sociedade, em geral, seja melancólica o bastante para pessoas com nosso modo de pensar – uma razão adicional para viver muito uns com os outros", escreveu Alexis de Tocqueville ao *Monsieur* Francisque de Corcelle (1802-1892), em 1854.

> Apraz-me descobrir, com o passar do tempo, que não sou um daqueles que naturalmente se curva diante do sucesso. Quanto mais a causa parecer abandonada, mais apaixonadamente aferro-me a ela.[79]

O conservadorismo liberal de Tocqueville ainda não é uma causa perdida. À democracia inevitável prestou o serviço de uma crítica severa e elaborou a reforma. A. J. P. Taylor (1906-1990) crê que Tocqueville fracassou no curso de ação e na análise dos acontecimentos de 1848: "A maior invenção de 1848", diz Taylor, "que Tocqueville renegou, foi a social democracia; esse era o único caminho que poderia salvar a civilização [...]. Principalmente ele que amava a liberdade deveria ter fé no povo."[80] Isso soa como se os socialistas utópicos, Étienne-Gabriel Morelly e Gabriel Bonnot de Mably, fossem

---

[78] Idem. Ibidem. II, p. 410-11.
[79] Idem. Ibidem. II, p. 271.
[80] A. J. P. Taylor, *From Napoleon to Stalin*, p. 66.

desenterrados para criticar Alexis de Tocqueville. Tocqueville conhecia muito bem a natureza da "socialdemocracia", um termo cunhado para descrever o Estado igualitário centralizado que nem tanto estrangula, quanto simplesmente ignora a liberdade. E, por ser pupilo de Edmund Burke, Tocqueville nunca poderia ceder à ilusão de que "o povo" existia como uma abstração que possa ser confiável, temível, odiada ou reverenciada no lugar de Jeová. Ninguém captou melhor que Burke e Tocqueville a ideia de nacionalidade e a união eterna de gerações da humanidade; mas o povo, ou as massas, não vivem uma existência mística, beneficente, de certo modo independente dos partidos, das paixões e das falhas comuns da humanidade. O povo não pensa e não age sem a influência das ideias e dos líderes. Sem ideias e líderes, nesse ponto, não se pode crer que um povo verdadeiramente exista: na ausência de tal fermento, o povo subsiste somente como uma massa amorfa de átomos pouco coerentes, um estado gelatinoso, que os planejadores sociais contemplam com equanimidade. O povo, influenciado por um princípio mais excelso, às vezes pode ser alçado ao sublime; mas, também, pode bradar por Adolf Hitler (1889-1945) ou Josef Stálin (1878-1953) ou por qualquer um que queira queimar uma bruxa. Sem o poder daqueles costumes e leis virtuosos esboçados por Alexis de Tocqueville, o povo se torna "a grande besta" de Alexander Hamilton, e crer nisso em abstrato é um ato de fé imprudente, muito mais crédulo que a veneração medieval de relíquias. *A Democracia na América* foi escrita somente para rechaçar o erro que é esse tropeço cego na esteira da multidão.

Nathaniel Hawthorne (1804-1864))

Capítulo 7 | O Conservadorismo Transitório: Traços Gerais da Nova Inglaterra

> Desde o momento em que um grande conjunto de nações na Europa foi ensinado a perguntar por que isso é assim ou por que aquele homem tem tal e qual satisfação à nossa custa, e do que foram privados, foi dado o sinal para uma guerra civil nos arranjos sociais da Europa, que não podem terminar senão com a ruína total de suas constituições feudais. Deve levar, por fim, à destruição das relíquias que ainda permanecem da aristocracia feudal. Se as artes, as ciências e a civilização da Europa não perecerem de todo por isso, deverá ainda persistir o problema [...]. As próprias *artes* e *ciências* [...] gênios, talentos e erudição estão, nos períodos mais esclarecidos da história humana, sujeitos a se tornarem objetos de proscrição para o fanatismo político.
> John Quincy Adams para John Adams (27 de julho de 1795).

1. O INDUSTRIALISMO COMO NIVELADOR

Essa revolta das massas contra as instituições sociais, a propriedade e as tradições intelectuais do Ocidente, iniciada em 1789, prosseguiu, apenas com intermitentes tréguas inquietas, até meados do século XX. John Quincy Adams (1767-1848), julgando com base em sua perspectiva da França, afirmou que isso poderia significar o retorno ao barbarismo. A repulsa popular pelo passado, uma vez despertada, não se limita à aniquilação de governos e economias; se as artes e as ciências parecem prerrogativas de uma minoria, ou se parecem impedir a gratificação dos apetites populares, estão envolvidas na catástrofe geral. Nenhuma possibilidade poderia ser mais bem calculada para atiçar a mente da Nova Inglaterra a opor-se à inovação radical. O caráter severo, diligente, prático e calvinista da Nova Inglaterra também apresentava uma reverência pela erudição; em lugar algum, nem mesmo na Escócia, a alfabetização e a leitura eram mais generalizadas, e uma opinião pública bem formada começou a agitar-se contra as noções gaulesas tão logo principiou a Revolução Francesa. "Resistir a algo era a lei da natureza da Nova Inglaterra", escreve Henry Adams em sua obra *Education*; contudo, apesar da ânsia reformista, os habitantes da Nova Inglaterra estavam profundamente apegados, no fundo do coração, às instituições ancestrais e alarmados com as forças impessoais que varriam sua parca civilização nas corredeiras da inovação do século XIX. Mesmo o fanatismo radical de William Lloyd Garrison (1805-1879) e seus companheiros era apenas uma faceta de sua natureza: Garrison era tão absolutamente hostil às novas massas industriais, temeroso de sua influência potencial, assim como era sensível aos escravos negros. No pensar de três filhos da Nova Inglaterra – cujas carreiras, tomadas em conjunto, vão do Terror à vastidão selvagem – podemos traçar as tentativas da Nova Inglaterra de encontrar o princípio conservador. John Quincy Adams, o incansável estadista prático; Orestes Brownson (1803-1876), laborioso filho de Agamenon; Nathaniel Hawthorne (1804-1864), o explorador dos mistérios da alma – nos três, o instinto conservador lutou por uma expressão de sucesso.

Com a chegada da democracia e da industrialização, os adereços físicos e intelectuais da ordem conservadora foram derrubados. Se a civilização tinha de sobreviver, esses acessórios tinham de ser novamente enraizados ou ser vislumbrada alguma arquitetura social totalmente nova. A Nova Inglaterra, que começara em dissenso, mal se qualificava para ambas as tarefas: não simpatizava com o fidalgo rural e com o cura, desprezava o jacobino e o sofista. Entretanto, deve ser dito, como escusa à Nova Inglaterra, que a tarefa era hercúlea.

A industrialização moderna, na Grã-Bretanha, na América e na maioria da Europa Ocidental, esmagara as defesas econômicas da sociedade conservadora. Com velocidade acelerada, o controle da riqueza foi passando dos proprietários rurais para os industriais e financistas, dos interesses comerciais de um tipo antigo para os grandes empreendimentos manufatureiros. Na população, a predominância passava do campo à cidade. Os novos detentores da riqueza e as massas desprezavam a tradição ou, ainda, eram um tanto ignorantes a seu respeito. O empreendedor em ascensão, ciente das origens humildes recentes, era tentado a desprezar a estrutura social instituída: sua vantagem imediata residia na alteração, no engrandecimento, na consolidação – forças antagônicas à tradição. O novo proletariado da Era Soturna, desenraizado e ignorante, esporadicamente faminto, quase nada sabia dos antigos valores; também estava enfastiado, a mudança é uma manifestação, e seus apetites eram materiais. Assim, as populações industriais, nos dois extremos, foram recrutadas para o liberalismo ou para o radicalismo – quase nunca, nas primeiras décadas do século XIX, para a fidelidade conservadora. Elementos conservadores, sempre morosos em assimilar uma grande alteração social, por um bom tempo ficaram atordoados por seus opositores. A oposição do "gado gordo" que Benjamin Disraeli e William Bentnick agruparam; os grandes latifundiários que se acotovelaram detrás de John Randolph of Roanoke; os comerciantes e fazendeiros ianques que deram vivas a John Adams – em tais grupos, ainda era encontrada a afeição por uma sociedade de usos consagrados, mas o dinheiro e os votos estavam escorrendo por entre as garras. O mundo industrial era um lugar sem veneração.

O torismo, disse John Henry Newman, é lealdade às pessoas, mas o mundo industrial era impessoal. Antes, mesmo na América, a estrutura da sociedade consistia em uma hierarquia de alianças pessoais e locais – do homem para com o mestre, do aprendiz para com o preceptor, do chefe da casa para com a paróquia ou cidade, do eleitor para com o representante, do filho para com o pai, do comungante para com a Igreja. A maioria dos homens de posses se tornaram os magistrados, legisladores e modelos para suas comunidades. O que a pequena nobreza fora na Inglaterra, em certa medida, os Lee, os Byrd e os Randolph foram na Virgínia, os van Rensselaer, Schuyler e Cooper em Nova York, e mesmo as antigas famílias da Nova Inglaterra nos portos marítimos e nos municípios pedregosos. A tributação fora, genuinamente, uma contribuição voluntária para propósitos comuns; o governo, na sua simplicidade, era de interesse direto e imediato para a maioria dos elementos da comunidade e, já que a consciência social opera de modo mais rigoroso quando a proximidade social é a regra, essa era, em geral, uma sociedade justa: corrupção e negligência teriam sido muito notáveis para impregnar, por qualquer espaço de tempo, a aglomeração das pequenas comunidades que davam força a essa sociedade mais antiga, descentralizada. Os homens tinham de se olhar nos olhos, consciência falava à consciência. Era uma condição de existência comparativamente harmoniosa porque poucos abusos grandes podiam ser ocultados. Todos conheciam os erros da vida dos séculos XVII e XVIII, mas, sendo o homem a criatura imperfeita que é, essa sociedade era mais propícia à natureza humana quanto qualquer uma na história – mais adequada, ao menos na visão aristotélica de natureza humana, que define verdadeiramente o estado natural como o cultivo do que há de mais excelso no homem.

Essa rede de relações pessoais e respeitabilidades locais foi posta de lado pelo vapor, pelo carvão, pela fiadeira hidráulica, pelo descaroçador de algodão, pelos transportes velozes e outros itens do catálogo do progresso que as crianças memorizam na escola. A Revolução Industrial parece ter sido a resposta da humanidade ao desafio do aumento populacional. "O capitalismo deu ao mundo aquilo de que ele precisava", Ludwig von Mises (1881-1973) escreveu com vigor em seu tratado *Ação Humana*, "um melhor padrão de vida para uma população em constante crescimento."[1] Isso, contudo, virou o mundo de ponta-cabeça. As lealdades pessoais foram preteridas às relações financeiras. O homem rico deixou de ser o magistrado e o patrono; deixou de ser vizinho do pobre, que, muitas vezes, tornou-se o homem-massa, e não tinha outro propósito na vida senão o próprio engrandecimento. Deixou de ser conservador porque não compreendia as normas conservadoras, que não podem ser instiladas por simples lógica – a pessoa tem de estar imersa nelas. O pobre deixou de sentir que tinha um lugar decente na comunidade; tornou-se um átomo social, era faminto de emoções, salvo a inveja e o tédio, apartado de uma verdadeira vida familiar e reduzido à simples vida doméstica, teve soterrados os antigos pontos de referência, dissipadas as antigas crenças. A industrialização foi um golpe mais duro no conservadorismo que os livros dos igualitaristas franceses. Para completar a derrota dos tradicionalistas, na América começou a surgir uma impressão de que os novos interesses industriais e aquisitivos eram o interesse conservador, que o conservadorismo é simplesmente um argumento político em defesa do grande acúmulo de propriedade privada, que a expansão, centralização e acumulação eram os dogmas dos conservadores. Dessa confusão, da crença popular que Alexander Hamilton foi o instituidor do conservadorismo americano, as forças da tradição nos Estados Unidos, de todo, nunca escaparam.

Que o triunfo súbito da democracia devesse coincidir com a ascensão da industrialização, isso foi, em parte, o produto de causas entrelaçadas; mas, ainda que inescapável, era uma conjunção geralmente catastrófica. A democracia jeffersoniana, projetada para povos simples e agrários, foi propelida sobre uma massa de homens gananciosos, impacientes e urbanizados. O mundo do século XIX era um campo pedrento que, ao semear igualdade, ervas-daninhas surgiam bastas. Entretanto, por mais que classificassem a safra da

---

[1] Ludwig von Mises, *Ação Humana*. Trad. Donald Stewart Jr. São Paulo, Instituto Ludwig von Mises Brasil, 2010, p. 978. (N. T.)

democracia, os conservadores não podiam discernir meios de separar o joio do trigo. Restringir o direito ao voto, uma vez que fora ampliado, mostrou-se impossível; recusá-lo às novas classes, perigoso. Paine e Rousseau, a imprensa popular, a convicção generalizada de que a legislação instituiria a felicidade universal, o poder de insurreição que as turbas urbanas notavelmente exercem no decorrer de todo o século XIX, a perda de ascendência social das antigas ordens superiores, a substituição do individualismo pelo sentimento comunal – todas essas influências deixaram os conservadores quase impotentes. Temerosos de fazer concessões, receosos de recusá-las, foram reduzidos à função de podadores. Na América, a revisão rápida das constituições estaduais, as extensões sucessivas dos direitos políticos, a remoção das capitais estatais das cidades do Leste para as cidades do Oeste – essas manifestações da soberania popular eram sintomas do entusiasmo absorvente dos democratas meramente nominais. Os interesses conservadores foram confundidos; o Partido Federalista, esmagado; não encontraram instrumento melhor que o Partido *Whig* que, embora alardeasse os talentos de Daniel Webster e Henry Clay, carecia de um princípio verdadeiramente coerente. "Um *whig* sem fundilhos", Samuel Johnson chamara Edmund Burke; mas os *whigs* americanos eram os que mais mereciam o epíteto. (Talvez seja tempo, todavia, de alguns de nós lhes oferecermos uma deferência mais compassiva do que receberam desde 1861).

Enquanto a industrialização e a democracia bombardeavam os baluartes conservadores, o racionalismo e o utilitarismo exauriam os fundamentos intelectuais do antigo sistema. Leslie Stephen afirma que os *whigs* suspeitavam dos sacerdotes de modo invencível. A descrença da classe sacerdotal no século XVIII torna-se a total negação da fé no século XIX. A inspiração do ceticismo de David Hume e de Voltaire inundou a Grã-Bretanha e a América; o deísmo jeffersoniano tornara-se quase o credo oficial entre os igualitaristas americanos, mesmo conservadores como John Adams e John C. Calhoun abandonaram sua herança calvinista para algo semelhante ao unitarismo; durante os últimos anos, John Quincy Adams passou por dúvidas agonizantes a respeito da existência da divindade. Que Deus desejara o Estado, na convicção de Richard Hooker e de Edmund Burke, sempre foi um tremendo princípio instigador do conservadorismo: ora, influenciados contra o instinto por aquilo que Joseph Glanvill (1636-1680) chamou de "clima de opinião", os conservadores estavam perdendo a certeza; e, com isso, a imunidade contra o racionalismo francês e benthamita. O conservadorismo ficou na dúvida de como responder aos sofistas e aos calculistas; a veemência poética dos românticos os abandonara e ainda não tinham adquirido os métodos dos conservadores legais e históricos que surgiram na época vitoriana.

Se, então, o conservadorismo da Nova Inglaterra do século XIX não reprimiu efetivamente o fluxo de inovação, ainda assim, a Nova Inglaterra tinha homens de força e talento. Em um país mais conservador, na velha Inglaterra, foi nessa época que *Sir* Robert Peel reuniu os restos de conservadorismo depois do colapso de 1832 e os comprimiu, mais uma vez, em um partido. Peel tinha opiniões razoavelmente parecidas com os nossos conservadores da Nova Inglaterra – ligadas aos antigos costumes por instinto, mas pela razão, um tanto convencido pelas teorias dos adversários; assim, foi impelido de concessão a concessão, de modo um tanto consciencioso – até o ponto, certo de que tinha o apoio dos *tories*, de ficar estupefato ao descobrir que dera as costas aos *tories*. Visto que a perspectiva da guerra civil se tornara aterradora, os conservadores americanos quase não tinham um partido para liderar ou para repudiar.

2. JOHN QUINCY ADAMS E O PROGRESSO: ASPIRAÇÕES E FRACASSOS

Durante os anos recentes, vários autores liberais ou radicais gentilmente recomendaram a formação de um verdadeiro partido conservador nos Estados Unidos. Harold Laski, por exemplo, afirmou que isso elevaria o tom da política americana, e Arthur Schlesinger Jr. (1917-2007) tinha opinião semelhante. Sem dúvida estavam certos. Entretanto, esses cavalheiros não desejavam que o conservadorismo fosse bem-sucedido: aprovavam-no simplesmente para oferecer uma oposição leal à inovação – uma oposição pouco efetiva à inovação – uma oposição ineficiente a não ser por oferecer uma crítica bem-educada. O sr. Schlesinger aprovava John Quincy Adams como modelo para os conservadores do século XX. A defesa esquerdista da reorganização conservadora deseja ver um partido conservador que, como o Partido Liberal inglês no século XX, seja um meio para transformar a sociedade existente em um novo Estado coletivista, em um partido interino. Aprovam um conservadorismo que desconfie dos próprios postulados. John Quincy Adams foi o talentoso representante de tal opinião conservadora.

Talvez nenhum homem na história política americana tenha sido mais honesto que John Quincy Adams, mais diligente ou mais firme nos propósitos imediatos. No entanto, como pensador conservador, o segundo grande membro do que John Randolph chamou de "a casa americana dos Stuart" era vacilante. Vira o federalismo morrer; veio a crer, como Alexis de Tocqueville, que o crescimento da democracia era providencial; sentia a necessidade premente do princípio conservador na conduta dos assuntos americanos, mas nunca descobriu muito bem como corrigir isso. Brooks Adams (1848-1927), seu neto (metade da história do conservadorismo americano, ou quase isso, deve ser relato dos Adams), afirmou: "John Quincy Adams parece ser o personagem mais interessante e sugestivo do início do século XIX"; e, em vários aspectos, o sexto presidente o é. Seu imenso diário é a melhor abertura para o pensamento de sua época na América, sua diligência científica fez progredir o conhecimento americano e suas aspirações por desenvolver um caráter nacional foram eloquentemente nobres. Como pensador conservador, contudo, foi insuficiente; como líder conservador, lamentável. Sua desconfiança das motivações dos homens excedia a de Randolph; seu tom para com os companheiros não era menos arrogante, e sua austeridade pessoal tornou impossível manter quaisquer discípulos populares efetivos. Lorde George Lyttleton (1817-1876), que conhecera Quincy Adams como diplomata na Rússia e em Londres, certa vez escreveu que o segundo Adams:

> De todos os homens que tive a sorte de conhecer e dispensar gentilezas, foi o mais tenaz e obstinadamente repulsivo, de aspecto irritado, harmonizando as orelhas feitas de couro e ódio à Inglaterra no coração, sentou-se nas frívolas reuniões de Petesburgo como um buldogue entre spaniels; e muitas foram as vezes que obtive monossílabos e veneno cruel.[2]

John Randolph exclamou de maneira indignada com James Madison, por ocasião de certas negociações obscuras para a aquisição da Flórida: "Vejo, senhor, que não fui talhado para ser político". John Quincy Adams não estava mais bem preparado para essa vocação desleal, e mesmo quando se tornou presidente, ignorava as intrigas que asseguraram sua eleição. A derrota esmagadora nas mãos de Andrew Jackson em 1828 espantou-o imensamente, azedou ainda mais sua natureza e perturbou suas opiniões a respeito de Deus e do homem.

Quincy Adams ingressou primeiramente na controvérsia política com a publicação de suas *Letters of Publicola* [Cartas de Publícola], demolindo Thomas Paine. Sua extensa carreira terminou no meio das denúncias de escravidão e do interesse sulista. Esse meio século de vida pública o levara da defesa da tradição e da propriedade a uma investida humanitária na instituição peculiar que antecipou a aproximação do conflito destinado a consumir tanto o conservadorismo e a reforma verdadeiros em uma chama de paixão. Morreu com dolorida

---

[2] Josceline Bagot (ed.), *George Canning and His Friends*, II. London, 1909, p. 362.

consciência do fracasso de consumar alguma das grandes esperanças para o caráter nacional americano aos quais dedicara a vida. É duro recriminar esse homem austero e inspirador pelo colapso de seus ideais, mas permanece sendo fato que esperava mais dos homens do que deveria qualquer conservador e, deles, obteve menos do que líderes imensamente inferiores a Quincy Adams podem obter.

Embora desdenhasse das doutrinas da Revolução Francesa e fosse hostil aos esquemas políticos que não se fundassem em uma moralidade rígida, o próprio Quincy Adams aderiu a certas crenças inovadoras que confundiram e enfraqueceram suas predisposições conservadoras. Partilhava da fé de Edmund Burke nos princípios da continuidade social e dos usos consagrados, mas mesclou a tais convicções várias inclinações distintas e até mesmo contraditórias. Acreditava na ideia do progresso, por exemplo – que não é a mesma coisa que crer na Providência; acreditava na possibilidade de perfectibilidade humana. Acreditava na consolidação como instrumento para o aprimoramento nacional; acreditava em um governo que deliberadamente guiasse a vida dos cidadãos. Quanto à democracia, nunca esteve certo no que acreditar: mais uma vez, como Alexis de Tocqueville, temia pela liberdade e a propriedade sob o reinado da maioria, ainda que, muitas vezes elogiasse o espírito democrático com uma sugestão de reserva.

> A *Democracia*, a democracia pura, ao menos tem seu fundamento em uma teoria generosa de direitos humanos. Fundamenta-se na igualdade natural da humanidade. É a pedra angular da religião cristã. É o primeiro *elemento* de *todo* governo legal sobre a Terra. A democracia é autogoverno da comunidade pela vontade conjunta da maioria dos membros.[3]

Do princípio ao fim, tendeu, de modo perigoso, a identificar virtude com seus juízos pessoais e a justiça divina com sua fortuna política.

---

[3] Discurso de Adams a seu eleitorado, 17 de setembro de 1842. In: Josiah Quincy, *Memoir of the Life of John Quincy Adams*. Boston, 1858, p. 382-83.

No entanto, não era arrogante. Como a maioria dos Quincy Adams, parecia fútil e pomposo nos modos; como todos eles, experimentava no coração uma humildade penetrante, um exame de consciência puritano incessante, uma autocondenação insolente das próprias faltas. Foi eternamente atormentado pelo pensamento do que *deveria* ter sido, assim escreveu, próximo ao fim de tudo:

> Se minhas potências intelectuais foram tais como, por vezes acometeu o Criador dos homens conferir a indivíduos da espécie, meu diário teria sido, junto com as Sagradas Escrituras, o livro mais precioso e valioso jamais escrito por mãos humanas e teria sido um dos maiores benfeitores de meu país e da humanidade. Teria, pelo poder irresistível do gênio e a irrepreensível energia da vontade e pelo favor do Deus Todo-Poderoso, banido a guerra e a escravidão da face da Terra para sempre. Entretanto, o poder conceitual da mente não me foi conferido pelo Criador e não melhorei a diminuta porção de Seus dons como poderia e deveria ter feito.[4]

Sentia que seu dever era a conservação do valor moral da América; sabia que sua época era de transição, mas como competir com essa esfinge ameaçadora, nunca descobriu propriamente.

Fez um esforço doloroso e abnegado, contudo, para guiar a América a seguir no caminho que Washington iniciara. O nacionalismo, um federalismo consolidante enobrecido por propósitos quase incompreensíveis para a multidão dos compatriotas, foi sua âncora política – um nacionalismo que rejeitava o federalismo materialista que Alexander Hamilton e Timothy Pickering representavam, que denunciava o particularismo sulista. Retirou-se dos federalistas durante a controvérsia do embargo de 1808 e, logo, ficou surpreso ao descobrir-se republicano. Sob a dinastia da Virgínia, o Partido Republicano alterou tanto a compleição que o filho do velho John Adams pareceu ser o sucessor mais aceitável para James Monroe; assim, o

---

[4] Brooks e Henry Adams, *The Degradation of Democratic Dogma*. New York, 1920, p. 34-35

jovem Quincy Adams tornou-se presidente em 1825, e pensou que Deus confiara em suas mãos a regeneração da América. Um homem, por toda a vida notavelmente sagaz e acerbamente ingênuo, confiou na força do Senhor para ampará-lo; assim, quando quatro anos depois, a democracia o subjugou assim como esmagara seu bravo pai, o aturdido John Quincy Adams cogitou se Deus realmente existia.

Na consolidação, acreditava, estavam os meios de tornar a América a nação mais nobre da história. "Meu sistema de política cada vez mais se inclina a fortalecer a união e seu governo", escrevera em 1816:

> É o direto oposto do professado pelo sr. John Randolph, ao confiar, principalmente, nos governos estatais. O esforço de cada um dos governos dos Estados seria manejar toda a união para a própria vantagem local. A doutrina é, portanto, bastante política para um cidadão do Estado mais poderoso da união, mas de nada vale para os Estados mais fracos, e é perniciosa ao todo.[5]

Uma mútua repulsa separava John Quincy Adams de John Randolph, os homens mais honestos daquela geração; e as duas divisões de opiniões conservadoras que representavam ainda não foram reconciliadas. As advertências de Alexis de Tocqueville contra o poder centralizado foram perdidas em Quincy Adams. Pelo emprego adequado das receitas e da liderança moral que tem um governo geral, pensava, a natureza humana poderia ser alçada à perfeição na América; e essa visão extática, quase um misticismo medieval em um cavalheiro puritano do século XIX, induziu-o a pôr de lado o problema das liberdades locais e dificuldades imediatas. Em 1843, em Cincinnati, expressou novamente o sonho perseverante de toda uma vida:

> Agora, a posição que levarei à vossa consideração séria e inquieta é esta: que a forma de governo, fundamentada no princípio da igualdade

---

[5] J. Q. Adams, *The Writings of John Quincy Adams*. W. C. Ford (ed.). 7. vols. New York, 1913-1917, VI, p. 60.

natural da humanidade, cujos direitos inalienáveis do indivíduo são a pedra angular, é a forma de governo mais bem adaptada à busca da felicidade, tanto de cada indivíduo como da comunidade. É o único governo humano real ou imaginável em que o amor-próprio e o social são o mesmo; e creio estar plenamente justificado ao acrescer que à medida que os governos existentes na Terra dele se aproximam, ou se afastam, o padrão, na mesma proporção, é a busca da felicidade da comunidade e de todo o indivíduo que a ela pertença, promovida ou impedida, realizada ou destruída. É a verdadeira república de Montesquieu – o governo em que a virtude é o princípio seminal, aquela virtude que consiste no amor arraigado em todo seio da comunidade de que se é membro.[6]

Em alguns aspectos isso supera o próprio Thomas Jefferson em jeffersonianismo. É uma visão moralista e idealista da sociedade. Um defensor contumaz da ideia de pacto social, que tomou por fato histórico; um apaixonado pela justiça universal; um defensor da melhoria incessante – aqui vemos o lado inovador de Quincy Adams. No entanto, as inclinações conservadoras e a experiência mantiveram esse otimismo dentro de limites. Jeremy Bentham, com quem conversava, horrorizou Quincy Adams com o cálculo social desumanamente preciso, com o materialismo e a complacência que apresentava diante da possibilidade de provocar uma guerra civil na Inglaterra. O reformador judicioso opera pelos meios consagrados pelo tempo e santificados pela Providência. Por tal reforma, justamente, a experiência americana criara o governo federal, produto da vontade divina e do acordo humano. Agora era o momento de tornar esse sistema político instrumento de progresso moral e físico. Uma democracia de elevação deveria formar-se com base nos elementos turbulentos e díspares que habitavam os vários Estados; as desarmonias sociais deveriam ser reconciliadas, as hostilidades locais, dissipadas.

---

[6] *Selected Writings of John Adams and John Quincy Adams*, p. 400-01.

Melhoramentos internos à custa federal, o incentivo às manufaturas, a conservação daquele vasto tesouro nacional das terras públicas a Oeste; a promoção da ciência, a simpatia pelo espírito de liberdade por todo o mundo: esses constituíam o programa específico de Quincy Adams. John Randolph viu nessas propostas nada mais que o artifício de um segmento para ficar rico à custa de outro, nada mais que uma tremenda velhacaria, nada mais que projetos da Academia do Lagado. E, no que diz respeito aos motivos que incitaram muitos adeptos a essas propostas, Randolph estava certo. John Quincy Adams, no entanto, certo ou errado, elaborou tais projetos como a realização da ideia de união de Washington. Estradas, canais e portos tornariam verdadeiramente una a união, com benefício generalizado; as tarifas protecionistas, a longo prazo, funcionariam em prol de todos; as terras públicas, em vez de sacrificadas aos especuladores e posseiros, viriam a ser, para as gerações futuras, o meio de pagar os grandes empreendimentos nacionais; um novo sistema de pesos e medidas, um observatório astronômico nacional; uma silvicultura científica e projetos similares melhorariam a compreensão nacional e fariam prosperar a economia; os Estados Unidos seriam recebidos como membros de uma comunidade maior daqueles novos Estados, como as nações da Grécia e da América do Sul, que atingiram com o republicanismo um estado mais elevado de progresso social. Seria um conservadorismo de prosperidade e esperança, uma república livre e benevolente liderada por cavalheiros. Isso baseava-se em uma ideia mais elevada que o mero paternalismo: baseava-se na justiça, "uma constante e perpétua vontade de assegurar para cada homem o seu direito". Isso era realmente impossível.

O presidente John Quincy Adams, em quem a autoridade da Nova Inglaterra foi transmutada em uma grande beneficência, não contou com a inveterada hostilidade americana de um direcionamento vindo de esferas superiores. Mais que as denúncias da "barganha corrupta" entre John Quincy Adams e Henry Clay, mais que a simples dificuldade política da administração, o que incitou a nação a apoiar o general Andrew Jackson e deu a este uma vitória eleitoral duas vezes maior que a de Quincy Adams, foi a democracia americana rejeitar ser dirigida por uma autoridade central. Andrew Jackson, um aristocrata natural – de fato, um autocrata – sucedeu ao cientista e ao literato, pois o general Jackson não propôs controlar a democracia, mas dar à nação sua liderança. As terras públicas, com Jackson, foram abertas para colonização imediata, começou a exploração frenética de tudo além do Mississípi, e, de seus efeitos, a América ainda não se recuperou. As melhorias internas foram descartadas com desdém; as tarifas protecionistas, reduzidas por acordo; os experimentos científicos, abandonados; a política externa, retraída. Adams sentia ter feito uma aliança com seu Deus. A mentalidade da Nova Inglaterra nunca perdera por completo a ideia de que o relacionamento com a Onipotência é uma questão contratual; a apologética da Nova Inglaterra é abundante em referências às pias "transações boas" entre Deus e seus eleitos. Teria Deus falhado com John Quincy Adams? Seria essa a recompensa por seu incansável serviço? Seria esse o progresso humano irresistível a respeito do qual o segundo Adams estivera tão confiante? Adams, de fé mais débil que Jó, não era firme o bastante para suportar essa tribulação. Por certo, nunca perdoou o Sul por sua derrota em 1828 e, dificilmente, perdoou Deus.

Até mesmo o espírito da ciência, sentiu Quincy Adams, o desertara, e sofreu perversões para usos vis. Nem as antigas famílias da alta classe, como a casa dos Quincy Adams estavam destinadas a brandir essa nova força da Nova Inglaterra: em vez disso, os entalhadores ianques[7] e os desonestos traficantes de noz-moscada falsa, os inventores práticos e os promotores dos negócios, sequestraram a ciência e acorrentaram-na a serviço da avareza prática. Em vez de enobrecer

---

[7] O hábito de entalhar objetos decorativos à mobília era muito difundido na Nova Inglaterra. (N. T.)

a mentalidade pública e consolidar o tecido social, a ciência aplicada se tornou rapidamente a principal arma de um grande individualismo que era anátema para o frugal e honrado Quincy Adams, a fonte de fortunas enormes divorciadas do dever, instrumento de ambição inescrupulosa e de materialismo voraz. Em pouco tempo, começou a deixar cicatrizes na própria face da nação que Adams amava, um processo desfigurante que não foi interrompido até os dias de hoje. A ciência aplicada era uma força revolucionária, embora Quincy Adams a tomasse erroneamente por ferramenta conservadora. Poderia haver progresso no mundo, caso essa corrupção fosse permitida pela Providência? Poderia haver Deus? Com alma humilhada, John Quincy Adams deixou Washington, amargurado e quase sem esperanças. Apesar da frieza exterior de sua conduta, nunca realmente obedecera a injunção desolada de Marco Aurélio (121-180) para os que guiam a sociedade, "Vive-os [os anos de vida que te faltam], pois, como se estivesses no cimo de uma montanha".[8] Na maioria das vezes, um Adams não renuncia a antigos ressentimentos sem relutar. Quando os amigos retornaram, o ex-presidente da Câmara dos Representantes, John Quincy Adams começou a vingar-se, ao desafiar o "Gênio Negro do Sul", o poder escravagista.

Ora, a repulsa de John Quincy Adams pela escravidão fora manifesta muito antes de sua derrota em 1828 e, não pretendemos sugerir aqui que fulminou a instituição peculiar apenas por causa de um antigo ressentimento. Em 1816, disputara com John C. Calhoun a respeito da questão dos escravos:

> É pelos males da escravidão que se infectam as próprias fontes do princípio moral. Institui falsas estimativas de virtude para o vício: pois, o que pode ser mais falso e impiedoso que essa doutrina que torna o primeiro e mais sagrado direito da humanidade dependente da cor da pele. Perverte a razão humana e reduz o homem dotado de capacidades

---

[8] Marco Aurélio, *Meditações*, Livro 10, XV. (N. T.)

lógicas a manter a escravidão sancionada pela religião cristã, de que os escravos são felizes e contentes com sua condição, que entre o senhor e o escravo há laços de vínculo e afeição mútuos, que as virtudes do senhor são refinadas e exaltadas pela degradação do escravo, ao passo que, simultaneamente, extravasam execrações contra o tráfico de escravos, maldizem a Grã-Bretanha por ter-lhes dado escravos, queimam nos pelourinhos negros aprisionados por crimes para o terror do exemplo, e contorcem-se em agonia de medo diante da própria menção de direitos humanos aplicáveis aos homens de cor.[9]

Entretanto, dificilmente podemos duvidar que a mordacidade para com o Sul, o Sul de Andrew Jackson, era um estímulo imediato para a conduta destemida de Adams ao apresentar ao Congresso, ano após ano, as petições dos abolicionistas.

Ao desafiar os parlamentares furiosos do Sul por apadrinhar as petições, John Quincy Adams esforçou-se para observar que não endossava os pontos de vista específicos dos requerentes; defendia somente o direito que tinham de peticionar. Quincy Adams sabia que a escravidão, como todos os outros grandes males, não podia ser satisfatoriamente extirpada por simples decreto legislativo. É claro que estava correto em detestar a escravidão – o mesmo com relação aos grandes latifundiários da Virgínia; é claro que estava certo em esforçar-se para evitar a expansão dessa influência maligna para novos territórios. No entanto, ao revestir-se da bravura de um reformador, Quincy Adams esqueceu a prudência do conservador. Ao reverter o processo ordinário da natureza, o jovem opositor da mudança tornara-se um vetusto tenente da alteração radical. Logo a voz de William Garrison começara a bradar às suas costas; e depois que Quincy Adams morreu, o líder da Nova Inglaterra descaiu em um humanitarismo limitado e intolerante de homens como William Hyslop Sumner (1780-1861) e Wendell Phillips (1811-1884),

---

[9] J. Q. Adams, *Memoirs of John Quincy Adams*. C. F. Adams (ed.). 12 vols., Filadélfia, 1874-1877, V, p. 10-11.

homens prontos a arriscar inúmeras novas pragas, caso pudessem erradicar um antigo mal.

A Guerra de Secessão e a supressão do Sul fizeram tanto mal ao conservadorismo inteligente na América que as ideias conservadoras tiveram uma pequena recuperação verdadeiramente eficaz apenas nos últimos anos – e, mesmo agora, nenhuma recuperação satisfatória na mentalidade popular. Nathaniel Hawthorne, com toda a ligação que tinha a tudo o que era venerável, sentiu a ameaça do abolicionismo. "Não há exemplo, em toda história, da vontade e do intelecto humanos aperfeiçoarem qualquer grande reforma moral por métodos que adaptem para tal fim", escreveu em *Life of Franklin Pierce* [Vida de Franklin Pierce]; a escravidão não seria remediada por artifício legislativo. No entanto, John Quincy Adams, ao ter acalentado por toda a vida a convicção de que um estadista piedoso e enérgico poderia mover montanhas, não foi um tanto sensível às gárgulas que espiavam por trás das petições abolicionistas. Sabia que a abolição não bastaria para resolver os problemas do Sul e da nação; amava ternamente a União; não houve homem menos demagogo. Entretanto, o clima de opinião acalorou esse filho da Nova Inglaterra, frio e incorruptível, para um flerte nada tranquilo com o movimento emocional e radical. Depois de Quincy Adams, o dilúvio. Essa inundação varreu para longe a dignidade excelsa e temente a Deus da República que sua imaginação projetara em um futuro de majestosa tranquilidade.

3. AS ILUSÕES DO TRANSCENDENTALISMO

"A Democracia, a simples democracia, nunca teve um patrono entre os homens de letras", escreveu John Adams em *A Defense of the Constitutions*.

> O povo quase sempre esperou ser atendido de graça, ser recompensado pela honra de ser servido; e o aplauso e as adorações, muitas

vezes, são concedidos com base em artifícios e ardis, com base na hipocrisia e na superstição, com base nas lisonjas, nos subornos e nas liberalidades.

Bem, de algum modo, cada época encontra os autores que seu gosto requer e, antes ainda de meados do século XIX, a democracia americana começara a gerar panegiristas entre os literatos; logo, Walt Whitman (1819-1892) cantaria a democracia com sinceridade raras vezes dantes manifestada e, provavelmente, impossível de ser revivida em posteriores gerações de desilusão. Não só a democracia, mas aquelas doutrinas concomitantes, ainda mais hostis à ordem tradicional – as ideias de progresso material infinito, de perfectibilidade e de alteração por amor à novidade – obtiveram devotos literários entre os talentos da Nova Inglaterra. Ralph Waldo Emerson (1803-1882) é o maior nome entre os otimistas literários.

Apesar de todos esses fios conservadores na tapeçaria ianque, o modelo intelectual da Nova Inglaterra foi perturbado por um veio duradouro de ajustes. Um tanto como Cotton Mather (1663-1728) que não podia resistir a entalhar atrás da porta da igreja, da mesma maneira, a Nova Inglaterra era incessantemente tentada a melhorar e a purificar-se – em particular, para melhorar e purificar outras pessoas. Um legado puritano, esse; e prodigamente diluído pela herança do puritanismo, tornou-se transcendentalismo e unitarismo, essa necessidade de intromissão otimista permaneceu com força total. O impulso foi responsável, em medida apreciável, pela erupção da Guerra de Secessão e pelo fiasco da Reconstrução. O efeito da censura ianque foi tão duradouro na versão de Harriet Beecher Stowe (1811-1896) da vida sulista, por exemplo, que, desde então, continua a deixar marcas indeléveis na mentalidade popular do Norte; e, uma vez percebido o humanitarismo fanático, ainda em curso ao Norte da linha Mason-Dixon, assegura que qualquer peça que celebre a depravação dos sulistas será recompensada por seu anjo, quaisquer romancistas que exponham a negritude dos brancos do Sul nunca serão relegados à categoria dos remanescentes entre os editores. Essa consciência externa ou expansiva da Nova Inglaterra, esse equivalente moral e literário do movimento do Partido do Solo Livre,[10] encontrou expressão, por um lado, no vigor antiescravagista e antissulista de William Loyd Garrison, Theodore Parker (1810-1860), James Russell Lowell (1819-1891), Charles Francis Adams (1807-1886) e William Hyslop Sumner. Por outro lado, estava expresso no otimismo nebuloso, na experimentação social e nas criações metafísicas de Ralph Waldo Emerson, George Ripley (1802-1880), Louisa May Alcott (1832-1888), Margaret Fuller (1810-1850) e outros transcendentalistas e *illuminati* de Concord.

Quando, como ocorreu com alguns dos transcendentalistas e de seus progenitores unitaristas, o idealismo germânico transplantado que inspirou o sistema pareceu defender uma espécie de conservadorismo, isso aconteceu por acidente, não pela lógica das coisas. O próprio George W. F. Hegel era conservador somente por acaso e conveniência. Toda a tendência meliorista, abstrata, individualista da filosofia deles foi destrutiva para os valores conservadores. A confiança no juízo privado e na emoção pessoal, o desprezo pelos usos consagrados e a experiência da espécie, uma moralidade social alternada e desconcertantemente egocêntrica ou abrangente (contradição encontrada com tamanha frequência em Jean-Jacques Rousseau) – essas qualidades do pensamento de Ralph Waldo Emerson contentaram o anseio popular americano que, desde então, foi alimentado pela "autoconfiança", "experiência", "natureza" e

---

[10] Partido ativo entre os anos de 1848 e 1852 nos Estados Unidos, criado na convenção democrata de Nova York em 1848, cujo objetivo principal era fazer oposição à expansão da escravidão nos territórios ocidentais. Os argumentos do partido distanciavam-se dos aspectos morais da escravidão e do abolicionismo, repousando na tese da ameaça que a escravidão representaria para libertar a mão de obra branca e os empresários do Norte nos novos territórios ocidentais. Os remanescentes do partido foram absorvidos pelos Republicanos. (N. T.)

outras proclamações individualistas emersonianas. Não fosse por essa afinidade com o apetite intelectual americano, Emerson não seria lembrado, já que seus ensaios não são de fácil leitura – frases ou parágrafos penetrantes a luzir entre a incoerência da estrutura, expressão de uma mente assistemática, como a do amigo Thomas Carlyle. As especulações de Emerson, contudo, eram tão agradáveis ao temperamento americano que sua influência no pensamento foi imensamente incalculável: encontramos até mesmo passagens de Emerson como exercício predileto de manuais de datilografia, e Emerson tornou-se cativo de conservadores como Irving Babbitt, exercendo, por vezes, uma influência desarmoniosa.

Ralph Waldo Emerson recorre a uma variedade de impulsos inovadores e igualitários, comuns entre os americanos, todos, antes, observados por Alexis de Tocqueville: a paixão pela simplicidade, a aversão à hierarquia, a impaciência com a disciplina e a restrição, o gosto por remédios sumários. Quando reduz Deus à Superalma, recorre ao juízo individual, exalta o crescimento, a mudança, o vir a ser e louva a liberdade livre das amarras do compromisso ou dos contratos, aí alcança uma audiência imensamente maior que o círculo dos sonhadores transcendentalistas. Torna-se um profeta da revolta contra a autoridade. Embora seja um individualista muito inflexível, volta e meia ataca o materialismo e as "posses atuais" da propriedade pressagiando o socialismo. Isso não é um paradoxo. O verdadeiro conservadorismo, um conservadorismo não infectado por ideias benthamitas ou spencerianas, surge nos antípodas do individualismo. O individualismo é atomismo social; conservadorismo é a comunidade de espírito. Os homens não podem existir sem uma comunidade adequada, como sabia Aristóteles; e quando lhes é negada a comunidade de espírito, voltam-se, de modo irrazoável, para a comunidade de bens. Apesar do discurso de Emerson a respeito daquele que é "O Eterno" e da Superalma, apesar da aparente rejeição do atomismo, por baixo dessa camada de verniz, repousa o isolamento filosófico do homem a partir do homem. Talvez um tipo de asco instintivo contra o próprio individualismo espiritual levou Emerson ao coletivismo social – para aquele substituto severo da livre harmonia, aquela uniformidade confortante que Tocqueville chama de despotismo democrático.

As noções políticas específicas de Ralph Waldo Emerson são quase escandalosas – à primeira instância, aterrorizantes pela perigosa ingenuidade; à segunda instância, pela simples indiferença aos fatos desconfortáveis. Dando de ombros às salvaguardas constitucionais, aos freios e contrapesos, artifícios para assegurar a liberdade, às autoridades consagradas, afirma que tudo o que exigimos do governo é boa vontade. Devemos fundar nossos sistemas políticos no "direito absoluto", e, então, nada teremos a temer. Isso de um admirador professo de Montesquieu e de Edmund Burke! O mais otimista dos *philosophes* não seria tão pueril em política. O ideal político emersoniano é tão impraticável quanto o de Henry David Thoreau (1817-1862), sem a dureza de fibra de Thoreau para suprir uma desculpa para a prova. Rousseau e Hegel são reduzidos ao absurdo pelo confiante discípulo da Nova Inglaterra. E, quando surge a questão de como pode ser instituído o "direito absoluto", Emerson recai na adulação do herói violento, o "homem sábio", que ainda é mais notável em Carlyle e é uma das mais desastrosas ilusões do século XX. Após anos de pregação do humanitarismo transcendentalista, Emerson informa ao mundo que *Osawatomie Brown*[11] é o instrumento destinado do direito absoluto: John Brown (1800-1859), o antigo fanático sujo de sangue, o algoz de homens inocentes em Kansas e em Harper's Ferry, o arquétipo dos terroristas que estão ativos nesses últimos cem anos a reduzir a ciência da política a assassinato. Brown "tornou o patíbulo glorioso como a cruz". No tributo a um ser, que nos melhores

---

[11] Nome de uma peça teatral de Kate Edwards (1834-1862) sobre a luta do abolicionista John Brown (1800-1859) com as forças pró-escravagistas no Kansas, que o tornou herói dos abolicionistas do Norte. (N. T.)

momentos era um monomaníaco, e nos piores, um horror de homicida, percebemos quão perigosa é a enevoada Terra Discutível entre o transcendentalismo e o niilismo.

> A experiência sempre mostrou que a educação, bem como a religião, a aristocracia, assim como a democracia e a monarquia são, isoladamente, totalmente inadequadas ao cargo de restringir as paixões dos homens, de preservar um governo estável e de proteger a vida, as liberdades e as propriedades das pessoas.

Essa admoestação de John Adams nada significava para Ralph Waldo Emerson. Somente o equilíbrio da paixão, do interesse e do poder em face da paixão, do interesse e do poder opostos pode tornar um Estado justo e tranquilo, disse Adams. Ele acreditava ser a existência do pecado um fato incontroverso; ao passo que Emerson, ao descartar as formas do calvinismo como a própria essência de seu credo, nunca admitiu a ideia de pecado em seu sistema. "Mas tal otimismo inveterado e persistente", Charles Eliot Norton (1827-1908) observa a respeito do amigo Emerson,

> ainda que possa demonstrar apenas o lado agradável de um caráter tal como o de Emerson, é doutrina perigosa para o povo. Degenera em indiferença fatal às considerações morais e às responsabilidades pessoais; está na raiz de muito do sentimentalismo irracional de nossa política americana.

O reconhecimento do poder duradouro do pecado é um princípio cardeal no conservadorismo. Quintin Hogg (1907-2001), em seu livreto veemente *The Case for Conservatism* [A Questão do Conservadorismo], enfatiza novamente a necessidade dessa convicção. Pensadores conservadores creem que o homem é corrupto, que os apetites precisam ser contidos e que as forças do costume, da autoridade, da lei e do governo, bem como a disciplina moral, são necessárias para manter o pecado sob controle. Podemos observar essa convicção de John Adams aos calvinistas e a Santo Agostinho (354-430) ou, de

Edmund Burke a Richard Hooker e aos escolásticos e, logo, por sua vez, a Santo Agostinho – e, talvez, (como faz Henry Adams) além de Agostinho, a Marco Aurélio e seus preceptores estoicos, bem como a São Paulo (5-67 d.C.) e aos hebreus. Ralph Waldo Emerson, sem paciência com a tradição, repudia tais categorias perturbadoras. No seu aniversário de cinquenta e oito anos, Emerson observou: "Nunca pude conferir muita realidade ao mal e à dor". Ora, mal e dor são os grandes problemas do pensamento cristão, e um homem que pode não "conferir muita realidade" para os fatos terríveis e inexoráveis não é um guia seguro para a mentalidade moderna. Toda a tendência social do emersonianismo foi a defesa de alguma medida radical e sumária, um julgamento salomônico sem a perspicácia salvífica, ou (se isso não bastar) fingir que o problema não existe. Poucos povos são tão complacentes com o mal em seu meio como os americanos desde a Guerra de Secessão, e nenhum povo esteve tão pronto a negar a própria existência do mal. A América do século XX apresenta o espetáculo de uma nação atormentada pelo crime, pelo vício urbano, pela corrupção política, pela decadência familiar e a crescente proletarização; e, no meio desse cenário, a voz de comando não é a de um Girolamo Savonarola (1452-1498), mas a de um coro de sociólogos, psicólogos e neopositivistas nos púlpitos, a proclamar que o pecado não existe e o "ajuste" irá curar todo câncer social. Ora, Emerson não criou essa tendência do público americano a se portar como avestruz, mas foi seu apologista mais vigoroso. Se um mal é geograficamente remoto, ou específico de uma região ou classe (como a escravidão), resolvemos por uma cirurgia sem anestésicos; se estiver perto de casa, no coração da própria pessoa – ora, devemos estar enganados!

Se uma coerência tola é o monstro das mentes pequenas, um otimismo estúpido é, com frequência, a condenação das mentes expansivas. Como um otimista social a ignorar o fato do pecado, Ralph Waldo Emerson era um pensador radical, talvez o mais influente de todos os radicais americanos. Ao acreditar, com Jean-Jacques

Rousseau, na supremacia dos instintos benevolentes, estava pronto para descartar os antigos costumes da sociedade de modo que o terreno pudesse estar limpo para novos edifícios de emoção. Entre as vozes admonitórias que o responderam, as mais eloquentes eram as de Nathaniel Hawthorne e de Orestes Brownson.

4. BROWNSON ACERCA DO PODER CONSERVADOR DO CATOLICISMO

Até Ralph Waldo Emerson e seu círculo instituírem a hegemonia de Concord nas letras americanas, a maioria dos homens de letras dos Estados Unidos respaldaram a máxima de John Adams por uma acentuada mentalidade conservadora, por uma suspeita da democracia e por um amor aos antigos costumes. James Fenimore Cooper, Washington Irving (1783-1859) e Edgar Alan Poe (1809-1849) fizeram parte desse estilo de escrita; e alguns contemporâneos célebres de Emerson, ao repudiar as obras do transcendentalismo, sujeitaram a inovação a uma crítica que deixou marcas no pensamento americano.

A mente incansável de Orestes Brownson, originário de Vermont, experimentou quase todo o dissenso da época transcendental e, por fim, abraçou a ortodoxia com o fervor de um homem que encontrou um refúgio. Congressionalismo, presbiterianismo, universalismo, socialismo, ateísmo, unitarismo e conspiracionismo revolucionário levaram-no, por meios tortuosos, a repugnar o juízo privado e, em 1844, ao catolicismo. Brownson conhecera Brook Farm[12] e New Harmony,[13] e agora tornara-se um em uma comunidade mais antiga

---

[12] Experimento comunal utópico fundado em 1841 por George Ripley (1802-1880), ex-ministro unitarista e líder do *Trancendental Club*, em West Roxbury, Massachussets. (N. T.)

[13] Comunidade fundada em 1825 pelo rico escocês fabricante de tecido, Robert Owen (1771-1858), em Indiana, que pereceu em pouco tempo, ironicamente pela falta de harmonia entre os habitantes. (N. T.)

que as nações. Nos últimos anos foi dada mais atenção a Orestes Brownson do que recebera no século anterior. [Vernon Parrington não o menciona: algo como uma conspiração silenciosa manteve seu nome fora das histórias do pensamento americano, talvez por causa do ataque de Brownson ao protestantismo nas formas social e eclesial não se encaixam de maneira conveniente nas categorias puras das avaliações intelectuais convencionais].[14] Ainda assim, ele é o exemplo mais interessante do avanço do catolicismo como espírito conservador na América; e se a porção católica do povo americano ainda não cumpriu as esperanças de Brownson, sua crescente influência restringiu, em certa medida, um secularismo popular. A história sutil e elaborada do catolicismo na América do Norte, ainda não escrita de maneira satisfatória, deve lidar de modo completo com Brownson e sua *Quarterly Review*.

Edmund Burke observou, mais de uma vez, a influência benéfica do catolicismo como sistema conservador inato; Alexis de Tocqueville descreveu sua tendência conservadora na vida americana e predisse seu crescimento; neste século, Irving Babbitt escreveu que talvez a Igreja Católica (que ele não amava) poderia se tornar o único instrumento efetivo para preservar a civilização. Orestes Brownson, antes impregnado de todas as especulações radicais e, agora, purgado de todas, tomou para si o dever de conservação com fundamento no princípio religioso. "Ouvimos por demais acerca de liberdade e dos direitos do homem; é chegada a hora de ouvir algo sobre os deveres do homem e os direitos da autoridade."[15] Obediência, submissão a Deus é o segredo da justiça na sociedade e a tranquilidade na vida, tanto quanto é indispensável para a salvação eterna. Redimir os americanos do sectarismo é a tarefa do reformador

---

[14] Uma exceção é o capítulo de R. H. Gabriel sobre "Democracia e Catolicismo". In: Ralph Henry Gabriel, *The Course of American Democratic Thought*. New York, 1940.

[15] Orestes Brownson, *Essays and Reviews*, p. 352.

social inteligente, bem como o dever do sacerdote; pois as instituições políticas livres só podem ser asseguradas quando estão imbuídas da veneração religiosa. A democracia, mais que qualquer outra forma de governo, repousa no postulado da lei moral, estabelecido por uma autoridade superior à sabedoria humana. Entretanto, onde no sistema protestante ou no transcendentalismo a lei moral é definida de maneira adequada ou sua interpretação é facilitada? Não é a "lei moral" de Concord uma mera idealização da emoção e do impulso pessoal? De modo blasfemo, os transcendentalistas confundem o amor divino e o amor humano, e a religião submerge em um sentimentalismo choramingas.

O protestantismo descende de três estados: primeiro, a sujeição da religião ao mando do governo civil; segundo, a rejeição da autoridade do governo temporal e a submissão da religião ao controle dos fiéis; terceiro, o individualismo, que "deixa a religião totalmente sob o controle do individual, que seleciona o próprio credo ou faz o credo adequar-se a si, inventa o próprio culto e disciplina e não se submete a restrição alguma, mas, como tal, é autoimposta".[16] Quando é alcançado esse último estágio, a desintegração do espírito religioso é iminente, pois o homem não basta a si mesmo, a razão desassistida não pode amparar a fé e é necessária autoridade para preservar o cristianismo de degenerar em um amontoado de seitas fanáticas e de profissões egoístas. Sob o protestantismo, a facção governa a religião, em vez de submeter-se ao governo; a congregação oprime os ministros e insiste em sermões palatáveis, que lisonjeiem a vaidade; o protestantismo não pode dar base à liberdade popular porque "ele mesmo é sujeito ao controle popular e deve seguir, em todas as coisas, a vontade, a paixão, o interesse, o preconceito ou o capricho do povo".[17]

---

[16] Idem. Ibidem, p. 374-75.

[17] Idem. Ibidem, p. 379.

O espírito moderno, do qual o protestantismo é uma das expressões, detesta a ideia de lealdade, sobre a qual toda a ideia de hierarquia deste e do outro mundo está fundada:

> O que odeia não é essa ou aquela forma de governo, mas a legitimidade, e, rebelar-se-ia com a democracia tão rapidamente quanto com a monarquia absoluta, se a democracia fosse reclamada com base na legitimidade. O espírito moderno é em todas as coisas a negação direta da razão prática [...]. Afirma a supremacia universal e absoluta do homem e seu direito irrestrito de submeter a religião, a moral e a política à sua própria vontade, paixão ou capricho.[18]

Isso é fatal à democracia, pois estimula a insubordinação e a desordem, trazendo tudo à tona, e aquela solidariedade moral que torna possível um governo tão delicado quanto a democracia ruir. O sentimento de religião popular, que se imagina ausente em uma monarquia ou aristocracia sem arruinar a estrutura social, é indispensável à democracia.

A boa vontade não basta para salvaguardar a liberdade e a justiça: essa ilusão conduz ao triunfo de todo demagogo e tirano, e nenhuma soma de idealismo transplantado pode compensar a perda das sanções religiosas. As paixões do homem são postas à prova somente por punições da ira divina e a suave ternura da piedade. A soberania de Deus, longe de reprimir, institui e garante a liberdade; a autoridade não é antagônica à liberdade, mas sua defensora. Os católicos, mais que todos os outros, devem ser conservadores, embora muitos americanos de fé católica tenham caído no erro de que a ordem instituída é sua inimiga, vieram de países onde o governo era intolerante para com a religião.

> As maiorias podem proteger a si mesmas; as minorias não têm proteção senão na sacralidade e supremacia da lei. A lei é o direito como tal; devemos estudar para mantê-la assim; e se o fizermos,

---

[18] Idem. Ibidem, p. 307-08.

sempre teremos de lançar nossa influência no lado conservador, nunca no lado radical.[19]

Brownson prossegue a antever os argumentos que protestantes extremistas e autores anticlericais estão a empregar no século XX contra o catolicismo, e a refutá-los. A Igreja não deseja imiscuir-se nos assuntos do governo; empenha-se, simplesmente, em expor as leis morais que governos justos obedecem.

As constituições não podem ser feitas, diz Orestes Brownson, concordando com Joseph De Maistre; são produtos de um crescimento lento, expressão da experiência histórica da nação, ou é mero papel. "O princípio gerador de todas as constituições políticas [...] é a Divina Providência, nunca a sabedoria deliberada o a vontade dos homens." As constituições devem variar; e qualquer forma de governo há muito foi instituída em uma nação, e essa deve ser a melhor estruturação permanente para a vida nacional corporativa. Na Europa, a monarquia e a aristocracia devem ser perpetuadas porque lá todo o sentido da existência está unido a essas instituições. No entanto, nos Estados Unidos, realeza e nobreza nunca existiram, como evolução nativa, nem reis e nobres migraram para cá. Somente os comuns migraram para a América do Norte e, portanto, nossa Constituição é moldada para servir a uma nação em que os comuns são a única ordem no Estado. Assim, o republicanismo é o melhor governo para a América, e o verdadeiro conservador americano lutará para manter a república em sua pureza, obedecendo estritamente as leis, penetrando rapidamente na constituição escrita. Nenhuma instituição humana é imutável; constituições devem ser emendadas e consertadas de quando em vez; mas o reformador social não a cria; a desenvolve, restaura-lhe a saúde, mas sabe que não pode talhar uma nova constituição a partir da humanidade crua.

---

[19] Idem. Ibidem, p. 320.

"Nosso grande perigo se encontra na tendência radical que se tornou demasiado ampla, profunda e ativa no povo americano." Ao deixar de ver tudo como sagrado ou venerável, refutando o que é antigo, ferindo o que é fixo e deixando à deriva todas as instituições religiosas, domésticas e sociais, nada tomamos de empréstimo do passado e ignoramos os dados da experiência. Tentamos até negar que a linguagem tem sentido preciso. A maioria do povo americano pode não aprovar essa tendência radical, mas ficam silentes diante do entusiasmo ambicioso e competitivo dos políticos. Não escaparemos desse dilúvio de mudança e perigosa experimentação até que reconheçamos o princípio da autoridade: a autoridade de Deus. Isso não pode ser apreendido sem a Igreja. Assim como o protestantismo e suas desastradas ramificações declinam diante de nossos olhos, por sobre o monte do dissenso deverá erguer-se a fortaleza da crença ortodoxa, sem a qual o pecado e os pontos fracos humanos não terão limites, sem a qual a ordem e a justiça perecerão.

"Os homens pouco se movem pelo simples raciocínio, por mais claro e convincente que possa ser", escreveu Brownson em *The American Republican* –, que embora seja um dos tratados mais perspicazes sobre teoria política americana, é um livro conhecido por quase ninguém.

> A rotina, com eles, é mais poderosa que a lógica. Uns poucos são ávidos por novidades, e sempre estão a tentar experimentos; mas a grande massa das pessoas de todas as nações tem uma repugnância invencível para abandonar o que conhece por aquilo que não conhece [...]. Nenhuma reforma, nenhuma mudança na constituição do governo da sociedade, quaisquer que sejam as vantagens prometidas, pode ter sucesso, se introduzida, a menos que tenha raízes ou um germe no passado. O homem nunca é criador; só pode evoluir e continuar porque, ele mesmo, é criatura e, apenas, uma causa segunda.[20]

---

[20] Orestes Brownson, *The American Republic*, p. 54.

Esse conservadorismo da matéria é, em si, um artifício providencial, a manter a rédea sobre a lascívia por inovação dos homens ambiciosos. A Providência, essencialmente, é criação contínua; e um povo irreligioso, ao negar a realidade da Providência, condena-se à estagnação.

O processo do proselitismo católico tem sido mais lento, talvez, do que Orestes Brownson esperava, mas é persistente. O que possa parecer um catolicismo triunfante nos Estados Unidos – seja como Alexis de Tocqueville insinuou e Evelyn Waugh (1903-1966) conjectura, será um catolicismo muito alterado e diluído pelo materialismo e democracia americanos – as próximas gerações podem começar a informar-se. Terão sorte se puderem ressuscitar a inteligência ativa de Orestes Brownson para reconciliar a ortodoxia com o americanismo.

O personagem Caleb Wetherbee, o católico aleijado excêntrico de Salem, no romance *The Last Puritan* [O Último Puritano], de George Santayana, diz de modo comovente:

> Também vivo no futuro, pensando naqueles que virão depois de nós nessa América fértil, não herdeiros de meu corpo – felizmente, para eles – mas, em alguma medida, estou certo, os defensores de minha razão. Sempre fomos um povo circuncidado, consagrado às grandes possibilidades. Possibilidades de quê? Ninguém sabe: ainda assim, acredito que Deus revelou-me algo da direção de sua Providência. Agradeço-o por minha deformidade, pois, sem ela, provavelmente seria levado de cabeça pela corrente de nossa prosperidade e trivialidade – e que força própria teria? – e nunca teria compreendido que nós, na América, não somos direcionados à vaidade, a algum domínio universal grandioso de nosso nome ou costumes, mas sem saber disso somos direcionados ao arrependimento, a uma vida nova de humildade e caridade.

Não está fora do campo da possibilidade que a corrente austera de piedade dissidente da Nova Inglaterra possa reunir-se com o curso da ortodoxia, como ocorreu na pessoa de Orestes Brownson, e banhar o caráter americano nas águas do arrependimento.

O choque de Hiroshima e de Nagasaki pode ter inaugurado, de modo quase ignorado por todos, uma vida nova de humildade e caridade; e novas provações, o que quer que possa infligir na estrutura da sociedade é capaz de ajudar essa transformação da consciência da Nova Inglaterra.

5. NATHANIEL HAWTHORNE: SOCIEDADE E PECADO

O pensador conservador mais influente desse período de transição da Nova Inglaterra, no entanto, era Nathaniel Hawthorne, o "pirata desossado", o mestre da alegoria, o homem caprichoso, melancólico, obcecado com problemas de consciência. Igualmente sensível ao terrível e ao cômico, foi, ao mesmo tempo, um político ativo e um sonhador. E Hawthorne restaurou na mentalidade americana a doutrina de pecado que Emerson e sua escola cuidadosamente ignoraram.

Alguns autores recentes, inquietos, nessa era de desassossego, com todos os modos de apoiar a soberania popular que estão à disposição dos eruditos, mostram-se ávidos, de modo um tanto ridículo, por demonstrar que como Hawthorne era um partidário dos Democratas, deveria ter sido um democrata. Era, mas igualmente democrata era Fenimore Cooper. Hawthorne não gostava do esnobismo, da pretensão e das tendências comerciais dos *whigs*; desejava orgulhar-se da América e esse mesmo fascínio com o passado findo, o tentou, vez ou outra, a expressar apreensão pelo presente e pelo futuro. Mesmo assim, poucos americanos foram tão propriamente conservadores como Hawthorne, tão fundados na tradição e suspeitosos da alteração. Sua democracia era a democracia do amigo, o presidente Franklin Pierce (1804-1869), um cavalheiro inteligente, moderado e honesto, de talentos consideráveis, com quem os partidários políticos e os historiadores lidaram de modo brutal. Assim como Pierce, Hawthorne sabia que o curso da escravidão do Sul não podia ser dissipado por uma legislação punitiva ou pela intimidação do Norte. Detestava a escravidão, mas sabia ser sua existência contrária à tendência das forças econômicas e das convicções morais por todo o mundo, e, com o passar do tempo, a servidão dissiparia sem necessidade de interferência do governo federal. A intromissão governamental e o fanatismo privado poderiam pôr em perigo a União, mas não poderiam resolver grandes questões sociais como essa. Nenhum homem jamais foi enforcado com mais justiça que John Brown, afirmou, desdenhando de Emerson, Thoreau e Lowell. Se a moderação de Hawthorne tivesse sido emulada de maneira mais ampla, no Norte e no Sul, a América poderia ter se mantido no caminho da tradição que, Hawthorne sabia, era o segredo da tranquilidade política inglesa. No entanto, tudo isso pouco nos importa agora: as opiniões políticas particulares de Hawthorne não são de grande significado hoje, mas os princípios sociais e morais basilares que encerram têm importância permanente. Influenciou o pensamento americano pela perpetuação do passado e por expressar a ideia de pecado.

O conservadorismo não pode existir em lugar algum sem reverenciar as gerações passadas. O movimento incessante e a alteração da vida na América, a ausência da verdadeira continuidade familiar, mesmo tecido perecível da construção americana, unem-se para tentar os Estados Unidos a ignorar o passado. Foi necessário todo o gênio de Scott para recordar à Grã-Bretanha oitocentista que qualquer geração é apenas um elo na eterna cadeia; e o problema de persuadir os americanos a olhar retroativamente para os ancestrais era ainda maior. Washington Irving, James Fenimore Cooper e Nathaniel Hawthorne [com historiadores como Francis Parkman (1823-1893)] tiveram êxito em despertar a imaginação americana; criaram, de materiais rudes e fragmentários, uma visão da herança americana que ainda ajuda de maneira direta a massa amorfa do povo americano a ingressar no ideal nacional originado entre uns poucos falantes da língua inglesa ao longo da costa do Atlântico. A obra desses três escritores mostrou um vigor conservador e Hawthorne tinha a força intelectual mais duradoura. Na solidão de seu gabinete assombrado em Salem, aprendeu quão difícil era a tarefa de um romancista em uma terra sem o mistério e o temor da antiguidade; ensinou a si mesmo a conjurar o fantasma da Nova Inglaterra, e sua necromancia deu ao pensar e às letras americanas uma tendência ainda discernível. Yvor Winters (1900-1968), um tanto enigmaticamente, descreve essa influência como uma maldição de Maule[21] ou obscurantismo americano. Winters não parece indicar obscurantismo político, não no sentido como comumente se lhe compreende; mas é verdade que Hawthorne, mais que qualquer um nas letras americanas, perfurou a bolha do "Iluminismo" que a escola de Emerson se esforçava para inflar ainda mais. Hawthorne não era um idólatra do passado; sabia que o passado, muitas vezes, fora negro e cruel, mas por essa mesma razão, apreender o passado deveria ser fundamental para projetar qualquer reforma social. Somente pelo escrutínio do passado a sociedade pode discernir as limitações da natureza humana.

E os americanos, de todos os povos que já existiram, eram os que menos se importavam com seu passado. É curioso, observa Hawthorne em *The Marble Faun* [O Fauno de Mármore],[22] de 1860, que os americanos paguem por bustos:

> A duração breve de nossas famílias, como uma casa hereditária, transmite à próxima a certeza de que os bisnetos não conhecerão o avô do

---

[21] Referência ao personagem Matthew Maule do livro *The House of Seven Gables*. Maule é enigmático. Descrito como um carpinteiro teimoso como uma mula, era tido como feiticeiro e alguém que controlava os sonhos das pessoas. Acabou condenado e executado por feitiçaria dada a maldição lançada contra seu inimigo, coronel Pyncheon, encontrado morto com sangue na garganta: "Deus dar-lhe-á de beber sangue!". (N. T.)

[22] Em português, a obra pode ser encontrada na seguinte edição: Nathaniel Hawthorne, *O Fauno de Mármore*. Trad. Sônia Régis. Rio de Janeiro, Nova Fronteira, 1992. (N. T.)

pai, e que dali a meio século, no máximo, o martelo do leiloeiro será batido, vendido pelo preço de uma libra de pedras!

Na Inglaterra de Edmund Burke, a veneração pelos antepassados ainda era um impulso social natural, e o desprezo pelas maneiras antigas, uma novidade artificial. Na América de Nathaniel Hawthorne, todavia, a expectativa de mudança era maior que a expectativa de continuidade, o fascínio do futuro mais poderoso que a lealdade ao passado; embora alguma parcela de veneração ainda fosse tão essencial à sociedade como sempre fora, não obstante a veneração tenha se tornado a criação do artifício. Foi necessário cortar uma reverência artificial, que homens possam olhar retroativamente para a ancestralidade e, por corolário, olhar adiante para a posteridade. Hawthorne era o melhor daqueles escritores que fermentaram o temperamento americano com o respeito pelas coisas antigas.

E aquela parte do passado americano que era a província especial de Hawthorne, a Nova Inglaterra puritana, exerceu uma influência substancialmente conservadora a longo prazo. Embora nascido de um dissenso severo, o puritanismo na América logo manifestou um caráter que exigia mais ortodoxia, segundo os próprios cânones, que a leniência comparativa do anglicanismo. Em *The Scarlet Letter* [A Letra Escarlate],[23] de 1850, retrospectivamente em *The House of the Seven Gables* [A Casa das Sete Torres],[24] de 1851, em muitos dos *Twice Told Tales* [Histórias Narradas Duas Vezes], de 1837, e *Mosses from na Old Manse* [Musgos de um Velho Solar], de 1849, aquele espírito puritano é revelado com perspicácia e candura inimitáveis: ferozmente censório, corajoso, resoluto, diligente, aliado às

---

[23] Em português, a obra pode ser encontrada na seguinte edição: Nathaniel Hawthorne, *A Letra Escarlate*. Trad. Christian Schwartz. São Paulo, Penguin/Cia. das Letras, 2011. (N. T.)

[24] Em português, a obra pode ser encontrada na seguinte edição: Nathaniel Hawthorne, *A Casa das Sete Torres*. Trad. David Jardim Jr. Rio de Janeiro, Ediouro, 1988. (N. T.)

instituições políticas livres, introspectivo, reprimido de emoções, em busca da bondade com um zelo que não dispensa o amor-próprio, a autopiedade ou mesmo a ambição mundana. Aí, muito a temer, algo a odiar e muita coisa para nos causar admiração. O caráter puritano, por toda a influência duradoura na mentalidade americana, via a atuação de seus gentis descendentes da Nova Inglaterra, fica em polos opostos das aspirações comuns e dos impulsos da vida moderna americana. Prudente no agir, desconfiado da alteração e da expansão, reprimido no eu, armado de uma teologia de aço, o puritanismo detesta os apetites materialistas, hedonistas que predominam na América moderna e o puritanismo é detestado pelo que predomina no espírito moderno. Puritanismo é conservadorismo moral na forma extrema e, de todas as variedades de motim de que sofre o mundo moderno, a revolução moral é a mais violenta. Entretanto, por causa de Hawthorne, a América nunca foi capaz de esquecer os puritanos, tanto os vícios quanto as virtudes. Na sociedade americana, hoje, a memória do puritanismo ainda exerce algum grau de repressão, seja apenas por conter o outro extremo da disciplina sem remorsos; e esse vestígio conservador da crença da antiga Nova Inglaterra perdurará, preservado por Hawthorne, enquanto alguém ler a literatura americana.

Ainda assim, esse feito, por mais magnífico que seja em um homem menor, é apenas incidental para o principal feito de Hawthorne: imprimir a ideia de pecado em uma nação que gostaria de esquecê-lo. Hawthorne nunca foi, sobretudo, um romancista histórico; seu ardente interesse era a moralidade e, ao escrever alegorias morais como ninguém escrevera desde John Bunyan (1628-1688), moderou o otimismo americano ao declarar com todas as forças da imaginação que o pecado, em qualidade e quantidade, é praticamente constante; que projetos de reforma devem começar e terminar no coração humano; que o verdadeiro inimigo da humanidade não é a instituição social, mas o demônio dentro de nós; que o renovador fanático da humanidade, por alteração artificial, é, de modo muito comum, na verdade, um destruidor de almas.

Ora, a crença no dogma do pecado original é proeminente no sistema de todo pensador conservador – na sublime resignação cristã de Edmund Burke, no pessimismo pragmático de John Adams, na melancolia de John Randolph, no "calvinismo católico" de John Henry Newman. Nathaniel Hawthorne, todavia, permanece quase todo no pecado, na sua realidade, natureza e consequências. A contemplação do pecado é sua obsessão, vocação e quase vida. Aqui, ele se torna um grande preceptor dos conservadores. A "verdadeira civilização", Charles Baudelaire (1821-1867) escreveu em seu diário, "não repousa no progresso, no vapor ou no virar a mesa. Repousa na diminuição das marcas do pecado original". Embora radicalmente diferentes em mente e coração, Hawthorne e Baudelaire eram próximos nesse ponto de vista. Por esforços heroicos, Hawthorne sugere que o homem deva diminuir a influência do pecado original no mundo, mas essa luta requer quase sua atenção total. Sempre que o homem tenta ignorar o pecado, algum anjo vingador intervém, entra em colapso o progresso material e espiritual e a realidade do mal é reimpressa na mente dos homens por meio de terror e sofrimento. Somente uma espécie de reforma realmente vale ser tentada: a reforma da consciência.

Não que Hawthorne seja um verdadeiro puritano, ou, talvez, até mesmo um cristão rigoroso. Seus romances não são tratados. Disseca a anatomia do pecado com curiosidade insaciável e até mesmo cruel. Em *A Letra Escarlate* e, mais uma vez, em *O Fauno de Mármore*, sugere que o pecado, por todas as consequências, não obstante seja uma influência esclarecedora em determinadas naturezas – de fato, é enobrecedora; embora arda, desperta. Ainda não sabemos todos os segredos do enigma do pecado; talvez nossa regeneração seja impossível sem sua ação. "No pecado, então – que consideramos uma escuridão tão terrível no universo", faz Kenyon especular, temeroso, quase ao final de *O Fauno de Mármore*, é como o sofrimento, apenas um elemento da educação humana com o qual debatemo-nos para um estado mais elevado e mais puro do que aquele que, doutro modo, poderíamos alcançar? Será que Adão caiu para que pudéssemos, por fim, nos lançar a um paraíso muito mais sublime que o dele?

Quaisquer que sejam os efeitos do pecado, devemos considerar o pecado como a grande força que agita a sociedade. Os impulsos para a crueldade, a destruição e a autogratificação implacável que sempre se digladiam para dominar nossa natureza interior – o homem cuja psicologia lhes ignora, corrompe a sociedade e a si mesmo. Nathaniel Hawthorne contradiz, sem rodeios, Ralph Waldo Emerson, e no livro *The Blithedale Romance* [O Romance Blithedale], de 1852, assim como em meia dúzia de contos, descreve a catástrofe do humanitarismo de antolhos morais. Hawthorne não convenceu a América da necessidade de levar o pecado em conta em cada cálculo social: para homens do século XX, o pecado continua uma teoria demasiado desconfortável e, numa era que tem presenciado seres humanos consumidos nas fornalhas de Buchenwald ou trabalhando até a morte como cavalos velhos no ártico siberiano, ainda finge que o pecado não é nada além de uma impostura teológica. Mesmo um crítico como Reginald Charles Churchill (1916-1986), muitas vezes astuto, herdeiro da antiga tradição inglesa liberal, escreve obstinadamente a respeito da "noção bárbara e pré-civilizada de Pecado Original".[25] Não, Hawthorne não torna popular a doutrina de pecado, mas deixou muitas pessoas inquieta e ressentidamente cientes da possibilidade de ser verdade. Isso é um vigoroso feito conservador. Uma consciência perscrutante de pecado, desde então, assombra as letras americanas.

"Uma revolução, ou qualquer coisa que interrompa a ordem social pode proporcionar oportunidades para a exposição individual de virtudes eminentes", escreveu Hawthorne em seu breve artigo "*The*

---

[25] R. C. Churchill, *Disagreements: A Polemic on Culture in English Democracy*. London, Secker & Warburg, 1950, p. 197.

Old Tory" [O Velho *Tory*]; "mas os efeitos são perniciosos para a moralidade geral. A maioria das pessoas é composta de maneira tal que possa ser virtuosa somente em determinada rotina." Isso está, do começo ao fim, na mentalidade de Burke. Hawthorne retorna a esse tema do conservadorismo moral ao longo das obras, mas a análise mais deliberada do poder destrutivo dos impulsos pecaminosos, uma vez sejam praticados os preceitos morais revolucionários, está em *O Romance Blithedale*; sua análise mais sucinta está presente em três contos de *Musgos de um Velho Solar*: "The Hall of Fantasy" [O Salão da Fantasia], "The Celestial Railroad" [A Estrada de Ferro Celestial] e "The Earth's Holocaust" [O Holocausto da Terra].

> Era impossível, como estávamos localizados, não absorver a ideia de que tudo na natureza e na existência humana era fluido, ou que rápido se tornava; que a crosta da Terra, em muitos lugares, estava quebrada e toda a sua superfície portentosamente se elevava; que foi um dia de crise e que nós mesmos estávamos no vórtice crítico. Nosso grande globo flutuava na atmosfera do espaço infinito como uma bolha insubstancial. Nenhum homem sagaz guardará por muito tempo a sagacidade se viver exclusivamente entre reformadores e pessoas progressistas, sem retornar periodicamente ao sistema instituído de coisas, para corrigir-se, por nova observação, daquele antigo ponto de vista.
>
> Agora era o momento de ter uma breve conversa com os conservadores, os escritores da *North American Review*, os mercadores, os políticos, os homens de Cambridge e todos aqueles respeitáveis velhos tolos que, ainda, na intangibilidade e confusão dos negócios, mantiveram controle mortal sobre uma ou duas ideias que não entraram em voga desde a manhã de ontem.[26]

Com desprezo bem-intencionado, Nathaniel Hawthorne deu as costas para os idealistas e radicais de Brook Farm, para Ralph Waldo Emerson e Louisa May Alcott, George Ripley, Margaret Fuller e todo aquele "emaranhado de sonhadores". Haviam esquecido a

---

[26] Nathaniel Hawthorne, *The Blithdale Romance*, cap. XVI. (N. T.)

pecaminosidade do homem e, com isso, as próprias funções e limites da moral e da ação social. O *Romance Blithedale* é a história de um reformador fanático, Hollingsworth, que está determinado a redimir criminosos ao apelar para os instintos mais sublimes; e, quando tudo se acaba, está desanimadoramente resignado a tentar a reforma de um único criminoso, ele mesmo. "Parece-me que o pecado constante do filantropo", diz Hawthorne pela boca de Coverdale,

> é estar talhado a ser uma obliquidade moral. Seu sentido de honra deixa de ser o senso de outros homens honrados. Em algum ponto de sua trajetória – não sei exatamente quando ou onde – é tentado a perder tempo com o direito, e quase não pode deixar de persuadir-se da importância de seus fins públicos e permite deixar de lado a consciência privada.

Hollingsworth, por causa de seu sonho, ajuda a destruir a comunidade socialista à qual se juntara (embora estivesse condenada à dissolução, de qualquer maneira, pela impraticabilidade dos projetos fourieristas); causa o suicídio da mulher emancipada que o amava; temporariamente, abandona uma menina inocente em perigo pela perspectiva de fundos para encontrar seu refúgio para criminosos e, ao projetar a elevação generalizada dos "instintos sublimes", perde, ele mesmo, os próprios. Tal homem, como o abolicionista, como o coletivista, esquece que a maioria das pessoas só pode ser virtuosa em determinada rotina. Rompida a disciplina moral, a sociedade reincide no estado original de pecado caótico. A moralidade é um artifício dos mais frágeis.

Em *O Salão da Fantasia*, uma alegoria da paixão inovadora que afligiu a América de Hawthorne, descreve com certa simpatia suspirante:

> Os pretensos reformadores que povoaram esse lugar de refúgio eram representantes de um período inquieto, quando a humanidade buscava rejeitar todo o tecido de antigo costume como uma veste esfarrapada [...]. Aí havia homens cuja fé incorporou-se na forma de uma batata e, outros, cujas longas barbas tinham um profundo significado

espiritual. Aí havia os abolicionistas, brandindo sua única ideia como um mangual de ferro.

Esses eram os que buscavam a perfeição terrena, mas outro habitante do salão da fantasia, o Padre Miller, com profecias de destruição iminente de toda a humanidade "espalhava-lhes os sonhos como muitas folhas secas numa rajada de vento". Somente em um outro mundo, Hawthorne anunciava, a perfeição será encontrada.

Em *A Estrada de Ferro Celestial*, Nathaniel Hawthorne imita *The Pilgrim's Progress* [O Peregrino], de John Bunyan, (uma influência deveras forte tanto em Irving como em Hawthorne) e – como C. S. Lewis (1898-1963) em *The Great Divorce* [O Grande Abismo] – descreve uma jornada da Cidade da Destruição para a Cidade Celestial. O sr. "Arranja-Tudo", o diretor da nova ferrovia entre esses pontos, acompanha os viajantes e explica como o progresso moderno e a melhoria material baniram as consequências do pecado e reprimiram as dores da consciência. O "Charco do Desânimo" fora aterrado com panfletos. O pergaminho do evangelista, substituído por um bilhete de papel gomado, o colóquio piedoso, ao longo do percurso, produziu fofoca educada, os fardos da culpa agora são depositados em um carro de bagagens, a disputa entre Belzebu e o guardião do postigo foi acordada. O sr. "Coração-Grande" foi substituído por Apoliom como maquinista-chefe, o "Vale da Humilhação" foi entulhado de materiais da "Colina Dificuldade", o Tofete foi explicado como uma cratera de um vulcão semiextinto, o "Gigante Trancendentalista" herdou a "Caverna do Papa e do Pagão", a "Feira da Vaidade" está cheia de clérigos eloquentes. O "Castelo do Desespero" fora convertido em uma casa de entretenimento. No entanto, veio a ocorrer que o Senhor da Cidade Celestial recusou um ato de incorporação dessa ferrovia extremamente conveniente; e os viajantes, deixando o trem para tomar a balsa que esperavam que os conduzissem para a Cidade, ficam desconcertados ao descobrir que são passageiros de Caronte, destinados a um lugar muito diferente. Demais para a cegueira moderna dos absolutos morais.

O Holocausto da Terra é a destruição do passado por uma humanidade moderna, inovadora, levando, a contragosto, para uma fogueira na pradaria Ocidental, tudo que os tempos idos veneravam. Linhagem, altas nobrezas, insígnias de cavalaria e todas as pompas da aristocracia são ali lançadas; um cavalheiro desesperado brada: "Esse fogo está a consumir tudo que representava nossa evolução da barbárie ou que poderia nos ter evitado a recaída". Entretanto, seguiram-se as vestes púrpura e os cetros reais; e as bebidas fortes, o tabaco, as armas de guerra e a forca – e, em pouco tempo, os certificados de casamento, o dinheiro, e ergueu-se um alarido de que os títulos de propriedade deveriam ser queimados e todas as constituições escritas. A fogueira é aumentada, logo a seguir, por milhões de livros, a literatura das eras.

> A verdade era que a raça humana havia agora chegado a um estágio de progresso tão além daquilo que o mais sábio e o mais perspicaz dos homens das eras anteriores haviam sonhado, que teria sido um absurdo manifesto permitir que a Terra fosse por mais tempo oprimida por seus pobres feitos na linhagem literária.

Para realimentar a pira, as pessoas logo arrastaram sobrepelizes, mitras, bastões episcopais, crucifixos, cálices, mesas de comunhão, púlpitos – e a Bíblia. "Verdades que os faziam tremer nada eram senão uma fábula da infância do mundo" – assim, ao holocausto as Sagradas Escrituras.

Ora, parece que todo o vestígio de passado humano fora destruído nessa magnífica reforma, e a humanidade poderia luxuriar-se na inocência primitiva. Mas "um personagem de compleição escura" tranquiliza os reacionários desanimados. "Há uma coisa que esses sabichões esqueceram de lançar ao fogo, e sem o que o restante da conflagração é apenas nada" – o coração humano.

> E a menos que encontrem algum método de purificar aquela caverna imunda, longe dela reutilizar-se-ão todas as formas de erro e tormento

– as mesmas antigas formas ou piores – que se deram ao trabalho de consumir em cinzas. Estive presente por toda essa noite e ri-me à socapa de todo o empreendimento. Ah, guardai minhas palavras, ainda existirá o velho mundo!

Essa era a essência da resoluta convicção de Nathaniel Hawthorne: que a reforma moral é a única reforma verdadeira; que o pecado sempre corromperá os projetos de entusiastas que não levam em conta o pecado; que o progresso é uma ilusão, salvo pelo progresso infinitamente lento da consciência. Entretanto, Nathaniel Hawthorne, como Franklin Pierce, estava fragmentado pelo turbilhão do fanatismo nortista e sulista que lamentava a batalha de Fort Sumter e, depois, deliravam triunfantes por Manassas e Appomattox. "O presente, o imediato, o atual provou ser muito potente para mim", Hawthorne escreveu no último ano de vida, o ano de Gettysbury.

> Leva consigo não só minhas parcas faculdades, mas até meu desejo de composição imaginativa e me deixa um triste contentamento por disseminar milhares de fantasias pacíficas no turbilhão que nos carrega a todos, possivelmente, ao limbo em que nossa nação e sua política pode estar, literalmente, como fragmentos de um sonho estilhaçado, assim como meu romance não escrito.[27]

Da conflagração ventilada por furacões de entusiasmo reformador e apetites pecaminosos que se tornou a Guerra de Secessão e a Reconstrução, o conservadorismo moral e político americano ainda não se recuperou e, talvez, nunca o faça. "Acreditai-me, não permitir-se-á que o fogo se aquiete sem a adição de um combustível que surpreenderá muitas pessoas que, até agora, nos estenderam uma mão amiga", resmunga o observador em *O Holocausto da Terra*. Assim, os idealistas da Nova Inglaterra, quando a guerra extinguiu-se, descobriram, aterrados nas cinzas distorcidas, a corrupção, a brutalidade e a ignorância funesta e que, com elas, deve ter ardido, no tegumento, o dogma do pecado.

---

[27] Nathaniel Hawthorne, prefácio-dedicatória de *Our Old Home* (1863).

John Henry Newman (1801-1890)

Capítulo 8 | Conservadorismo com Imaginação: Disraeli e Newman

> Não somos devedores da razão do homem por qualquer dos grandes feitos que são os marcos da ação e do progresso humanos. Não foi a razão que sitiou Troia; não foi a razão que enviou os sarracenos do deserto para conquistar o mundo; que inspirou as Cruzadas; que instituiu as ordens monásticas; não foi a razão que produziu os jesuítas, sobretudo, não foi a razão que criou a Revolução Francesa. O homem só é verdadeiramente grande quando age com base nas paixões; nunca irresistível, senão quando apela à imaginação. Até mesmo Mormon conta com mais devotos que Bentham.
> Benjamin Disraeli, *Coningsby*

1. O MATERIALISMO DE MARX E OS FRUTOS DO LIBERALISMO

Dois judeus iniciaram o novo conservadorismo e o novo radicalismo: Benjamin Disraeli e Karl Marx. Por três décadas, ainda que em polos opostos na sociedade, habitaram a mesma Londres. O pomposo proprietário de Hughenden, a zombar, cativar e surpreender a Câmara dos Comuns; o labutador acre no Museu Britânico, onde [como diz Cunninghame Graham (1852-1936)], eruditos de todas as nações gastavam a vista por uma insignificância que um estivador desprezaria – esses dois filhos de Israel, ambos filhos de pais judeus que se apartaram da antiga ortodoxia, notaram que a sociedade liberal do século XIX estava destinada ao suicídio. Marx propôs apagar toda a ordem social existente e substituí-la por uma vida coletivista moldada com base num perfeito materialismo. Disraeli estava decidido a ressuscitar as virtudes de uma ordem mais antiga.

Se David Ricardo (1772-1823) é reconhecido como o maior dos economistas liberais, podemos levantar a hipótese de que os três principais movimentos do pensamento social inglês, da posse da rainha Vitória (1819-1901) até os dias de hoje, foram dominados por líderes imbuídos da tradição hebraica, nenhum deles totalmente bem-sucedido em romper com a herança judaica. Disraeli, ao menos, nunca buscou romper esse elo, pois embora anglicano professo, regozijava-se da ancestralidade e do "grande mistério asiático" que conquistara a Europa. O cristianismo, disse, era o ápice do judaísmo; a sociedade conservadora era a expressão temporal do princípio moral hebraico.

No entanto, seria exagero falar de Benjamin Disraeli como se as ideias conservadoras na era vitoriana estivessem totalmente escoradas em sua imaginação férvida e barroca. Ele, de fato, ressuscitou o torismo como movimento político, poupando-o de amalgamar-se com o liberalismo utilitário. Atraiu para o conservadorismo seguidores populares que, cento e cinquenta anos após a Lei de Reforma, ainda podem ganhar a maioria na Câmara dos Comuns. Seus romances e discursos fixaram na mentalidade inglesa o mito da herança *tory* (mitos são, em essência, verdadeiros, embora fantasiosos nos detalhes), e tão distantes do abrigo conservador quanto muito do entusiasmo que a França e a Alemanha ostentaram como uma força revolucionária. Disraeli, todavia, embora imensamente inteligente como romancista, esplendidamente engenhoso como líder partidário, maravilhosamente astuto como diplomata, não era exatamente um filósofo. Seu gênio era a manifestação de uma imaginação pródiga, às vezes, errática. Os primeiros princípios metafísicos, aos quais Edmund Burke voltou-se com majestade relutante, aos quais Samuel Taylor Coleridge aplicou seus talentos circinados com deleite sonhador, dificilmente ingressaram nos livros e discursos de Disraeli, salvo como epigramas chamativos ou vastos segredos orientais, velados do olhar do vulgo, como os moradores de um harém. O mestre do conservadorismo filosófico na era vitoriana foi John Henry Newman, que partilha esse capítulo com o autor de *Sybil* e *Contarini Fleming*. Embora incongruentes no caráter, esses dois foram os principais conservadores das ideias e formas inglesas tradicionais de seu tempo. Disraeli, todavia, era uma espécie de intruso no torismo, há muito desacreditado pelos homens cuja causa decidiu redimir; e Newman parecia, para a maioria de seus contemporâneos, um apóstata das tradições inglesas, ao desprezar Canterbury por Roma. Muitas vezes é necessário que um homem não seja bem um deles para despertar os conservadores da própria letargia. *Sir* Robert Peel, a quem os *tories* confiavam muito mais do que jamais confiaram em George Canning, levou-os, involuntariamente, à beira da destruição.

Em 1848, quando Karl Marx e Friedrich Engels (1820-1895) lançaram o *Manifesto do Partido Comunista*, Benjamin Disraeli estava assumindo a liderança do Partido *Tory*; e John Henry Newman, o Oratório em Birmingham, estava às vésperas da batalha para instituir uma universidade católica em Dublin. Em 1867, quando apareceu o primeiro volume de *O Capital*, Disraeli executou sua Reforma; e Newman estava a meio caminho entre a *Apologia pro Vita Sua* [A Defesa da Própria Vida] e *A Grammar of Assent* [Uma Gramática do Assentimento]. Todas as três carreiras, conquanto inconstantes, eram protestos contra o liberalismo. Marx, Disraeli e Newman acreditavam que o liberalismo, ainda que tão confiante da própria imortalidade, não era mais para este mundo, sendo nada mais que uma doutrina transicional, um florir evanescente. Não obstante o liberalismo se imaginasse uma gloriosa flor nova, de fato, esses críticos perceberam ser um parasita no tronco caído da antiga ordem: a moral e a política do liberalismo tirava sustento do solo tradicional que o liberalismo repudiou, e, se essa ordem pereceu, elas deveriam perder vigor. O ceticismo dos benthamitas e dos manchesterianos só poderia desabrochar em uma sociedade ainda substancialmente controlada pela crença ortodoxa. O parlamentarismo liberal era sustentado por lealdades aristocráticas da antiga Inglaterra. Deixai morrer a ortodoxia e as instituições políticas tradicionais e o liberalismo descerá à cova após. Marx ansiava a consumação e a morte da ascendência da classe média com alegria feroz; Disraeli e Newman esforçaram-se para salvar a piedade, a ordem e a liberdade ao restaurar o equilíbrio que o utilitarismo derrubara.

Fossem eruditos como Jeremy Bentham, James Mill e George Grote, ou homens de negócios como Richard Cobden, John Bright e *Sir* Edwin Chadwick (1800-1890), a qualidade mais notoriamente em falta nos liberais era uma imaginação superior. Buscavam fatos, adoravam o particular, ainda que isolados, quase a desafiar o decálogo. Esse apego apaixonado aos fatos, legado de Francis Bacon e de John Locke, teve um efeito depressivo na mentalidade britânica e americana desde então. "É difícil não sentir que para alguns historiadores ingleses", comenta Duncan Forbes (1922-1994),

> um pensamento de Coleridge, digamos, ainda parece de algum modo menos "real", um "fato" menos sólido que uma migração de arenques ou um ato do Parlamento. A história das ideias nunca foi tão ansiosamente almejada na Inglaterra como o foi em qualquer outro lugar.[1]

Ao transcender o empirismo inglês, nem Benjamin Disraeli, nem John Henry Newman temiam as ideias; compreendiam o poder da imaginação e seu papel na história; e assim, em sentido inferior, Karl Marx. Apesar da adesão formal de Marx aos conceitos utilitários de argumento e prova, apesar da determinação beligerante de ser científico, sua influência foi a de um homem de imaginação – uma imaginação enegrecida e agrilhoada, é verdade, mas, ainda assim participante do mundo das ideias, superior à tirania dos fatos particulares. "Considerar se Marx estava 'certo' ou 'errado'; salpintar os volumes I e III de O *Capital* em busca de inconsistências ou falhas lógicas, 'refutar'

---

[1] Duncan Forbes, "*Historismus* in England". In: *The Cambridge Journal* (abr. 1951), p. 391.

o sistema marxista é, na última das hipóteses, pura perda de tempo", diz o professor Alexander Gray (1882-1968):

> Pois quando nos consorciamos a Marx não estamos mais no mundo da razão ou da lógica. Teve visões – visões claras da transitoriedade de todas as coisas, visões muito mais nebulosas de como todas as coisas poderiam ser renovadas. E suas visões, ou algumas delas, despertaram um sentimento de resposta nos corações de muitos homens.[2]

Apesar de afirmar-se materialista, na verdade, Karl Marx era um idealista, doutrinado por Georg W. F. Hegel; e esse aspecto de seu caráter, que se esforçou por despir como se fosse uma túnica de Nesso,[3] explica, não obstante, a sua vitória em face dos utilitaristas, cujos métodos imitou. Lidou, ainda que erroneamente, com fins; os liberais, com meios e particulares; e a massa de homens, por ser governada mais pela imaginação do que pela razão, em tal luta, favoreceu com vantagem o visionário.

Para Marx, o fim do esforço humano era a igualdade absoluta de condição. Não tinha ilusão quanto a igualdade em um estado de natureza hipotético: a igualdade nunca existira antes na sociedade, sabia; escarnecia de todos os conceitos de direito natural. A igualdade não seria restauração, mas uma criação. Os homens não são iguais por natureza; o socialista deve nivelá-los pelos artifícios legislativos e econômicos. "Para instituir a igualdade, devemos, em primeiro lugar, instituir a desigualdade" – não é essa a frase mais importante de O Capital? O inteligente, o forte, o diligente, o virtuoso, devem ser compelidos a servir ao fraco, estúpido, indolente e vicioso; a natureza deve submeter-se à arte socialista, de modo que uma ideia deva ser defendida. Escreve J. L. Gray:

---

[2] Alexander Gray, *The Socialist Tradition*. London, 1946, p. 331.

[3] Referência à túnica de Héracles, embebida no sangue envenenado do centauro Nesso que, antes de morrer, iludiu Dejanira acerca dos poderes afrodisíacos de seu sangue, que findou por matar o herói. A imagem é utilizada para indicar qualquer força ou influência expurgatória. (N. T.)

A fé de Marx em suas intuições ignorantes do conhecimento ético, ilustradas na adesão inquestionada ao objetivo do comunismo, na filosofia da história e na afirmação da eficácia única do método da revolução no desenvolvimento social são exemplos de um apriorismo que é a essência do idealismo.[4]

Arbitrário, ainda que seja esse o fim da igualdade, nele reside mais imaginação do que nas repetições infinitas da "maior felicidade do maior número". Assim, o impulso radical que os liberais outrora empregaram, desertou do benthamismo para o marxismo. O princípio da inveja, velado no palavrório, derrotou o puro autointeresse.

A imaginação e os fins de Disraeli e de Newman eram doutra natureza. Abominavam a ideia da igualdade. A finalidade era a ordem; ordem na esfera do espírito, ordem na esfera da sociedade. Na fé religiosa, uma crença que reconhece o caráter divino da Igreja, uma corporação imortal independente do Estado; na política, um sistema que admite a diversidade social, a hierarquia de direitos e deveres. Disraeli, que batizou a democracia *tory*, moldou seu conceito de sociedade inglesa em torno de um núcleo de princípios aristocráticos; Newman, que muito fez para salvar a Igreja de ser um mero instrumento da autoridade política, olhou para a vida do espírito como ascensão à verdade e, para a educação, como uma escada para a sabedoria transcendente. Ambos sabiam que a expressão "lei e ordem" não é tautológica: lei, sagrada ou mundana, depende de ordem, de hierarquia do espírito e das ideias, de gradação na sociedade.

As carreiras desses conservadores imaginativos, e seus cruéis adversários, cujas realidade quase não tinham ciência, atravessou a metade de século entre o triunfo liberal da década de 1830 e o renascimento conservador de 1880. Essa foi a Era do Liberalismo, da adoção da Lei da Reforma de 1832 até a Reforma de 1867, que fez sentir

---

[4] J. L. Gray, "Karl Marx and Social Philosophy". In: F. J. C. Hearnshaw, *The Social and Political Ideas of Some Representative Figures of the Victorian Age*. London, 1930, p. 130-31.

suas consequências. Politicamente, foi o meio século da classe média baixa, do "governo de merceeiros", que adquiriu direito de votos em 1832; economicamente, a época do manchesterianismo triunfante, do livre-comércio, da livre-empresa e do individualismo competitivo; intelectualmente, a era do utilitarismo popularizado; religiosamente, a era das comissões eclesiásticas e do evangelicalismo, a seita farisaica de Clapham e do reverendo sr. Obadiah Slope de Anthony Trollope (1815-1882).[5] Na vida das multidões, eram os dias das "bocas do inferno", a situação difícil das populações urbanas industriais descrita por Claude Henri de Rouvroy (1760-1825), Conde de Saint-Simon, e por Friedrich Engels, a Grã-Bretanha que geme e exala vapores nas páginas dos romances *Hard Times* [Tempos Difíceis], de 1854, e *Bleak House* [A Casa Soturna], 1853,[6] de Charles Dickens (1812-1870), e persiste em *London Labour and the London Poor*,[7] de 1851, de Henry Mayhew (1812-1887), e *Workers in the Dawn*,[8] de 1880, de George Gissing (1857-1903). O cartismo era sua manifestação durante os anos em que Benjamin Disraeli lutou contra *Sir* Robert Peel, e John Henry Newman mudou de opinião a respeito de Roma; mas o cartismo era apenas sintoma de um temor que persistia em todas as

---

[5] Personagem do romance *Barchester Towers* de 1857 que satiriza a antipatia furiosa que existia entre os membros da *High Church* e os partidários dos evangélicos na Igreja Anglicana. (N. T.)

[6] Em português os romances de Charles Dickens (1812-1870) podem ser encontrados nas seguintes edições: Charles Dickens, *Tempos Difíceis*. Trad. José Baltazar Pereira Jr. São Paulo, Boitempo, 2014; Charles Dickens, *A Casa Soturna*. Trad. Oscar Mendes. Rio de Janeiro, Nova Fronteira, 1986. (N. T.)

[7] Série de artigos de jornalismo investigativo da época vitoriana que retrata as condições de vida das classes trabalhadoras. Inicialmente publicados no *Morning Chronicle*, mais tarde foram compilados em livro. (N. T.)

[8] Primeiro romance publicado de Gissing, um tanto autobiográfico, em que pretendia endereçar temas sociais que considerava prementes, visto que o autor se considerava um "porta-voz do partido Radical. Na obra, ataca aspectos da vida social e religiosa inglesa que considerava condenáveis, como a "negligência condenável dos governos". (N. T.)

classes sociais.⁹ Era a Inglaterra de *Sybil, or The Two Nations* [Sibila ou as Duas Nações]¹⁰, de 1845, escrito por Benjamin Disraeli.

Os "Famintos Anos Quarenta" não foram especialmente famintos: a população estava mais bem alimentada do que estivera nas décadas de 1830 e de 1820, e na década de 1850 estava ainda mais bem alimentada, quando uma prosperidade geral impregnou os estratos mais baixos da sociedade – protelando, ao mesmo tempo, a depressão agrícola que os antigos *tories* tinham por certo que viria no encalço da revogação das *Corn Laws*. As desordens representadas em *Sybil*, como o próprio espírito do cartismo, eram aliviadas com pão barato e salários altos. Karl Marx, embora presciente em muitas coisas, nunca se distanciou muito do ponto em que predisse uma pobreza cada vez maior para as classes trabalhadoras; pois, de 1848 em diante, a condição material das populações industriais melhorou em todas as nações ocidentais, salvo por intervalos comparativamente breves de guerra e desarticulação econômica. No entanto, Benjamin Disraeli e John Henry Newman, embora conhecessem a condição material lamentável do novo proletariado, viam que a pobreza física não era o problema cardeal da sociedade vitoriana. O mal era muito mais profundo: era a maldição de um populacho apartado da continuidade da humanidade, privado de consolação religiosa, de tradição política, de respeitabilidade na sua existência, na família verdadeira, na educação e na possibilidade de melhoria moral. A grande maioria dos homens sempre foi pobre; mas talvez nunca, desde o triunfo do cristianismo, esteve tão entediada e sem esperanças, condenada ao trabalho monótono nas mais sujas e pedregosas das horrendas cidades, em um meio social filosoficamente dedicado ao sucesso material e ao individualismo moral.

---

⁹ Uma descrição sucinta dessas condições pode ser encontrada no capítulo de R. H. Mottram, "Town Life and London" em: Young, *Early Victorian England 1830-1865*, I, p. 167.

¹⁰ Romance de Benjamin Disraeli, inspirado no interesse que nutria pelo cartismo, em que traça as condições horríveis da classe trabalhadora na Inglaterra. (N. T.)

Tendo visto os frutos do liberalismo, Benjamin Disraeli e John Henry Newman, por caminhos diversos, tornaram-se reformadores *tories*. Karl Marx, por detestar a ascendência da burguesia, entretanto, substituiu a sociedade com todas as características espirituais e antiespirituais desse sistema por uma dominada por trabalhadores manuais. Disraeli, como estadista, Newman, como filósofo, reconheceram nesse tipo de radicalismo apenas uma corrupção adicional da existência humana com base em princípios utilitários. Fé, lealdade e tradição eram as bases do pensamento social desses homens; restaurariam à humanidade aquilo que a industrialização voraz e a corrosiva filosofia benthamita haviam desfigurado. O instrumento de poder que tinham era a imaginação.

2. DISRAELI E AS LEALDADES *TORIES*

Que lugar havia para os princípios *tories*, pergunta Keith Feiling (1884-1977), no cemitério de um estilhaçado Partido *Tory*, após ter passado a lei da Reforma de 1832? E responde:

> Muito; caso percebessem que desde a Revolução tinham se exaurido em defesa de monopólios *whigs* setecentistas, em que uma aristocracia de terras deveria ter todo o poder político, e esse poder deveria ser amparado por uma igreja exclusiva. Se tivessem cortado essa raiz, se tivessem examinado as forças originais nativas à luz de um novo mundo que lhes rodeava, ainda poderiam encontrar coisas a fazer e ser sobreviventes de valor imperecível. Havia a Igreja, com integridade e sanções espirituais para uma sociedade histórica. Havia uma coroa, manchada, odiada e, agora, partidária, mais ainda com um papel a exercer. E havia um povo. Por ora, foi negligenciado, dominado por facções, quase revolucionário. Entretanto, era capaz de mostrar-se desejoso de vida nova e de descobrir uma felicidade nova dentro de confins ancestrais e de antigos afetos. Poderia responder, não a uma amarga fórmula revolucionária ou a um ideal sentimental, mas àquela medida equilibrada de vida, aquela liberdade na ordem que fora estabelecida por Hooker,

Burke e Coleridge e, recentemente, exemplificada, com quaisquer que fossem as falhas, por Pitt, Liverpool, Huskisson e Canning.[11]

Essa passagem, de modo adequado, tem o toque de Benjamin Disraeli, visto que ele transmutou uma reação perdida em uma coragem conservadora ascendente.

Os judeus, diz Sidonia em *Coningsby*,[12] de 1844, são essencialmente *tories*. "O torismo é realmente copiado de um protótipo poderoso que talhou a Europa. E a cada geração deve tornar-se mais poderoso e mais perigoso à sociedade que lhe é hostil." Pois, negados os direitos de cidadania plena, os judeus são levados aos movimentos radicais e às sociedades secretas. Não obstante, seus instintos como povo permanecem conservadores; como Disraeli escreve em *Lord George Bentinck: A Political Biography*, de 1852:

> São os curadores da tradição e os conservadores do elemento religioso. São a prova viva e mais surpreendente da falsidade daquela doutrina perniciosa dos tempos modernos, a igualdade natural do homem [...]. Também, têm outra característica, a faculdade da aquisição [...]. Assim, ver-se-á que todas as tendências da raça judaica são conservadoras. Sua tendência é para a religião, a propriedade e a aristocracia natural; e deveria ser interesse do estadista que essa tendência de uma raça grandiosa fosse encorajada, e suas energias e poderes criativos alistados na causa de uma sociedade existente.[13]

O judeu radical é uma anomalia: as tradições da raça e da religião, a dedicação judaica à família, os antigos usos e a continuidade espiritual, tudo faz o judeu tender para o conservadorismo. É a exclusão da sociedade que provoca o revolucionário social judeu. Karl

---

[11] Keith Feiling, *The Second Tory Party 1714-1832*. Londres, 1938, p. 396.

[12] Primeiro romance da trilogia de que fazem parte *Sybil* e *Tancred*. É um marco de mudança de estilo de Disraeli como autor, visto que abandona os romances que retratam as classes abastadas e passa a tratar das classes inferiores. (N. T.)

[13] Benjamin Disraeli, *Lord George Bentinck: A Political Biography*. London, Colburn & Co., 1852, p. 496-97.

Marx nunca foi capaz de libertar-se desse ressentimento complexo, veio a detestar judeus, bem como o capitalismo; mas Disraeli, ao ignorar os escárnios de "judeuzinho" com que o saudavam nos encontros dos candidatos com potenciais eleitores, declarou que o Sinai e os profetas hebreus salvariam a sociedade ocidental de ser reduzida a pó pelas noções benthamitas. Friedrich Gentz, amigo de Klemens com Metternich e tradutor de Edmund Burke, representou a verdadeira tendência do pensamento social judeu, afirmou Benjamin Disraeli; e de maneira ainda mais eminente, o próprio Disraeli mostrou como a personalidade judaica moderna pode unir-se com afeição viril às instituições daquilo que outrora fora chamado cristianismo.

Um laivo luxuriante, oriental, talvez semita, perpassa a imaginação cintilante de Disraeli, ainda mais característica do homem que suas roupas excêntricas. Entretanto, mesmo que possa ter sido uma fantasia, às vezes marcada pela extravagância e a arrogância, ainda reluzia uma faculdade criativa e incisiva, a consumir os ossos ressequidos do utilitarismo em um esplendor de cor e de nobre exortação. Foi isso, tanto quanto a Reforma de 1867 e o imperialismo exitoso, que derrotou o racionalismo inflexível dos liberais. "Os falsos nobres ingleses e seu judeu" fez mais que pôr termo à ascendência da classe média baixa: rebentaram o pressuposto liberal de que a política seria governada cada vez mais pelo cidadão nacional sóbrio, que pondera e avalia os interesses materiais.

Desde o início da carreira, a imaginação de Disraeli concebeu uma teoria da Constituição inglesa que dominou seu comportamento até a morte, em 1881 – embora modificada nos últimos anos pela conveniência política e pela responsabilidade cansativa. As sementes desse crescimento foram semeadas por Coleridge. Disraeli, o *tory* radical, cultivou-as como um programa para a jovem Inglaterra e, até hoje, alimentam a mentalidade do Partido *Tory*, ainda que esse partido tenha recebido acréscimos tremendos do Liberalismo. É interessante contrastar a visão de Disraeli com a visão inflamada de Karl

Marx. Ambos propunham uma teoria de classes. Marx insistiu que a luta de classes era inevitavel; em tempo, seria catastrófica e findaria com a absorção de todas as classes em um proletariado, a instituir uma sociedade sem classes. Disraeli declarou que os verdadeiros interesses de classes não eram contrários; são unidos no bem-estar da nação; e seu propósito em política era a reconciliação das classes, a reunião das duas nações do século XIX, os ricos e os pobres, em um Estado – mas, essa reunião é uma defesa e restauração da classe, não sua abolição. Classe é ordem; sem ordem, a lei desmorona. O *tory* inteligente, ao invocar o antigo senso de ordem e obrigação, deve lutar para infundir na vida industrial moderna o espírito aristocrático, a reviver aquela lealdade às pessoas e lugares que é o rudimento de cada impulso conservador superior. A democracia britânica depende da existência contínua de um verdadeiro senso de classe.

Ao tomar forma durante o reinado dos Plantagenetas, disse Disraeli, a Constituição inglesa abrange um sistema de ordens e classes reconhecidas no Estado, cada uma com seus privilégios particulares, reconhecidos e equilibrados de modo a conceder a todo grande interesse da comunidade voz nos assuntos do reino. Na época dos Tudor, a violência da Reforma feriu esse equilíbrio, reduzindo a Igreja a uma ordem à parte no reino, abolindo doações para a educação dos pobres e lançando nas mãos dos grandes nobres uma massa de propriedades territoriais que desde então permitiu a alguns desses magnatas, unidos em um partido que se tornou o *Whig*, a exercer uma preponderância injusta, oprimindo a Coroa e os comuns. A tentativa da Coroa em resistir a essa supremacia precipitou as Guerras Civis, e as medidas extremas dos parlamentaristas reuniu em torno do rei um partido verdadeiramente *tory*. A revolução fugiu do controle dos grandes magnatas, que se viram sobrecarregados na comunidade. Insatisfeitos com a Restauração, os *whigs* importaram William III (1650-1702), esperando fazer dele um *doge* aos moldes da oligarquia veneziana; mas ele os desconcertou. A frustração, contudo, foi transitória – pois, ao constranger a rainha Anne (1665-1714) a aceitar a sucessão hanoveriana, conseguiram reis estrangeiros que, de fato, deveriam se submeter a ser tratados como *doges*. George III fez-lhes oposição; quase o trucidaram, ainda assim, quando a Revolução Francesa explodiu no mundo, Edmund Burke levou até William Pitt, *o Jovem*, uma grande parte da força *whig*. Desde então, os *whigs* continuaram como um partido imoderadamente ambicioso, buscando instituir o monopólio de poder a qualquer custo no ordenamento da comunidade. Em um nobre como o 6º Duque de Bedford estava a ameaça mais séria às liberdades e tradições inglesas.

Os *tories*, dedicados à Coroa, à Igreja e aos privilégios da nação, têm o dever de resistir a essa constituição veneziana que os *whigs* e liberais defendiam. A lei da Reforma de 1832 (prossegue Disraeli) dava mais um passo inexorável em direção à destruição da tradição e do caráter nacionais: entre outros vícios, a lei aboliu os antigos direitos de votos populares em cidades como Preston, que falava pelas ordens mais inferiores do reino; desse modo os reformadores silenciaram queixas amargas e genuínas. A restrição do poder político a uma determinada classe era a política *whig*; o reconhecimento do direito de todas as classes a serem ouvidas, o princípio *tory*. Essas ideias estão apresentadas em *A Vindication of the English Constitution* [Uma Defesa da Constituição Inglesa], de 1835; *The Letters of Runnymede* [Cartas de Runnymede], de 1836; *Coningsby*, de 1844; *Sybil*, de 1845, e nos primeiros discursos de Disraeli.

A recuperação dos *tories* depois de 1832, sob o comando de *Sir* Robert Peel, não foi mais que uma farsa: *Sir* Robert obtivera o cargo no governo sacrificando o princípio. Grande estadista, salvo quando tinha de lidar com o futuro, Peel sofreu de falta de imaginação mais revolucionária em suas consequências que uma biblioteca de panfletos jacobinos. Seu *Manifesto Tamworth*[14] outorgou aos *whigs*, em essência, as exigências principais e, quando Peel deu-se por vencido na

---

[14] Manifesto publicado por Peel em que estabelece os princípios básicos do moderno Partido Conservador britânico. (N. T.)

questão da *Corn Law*, o baluarte econômico do antigo interesse *tory* caiu por terra e, com isso, também muito provavelmente, a segurança dos gentil-homens do campo; como classe, o elemento mais útil na sociedade inglesa. Benjamin Disraeli, George Bentinck (1802-1848) e os fidalgos rurais da Câmara dos Comuns (o que Walter Bagehot chamou de "exército de caturras"), ultrajados, repudiaram *Sir* Robert Peel e reconstituíram o Partido *Tory* durante os anos de deserto político.[15] Em tempo, esse partido ressuscitado, liderado pelo 12° Conde de Derby e por Benjamin Disraeli estava forte o suficiente para, de modo precário, ganhar o gabinete; e depois de 1873, os conservadores obtiveram a preponderância que (com um breve intervalo) permitiu-lhes governar a Grã-Bretanha por três décadas.

Ora, o que havia nas ideias de Benjamin Disraeli, o 1° Conde de Beaconsfield, que dava aos conservadores suficiente espírito para recuperarem-se do Peelismo e para dominarem uma nação mais industrializada que qualquer outra no mundo? O que permitiu ao partido dos fidalgos rurais manter o gabinete até o século XX, quando acreditavam estar irremediavelmente arruinados em 1845? Como a teoria da história inglesa de Disraeli tomou a forma de uma filosofia política? O fascínio da personalidade de Disraeli e os detalhes da longa luta com Gladstone, muitas vezes, obscurecem as avaliações de seus feitos. Quando os admiradores de Lorde Beaconsfield tentam resumir seus feitos, às vezes, deparam-se com uma lista diversa de inovações – a Reforma de 1867, os *Factory Acts*[16], o auxílio às escolas, o início do programa de casas populares – como se essas fossem medidas conservadoras. Na verdade, a legislação positiva de Disraeli era inconsistente

---

[15] Uns 250 fidalgos rurais *tories* seguiram Bentinck e Disraeli nos corredores da votação da *Corn Law*. Em 1951, somente quinze membros da Câmara dos Comuns, em todos os partidos, descreveram-se como "proprietários de terra".

[16] O governo de Disraeli fez passar um *Factory Act* em 1874, em que reduzira as horas de trabalho de mulheres e crianças para dez horas por dia durante a semana e seis horas aos sábados. Em 1878, seu governo consolidou todos os *Factory Acts* anteriores. (N. T.)

com sua teoria e, de qualquer maneira, inferior. Seu feito realmente importante, como líder político, foi implantar na imaginação pública um ideal de torismo que foi imensamente valioso para manter a fé britânica nas tradições constitucionais. A Primrose League[17] era mais importante que Suez. Um estrangeiro que viaje hoje por West Riding, digamos, de Leeds a Sheffield ou por qualquer outra região industrial britânica densamente povoada deve espantar-se de que possam existir governos conservadores na Grã-Bretanha. Ainda assim, muitos dos trabalhadores que vivem nesses corredores de casas de tijolo sombrios ou na monotonia das novas casas populares construídas pelas municipalidades votam em candidatos conservadores; em geral, no país, os *tories* detêm milhões de adeptos entre os membros regulares dos sindicatos e muitos mais entre a classe trabalhadora. A Grã-Bretanha, que Saint-Simon pensou estar madura para a revolução proletária durante o ministério do 2º Conde de Liverpool, entre 1812 e 1827, ainda era bem *Tory* em 1951 para fazer Winston Churchill (1874-1965) primeiro-ministro pela segunda vez e, em 1979, a encorajar uma senhora *tory*, Margaret Thatcher (1925-2013), a assumir esse cargo até 1990. Em nenhum outro lugar do mundo moderno um partido conservador unificado desfrutou de tamanha continuidade de propósito e de tal apoio popular duradouro. Em grande parte, esse é o triunfo de Disraeli.

"O povo desse país deixou de ser uma nação", diz Tancredo. "É uma multidão, e só é mantida em uma disciplina provisória rude pelos remanescentes daquele sistema antigo que diariamente destroem." Eis aqui o cerne das teorias sociais de Disraeli: a ideia de nação. Ao repudiar o atomismo social dos benthamitas, ao desprezar a hostilidade de classes sociais dos socialistas em ascensão; recordou aos ingleses que não são apenas um agregado de unidades econômicas, não simples soldados em uma luta de classes: constituem uma nação e, dessa

---

[17] A *Primrose League*, fundada em 1883, foi uma organização para divulgar valores conservadores, recebendo o nome da flor favorita de Disraeli, a prímula. Mantinha um programa interessante de eventos sociais e parte de seu apelo se dava pela interação das classes sociais nos eventos. (N. T.)

nação, a Coroa, a aristocracia e a Igreja são os guardiões. O tecido da nacionalidade fora terrivelmente dilacerado e devia ser reparado. A liberdade britânica consistira em um equilíbrio de ordens, mas isso fora corrompido pelos *whigs* e pelos utilitaristas que não entendem ou que, na verdade, detestam o princípio da nacionalidade, em que nenhuma classe é esquecida. A Câmara dos Comuns tornou-se quase absoluta, substancialmente controlada por uma classe econômica exclusiva, definida de modo rígido pelo o direito de voto para os arrendatários que pagavam anualmente o equivalente ou mais de dez libras por suas posses[18], a Câmara dos Lordes fora degradada pelos maus-tratos que sofreu em 1832, de modo que era pouco mais que um tribunal de registro; a Coroa veio a ser vista como mero símbolo, em vez de escudo do reino; a Igreja era tratada como simples agente de disciplina moral, a ser gerenciada e espoliada pelo Parlamento. E a massa de ingleses, o campesinato e os esquecidos trabalhadores urbanos são horrivelmente negligenciados, abandonados à ignorância, ao vício, à monotonia e à pobreza. Têm menos voz nos assuntos do que tinham na Idade Média. A nação apodrece. Não é uma era de corrupção política, mas de algo pior, "uma era de desorganização social mais perigosa nas consequências, porque muito mais extensa".[19] Seria de admirar que o sistema utilitário, embora estivesse morrendo naquele momento, despertasse alguma resposta em uma época de torpor social?

> Reis ungidos tornados juízes supremos e, portanto, mui sobrepagos; as propriedades do reino tornadas parlamentos de representação potencial e que, portanto, requerem verdadeira reforma; a Santa Igreja transformada em instituição nacional e, portanto, mal falada por toda

---

[18] No original, *ten-pound franchise*. Regra eleitoral censitária das ilhas britânicas que estabelecia o limite a partir do qual algumas pessoas, normalmente, poderiam votar. Principalmente na Irlanda, essa lei que aumentava de 40 *shillings* para 10 libras, consequência do *Roman Catholic Relief Act* de 1829, retirou o direito de voto de muitos pequenos proprietários de terras, pois aumentou em cinco vezes o limite. (N. T.)

[19] Benjamin Disraeli, *Coningsby*, Livro IV, cap. III.

a nação de quem não tem apoio. Que colheita inevitável de sedição, radicalismo, infidelidade![20]

Os antigos *whigs*, com a predileção pela oligarquia veneziana; os liberais, que falam por meio de uma classe de filisteus presunçosos; os radicais, impregnados de doutrinas aborrecidas de uniformidade política e economia manchesteriana – esses partidos não prometem esperança alguma para a nação da Inglaterra. Se a reforma há de vir, deve ser obra de um torismo revigorado. Os *tories* devem salvar os comuns da terra. Disraeli desdenhava do termo abstrato "povo", tão em voga entre os radicais, cujo substantivo desconcertante realmente é "um termo de filosofia natural e não de ciência política".[21] Em *Runnymede*, mais uma vez, afirma, "a expressão 'o povo' é puro disparate. Não é um termo político. É uma expressão de história natural. Um povo não é uma espécie; uma comunidade civilizada é uma nação".[22] Um "povo" sentimentalizado e indefinido não é objeto da solicitude de Disraeli; resgataria da miséria simplesmente as classes baixas da Grã-Bretanha, sem direito a voto e sem herança.

O que essas classes se tornaram, Disraeli descreve em *Sybil*; e os *Blue Books*[23] lhes dão testemunho. O camponês foi rebaixado a "trabalhador agrícola", sinônimo de pobre, subsidiado pela paróquia para manter os salários baixos; os trabalhadores da indústria são habitantes de Wodgate ou do Hell-House Yard[24], à mercê de um exér-

---

[20] Idem. Ibidem, Livro VII, cap. II.

[21] Idem. Ibidem, Livro I, cap. VII.

[22] Benjamin Disraeli, *Letters of Runnymede*. Intr. Francis Hitchman. London, 1895, p. 270.

[23] O termo *Blue Book* refere-se aos livros de registro do Parlamento de estatísticas nacionais, revestidos de veludo azul, usados desde o século XV no Reino Unido. (N. T.)

[24] No romance *Sybil*, Wodgate é descrito como um lugar "comumente conhecido como 'quintal do Inferno', lugar agreste e selvagem, morada de uma raça de homens sem lei que moldam fechaduras e instrumentos de ferro". Ver Sybil, livro 3, cap. 1. (N. T.)

cito de lojistas, amontoados em um enxame de milhares, "abrigados em cortiços, nos bairros mais hediondos do mais feio dos países do mundo". Ignoram brutalmente a religião ou, na melhor das hipóteses, acreditam "em Nosso Senhor e Salvador Pôncio Pilatos que foi crucificado para salvar nossos pecados; e Moisés, Golias e o resto dos apóstolos". E essa turba está a crescer.

> – Falo da chegada anual de mais de trezentos mil estrangeiros nessa ilha – disse Gerard, o socialista.

> – Como ireis alimentá-los? Como ireis vesti-los? Como ireis alojá-los? Já desistiram da carne dos açougues; deverão desistir do pão? E por vestuário e abrigo, os trapos do reino estão esgotados e vossos antros e porões fervilham como coelheiras.

Os filhos bastardos são medicados com láudano e, se sobreviverem, lançados na rua para se defenderem sozinhos; a população trabalha quatro dos sete dias e fica bêbada durante os outros três. O que há para se conservar nessa sociedade? Muito resta a ser conservado ou restaurado. Depois dessa acusação, Benjamin Disraeli permanece um *tory*. "Lealdade não é uma expressão, fé não é uma ilusão e a liberdade popular é algo mais difusível e substancial que o exercício profano dos direitos sagrados de soberania exercido pelas classes políticas." Os homens não podem melhorar a sociedade pondo-lhe fogo: devem buscar as antigas virtudes e trazê-las de volta à luz. A Inglaterra ainda é grande, capaz de regeneração, mas se confiada às mãos do inovador doutrinário, deverá ruir. Como Disraeli afirmou vinte anos após a publicação de *Sybil*:

> Tendes uma Igreja antiga, poderosa, ricamente dotada e uma perfeita liberdade religiosa. Tendes uma ordem intacta e liberdade completa. Tendes propriedades territoriais tão grandes quanto as dos romanos, conjugadas com uma empresa comercial tal como Cartago e Veneza nunca se igualaram. E deveis lembrar que esse país peculiar, com tais fortes contrastes, não é governado pela força; não é governado por exércitos de prontidão; é governado pela série mais singular de influências tradicionais acalentadas, geração após

geração, porque sabem que preservam o costume e representam a lei [...]. E essas criações poderosas estão fora de toda a proporção para com os elementos e recursos essenciais e nativos do país. Se destruirdes esse estado de sociedade, lembrai-vos – a Inglaterra não poderá começar de novo.[25]

Os remédios? Repousam, em primeiro lugar, no reavivar um sentimento de nacionalidade, de comunidade, repudiando o egoísmo e o individualismo utilitarista. Aqueles sofredores no inferno de Wodgate eram tão ingleses quanto os banqueiros da City. Com isso deveria vir a restauração do verdadeiro sentimento religioso, pois Disraeli, embora não fosse teólogo, era profundamente devoto, e o Anjo do Sinai falou-lhe de modo tão autoritário como a Tancredo – se não menos dramático. Deve seguir uma série de emendas políticas e econômicas: a renovação da reverência à Coroa; o revigoramento da Igreja; a preservação do governo local; a instituição de códigos comerciais que tomem conhecimento do interesse agrícola; justiça para com a Irlanda; melhoria da condição física da população trabalhadora "ao instituir que o trabalho tanto requer regulação quanto a propriedade". E isso deve ser restauração, não revolução. A jovem Inglaterra aspirava coisas grandes e realizou algumas – realizou mais, talvez, do que é perceptível à primeira vista. Os conservadores foram bem-sucedidos, sob a guia de Disraeli, em preservar as instituições veneráveis que Bentham, de modo confiante, esperara que fossem extirpadas em meados do século XIX. Cem anos depois de Disraeli tornar-se o líder dos *tories*, a Coroa era mais bem quista do que jamais fora, por mais que tenha diminuído a função política; os lordes sobreviveram durante todo o *Parliament Act* de 1911, e quinze nobres foram ministros no governo trabalhista; a Igreja da Inglaterra, ainda que só nominalmente a igreja da maioria dos ingleses, permaneceu, não obstante, oficial e com dotação; o *arrondissement* não substituiu a paróquia, nem a *gendarmerie*, o policial; a

---

[25] W. F. Monypenny e G. E. Buckle, *The Life of Benjamin Disraeli, Earl of Beaconsfield*, V. London, 1949, p. 410.

condição das classes trabalhadoras, a confundir as previsões de Marx, era melhor do que antes. E sozinha entre as grandes potências da Terra, a Grã-Bretanha não experimentara nenhuma revolução ou guerra civil ao longo de todo os séculos XIX e XX. Esse é um magnífico feito conservador, obra de Disraeli, que ensinou a um partido confuso e quase arruinado os princípios de Bolingbroke, de Burke e de Coleridge.

O torismo de Disraeli convenceu os ingleses de que as classes baixas não fossem esquecidas, de que a nação inglesa, de fato, ainda vivia, de que os mestres da sociedade tinham um interesse comum com as massas da sociedade. A legislação humanitária de Anthony Ashley-Cooper (1801-1885), 7º Conde de Shaftesbury, e de seus companheiros tinha alguma relação com isso, mas a mera lei positiva não mantém a nação satisfeita; o problema da tranquilidade social não é o problema do desejo. "Nenhum orador jamais impressionou por dirigir-se aos desejos mais rasos dos homens", escreve Walter Bagehot, "salvo quando pode alegar que esses desejos são causados pela tirania de outrem."[26] Disraeli provou que o conservadorismo não era tirania, é mais popular que o liberalismo.

Ainda assim, o teste final das simpatias do torismo popular que Derby e Disraeli acreditavam ser necessário proporcionar, pode ter sido, a longo prazo, a sentença de morte do conservadorismo. Essa, é claro, foi a Lei da Reforma de 1867, ao admitir o direito de voto às classes trabalhadoras urbanas. "Não era meramente uma questão de tática política", escreve Nigel Birch (1906-1981), "Disraeli tinha uma crença profunda que a democracia é *tory* e os acontecimentos não lhe provaram estar errado."[27] Isso é otimista; nem, de fato, é certo dizer que Disraeli sentiu alguma confiança firme na democracia. A Lei da Reforma que passou não era a lei da reforma que ele esboçara, e estava em um humor desanimador ao longo dos dias turbulentos

---

[26] Walter Bagehot, "The English Constitution". In: The *Works and Life of Walter Bagehot*, V. London, 1915, p. 164.

[27] Nigel Birch, *The Conservative Party*. London, 1949, p. 20.

do debate; os acontecimentos movendo-se até mais rápido do que o flexível Disraeli pudesse observar sem desânimo. Trinta anos antes, é verdade, escrevera que a Constituição inglesa era "uma constituição aristocrática fundada em uma igualdade de direitos civis", pela virtude de seu governo peculiar, "de fato, uma democracia nobre".[28] Em sua obra, *Vindication*, observara:

> Se examinarmos não só a constituição política, mas a condição política do país, iremos, na verdade, descobrir que o Estado de nossa sociedade é o de uma democracia completa, encabeçada por um chefe hereditário, as funções executivas e legislativas executadas pelas duas classes privilegiadas da comunidade, mas todo o corpo da nação com direito a participar, se devidamente qualificado, no exercício daquelas funções e constantemente delas participando.[29]

Entretanto, essa era uma democracia limitada e tradicional; uma democracia absoluta e doutrinária, receava Disraeli, tanto quanto Lorde Salisbury. Em 1865, esperava que a Câmara "não sancionasse passo algum que tendesse à democracia, mas que mantivesse o estado ordenado da Inglaterra livre em que vivemos". Os privilégios deveriam, de fato, ser dados às classes trabalhadoras, mas não como direitos absolutos, disse durante um debate em 1867:

> Os privilégios populares são consistentes com um estado de sociedade em que há grande desigualdade de condições. Os direitos democráticos, ao contrário, exigem que exista igualdade de condições como base fundamental da sociedade que regulamentam.[30]

A democracia, uma vez triunfante, sabia, reforçaria a igualdade de condição e a Grã-Bretanha de cem anos depois confirmaria sua previsão.

---

[28] Benjamin Disraeli, "The Spirit of Whiggism". In: *Letters of Runnymede*, p. 283.

[29] Benjamin Disraeli, *Vindication of the English Constitution in a Letter to a Noble and Learned Lord*. Londres, 1855, p. 203-04.

[30] *Selected Speeches of the Earl of Beaconsfield*. T. E. Kebbel (ed.), I. London, 1882, p. 546.

Não desejava o predomínio de classe única alguma na nação: uma grande amplitude do direito de voto conferiria uma preponderância perigosa aos artesãos. Ainda assim, reconhecia a necessidade de decidir a questão da reforma parlamentar em alguma base, aquietando a agitação perigosa para uma mudança orgânica. Esperava que a lei de 1867 fosse final; é claro que não foi: uma terceira reforma, em 1884-1885, concedeu o direito de voto aos trabalhadores agrícolas e aos mineiros e a outros chefes de famílias nos condados, varreu para longe os assentos dos pequenos distritos agrícolas e deu um *coup de grace* no antigo interesse aristocrata e territorial. O predomínio na Câmara dos Comuns passou, por fim, às cidades industriais. As mulheres, e todos mais ainda estavam excluídos, e receberam o direito de voto nas legislações sucessivas (1918 e 1928), até os socialistas completarem o programa benthamitas e cartista de "um homem, um voto" ao abolir os assentos das universidades oito décadas após a reforma de Benjamin Disraeli. Os *tories* estavam, de fato, se lançando às correntezas do Niagara.[31] Entretanto, o que mais poderiam ter feito? Walter Bagehot, o mais atilado dos liberais, sabia que 1867 era apenas uma sequência de 1832, muito embora tenha detestado a derrota dos *whigs*:

> Os reformadores de 1832 destruíram o eleitorado intelectual, em grande número, sem criar qualquer outro e, sem dizer, de fato, sem pensar que aquele era desejável a nenhum outro. Assim, por uma ação conspícua, que é o modo mais influente da instrução política, ensinaram à humanidade que um aumento no poder dos números era a mudança mais desejada na Inglaterra. E, é claro, a massa da humanidade está pronta para pensar assim.[32]

---

[31] Thomas Carlyle utilizou a mesma metáfora em um artigo chamado "Shooting Niagara – and After?", publicado na *Macmillan's Magazine*. Edinburg, vol. XVI, abr. 1867. (N. T.)

[32] Walter Bagehot, "Lord Althrop and the Reform Act of 1832". In: *The Works and Life of Walter Bagehot*, VII. London, 1915, p. 62.

A lei de 1832 reduzira o sufrágio a uma mera qualificação financeira; depois disso, a opinião popular estava certa de exigir a redução das qualificações até que fosse alcançado o sufrágio universal.

"Poucas páginas de nossa história política moderna são mais desacreditadas que a história da lei de reforma 'conservadora' de 1867", afirmou W. E. H. Lecky (1838-1903), uma geração depois. Isso é desagradável; ainda assim, a aprovação da lei deveria ter sido mais bem controlada. Os "*Fancy Franchises*" – votos plurais para os bem-educados, os prósperos, os proprietários, os líderes dos homens, de modo a assegurar que os votos tivessem peso, bem como número – foram perdidos na confusão do debate, com liberais, *tories* e radicais esforçando-se para, generosamente, ter vantagens, uns sobre os outros, com relação aos eleitores que estavam prestes a conceder o direito de votar. Os *tories*, sem maioria absoluta na Câmara dos Comuns, findaram por aprovar uma lei que se assemelhava, muito vagamente, à proposta original, que fora cercada de salvaguardas e reservas. William Gladstone anunciara em 1864:

> Arrisco dizer que todo homem que, provavelmente, não esteja incapacitado por alguma razão de inaptidão pessoal ou de perigo político tem o direito moral de ingressar no âmbito da Constituição.

Assim, ela foi aprovada. O voto deixou de ser considerado um privilégio e tornou-se um direito moral. Por quanto tempo a propriedade privada, a individualidade e a decência no governo sobreviveriam sob uma democracia absoluta ainda não está certo, mas a sabedoria e o vigor do reconstituído partido de Disraeli, por certo, ofereceu liderança para a nova democracia que o manteve sóbrio e honesto durante os primeiros anos de emancipação.

O trabalhador não é, de modo inato, um radical, disse Disraeli em Guildhall, em 1874. Recusava-se partilhar o medo de que os trabalhadores nunca retornariam ao governo conservador.

> Disseram-nos que um trabalhador não pode ser conservador porque não tem nada a conservar – não tem terras nem capital; como se não houvesse outras coisas no mundo tão preciosas quanto terra e capital!

O trabalhador tem liberdade, justiça, proteção pessoal e do lar, administração equânime da lei, atividades sem amarras. "Certamente, esses são privilégios dignos de preservação! [...]. E, se esse é o caso, não é maravilhoso que as classes trabalhadoras sejam conservadoras?"[33] Quinze décadas depois, alguns ainda são conservadores, embora tenham esquecido há muito qual partido aprovou a lei de 1867.

Cinco anos depois da aprovação, Disraeli disse que a lei de 1867 fundamentou-se na confiança de que uma grande porção do povo inglês era conservador. Os objetos do torismo, explicou, são a manutenção das antigas instituições do país, a preservação do império e a elevação da condição das pessoas.[34] O partido de Disraeli não tinha motivos para envergonhar-se do desempenho nesses assuntos. Traçaram um longo percurso desde que, em 1833, pensavam o partido como quase defunto, "exceto por poucos anciãos desgastados do gabinete, agachados ao redor das brasas da facção que abanavam a murmurar 'reação' em sibilos místicos". Tiveram um longo percurso desde que, em 1845, Peel deu as costas aos gentis-homens do interior. E sobreviveram como um partido tão poderoso e inteligente mormente até próximo ao fim do século XX, talvez por causa dos dons imaginativos do "velho cavalheiro judeu sentado no topo do caos". Disraeli falhou cá e lá; mas, em grande parte, foi bem-sucedido em afastar a torrente de progresso para o canal da tradição.

3. NEWMAN: AS FONTES DO CONHECIMENTO E A IDEIA DE EDUCAÇÃO

As pessoas me dizem que é sonho supor que o Cristianismo recuperará o poderio orgânico na sociedade humana que outrora teve. Não tenho

---

[33] W. F. Monnypenny e G. E. Buckle, *Disraeli*, X, p. 351-52.
[34] *Selected Speeches*, II, p. 530-33.

culpa, nunca disse que tinha. Não sou político; não proponho medidas, mas exponho uma falácia e resisto a uma pretensão. Deixemos o benthamismo reinar, caso os homens não tenham aspirações, mas não lhes digam para ser românticos e, depois, consolar-lhes na glória; não tentemos pela filosofia o que certa vez foi feito pela religião. A ascendência da fé deve ser impraticável, mas o reino do conhecimento é incompreensível. O problema para o estadista desta época é como educar as massas, e a literatura e a ciência não podem dar a solução.

John Henry Newman, "The Tamworth Reading Room" (1841)

John Henry Newman, de fato, não era político. Seu único ensaio importante que tocava diretamente a política é "Who's to Blame?" [A Quem Culpar?], de 1855, provocado pelos desastres ingleses na Crimeia; doutro modo, em seus escritos, a política é somente uma sombra tênue da Teologia e da teoria do conhecimento. Entretanto, o verdadeiro conservadorismo, também, transcende a política. Newman era um *tory* consistente, ligado ao princípio aristocrático e ao conceito de lealdade às pessoas; ainda assim, essa não é a sua contribuição importante ao pensamento conservador. Impregnado do senso de vaidade das coisas mundanas, altamente característico dos grandes conservadores, lidava com problemas da sociedade somente porque os benthamitas e outros radicais pareciam determinados a forçá-lo e a seus aliados para a controvérsia política.

> Ao iniciar, então, com a existência de um Deus (que, como disse, é para mim tão certa quanto a certeza de minha própria existência, ainda que, ao tentarmos estabelecer as bases dessa certeza em formas lógicas, encontre dificuldade em fazê-lo em disposição e vulto que me satisfaça), olho para mim no mundo dos homens e, aí, tenho uma visão que me enche de um pesar impronunciável. O mundo parece simplesmente dar lugar a essa grande verdade, da qual todo o meu ser está tão repleto [...]. A visão de mundo nada mais é que o pergaminho do profeta, cheio de "lamentações, luto e aflições".[35]

---

[35] J. H. Newman, *Apologia pro Vita Sua*. Cap. V. London, 1864.

Esse homem sensível e sutil viveu numa época, contudo, em que César reclamava para si as coisas de Deus; e, portanto, Newman passou a vida em debates e lutas repugnantes à sua natureza contemplativa.

John Keble (1792-1866), Edward Bouverie Pusey (1800-1882), John Henry Newman, R. Hurrell Froude (1803-1836) e todo o corpo dos tractários iniciaram, em 1883, a batalha contra a invasão das medidas utilitárias na Igreja. A lei de Reforma foi seguida por uma onda de legislação liberal projetada para reformular a Igreja da Inglaterra, e essa política foi concebida, em grande parte, pelo corpo de opinião que elegera o primeiro parlamento reformista – as classes médias não conformistas. Enquanto o parlamento fora uma assembleia de anglicanos, enquanto os *Test and Corporation Acts* proibiam assentos aos dissidentes, aos católicos e aos judeus, a Igreja da Inglaterra permanecia contente com a subordinação aos lordes e aos comuns, mas agora isso desaparecera.

Dali em diante, parecia que a Câmara dos Comuns estava para ser dominada ou, na melhor das hipóteses, influenciada, por não conformistas e por racionalistas seculares, hostis à autoridade instituída, tendentes, muitas vezes, a expressar em lei a inimizade e o desprezo pela Igreja que Jeremy Bentham e James Mill manifestavam. O ataque à Igreja começou de pronto e, embora dentro em pouco tenha sido derrubado tanto pela força do Movimento de Oxford quanto pelo alarme iniciado por evangélicos e mesmo por não conformistas, a Igreja da Inglaterra, desde então, temia o Estado. A instituição da Comissão Eclesiástica, ao arrogar para o laicato o controle das receitas da Igreja, ameaçando os grandes prelados, em particular, o bispo de Durham, de retirar as antigas prerrogativas; a comutação dos dízimos, em 1836; a afetação das dotações da catedral (para antecipá-los) pelos membros da comissão eclesiástica entre os anos de 1852 e 1868, exatamente antes do sermão de Assize de Keble[36];

---

[36] Sermão de 1833 por ocasião da abertura do ano dos tribunais civis e criminais que exortava os juízes e membros do judiciário a empregar a justiça. Tido como o primeiro impulso do Movimento de Oxford. (N. T.)

a supressão de dez episcopados pelo governo – isso, os tractários sabiam, era apenas o início do processo de secularização que, se não fosse impedido, terminaria na pseudo-religião humanitária defendida pelos utilitaristas. As coisas nunca foram tão longe quanto esperavam Bentham e Mill. Os tractários, auxiliados por um afeto público inato à Igreja, impediram a desinstitucionalização, a perda da dotação e o saque às propriedades da Igreja que varreram a Europa após 1830, estendendo-se até as cidadelas da ortodoxia na Itália, Espanha e em Portugal.

Esse foi um considerável feito conservador, mas não há necessidade de debruçar-me sobre isso aqui. Quando o sr. Harding, em *The Warden*,[37] perde os emolumentos do hospital de Hiram para os comissários eclesiásticos (atiçados por Tom Towers do jornal *Júpiter*), vemos a natureza da luta entre a Igreja alta e árida e os liberais triunfantes, assim como é expressa em qualquer outro lugar; e Trollope retrata no debate dos débeis indigentes a respeito da justiça de tudo aquilo e a conquista do agitador profissional, a vitória dos conceitos utilitários – assistidos por aqueles impulsos egoístas sobre os quais os utilitaristas fundamentaram seu sistema – suplantando os arranjos consagrados pelo uso. Entretanto, no fim, a competição não foi vencida pelo reverendo sr. Slope e a sra. Proudie, ou mesmo por Tom Towers do *Júpiter*. Por volta de 1850, como escreve George Malcolm Young (1882-1959), Samuel Taylor Coleridge (e o Movimento de Oxford era como um neto dele) derrotara Jeremy Bentham. A Igreja era mais que uma força moral-policial e a sociedade mais que um aglomerado de indivíduos. Os tractários garantiram que "o aspecto corporativo e sacramental da Igreja deveria emergir novamente e que a religião deveria encontrar um lugar para os sentimentos de beleza, de antiguidade e de mistério que a teologia dominante repudiara ou

---

[37] Primeiro livro das *Chronicles of Barsetshire* de Anthony Trollope (1815-1882), publicado em 1855. (N. T.)

ignorara como mundana, inútil ou profana".[38] Não obstante os flertes de alguns anglo-católicos posteriores com o coletivismo radical, o Movimento de Oxford foi um fenômeno conservador inglês de importância duradoura. Pela liderança entre os tractários, John Henry Newman ajudou a ressuscitar os elementos tradicionais da fé anglicana e, quando rumou para o catolicismo romano, aí também exerceu uma influência conservadora sobre o corpo de pessoas há muito hostis para com o Estado inglês, elevando, de modo permanente, os padrões intelectuais daquela comunhão crescente, de modo que os principais pensadores entre os católicos britânicos, mais de um século depois, eram conservadores na linha do cardeal Newman.

Para o estudioso das ideias conservadoras em geral, todavia, esses particulares (embora importantes, estavam na evolução do pensamento inglês moderno) não são tão interessantes quanto dos princípios filosóficos que John Henry Newman enunciou após deixar Oxford e ir para o Oratório de São Filipe Neri em Birmingham. Sua teoria do conhecimento e a ideia de educação: esses são os conceitos conservadores que, suscetíveis de aplicação universal, de repente surgem das controvérsias sociais das modernas Grã-Bretanha e América do Norte. A política, qualquer estudioso observador logo descobre, estende-se até os problemas da ética e, a ética, por sua vez, é sobrepujada pelos problemas da fé religiosa. John Henry Newman dá continuidade à cadeia filosófica de Richard Hooker a Edmund Burke, por saber que a sociedade vive da fé. Essa convicção é clara nos primeiros sermões e ensaios de Newman, mas materializam-se em *An Essay on the Development of Christian Doctrine* [Um Ensaio sobre a Evolução da Doutrina Cristã], de 1845, *The Idea of a University* [A Ideia de uma Universidade], de 1853, *A Grammar of Assent* [Uma Gramática do Assentimento], de 1858, e *Apologia pro Vita Sua* [A Defesa

---

[38] G. M. Young, *Early Victorian England 1830-1865*, II. London, 1934, p. 472.

da Própria Vida], de 1864. De modo mais persuasivo, talvez, isso é exposto em "The Tamworth Reading Room", que foi publicado no jornal *Times* em fevereiro de 1841 e reimpressso em *Discussions and Arguments* [Debates e Argumentos], de 1872. Como estrutura para a exposição das crenças conservadoras de Newman, "The Tamworth Reading Room" serve muito bem.

Sir Robert Peel, que lutou com todas as forças para salvar o partido conservador da extinção depois de 1832, atraiu para si o descrédito dos dois grandes conservadores do período vitoriano. "Peel foi um exemplo do erro de supor que, sem o discernimento filosófico, mesmo as capacidades práticas mais supremas bastam para salvar um político de erros graves", escreveu Lorde Hugh Cecil (1869-1956). "A fraqueza da mente prática é que, enquanto vê com clareza as atuais circunstâncias existentes do caso, tem pouca capacidade de previsão."[39] O elaborador forte e prático de Tamworth combinou, no Manifesto de Tamworth, de 1834, todos os princípios verdadeiros do torismo político, afirmou Benjamin Disraeli; e no discurso de abertura do Tamworth Reading Room, de 1841, Peel entregou as premissas intelectuais da velha Inglaterra nas mãos dos utilitaristas, disse Newman. Richard Cobden foi astuto quando "não se desanimou completamente com Peel": pois assim que *Sir* Robert, aos poucos, convenceu-se da questão dos livres-mercadores, do mesmo modo esse defensor das instituições políticas deixou a mente ser capturada pelos princípios metafísicos e educacionais do utilitarismo, os conceitos de Jeremy Bentham e de Henry Brougham. O conservadorismo, político e espiritual, tinha de ser resgatado de um guardião que, assim, fora seduzido e, enquanto Disraeli libertou o torismo dos peelitas e restabeleceu a linha de demarcação entre os partidos, Newman reafirmou a venerável oposição religiosa à ideia baconiana de "conhecimento como

---

[39] Lorde Hugh Cecil, *Conservatism*. London, 1912, p. 68.

poder" e à ambição utilitária de que a educação poderia tornar-se um instrumento para o engrandecimento material.

Na inauguração da Biblioteca Tamworth, Peel declarara (com a veia homilética que sempre exercitou) que os homens devem ser educados ou serão viciosos, e o conhecimento útil é o instrumento de redenção; que "a ciência física e moral instiga, transporta, exalta, amplia, tranquiliza e satisfaz a mente"; que a ciência é um solo neutro em que os homens podem encontrar-se, independentemente de política e religião. Essa é a visão que Brougham expôs na inauguração da Universidade de Londres. A ciência física será até uma fonte de consolo e prazer na hora da morte. Os discípulos de Bentham (embora embelezando a prosa árida de seu preceptor com figuras de retórica, ao mesmo tempo, amadoras e evangélicas), Brougham e Peel falaram do conhecimento como um meio de obter poder sobre a natureza e melhorar moralmente os homens; da educação como um treinamento prático para o sucesso nesse empenho. No entanto, omitiram completamente a religião e a ciência da Teologia de seu esquema. A religião é controversa; portanto não tem espaço na instrução pública, acreditavam – mesmo *Sir* Robert, o defensor da Igreja da Inglaterra. O conceito de conhecimento e de educação que tinham é lançado em meio às falácias.

O conhecimento secular não é o princípio de aprimoramento moral, diz John Henry Newman, nem é o meio direto do aprimoramento moral. O conhecimento secular não é um princípio de utilidade social, nem um princípio de ação. Sem a religião pessoal, o conhecimento secular, em geral, é uma ferramenta de descrença. A convicção não é produzida pela lógica das palavras, nem pelo acúmulo de fatos. A ciência física não pode trazer certeza, pois as teorias científicas mais plausíveis não são mais que suposições prováveis fundadas em tais fatos insuficientes, do modo como somos capazes de reunir, à moda desastrada dos seres humanos. Os homens não serão bons porque lhes ensinaram fatos variados ou porque foram instruídos na arte de duvidar. O verdadeiro conhecimento não é o produto de uma razão ordenada, de lógica benthamita, de dados cuidadosamente ponderados; nenhum homem baseia suas ações nesses fundamentos abstratos. Mesmo Jeremy Bentham e James Mill, embora professassem um sistema de princípios rigidamente científico, na realidade construíram sua lógica de palavras em pressupostos e experiências que, muito provavelmente, eles mesmos não tinham consciência. Não, o conhecimento não é o resultado de uma instrução em ciência física ou moral. Assim como a virtude, o conhecimento, na verdade, é o produto de processo sutil que os homens apreendem, na melhor das hipóteses, de modo imperfeito: isso é o que Newman, mais tarde, chamou de senso ilativo:

> Em moral, assim como na física, a corrente não pode elevar-se acima da fonte. O cristianismo eleva o homem da Terra, pois provém do Céu; mas a moralidade humana move-se lentamente, arrasta-se ou atrita-se no nível terreno, sem asas para solevar. A Escola do Conhecimento não contempla o homem em alçar-se acima de si mesmo; tenciona, meramente, dispor as capacidades e gostos existentes como é mais conveniente ou é praticável, dadas as circunstâncias. Encontra-o, como as vítimas de um tirano francês, curvado em uma jaula em que não pode nem deitar, ficar de pé, sentar-se ou ajoelhar-se, e seu desejo mais excelso é descobrir uma postura em que seu desassossego seja o menor possível.[40]

Assim, o conhecimento prático deixa o homem em tormento. O coração não é alcançado pela razão. O pavor do invisível é o único princípio conhecido para vencer o mal moral, mas isso não é levado em consideração pelos educadores utilitaristas. Os fatos científicos não aliviam o tédio do homem moderno, nem lhe oferecem uma esperança superior à vaidade dos desejos humanos.

---

[40] J. H. Newman, *Discussions and Arguments on Various Subjects*. London, 1872, p. 272.

Se, em educação, principiamos com a natureza antes da graça, com provas antes da fé, com ciência antes da consciência, com poesia antes da prática, estaremos fazendo o mesmo como se fôssemos ceder aos apetites e às paixões, e fazer ouvidos moucos à razão.[41]

Sem um fundamento de primeiros princípios, a própria ciência não tem valor – um acúmulo sem sentido de fatos não relacionados. Nossos primeiros princípios não são obtidos por amontoar dados, aos moldes do método de Francis Bacon, e esboçar inferências. "A vida é para a ação: para agir devemos pressupor, e essa pressuposição é fé." A razão não impele nossas impressões e ações; ela as *segue*.

Se, portanto, não configuramos nossa vida, ou mesmo nossas ciências, a uma lógica de palavras ou a um museu de espécimes, qual, verdadeiramente, é a fonte de nossos primeiros princípios, nossos motivos diretores? O que é exatamente esse senso ilativo de Newman? Na *Gramática do Assentimento*, ele o define, de modo breve, assim:

> É a mente que raciocina e supervisiona os seus próprios raciocínios, não qualquer aparelho técnico de palavras e proposições. A este poder de julgar e de inferir, quando na sua perfeição, chamo o Sentido Ilativo.[42]

Temos aqui um uso de "senso" paralelo a "bom senso", "senso comum", "senso de beleza", é uma faculdade uniforme, porém pode ser empregada em medidas diferentes, que deve estar ligada a um argumento particular, que emprega um método de raciocínio superior à lógica (semelhante ao moderno cálculo matemático, em princípio) e é o teste supremo da verdade e do erro em nossas inferências. Varia em força e pureza de um indivíduo para o outro, e o verdadeiro aprimoramento intelectual consiste em fortalecer e aperfeiçoar o senso ilativo. Como a expressão dá a entender, o senso ilativo é constituído

---

[41] Idem. Ibidem, p. 274-75.

[42] John Henry Newman, *Ensaio a Favor de uma Gramática do Assentimento*. Trad. e apr. Artur Morão. Lisboa, Assírio & Alvim, 2005, p. 347.

de impressões que nos são trazidas de uma fonte mais profunda que nossa razão consciente e formal. É o produto conjugado de intuição, instinto, imaginação e da longa e intrincada experiência. Ainda assim, o senso ilativo não é infalível em homem algum: os pressupostos, que são atos do senso ilativo podem se fundamentar em elementos errôneos do pensar e, assim, conduzir ao erro. Devemos corrigir nosso senso ilativo particular ao referi-lo à autoridade; pois a autoridade, que é uma espécie de senso ilativo coletivo filtrado, oferece purificação ao erro individual. Como John Henry Newman escreveu em seu ensaio, de 1846, sobre John Keble:

> A consciência é uma autoridade; a Bíblia é uma autoridade; assim é a Igreja; assim é a antiguidade; assim são as palavras do sábio; assim são as lições hereditárias, assim são as verdades éticas, assim são as memórias históricas, assim são os ditados jurídicos e as máximas de Estado; assim são os provérbios, assim são os sentimentos, presságios e as ideias preconcebidas.

Nas ciências físicas, é verdade, o teste comum de probabilidade é fato físico, submetido aos sentidos físicos e por eles testado. Entretanto, a história, a ética e os estudos similares devem ser intentados e testados pelo senso ilativo e pela autoridade.

> Em tais ciências, não podemos nos apoiar nos meros fatos, porque não os temos. Devemos fazer o melhor que pudermos com o que nos é dado, e buscar ajuda de qualquer parte; e, em tais circunstâncias as opiniões de outros, as tradições das épocas, os usos consagrados da autoridade, os augúrios antecedentes, as analogias, os casos paralelos, esses e semelhantes, joeirados e escrutados, obviamente, tornam-se de grande importância.[43]

Se, então, o senso ilativo é a sanção última da crença e da ação, o que podemos dizer do conceito utilitarista de conhecimento? Cegos à

---

[43] John Henry Newman, *An Essay on The Development of Christian Doctrine*. London, 1845, p. 180.

própria existência do senso ilativo, os discípulos de Bentham omitem de seus cálculos os meios cardeais para a sabedoria e, com isso, omitem a fé religiosa. Vagamente ciente de que a verdade religiosa não pode ser apreendida por quaisquer de seus métodos – e desafiadoramente cônscios disso, segundo os testes deles, a Teologia não pode ser uma ciência –, os utilitaristas, de modo diligente, ignoram a fé. No entanto, a religião, mesmo considerada apenas em termos utilitários, é o esteio firme da sociedade, a consolação do solitário, a sanção da justiça, o impeditivo do mal. Em todos esses interesses, nada satisfaz senão a religião. Assim, os utilitaristas – e *Sir* Robert Peel, à medida que é um dos convertidos – minaram a base da ordem utilitarista.

> Como é triste ver que ele, que poderia ter ganho a afeição de muitos, tenha pensado, num dia como esse, que a consagração do estadista está em preservar o meio, não em visar o excelso; que estar salvaguardado era o mérito primeiro, e excitar o entusiasmo, o engano mais infame! Como é lamentável que tal homem não tenha compreendido que um corpo sem alma não tem vida, e um partido político sem uma ideia, não tem unidade![44]

O utilitarismo é uma filosofia de morte: sua morbidez é consequência da ênfase benthamita na dúvida. Junto com Descartes, os utilitaristas duvidam de todas as coisas na Terra e no Céu; e isso é tolice consumada. A dúvida é uma emoção intratável, invejosa, egoísta, uma negação amarga de tudo, salvo do eu taciturno, e ninguém aprende nada pela dúvida. A dúvida nunca pode ser totalmente aliviada em muitas coisas, mas devemos tratar de viver apesar das dúvidas (que são uma condição de nossa natureza temporal imperfeita). "Devemos ter em mente que ignoramos muito, se é que podemos conhecer algo. E devemos fazer a escolha entre arriscar-se na ciência ou arriscar-se na religião."[45] O homem que cultiva o treinamento prático à custa de

---

[44] John Henry Newman, *Discussions and Arguments*, p. 305.
[45] Idem. Ibidem, p. 280.

negligenciar o senso ilativo faz uma troca infeliz. Neguemos o senso ilativo e a dúvida é inescapável; o admitamos e podemos sair da dúvida para a certeza em algumas questões.

> A própria dúvida é um estado positivo e implica um hábito definido da mente; implica, portanto, necessariamente um sistema de princípios e de doutrina próprios. Mais uma vez, se nada se deve pressupor, o que será de nosso genuíno método de raciocinar senão um pressuposto? E o que será a nossa própria natureza? [...]. A propósito dos dois, é melhor afirmar que devemos começar por crer em tudo aquilo que é oferecido à nossa aceitação do que ter por dever nosso duvidar de tudo. O primeiro parece-me, de fato, ser o verdadeiro caminho da aprendizagem.[46]

A crença segue a ação: Samuel Taylor Coleridge disse quase a mesma coisa. No entanto, John Henry Newman não sugere isso; na maioria dos casos, o intelecto pode intuitivamente perceber a verdade. O senso ilativo, que sana a dúvida, é mais que intuição.

> Conhecemos, não pela visão direta e simples, não por um vislumbre, mas, como se fosse por partes e acumulação, por um processo mental, ao circundar o objeto, por comparação, combinação, correção mútua, adaptação contínua de muitas noções parciais, pelo emprego, concentração e ação conjunta de muitas faculdades e exercícios mentais.[47]

Essa união e combinação são questão de treino e, assim, Newman, tendo demonstrado que os princípios utilitários de educação *não* são o caminho para o conhecimento verdadeiro, é levado a descrever o verdadeiro processo educativo.

Não é paradoxo que o adversário do liberalismo fosse o mais nobre expoente da educação liberal. Se "liberalismo" era uma palavra odiosa a *Sir* Robert Peel, para John Henry Newman era anátema. Ouviu primeiro a palavra, disse, relacionada às opiniões de Lorde Byron e seus admiradores.

---

[46] John Henry Newman, *Gramática do Assentimento*. Op. cit., p. 369.

[47] Ibidem, *The Idea of a University*, discurso VII, parte I.

Afinal, o liberalismo era a divisa de uma escola teológica, de caráter árido e repulsivo, não muito perigosa em si, embora perigosa como a abertura de porta para males que não foram antecipados ou compreendidos em si mesmos. No presente, nada mais é que um ceticismo profundo, plausível, [...] a evolução da razão humana, como exercida praticamente pelo homem natural.[48]

Em religião e em política, a essência do liberalismo é o juízo privado e, para Newman, que venerou a autoridade, o julgamento de questões sérias segundo os ditames imprudentes e falíveis do próprio entendimento pessoal insignificante era um ato de impiedade flagrante, próximo à possessão diabólica, ao pecado do orgulho espiritual. Os liberais postulam a supremacia da razão humana (ou seja, a árida razão lógica que Bentham exemplificou) e têm desprezo pela humildade cristã; acreditam, de modo insensato, na bondade natural e na melhoria infinita do homem.

No entanto, a educação liberal é outra questão: esse é um uso de "liberal" muito mais antigo e muito mais puro, uma compreensão verdadeira de liberdade que é liberdade para duvidar e destruir. A educação liberal é o treinamento intelectual dos homens livres. Nenhum vitoriano estava mais bem talhado para definir a educação liberal que Newman, o exemplar do melhor saber liberal tradicional, a luz de Oxford. Tinha um intelecto maravilhosamente extenso e inquisidor, embora operando (para sua vantagem) dentro dos confins de uma tradição intelectual majestosa, Newman "talvez seja o único inglês [observa Geoffrey Herman Bantock (1914-1997)] a questionar toda a base da 'civilização' contemporânea e a levantar os problemas mais profundos do relacionamento do ego individual com o mundo externo".[49]

---

[48] Idem. *Apologia pro Vita Sua*, cap. V.

[49] G. H. Bantock, "Newman and Education". In: *The Cambridge Journal*, (ago. 1951); Ver também o cap. V de Bantock, *Freedom and Authority in Education*. London, 1952.

Crane Brinton, ao discutir as críticas minuciosas aos métodos e hipóteses científicas de Newman, chega a chamá-lo de um pragmatista no sentido do século XX.⁵⁰ No entanto, Brinton confunde a crença de William James (1842-1910) de que somente os fatos particulares são conhecíveis com a crença de Newman de que as teorias científicas, *per se*, não podem trazer certeza. Se, em qualquer sentido Newman foi um pragmatista, é no antigo sentido da palavra – que, propriamente entendido, expressa o "gênio do anglicanismo", segundo Paul Elmer More:

> Compreendido da maneira correta, pode ser dito que entre os filósofos Platão era o pragmatista supremo, visto que buscou defender sua crença nas ideias como fatos mais reais que objetos da natureza, ao demonstrar que há uma intuição espiritual maior, mais profunda, mais positiva e mais fidedigna, mais verdadeiramente científica que a derrota clamorosa das sensações físicas.⁵¹

A verdadeira mentalidade especulativa, católica e física de Newman, ciente de "que o problema do estadista de sua época é como educar as massas", voltou-se à consideração da disciplina que torna os homens, ao mesmo tempo, servos de Deus e mestres de si mesmos.

> Se virtude é o domínio da mente, se seu fim é ser ação, se sua perfeição é uma ordem interior, uma harmonia, e uma paz, devemos buscá-la em lugares mais graves e mais sagrados que bibliotecas e salas de leitura.⁵²

A educação, no fundo, é uma disciplina, não um prazer ou uma consolação, nem uma alternativa ao ócio. A educação, em si, não pode ensinar virtude, mas a disciplina que acompanha a verdadeira educação é como a disciplina que cada virtude, também, requer. E a raiz da educação é o estudo da Teologia; da virtude, da fé religiosa.

---

⁵⁰ Crane Brinton, *English Political Thought in the Nineteenth Century*. Cambridge, 1949, p. 163-64.

⁵¹ Paul Elmer More, "The Spirit of Anglicanism". In: More e Cross, *Anglicanism*, p. xxxii.

⁵² John Henry Newman, *Discussions and Arguments*, p. 268.

O primeiro dos quatro discursos de *The Idea of a University* são dedicados a provar que a Teologia é, de fato, uma ciência, indispensável a qualquer sistema sólido de conhecimento; então, Newman considera a questão geral daquilo que a educação superior deve ser. Seus empenhos imediatos aqui – a tentativa de instituir uma Universidade Católica em Dublin – deram em nada; a influência final, mais do que a maioria dos educadores imaginam.[53]

O problema do período era, de fato, a educação das massas, mas com esse problema preciso, Newman não lida diretamente. Quando escreve sobre educação, é a instrução dos elementos principais da sociedade. Como um *tory*, sabia que a liderança deveria preceder qualquer movimento de massas; encontrado os líderes, o problema estava dois terços resolvido. Tanto os líderes quanto as massas, entretanto, necessitam de uma educação fundamentada em um princípio religioso, em uma disciplina intelectual que reconheça o que o pedante utilitarista não reconhece, de que:

> O variado mundo ativo, esparso diante dos olhos, é físico, mas muito mais que físico; e, ao tornar o sistema atual idêntico com a análise científica, um professor tal como imaginei estaria traindo um desejo de profundidade filosófica e uma ignorância do que deve ser o ensino universitário. Não é mais um professor do conhecimento liberal, mas um fanático de visão curta.[54]

Os membros da *Edinburgh Review*, que remodelariam as universidades com base em um plano restrito de eficiência utilitária, são, na realidade, os homens menos liberais. Não estão cônscios de que "a verdade religiosa não é somente uma porção, mas uma condição geral de conhecimento. Apagar isso é nada menos que desvendar, por assim dizer, a rede de conhecimento universitário".

---

[53] Ver: Fergal McGrath, *Newman's University: Idea and Reality*. London, 1951.

[54] John Henry Newman, *The Idea of a University Defined and Illustrated*. London, 1853, discurso III, parte VI.

Descrever uma universidade é mais fácil que definir adequadamente uma educação liberal.⁵⁵* Por disciplina liberal, diz Newman no discurso V:

> Um hábito da mente é formado de modo a durar por toda a vida, cujos atributos são liberdade, equidade, calma, moderação e sabedoria; ou o que em um discurso anterior ousei chamar de hábito filosófico.

Os estudos liberais são especialmente característicos de uma universidade e de um cavalheiro – em oposição aos *servis*, empregos em que a razão pouco participa. Erramos, caso exijamos muito dessa disciplina:

> Sua atividade direta não é lançar a alma à tentação ou consolá-la na aflição, não mais do que pôr o tear em movimento ou dirigir um transporte a vapor; seja muitas vezes o meio ou a condição tanto do progresso material quanto moral, ainda, tomados em geral, como pequenas emendas em nosso coração ao melhorar nossas circunstâncias temporais.

Ela não pode instilar diretamente a virtude:

> Abri a pedreira com navalhas, ou ancorai a embarcação com uma corda de seda; então, deveis esperar que com tais instrumentos finos e delicados como o conhecimento humano e a razão humana contendereis com tais gigantes, a paixão e o orgulho do homem.

Na melhor das hipóteses, permanece um método, uma disciplina, para ensinar à mente a reta razão e a modéstia da aspiração intelectual. "Um jovem de intelecto agudo e ativo que não tem nenhum outro treinamento, tem pouco a mostrar além de um punhado de ideias amontoadas de algum modo em sua mente."⁵⁶ A educação

---

⁵⁵* A descrição mais comovente de Newman, provavelmente, é a que conclui "*What Is a University?*" [O que É uma Universidade?] em *The Office and Work of Universities* [Ofício e Obra das Universidades]. Londres, 1856.

⁵⁶ John Henry Newman, *Lectures and Essays on University Subjects*. London, 1859, p. 359.

liberal traz *ordem* ao intelecto ativo; a universidade dificilmente pode esperar fazer mais.

> O processo de treinamento, pelo qual o intelecto, em vez de ser formado ou sacrificado a algum propósito particular ou acidental, a algum negócio ou profissão específicos, ou estudo ou ciência, é disciplinado por conta própria para a percepção do próprio objeto e para a própria cultura superior, é chamado de educação liberal; e, embora não haja ninguém em quem isso seja levado até onde é concebível ou cujo intelecto seja um padrão daquilo que devem ser os intelectos, ainda assim, quase não há um que não possa obter uma ideia do que é o verdadeiro treinamento e, ao menos, olhar para isso e fazer dele o verdadeiro escopo e resultado, não algo diferente, de seu padrão de excelência.[57]

Não erudição ou aquisição, mas pensamento e razão exercitados com base no conhecimento, é a finalidade do treinamento intelectual, e, quanto ao próprio conhecimento, essa é a sua finalidade mesma. O verdadeiro propósito da educação é "a visão e compreensão clara, calma e precisa de todas as coisas, até onde a mente finita puder abraçá-las, cada uma em seu lugar e com as próprias características".

Essa ideia de uma universidade e das finalidades educacionais parece infinitamente remota, talvez, da forma de treinamento do intelecto pressuposta no mundo de língua inglesa. A própria universidade católica de John Henry Newman caducou; Oxford e Cambridge e as universidades escocesas, aos poucos, aceitaram muitas das inovações utilitaristas e as novas universidades provincianas da Inglaterra, situadas nas cidades industriais infladas, em geral se esforçavam por imitar o modelo da Universidade de Londres, recomendada, em 1827 e em 1828, por Henry Brougham e por Charles Manners Lushington (1819-1864). Quanto ao sistema de educação pública apoiado pelo Estado que estava em progresso (o primeiro subsídio foi destinado em 1842), esse tendeu a adotar, de modo constante, um caráter secular e

---

[57] Ibidem, *The Idea of a University*. Op. cit., discurso VII, parte I.

utilitário. Os benthamitas estavam decididos de que o Estado deveria se tornar o educador universal; e foram substancialmente bem-sucedidos. As brigas entre as autoridades anglicanas instituídas e os não conformistas lançaram a supervisão da educação, cada vez mais, nas mãos do governo e nas escolas estatais – à exceção do "ensino simples da Bíblia" – o rompimento da escolarização da Igreja estava completo. Robert Lowe, como chefe do departamento de educação em 1862, começou a nivelar as escolas ruins por cima e as boas escolas por baixo, pois, por ser, talvez, o liberal mais puro-sangue entre todos os liberais de sua geração, pouco tinha em comum com Newman. Quando, em 1867, Lowe falou da necessidade premente de "educar nossos mestres", estava mais perto, em espírito, de Brougham do que Newman ou Disraeli; e a consequente Lei de Educação de 1870 foi passada no Parlamento por Foster, sob a alegação de que "Da rápida provisão de educação elementar depende nossa prosperidade industrial". A "educação técnica" era o projeto da Grã-Bretanha liberal. A instrução prática para equipar a Grã-Bretanha de modo a enfrentar a competição alemã era a grande necessidade e deveria ser compulsória: "Se continuarmos a lutar com nosso sistema voluntário atual, seremos derrotados".[58] O ideal benthamita – de educação secular, uniforme, universal prescrita pelo Estado, livre e compulsória (uma conjunção de palavras que sugere o despotismo democrático a que os filósofos radicais não prestaram muita atenção) – começou a ser efetuado em 1870. Nessa direção as escolas se dirigiram, cada vez com maior constância, até que a Lei de Educação de 1902 acelerou enormemente o processo, ao estender para a educação secundária e ainda mais adiante o sistema centralizador e padronizador. A Lei de 1902, patrocinada por Arthur Balfour (1848-1930) era, em substância, uma política socialista, energicamente recomendada por Sidney Webb (1859-1947) no *Folheto Fabiano* n.º 106. Aí, como em muitas

---

[58] Citado em Jarman, *Landmarks in the History of Education*, p. 264-68.

outras circunstâncias, o novo socialismo unificado insinuava-se no partido que o grande aristocrata Lorde Salisbury dominara apenas alguns anos antes.

"Pelo sistema de educação estatal todos seriam lançados na mesma forja, e tudo sairia com a mesma impressão e inscrição", afirmou Disraeli em 1839.

> Podem fazer dinheiro, podem fazer estradas de ferro, mas quando vier a idade da paixão, quando aqueles interesses estiverem em movimento e aqueles sentimentos a revolver, que abalariam o âmago da sociedade, então [...] veríamos se as pessoas receberam o mesmo tipo de educação advogado e apoiado por William of Wykeham (1324-1404).[59]

As noções de Gradgrind[60], misturadas com um sentimentalismo rousseauniano, vieram a dominar a educação custeada pelo Estado tanto na Grã-Bretanha como na América e, agora, é chegada a Era da Paixão, uma parte do pensar público parece despertar alarmado para a ameaça da quase-educação divorciada do princípio religioso.[61]

---

[59] W. F. Monnypenny e G. E. Buckle, *Disraeli*, II, p. 62-63.

[60] O sr. Thomas Gradgrind é personagem do romance *Hard Times* [Tempos Difíceis], de Charles Dickens. Superintendente do conselho escolar, sempre visando empreendimentos lucrativos, só se preocupava com fatos e números. (N. T.)

[61] Como as convicções educacionais de Newman foram completamente esquecidas ou invalidadas entre os educadores do século XX, podemos aventar pelas seguintes observações desconexas:
1) Um século depois de Newman ir para Dublin, o diretor do departamento de Educação de Oxford era M. L. Jacks, discípulo ardente de Rousseau e de John Dewey (1859-1952), ávido por uma escolarização "integrada" a dominar toda criança, baseada no princípio do prazer. A propósito, Jacks estava entre os últimos daqueles liberais que Newman detestava.
2) No jornal mensal *Tomorrow*, um resenhista objetou ao livro enérgico do cônego Bernard Iddings Bell (1886-1958), na tradição de Newman, com base no fundamento de que o Dr. Bell pensava que a educação deveria formar cavalheiros cristãos – como se (aos olhos do resenhista) as ideias de Newman e do dr. Arnold não tivessem validade na América, onde cristãos e cavalheiros são anacronismos.

Pensadores conservadores, no entanto, não devem ser julgados simplesmente pelo que não conseguiram evitar, mas mais pelo que preservaram. Newman se manteve na memória de inúmeros professores universitários, professores secundários e de homens eruditos como um ideal de educação que continua a lutar (às vezes, com sucesso desabituado, atualmente) contra a degradação do aprendizado em treinamento técnico, contra a secularização intolerante das universidades e escolas, em nome do verdadeiro saber humano. Numa época que vacila sob o proletariado urbano, seu Velho Homem do Mar, de modo que, por vezes, as escolas quase nada mais são que jaulas para conter as crianças até que a lei lhes permita trabalhar, os livros de Newman preservaram o conceito de uma educação projetada para os cavalheiros liberais, sem os quais qualquer sociedade sufoca. Na América, ao menos, as escolas paroquiais e as universidades patrocinadas por corporações religiosas ainda mantêm certa influência; e a maioria de tais fundações, saibam ou não disso, encontram em Newman a melhor expressão de suas teorias educacionais.

Um dos conflitos mais ferozes dos primeiros princípios no século XIX, escreveu Newman em 1858, era sobre se o governo e a legislação deveriam ser de caráter religioso ou não:

> Se o Estado tem uma consciência; se o cristianismo é a lei do território; se o magistrado, ao punir os transgressores, exerce uma função retributiva ou um corretivo; ou se a estrutura total da sociedade assenta na base da expediência secular. A relação da filosofia e das ciências com a Teologia é posta em causa. A antiga teoria, honrada pelo tempo, esteve, nos últimos quarenta anos, em colisão com a nova; e a nova está em ascensão.[62]

Cento e vinte cinco anos depois, a nova ainda é ascendente, mas esse severo expediente utilitarista continua a sofrer oposição das antigas visões religiosas da sociedade – isso é o legado de Newman numa parcela

---

[62] John Henry Newman, *Gramática do Assentimento*. Op. cit., p. 370.

maior do que a reconhecida por alguns historiadores das ideias, para a Inglaterra, cuja tradição espiritual e literária ele amou e enriqueceu.

4. A ERA DO DEBATE: BAGEHOT

Nenhuma lei de reforma pode ser final, exclamou Edward George Earle Lytton Bulwer-Lytton (1803-1873) em 1859.

> A democracia é como a tumba – brada perpetuamente, "dê, dê", e, como a sepultura, nunca retorna o que certa vez tomou. Entretanto, vivei sob uma monarquia constitucional, que sempre tem o pleno vigor da saúde, toda a energia do movimento. Não entregai a democracia que ainda não está madura para a cova.

O período do benthamismo, diz A. V. Dicey em seu livro *Law and Opinion in England*, começou por volta de 1825 e veio a terminar entre 1865 e 1870; foi seguido por um período de coletivismo. Se o Conde de Derby e Benjamin Disraeli foram um marco na era do coletivismo, isso se deu porque perceberam, antes dos liberais, que o benthamismo era uma coisa estéril, um galho seco e infértil, tal como declarara John Henry Newman; e as folhas amareladas já despendiam. O quase-socialismo de John Stuart Mill em seus últimos anos, a conversão do velho John Bright à defesa do gasto público pródigo para o bem-estar geral – essas são amostras da mudança no clima de opinião. O utilitarismo, em motivo, era uma apologia à expansão industrial da Inglaterra e, realizado esse processo, como força social consciente, o utilitarismo murchou, embora tenha deixado premissas para o marxismo, o fabianismo e o planejamento social em uma era de corporações industriais.

Em 1875, pouco depois dos Conservadores conciliarem as classes trabalhadoras por emendar as leis a respeito das sociedades de assistência mútua e conluios, Walter Bagehot escreveu:

> Então, pondo de lado a política reacionária, só permanece para os conservadores a escolha entre o conservadorismo democrático ignorante das massas e o do apoio constante da política moderada recomendada pela cautela educada dos homens mais sóbrios de ambos os partidos.[63]

Em geral, o conservadorismo, desde então, inclinou-se na última direção. O radicalismo *tory* de lorde Randolph Churchill (1849-1895), com seu lema ambíguo "Devemos confiar no povo", nunca uniu a maioria do partido; em vez disso, os conservadores, com regularidade, aumentaram os quadros por admitir forças dos estilhaços liberais, e a adesão de Joseph Chamberlain (1836-1914) foi o mais importante desses ganhos. No entanto, se a sinceridade e clareza das ideias conservadoras foram proporcionalmente fortalecidas é algo duvidoso. A defesa de Walter Bagehot de um conservadorismo de capitalistas se cumpriu; e esse cumprimento funcionou muito mais como se o fantasma de *Sir* Robert Peel surgisse para desfazer as conquistas de Benjamin Disraeli.

Também foi esse Bagehot, liberal humanista e genial – o melhor crítico de sua própria época, e, a propósito, um admirador de Newman, ainda que dificilmente de Disraeli –, quem compreendeu que a antiga ordem estava sendo apagada nem tanto pela ação da democracia em si mas por uma força social tremenda que converte as nações modernas em Estados muito unidos e sensíveis à novidade, como Atenas ou Florença: o triunfo do século XIX do governo por debate. O debate foi o que rompeu a crosta do costume da cristandade, que engoliu as preconcepções e os usos consagrados de Burke, que subverteu a antiga relutância dos homens de abandonar os modos dos ancestrais. A era de Disraeli e de Gladstone, uma época de discursos e sermões e entusiasmo parlamentar constituiu um fenômeno revolucionário – uma alteração repentina da sociedade pela influência

---

[63] Walter Bagehot, "Lord Salisbury on Moderation". In: *Works*, IX, p. 174.

imediata da opinião pública e do debate. A democracia era o fruto da discussão pública, não a semente.

> Desde a época de Lutero existe a certeza, mais ou menos enraizada, de que o homem pode, por um processo intelectual, considerar uma religião para si mesmo, e que, como o mais excelso de todos os deveres, assim deve fazê-lo. A influência da discussão política e a influência da discussão religiosa combinaram-se há muito e de modo tão firme, e reforçaram-se de maneira tão efetiva, que as antigas noções de lealdade, fidelidade, autoridade, como existiam na Idade Média, nas melhores mentes, nesse momento quase não causavam mais efeito.[64]

Essa é a era do juízo privado contra o que Newman censurava. Ao referir-se à comparação de Bulwer-Lytton da democracia com a sepultura, Bagehot observa que, igualmente, essa analogia é passível de discussão.

> Uma vez que, de modo eficaz, submeteis um assunto a essa provação, nunca poderás retirá-lo novamente; nunca poderás revesti-lo de mistério novamente ou evitá-lo pela consagração: permanece para sempre aberto para a livre escolha e exposto à deliberação profana.[65]

O juízo privado e a livre discussão, os postulados indispensáveis e os principais sustentáculos do liberalismo foram possíveis no século XIX por causa da comunicação rápida de uma imprensa barata (em pouco tempo, barata e sórdida) e a concentração urbana da população; assim, as principais nações europeias obtiveram as vantagens das antigas cidades-estado e foram expostas aos perigos da opinião pública, assim como ali haviam fermentado. Disraeli e Newman, em defesa da tradição, da autoridade e das antigas lealdades, nadaram contra essa corrente ribombante; e o sucesso que obtiveram em despertar a simpatia popular pelas verdades consagradas pelo uso (levada em conta essa força) foi heroico. Numa época em que fontes de grande

---

[64] Idem. "Physics and Politics". In: *Works*, VIII, p. 114.
[65] Idem. Ibidem, p. 104.

profundidade pareciam estar rompidas – uma época muito parecida com a Grécia no século V – Disraeli teve a sutileza de fundir os fragmentos do instinto político conservador em um partido robusto, e Newman teve a sabedoria de armar a mentalidade cristã contra a horda conquistadora de utilitaristas e materialistas. A Grã-Bretanha lançou-se nas Cataratas do Niágara em 1867; essas cataratas, contudo, realmente deveriam ser chamadas de debate, não de democracia. E o conservadorismo, revigorado por esses dois homens de imaginação criativa foi bem destemido para sobreviver ao choque.

Discussão e juízo privado, em vez do sofrimento físico que Marx predissera, deram o estímulo para o experimento incessante e a alteração ao longo de todo o século e meio passado. O marxismo tem sido abraçado por muitos, não porque sofram, mas porque é um novo campo para protesto e juízo privado. A voracidade da discussão é, de fato, tão insaciável quanto o desejo da sepultura? Se é assim, então, a permanência e continuidade é impossível para a sociedade moderna? Três aferições no império do debate desenfreado parecem possíveis: o renascimento deliberado do conceito de sabedoria tradicional, o crescimento do tédio público com a conversação e a mudança em si, e a vinda de catástrofes que ensinaram os homens a desconfiar das próprias opiniões. As duas últimas contingências parecem ser iminentes em nossa geração; mas ambas são impiedosamente disciplinantes, e o conservador que espera poupar a sociedade de uma era de necessidades tormentosas deve esforçar-se para ressuscitar aquela fé política que não é mero interesse pessoal, aquela sabedoria além dos fatos físicos que suplanta as dúvidas pelo assentimento – o sistema de Disraeli e o sistema de Newman.

James Fitzjames Stephen (1829-1894)

Capítulo 9 | Conservadorismo Legal e Histórico:
Um Tempo de Vaticínio

> Se fosse perguntado, o que propões para substituir o sufrágio universal? Praticamente, o que recomendas? De imediato respondo, nada. Toda a corrente de pensamento e sentimento, toda corrente de assuntos humanos se põe com força irresistível nessa direção. Os antigos modos de vida, muitos dos quais eram tão maus na própria época quanto possam ser quaisquer dos nossos expedientes na nossa, estão decompondo por toda a Europa e flutuam nessa e naquela direção, como medas de feno em uma inundação. Nem vejo porque sábio algum deva gastar demasiado tempo a pensar ou a preocupar-se em tentar salvar os destroços. As águas derramaram e nenhuma força humana pode fazê-las voltar, mas não vejo por que ao seguirmos a corrente, precisamos cantar "aleluias" ao deus rio.
> *Sir* James Fitzjames Stephen em *Liberty, Equality, Fraternity*.

1. LIBERALISMO E COLETIVISMO: JOHN STUART MILL, COMTE E O POSITIVISMO

Depois de 1867, os elementos conservadores na sociedade britânica se viram constantemente reforçados por recrutas das alas dos antigos liberais, *whigs* e utilitaristas. Alarmados com a tendência do liberalismo gladstoniano, com o poder crescente do Estado, com a agressividade do movimento trabalhista e com a bajulação dispensada ao vasto eleitorado novo, as classes médias (havia muito, a força--motriz por trás do liberalismo) começaram a transferir a fidelidade aos *tories*. Já nos anos 1850, Walter Bagehot percebeu e, de maneira inconfundível, em meados da década de 1970 os verdadeiros interesses conservadores e liberais estavam se aproximando em identidade e permanecia pequena a diferença entre um "conservador liberal" e um "liberal conservador". Ambos tinham o dever de estabelecer limites para a expansão de uma democracia voraz e de um Estado pesado. Os *tories*, que desde o início do século foram opositores resolutos do atomismo social utilitarista e defensores do Estado como agente moral, nesse momento, descobriram que a balança pendera noutra direção: a constituição da sociedade inglesa era ameaçada por um coletivismo secular, como um movimento político, o instrumento do pobre que agora tinha direito de voto. Herbert Spencer (1820-1903), de radicalismo ofendido por esse perigo novo e mais formidável ao individualismo, publicou *Man versus the State* [Homem contra o Estado], em 1884, tornando-se uma espécie de aliado dos conservadores, agora menos repugnantes aos individualistas políticos do que eram os humanitaristas coletivistas em ascensão. Observa *Sir* Ernest Barker (1874-1960):

> Foi o Partido *Tory* que mudara ou, de qualquer maneira, pareceu mudar, de defensor do paternalismo contra todos os tipos de dissidentes, para defensor do individualismo contra todos os tipos de socialistas.[1]

Entretanto, não é em *Man versus the State* que encontramos as ideias verdadeiramente conservadoras do final da época vitoriana. Três grandes acadêmicos em Direito e História defenderam o verdadeiro impulso conservador: *Sir* James Fitzjames Stephen (1829-1894) em *Liberty, Equality, Fraternity* [Liberdade, Igualdade e Fraternidade], de 1873; Henry Maine (1822-1888), com a obra *Popular Government* [Governo Popular], de 1885; e W. E. H. Lecky (1838-1903) com *Democracy and Liberty* [Democracia e Liberdade], de 1896.

---

[1] *Sir* Ernest Barker, *Political Thought in England from Herbert Spencer to the Present Day*. London, n.d., p. 128.

A força do conservadorismo, diz Walter Bagehot, não emanou, principalmente, da convicção intelectual. Dois sentimentos permanentes, em vez disso, nutriram o elo da maioria dos conservadores: o antigo sentimento cavalheiresco de lealdade e (o que anima o "partido da ordem" no continente) o sentimento de medo – "o temor de que a loja, a casa, a vida – nem tanto a vida física, como todo modo e fontes de existência – sejam destruídas e rejeitadas". Os conservadores britânicos modernos (escreveu Bagehot em 1856) manifestam uma seriedade que os alça acima do simples torismo desfrutável e do conservadorismo de terror vil. No entanto, o conservadorismo de reflexão ainda não é generalizado na Inglaterra: "Em face das classes questionadoras, todo conservador não pensante põe em perigo o que defende – é uma contrariedade para o liberal e um infortúnio para o país".[2] A apologética calculada e sóbria que o pensamento conservador inglês precisava, de modo ainda mais urgente depois de 1867, foi produzida por Stephen, um convertido do utilitarismo "com um incremento de consciência um tanto agressivo"; por Maine, um historiador científico das instituições, recrutado entre os liberais; e por Lecky, um acadêmico anglo-irlandês, embebido das ideias de Edmund Burke.

A emergência do socialismo como movimento político distinto nos anos 1870, uma ameaça a toda a sociedade britânica existente, alarmou a antiga escola dos manchesterianos tanto quanto inquietou os *tories*. No entanto, como ainda não tinha surgido o Partido Trabalhista (embora a Liga de Representação Trabalhista elegeu dois dos treze candidatos na eleição geral de 1873), os socialistas só podiam influenciar o curso do Parlamento pelo processo de conversão dos homens dos partidos dominantes para as visões socialistas. Assim como os radicais antes de 1832, penetraram nas fileiras dos *whigs*, e

---

[2] Walter Bagehot, "Intelectual Conservatism". In: *Works*, IX, 10 vols. London, 1915, p. 255-58.

os socialistas, nesse momento, igualmente, começaram a se infiltrar entre os liberais – mesmo entre as fileiras dos conservadores. Essa inseminação é evidente no pensamento posterior de John Stuart Mill (1806-1873), a quem os escritores conservadores perceberam, com perspicácia, ser a principal nuvem de tormenta desse clima de opinião mutável; o sumo-sacerdote hereditário do utilitarismo, o líder daquela agitação inquieta de secularismo e experimentação que os filósofos radicais trataram de utilizar para os próprios fins, cinquenta anos antes, movia-se do extremo do individualismo para o coletivismo sem ter consciência da inconsistência. "O Santo do Racionalismo" (a descrição de William Ewart Gladstone de John Stuart Mill) estava, ele mesmo, tão apartado da vida da antiga Inglaterra quanto as novas classes trabalhadoras que haviam adquirido o direito de voto, e, embora as temesse e as desprezasse, ainda assim ajudou a abastecer-lhes com doutrinas sociais. Comenta R. J. White:

> A Bíblia, a Igreja da Inglaterra, as antigas universidades e as escolas secundárias, o presbitério, a casa de campo – todas essas coisas que tiveram um papel tão grande em formar e incorporar a tradição nacional, estiveram, por muitos anos, fora do alcance de sua visão.[3]

John Stuart Mill e outros utilitaristas eminentes não possuíam nem mesmo a Bíblia, que significava quase tudo para os críticos não conformistas da sociedade conservadora. Tanto quanto um homem pode ser, Stuart Mill era um intelecto puro e sem humor, enojado da materialidade, duvidoso do espírito. Ainda que totalmente diferente de Stuart Mill em temperamento e gosto, o proletariado urbano da Inglaterra vitoriana partilhava com ele uma vida sem Bíblia, sem Igreja, sem Universidade, sem escola secundária, sem o presbitério e sem o fidalgo rural.

Stuart Mill tinha suas desconfianças do radicalismo político. No seu livro *On Liberty* [Sobre a Liberdade], de 1859, repercute o temor

---

[3] R. J. White, "John Stuart Mill". In: *The Cambridge Journal*, nov. 1951, p. 93.

de Alexis de Tocqueville acerca do despotismo democrático; na obra *Considerations on Representative Government* [Considerações sobre o Governo Representativo], de 1861, recomenda um sistema de verificações artificiais elaboradas no sufrágio geral, semelhante aos *"fancy franchises"* de Benjamin Disraeli. Foi o secularismo extremo de Stuart Mill, em vez de suas ideias políticas específicas, que o tornaram inimigo de todos os conservadores perspicazes. Estava ávido por varrer para longe a veneração da vida social, substituindo-a pela "religião da humanidade", em que o homem adoraria a si mesmo; fundamentou seu sistema moral na razão utilitária e considerava cada costume consagrado pelo uso da humanidade apenas como um "experimento de vida". O homem poderia moldar o universo para aproximar-se mais do desejo de seu coração. A pobreza, a doença, as vicissitudes da sorte e todos os outros males que os homens sofrem – esses podem ser erradicados pelo planejador social de uma sociedade nova. "Em suma, todas as grandes fontes do sofrimento humano são, em grande parte e muitas delas quase inteiramente, subjugáveis pela precaução e esforço humanos",[4] Stuart Mill escreve em *Utilitarianism* [O Utilitarismo], de 1863. Esses seres humanos superiores, como progridem para a perfeição material, cessarão de exigir confortos infantis de consolação religiosa; abolidos os sofrimentos presentes, darão de ombros diante da perspectiva de vida eterna. Mill é o precursor das esperanças pródigas de conforto material dos socialistas do século XX – por exemplo, a previsão de John Strachey (1901-1963) de que a própria vida seria prolongada indefinidamente pelo estado de bem-estar social. E, seu meliorismo [e de Auguste Comte (1798-1857)] foi a inspiração imediata para uma multidão de escritores populares antirreligiosos e antitradicionais.[5]

---

[4] John Stuart Mill, *O Utilitarismo*. Trad. e intr. Alexandre Braga Massella. São Paulo, Iluminuras, 2000, p. 39 (N. T.)

[5] William Winwood Reade (1838-1875), por exemplo, cujo livro *The Martyrdom of Man* [O Martírio do Homem], de 1872, conclui: "Fome, peste e

Ainda que J. F. Stephen, Henry Maine e W. E. H. Lecky não fossem perfeitamente ortodoxos nas crenças, reconheceram nesse secularismo virulento, nessa confiança presunçosa na benevolência humana e na sagacidade dos homens, uma ameaça a tudo o que é antigo, instituído e elevado na sociedade. Se a versão coletivista de John Stuart Mill do utilitarismo e de seu aliado, o positivismo, deveriam capturar o imaginário popular, esses conservadores previram que o aviltamento da sociedade viria a seguir – a chegada de uma vida sem princípio, em que os motivos comuns para a integridade que regeram o funcionamento da sociedade ocidental desde Carlos Magno (742-814) seriam dissolvidos no ácido do egoísmo geral. Todo Estado deveria ter seus mestres; e do caos da política popular, não iluminada por princípio moral, viriam os novos tiranos, eles mesmos, emancipados da convenção muito antiga e, consequentemente, mais implacáveis. Na fria sociedade igualitária que Stuart Mill sugeria, no ritualismo social sem Deus de Comte com seus cientistas/ditatores/sacerdotes, os conservadores dos últimos anos vitorianos traçaram os contornos de uma vida que não vale a pena ser vivida. Decidiram refutar o racionalismo corrosivo de Mill por um racionalismo conservador, mas sabiam que a maré se lhes opunha.

O materialismo inglês substancialmente nativo de John Stuart Mill foi reforçado pela forte influência que as ideias de Auguste Comte começaram a exercer na Grã-Bretanha, em particular, nos historiadores e cientistas, nas décadas de 1870 e de 1880. Disseminado por George Eliot (1819-1880), Frederic Harrison (1831-1923), John

---

guerra não são mais essenciais para o avanço da raça humana. Entretanto, uma temporada de angústia mental está à disposição e devemos passar por isso para que nossa posteridade possa surgir. A alma deve ser sacrificada; a esperança na imortalidade deve morrer. Uma ilusão doce e encantadora deve ser retirada da raça humana, assim como a juventude e a beleza desaparecem para não mais retornar".

Morley (1838-1923), Thomas Henry Huxley (1825-1895) e uma multidão de intérpretes, o positivismo foi aplaudido na Inglaterra principalmente porque significava remover os antigos conceitos de vida teológicos e metafísicos, reinstituindo o pensamento em uma base severamente científica.[6] Liberais como Morley podiam abraçar essa nova moralidade sem perceber muito o culto da sociolatria e do Estado absoluto que Comte erigiu com base nessa premissa. Entretanto, a autoadoração narcisista da humanidade era uma parte inseparável da filosofia de Comte: o homem deve adorar algo e, tendo negado Deus, encontrará sua divindade em algum lugar muito abaixo dos anjos. E, o Estado planejado, dominado pelo industrial e pelo cientista, administrado por um comitê de banqueiros, apoiado por um vasto proletariado uniforme, nada restando para a aspiração individual, a repudiar de todo a democracia, com a liberdade entregue ao conceito de controle – isso deriva, naturalmente, dos postulados de Comte. Pois os homens, tendo sido deliberadamente instruídos de que não há sanções sobrenaturais para a conduta moral, devem se adaptar e a trabalhar seja pela força bruta ou pelo elaborado maquinário social. Os ingleses emancipados admiradores de Comte não viram que o positivismo, como sistema social, sugeria o exato oposto de emancipação, a antítese do liberalismo. Os homens deveriam estar livres para demolir a Teologia; mas não devem ter liberdade em mais nada – o próprio Comte foi franco o suficiente nessa declaração; e os conservadores vitorianos o compreenderam melhor que os próprios discípulos.

O racionalismo humanitário de John Stuart Mill e o positivismo coletivista de Auguste Comte, ao desdenhar e repudiar o passado,

---

[6] Quão verdadeiramente científico, em qualquer sentido permanente, era o sistema de Auguste Comte, fica sugerido por sua aceitação acrítica das teorias frenológicas de Franz Josef Gall (1758-1828) – que, Comte afirmou, desaprovava a doutrina teológica da depravação humana ao detectar um "órgão de benevolência" em cada cérebro.

prometeram à humanidade um futuro abundante de delícias terrenas – castas – com base no princípio da felicidade utilitarista. No entanto, a escola histórica e jurídica de pensadores ingleses sabia, junto com Edmund Burke, que o passado se recusa a ser repudiado, pois é a voz de toda a sabedoria humana. Ridicularizado, o passado exige vingança. No estudo das leis, das instituições sociais e da história da moral, Stephen, Maine e Lecky disseram que as pessoas repentinamente privadas de piedade e de costumes comuns não podem, de modo algum, discernir o futuro; apreendem somente o presente e, ao descer o estuário raso e desconhecido do impulso sensual e do desejo confuso, ancoram nas areias tiritantes da apatia social.

2. STEPHEN SOBRE AS FINALIDADES DA VIDA E A POLÍTICA

"Lamento imensamente que J. F. Stephen seja um juiz", escreveu o 1º Conde de Beaconsfield, no último ano de vida, para Lytton; "poderia ter feito nada e tudo como líder do futuro partido conservador". Isso foi escrito por Benjamin Disraeli em 1881, oito anos depois de Stephen publicar *Liberty, Equality, Fraternity*. Logo após a publicação, Fitzjames Stephen mostrara-se como liberal em Dundee, fora obscurecido por um dos liberais coletivistas do estilo novo e veio a perceber que era um conservador completo. No entanto, como político prático, Stephen teve fim em 1873. Fora criado como um utilitarista austero e um membro da seita de Clapham; tornara-se o "Licurgo benthamita" da Índia e, na Índia aprendeu que a força, não a discussão, une a sociedade; desorientado na política, voltou-se para a carreira jurídica e escreveu uma história monumental da legislação penal. Talvez, muito severo, contundente e puritano para ser um líder partidário de sucesso (apesar da sugestão de Disraeli) no século XIX, esse vitoriano resoluto e varonil foi o autor do que *Sir* Ernest Barker chama de "a exposição mais refinada do pensamento conservador na última metade do século XIX".⁷

Thomas Hobbes, John Locke, Jeremy Bentham e John Austin (1790-1859) disciplinaram a mente de James Fitzjames Stephen e ele nunca repudiou esses mestres; mas, com efeito, rejeitou neles o lado inovador e cético. Por um erro tremendo dos reformadores seculares, J. F. Stephen transformou-se em conservador: ignoraram a depravação do homem. Como em John Adams, a visão puritana de natureza humana despertou Stephen contra os humanitaristas sentimentais, contra a liberdade sem raízes de John Stuart Mill e o "órgão benevolente" de Auguste Comte. E, a desconfiança inerente da humanidade fraca e errante o convenceu, assim como convenceu seu amigo Thomas Carlyle, de que as instituições políticas não são nada além de um disfarce para a força. O irmão cético de Fitzjames Stephen, Leslie Stephen disse ao jovem Oliver Wendell Holmes (1841-1935), em 1873, que Fitzjames fora "bem corrompido pelo velho Carlyle";⁸ que se tornara um pregador de dogmas religiosos. Esses dogmas, contudo, nem sempre eram ortodoxos. J. F. Stephen defendia Pilatos, dizia: "Se o cristianismo realmente é muito do que sugere a linguagem que com frequência ouvimos ser empregada, é falso e pernicioso", e se o Sermão da Montanha realmente sugeria proibir a defesa da honra da nação, então, o Sermão da Montanha deve ser desconsiderado.⁹ O Deus dele era o dos profetas, e o dos puritanos, infinitamente poderoso:

> Aquele que, qualquer que possa ser a própria natureza, planejou o mundo ou os mundos em que vivo de modo a deixar-me saber que virtude é a lei que prescreveu para mim e para os outros.¹⁰

---

⁷ *Sir* Ernest Barker, *Political Thought in England from Herbert Spencer to the Present Day*. Op. cit., p. 172.

⁸ Citado em: Noel Annan, *Leslie Stephen: His Thought and Character in Relation to His Time*. London, 1951, p. 205.

⁹ J. F. Stephen, *Liberty, Equality, Fraternity*. London, 1873, p. 317-18.

¹⁰ Idem. Ibidem, p. 311.

Amor não é a palavra que usamos para com esse ser; o que os homens devem sentir a respeito dele é reverência, o modo racional e viril de pensar Deus. Stuart Mill e os pupilos de Comte estavam decididos a erradicar a reverência do mundo; mas, perdida a veneração, toda a sanção à virtude e todo o motivo da luta seria arrebatado da humanidade, de modo que a vida se tornaria, primeiramente, sem sentido, e depois, intolerável. A religião da humanidade que os positivistas franceses e ingleses professavam era, apenas isso:

> "A raça humana é um enorme aglomerado de bolhas que continuamente estouram e deixam de existir. Ninguém as fez ou sabe algo que valha saber a respeito disso. Amai-as ternamente, ah, sim, as bolhas." Esse é um tipo de religião, sem dúvida, mas parece a mim um tipo bastante tolo.[11]

John Stuart Mill, o alvo da artilharia pesada de James Fitzjames Stephen, protestou que o livro de Stephen "era mais provável repelir do que atrair".[12] É claro que Stuart Mill estava muito correto, em sua época. *Liberty, Equality, Fraternity* não exerceu grande influência imediata alguma; correu na contramão tanto da autoconfiança vitoriana como das promessas coletivistas populares que derrotaram Stephen em Dundee. No entanto, esse ensaio inflexível e sombrio, produto de um jurista prático impregnado do Antigo Testamento e de John Milton, transcende o otimismo breve da prosperidade vitoriana. Liberdade é uma palavra de negação, diz Stephen; a igualdade é algo menos, uma mera palavra de relação; e fraternidade, como um impulso social geral, nunca existiu e nunca poderá existir. O lema da República se tornara o credo de uma religião, e, essa, uma religião de heresias destrutivas. Stephen pretendia que seu livro fosse uma refutação, com base nos princípios utilitários, desse credo inovador, uma espécie de

---

[11] Idem. Ibidem, p. 291.
[12] Citado em: Leslie Stephen, *Life of Sir James Fitzjames Stephen*. London, 1895, p. 339.

súplica dos novos utilitaristas aos antigos, mas, na verdade, o próprio Stephen era mais que um utilitarista, assim como Burke fora algo mais que um *whig*. Os conceitos econômicos e jurídicos (com algumas modificações) de Jeremy Bentham, de David Ricardo e de James Mill foram partilhados por J. F. Stephen: demonstrou facilmente que J. S. Mill era um apóstata dessa escola de fé.

Como o antigo utilitarismo, de fato, dispersou depois de 1870, podemos distinguir ao menos três ramificações do tronco maldito do benthamismo. Há o endosso de Fitzjames Stephen dos princípios econômicos e legais dos primeiros utilitaristas; mas Stephen percebe que a base metafísica e moral do benthamismo é inadequada. Em Stuart Mill há o prolongamento do ceticismo utilitarista e do humanitarismo; mas Mill abandona o individualismo político e econômico de seus preceptores. Terceiro, há o idealismo de Thomas Hill Green (1836-1882), F. H. Bradley (1846-1924), Bernard Bosanquet (1848-1923) e seus companheiros, a misturar Georg W. F. Hegel com Jeremy Bentham, mantendo as inclinações democráticas e reformistas dos utilitaristas, mas modificando o princípio da felicidade benthamita na sociedade por uma idealização de Estado derivada da filosofia alemã. O conceito de J. F. Stephen de Estado e de suas origens – diferente do conceito de Green – assemelha-se muito à ideia de Edmund Burke: isso, com a cooperação (de novo, como Burke) dos princípios econômicos que Adam Smith definira e a opinião severa a respeito da natureza humana, levou Stephen ao conservadorismo. Acrescentou ao princípio político conservador uma análise do relacionamento entre discussão e força que, até então, nunca tinha sido claramente expressa.

Em um aspecto, por certo, o jovem Mill permaneceu um verdadeiro utilitarista, e J. F. Stephen, o antibenthamita: assim como o pai, *Sir* James Stephen (1789-1859), Fitzjames Stephen insistia que tudo na sociedade derivava da verdade religiosa. Ao discordar de John Henry Newman e de W. G. Ward (1812-1882), ainda mais hostil para com os teólogos "liberais", Stephen declarou que positivistas e liberais não oferecem sanções satisfatórias para a moralidade em seus credos; "mas opunha-se igualmente às sanções simuladas e às reivindicações de autoridade fingidas", disse seu irmão. Embora a batalha vitoriana entre teólogos e darwinistas pudesse terminar, a necessidade de sanções religiosas para preservar a sociedade permaneceria inalterada. Devotos da liberdade, igualdade e fraternidade abstratas, destituídos de reverência, marcham de modo insensato para a servidão, a escravidão e a barbaridade. A piedade lúgubre de Stephen parece a de Hesíodo:

> Zeus governa o mundo, e num balanço irresistível,
> Retoma amanhã o que concedeu hoje.

O Estado não pode deixar a religião fora de sua competência, pois o Estado é uma instituição religiosa, e a lei, o instrumento de vingança social, criada para fazer cumprir a moralidade.

"O homem tem uma doença temerosa", diz Stephen, ao descrever os princípios de João Calvino, "mas sua constituição original é excelente. A redenção consiste em não matar, mas curar sua natureza". A perversidade e a corrupção de nossa natureza, demonstrada por nossos vícios, tornam os homens sujeitos a uma servidão miserável – da qual Deus resgata o eleito.

> Falai ou errai ao falar de Deus como considerais correto, mas o fato é que os homens são profundamente movidos por ideias a respeito de poder, sabedoria e bondade, numa escala sobre-humana que mais apreendem que compreendem, isso é certo. Falai de pecado original ou não, se quiserdes, mas o fato é que todos os homens são, em alguns aspectos e, por vezes, fracos e maus, fazem o mal quando não querem e esquivam-se do bem que buscam, isso não é menos certo. Descrever esse estado de coisas como uma "servidão miserável" é, no mínimo, um modo inteligível de falar. A teoria de Calvino dizia que para fugir dessa servidão os homens deveriam ser verdadeiros com a melhor parte de suas naturezas, manter em submissão apropriada os elementos mais

baixos e olhar para Deus como a fonte e a única espécie valiosa de liberdade – a liberdade de ser bom e sábio.¹³

Esse é o fundamento da política de James Fitzjames Stephen, e podemos observar uma forte semelhança com a tradição puritana da Nova Inglaterra, de John Adams a Irving Babbitt. John Stuart Mill, escreveu Fitzjames Stephen, acreditou que se os homens se emancipassem dos constrangimentos e fossem dotados de igualdade, viveriam como irmãos, mas, creio que muitos homens são maus, uma grande maioria de homens é indiferente, e muitos, bons, e a grande multidão de pessoas indiferentes oscila dessa ou daquela maneira segundo as circunstâncias, uma das mais importantes das circunstâncias é a predominância, por ora, do mau ou do bom.¹⁴

A região da política e a região da moral não existem em esferas separadas, a despeito de Auguste Comte; o Estado existe para fazer cumprir o sistema moral, para redimir os homens dos impulsos da carne e da ignorância. E a moralidade, por sua vez, deve ser apoiada pela sanção da fé religiosa ou não pode permanecer de pé.

> Todo o gerenciamento e direção da vida humana depende da questão de se há um Deus e um futuro estado de existência humana. Se há um Deus, mas não existe um estado futuro, Deus não é nada para nós. Se há um estado futuro, mas Deus não existe, não podemos formar nenhuma hipótese racional sobre o estado futuro.¹⁵

Ao faltar Deus e um estado futuro, os homens devem agir segundo o impulso ou em obediência ao "utilitarismo comum" da "moralidade ordinária corrente que prevalece entre os homens do mundo", mas mesmo esse último sistema rude de comportamento, por fim, irá entrar em colapso, sem a força de sustentação de uma crença mais nobre sustentada por uma minoria da humanidade. Se, contudo, Deus

---

[13] J. F. Stephen, *Liberty, Equality, Fraternity*. Op. cit., p. 45-46.
[14] Idem. Ibidem, p. 263-64.
[15] Idem. Ibidem, p. 319.

e um estado futuro existirem, homens razoáveis basearão a conduta em "uma espécie mais ampla de utilitarismo". Ao acreditar na Providência conjecturarão que

> Eles transcendem o mundo material em que estão e que a lei que lhes é imposta é esta – virtude, quer dizer, o hábito de agir com base em princípios capazes de promover a felicidade dos homens em geral e, em especial, daquelas formas de felicidade que têm referência com o elemento permanente nos homens, está relacionada a, e contribuirá, a longo prazo, para a felicidade individual daqueles que a praticam e, particularmente, para aquela parcela da felicidade que está ligada aos elementos permanentes de suas naturezas. O reverso é verdadeiro para o vício.[16]

Essa convicção de James Fitzjames Stephen pode ser utilitarismo, mas, por certo, está muito distante do princípio da maior felicidade de Jeremy Bentham e, igualmente, distante da tentativa de seu irmão mais jovem Leslie Stephen de instituir uma ciência da moralidade com base em provas racionais e materiais.

Entretanto, qualquer que seja o sistema de princípios a que os homens adiram, a religião de "Liberdade, Igualdade, Fraternidade" é perniciosa;

> Pois, qualquer que seja a regra aplicada há um enorme número de questões a respeito das quais os homens não devem ser livres; são fundamentalmente desiguais e, de modo algum, se irmanam, ou somente com reservas afirmam que sua fraternidade não é importante.[17]

Tanto quanto liberdade, igualdade e fraternidade tenham alguma existência ou significado na sociedade moderna, estão enraizadas na moralidade cristã; e se os positivistas e racionalistas foram bem-sucedidos nos esforços de explodir as convicções religiosas da sociedade, enterrarão nas ruínas aqueles mesmos princípios sociais

---

[16] Idem. Ibidem, p. 303-04.
[17] Idem. Ibidem, p. 319.

liberais que a escola de John Stuart Mill professa por eles viver. Extinta a sanção da fé, a pseudo-religião de 1789 não pode mais sobreviver. Os homens que não esperam por salvação ou temem a danação farão pirotecnias de seu mundo.

Assim, o pressuposto filosófico em que repousa a obra *Sobre a Liberdade* de Stuart Mill é podre desde o âmago; mas mesmo se confinarmos nossa crítica ao sistema de J. S. Mill aos limites restritos de seu método racionalista, diz J. F. Stephen, ainda assim, a posição de Mill é insustentável, por ser, na verdade, moldada conforme sentimentos vagos cuja origem o próprio Mill dificilmente admite e não realmente produzidos segundo os padrões utilitaristas que Mill crê ser o porta-voz. O erro interno fundamental da política de J. S. Mill é justamente este: crê que a sociedade pode ser governada pela discussão. No entanto, o tremendo poder propulsor em todas as sociedades é a força.

Na definição de J. F. Stephen, a força não é apenas a compulsão física: o medo do Inferno, também, é uma espécie de força; e a deferência à opinião pública é, em essência, força. Mesmo a discussão, em si, é uma roupagem decente para a força, uma convenção pela qual os homens gastam, na fala, um tanto de suas energias ferozes e terminam, talvez, por contar cabeças em vez de quebrá-las – mas, as sociedades toleram esse véu apenas quando interesses opostos estão mais ou menos equilibrados equitativamente e quando os assuntos a serem tratados não são desesperadoramente importantes para as partes rivais. Fitzjames Stephen não faz referência às observações de Walter Bagehot sobre a discussão em *Physics and Politics* [Física e Política], pois esse livro fora publicado somente um ano antes e, Stephen, no regresso de navio da Índia, escreveu os ensaios unificados em *Liberty, Equality, Fraternity*. A opinião de Bagehot, todavia, de que a Inglaterra vitoriana era uma sociedade dominada pelo debate não estava totalmente em desacordo com a própria visão de Stephen. As opiniões, verdadeiras ou falsas, realmente, ajudam a direcionar a ação da sociedade. As opiniões, contudo, podem resultar em ação somente pela força ou pela ameaça de força. Se *Sobre a Liberdade*, por exemplo, modifica a opinião pública por intermédio da discussão e, por fim, acaba por alterar a sociedade em alguns aspectos, isso acontece em razão de um corpo de determinados homens deixar claro que, como último recurso, estão prontos a empregar a força para dar suporte às próprias opiniões. Não foi a obra de Jeremy Bentham, *A Fragment on Government* [Um Fragmento sobre o Governo] que compeliu a Reforma de 1832; os governadores do Estado e grandes interesses instituídos não se renderam à dialética pura; o que exigiu a rendição de 1832 estava na turba em Nottingham e em Bristol. *A Fragment on Government*, ou mesmo as ideias que esse trabalho representou, por certo, tinha passado para a plebe, mas a sanção maior para a mudança foi o emprego da força manifesta.

Stuart Mill escrevera que essa compulsão era justificável na sociedade somente "ao tempo em que os homens se tornaram capazes de aperfeiçoar-se mediante a discussão livre e igual".[18] Já houve época, pergunta Stephen, em que os homens não puderam ser aperfeiçoados pela discussão? Até mesmo os selvagens não são aprimorados pela discussão e não a empregam? No entanto, todas as sociedades anteriores creram necessário reforçar a discussão com o apoio da força, e nossa época não pode se dar ao luxo de dispensar esse apoio à ordem. "Nenhum período até agora chegou a lugar algum e não há perspectiva de chegar em lugar algum, em qualquer tempo determinável." Sejamos francos: a força (ou a sua potencialidade) é, se o é, mais influente em nossa época que nas épocas anteriores. Abraham Lincoln empregou uma força contra os Estados do Sul que teria esmagado Carlos Magno e seus nobres como casca de ovo.

---

[18] J. S. Mill, *A Liberdade/Utilitarismo*. Trad. Eunice Ostrensky. São Paulo, Martins Fontes, 2000, p. 19. (N. T.)

> Dizer que a lei da força está abandonada porque a força é regular, não encontra oposição e é exercida de modo benéfico, é dizer que noite e dia agora são instituições tão bem instauradas que o Sol e a Lua são meras superfluidades.[19]

Por intermédio dos exércitos, da polícia e dos rápidos meios de comunicação, os Estados modernos são apoiados por uma força potencial, empregada de modo mais imediato e mais eficiente, em caso de necessidade, do que jamais se viu antes. A ordem comparativa de nossa sociedade não é o produto de uma lógica partida e de uma persuasão hesitante, mas dessa reserva de força.

Ignorar o papel da força, como o faz Stuart Mill, é expor a sociedade ao contágio de uma doença devastadora. A multidão de homens requer contenção; não podem refrear, de modo adequado, as próprias paixões ou a própria indolência e, portanto, devem ser compelidas a reconhecer a suserania da lei, que é sancionada pela força.

> Estimai a proporção de homens e mulheres que são egoístas, sensuais, frívolos, indolentes, absolutos lugares-comuns e envolvidos nas menores das rotinas mais insignificantes, e considerai quão provável a mais livre das discussões livres é capaz de melhorá-los. O único meio pelo qual é possível agir neles é pela compulsão ou repressão [...]. Seria sensato dizer à água estagnada do pântano: "Por que não corres para o mar? És perfeitamente livre".[20]

Isso não é tudo. A natureza, por abominar o vácuo, sempre produz força para preencher qualquer cavidade notável na sociedade e, se o Estado abandona a função sagrada de direcionar a força social a serviço da lei, então grupos e agentes novos aproveitarão a oportunidade para usar a força para os próprios fins, subvertendo a lei e o Estado – talvez criando, de fato, um novo Estado, por eles mesmos governado, sobre as cinzas do Estado anterior que esqueceu da

---

[19] J. F. Stephen, *Liberty, Equality, Fraternity*. Op. cit., p. 231.
[20] Idem. Ibidem, p. 31.

própria função. Os sindicatos ou as seitas dissidentes lançarão suas vontades particulares sobre o restante da humanidade, se o governo evitar a força e, supostamente, aceitar a noção de que pode empregar apenas a discussão para defesa própria.

Não é a força, considerada de modo geral, um mal: ao contrário, ela reforça a sanção que se está por trás do que quer que os homens bons façam. Deve ser empregada para impedir que os homens construam novamente uma Torre de Babel. É o corretor de nossos vícios. Há períodos em que a tolerância se torna um vício, pois excede a própria esfera de luta atenuada e, ao se tornar excessiva, pretende a total supressão daquelas controvérsias que oferecem estímulo à vida. Então, a força pode ser empregada justamente para inibir a tolerância licenciosa. Há períodos em que, também, a liberdade – na melhor das hipóteses, uma expressão negativa – ameaça todas as pessoas decentes e deve ser derrubada pela força; para isso tendem as doutrinas modernas da liberdade.

> O brado por liberdade, em suma, é uma condenação geral do passado e um ato de reverência ao presente, visto que difere do passado, e ao futuro, visto que seu caráter pode ser inferido do caráter do presente.[21]

Quando a liberdade excessiva, portanto, torna-se destrutiva para nossa herança civilizada, deve ser suprimida; e, desde tempos imemoriais, somente a força é capaz de lidar com a arrogância de grupos cujo apetite por novidade é ilimitado. Já a liberdade "moderna" despedaçou a maioria das antigas formas em que a disciplina era reconhecida, admitida como boa e produzira poucas novas formas de substituí-las. "Liberdade", a continuamente glorificar o presente, tornou-se incompatível com "um sentido apropriado da importância da virtude da obediência, a disciplina no sentido mais amplo" – incompatível, quer dizer, com a verdadeira civilização. A força, seja física ou moral, é ordenada pela Providência para nos salvar do impulso anárquico.

---

[21] Idem. Ibidem, p. 173.

Portanto, *não* estamos vivendo numa Era do Debate; este é, manifestamente, um tempo de força; de fato, a sobrevivência da compulsão é a principal proteção para nossa ordem e cultura. Entretanto, mesmo se John Stuart Mill e Auguste Comte fossem capazes de prescindir das sanções de força física e respeito moral, mesmo se conseguissem (*per impossibile*) substituir uma fé sobrenatural de veneração e temor por uma religião da humanidade – ora, que tipo de vida a "Associação de Ciência Social Ritualista" de Comte ou o paraíso maricas para racionalistas de Stuart Mill imporiam à humanidade maltratada? Parecem desejar um mundo "como um queijo Stilton, destruído pelas próprias migalhas", mensurado quantitativamente pela abundância da população e, talvez, pela educação quantitativa.

> Os entusiastas do progresso parecem-me bastante estranhos. "Glória, glória: é chegada a hora em que haverá seis milhões de chineses, cinco milhões de hindus, quatro milhões de europeus e Deus sabe quantas mais centenas de milhões de negros de vários matizes e quando haverá dois Museus Britânicos, cada um com uma biblioteca. 'E vós, eras vindouras, não apinheis minh'alma!'."[22]

O que é esse progresso que os positivistas aplaudem? Parece ser uma efeminação crescente, uma suavização da vida, os homens passam a

> almejar com menor fervor o que desejam e temer mais as dores, tanto por si mesmos como pelos outros, do que estavam acostumados. Se assim for, parece-me que todos os outros ganhos, seja em saúde, conhecimento ou humanidade, não oferecem equivalentes. A força, em todas as suas formas, é vida e virilidade. Ser menos forte é ser menos homem, o que quer que possais ser.[23]

Os passageiros de algum navio transatlântico do futuro podem ser imunizados contra o vagar das ondas por um artifício genial, mas

---

[22] Idem. Ibidem, p. 178.
[23] Idem. Ibidem, p. 221.

não conhecerão o júbilo do marinheiro. Tanto quanto os positivistas possam definir o "progresso" ou qualquer outra pessoa consiga definir essa visão evanescente, o progresso parece ser o enfraquecimento do caráter; e o homem racional que apressa sua chegada deve ter degenerado da espécie.

O que é, nesse caso, a felicidade? Stuart Mill crê que pode testá-la e planejar a sociedade feliz. Que arrogância!

> Onde estamos para descobrir pessoas que estejam qualificadas pela experiência para dizer quem é mais feliz, um homem como Lorde Eldon ou um homem como Shelley; um homem como dr. Arnold ou um homem como o finado Marquês de Hertford; um fazendeiro próspero e muito estúpido que morre em idade provecta após uma vida de saúde perfeita ou uma talentosa mulher delicada de sensibilidade apaixonada e gênio brilhante que morre extenuada antes de findar a juventude, após alternâncias de felicidade arrebatadora e agonias de angústia?[24]

Essas perguntas nunca podem ser respondidas; são "como perguntar o caminho mais ligeiro até a ponte de Londres". O legislador e o moralista, em verdade, nunca tentam obter a felicidade de cada indivíduo: simplesmente se esforçam para persuadir ou compelir os homens a aceitar determinadas visões de vida. A aspiração dos positivistas para realizar o projeto de tornar os homens felizes e – ainda mais presunçoso – de conciliar a felicidade de cada homem equivalente à de um outro, é o coroamento do absurdo. Aqui, Fitzjames Stephen faz picadinho dos adversários e, ao derrubá-los, aniquila o princípio cardeal do próprio preceptor nominal, Bentham. O grande projeto de Deus é inescrutável; o objeto da vida é a virtude, não o prazer; e a obediência, não a liberdade, é o meio de sua obtenção.

No entanto, mesmo pondo de lado a presunção do progresso e da felicidade – as metas positivistas – o sistema de Comte e de

---

[24] Idem. Ibidem, p. 271.

Stuart Mill é internamente discordante. A verdadeira igualdade exclui a liberdade (aqui Stephen reitera os argumentos de Burke, de Tocqueville e de outros); a verdadeira igualdade não é alcançável e é apenas contemplada por homens capazes de pensar que podem fazer um jogo de cartas igualar-se em valor ao embaralhar o maço; a igualdade é um nome grandioso para uma coisa pequena. Olhai a América, e perguntai-vos se a igualdade é o fim do homem – se a produção rápida de "uma imensa multidão de lugares-comuns, enfatuados e pessoas, em essência fúteis, é uma proeza que todo o mundo necessita curvar-se e adorar".

Quanto à Fraternidade – quem realmente acredita nisso? "Não é amor que pretendemos obter da grande parcela da humanidade, mas respeito e justiça." Somos realmente irmãos? "Somos, ao menos, primos em quinto grau?" Ainda que possamos ser, esse relacionamento não é demasiado abstrato para qualquer ação prática em nosso vale de lágrimas, com tantos problemas prementes diante de nós? Proclamar que todo homem é nosso irmão é negar que qualquer homem em particular possa reivindicar parentesco. "A humanidade é apenas óbvia, e o amor pela humanidade, em geral, significa o zelo por *minhas* noções daquilo que os homens devem ser e como devem viver."[25] Pessoas como John Stuart Mill ou Jean-Jacques Rousseau, ao menosprezar a própria época e a maioria dos homens de verdade, parecem defensores curiosos do amor indiscriminado pela humanidade. A pretensa afeição pela massa amorfa da humanidade é, de fato, em geral, a expansão desordenada do ego, a impostura do homem que está decidido a liquefazer tudo o que está instituído na sociedade e imprimir a própria marca na dúctil cera carmesim de um novo mundo. E, supondo que tais homens sejam bem-sucedidos ao efetuar seus intentos, a quem satisfazem? Por certo, não a eles mesmos. Na sociedade atomizada deles, cada homem arrasta os dias numa condição solitária

---

[25] Idem. Ibidem, p. 283.

de igualdade e liberdade completas, os homens existiriam como condenados, reduzidos a um nível sem vida, "que não oferece atrativos à imaginação ou às afeições".

Palavras são instrumentos que se quebram nas mãos, observa Fitzjames Stephen em um aparte: pondes nelas grande tensão e obtereis, em argumento, uma vantagem do pensador inferior sobre o superior. "As coisas que não podem ser representadas adequadamente por palavras são mais importantes que as coisas que assim o podem ser." Essa é a fala de um utilitarista? Ou Stephen não é, por instinto, sistema e experiência amadurecida, de preferência, um conservador em quem se fundem as tradições anglicana e puritana, revestidas, de modo superficial, do método utilitário? "Parece-me que somos espíritos aprisionados", prossegue, "somente capazes de fazer sinais, uns para os outros, mas num mundo de coisas para pensar e dizer que nossos sinais, absolutamente, não conseguem descrever."[26] Aqui mostra-se livremente a admiração e a humildade com que Edmund Burke vislumbrava a misteriosa incorporação da raça humana, e cá, o materialismo complacente de Jeremy Bentham recolhe-se à insignificância.

Embora potente em argumentação, de algum modo esse livro desapontou Fitzjames Stephen como ferramenta, e o igualitarismo sentimentalista dos últimos dias de Stuart Mill, que Stephen censurava publicamente como degeneração do vigor humano, ganhou dez ou vinte vezes mais leitores que *Liberty, Equality, Fraternity*. *Sobre a Liberdade* adulou a hipótese popular de autossuficiência; Stephen foi açoitado pela multidão como Sansão entre os filisteus. Entretanto, é difícil haver dúvida a respeito do livro que, no século XX, defende o debate entre força *versus* discussão, cuja análise das sanções que regem a ação humana tenha sido a mais aguçada e que ateste as calamidades cada vez maiores de todo o mundo.

---

[26] Idem. Ibidem, p. 297-98.

3. MAINE: POSIÇÃO SOCIAL E CONTRATO

Ao conversar com o sr. Henry Maine no início de 1882, Lorde Acton objetou a defesa da primogenitura de Maine em uma palestra recente; isso, disse Acton, era legitimidade, conferindo uma coloração *tory* a todo o ensaio. "Pareces que empregas *tory* como um termo de reprovação", respondeu Maine. Acton surpreendeu-se. Um amigo, nominalmente liberal, tolerava o torismo? "Fiquei muito surpreso por essa resposta – muito chocado por descobrir que um filósofo, totalmente apartado da política partidária, não pensa em torismo como reprovação."[27] Três anos depois, Maine escreveria um livro extremamente conservador: *Popular Government* [Governo Popular]. Iniciara a vida adulta desprezando Benjamin Disraeli; findou a vida em profundo pessimismo, aterrado com a tendência cega da sociedade que tropeçava em um caminho de retrocesso. Assim como Herbert Spencer (cuja obra *Man versus State*, Maine endossava), como James Fitzjames Stephen, como uma dúzia de outros vitorianos ilustres originalmente fiéis aos liberais ou radicais, *Sir* Henry Maine mudou de afiliação política, mas não seus pontos de vista. Esse era o do liberalismo, e os tempos haviam mudado: ao abandonar a antiga devoção à liberdade pessoal, o liberalismo abraçou a causa do bem-estar material das massas. Homens de cultura sólida, em reação, começaram a rever a causa que a imaginação caleidoscópica de Disraeli manteve viva; e pouco tempo depois, surpreenderam-se por descobrir um filósofo que respeitasse o torismo era impossível até mesmo para Lorde Acton.

O próprio Acton, depois da reforma de 1885, não podia ignorar as inclinações coletivistas do liberalismo, mas as desculpava – ao menos o "socialismo acadêmico" dos pensadores continentais, aos quais, admitia, William Ewart Gladstone estava para se tornar o representante inglês – um tanto como o impulso intelectual da época.

---

[27] *Letters of Lord Acton to Mary Gladstone*, p. 119.

> Concordo com Chamberlain que existe um socialismo latente na filosofia gladstoniana. O que me causa desconforto é sua pouca atenção à mudança que se passa nessas coisas [...]. Entretanto, não é o movimento popular, mas é o divagar das mentes dos homens que assumem a cátedra de Adam Smith o realmente sério e digno de total atenção.[28]

Embora isso seja lealdade a Gladstone, seria leal ao próprio princípio de liberdade de Acton? Ou ao princípio do progresso? Maine, com consciência ainda mais profunda do flerte sério com que cientistas e economistas políticos direcionavam o coletivismo, viu nesse caso a infidelidade tanto com a liberdade quanto com o progresso; pois o progresso é medido em termos de liberdade. Se o movimento da sociedade da posição social ao contrato é o indicador do progresso, então o socialismo é uma reação desastrosa.

O progresso, disse Henry Maine, é raro no préstito da história, mas é real. Portanto – ainda que nunca ativo na política britânica prática –, começou como um liberal moderado na tradição de Edmund Burke, esforçando-se para promover a reforma prudente, reconciliando antigos interesses com novas energias, preparando a sociedade para a mudança necessária, preservando o que há de melhor na antiga ordem. Sua carreira na Índia demonstra essa influência de Burke, esse respeito pelo costume e culturas nativos, essa dedicação serena a uma sociedade que é um espírito ou uma coisa viva, não uma simples invenção mecânica. Escritores na política que supõem que Burke e sua escola se opunham à mudança *per se* cometem um erro grave. A mudança benéfica é o instrumento providencial da preservação social, disse Burke, uma força conservadora, mas não deve cair na confusão de pensar que toda mudança é reforma. O mundo experimenta tanto a melhoria quanto a decadência; esta tendência é o caminho mais fácil, embora, por fim, ruinoso; e os estadistas devem se preparar, e o povo, distinguir a mudança saudável dos processos de dissolução.

---

[28] Idem. Ibidem, p. 212.

Quando Maine se convenceu de que o movimento de mudança na sociedade ocidental era regressivo, tornou-se um conservador.

O estudo intenso da história social fez de *Sir* Henry Maine um pessimista, escreve *Sir* Ernest Barker:

> A história faz com Maine, o que tende a fazer com muitos de nós, ser um caminho para entorpecer generosas emoções. Todas as coisas já aconteceram; e antes delas não veio muito, e agora não mais podemos esperar vir.[29]

Esse é um julgamento claro. No entanto, faz jus a Maine? Como fundador dos modernos estudos sociais comparativos, como um historiador prodigioso e, talvez, como o observador mais arguto da sociedade indiana, Maine sabia que o progresso humano, ou mesmo o desejo disso, é uma criação frágil, mas não perdeu as esperanças. Ao contrário, o progresso – que Maine exprimia, principalmente como a promoção de um alto resultado intelectual e de liberdade sob a égide da lei – esteve ativo no Ocidente por alguns séculos. O indicador desse sucesso é a tendência da sociedade de *status* ou posição social para a sociedade de contrato e, seus principais instrumentos são a propriedade privada e a liberdade de contratar. A vida intelectual, a liberdade das pessoas, proliferarão em uma sociedade diversificada, economicamente individualista e caracterizada por propriedades individuais (distintas das várias formas de propriedade comunal). Uma sociedade em que os homens contratem livremente para fins econômicos tende a ser progressista; o coletivismo moderno, então, é sufocante.

A tese geral dos estudos de Maine na história das instituições não é desanimadora; admitida a prudência e a sagacidade, a humanidade pode progredir – uma vez reconhecidas, é a herança dos gregos. O progresso é uma criação dos gregos; quando findam as ideias gregas, a sociedade fica estática:

---

[29] *Sir* Ernest Barker, *Political Thought in England from Herbert Spencer to the Present Day*. Op. cit., p. 167.

A um povo diminuto, que cobria, na localização original, não mais de um palmo de território, foi concedida a criação do princípio do progresso, do movimento adiante e não retrógrado ou declinante, de destruição à construção. Esse foi o povo grego. À exceção das forças cegas da natureza, nada se move neste mundo que não seja grego em origem. O germe espargido dessa fonte deu vida a todas as raças progressistas da humanidade, impregnando-se numa e noutra, a produzir resultados conforme esse gênio abscôndito e latente; resultados, é claro, muitas vezes maiores dos apresentados na própria Grécia. É esse princípio de progresso que nós, ingleses, estamos comunicando para a Índia [...]. Não há motivo por que, se houver tempo para trabalhar, não devam se desenvolver na Índia efeitos tão maravilhosos quanto os ocorridos em quaisquer outras sociedades da humanidade.[30]

Ainda assim, a maioria da humanidade sempre tende à estagnação: prefere o costume e o hábito à inovação; a mão do passado pesa-lhes sobremaneira. Não há nada de reacionário em Maine, que sabia que a fonte de sabedoria social é o conhecimento das eras passadas, mas que a imitação lúgubre do que outrora viveu reprimirá as pessoas mais talentosas. A própria ciência legislativa, que os autores do Direito muitas vezes supõem ser imutável (mesmo Bentham e Austin tendiam a esse ponto de vista), ainda que estável, deve mudar com o passar das gerações.[31] Os nativos da Índia, entre eles os jovens intelectuais com um verniz de ideias ocidentais, são ligados, de maneira opressiva, ao passado; e, mesmo com os europeus,

> pode ser que muitíssimo da crosta escamada do passado penda sobre nós, impeça e desordene nossos movimentos [...]. Embora exista muito em comum entre o presente e o passado, nunca existe tanto em comum que torne a vida tolerável aos homens do presente, caso

---

[30] Henry Maine, *Village Communities in the East and West*. 3. ed. London, 1876, p. 238-39.

[31] Henry Maine, *Dissertations on Early Law and Custom*. London, 1883, p. 361.

pudessem retroceder ao passado. Não há um neste recinto a quem a vida de um século atrás não fosse um sofrimento atroz, se pudesse ser novamente vivida.[32]

Um povo que ama seu passado de modo inteligente pensará no futuro nacional; e se formos solícitos com a posteridade, devemos investigar as causas históricas do progresso e da vitalidade. Henry Maine era discípulo de Friedrich Carl von Savigny (1779-1861), que, por sua vez, era discípulo de Edmund Burke, mais ainda do que fora discípulo de Georg W. F. Hegel. "A história é o único caminho verdadeiro para obter o conhecimento de nossa própria condição", Savigny escreveu em 1815. Empregou a legislação histórica para opor as noções radicais derivadas dos Direitos do Homem imaginários; Maine, encontrou na história das instituições um corretivo para os vastos projetos de melhoria social.

Tal investigação será frutuosa somente se feita por métodos realmente científicos, acreditava Maine. Os esplêndidos cinco volumes de seus estudos sociais estabelecem o fundamento dessa história científica; o pensamento legal moderno, a sociologia e a especulação política, bem como o método histórico, devem profundamente a Maine. Numa e noutra parte foi corrigido ou emendado; o próprio Maine não esperava algo diferente, mas a estrutura dos escritos ainda assoma, de modo magistral, em acurácia e perspectiva. A história deve ensinar, declarou, "o que todas as outras ciências ensinam, a sequência contínua, a ordem inflexível e a lei eterna". A verdade histórica deve ser como a verdade dos astrônomos e dos fisiólogos. É uma divisa bastante elevada, mas Maine a principiou. O propósito de seu *Ancient Law* [Lei Antiga], como, na verdade, de todas as suas obras, era restabelecer os juízos históricos nessa base sólida. A História não é o ensino da Filosofia por exemplo: as suposições *a priori* que regeram a escola francesa no século XVIII e que importunam os

---

[32] Henry Maine, *Village Communities*. Op. cit. p. 290-91.

pensadores utilitaristas apesar das profissões de realismo científico devem se submeter a uma investigação histórica infatigável e ciosa.

A necessidade de alcançar esse método de estudo histórico é urgente; doutro modo, o benthamismo (apesar da impopularidade do nome do fundador) arrastará tudo diante de si no campo da legislação. O benthamismo sofre de imperfeições lamentáveis na teoria da natureza humana; a aplicação do método comparativo ao estudo dos costumes, dos motivos e das ideias podem aliviar essa estreiteza do utilitarismo. Os economistas políticos, como os benthamitas, em geral,

> menosprezam enormemente o valor, o poder e o interesse do grande conjunto do costume e das ideias herdadas que, segundo a metáfora que tomaram de empréstimo dos mecanicistas, põem de lado como atrito. O melhor corretivo que poderia ser dado a essa disposição seria a demonstração de que esse "atrito" é capaz de análise e mensuração científicas.[33]

Por faltar no exame do rígido cálculo benthamita, os historiadores e os juristas se traem em erros capazes de malefícios sociais que dificilmente podem ser exagerados. Os princípios utilitaristas levaram Henry Thomas Buckle, por exemplo, a informar ao público que, uma vez que os nativos da Índia subsistiam com arroz, uma vez que "o alimento exclusivo dos nativos é de caráter oxigenado e não carbonáceo, deriva-se uma lei inevitável de prevalência da casta, de opressão corrente, de arrendamentos elevados e de costumes e leis estereotipados". O único problema de tudo isso é que, de fato, o alimento comum na Índia *não* é o arroz.[34] De modo semelhante, a doutrina austiniana de soberania (tão carregada de ameaças às instituições livres) é construída com base em abstrações e raciocínios *a priori* desse tipo; os juristas analíticos ignoram ou rejeitam os antecedentes históricos particulares, as diferenças nacionais e

---

[33] Idem. Ibidem, p. 232-33.
[34] Idem. Ibidem, p. 214-15.

todo o enorme agregado de opiniões, sentimentos, crenças, superstições e inclinações, de ideias de todos os tipos, hereditárias e adquiridas, algumas produzidas por instituições e outras pela constituição da natureza humana.[35]

Dessa cegueira, o historiador cioso deve redimir o pensamento moderno. Caso falhe, e os benthamitas façam a seu modo na legislação, a sociedade será tratada como um dispositivo mecânico. Liberdade e progresso, que são coisas do espírito, não sobrevivem mais em tal regime.

> Assim como é possível esquecer a existência do atrito na natureza e a realidade de outros motivos na sociedade exceto o desejo de ficar rico, do mesmo modo o discípulo de Austin pode ser tentado a esquecer que há mais na atual soberania que na força, e mais nas leis que existem nos comandos dos soberanos do que deles pode ser obtido simplesmente por considerá-los como a força regulamentada.

As palavras de Henry Maine têm seu peso na Inglaterra, mas a escola pragmática americana de pensamento jurídico, entre eles, Oliver Wendell Holmes, o eminente contemporâneo de Maine, desconsideravam essas prescrições.

Não podemos ingressar, aqui, na amplitude e profundidade da própria contribuição de Maine para a história conservadora em um plano científico. Perdura sua enorme reputação. "O que a simples reputação e o conhecimento ilimitado podem realizar", disse Lorde Acton, "sem simpatia ou vibração, Maine pode fazer melhor que qualquer homem na Inglaterra."[36] Esse historiador das leis e costumes desapaixonado instituiu uma escola de pesquisa e especulação de grande influência. E as próprias conclusões imediatas do imponente conjunto de suas pesquisas foram, sem restrições, socialmente conservadoras.

---

[35] Henry Maine, *The Early History of Institutions*. 4. ed. London, 1890, p. 360-61.

[36] *Letters of Lord Acton to Mary Gladstone*. London, 1904, p. 31.

Nos estágios primordiais e bárbaros da sociedade, os homens viviam condicionados às posições sociais: a personalidade individual manifestada somente de modo rudimentar, a propriedade era posse do grupo, subsistência, gratificação das esperanças, casamento, a vida em si, totalmente dependente da comunidade. O progresso consistia na libertação dessa servidão; e os povos civilizados existiam em condição de contrato, na posse de várias propriedades e capazes de desenvolver plenamente os talentos individuais.

> O movimento das sociedades progressistas foi uniforme em um aspecto. Ao longo de todo o curso distinguiu-se pela dissolução gradual da dependência da família e, no lugar, o crescimento da obrigação individual. O individual é, com constância, substituído pela família, como a unidade civil que as leis levam em consideração [...]. Não é difícil ver qual é o laço entre os homens que substitui gradualmente aquelas formas de reciprocidade em direitos e deveres que têm origem na família. É o contrato. Começando, a partir de um término da história, de uma condição de sociedade em que todas as relações de pessoas são resumidas nas relações de família, parecemos ter incessantemente nos movido para uma fase da ordem social em que as relações surgem do livre acordo dos indivíduos.[37]

A propriedade privada e o contrato tornam possível a variedade da personalidade, a riqueza, o lazer, e a fertilidade de invenção que sustentam a civilização. O estadista prudente, ao perceber que há um elo quase misterioso entre o contrato e a cultura nobre (Maine o afirmou em Calcutá, em 1862), "vamos retroceder por interferir em um instrumento de civilização tão poderoso". As vantagens imediatas da aparente conveniência ou da aprovação popular não devem poder prevalecer sobre essa necessidade permanente de respeitar o sistema de contrato. De fato, o contrato é um dos meios mais eficientes de educação moral, ao ensinar por intermédio da necessidade do exato desempenho tanto quanto depende da

---

[37] Henry Maine, *Ancient Law*. London, 1906, cap. V.

fidelidade.³⁸ Aqui, a exaltação que Henry Maine faz do contrato e da responsabilidade econômica do indivíduo, embora em alguns aspectos semelhante à dos economistas liberais, transcende, realmente, o pensamento utilitarista (era hostil aos manchesterianos, de fato, por pensar que causariam a perda da Índia) e a elevação do plano de Edmund Burke e de Adam Smith.

As sociedades civilizadas são sociedades competitivas. A competição é econômica e civil; outro tipo de competição é encontrado mesmo entre os povos mais selvagens, vivendo com base na condição social, mas é uma competição terrível. O estudo das sociedades primitivas refuta a noção de que todos os homens são irmãos e de que todos os homens são iguais.

> O cenário diante de nós é mais do que do mundo animal apresenta ao olho da mente daqueles que têm a coragem de enfrentar, por si mesmos, os fatos em resposta à memorável teoria da seleção natural. Cada pequena comunidade cruel está perpetuamente em guerra com o próximo, tribo com tribo, vilarejo com vilarejo.³⁹

As fantasias idílicas de Jean-Jacques Rousseau são rebentadas pelo historiador austero. Se um povo civilizado abandonou a competição civilizada, após um curso constante de retrocesso encontrar-se-ão forçados a voltar à competição assassina da seleção natural. É bem verdade que a propriedade conjunta, pela comunidade ou família, é mais antiga que a propriedade privada da terra, mas isso só demonstra que a propriedade privada é parte do progresso. Ainda que a competição seja feroz entre os grupos em uma condição primitiva de vida, nas transações domésticas a competição é fraca. A competição econômica – na troca e aquisição da propriedade – é relativamente moderna em origem; e mais, na forma completa é

---

³⁸ Sir M. E. Grant Duff, *Sir Henry Maine: A Brief Memoir of His Life with Some of His Indian Speeches and Minutes*. London, 1892, p. 90-91.

³⁹ Henry Maine, *Village Communities*, p. 225-26.

distintamente ocidental. É um benefício poderoso, essencial para as formas supremas de progressos.

Os socialistas se esforçam para deduzir desses fatos que os arranjos humanos da economia primitiva devem ser a condição econômica presente da humanidade, que a propriedade individual deve ser abolida em favor da propriedade comunal renovada. No entanto, a modernidade em instituições não é prova de injustiça; ao contrário, é presunção de alto desenvolvimento. Uma conclusão que o historiador científico, ainda que deva ser imparcial em muitas questões, pode derivar desse estudo da propriedade como instituição:

> Ninguém está livre para atacar a propriedade individual e falar, ao mesmo tempo, dos valores da civilização. A história das duas não pode ser dissociada. A civilização não é nada mais que um nome para a antiga ordem do mundo ariano, desfeita, mas perpetuamente reconstruída sob a grande variedade de influências solventes, das quais, os infinitamente mais poderosos têm sido os que, de modo lento, e nalgumas partes do mundo, de maneira menos perfeita que outros, substituíram a posse coletiva pela propriedade individual.[40]

Henry Maine sustentava essas opiniões muito antes da disputa implacável acerca das leis de reforma de 1884 e 1885, quando a sobrevivência da Câmara dos Lordes parecia estar ameaçada mais uma vez, quando o radicalismo de Joseph Chamberlain dominou a relutância de William Gladstone para aumentar o sufrágio, quando a tendência do liberalismo para com o novo coletivismo voltou a aumentar de modo palpável. O livro *"tory"* de Maine, *Popular Government*, não marcou um novo estágio, portanto, em sua evolução intelectual; estava a aplicar os juízos históricos de sua tremenda erudição aos movimentos dos governos por toda a sociedade ocidental. É uma obra de tom melancólico, mas não tão sombria como a do amigo James Fitzjames Stephen; e, também, não tão potente. Às vezes, o admirador

---

[40] Idem. Ibidem, p. 230.

de Maine se desaponta com a obra *Popular Government*. Ainda que lúcido e corajoso, o livro nem sempre penetra nos primeiros princípios, talvez, infelizmente, quando compelido por um sentimento de dever de voltar da história científica para a política contemporânea, Maine, por vezes, parece mais preocupado com as particularidades da democracia do que com as raízes da sociedade. No entanto, a obra *Popular Government* ainda vale ser lida hoje.

O governo popular moderno nasceu com uma mentira na ponta da língua: o pressuposto de um estado de natureza, ensinado por Rousseau.

> A democracia é comumente descrita como detentora de uma superioridade crescente diante de todas as outras formas de governo. Supostamente, evolui com um movimento irresistível e pré-ordenado. É tida como repleta de promessas de bênçãos para a humanidade, no entanto, falha ao trazer tais bênçãos, ou mesmo prova ser prolífica nas maiores calamidades, e não merece condenação. Esses são indícios familiares de uma teoria que alega ser independente da experiência e da observação sob o argumento de que traz as credenciais de uma era de ouro, não histórica e não verificável.[41]

Mas como o desempenho da democracia contrasta com suas pretensões! O estudioso de história sério notará o fato de que "desde o século em que os imperadores romanos estiveram à mercê da soldadesca pretoriana, não houve tal insegurança de governo como há no mundo desde que os governantes se tornaram delegados da comunidade". Maine cita o fracasso da democracia na Alemanha, Itália, Espanha, América Latina, a medonha turbulência na França, o estímulo do espírito decaído do nacionalismo. O que mais há de se esperar? Na prática, o sufrágio universal tende a ser a base natural de uma tirania; na melhor das hipóteses, um governo de políticos a influenciar por detrás dos panos.[42]

---

[41] Henry Maine, *Popular Government*. London, 1886, p. vii-viii.

[42] Ralph Adams Cram em *The End of Democracy*, de 1937, reitera o catálogo de desastres, com casos mais recentes.

No entanto, não é acusar as democracias de tender à inovação intelectual; ao contrário, em geral são mais culpadas por um pensar ultraconservador insensível. Detestam a teoria darwinista e as duras verdades de Thomas Malthus; opõem-se ao verdadeiro progresso:

> Parece-me bastante certo que, se por quatro séculos tivesse existido um sufrágio muito amplo e um corpo eleitoral muito grande, não teria existido a reforma da religião, nenhuma mudança de dinastia, nenhuma tolerância ao dissenso, nem mesmo um calendário preciso.[43]

Insistem, contrariamente, em ser aduladas por generalidades vagas a respeito da própria virtude e infalibilidade. Incapazes de exercer a vontade comum genuína – tal coisa como a vontade geral não existe na natureza –, permitem ao governo recair nas mãos de manipuladores profissionais e conspiradores que expoliam. A maioria dos homens está enfadada com a política prática tanto quanto está com o progresso e com o esclarecimento, e pode ser persuadida a dar votos ou doar o apoio lânguido a um partido por apenas uma influência: corrupção. Há dois tipos de suborno público – o primeiro, a rapina dos cargos; o segundo, "o processo direto de legislar fora da propriedade de uma classe e transferi-la para outra. É esta última, a corrupção, a mais provável dos últimos tempos".[44]

Alguma coisa pode ser feita para salvar a democracia de si mesma – esse governo popular que está em perigo mortal de instituir as próprias leis de modo provocador e a oprimir, sem piedade, os indivíduos e as minorias? Maine sustinha algumas esperanças. A primeira medida de salvação é a definição mais precisa da palavra "democracia". Os homens devem ser levados a ver que a democracia significa uma forma de governo e nada mais; não é um fim em si mesmo, mas a sugestão de um meio para a justiça, a liberdade e o progresso. Devemos nos purgar da ilusão de que a democracia é a *Vox Dei*. Por certo,

---

[43] Henry Maine, *Popular Government*. Op. cit., p. 98.
[44] Idem. Ibidem, p. 106.

devemos saber, agora, que consultar a voz áspera da democracia é tão perigoso quanto consultar os oráculos gregos.

> Todos concordam que a voz de um oráculo era a voz de um deus; mas todos admitiam que quando falava não era tão inteligível quanto desejável; e ninguém estava bem certo se era mais seguro ir a Delfos ou a Dodona.

As democracias devem, primeiramente, aprender a modéstia quanto às próprias funções; além disso, a principal salvaguarda para um governo popular será encontrada em constituições precisas e augustas, como a dos Estados Unidos.

Onde Fitzjames Stephen busca enfatizar a majestade moral da lei em geral, Maine aspira atribuir santidade aos documentos constitucionais. Somente na América a democracia manifestou um sucesso considerável e, grande parte desse feito resulta do sábio conservadorismo da Constituição Federal. Ao evitar o perigo de uma assembleia única (rumo que a Grã-Bretanha está a tomar), ao reconhecer os direitos de vários Estados e a necessidade de limitar o poder da legislação positiva, ao coroar o sistema (ainda que quase sem intenção) com a conferência dignificada da Suprema Corte, os pais da república americana conceberam um instrumento de governo sem paralelos como um poder conservador para a liberdade ordenada. Em inspiração, a Constituição americana é britânica; mas a Grã-Bretanha agora precisa aprender com seus filhos. Com François Guizot, Maine exalta a obra *The Federalist* [O Federalista], de Alexander Hamilton, James Madison e John Jay, como a maior aplicação dos princípios elementares de governo na administração prática da história.

> Parece que, por uma constituição sensata, a democracia pode se mostrar quase tão calma quanto as águas em um grande reservatório artificial, mas se há um ponto fraco em qualquer lugar da estrutura, a força poderosa que controla a vontade irromperá e espalhará destruição por toda parte.[45]

---

[45] Idem. Ibidem, p. 111.

Alguns homens esperam por remédios diferentes. Anteveem, por exemplo – entre eles, Ernest Renan (1823-1892) –, a formação de uma aristocracia intelectual, de uma elite. "A sociedade tem de se tornar a igreja de uma espécie de calvinismo político, em que os eleitos serão homens com mentes excepcionais." Entretanto, será que tal aristocracia – não que seja provável que tenha ascendência – realmente seria benéfica? De "uma aristocracia ascética de homens de ciência, com intelectos aperfeiçoados pelo exercício incessante, absolutamente confiantes em si mesmos e totalmente certos de suas conclusões", que tipo de tratamento o coração e o espírito da sociedade obteriam?[46] Maine, com instinto de verdadeiro conservador, abominava o projeto dessa nova ordem privilegiada; mas, de qualquer modo, se algum dia ocorrer um conflito entre democracia e ciência, "a democracia, que já toma precauções contra o inimigo, certamente vencerá". A democracia abomina o progresso cultural ou qualquer manifestação de superioridade.

O mundo, como Nicolau Maquiavel apresentou, é inventado pelo vulgar. Nessas mãos, a política benthamita põe o poder irrestrito; e segue adiante, muito prontamente, a desfazer todo o resto da obra de Jeremy Bentham.

> Os "sofismas anárquicos" que expuseram, migraram da França para a Inglaterra e podem ser lidos na literatura do liberalismo avançado, lado a lado com as falácias parlamentares de que se riram nos debates de uma Câmara dos Comuns *tory*.[47]

O progresso da condição de contrato era trabalho para as mentes aristocráticas; o retrocesso do contrato para a posição social será a obra da complacência democrática.

O que Friedrich Engels em 1877 chamou de "a negação da negação" prosseguia, relaxadamente, por trás da cortina da democracia: a

---

[46] Idem. Ibidem, p. 189-90.
[47] Idem. Ibidem, p. 85.

propriedade privada, a façanha do contrato estavam ameaçadas pela socialização ou por um retorno à condição social primitiva. Se essa reação fosse consumada, a civilização afundaria, proporcionalmente, no barbarismo descrito pela condição social. A degeneração não é inevitável; é apenas provável.

> Sem dúvida, se as causas adequadas estão a trabalhar, o efeito sempre se seguirá; mas, em política, as mais poderosas de todas as causas são a timidez, a desatenção e a superficialidade da generalidade das mentes. Se um grande número de ingleses, pertencentes às classes que são poderosas, caso eles mesmos exerçam, caso continuem a dizer a si mesmos e a outros que a democracia é irresistível e há de chegar, sem qualquer dúvida, chegará.[48]

Assim escreveu Henry Maine. As reformas de 1884 e 1885, contudo, romperam a influência da mais enérgica das classes mencionadas por Maine, a dos proprietários de terra; e a Grã-Bretanha, naquele momento, estava comprometida com a competição partidária pelo direito de voto de homens que pouco compreendiam o significado da propriedade privada, e, raras vezes, experimentaram-na.

4. LECKY: A DEMOCRACIA NÃO LIBERAL

Encontramos *Democracy and Liberty* [Democracia e Liberdade], de 1896, em dois grossos volumes, nas prateleiras de qualquer loja decente de livros usados. A obra, lançada entre 1888 e 1890, *History of England in the Eighteenth Century* [História da Inglaterra no Século XVIII], de William Edward Hartpole Lecky, ainda é muito procurada e, talvez, sempre será; a *History of European Morals from Augustus to Charlemagne* [História dos Costumes Europeus de Augusto a Carlos Magno], de 1869, também é lida; mas seu tratado

---

[48] Idem. Ibidem, p. 73-74.

político nunca chamou a devida atenção. Embora notadamente digressivo e, em parte, preocupado com o que agora são controvérsias findas, *Democracy and Liberty* é o manual mais completo de política conservadora produzido no século XIX.

"O protestantismo, num aspecto", diz Leslie Stephen, "é simplesmente o racionalismo ainda a correr, de um lado para o outro, na cachola."[49] Aplicado a W. E. H. Lecky, esse dito espirituoso contém muitas verdades. Outrora protestante zeloso e historiador do racionalismo, manteve a crença no ser de uma divindade benevolente enquanto escarnecia da superstição e do clericalismo. O catolicismo, estava convencido, prosseguia apenas como um culto moribundo – uma das predições menos afortunadas, embora tivesse justificativa aparente na década de setenta do século XIX. O cristianismo, para sobreviver em um mundo de ciência e indústria, deveria ser purgado das ruínas das fábulas e da credulidade simples. O Inferno da ortodoxia, que para Fitzjames Stephen era o elemento mais real e indispensável do cristianismo, parecia a William Lecky uma invenção horrenda de imaginações repugnantes, a sobrevivência grotesca de tempos brutais, impossíveis para o homem racional admitir em seu sistema moral. Lecky, todavia, não abraçou a religião da humanidade. Como defesa das ideias morais intuitivas opostas às indutivas ou à escola utilitarista de moralistas, o primeiro capítulo de *A History of European Morals*, provavelmente, é ímpar nos estudos modernos e reflete a confiança permanente e comovente de Lecky em um Deus amoroso:

> Suspeito que muitos moralistas confundem a autocongratulação que supõem sentir o homem virtuoso com o deleite das experiências do homem religioso que partem de um senso de proteção e do favor da divindade.[50]

---

[49] Leslie Stephen, *Life of Sir J. F. Stephen*. London, 1895, p. 309-10.
[50] W. E. H. Lecky, *History of European Morals from Augustus to Charlemagne*. 2 vols., I. London, 1869, p. 67, nota.

O leitor das obras *History of the Rise and Influence of the Spirit of Rationalism in Europe* [História da Ascensão e Influência do Espírito do Racionalismo na Europa], de 1865, ou *The Map of Life* [O Mapa da Vida], de 1899, entretanto, encontrará em W. E. H. Lecky a ideia de Providência, tão importante para a filosofia de Edmund Burke, patente pela ausência. Não é negada, mas raramente afirmada. A religião racional de William Lecky expurgou quase todo o cristianismo tradicional a não ser por uma moralidade intuitiva, a imitação de Cristo e a Regra de Ouro. Ainda assim, a essência do cristianismo ainda vive, diz Lecky:

> Se é verdade que o cristianismo penetra com caridade apaixonada nos recessos mais escuros da miséria e do vício, irriga todos os cantos da Terra com uma corrente fértil de benevolência quase ilimitada e inclui todas as porções da humanidade no círculo de uma compaixão intensa e eficaz; se é verdade que o cristianismo destrói e enfraquece as barreiras que separaram as classes e as nações, libera a guerra dos elementos mais severos e forma uma consciência de igualdade essencial e de genuína fraternidade a dominar todas as diferenças acidentais; se, sobretudo, é verdade que o cristianismo cultiva um amor pela verdade por si mesma, um espírito de candura e de tolerância para com os que dele discordam – se essas são as marcas de um cristianismo verdadeiro e saudável, então, nunca, desde os dias dos apóstolos, foi tão vigoroso quanto no presente, e o declínio dos sistemas dogmáticos e da influência clerical foram a medida, senão a causa, de seu avanço.[51]

Essas são, de fato, as marcas de um cristianismo verdadeiro e saudável? Ou, provavelmente, são as marcas daquele humanitarismo sentimental que W. E. H. Lecky detestava? De qualquer modo, William Lecky (que era, precisamente, um antigo *whig*) continuou a ter suspeitas invencíveis dos sacerdotes, confiante de que os padres deveriam ceder aos moralistas racionais e à afirmação de que "a ortodoxia é

---

[51] W. E. H. Lecky, *History of the Rise and Influence of the Spirit of Rationalism in Europe*. 2 vols., I. London, 1865, p. 186-87.

minha *dóxa*", a rocha sobre a qual Samuel Johnson, Edmund Burke, Samuel Taylor Coleridge, John Henry Newman e homens menores construíram seu conservadorismo, produzem em Lecky um endosso tolerante do Sermão da Montanha, que Fitzjames Stephen declarara ser terreno pantanoso para qualquer sistema social prático. *Securus judicat orbis terrarum*:[52] esse espírito, faltante em Lecky, é uma premissa sem a qual o conservadorismo da maioria dos homens tende a esmorecer quando confrontado com um mar de problemas.

A veneração religiosa, então, faz pobre figura no manual de conservadorismo de William Lecky, embora ele defenda as instituições religiosas com base na utilidade. E, apesar de seu imenso conhecimento de filosofia moral, mesmo as considerações morais ganham pouca atenção em *Democracy and Liberty*. Nessa obra (publicada em 1896, ano em que, depois de uma longa carreira literária, Lecky ganhou um assento na Câmara dos Comuns) percebemos o século XIX amalgamando-se no século XX: a controvérsia sobre fé e moral, que ocupou, mais que qualquer outra coisa, os pensadores do século XIX, cede às questões de economia e de técnicas política. O benthamismo, ainda que abandonado como sistema consistente, sutilmente conquistou quase todos: os relatórios dos economistas políticos suplantaram o sermão e a oração. À parte da renúncia aos argumentos religiosos e morais, Lecky é Burke a falar no final do século XIX. Em 1855, quando Lecky ingressou no Trinity College, em Dublin, adquiriu as *Reflexões sobre a Revolução em França*, e a antiga cópia anotada esteve em seu bolso por quarenta anos, nas caminhadas solitárias na Irlanda e na Suíça.[53] A aversão a mudança radical, o princípio cardeal da política de Burke, é o tema de *Democracy and Liberty*.

Por toda a década entre a publicação de *Popular Government* de Henry Maine e o surgimento de *Democracy and Liberty*, a mudança

---

[52] "Julga seguro o mundo inteiro". (N. T.)

[53] Ver discurso de Lecky na Universidade de Dublin no centenário da morte de Burke, em: Elizabeth Lecky, *Memoir of Lecky*, p. 305-06.

orgânica parecia ter exaurido a continuidade da sociedade britânica. O velho cavalheiro judeu não mais se sentava no topo do caos; até mesmo os homens que cordialmente detestavam-no, entre eles William Lecky, desejaram, de modo relutante, que Benjamin Disraeli revivesse para restringir, com artes exóticas, o gênio do impulso popular que (na opinião deles) libertara. O liberalismo gladstoniano, furioso por ter sido abafado em 1867, esforçava-se por recompensar o novo eleitorado à custa dos interesses *tories*, e os conservadores de Lorde Salisbury ingressaram necessariamente nessa competição. Nas consequências imediatas, a reforma de 1884-1885 parecia mais revolucionária que as medidas de 1832 e de 1867. Em essência, como escreveu Lecky, a crença dos novos radicais era que "nas mãos de uma tributação democrática deveriam se criar os meios para reparar as desigualdades de sorte, de capacidades ou aptidão; a classe votante prevalecente e que gasta dinheiro com outra classe é obrigada a pagar".[54] Todo tipo de direito consagrado foi abalado e, como Burke predissera, "nenhum tipo de propriedade está segura quando isso se tornar grande o bastante para tentar a cupidez do poder indigente". O poder indigente assentou-se na Câmara dos Comuns depois de 1885.

A Sociedade Fabiana foi fundada em 1884: Sidney Webb (1859-1947), Bernard Shaw (1856-1950) e seus companheiros começaram a minar as defesas intelectuais da Inglaterra vitoriana, quase no mesmo período em que o governo radical derrubara os baluartes dos proprietários de terra. Nenhuma antiga classe dominante jamais entregou o poder até que tenha perdido a força – até perder a confiança na própria virtude e na própria justiça, aquela ordem poderosa permite o cetro ou a espada errar o alcance, hipnotizada, não vencida. Esse processo começara na Inglaterra muitos anos antes; nesse momento os intelectuais socialistas o levaram próximo ao ápice. O marxismo, na virulência original ou nas variantes mais suaves, agora tinha de

---

[54] W. E. H. Lecky, "Old-Age Pensions", *Historical and Political Essays*, p. 300.

ser considerado a influência mais séria no mundo das ideias, não uma elaboração excêntrica ou um exílio amargurado. O socialismo, afirma Lecky, tornara-se algo maior que um simples esquema político: "Seu ensinamento, evidentemente, permeou grande número de homens com algo da força, e pressupôs algo do caráter, de uma nova religião, pressurosa em preencher o vácuo de onde declinaram as antigas crenças e tradições".[55]

O socialismo literário Fabiano era calculado para atrair, em especial, uma nova massa de jovens parcialmente educados, treinados nas escolas estatais instituídas conforme a lei de Educação de 1870, aumentadas pela característica compulsória acrescida pela lei de 1876, e coroada pela adoção da escolarização livre em 1891. Os industriais demandaram a instituição de escolas estatais para suprir o treinamento técnico; logo descobririam que a torrente de funcionários de escritório e artesãos ambiciosos que as escolas produziam poderiam pensar outras coisas além da produção eficiente. Como observa Denis W. Brogan (1900-1974), a classe burocrática educada nos moldes ocidentais na Índia: "O homem que pode manter a contabilidade também pode ler John Stuart Mill, Macaulay e Marx".[56] Por volta de 1892, mais de sete milhões de libras esterlinas por ano foram gastas por conselhos escolares na Inglaterra e no País de Gales. Só isso seria o necessário para uma revisão radical do sistema de tributação e um aumento radicalmente grande no montante da tributação. Lecky percebeu que o valor político da educação estava superestimado:

> As formas mais perigosas de animosidade e dissensão não são, normalmente, diminuídas e, muitas vezes, são estimuladas por essa influência. Uma proporção imensa daqueles que aprenderam a ler, nunca leram nada senão o jornal do partido – muito provavelmente,

---

[55] W. E. H. Lecky, *Democracy and Liberty*. 2 vols., II. London, 1896, p. 353.
[56] D. W. Brogan, *The Price of Revolution*. London, 1951, p. 139.

um jornal especialmente destinado a lhes inflamar ou lhes desviar – e a mente dos semieducados é, em peculiar, aberta às utopias políticas e aos fanatismos.[57]

Algumas dessas pessoas (George Gissing as descreve em *The Nether World* [O Mundo Inferior], de 1889) leem panfletos ateus; outros leem folhetos fabianos.

Como a educação se tornou totalmente secularizada e modernizada, logo o governo local, a fortaleza do espírito político *tory*, se democratizou. Disraeli dissera que a constituição provinciana era mais importante que a constituição nacional; nesse momento, tudo fora alterado. O fidalgo rural e o sacerdote perderam o antigo controle na administração da justiça nos condados quando a lei do governo local de 1888 (aprovada por um governo conservador) instituiu os conselhos dos condados; e os liberais, em 1894, estabeleceram os conselhos paroquiais e os conselhos distritais urbanos e rurais. A antiga ideia de ordenação e subordinação nas localidades rurais era, assim, repudiada pelo Estado; o princípio da eleição popular o suplantara. A lei de 1894 fez algo mais: aboliu as qualificações das propriedades para os membros do conselho paroquial e para os defensores das leis dos pobres; derrubou as qualificações classificatórias para votar. Assim, a classe que pagava as despesas do governo local estava perdida no conjunto daqueles que poderiam se beneficiar de tais gastos. A tributação sem representação tinha mais de uma forma. "Os cavalheiros rurais que gerenciavam principalmente o governo do condado", disse Lecky a respeito do antigo sistema,

> foram, ao menos, dispensados da tarefa com grande integridade e com um conhecimento muito extenso e minucioso dos distritos que governavam. Tinham seus erros, mas foram muito mais negativos que positivos.[58]

---

[57] W. E. H. Lecky, *Democracy and Liberty*, I, p. 319-20.
[58] Idem. Ibidem, p. 301-02.

Um homem familiarizado com um condado e com os conselhos locais hoje pode fazer comparações.

Com tudo isso passou um conjunto volumoso de legislação social – habitação para as classes trabalhadoras, melhorias sanitárias, leis fabris, leis trabalhistas compensatórias, um serviço público imensamente ampliado e tudo tinha de ser pago; e o exército e a marinha estimavam aumentos constantes. Entre 1870 e 1895, a despesa pública nacional aumentou de 70 milhões de libras para 100 milhões. Em 1874, o imposto de renda era de dois *pences* por libra; por volta de 1885, chegou ao ponto mais alto até então, oito *pences* e, após 1894, começou a subir ainda mais. Muitos dos próprios liberais temiam o imposto de renda gradativo; William Gladstone estivera ávido por abolir totalmente o imposto de renda; opôs-se aos impostos *causa mortis* sobre as propriedades territoriais, mas os impostos *causa mortis* que *Sir* William Harcourt (1827-1904) introduziu no orçamento de 1894 triunfaram, pois a antipatia dos manchesterianos pela propriedade territorial sancionou tal imposto. Quando os conservadores reconquistaram o gabinete no ano seguinte, não ousaram banir os impostos: o elemento de classe média já prevalecia no partido conservador sobre os interesses territoriais, e a necessidade de receita era premente. "Dificilmente haveria maior distância do que costumava ser chamado economia política ortodoxa", escreveu Lecky,

> que os impostos de *Sir* William Harcourt. O primeiro princípio da tributação segundo os antigos economistas é dever recair sobre a renda, não sobre o capital. Na Inglaterra, um dos dois grandes tributos diretos anualmente arrecadados é, agora, um imposto altamente gradativo que recai diretamente sobre o capital [...]. As características mais opressivas são não haver limite temporal, de modo que no acontecimento não improvável de dois, três ou quatro donos de uma grande propriedade morrerem em rápida sucessão, o imposto tem o efeito de confisco absoluto e não é feita distinção entre a propriedade que produz renda e é facilmente conversível em dinheiro e os tipos de propriedade que pouco

produzem ou que não têm renda e que são difíceis ou impossíveis de se converterem em dinheiro.⁵⁹

Assim, a casa de campo abandonada lança sombra diante de si: impostos *causa mortis* mais altos, duas grandes guerras para assassinar os filhos das famílias dos condados, mais impostos de renda, o acréscimo de impostos sobre rendas "não auferidas" – o fim, portanto, de todo o modelo rural britânico começa a tomar forma em 1894.

Rendas não auferidas da terra, disse Lecky, é, de todas as formas de riqueza, em geral, a mais benéfica à sociedade.

> A sociedade é um pacto, principalmente, por assegurar a cada homem a posse pacífica de sua propriedade e, enquanto o homem realizar sua parte no pacto social, seu direito àquilo que recebeu do pai é tão válido como direito como aquilo que ele mesmo adquiriu.

As pessoas que vivem de propriedades herdadas, de longe, fizeram mais pela Inglaterra que a grande porção de ricos empreendedores. William Wilberforce (1759-1833), John Howard (1726-1790) e o 7º Lorde Shaftesbury pertenceram a essa classe – e William Lecky poderia muito bem ter acrescido o próprio nome, tão eminente entre os grandes acadêmicos que obtiveram de grandes meios privados o tempo livre e a erudição pelos quais acrescentaram ao somatório da civilização. Nem esses nomes famosos são tudo.

> Grandes propriedades herdadas, normalmente, carregam consigo deveres administrativos grandes e úteis, e nenhuma classe de homens na Inglaterra tem, no todo, vivido vidas melhores e contribuído mais para o verdadeiro bem-estar da comunidade que os cavalheiros rurais menos ricos que, ao consentir com as rendas moderadas que herdaram, vivem em suas propriedades, a administrar os negócios do condado e a melhorar de inúmeras maneiras a condição dos arrendatários e seus vizinhos.⁶⁰

---

⁵⁹ Idem. Ibidem, p. xviii-xix.
⁶⁰ Idem. Ibidem, II, p. 500-01.

Passado um século após Lecky escrever isso, uma grande proporção de famílias rurais permanece na Inglaterra, ainda realizando essas obrigações, com obstáculos desanimadores, com uma consciência sem igual em qualquer outra nação.

O Partido Trabalhista Independente foi fundado em 1893. Três anos depois, W. E. H. Lecky ainda podia escrever que o novo sindicalismo e os socialistas foram esmagados na eleição geral de 1895, que as tendências conservadoras eram dominantes nos centros das classes trabalhadoras, e que o Partido Socialista confesso, tão poderoso no continente, raro existiu no parlamento britânico. Mas, por quanto tempo isso poderia perdurar? Como Irving Babbitt nos Estados Unidos do século XX, William Lecky temia tanto a plutocracia quanto o programa de Henry Mayers Hyndman (1842-1921) e de William Morris:

> Não é a existência da riqueza herdada, mesmo em grande escala, que provavelmente abala de modo grave o respeito pela propriedade; são os muitos exemplos que as condições da sociedade moderna apresentam a grande riqueza adquirida por meios indignos, empregada para propósitos ignominiosos e a exercer, de modo geral, uma influência indevida na sociedade e no Estado. Quando um esbulho triunfante é descoberto entre os ricos, a doutrina subversiva crescerá entre os pobres. Quando a democracia se transforma, como muitas vezes o faz, em uma plutocracia corrupta, tanto a decadência nacional quanto a revolução social estão sendo preparadas. Ninguém que leia atentamente a literatura socialista moderna, ninguém que observe a corrente de sentimentos entre as massas nas grandes cidades, pode deixar de perceber um senso profundo, crescente e não irrazoável das profundas injustiças da vida.[61]

Isso parece Samuel Taylor Coleridge nos *Lay Sermons*, ou Benjamin Disraeli em *Sybil*; mas está a setenta ou cinquenta anos mais próximo do auge de uma época em que a riqueza é divorciada do dever social.

---

[61] Idem. Ibidem, p. 501-02.

Nessas questões, assim como em tantas, Lecky é o melhor porta-voz do elemento rural e das classes médias altas do final do período vitoriano. É o oponente corajoso de uma democracia que destrói o equilíbrio de interesses na comunidade, do qual depende a constituição; adverte contra a democracia que ama a regulamentação e a restrição, antevendo o dia não muito distante em que [como escreve Elie Halévy (1870-1937)] o empregador e o empregado na Grã-Bretanha, ao perder o vigor, formarão "uma aliança inconsciente contra o desejo de trabalhar, aquele zelo pela produção que fez a indústria britânica conquistar os mercados do mundo".[62] Uma tendência à democracia, diz Lecky, "não significa uma tendência ao governo parlamentar, ou mesmo uma tendência à maior liberdade". Muito ao contrário: a democracia que toma forma na Grã-Bretanha parece ser um rudimento de socialismo, e Lecky concorda com Herbert Spencer que "socialismo é escravidão, e a escravidão não será suave".

A agitação e o tumulto da vida moderna, a sucessão constante de novas impressões ou ideias, a destruição da continuidade, os apetites de paladares políticos cansados, o declínio do sentimento de família – esses se unem para reforçar "o que poderia ser chamado de conservadorismo pouco inteligente do radicalismo inglês". O suborno de classes é o último instrumento dessas forças destrutivas que tentam desde 1789, ou antes, debilitar o tecido da vida inglesa. Esse radicalismo manteve uma característica constante, apesar de detestar a continuidade, e move-se em algumas trilhas antigas, bem desgastadas.

> Com a retirada do controle dos negócios das mãos da minoria que, nas competições da vida, ascendeu a um plano superior de fortuna e instrução; a degradação contínua do sufrágio a camadas cada vez mais baixas de inteligência; os ataques a uma instituição após a outra; uma hostilidade sistemática aos possuidores de propriedade territorial e uma disposição de conceder o mesmo às mesmas instituições

---

[62] Elie Halévy, *History of the English People in the Nineteenth Century*. 6 vols., V. London, 1952, p. x.

representativas para todas as partes do império, independente das circunstâncias e características, são direções em que o radical comum naturalmente se movimenta [...]. Para destruir alguma instituição ou para danificar alguma classe é muito comum que a primeira e última ideia seja em política constitucional.[63]

Os socialistas atuam para assumir o comando dessa tendência radical há muito instituída na Grã-Bretanha; mas para isso adicionam elementos de compulsão e regulamentação permanente que tornam isso ainda mais ameaçador que antes. O treinamento militar universal, o fardo mais aniquilante que o Estado pode impor ao seu povo, a maldição mais terrível para os melhores tipos de humanidade – altamente delicados, sensíveis e nervosos – encontra-se conjunta com uma democracia niveladora, não por mera coincidência. A horda armada é simultânea ao socialismo igualitário e ao planejamento estatal; e é uma reação natural de qualquer sociedade que abandonou todas as antigas disciplinas habituais e internas, de modo que deve confiar (como predisse Burke) nas disciplinas arbitrárias externas. A individualidade, como a imaginação, deve desaparecer de um povo em que o socialismo triunfa.

Entretanto, o socialismo realmente conseguirá dominar a Grã-Bretanha? É, em essência, oposto ao livre-comércio e ao comércio internacional, o sustentáculo da vida inglesa. No futuro, as condições industriais, sem dúvida, mudarão enormemente. Tributação diferente, novas leis de herança, esforços cooperativos, direção governamental da indústria, legislação de bem-estar social – essas mudanças, provavelmente, virão.

> No entanto, as mudanças propostas que entram em conflito com as leis fundamentais e elementos da natureza humana nunca podem, a longo prazo, ter êxito. O sentido de certo e errado, que é a base do respeito da propriedade e da obrigação de contrato, o sentimento de afeição familiar, do qual depende a continuidade da sociedade e fora do qual cresce o sistema hereditário; a diferença essencial dos homens em aptidões, capacidades e caráter, são coisas que nunca podem ser mudadas,

---

[63] W. E. H. Lecky, *Democracy and Liberty*, I, p. 155.

e todos os projetos e políticas que os ignorem estão condenados ao insucesso final.[64]

Em 1896, Lecky foi criticado por seu pessimismo; nove décadas depois, o observador da vida nos estados marxistas invejaria o otimismo de Lecky.

Ameaçado, portanto, pelo novo coletivismo do último terço do século XIX, os herdeiros das ideias liberais de Edmund Burke foram reconciliados com os conservadores. J. F. Stephen, Henry Maine e W. E. H. Lecky defenderam o contrato contra a posição social. O coletivismo sentimental arraigar-se-ia em esmagadora servidão, sabiam. Karl Marx e Friedrich Engels olhavam para a "negação da negação", o retorno da posição social com ânsia apocalíptica. Assim, de fato, autores menos radicais viram essa mudança de coisas. O estatismo paternal em moda nos anos de 1920 e 1930 foi abundante em endossos de um retorno à posição social. Até mesmo o reitor Nathan Roscoe Pound (1870-1964) explicou, em 1926, que o curso da legislação ao longo do século XX, parece, refuta a tese de Maine: a sociedade, no momento, movia-se de modo triunfante do contrato para a "relação" (uma espécie de posição social modernizada e modificada) e, portanto, essa relação-posição deveria representar um estágio superior no progresso – a menos que estejamos progredindo para trás.[65]

Exatamente – a menos que estejamos progredindo para trás. A recrudescência moderna da posição social na sociedade pode ser progresso, com os pilares do homem-contato, da fila de provisão, da corporação gigante, do sindicato gigante, do campo de trabalho, do *levée en masse*, e do agente policial. Se isso é progresso, todavia – essa vida amorfa de conjuntos habitacionais e do hipnotismo em massa pela televisão –, ora poderíamos dizer, como o presidente Abraham Lincoln: "Para os que gostam desse tipo de coisa, esse é o tipo de coisa de que gostam".

---

[64] Idem. Ibidem, II, p. 369.

[65] Nathan Roscoe Pound, *Interpretations of Legal History*. Cambridge, 1923, p. 54-55.

Henry Adams (1838-1918)

Capítulo 10 | Conservadorismo Frustrado: América, 1865-1918

> Qualquer que seja o resultado da convulsão, cujos primeiros choques começaram a ser sentidos, ainda haverá muitos quilômetros quadrados de terra para nos movermos livremente; mas, aquele sentimento inefável feito de lembrança e de esperança, de instinto e de tradição, que enche o coração de todo homem e molda seu pensar, ainda que, talvez, nunca presente na consciência, estará ausente, ficando a terra comum e nada mais. Os homens podem disso fazer ricas colheitas, mas aquela safra ideal de associações inestimáveis não mais será ceifada; aquela virtude delicada que envia mensagens de coragem e segurança de todo o relvado terá se evaporado, para além da lembrança. Devemos, irrevogavelmente, nos desvencilhar do passado e ser forçados a emendar as beiradas esfarrapadas de nossas vidas com base em quaisquer novas condições que a sorte possa nos penhorar.
> James Russell Lowell, "Abraham Lincoln"

1. A ERA DE OURO

Emendar as beiradas esfarrapadas, a essa melancólica tarefa, os homens de tendência conservadora foram condenados depois de Appomattox. O Sul, arruinado, dificilmente poderia se dar a luxos de qualquer espécie de reflexão – ali, cada nervo fora distendido, por décadas, para lidar, de modo apressado, com exigências; para fazer, de algum modo, uma economia desmembrada voltar a se mover; para de algum modo reconciliar a emancipação negra com a estabilidade social. Assim, por um longo período depois de 1865, o Sul não teve filósofos;

e seus líderes, privados de direitos, dedicaram-se, um tanto aturdidos, a escrever apologias – Alexander Stephens (1812-1883) e Jefferson Davis (1808-1889), em particular – ou a emendar, resignadamente, o tecido de civilização com o general Robert E. Lee (1807-1870).

As obrigações da restauração conservadora, portanto, ficam na mentalidade do Norte vitorioso; mas o intelecto nortista, que, praticamente, era o intelecto da Nova Inglaterra, esmoreceu diante da tarefa enorme, por estar, para isso, mal equipado. A intrincada estirpe conservadora que afetou o caráter da Nova Inglaterra e alcançou a expressão mais humana em Nathaniel Hawthorne era, em essência, um conservadorismo de negação. Nesse momento, oprimidos pela necessidade de afirmação e Reconstrução, a mentalidade da Nova Inglaterra recuou, gemeu e amaldiçoou essas perplexidades. Por anos, também, os mestres da Nova Inglaterra – não os homens da State Street,[1] mas líderes como Charles Francis Adams (1807-1886), Charles Sumner (1811-1874), Edward Everett (1794-1865), Theodor Parker (1810-1860) e Ralph Waldo Emerson (1803-1882), homens de reflexão e política – engajaram-se em um flerte perigoso, hipócrita, com o radicalismo, com as abstrações políticas e com aquele tipo de igualitarismo fanático representado por William Lloyd Garrison (1805-1879). Seus instintos conservadores foram desnorteados pela paixão dessa cruzada moral e por influência do transcendentalismo; quase não recordavam mais onde buscar os fundamentos de uma ordem conservadora e, quando falamos do pensamento "conservador" que existia na Era de Ouro, na verdade indicamos um conjunto de princípios muito parecidos com o liberalismo inglês, que homens honestos e confusos tentavam aplicar para finalidades conservadoras. Essa ânsia conservadora pode ser delineada com razoável nitidez nas ideias de James Russell Lowell (1819-1891), de E. L. Godkin

---

[1] Uma das ruas mais antigas de Boston. Palco do "Massacre de Boston" em 1770, ocorrido diante da Old State House, a partir do século XIX tornou-se o centro financeiro da cidade. (N. T.)

(1831-1902), de Henry Adams (1838-1818) e de Peter Chardon Brooks Adams (1848-1927) – meio século de frustração, do início da Reconstrução às vésperas da Primeira Guerra Mundial.

Os reformadores da Nova Inglaterra pensavam ter destruído o mal encarnado quando esmagaram o "Gênio Negro do Sul"; e o horror à corrupção e ao caos da Era de Ouro foi intensificada, de modo proporcional, ao descobrirem a extensão da própria ingenuidade prévia. Temiam uma era de Jefferson Davis, mas, no momento, estavam na era de Thaddeus Stevens (1792-1868), e de piores do que este. O velho metalúrgico impiedoso e vulgar, de fato, parecia admirável, altivo, ao lado dos Conklings e Mortons,[2] dos Butlers e Randalls,[3] dos Chandlers,[4] dos Blaines e Boutwells[5] que planejaram, de modo ainda pior, nas cinzas de um país arruinado espiritual e fisicamente. Em pouco tempo, os reformadores compreenderam que o grande general Grant era um pateta atabalhoado. Estiveram concentrados nas virtudes abstratas e, agora, despertaram para ver que seus companheiros republicanos, os oligarcas do partido, tinham o propósito concreto de pilhar. A Montanha havia cedido ao Diretório. Diante do espetáculo de corrupção nacional, olharam, desamparados, por um

---

[2] Referência a Roscoe Conkling (1829-1888) e a Levi Parsons Morton (1824-1920), republicanos radicais aliados a Thaddeus Stevens. Conkling foi guarda-costas de Stevens e líder da facção "Stalwart" do Partido Republicano; Morton foi aliado de Conkling e o vigésimo segundo vice-presidente dos Estados Unidos. (N. T.)

[3] Referência a Benjamin Franklin Butler (1818-1893), um dos principais generais do exército da União durante a Guerra de Secessão e figura proeminente no *impeachment* do presidente Andrew Johnson (1808-1875) e a Samuel J. Randall (1828-1890), presidente da câmara de 1876-1881.

[4] Referência a Zachariah Chandler (1813-1879), um dos fundadores do Partido Republicano e Secretário de Interior do presidente Grant. (N. T.)

[5] Referência a James G. Blaine (1830-1893), um dos principais republicanos do século XIX, defensor da facção reformista moderada do partido conhecida como "Half-Breeds". Foi presidente da Câmara de 1869-1875 e, posteriormente, senador; e a George Sewall Boutwell (1818-1905), Secretário do Tesouro do governo do presidente Grant, governador e senador por Massachusetts. (N. T.)

tempo e, então, fizeram o que puderam para restaurar um padrão de decência. Entretanto, antes de que pudessem efetivar qualquer melhoria substancial, o Sul fora reduzido à pobreza econômica e de espírito, que ainda não recuperou, e a nação exposta a um regime egoísta que deixou marcas no caráter dos Estados Unidos. O Sul estava condenado a uma hipocrisia política permanente, de fato, ao tirar o direito de voto da população negra que a constituição emendada elevou à igualdade nominal, o Norte envenenou-se de avareza. Foi uma obra cruel, emendar as beiradas esfarrapadas; e se a emenda foi desajeitada, somente homens de talentos superiores poderiam retificar.

Mesmo após as feridas mais rubras da guerra e da Reconstrução terem começado a sarar, o estado da nação era desolador. Essa foi a época dos financistas exploradores, dos invencíveis chefes citadinos de William M. Tweed (1823-1878), o *primus inter pares*, e de toda confusão de oportunistas gananciosos que são o reverso da moeda do individualismo americano. Os capítulos serenos de James Bryce (1838-1922) em *The American Commonwealth* contam a história. Essa foi também a época de uma centralização econômica implacável, de uma padronização maçante e da devastação insaciável dos recursos naturais. Em pouco tempo, um público insultado começou a avivar um ressentimento forte, e logo moveu-se em ativo protesto; e esse público resolveu curar os males da democracia introduzindo um grau maior de democracia. Se o governo é corrupto – ora, o tornaremos totalmente popular: e assim, o último terço do século XIX experimenta a defesa exitosa dos dispositivos da democracia direta. A eleição dos juízes e dos funcionários públicos executivos, a abolição das últimas exceções ao sufrágio masculino universal, a revisão das constituições, as primárias diretas, a eleição popular dos senadores dos Estados Unidos, e logo, a iniciativa popular, o referendo e o *recall* – esses instrumentos de democracia extrema são propostos, exaltados e, gradualmente, aplicados. São projetados para purificar; mais comumente, tiram todo o valor do governo respeitável. A verdadeira responsabilidade partidária é quase destruída, de modo que os grupos de pressão ameaçam as legislaturas e os representantes imergem cada vez mais na condição de delegados. Tal democracia, embora direta no nome, é uma impostura: o verdadeiro poder é apresado por interesses especiais (exceto por movimentos de reforma esporádicos), por organizadores hábeis e pelos *lobbies*. Isso estava muitíssimo distante das visões do futuro americano da Nova Inglaterra.

Com o público cada vez mais irado com o logro e a exploração, o demagogo e o fantástico, e uma variedade de visionários econômicos e sociais, o que resta da verdadeira opinião conservadora, atemoriza-se. A ascensão de políticos ferozes, como Benjamin Tillman (1847-1918) nos estados sulistas, a ameaça dos populistas William Jennings Bryan (1860-1925) e do movimento Free Silver,[6] as greves tremendas que grassam durante a administração do único presidente forte e inteligente da época, Grover Cleveland (1837-1908): esses sintomas demonstram tanto que violação é contra-atacada por violação, bem como (nas palavras de Lowell) "a mudança fatal (para mim, triste) da população agrícola para a proletária". A América de Jefferson está tão eclipsada quanto a de John Adams; se a liberdade, a decência e a ordem tinham de ser conservadas, os homens pensantes deveriam lutar contra toda a tendência cega, brutal, de uma sociedade mecanizada.

Acresçamos a isso a popularização gradual das teorias de Charles Darwin (1809-1882), a influência crescente do positivismo e um espírito pragmático mais antigo que o pragmatismo, o triunfo dos jornais baratos e inescrupulosos: o problema da conservação moral dos padrões americanos, individualista, ambicioso, desdenhoso da limitação, que sempre fora uma argila inflexível para os defensores da tradição moldar em civilização. Nesse momento, ameaçava se tornar

---

[6] Importante questão da política monetária nos Estados Unidos do século XIX. Os defensores do movimento Free Silver [prata livre] defendiam uma política expansionista, caracterizada pela cunhagem ilimitada de prata em moeda, caso houvesse demanda. Essa mentalidade opunha-se ao padrão-ouro, adotado na época, em que havia uma oferta fixa de moeda. (N. T.)

quase anárquica, a cair na vala do atomismo espiritual. O que pode ser feito? Lowell especula com inquietação; Godkin flagela sua época no semanário *The Nation*, os quatro filhos de Charles Francis Adams tentam progredir nos densos negócios práticos, mas são repelidos, e Henry Adams e Brooks Adams esquadrinham, de maneira amarga, nas probabilidades do destino social.

2. AS PERPLEXIDADES DE JAMES RUSSELL LOWELL

Desmerecer James Russell Lowell tornou-se moda. Vernon Parrington o faz; e a obra *The American Democracy* [A Democracia Americana] de Harold Laski é o exemplar mais recente desse tratamento cavalheiresco.[7] James Lowell não tem um talento original. No entanto, como é civilizado e como é versátil! Quem quer que leia as cartas de Lowell provavelmente não o descarta, de modo sumário, e Leslie Stephen, perspicaz e erudito, tinha por ele profundo respeito. Lowell fundou a principal escola americana de crítica literária; era um poeta de alto talento, embora limitado; e representou o melhor da cultura da elite de Boston. Como estudioso da sociedade, é culpado por graves inconsistências e ambiguidades. Entretanto, sua vida transcorreu ao longo de uma era instável, da dinastia da Virgínia até a "Década de Malva", em 1890. Se não oferece quaisquer máximas políticas duradouras, ainda assim, melhor exemplifica a frustração do conservadorismo em sua época, duvidosa da democracia, duvidosa da industrialização, duvidosa acerca do futuro do povo americano.

No início da carreira, James Russell Lowell, como Benjamin Disraeli – mas de maneira mais séria que Disraeli – flertou com o radicalismo. Sua primeira poesia era deliberadamente radical:

---

[7] Vernon Parrington, *The Romantic Revolution in America*, p. 466-68; Harold Laski, *The American Democracy*. New York, 1948, p. 419-20.

Creio que nenhum poeta nessa época possa escrever muito do que é bom, a menos que desista dessa tendência. O radicalismo, agora e pela primeira vez, assumiu forma própria, distinta e reconhecida. Muito do seu espírito, como alcançaram os poetas nas épocas passadas (e da organização mais pura, não poderiam deixar de falhar em algo), era mais por instinto que por razão. Nunca foi visto, como o é agora, uma das duas grandes asas que sustentam o universo.[8]

Isso, divertidamente, insinua uma "poesia proletária" marxista na década de 1930. Algo desse radicalismo, todavia, se manteve: tornou-se um abolicionista inabalável e, embora nunca tenha se unido à facção mais radical desse conjunto, a mordacidade para com tudo o que provinha do Sul era implacável. Como quase todos os membros sensíveis da Nova Inglaterra, ficou estarrecido com a guerra do México e com os apetites sulistas que a provocaram; isso inspirou os *Bigelow Papers*, o início de sua reputação. Denunciou a escravidão, os princípios políticos sulistas e Jefferson Davis com uma virulência que os torna, hoje, desagradável leitura. Aliou-se a William Garrison, embora soubesse ser fanático por "insultar", como "todo líder da reforma". Os nortistas de consciência tinham motivos para se chocar com o tanto que ocorreu ao sul da linha Mason-Dixon, mas os sulistas tinham, igualmente, uma boa causa para se ressentir da intolerância arrogante da Nova Inglaterra; e a repulsa cega de Lowell, que sofreu bastante na Reconstrução, não caía bem a um discípulo de Burke.

James Russell Lowell sempre foi um admirador de Edmund Burke e confessou o próprio conservadorismo essencial: "Sempre fui um *tory* natural", escreveu com candura lúdica, para Thomas Hughes (1822-1896) em 1875, "e, na Inglaterra, seria convicto. Não desistiria de coisa alguma que nisso tivesse raiz, ainda que possa absorver o alimento dos cemitérios".[9] Nascido em uma antiga mansão na Tory

---

[8] *Letters of James Russell Lowell*, Charles Eliot Norton (ed.). London, 1894, I, p. 78-79.

[9] Idem. Ibidem, II, p. 153.

Row, em Cambridge, e criado segundo as ortodoxias da alta elite da Nova Inglaterra, permaneceu por todos os seus dias, em substância, um defensor da tradição moral e social, apesar das inconsistências, como o abolicionismo. "Conservador", regularmente, é um termo elogioso para Lowell. Em uma passagem como a seguinte, percebemos quão apaixonado estava pela filosofia e pelo estilo de Burke:

> Nenhum de nossos grandes poetas pode ser chamado popular em nenhum sentido exato da palavra, pois a poesia mais excelsa lida com os pensamentos e as emoções que habitam, como as mais raras algas-marinhas, nos limites duvidosos da costa entre nossa natureza humana, permanentemente divina e flutuante, enraizada numa, mas vivendo noutra, raras vezes revelada, e, contrariamente, visível apenas em momentos excepcionais de calma plena e clareza.[10]

Seu louvor a Abraham Lincoln (que muito colaborou para instituir uma veneração popular duradoura ao presidente) é o elogio do democrata conservador, um estadista conforme o coração de Edmund Burke, que combinava a disposição para preservar com a habilidade para reformar. É certa prova da apreensão católica de James Russell Lowell sobre a natureza humana, a propósito, a transcender o limitado elitismo neoinglês por vezes associado a seu nome, de que podia amar – quase adorar – esse político de Illinois, tão estranho a Cambridge. Quem quer que leia a primeira entrevista de Charles Francis Adams com o presidente Lincoln percebe o abismo de modos e de educação entre a Baía de Massachusetts e Springfield, Illinois.

> Entre as lições ensinadas pela Revolução Francesa não há uma mais triste ou mais surpreendente que esta: de que deveis fazer tudo pelas paixões dos homens, exceto um sistema político que funcione, e de que não há nada tão impiedoso e inconscientemente cruel como a sinceridade formulada em dogma. É sempre desmoralizante estender o domínio do sentimento sobre questões em que este não tem jurisdição legítima e, talvez, a tensão mais severa acerca do sr. Lincoln esteja em

---

[10] J. R. Lowell, *Among My Books*, II, p. 251.

resistir à tendência dos próprios apoiadores que concordam com os próprios desejos privados, ainda que se oponham totalmente às suas convicções do que poderia ser uma política ampla.[11]

Thomas Babington Macaulay não poderia ter dito melhor.

Ainda que, ele mesmo, nunca tenha sido um republicano radical, James Russell Lowell sempre esteve aliado aos elementos vingativos e virulentos do republicanismo até o *impeachment* do presidente Andrew Johnson (1808-1875) mostrar-lhe as profundezas do despeito e da vaidade arbitrária a que descia o Partido Republicano. Assim, um tanto envergonhado [pois detestava Andrew Johnson e William Henry Seward (1801-1872)], Lowell voltou-se para o elemento de reforma entre os republicanos e, como Godkin, passou muitos anos investindo contra os chefes das cidades e contra o clientelismo partidário, apresentando, muitas vezes, uma coragem extraordinária. O presidente Rutherford B. Hayes (1822-1893) tornou o professor Lowell ministro para a corte da Espanha e depois para a Inglaterra, para o que estava eminentemente qualificado, e algumas das reflexões mais interessantes do escritor surgiram nesses anos no estrangeiro. Entretanto, não podemos buscar em Lowell exposição consistente alguma de ideias conservadoras. Muito de sua época o atemorizava: a decadência dos costumes, a corrupção da moral, o descontentamento da população proletária, a mentalidade de massa que é consequência da vulgarização intelectual e da velocidade da comunicação, a alteração da vida americana por uma enxurrada de imigrantes. Suas soluções são hesitantes e vagas, mas as críticas, com frequência, resplendem de acuidade conservadora e de prudência.

"Sempre fui da convicção de que em uma democracia, os costumes são as únicas armas eficientes contra a faca Bowie," escreveu a um amigo, "a única coisa que nos salvará do barbarismo."[12] Depois

---

[11] J. R. Lowell, "Abraham Lincoln". In: *Political Essays*, p. 186.

[12] Carta de J. R. Lowell para Miss Norton, 4 de março de 1873. In: *Letters*, II, p. 103.

da Guerra de Secessão, a principal contribuição de James Russell Lowell para a política foi seu esforço para preservar os remanescentes de uma tradição cavalheiresca, desafiando a Era de Ouro. Talvez a melhor expressão de seu conservadorismo social seja a carta a Joel Benton (1832-1911) em 1876, quando Lowell fora alvo de um insulto, jornalístico e popular, violento, por ousar condenar Jim Fisk (1835-1872), "Boss" Tweed e suas criaturas, por ocasião do centenário dos Estados Unidos. O James Russell Lowell dos *Bigelow Papers*, de 1848, parecia acreditar que se somente o senador Daniel Webster (1782-1852), o procurador-geral Caleb Cushing (1800-1879) e outros conservadores fossem contidos, bem como o Sul forçado a obedecer aos comandos da consciência da Nova Inglaterra, um progresso moral infinito aguardava os Estados Unidos. Pré-requisitos alcançados, após a Guerra de Secessão, Lowell horrorizou-se com os resultados:

> O que me enche de dúvida e de desânimo é a degradação do tom moral. É ou não é resultado da democracia? É nosso "governo do povo, pelo povo, para o povo", ou, em vez disso, uma caquistocracia para beneficiar patifes à custa dos tolos? A democracia é, afinal, nada mais que um experimento como outro qualquer, e conheço um único modo de julgá-la – pelos resultados. A democracia, em si, não é mais sagrada que a monarquia. O homem é que é sagrado; seus deveres e oportunidades, não seus direitos, que hoje em dia precisam de reforço. É a honra, a justiça, a cultura, que tornam a liberdade inestimável, seria mais do que inútil se a liberdade só for expressa como vil e brutal [...]. E, enquanto viver, não escreverei odes natalícias ao rei Demos, mais do que escreveria ao rei Tronco, nem creria em *nosso* jargão mais sagrado que outro qualquer. Trabalhemos juntos (e a tarefa necessitará de todos nós) para tornar a democracia possível. Por certo, não é uma invenção que ande por si mesma, mais que o movimento perpétuo.[13]

Entretanto, como trabalhar juntos? Em parte, James Russell Lowell fazia menção aos dispositivos administrativos e purificadores que E. L. Godkin e Thomas W. Higginson (1823-1911) e o restante

---

[13] J. R. Lowell, *Letters*, II, p. 179.

tencionavam – um funcionalismo público capaz, a educação melhorada e uma consciência pública ativa. Às vezes, contudo, foi mais fundo. Para Thomas Hughes, escreveu acerca da viagem a Cincinnati, onde a visão de campos pacíficos ao longo da ferrovia o alegrou:

> Aqui, ao menos, houve um grande ganho para a soma da felicidade humana, por mais que possam existir coisas mais elevadas e mais nobres que tornam um país verdadeiramente habitável. Virão com o tempo, ou a democracia está condenada pela própria natureza a um nível mortal de lugar-comum? De qualquer modo, nosso experimento de inoculação de liberdade deve seguir o curso por toda a cristandade, e com resultado que o maior dos sábios não pode antever. Garantirá proteção somente das maiores doenças de originalidade?[14]

"Originalidade", a paixão pela novidade e pela experimentação intelectual se tornou cada vez mais repugnante para Lowell; receava a influência das ideias darwinistas; franzia o cenho para as pretensões de onisciência dos estudos físicos e biológicos. Assim como Burke, confiava nas reservas e no capital intelectual das eras.

> Creio que os evolucionistas, em breve, terão de fazer um fetiche de seu protoplasma. Tal disparate parece-me um substituto pobre para a capacidade de segurança em Deus – que entendo como um determinado conjunto de instintos superiores que a humanidade descobriu solidez sob os pés em todas as condições. De qualquer maneira, creio ser útil a moral da história do Barba Azul. Temos a chave posta em nossas mãos, mas há sempre uma porta que o mais prudente é não abrir.[15]

Exatamente. A maioria da humanidade, contudo, em oposição a Lowell, pareceu inclinada a violar aquele aposento fatal; as fechaduras foram arrombadas e todo o mistério velado foi violentamente lançado à luz do dia. Todos os elementos na sociedade, o próprio globo, parecia insubstancial. Ainda que a ordem natural estivesse em

---

[14] Idem. Ibidem, II, p. 194-95.
[15] Carta de J. R. Lowell para Miss Norton. In: *Letters*, II, p. 276.

questão, poderiam os homens esperar deixar a ordem social ser governada por meros usos consagrados? Lowell sabia como uma sanção geral para a continuidade social é importante para a civilização:

> Um dos cimentos sociais mais fortes é a convicção de que o estado de coisas em que nasceram é uma parte da ordem do universo, tão natural quanto, digamos, o Sol deva girar ao redor da Terra. É a convicção de que não se renderão, salvo por compulsão, e uma sociedade sábia deve cuidar para que essa compulsão não lhe seja imposta. Para o indivíduo não existe cura radical, fora da própria natureza humana, por conta dos males que a natureza humana é herdeira.[16]

Assim declarou Lowell no célebre discurso inglês sobre "Democracia". Um biógrafo recente de Lowell expõe as inconsistências e hesitações que arruínam esse discurso;[17] ainda assim é cravejado de reflexões que valem a pena recordar, entre elas, as observações sobre educação. Por estar o mundo moderno empestado de curiosidade indiscriminada, a educação, em si, realizaria algo pela conservação da ordem civilizada? Lorde Sherbrooke dissera aos ingleses para educar os futuros governantes. Mas, isso bastaria?

> Educar a inteligência é alargar o horizonte dos desejos e das necessidades. E é bom que assim seja. Entretanto, a empresa deve aprofundar-se e preparar as veredas para satisfazer os desejos e necessidades à medida que são legítimos.[18]

Assim, retornamos à questão desconfortável, "como?", e mais uma vez Lowell é um tanto evasivo. Com um toque de Disraeli, de fato, disse que "a democracia, no melhor sentido, é simplesmente deixar entrar ar e luz", e certa vez observou, de jeito bem similar, "o conforto habitual é a principal fortaleza do conservadorismo e da respeitabilidade, duas qualidades antiquadas para as quais todos os sentimentos mais

---

[16] J. R. Lowell, *Political and Literary Addresses*, p. 36.
[17] R. C. Beatty, *James Russell Lowell*, p. 275-78.
[18] J. R. Lowell, *Political and Literary Addresses*, p. 34-35.

refinados do mundo são apenas um substituto arrogante".[19] Daria ao proletariado que lastimava e temia uma participação na sociedade:

> O que realmente ameaça de modo perigoso a ordem existente das coisas não é a democracia (que, compreendida apropriadamente, é uma força conservadora), mas o socialismo que nela pode encontrar fulcro. Se não podemos equalizar as condições e fortunas mais do que podemos equalizar as mentes dos homens – e uma pessoa muito sagaz disse que "quando dois homens cavalgam, um deve cavalgar atrás" – podemos, ainda, talvez, fazer algo para corrigir aqueles métodos e influências que levam a enormes desigualdades e a prevenir seu crescimento ainda maior.

Ainda assim, silenciou quanto aos meios. Detestava os sindicatos trabalhistas; denunciou a legislação das oito horas de trabalho; sabia que "o socialismo estatal cortaria as próprias raízes do caráter pessoal". Em geral, Lowell tinha pouca habilidade como estadista prático; e a mesma falta de habilidade de compreender as atualidades políticas (bastante natural em um cavalheiro da elite de Boston que foi apartado da sociedade por nascimento pela "mudança de Nova Inglaterra para Nova Irlanda") é o defeito de seu último pronunciamento social importante *"The Place of Independent in Politics"* [O Lugar do Independente na Política], de 1888. Aí retorna à antipatia consistente ao partido, declarando: "Foi provado, creio, que os antigos partidos não são reformados desde seu interior". Entretanto, esse retrocesso à esperança simples de George Washington de um governo sem facções ignora a lição de Edmund Burke que deveria ser ensinada a todo estadista, de acordo com a qual, na falta de um verdadeiro partido, qualquer governo será capturado por um grupo oligárquico exclusivo ou pelo demagogo. Se os partidos não podem ser reformados a partir do interior, a democracia, provavelmente, não pode, absolutamente, ser reformada. A base sob os pés de Lowell era muito mais firme quando enunciava verdades literárias e gerais, como faz aqui nas observações a respeito de Burke como filósofo político:

---

[19] Carta de Lowell para Godkin, 10 de outubro de 1874. In: *Letters*, II, p. 150.

> Muitas mentes grandiosas e argutas especularam a respeito da política, da época de Aristóteles em diante, mas Burke foi o primeiro a iluminar o objeto de observação e pensar com a luz elétrica da imaginação. Voltou seu raio penetrante para o que parecia ser um caos nebuloso, confuso e oscilante, da natureza do homem e da experiência do homem e, aí descobriu, ao menos, a indicação, senão o esquema de uma ordem divina. O resultado é que suas obras estão repletas de profecia, algumas já cumpridas, outras, em via de cumprimento, visto que são são de sabedoria. Isso porque, para ele, a natureza humana era sempre o texto e a história do comentário.[20]

Embora em medida muito menor, alguns desses dons eram próprios de Lowell; e, segundo ele, ainda têm importância para o estudioso das ideias conservadoras. Nada é mais impróprio a um homem ao agradar aos eleitores do que ter educação superior, disse E. L. Godkin; e Godkin usou seu amigo Lowell como ilustração. Lowell era "tão patriótico quanto jamais foi um americano", um completo democrata; mas desafinava da multidão. O Ocidente nunca se ocupou dele; o *Tribune* de Nova York negou-lhe ser até mesmo um "bom americano" e o Partido Republicano, nele, escreveu "Ichabod".[21]

> A causa de tudo isso, realmente, eram padrões políticos diferentes dos deles. Viveu em uma república da razão primitiva, em que a legislação era elaborada por homens de primeira classe, aos quais as pessoas elegiam e seguiam. Numa república em que a multidão dizia aos legisladores o que fazer, nunca, realmente, sentiu-se em casa.[22]

A influência da mentalidade virginiana na política americana expirou na Guerra de Secessão; e a influência da mentalidade da Nova Inglaterra, que Lowell representou de modo tão eminente, enfraqueceu na Era de Ouro.

---

[20] J. R. Lowell, *Political and Literary Addresses*, p. 197.
[21] Termo empregado para expressar pesar pela glória passada. (N. T.)
[22] E. L. Godkin, *Problems of Modern Democracy*, p. 201.

3. GODKIN SOBRE A OPINIÃO DEMOCRÁTICA

> A ascensão da imprensa jornalística – concedendo a todo homem assuntos para algum tipo de opinião a respeito dos negócios públicos, e a oportunidade de dizer algo sobre eles, seja bem ou mal ponderado – teve, naturalmente, um efeito paralisante na política aristocrática e teria levado à derrocada dos Estados aristocráticos, mesmo se a Revolução Francesa nunca tivesse ocorrido [...]. Quando todo homem no Estado sabe, ou acha que sabe, o que tem de ser feito, o período do governo por pequenas minorias bem preparadas já findou.
>
> E. L. Godkin, *Unforseen Tendencies of Democracy*

Edwin Lawrence Godkin, um editor brilhante, passou a vida lutando com "a maior das dificuldades das grandes democracias, a dificuldade de comunicar à massa ideias e impulsos comuns". Na juventude, uma estrela ascendente entre os liberais ingleses, E. L. Godkin transferiu seus talentos excelsos e severos para os Estados Unidos, tornando o semanário *The Nation* uma força nessa terra, influenciando James Russell Lowell, juntando forças com os filhos de Charles Francis Adams, com Thomas W. Higginson e Charles Eliot Norton, e com os reformadores conservadores que fizeram o melhor para aviltar os corruptores do ideal democrático. Pensador na linha *whig* de Thomas Babington Macaulay, tão perspicaz como crítico quanto profeta, o adversário insolente das tarifas protecionistas, do socialismo e de todas as outras afrontas à economia política manchesteriana, esperava auxiliar na redenção do país que adotara e no grande ideal de democracia esclarecida; seu instrumento era uma imprensa "séria, decorosa e madura" como a da Inglaterra, para contrabalançar a puerilidade e frivolidade dos jornais populares americanos. Por certo, a imprensa jornalística da Era de Ouro era bastante ruim; mas era possível ser pior e, como observa Henry Steele Commager (1902-1998) acerca de Godkin:

> Viveu para ver o advento da "imprensa marrom, que acreditou ser a abordagem mais próxima do Inferno em qualquer Estado cristão" e

um "canalha com vários milhões de dólares à disposição" que supunha ditar as políticas da nação; mas era demasiado orgulhoso para seguir para onde levavam os Pulitzer e os Hearst. Aposentou-se na virada do século, sereno, de certo modo, mas derrotado por ver o jornalismo vulgarizado, a "civilização-cromo", que outrora ridicularizou o triunfo e, o país que adotara, a embarcar por cursos de conquista que cria desastrosos. Tipos tais como ele não seriam mais vistos.[23]

A esperança de voltar a imprensa popular para os objetivos conservadores da velha respeitabilidade e dos antigos ideais, dificilmente termina. A principal aspiração de Henry Adams era a editoria de um diário em Nova York e, uma vez não alcançado, Adams recaiu na certeza do próprio fracasso total, aparentemente, sem tomar ciência da influência definitiva de sua missão presente nas classes sociais, que seria maior do que qualquer possível efeito da frustrada missão efêmera com as massas. O conservadorismo social sadio – se, por vezes, errático – de homens como E. L. Godkin, Henry Adams, L. P. Curtis, e Theodore Roosevelt (1858-1919) deu azo, em ambos os lados do oceano, à histeria calculada de Joseph Pulitzer (1847-1911) e de William Randolph Hearst (1863-1951), ao conservadorismo político nominal e à efetiva desmoralização social de Alfred Charles William Harmsworth (1865-1922), 1º Visconde de Northcliffe, e de Harold Sidney Harmsworth (1868-1940), 1º Visconde de Rothermere. Entretanto, que alguns jornais decentes sobreviveriam em uma época de emoções de massa, que a imprensa ainda poderia ser, de vez em quando, a preceptora bem como a sedutora da opinião pública, é, em parte, o legado da crítica e dos padrões de Godkin. O seu semanário *The Nation*, após uma sucessão interessante de editores, ainda perdura, embora atualmente como a voz áspera de um coletivismo sentimental que é quase tudo o que Godkin detestava. O governo de pessoas com graduação superior era a esperança, um tanto melancólica, de Godkin

---

[23] H. S. Commager, *The American Mind: An Interpretation of American Thought and Character since the 1880's*. Yale University Press, 1959, p. 68.

para o futuro da democracia; "homens educados em uma democracia" no velho estilo sobre os quais Godkin sempre escrevia – dificilmente não são mais que sombras, agora – em parte, por causa das reformas educacionais efetuadas pelo aliado de Godkin, o chanceler de Harvard, Charles William Eliot (1834-1926), e por homens de sua mentalidade utilitária. De algum modo, contudo, os Estados Unidos cometeram um grave erro; o espetáculo da corrupção pública, embora desalentador, na verdade não é perceptivelmente pior que nos dias de Godkin, e as decisões das assembleias públicas não são muito mais perigosas do que foram durante o último terço do século XIX. Ninguém pode dizer quanto Godkin e seus companheiros têm relação com o avivamento da consciência pública que manteve o crime e as tolices, em certo grau, sob fiscalização, mas é certo que tiveram parte nisso.

Provavelmente, o ensaio de E. L. Godkin *"The Growth and Expression of Public Opinion"* [O Crescimento e Expressão da Opinião Pública] é a contribuição mais pungente à análise da sociedade moderna. Ao aceitar a democracia como natural e inescapável – expressando confiança em sua permanência, fato que a experiência do século XX provou ser mal fundamentada –, o editor reformista, vez ou outra, respondia com agudeza a algumas das restrições ao governo popular desenvolvidas por Alexis de Tocqueville, por Henry Maine e por W. E. H. Lecky. Era tão imprudente ao prever que "provavelmente o mundo não verá outro ditador eleito por séculos, se é que algum dia verá"[24]; temia, não a dissolução da democracia, mas, melhor, a degradação, a consequência da mediocridade geral na mente e no caráter desviarem-se, de maneira desconcertante, pelo labirinto da sociedade civil. "A característica que realmente causa alarme e se relaciona ao crescimento da democracia é que não parece preparar-se para o governo desse Novo Mundo."

Do mesmo modo que o público leitor moderno sofre de uma incapacidade crescente de atenção contínua, o povo, igualmente, sofre de

---

[24] E. L. Godkin, *Unforeseen Tendencies of Democracy*. Boston, 1893, p. 138.

tédio crônico com a política, e apenas vez ou outra é estimulado à ação – e, então, o comum é um agir ignorante. Proporcionar um governo em que o povo não tenha o necessário faz com que surja o chefe e a máquina, aliados aos criminosos e aos monumentais parasitas do povo; e, embora as pessoas possam ficar vagamente desgostosas e descontentes com esse desgoverno, o ressentimento raras vezes importa em mais do que "o balanço do pêndulo" – o que dificilmente permite a um partido mais de um mandato no governo, sendo substituído por homens da mesma estirpe. As democracias tendem a desconsiderar ou a invejar a aptidão especial e, assim, excluir do governo os líderes naturais; e, em particular, na América, falta uma grande classe que ofereça comando:

> A ausência de algo que possamos chamar sociedade, ou seja, a combinação de riqueza e cultura nas mesmas pessoas, em todas as grandes cidades americanas, à exceção, possivelmente, de Boston, é uma das características mais marcantes e notáveis de nossos tempos.[25]

O marasmo de razão e decência no governo é quase completo no Estado moderno, uma vez que este está despojado, na opinião popular, daqueles elementos de consagração e veneração que Edmund Burke cria indispensáveis à ordem.

> O Estado perdeu, por completo, aos olhos da multidão, a autoridade moral e intelectual que outrora tivera. Não mais representa Deus na Terra. Nos países democráticos, representa o partido que assegurou mais votos na última eleição e é, em muitos casos, administrado por homens que ninguém tornaria guardiões dos filhos ou administradores de suas propriedades. Quando leio os relatos feitos pelas jovens celebridades da escola histórica do futuro glorioso que nos espera, assim que alcancemos o montante apropriado de intervenção estatal em nossos interesses privados para o benefício das massas, e nos lembrarmos que, em Nova York, o "Estado" consiste na legislatura de Albany sob o comando do governador D. B. Hill (1843-1910) e, na cidade de Nova

---

[25] E. L. Godkin, *Problems of Modern Democracy*. New York, 1898, p. 325.

York, na pequena facção política *Tammany*, conhecida como "os quatro grandes", confesso que fico azul de espanto.[26]

Até mesmo um Estado saqueado e maltratado, destituído de blindagem moral, seria tolerável se a única atividade do governo estivesse confinada aos antigos limites. No entanto, as populações modernas, às quais a impressão popular outorgou conjecturar sem conhecimento, estão decididas a ampliar imensuravelmente as funções do governo além dos antigos deveres de defesa e manutenção da ordem interna; pois o público agora está fascinado com a possibilidade de obter o indispensável e os confortos por intermédio da ação do Estado, mesmo se excluem aquelas liberdades que, dantes, ressoavam como um grito de guerra. Apetites econômicos, agora os mestres de todas as classes, faziam o público tender a exigir um regime paternalista; encorajaram uma variedade de fantasias utópicas baratas, tão populares quanto vulgares; levaram, quase invariavelmente, à manipulação do valor da moeda pelo Estado, com consequente inflação e insegurança, que são desculpas para o gasto público copioso; tornaram a questão trabalhista duplamente perigosa; e a ilusão geral, já desanimadora, de que a prosperidade depende da ação do governo, leva ao socialismo – não de todo vitorioso –, e a uma pobreza comum de corpo e de mente disfarçada de gratificação comum.

> A regra dos muitos sempre deve ser a regra dos comparativamente pobres e, nessa era do mundo, os pobres deixaram de estar satisfeitos com a pobreza. Buscam riqueza e, nos tempos em que a riqueza se acumula célere, buscam-na com avidez. Não podemos mudar esse estado de coisas. Devemos encarar o problema como se nos apresenta. O problema não hesito em dizer, o grande problema do governo em todo país civilizado –, é como manter a riqueza sujeita à lei; como evitar que conduza as eleições, pondo suas criaturas no banco dos réus ou movendo esquadras e exércitos para forçar a paridade de títulos usurários.[27]

---

[26] Idem. Ibidem, p. 173-74.
[27] Idem. Ibidem, p. 109-10.

Governos corruptos e estúpidos podem ser tolerados quando suas atividades estão confinadas pelos usos consagrados a uma esfera pequena e determinada, nessa época de engrandecimento; contudo, governos estúpidos e corruptos nos conduzem, de modo precipitado, para a luta de classes e para a anarquia internacional.

O que pode ser feito para restringir esses apetites e expurgar a sociedade de suas dores? O remédio de E. L. Godkin, assim como seu diagnóstico, padece da preocupação com as questões econômicas e políticas, no sentido mais estrito: como quase toda sua escola filosófica, como Thomas Babington Macaulay e John Stuart Mill, pode fugir do legado limitado da tradição racionalista somente em momentos raros; muitas vezes parece pensar na sociedade como uma máquina, eficiente ou ineficiente, que pode ser danificada ou consertada por determinadas operações técnicas. Ainda assim, não ignora a complexidade dessas questões; não cultiva a ilusão agradável, tão comum na América, de que todo problema tem uma solução simples se os homens souberem como conseguir acertá-lo ou de que todo problema tem, de algum modo, uma solução. Por exemplo:

> O problema do trabalho é, na realidade, o problema de tornar os trabalhadores manuais do mundo felizes com a parte que lhes cabe. Em meu juízo, esse é um problema insolúvel. Nenhuma descoberta ou invenção jamais o solucionará, enquanto a população continuar a pressionar cada vez mais pelos produtos da indústria humana disponíveis. As causas da insatisfação das massas com a própria condição podem mudar de uma época para outra, mas a insatisfação continuará, e a culpa sempre será posta nos que têm uma parcela de bens terrenos maior que a dos outros.[28]

Godkin defendia certos remédios práticos, que agora parecem demasiado absurdos pela inadequação, mas, de vez em quando, mostra-se consciente de que a eficácia depende de uma condição moral que

---

[28] Idem Ibidem, p. 193.

contraria a maioria dos desejos modernos e que pode ser verificada, se é que pode ser, somente por um senso de dever que no publicista, no professor e no líder partidário se aproxima da sagração religiosa.

As soluções imediatas ou paliativos de Godkin eram a reforma do funcionalismo público, o referendo, a iniciativa, a convenção constitucional frequente e a possibilidade de que a falha dos governos no manejo da economia provocaria a restauração do *laissez-faire*:

> Não busco o aprimoramento em qualidade das legislaturas democráticas em qualquer período moderado. O que acredito que as sociedades democráticas farão para melhorar o governo, para estar mais bem preparadas a proteger a propriedade e para preservar a ordem será restringir o poder dessas assembleias e diminuir os assentos, utilizando o referendo de modo mais livre na produção de leis realmente importantes. Pouco duvido que, após se passarem muitos anos, o povo americano adquirirá um governo mais amplo das convenções constitucionais e confinará as legislaturas dentro de limites muito estritos, fazendo com que se reúnam em raros intervalos [...]. Após a experiência de pouquíssimos anos, a passagem da questão monetária, que começou agora, para o gerenciamento do sufrágio popular, a qualidade do curso legal da moeda, nesse momento, por trás de todo o problema, será abolida e o dever do governo ficará restrito apenas a pesá-la e cunhá-la.[29]

Bem, isso é sacar com anzol o Leviatã, e Godkin, com toda a leitura de Burke e Tocqueville, nunca teve olho de profeta. Mesmo assim, essa parecia ser a tendência da época: a iniciativa, o referendo, o *recall* e toda uma série de instrumentos para remediar a democracia com mais democracia espalhava-se na América – e, desde então, têm sido visíveis, principalmente por abuso ou negligência moribunda. Serviram melhor ao chefe inescrupuloso ou ao manipulador político do que ao reformador; sendo ainda mais fácil persuadir os homens a assinar petições que dominar uma convenção partidária. Mesmo a

---

[29] Idem. Ibidem, p. 297-98.

pragmática América desaprovou a ideia de gerir os negócios políticos ordinários pelo remédio extremo de convenções constitucionais. Galgar posições no funcionalismo público com base em testes não afeta os principais poderes e nem os feitos desejáveis do governo e, longe de tirar autoridade das mãos do Estado, as pessoas permitiram, somente com um murmúrio acidental, a concentração de novos poderes na esfera executiva. Moedas gerenciadas tiveram êxito ao obliterar qualquer padrão de valor fixo; em vez de se submeterem ao ouro, tornaram-no cativo. Examinar com mais detalhe o erro das propostas de Godkin seria tedioso e maçante. Ele mesmo perdeu, nelas, a fé e, privadamente, confessou a Charles Eliot Norton, em 1895:

> Vês que não sou otimista sobre o futuro da democracia. Creio que teremos um longo período de declínio como o que se seguiu à queda do Império Romano e, então, uma recrudescência de alguma outra forma de sociedade. Nossas tendências atuais nessa direção estão ocultas por um grande progresso nacional.[30]

As limitações de Godkin eram as limitações de toda escola dos liberais "clássicos" do século XIX sempre que tentavam ser conservadores e examinar a corrente de inovação que, bem pouco antes, os impelira à posição de eminência intelectual. Assim como Lorde John Russell, todos ansiavam por finalidade, mas a industrialização, a democracia e a complexa corrente de desejos populares romperam os mecanismos das qualificações eleitorais e os engenhosos e mal-acabados artifícios políticos. O liberalismo era cria de uma "razoabilidade" honesta, embora, por vezes, míope; da presunção de que a sociedade seria induzida a seguir cursos estritamente lógicos e práticos. Quando as multidões insistiam em permanecer irrazoáveis, os liberais se afundavam nas águas ferozes que, por erro, tinham acreditado ser água represada. Godkin, que por descendência intelectual de modo algum

---

[30] Rollo Ogden, *Life and Letters of Edwin Lawrence Godkin*, II. New York, 1907, p. 199.

era um conservador, ter sido o oponente da inovação mais respeitável da Era de Ouro é prova bastante do esgotamento funesto que o conservadorismo americano sofreu naqueles anos difíceis.

Ainda assim, seria errado supor que Godkin era um fracasso. Percebeu a verdadeira natureza da opinião pública moderna, aquela enorme criatura desajeitada, faminta por algo para satisfazer o desejo engendrado pela própria alfabetização nominal. Godkin tentou, com coragem e perseverança, tornar a imprensa um instrumento de purificação política e uma disseminadora de bom gosto, para instituir um princípio moral no império do jornalismo. No entanto, quatro meses antes de morrer, escreveu a Norton:

> O grande lugar que prometemos ocupar no mundo parece estar totalmente fora do alcance [...]. O pior é que a imprensa barata se tornou o grande auxílio e apoio em todas essas coisas. De modo algum se tornou, como seria esperado, uma mestra de costumes melhores e de leis mais puras.[31]

Caso o jornalismo, em geral, tenha se tornado o que Arthur Machen (1863-1947) certa vez chamou de "aquele negócio amaldiçoadamente vil", ainda existem publicações que lembram Godkin e homens como ele. E, o que seria de nós sem eles?

Para uma análise mais penetrante da sociedade moderna, todavia – para reconhecer que a política é apenas a pele do ser social – precisamos sair da "Nova Jerusalém do *The Nation*" e nos voltarmos a dois irmãos frustrados, Henry Adams e Brooks Adams. O amigo E. L. Godkin até o fim teve esperanças de que ao abrir alguma comporta, ao recorrer a uma bomba, a corrente da época poderia ser compelida a voltar ao reservatório de opinião democrática. A quarta geração da estirpe dos Adams, convicta, após uma breve experiência de vida de que a razão e a benevolência não regem a humanidade, começou a investigar aquelas leis da força que estavam a precipitar toda a civilização

---

[31] Idem. Ibidem, II, p. 253.

para a catástrofe. "Os homens, todos os anos, tornam-se, mais e mais criaturas de força, aglomeradas ao redor de centrais de energia", escreveu Henry Adams, velho e solitário em Washington, a cidade que Joseph De Maistre declarara (com mais verdade do que perceberam os detratores) nunca ter se tornado uma verdadeira comunidade. Sob os olhos baços, e talvez imbecis, do mundo, Godkin tentara agraciar com uma visão clara. Os poucos milhares de leitores do *The Nation* de Godkin, as poucas centenas de Lowell e da *North America Review* dos Adams deixaram de constituir a opinião pública ou mesmo de, possivelmente, moldar a opinião pública em qualquer sentido direto. "A sociedade riu-se, com escárnio vago e sem sentido, do próprio fracasso", disse Adams; o instinto conservador abandonou a aspiração de controlar a sociedade; buscava somente compreendê-la.

4. HENRY ADAMS SOBRE A DEGRADAÇÃO DO DOGMA DEMOCRÁTICO

> Hoje termina, percebo, o período áureo de nossa sociedade e oferece o *coup de grace*. Devemos agora nos fortalecer para lutar pelo ouro. A menos que eu e ti estejamos em total erro, essa batalha tem de quebrar muito da antiga louça e do *bric-à-brac*, e limpar o campo para alguma nova variedade de homem social, político e econômico. Tardiamente, tendi a ver nisso a compulsão que é suprimir ainda mais o individual e tornar a sociedade ainda mais centralizada e automática, mas a diversão está no processo e não no resultado. O processo faz uma aposta justa, longa o bastante para nos dar mais de uma vida inteira de diversão.
>
> Henry Adams para Brooks Adams, 23 de outubro de 1897

Não gostar de Henry Adams é fácil. Cheio da censura, característica tão proeminente em seus grandes antepassados, impiedosamente ingênuo na avaliação de todos, sempre escarnecendo, até mesmo do que mais amava, perfeitamente certo de que seu bisavô, seu avô e seu pai estiveram firmemente corretos e de que os adversários afundaram-se em ilusão ou em hipocrisia – mas sem acreditar em nenhuma outra certeza –, esse homem macambúzio, porém engraçado, a quem Albert Jay Nock (1870-1945) chamou de o mais talentoso de todos os da família Adams, é a pessoa mais irritante nas letras americanas; o escritor mais exasperador, o melhor historiador e um dos críticos de ideias mais argutos. A melhor cura da contrariedade para com Henry Adams é ler seus detratores, pois contra a pilhéria olímpica diante de um mundo moribundo e sua verdadeira modéstia interior, suas críticas iradas e trocadilhos oferecem um alívio que apresenta a erudição e inteligência de Adams como nenhuma dose de adulação poderia fazer.

Poderia ser levantada a hipótese de Henry Adams representar o zênite da civilização americana. Inconfundível e beligerantemente americano, o produto final de quatro gerações de retidão excepcional e inteligência notável. Muito provavelmente (apesar da autobiografia) o homem mais bem-educado que a sociedade americana produziu, Adams conhecia a história da Europa medieval tão bem quanto conhecia a administração de Thomas Jefferson, entendia de Japão e dos Mares do Sul assim como entendia do caráter da Nova Inglaterra, e percebeu, como nenhum outro americano de sua geração, a influência catastrófica que a ciência moderna exerceria sobre a mentalidade e sociedade do século XX. No entanto, o produto desses grandes dons foi um pessimismo profundo e implacável, como o de Arthur Schopenhauer (1788-1860), intensificado pelo longo exame e rejeição completa das aspirações populares americanas. O conservadorismo de Henry Adams é a visão de um homem que contempla diante de si um declive íngreme e terrível, do qual não há como retornar: podemos ter tempo livre para rememorar a nobreza passada; de vez em quando, podemos executar a tarefa de retardar a humanidade por um momento nessa descida, mas o fim não nos escapará.

Em qualquer relato do conservadorismo americano, a estirpe dos Adams e o Harvard College devem ocupar, de modo notável, um espaço desproporcional diante das coisas. Entretanto, podemos dizer, sem exagero, que essa família e esse *college foram* a mentalidade conservadora, ao menos no Norte. Henry Adams e Brooks Adams transmitiram, diretamente para a triunfante América imperial de 1918, a tradição conservadora, corajosa e presciente que John Adams instituiu nos dias do massacre de Boston. Harvard, no final do século XIX e no começo do século XX, manifesta em Henry Adams, Charles Eliot Norton, Barrett Wendell (1855-1921), George Santayana e Irving Babbitt, o legado do republicanismo, conservadorismo americano que era uma das faces do gênio da Nova Inglaterra. Como professor de História em Harvard, por poucos anos, e editor da *North American Review*, Adams exerceu na mentalidade americana uma influência que ainda é discernível, a começar por seus pupilos e discípulos como Henry Osborn Taylor (1856-1941), Henry Cabot Lodge (1850-1924), Ralph Adams Cram (1863-1942) e que se estende, agora, em certo grau, para toda universidade e *college* respeitáveis da América, mas esse era o tipo de influência que pouco importava a Adams; inicialmente esperava tornar-se o líder de uma sociedade política por intermédio da lei e, depois, por meio da imprensa; malogrado em ambas as aspirações, voltou-se para Chartres e para o século XIII em busca de consolo. "Há duas coisas que parecem estar no âmago de nossas constituições", escreveu em 1858, de Berlim, para Charles Francis Adams Jr. (1835-1915). "Uma é a tendência contínua para a política; a outra, o orgulho familiar; e é estranho como esses dois sentimentos transpassam todos nós." Cinquenta e três anos depois, estava claro para Henry Adams como tanto a realização política, bem como a gratificação do orgulho familiar desapontaram a quarta geração dessa família.

> Sempre acreditei que Ulysses S. Grant destruiu minha vida e que a última esperança ou oportunidade de elevar a sociedade novamente para um plano elevado razoável. A administração de Grant é, para mim, linha divisória entre o que esperamos e o que temos.[32]

---

[32] H. Adams, *Letters of Henry Adams*, 2 vols. Boston/New York, 1930, 1938, I, 5; II, p. 575-76.

Na Era de Ouro e nas consequências, um Adams não poderia liderar com sucesso ou servir com honra.

Quais são as fontes da corrupção monstruosa da vida moderna, a doença que Henry Adams detectou na Inglaterra e no continente e na comparativamente inocente civilização americana? Passou metade da vida fazendo essa pergunta. Quando muito jovem, na missão diplomática em Londres, Henry Adams leu John Stuart Mill, Alexis de Tocqueville e outros liberais e, pouco tempo depois, Auguste Comte e Karl Marx; mas, embora esses autores tenham deixado vestígios em Adams, descartou os liberais com um sorriso irônico, manteve de Comte somente a ideia de fase e observou, a respeito de Marx: "Creio que nunca me deparei com um livro que tanto ensinou e do qual discordei tão radicalmente nas conclusões".[33] Suas convicções foram ideias herdadas, substancialmente as convicções de seu bisavô John Adams e de seu avô John Quincy Adams. A sua obra *History of The United States During the Administrations of Jefferson and Madison* [História dos Estados Unidos Durante as Administrações de Jefferson e Madison], em estilo e método é o melhor trabalho histórico feito por um americano. Emite um juízo sobre aqueles anos fatídicos com a aversão imparcial de seu bisavô e de seu avô pelos jeffersonianos, bem como pelos federalistas hamiltonianos; seu romance *Democracy* [Democracia] expressa o grande desprezo do clã Adams por uma nação liderada por Blaines e Conklings a viver numa mentira complexa. O que está errado com essa sociedade, cujos dons mancham e deformam o caráter de Theodore Roosevelt ou de W. H. Taft (1857-1930), depreciando até mesmo John Hay (1838-1905), seu amigo íntimo? Henry Adams rejeitou as respostas populares a essa questão, assim como rejeitou as especificidades populares; e, ao voltar-se, como seus ancestrais, para a ciência e para a história, em busca de esclarecimento, e viu estar em ação, nos tempos modernos, os estágios culminantes de um processo tremendo e impessoal de degradação, que começou séculos antes e foi marcado, na época

---

[33] *Letters of Adams*, II, p. 49.

dele, pelo triunfo do padrão ouro sobre o padrão prata como medida de valor e demonstraria resistência estrondosa contra mais consolidação e centralização, até que o socialismo ascendesse em todos os lugares; então, socialismo e civilização apodreceriam.

"A política moderna é, no fundo, uma luta, não de homens, mas de forças", escreveu na obra *Education* [Educação]. "O conflito não é mais entre os homens, mas entre os motores que guiam os homens, e os homens tendem a sucumbir às próprias forças motrizes."[34] Por séculos, a sociedade procurou freneticamente a centralização, a humilhação e um poder físico incalculável; agora, todas essas coisas estão perto de ser alcançadas e significam o fim da vida civilizada. Uma vez que o homem tenha se afastado do ideal do poder espiritual, a Virgem, para o ideal do poder físico, o dínamo, a condenação está assegurada. A fé e a beleza do século XIII, esse descendente de puritanos afirmou, fez dessa era o período mais nobre da humanidade; só podia imaginar um estado de sociedade pior que a regra dos capitalistas do século XIX – a regra vindoura dos sindicatos no século XX.

A lealdade de Henry Adams à mente e ao coração do século XIII o expôs a uma saraivada de críticas, algumas argutas, algumas rasas. A ideia ingênua, propagada por certos historiadores da mentalidade americana, de que Adams ignorou ou ignorava a desordem e o pavor físico daquela época, estaria abaixo do desprezo de Adams: desde então, não há homem que possa ensinar história medieval a Henry Adams. Conhecia perfeitamente o perigo e o desconforto da Idade Média; e sabia igualmente bem que a felicidade depende mais de uma mente e consciência tranquilas que de circunstâncias materiais: "transformou a Idade Média por um processo de falsificação sutil em um símbolo da própria saudade dos últimos dias da Nova Inglaterra", escreveu Yvor Winters;[35] mas se essa acusação é mais

---

[34] *The Education of Henry Adams*. Boston, 1918, p. 421-22.
[35] Yvor Winters, *In Defense of Reason*. New York, 1947, p. 173.

bem fundamentada que a de seu predecessor, ainda continua vaga; e Paul Elmer More inflige um golpe ainda mais sério quando especula a respeito de *Mont-Saint-Michel and Chartres*:

> Há uma analogia fatal entre a irresponsabilidade da força irracional e a do amor irracional; e os deuses de Friedrich Nietzsche (1844-1900) e de Liev Tolstói (1828-1900) nada são senão as duas faces de um deus. Para mudar a metáfora, se puder fazê-lo sem desrespeito, a imagem na Catedral de Chartres parece, perigosamente, o antigo ídolo de Dino adornado de anáguas.[36]

Henry Adams não percebeu nada além do Turbilhão, mesmo em Chartres? "Sou a diluição de uma mistura de Lorde Kelvin (1824-1907) e de Santo Tomás de Aquino (1225-1274)", disse para seu irmão mais novo, Brooks Adams. A dúvida torturante de seu avô John Quincy Adams acerca da existência da Providência e do Propósito parecia ter condenado as gerações subsequentes da família dos Adams a um ceticismo relutante hereditário, uma maldição de Maule[37] mais maligna que o encantamento lançado sobre a Casa das Sete Torres. (É curioso que o "general" Alexander Hamilton foi, para eles, o instrumento inicial da confusão, o general Andrew Jackson, o agente da desilusão, e o general Ulysses S. Grant, o que confirmou totalmente o ceticismo). Ainda, a fé não fora nada além de uma ilusão encantadora, até mesmo na época de Santo Tomás de Aquino, mesmo assim, fora uma ilusão benéfica, sugeriu Henry Adams. A isso sucedeu um culto da força ainda mais ilusório, por volta de 1900, encarnado nos dínamos da exposição de Paris. "Minha crença é que a ciência nos destruirá e que somos como símios macaqueando ao redor de uma casca vazia", escreveu para Brooks Adams em 1902.[38]

---

[36] P. E. More, *Shelburne Essays*, XI, p. 140.

[37] Ver nota 21, na p. 396, no cap. VII do presente livro. (N. T.)

[38] *Henry Adams and His Friends: A Collection of His Unpublished Letters*. Boston, 1947, p. 529.

O declínio da convicção religiosa e da cristandade que a sustentava, terminou em uma "sociedade de judeus e intermediários"; o truste era instrumento para converter os remanescentes da antiga comunidade livre, pela qual lutaram os Adams, em uma consolidação completa de um estado monolítico; e o déspota, o anarquista e o lobista do padrão ouro são todos parceiros do truste. O próximo estágio da sociedade seria a "russianização econômica"; embora já fosse vista com desconfiança e, como a vitória final da centralização, a individualidade seria de todo suprimida. O socialismo de Estado era quase inevitável e totalmente odioso; venceria o capitalismo por ser mais reles; e a vida moderna sempre recompensa o banal. O confisco pelo Estado, que o começo poderia ser diferenciado nos deveres pesados, estava distante apenas a poucas gerações. O trabalho, ao ganhar rapidamente domínio sobre os capitalistas, chantagearia a sociedade até que a antiga ordem estivesse bastante apagada.

> Sustento que [...] em princípios, já chegamos ao fundo – ou seja, ao grande oceano equipotencial – e não podemos ir além. Provo isso pelo fato de viver aqui em Paris ou aí, em Washington, à mercê de qualquer socialista maldito ou parlamentar, ou assessor da receita, e não posso nem entrar no porto de Nova York sem ser chutado, algemado e cuspido por um empregado sujo de um gigolô judeu ainda mais sujo que se autoproclama cobrador de impostos, diante do qual toda a multidão de cidadãos americanos tem de se ajoelhar voluntariamente.

O impulso governante da humanidade moderna, na verdade, as próprias leis dos fenômenos naturais determinaram esse fim. Como "conservador cristão anarquista", modo extravagante de se chamar, Henry Adams lutou contra essa tendência, de maneira mais ardente em 1893, na questão da prata. "Pensou, provavelmente, ser sua última chance de tomar partido dos princípios do século XVIII, a interpretação estrita, os poderes limitados, George Washington, John Adams e o restante."[39]

---

[39] *The Education of Henry Adams*. Op. cit., p. 335.

O ouro derrotou a prata, como o truste e os socialistas (na realidade, as mesmas pessoas sob denominações diferentes) estavam esmagando a personalidade individual.

> A atração do poder mecânico já deturpou a mentalidade americana em um processo semelhante ao de um guincho [...]. A teoria mecânica, em grande parte aceita pela ciência, parece exigir que a lei da massa deva reger.[40]

Os capitalistas, ao expirar no momento do triunfo, devem se submeter, por sua vez, a uma força maior. "É o socialista – e não o capitalista – quem nos engolirá a seguir e, dos dois, prefiro o judeu."[41] A sociedade, em suma, obedece a Lei de Gresham (como Albert Jay Nock, mais tarde, expõe): o ordinário expulsa o que é dispendioso e, a longo prazo, a própria civilização será demasiado dispendiosa para sobreviver.

O processo de degradação, nesse momento, estava deveras adiantado para qualquer esforço de vontade dificultar seu curso. Por uns 2500 anos essa evolução nos conduziu quase ao fim das coisas, escreveu a Brooks Adams em 1899:

> Dê-lhe mais duas gerações antes que fique em pedaços, ou comece a despedaçar-se. Isso significa dizer, duas gerações devem saturar o mundo de população e deve exaurir todas as minas. Quando chegar o momento, a decadência econômica ou a decadência de uma civilização econômica deverá chegar.[42]

Os recursos da natureza, assim como os do espírito, estão a se esgotar, e tudo o que o homem consciencioso deve aspirar é ser um conservador ao pé da letra, ajuntando o que resta da cultura e da riqueza natural contra os apetites ferozes da vida moderna. Toda a ideia de progresso, seja a teoria cogitada pelo velho inimigo de John

---

[40] Idem. Ibidem, p. 501.

[41] *Henry Adams and His Friends*. Op. cit. p. 438.

[42] Idem. Ibidem, p. 463.

Adams, o Marquês de Condorcet, ou a versão biológica dos darwinistas foram disparates.

> Que, dois mil anos após Alexandre, *o Grande* (356-323 a.C.) e Julio César (100-44 a.C.), um homem como Ulysses S. Grant seja chamado – ou seja, efetiva e verdadeiramente – o produto mais excelso da evolução mais adiantada, tornou a evolução caricata. Alguém tem de ser tão lugar-comum quanto os próprios lugares-comuns de Grant para defender tal absurdo. O progresso da evolução, do presidente Washington ao presidente Grant, basta para aborrecer Darwin.[43]

E a própria aquisição de conhecimento científico do homem estava se tornando o instrumento de sua destruição moral e física. A descoberta da natureza do rádio, em 1900, significou o início de uma revolução que terminaria em desintegração.

> A força saltou de cada átomo, e muito dela, para suprir o universo estelar, mostrou-se continuamente desperdiçada em cada poro de matéria. O homem não pode mais mantê-la distante. A força o tomou pelos punhos e voou com ele, como se agarrasse um cabo elétrico ou um automóvel desembestado [...]. Se as noções de universo de Karl Pearson (1857-1936) estão corretas, homens como Galileu Galilei (1564-1642), René Descartes (1596-1650), Gottfried Wilhelm Leibnitz (1646-1716) e Isaac Newton (1642-1727) deveriam ter estancado o progresso da ciência antes de 1700, supondo que tenham sido honestos nas convicções religiosas que expressaram. Em 1900, foram claramente forçados de novo a crer em uma unidade não comprovada e em uma ordem que eles mesmos desaprovavam. Reduziram-se a mover num universo de movimentos, com uma aceleração, no próprio caso, de violência vertiginosa.[44]

A Virgem cessou de inspirar fé; o dínamo, ou a ciência, perdera todo o significado; permaneceu o Turbilhão.

Em três ensaios, reimpressos no *The Degradation of the Democratic Dogma* [A Degradação do Dogma Democrático], Henry

---

[43] *The Education of Henry Adams.* Op.cit. p. 266.
[44] Idem. Ibidem, p. 494-95.

Adams condensou essas reflexões com lucidez melancólica em "um estudo histórico das bases científicas do Socialismo, do Coletivismo, do Humanitarismo, da Democracia e de tudo o mais": "The Tendency to History" [A Tendência à História], de 1894, "The Rule of Phase Applied to History" [A Regra da Fase Aplicada à História], de 1909, e "A Letter to American Teachers of History" [Uma Carta aos Professores de História Americanos] de 1910. Despojado da evidência comprobatória de Adams, o argumento geral que desenvolve pode ser exposto de modo bem breve. E é exatamente esse: como a exaustão de energia é condição inevitável de toda a natureza, da mesma maneira, as energias sociais devem ser exauridas e, no momento, estão esgotando; e muitos dos tipos de "progresso" dos quais nos felicitamos nada mais são que sintomas e aflições dessa decadência. As Leis da Termodinâmica são a nossa ruína. Pela Lei da Dissipação, nada pode ser acrescido à soma de energia, mas a intensidade pode ser perdida. O trabalho só pode ser realizado ao degradar a energia, assim como a água só pode realizar trabalho ao correr colina abaixo. A sociedade, ao mesmo preço, realiza seu trabalho; e, como os cientistas aceitam esse fato sombrio, começam a ser oprimidos por um pessimismo sufocante. Todos os processos vitais sofrem degradação, inevitavelmente incidentes à sua operação; o crescimento do cérebro debilita o corpo humano, por exemplo. A vontade sobrenatural ou o poder diretivo parece dar conta da existência da energia, mas essa capacidade não nos oferece o reabastecimento energético. Até mesmo o aumento da consciência humana foi uma fase no declínio da força vital. A atividade humana alcançou esse ponto de grande intensidade na Idade Média, com as cruzadas e as catedrais; desde então, a verdadeira vitalidade tem minguado rapidamente. O ano de 1830, que marcou o início de um controle gigantesco das energias físicas naturais a serviço do homem, ao mesmo tempo enfraqueceu a humanidade, pois foi um poder ganho à custa de vitalidade. Industrializados, estamos muito mais perto da ruína social e do total extermínio. "Só os mortos podem nos dar energia", diz Gustave Le Bon (1841-1931), e nós, modernos, ao cortar os laços com o passado, não estaremos por muito tempo neste mundo.

Os futuros historiadores devem ser guiados por um conhecimento de física e se o dilema da degradação de energia tiver de ser explicado, necessitaremos de outro Isaac Newton. Talvez como um símio, há centenas de milhares de anos, a tatear, de modo vago, buscando desenvolver mais a própria espécie, e a falhar; igualmente como a humanidade está, no momento, presa à insuficiência das próprias forças e ao esgotamento dos recursos naturais saqueados descontroladamente. A evolução humana passou do periélio, segundo a moda do cometa de 1843, e agora, com velocidade terrível, passamos dos dias de nobreza. Henry Adams aplica a lei dos quadrados ao problema da decadência moderna e sugere que a fase mecânica da história moderna, começando em 1600, alcançou autoridade máxima por volta de 1870, e então rapidamente transformou-se na fase elétrica, que estava ocorrendo por volta de 1900; a fase elétrica perdurará somente até 1917, quando passará à fase etérea – e mais profecias fora do alcance. As consagradas previsões de Adams acerca da eclosão e da duração da Primeira Guerra Mundial, de uma possível sujeição do pensar "molécula, átomo e elétron à servidão gratuita a que foram reduzidos os antigos elementos da terra e do ar, do fogo e da água [...]" como subprodutos da regra dessa fase. No entanto, o prolongamento de tais recursos não pode evitar a derradeira degradação total de energia.

Nessa catástrofe, a degradação social representada pela consolidação triunfante e por seu herdeiro, o socialismo, são desdobramentos tão naturais e fatais quanto a extinção total da energia. O socialismo deve ser sucedido pela putrefação social, uma bênção disfarçada, já que a continuidade do socialismo seria insuportável; de fato é, em si mesma, corrupção. A política, também, terminará como a água, no nível do mar, ou como o calor, a 1 grau centígrado.

Como o cometa, a humanidade lança-se no esquecimento da noite eterna e no espaço infinito.

A ortodoxia cristã acredita em uma eternidade que, como é sobre-humana, é supraterrestre; e nesse mundo verdadeiro, sendo um mundo de espírito, o destino do homem não depende das vicissitudes deste planeta, mas pode ser traduzido pelo propósito divino em uma esfera à parte de nosso mundo presente de tempo e espaço. Nessa certeza, os cristãos libertam-se do problema da degradação de energia, mas Henry Adams, ainda que possa reverenciar a Virgem de Chartres como a encarnação da ideia e como símbolo de beleza eterna, não dá crédito à ideia de Providência. Estava certo de que a história deve ser "científica"; embora de razão tão independente, obedecia de bom grado à bem conhecida tendência de a metafísica e a teologia seguirem a direção da teoria científica. Achava impossível não acreditar em William Thomson e Karl Pearson, e no Lorde Kelvin.[45] Se a ciência "tinha de provar que aquela sociedade deveria, no devido tempo, reverter e recuperar o antigo fundamento da religião, cometeria suicídio".[46] A fase da religião era a mais nobre, no pensar de Henry Adams, que a fase da eletricidade, mas sentia-se irresistivelmente levado pela onda de progresso. Podemos reverenciar a Virgem na fase elétrica, mas não podemos adorá-la de verdade. A piedade não conformista contundente de John Adams deu vazão às dúvidas de John Quincy Adams, ao humanitarismo de Charles Francis Adams, ao desespero de Henry Adams. A crença na Providência, enraizada de

---

[45] William Thomson e o 1º Barão Kelvin, mais conhecido como Lorde Kelvin são as mesmas pessoas. Aqui Russell Kirk está, em verdade, fazendo uma brincadeira com uma passagem da obra *Education* de Henry Adams que narra uma crítica feita a um livro-texto elementar de Karl Person, na qual o crítico acreditava ser um absurdo a simplificação das noções cientificas de William Thompson e que, na falta de uma resposta do autor, esta foi dada pelo próprio Lorde Kelvin. (N. T.)

[46] Brooks e Henry Adams, *The Degradation of Democratic Dogma*. New York, 1920, p. 131.

modo tão duradouro no conservadorismo de Edmund Burke, perdeu-se nas vicissitudes do pensamento conservador da Nova Inglaterra.

Somente a tentativa de um apoio moral era quase suficiente, Henry Adams escreveu certa vez para Henry Osborn Taylor, e seria estoico – mas apenas "em teoria". Marco Aurélio era uma espécie de feito humano mais excelso e, com os antoninos terminou a história da retificação moral. Irving Babbitt refere-se ao "desolado e patético Marco Aurélio" e, de fato, o espetáculo da solidão devoradora do imperador adquire um significado renovado e alarmante quando contemplado, no primeiro plano, juntamente com Henry Adams, seu discípulo. "A teoria cinética do gás é uma afirmação do caos derradeiro", diz Adams:

> Em simples palavras, caos era a lei da natureza; ordem era o sonho do homem [...]. Somente a Igreja constantemente protestara que a anarquia não era ordem, que Satanás não era Deus, que o panteísmo era pior que o ateísmo e que a unidade não poderia ser provada sem uma contradição.[47]

Karl Pearson parecia concordar com a Igreja; e, desse modo, em desejo apaixonado, o próprio Henry Adams; entretanto, essa racionalidade irresistível de Adams não podia submeter-se a seu coração. Paul Elmer More, um conservador da geração seguinte, assim escreve acerca das lealdades frustradas de Henry Adams:

> Essa raça da Nova Inglaterra, que tinha ciência de ser uma representante com títulos, já saíra do mundo por causa de uma afirmação religiosa e política – originalmente, as duas eram uma só – para confirmar que estava pronta a negar todos os outros valores da vida. Em razão da liberdade de seguir essa afirmação, descartaria a tradição, a autoridade, a forma, o símbolo e tudo o que, comumente, une os homens pelos laços do hábito. A história intelectual da Nova Inglaterra é, de fato, o registro da usurpação da liberdade com base na própria afirmação para a qual foi, de início, o baluarte. Pela eliminação gradual do conteúdo positivo, a fé do povo passara do calvinismo ao unitarianismo, e

---

[47] *The Education of Henry Adams*. Op. cit. p. 451.

disso para o livre-pensar, até que, nos dias em que nosso Adams estava por ali, pouco restara ao intelecto, a não ser uma grande recusa.[48]

Aqui um discípulo dos anglicanos Richard Hooker (1554-1600) e William Laud (1573-1645) julgando um herdeiro do puritano Cotton Mather (1663-1728). Privado das sanções da religião, estaria o instinto conservador à beira da extinção? As ideias da estirpe dos Adams, transmitidas por Henry Adams até o ápice filosófico no século XX, foram resumidas em termos políticos nos escritos de Brooks Adams – como irmão, fascinado por aquele determinismo cujas consequências detestava.

5. BROOKS ADAMS E UM MUNDO DE ENERGIAS TERRÍVEIS

> Quão extrema a aceleração do movimento humano será, é impossível determinar; mas parece certo que, cedo ou tarde, a consolidação, ao chegar ao limite, necessariamente parará. Nada é imóvel no universo. Não avançar é retroceder, e quando uma sociedade altamente centralizada se desintegra sob pressão da competição econômica, é porque a energia da raça se exauriu.
>
> Brooks Adams, prefácio à edição francesa de *The Law of Civilization and Decay*

Peter Chardon Brooks Adams confessou-se um excêntrico; e assim o era. Entretanto, pertenceu à grande tradição da excentricidade e publicou seu romance e suas doutrinas sombrias com o antigo destemor dos Adams. Se deve ser chamado de conservador é algo mais discutível. Estava desgostoso com a sociedade americana de sua época; seus livros eram calculados para ganhar a atenção dos defensores do *free-silver* e dos socialistas; pensava que a inércia era a morte social e que a única chance para a sobrevivência estava na

---

[48] P. E. More, *Shelburne Essays*, XI, p. 123.

aceitação do progresso e no ajuste à mudança; denunciou os capitalistas e banqueiros de modo quase tão veemente quanto Karl Marx fizera – e, em muitos particulares, especialmente no determinismo econômico. As ideias de Brooks Adams corriam em paralelo às de Marx. Detestava, contudo, o próprio processo de mudança que incitava a sociedade a aceitar, ansiando, sem esperanças, pela república de George Washington e de John Adams; condenou a democracia como sintoma e causa da decadência social e, próximo ao fim de seus dias, professou a fé na Igreja de seus ancestrais. A repulsa do capitalismo resultou da repugnância à competição turbulenta; parecia estar desesperadamente faminto por estabilidade e ordem, mas pela lógica das próprias teorias econômicas e históricas, a permanência nunca é encontrada no universo.

> Nessa crise de meu destino [o pânico de 1893], aprendi, como advogado e estudioso da história e da economia, a olhar para o homem como um simples autômato, movido em veredas de menor resistência, por forças sobre as quais não tem controle algum. Em suma, voltei à pura filosofia calvinista. Como notei que as paixões humanas mais fortes são o medo e a ganância, inferi que tanto e nada mais deve ser esperado de uma democracia pura, assim como deve ser esperado de qualquer autômato acionado desse modo. Como prognóstico, sugiro que o primeiro grande movimento social que possamos esperar seja o advento de algo que se assemelhe ao paraíso do usurário, a ser, tão logo, seguido por alguma convulsão, como sempre se deu forma a uma parte de tais condições, desde o início dos tempos.[49]

Esse é o tema geral de seus quatro livros, *The Law of Civilization and Decay* [A Lei da Civilização e Decadência], de 1895, *America's Economic Supremacy* [A Supremacia Econômica da América], de 1900, *The New Empire* [O Novo Império], de 1902, e *The Theory of Social Revolutions* [Teoria das Revoluções Sociais], de 1913;

---

[49] Brooks e Henry Adams, *The Degradation of Democratic Dogma*. Op. cit., p. vii-viii.

explicam sua teoria cíclica da história e a convicção de que o homem é prisioneiro da força econômica. A civilização é produto da centralização e cresce perto dos centros de troca, assim como os agentes da política central e da organização econômica subjugam os homens de economias rurais mais simples – os romanos ao conquistar as províncias, as classes médias ao realizar a Reforma, os grandes proprietários ao despejar os pequenos proprietários rurais, a Espanha ao esmagar os indígenas – as civilizações ficam cada vez mais ricas. O produto mais excelso dessa civilização, ironicamente, é o usurário; ele extirpa as classes militares que outrora predominaram, mas o usurário e sua grande cultura parece infectar a raça com aflições mórbidas, como sufocam o espírito da arte. A vitalidade social diminui, a grande economia centralizada não opera mais de modo eficiente, seguem a decadência e o colapso, e a vida descentralizada, bárbara, triunfa novamente – para ter êxito, no curso dos séculos, por uma repetição da mesma história sangrenta e sem propósito.

O centro econômico do mundo civilizado – que determina o equilíbrio social – deslocou-se para o Ocidente ao longo da história: da Babilônia para Roma, de Roma para Constantinopla, de Constantinopla para Veneza, de Veneza para Antuérpia. Prosperou na Holanda, perto de 1760, mas, por volta de 1815, estava em Londres; a corrente, desde então, tem se dirigido à América, e essa transferência de poder econômico e político agora está quase completa – assim escreveu Brooks Adams em 1900. A guerra hispano-americana foi um símbolo da supremacia econômica americana. A Inglaterra enfrentava uma decadência longa e temível, e a América deveria tomar precauções para evitar participar do colapso supremo da Grã-Bretanha. Uma competição tremenda começou a assomar-se entre o poderio da Ásia, possivelmente dominada pela Rússia, e o poderio americano; a questão será decidida na China e na Coreia e, nos anos que se seguirão, os recursos minerais da China produzirão uma nova fase econômica. Para ganhar nessa competição será necessária uma centralização intensa:

> se expansão e concentração são necessárias, porque a administração de uma multidão maior é menos custosa, então a América deve expandir e concentrar até ser alcançado o limite do possível; pois os governos são simplesmente grandes corporações em competição, em que a mais econômica, em proporção à energia, sobrevive, e na qual o devasso e o lento são oferecidos a preço inferior e eliminados.[50]

O barateamento da produção e da distribuição é a fonte de sucesso na vida econômica e, portanto, da civilização. A centralização provavelmente é proporcional à velocidade, e a nação mais veloz ganha das outras. Esses litígios são amparados por uma análise das civilizações síria, persa, helênica, romana, da Ásia Central, holandesa, espanhola e russa.

Ainda que a consequência imediata da competição e da centralização seja o sucesso, o efeito final é a degradação. O usurário, cuja visão é toda econômica, é, ao mesmo tempo, o produto mais completo da civilização e o tipo de homem mais limitado e ignóbil.

> A esse atributo de ganhar dinheiro tudo o mais é sacrificado, e o capitalista moderno pensa em relação ao dinheiro de modo mais exclusivo que o aristocrata francês ou o advogado antes da Revolução Francesa já pensou com relação à casta.[51]

Demasiado estúpido até mesmo para vislumbrar a necessidade de reverenciar e obedecer à lei que o protege da revolução social, ao capitalista falta capacidade suficiente para a administração da sociedade que tomou para si. A mulher, o produtor, o pensador, já foram aviltados pela regra do capitalismo ou do socialismo estatal – dois lados da moeda –, de modo que não permanece vitalidade alguma na sociedade para evitar uma decadência doentia. A democracia, simultaneamente aliada e joguete dessa civilização material desalmada, deixa de cumprir os deveres de sacrifício e liderança; assim, a

---

[50] Brooks Adams, *America's Economic Supremacy*. New York, 1947, p. 133.
[51] Brooks Adams, *The Theory of Social Revolutions*. New York, 1913, p. 208.

estrutura da organização social entra em colapso e o ciclo enfadonho de esforço recomeça.

Entretanto, apesar desse desprezo pela sociedade capitalista, apesar da antipatia hereditária pela centralização, apesar da aversão ao socialismo, apesar da rejeição sincera do que é reles como o verdadeiro padrão de sucesso, ainda assim Brooks Adams aceitou a vitória da consolidação como inevitável. Instou a cooperação no processo como um contrapeso ao capitalista insaciável, como deferência ao instinto de autopreservação. O conservadorismo, a inércia social, a obediência à tradição – essas atitudes estão condenadas à destruição pelos processos impessoais do destino econômico. O conservadorismo, escreve:

> resiste instintiva, mas não inteligentemente, à mudança, e é esse conservadorismo que causa, em grande parte, aquelas explosões violentas de energia reprimida que denominamos revoluções [...]. Com populações conservadoras, o morticínio é o remédio da natureza.[52]

Nossas instituições educacionais deveriam ajustar-se a esse processo formidável de mudança, de modo que possam tornar o progresso menos violento. Devemos repudiar o instinto emocional de manter as coisas como são e a ver o governo de maneira desapaixonada, como faríamos em qualquer outro negócio, aceitando também a mudança moral, como todas as outras alterações; pois nada pode ser feito para evitar a irresistível vitória final.

> Na indústria americana, o atrito entre capital e trabalho, de maneira infalível, existirá; mas esse atrito necessário pode ser aumentado, indefinidamente, pelo conservadorismo. A história está repleta de exemplos de civilizações que foram destruídas por uma inércia irrazoável como a de Brutus (85-42 a.C.), das classes privilegiadas francesas, ou a de Patrick Henry (1736-1799).[53]

---

[52] Brooks Adams, *The New Empire*. New York, 1903, p. xiii.

[53] Idem. Ibidem, p. xxxiv.

Devemos manter em suspenso todo o juízo, sujeito à nova prova.

Há senão um grande benefício que a geração passada pode conferir aos sucessores: pode ajudá-los a melhorar aquela servidão à tradição que, com tanta frequência, retardou a submissão ao inevitável, até tarde demais.[54]

O problema dessa prescrição é que Brooks Adams não a obedeceu, nem nela acreditou. Nenhum homem teve menos intenção de submeter-se, em silêncio, a um futuro regime de centralização e de estupidez sufocante; nenhum homem estava menos inclinado a abandonar o rigor moral da família dos Adams por suspensão da certeza. As conclusões de Brooks Adams fomentaram cada uma de suas predisposições da maneira errada. Se ele realmente acreditasse na cooperação resignada com a vinda da ordem, é claro que não teria escrito seus livros. A família dos Adams – sobretudo Henry – tinha um modo de se expressar em paradoxos sardônicos ou por meio de um exagero lúgubre, muitas vezes mal interpretado; entretanto, dificilmente podemos sustentar que toda a filosofia de Brooks Adams foi um exercício de ironia. Parece, ao contrário, ser um rugido quase perverso de protesto: Adams fora aprisionado pelos deterministas e estava empenhando-se para usar as correntes com dignidade. De fato, a uniformidade medonha que anteviu e em conformidade com o que aconselhou, criou a visão de terror contra a qual o seu bisavô John Adams e toda a sua descendência lutaram por quase um século e meio. Expansão, consolidação e a recepção desapaixonada pela mudança, que tencionava recomendar, sabia ser, na realidade, o veneno de tudo o que honrava, e seu gemido, meio suprimido, de tormento persistiu em escapar dele, conferindo falsidade às suas teorias.

Escreveu sobre o processo de competição e consolidação que causara a Grande Guerra entre 1914 e 1918; e a degradação da liderança que esse processo ocasionou, tornou impossível o estabelecimento de

---

[54] Idem. Ibidem, p. 211.

uma paz sensata. O mais apavorante foi a assexualização sofrida pelas mulheres no movimento capitalista industrial. O instinto sexual foi suprimido do pensar, ignorado na educação e converteu a mulher em uma imitação de homem vergonhosa e envergonhada.

> A mulher, como cimento da sociedade, cabeça da família e centro de coesão tem, por todos os intentos e propósitos, deixado de existir. Tornou-se uma unidade isolada, errante, mais uma força dispersiva que coletiva.[55]

Os princípios familiares decaem, de modo que toda a estrutura de vida entra em perigo. Nosso sistema de lei também é corrompido pelo veneno. A tributação torna desprezíveis a diversidade social e a herança da propriedade. A propensão democrática de nivelar por baixo, que vemos no sindicato, entra em conflito com o sistema de competição da natureza, e uma explosão gigantesca deve ser a consequência. "A guerra social, ou o massacre, parecia ser o fim natural da filosofia democrática." Se esse é o futuro provável depois de submetermo-nos a uma mudança sem resistência, parece curioso recomendar o abandono da tradição por uma questão de ajuste tranquilo. Brooks Adams nunca obteve, consigo mesmo, consistência no argumento; seus livros eruditos e pitorescos estão repletos de generalizações brilhantes e deduções curiosas, mas desguarnecidos de afirmações metódicas.

Estava certo somente da dissolução.

> Mal Washington tinha sido sepultado quando começou a obra de nivelamento do sistema de médias em que repousa a democracia [...]. A democracia é uma multidão infinita de mentes conflitantes que, por ação persistente de um solvente, como o sistema industrial moderno ou competitivo, desintegra-se naquilo que é, em substância, um vapor que perde energia coletiva intelectual em proporção à perfeição de sua expansão.[56]

---

[55] Brooks e Henry Adams, *The Degradation of the Democratic Dogma*. Op. cit., p. 119.

[56] Idem. Ibidem, p. 108-09.

O novo império americano, o advento da supremacia econômica dos Estados Unidos, deveriam, portanto, ser acompanhados de uma perda de inteligência e liberdade que obliterariam o sistema americano de George Washington, de John Adams ou de Thomas Jefferson. Devemos enfrentar essa perspectiva expansiva de triunfo material e extirpação espiritual, de fato devemos abraçá-la:

> Os americanos das gerações passadas levaram uma vida rural simples. Possivelmente, a vida assim era mais feliz do que a nossa. Muito provavelmente, a forte concorrência não é uma bênção. Não podemos alterar nosso meio. A natureza lançou os Estados Unidos no vórtice da luta mais feroz que o mundo já conheceu. Tornaram-se o coração do sistema econômico de nossa era, e devem manter a supremacia por talento e força, ou partilhar o fado dos rejeitados.[57]

Há um tom de Thomas Henry Huxley e Herbert Spencer nisso, o eco da "evolução competitiva" e de positivismo agressivo; as cadeias do cativeiro de Brooks Adams aos deterministas científicos tinem. Afinal, não seria preferível "partilhar o fado dos rejeitados" a partilhar a sorte dos vitoriosos, numa controvérsia assim descrita, em que os sacrifícios parecem exceder as recompensas? Isso é imperialismo sem a garantia de Theodore Roosevelt ou de Joseph Chamberlain, sem a esperança e a bênção de Rudyard Kipling (1865-1936). Do ponto de vista do cristianismo ortodoxo, seria muito melhor nos juntarmos aos rejeitados em vez de ingressar, voluntariamente, em uma próxima fase de degradação; mas as convicções religiosas de Brooks Adams, assim como as de seu irmão, eram pouco mais que vestígios. As devastações do marxismo na sociedade tradicional não foram infligidas, principalmente, pelo proselitismo de revolucionários: as influências corrosivas das teorias deterministas marxistas, ao contrário, minaram a determinação dos homens que menosprezavam o credo marxista como um todo. As profecias do marxismo são do tipo autorrealizável, se

---

[57] *The New Empire*. Op. cit., p. xxxiv.

inicialmente acreditadas. Auguste Comte, Karl Marx e os expoentes do positivismo científico destruíram em Henry Adams e em Brooks Adams a crença que fizera dos Adams uma grande família: a ideia de Providência e propósito.

Assim foi a sorte da crença conservadora americana em meio século soberbo. A expansão ilimitada era a paixão da época, e as forças de engrandecimento forçavam a investida contra os muros esfacelados dos usos consagrados e da convenção. A ruína do Sul privou a nação da influência conservadora regional. Abriu caminho para tarifas protecionistas nunca antes cogitadas, para a exploração do Oeste desabitado, para o triunfo dos interesses urbanos sobre a população rural; para um sistema de vida em que a cultura estava totalmente subordinada ao apetite econômico. A imigração dessa época exigiu, para a satisfação das indústrias efervescentes, uma mudança de característica da população americana, de modo que a "Nova Irlanda" de James Russell Lowell em pouco tempo foi engolida por uma enxurrada de italianos, polacos, portugueses, povos da Europa Central, cujo aturdimento assegurou aos chefes urbanos o domínio da vida pública. O torrão do costume estava mais que esfacelado: fora moído, pisoteado. O sistema educacional americano, invocado para disciplinar essa era brutal e assimilar essa multidão de estrangeiros, foi, ele mesmo, confundido e teve de baixar o nível pela inundação de mudança. E, apetite a estimular um apetite ainda mais novo, a nação caminhou, cega, com William McKinley (1843-1901), de uma rapacidade desavergonhada para uma beligerância rubicunda com Theodore Roosevelt – assim afirmaram os irmãos Henry Adams e Brooks Adams. Os conservadores genuínos não viam oportunidade de recobrar o fôlego.

Ainda que os conservadores fossem capazes de dominar qualquer conjunto substancial da opinião pública, dificilmente teriam sabido para onde conduzir a nação. Com os primeiros princípios desarranjados pelas alegações da ciência do século XIX, ao duvidar dos antigos postulados metafísicos, encolheram-se diante dos positivistas, dos darwinistas e dos astrônomos. Lowell esforçou-se por ignorar a nova ciência; Brooks Adams foi reduzido ao niilismo por suas deduções. Na época em que terminou a Primeira Guerra Mundial, o verdadeiro conservadorismo estava quase extinto nos Estados Unidos – existia apenas em pequenos círculos de homens teimosos que recusavam ser fisgados pela concupiscência da própria época ou na resistência vaga à mudança ainda prevalecente entre a população rural ou, de maneira confusa e indiferente, em certas igrejas e faculdades. Em todos os outros lugares, a mudança era preferível à continuidade.

O automóvel, prático desde 1906, estava começando a desintegrar e a imprimir um novo padrão de comunicação, de condutas e de vida citadina nos Estados Unidos por volta de 1918. Pouco antes, os homens começaram a ver que o automóvel, as técnicas de produção em massa que o tornaram possível, poderiam alterar, de modo mais perfeito, o caráter nacional e a moralidade do que o mais absoluto dos tiranos. Como um jacobino mecânico, rivalizou com o dínamo. O processo produtivo que tornou esses veículos baratos subverteu ainda mais os antigos modos que o próprio motor a gasolina. Henry Ford (1863-1947), o Midas da velocidade, varreu da lembrança as simplicidades da infância e, ao ficar mais velho, buscou refúgio nas paredes de tijolo de seu museu de antiguidades gigante, a céu aberto, um homem de formas físicas admirado pela influência das invenções nas ideias. Os métodos de produção em massa, dos quais foi o explorador mais notável, mais colaboravam para alterar a natureza humana do que fizera o motor a vapor, ao dissolver o orgulho da posição e da família. "Destrói o prestígio social das ocupações e práticas tradicionais e, com isso, a satisfação do indivíduo no seu trabalho tradicional", diz Peter Drucker (1909-2005) a respeito da linha de montagem e do novo estilo de industrialização. "Arranca – literalmente – o indivíduo, pela raiz, do solo social em que cresceu. Desvaloriza seus valores tradicionais e paralisa o comportamento tradicional."⁵⁸

O governo estava fazendo o melhor para igualar-se à velocidade do mundo industrial. A emenda constitucional do imposto de renda federal, aprovada em 1913, foi aceita como um expediente de emergência doloroso, como fora na Inglaterra após a revogação da *Corn Law*; e, assim como na Inglaterra, nenhum partido político planejou abolir o imposto de renda, passada a emergência. Como instrumento para alteração social deliberada, o imposto de renda, logo, suplementaria aquela força inconsciente, a segunda revolução industrial. Golpeados por essas e outras inovações quase tão formidáveis, os próprios princípios confundiram-se com desculpas para a "livre empresa" e para o empreendedor, e não causa espanto que os conservadores estivessem derrotados; é surpreendente que, incontinenti, não tenham capitulado. "Os vários horizontes pelos quais você e eu passamos desde os anos 1840 são, no momento, tão remotos quanto se existíssemos na época de Marco Aurélio", Henry Adams escreveu no último mês de vida ao amigo Charles Milnes Gaskell (1842-1919); "e, de fato, creio que teríamos estado mais confortáveis entre os estoicos que jamais esperaremos estar nos corpos legislativos do futuro."⁵⁹ Era o ano de 1918, e, de alguma maneira, se as antigas verdades haviam de ser conservadas, a América, maior potência do mundo, deveria dedicar-se à causa.

---

⁵⁸ Peter Drucker, *The New Society: The Anatomy of the Industrial Order*. New York, 1949, p. xvii.

⁵⁹ *Letters of Henry Adams*. Op. cit., II, p. 648.

George Gissing (1857-1903)

Capítulo 11 | Conservadorismo Inglês à Deriva:
o Século XX

"Deste a essas pessoas", dizem, "uma ocasião para falar na gestão do reino e, no entanto, não lhes permitis uma parcela no negócio em que trabalham." Ora, se isso tem de ser interpretado como logicamente deve ser, "Dás a Dick Turpin tuas pistolas e objetas que ele as use, de modo que isso faz com que tu lhes dês a tua bolsa", *há* algo nisso. Como argumento contra a tolice de entregar as pistolas, é admiravelmente conclusivo, embora, infelizmente, tardio. Caso contrário, é apenas tardio.
George Saintsbury, *A Second Scrap Book*

1. O FIM DA POLÍTICA ARISTOCRÁTICA: 1906

Depois de 1895, o Partido Conservador teve o apoio de interesses tão poderosos e tão variados, que, em qualquer outro período da história inglesa, essa posição teria sido invulnerável. Liderados por Spencer Compton Cavendish (1833-1908), 8º Duque de Devonshire e Marquês de Hartington, o Lorde Hartington, as antigas famílias *whigs* de latifundiários se aproximaram dos *tories* em 1886; e esses sindicalistas liberais eram aliados aos radicais imperialistas de Joseph Chamberlain (1836-1914). As classes altas e média-altas – de fato, parte preponderante da grande classe média – eram, no momento, conservadoras: pela primeira vez na história, o Partido *Tory* teve o apoio generalizado dos ricos.

Os *tories* tinham algo ainda mais valioso: o aval popular do novo imperialismo que lhes foi comunicado. Benjamin Disraeli, antevendo essa onda de expansão e de sentimento imperial, a identificara com a política conservadora; mas agira por motivos outros que a mera conveniência. Ao aceitar a decadência da agricultura britânica como irreparável, em uma nação dominada por populações urbanas, ao antecipar a competição industrial feroz com a Alemanha e a América, entre outras potências, soubera que a política conservadora ganharia pouca atenção em uma nação empobrecida, superpopulosa e oprimida por um horizonte cada vez mais estreito. Os recursos imperiais e os mercados imperiais eram a melhor segurança contra tal futuro. Assim, o imperialismo de Disraeli era bastante consistente com seu conservadorismo, ainda que a expansão imperial generalizada seja repleta de riscos para qualquer sociedade conservadora. Seja como for, os *tories*, nesse momento, eram os beneficiários políticos das ambições imperiais britânicas, e os talentos de Robert Gascoyne-Cecil (1830-1903), 3º Marquês de Salisbury, como ministro das Relações Exteriores firmou a reputação dos conservadores como guardiões da honra e interesses ingleses no estrangeiro.

De maneira franca e ágil, Lorde Salisbury ainda dominava os conservadores e os sindicalistas com sucesso notável. Ao abominar a mudança orgânica, cuidara de remendar e podar as instituições britânicas de modo tão eficaz, que, na superfície, a antiga ordem ainda parecia praticamente inalterada: 1867 e 1884 não destruíram nem a constituição nem o caráter britânicos. Na Câmara dos Comuns, seu sobrinho, Arthur Balfour (1848-1930), era o líder dos conservadores – um filósofo, um homem de letras, charmoso, eloquente, imensamente inteligente. O vetusto e desconcertado William Ewart Gladstone renunciara em março de 1894; os liberais deixaram o governo quinze meses depois, e nas eleições gerais de julho de 1895 os sindicalistas obtiveram a maioria de 152 sobre os liberais e nacionalistas associados. As energias radicais de Joseph Chamberlain foram vertidas para o governo colonial. O conservadorismo não parecia tão bem arraigado desde a época de William Pitt, *o Jovem*.

Os antigos inimigos dos liberais eram mais fracos em espírito e adesão do que nos dias de Charles James Fox, e estavam condenados a sofrer mais danos; seu único sucesso legislativo em 1894, o imposto *causa mortis* de *Sir* William Harcourt (1827-1904), marcou a imersão na corrente coletivista. "Agora, somos todos socialistas." Daí em diante, os liberais não sabiam bem no que acreditavam, e o público percebeu essa hesitação. Ganhariam novamente em 1906, mas, depois, nunca mais. Os postulados filosóficos – a economia política de Manchester, a ética e a sociologia de John Stuart Mill – esvaíam-se diante dos olhos. O liberalismo, ao demolir o antigo arranjo da vida na Inglaterra e ao se render ao poder da multidão, findou por se tornar obsoleto; não sabia como enfrentar o século XX. O poder, de algum modo, escapulira das mãos dos estadistas, disse Lorde Salisbury, mas "estou muito curioso por saber para quais mãos passou". Se esse grande aristocrata não conseguia mais controlar as rédeas da sociedade, os liberais, por certo, não poderiam esperar dominar a nova era. As fórmulas do liberalismo do século XIX, escreve G. M. Young (1882-1959), tornaram-se muitíssimo antiquadas:

> Esses cânones estavam fundamentados na premissa de que a qualquer tempo haveria um número – e um número cada vez maior – de homens e mulheres interessados em pôr ordem nos assuntos públicos e capazes de fazer com que seus interesses fossem percebidos: percebidos, não de modo espasmódico na época da eleição, mas continuamente; pela leitura, pela discussão, pelo pensar coisas e por conversá-las com os vizinhos. Entretanto, tal premissa se baseava, por sua vez, no pressuposto de que as operações do governo sempre estariam na compreensão do cidadão moderado ao empregar diligência nas questões, e ele se interessaria por isso, porque, ainda que só como um colaborador da opinião pública, sentia que poderia fazer algo a respeito. O que o liberalismo não anteviu – e não poderia antever – era o aumento da complexidade, a simples extensão, além da compreensão, que o governo

teria; e que o volume de conhecimento apreendido pelo governo poria suas ações além do controle da opinião pública como concebera o liberalismo: conhecimento é poder, e, como sugeri, tanto o poder físico quanto o psicológico do governo moderno, manejado, talvez, por uma minoria resoluta consciente de seu propósito, poderia ir além do poder de qualquer despotismo já concebido.[1]

Aqui, os liberais estavam confusos pelo reaparecimento de uma qualidade da natureza humana que os *tories* sempre souberam ser mais ou menos constante: a não efetividade da razão como guia para a maioria dos homens. "A razão tem pouco efeito sobre números", o Visconde de Bolingbroke escrevera trezentos anos antes. "Um volteio da imaginação, muitas vezes tão violento e súbito como uma rajada de vento, determina-lhes a conduta." A confusão da opinião pública no século XX justificou esse antigo pressuposto *tory*. Ainda assim, o triunfante Partido Conservador, ao enfrentar apenas uma oposição despedaçada e desnorteada, caiu ao final de uma década e nunca mais se recuperou apropriadamente dessa queda. O que aconteceu ao conservadorismo da Grã-Bretanha na virada do século? As causas políticas próximas para a derrota *tory* em 1906 são facilmente enumeradas – o fracasso da campanha da reforma tributária de Joseph Chamberlain; o ressentimento dos não conformistas com a lei de educação de 1902; a importação de trabalhadores chineses para a África do Sul; a decisão no caso da Estrada de Ferro Taff Vale, que responsabilizou os sindicatos pelos atos de seus membros. Tais ofensas variadas, contudo, ainda que fossem fortes, não arruinaram o grande partido. As causas que realmente impeliram ao desastre conservador são mais profundas: a ruína da confiança vitoriana e a influência cada vez maior dos socialistas.

O ano da morte da rainha Vitória (1819-1901) também marcou o fim do progresso econômico vitoriano. Os salários reais, aumentando

---

[1] G. M. Young, *Last Essays*. London, 1950, p. 60-61.

de modo relativamente constante desde 1880 (subindo, no todo, um terço durante vinte anos), alcançaram um platô, logo após a virada do século, e depois recusaram-se a ceder. A competição dos rivais industriais da Grã-Bretanha, assistida pelas tarifas protecionistas de seus governos, combinaram as práticas restritivas dos poderosos sindicatos da Grã-Bretanha com a curiosa frouxidão dos empresários britânicos [observada por Alfred Marshall (1842-1924) e, depois, por Elie Halévy] para pôr em risco os mercados estrangeiros dos quais dependia a sobrevivência da Grã-Bretanha. As depressões de 1873 e de 1883 deixaram entrever o futuro. Essa ameaça era gigantesca, mas, no momento, nada mais era que a cessação do progresso econômico; se os salários reais não aumentaram muito, também não caíram muito perceptivelmente durante a primeira década do século XX. No entanto, para um povo apaixonado pela ideia de progresso, ensinada pelo benthamismo, pelo liberalismo e por muitos conservadores, de que tinham todo o direito de esperar um aumento estável da riqueza material e da felicidade geral, a mera estabilidade era indistinguível do declínio. Desde a década de 1840, a condição material da multidão estava melhorando na Grã-Bretanha; nesse momento, o avanço de mais de sessenta anos foi parado por forças que, em grande parte, estavam além do controle de qualquer partido político, mas as populações modernas (encorajadas pela imprensa barata) tendiam a esperar sustento dos governos, e a culpá-los por calamidades que são mundiais – de fato, por atos de Deus. Por trás do colapso conservador de 1906 resta uma impressão popular vaga de que, de algum modo, os negócios da Grã-Bretanha eram mal gerenciados: o progresso, que as massas ouviram ser inevitável, de certa maneira estava sendo impedido. Anteriormente, essa inquietude oferecera apoio popular ao imperialismo, o sentimento público de que [como George Orwell escreveu meio século depois], se o povo inglês fosse confinado aos recursos insulares, "estaríamos todos muito pobres e teríamos de trabalhar muitíssimo". A Grã-Bretanha tinha perdido a maior parte de sua vantagem comparativa na manufatura; até certo ponto, sofria da decadência absoluta de vantagens naturais; e nenhum partido ou filosofia política poderia remediar isso.[2] No entanto, as nações em que o homem médio tem o direito ao voto não são tão docemente razoáveis, como esperava Jeremy Bentham.

Quando Arthur Balfour (1848-1930) lutou para manter-se no governo em 1905, trabalhou, então, com essa desvantagem, imensa, embora imponderável. Não era o melhor dos estrategistas políticos, mas era improvável que Benjamin Disraeli tivesse vencido uma eleição sob aquelas circunstâncias. A dificuldade era consequência da ação das condições materiais sobre um eleitorado inquieto; igualmente desastroso para o governo sindicalista era a influência do movimento socialista, reorganizado e agressivo, que agora se libertara da utopia primitiva e do exotismo, de modo que surgia, com ânimo viril, logo atrás dos liberais. Desde a bem-sucedida greve portuária de 1889, tanto o sindicalismo industrial (distinto dos sindicalismos mais antigos) quanto a atividade política dos sindicatos trabalhistas aumentaram rapidamente, e os fabianos, ao sair da "inevitabilidade do gradualismo", buscaram alianças com esses coletivistas práticos.

Liderados por H. H. Asquith (1852-1928) e por David Lloyd George (1863-1945), os liberais viram a melhor oportunidade de sobrevivência, portanto, na defesa da reforma social radical. A geração nascente de políticos liberais se precipitou para abraçar o programa de nivelamento econômico, como Joseph Chamberlain fizera antes

---

[2] Os rendimentos verdadeiros das classes trabalhadoras aumentaram, de fato, esporadicamente durante o século XX, em especial, após a Segunda Guerra Mundial, de modo que alguns estatísticos otimistas calculam que o salário real tenha aumentado em 50% entre os anos de 1900 e 1950; mas quase todo esse ganho foi alcançado por um nivelamento econômico deliberado sob coação da lei positiva, não por um aumento geral da riqueza social. Ver os artigos de J. H. Huizinga, "The Bloodless Revolution". In: *The Fortnightly*, abril e maio de 1952.

da onda de alteração radical, e como foi empregado por *Sir* William Harcourt para instituir novos tributos *causa mortis*. Entretanto, o socialismo não contentar-se-ia com a *via media* liberal: Balfour, vencido, percebeu que os 53 trabalhistas eleitos para a Câmara dos Comuns, em 1906, eram mais significativos que os 377 liberais. Pela primeira vez um grupo formidável de trabalhistas sentou-se ao Parlamento; daí em diante, a verdadeira luta na política inglesa aconteceria entre os conservadores e socialistas.

2. GEORGE GISSING E O MUNDO INFERIOR

Para entender, de modo nítido, a natureza do clima de opinião que perturbava a sociedade inglesa na época de Lorde Salisbury e de Arthur Balfour, dificilmente há algo melhor a fazer do que ler os livros de George Gissing (1857-1903). Conhecedor da miséria, nascido num cômodo em cima de uma farmácia na lúgubre Wakefield e destinado a passar a maior parte da vida em aposentos sombrios em Islington, em Clerkenwell ou na Tottenham Court Road, começou como radical político e moral, positivista e socialista. "Temos uma tarefa destrutiva a realizar; devemos destruir o Estado-Igreja e fazer o melhor para enfraquecer seu poder nas mentes populares", escreveu ao irmão Algernon Gissing (1860-1937) em 1879. "Ao picar aqui e lavrar ali, por certo, o campo, em toda a extensão, tornar-se-á algo em estado apropriado para o semeador."[3] George Gissing conheceu o proletariado moderno e o lado rude da natureza humana como os conheceu qualquer homem de sensibilidade na Inglaterra. Esse conhecimento o tornou conservador. Progresso? Tinha vislumbrado para onde o progresso guiara. Em 1892, escreveu à sua irmã, Ellen Gissing:

---

[3] Algernon Gissing & Ellen Gissing (ed.), *The Letters of George Gissing to Members of his Family*. London, 1927, p. 3.

Temo que ainda viveremos grandes problemas devido à revolução social em curso [...]. Não podemos resisti-la, mas aposto o que tiver, postando-me ao lado dos que acreditam em uma aristocracia de *cérebros* em oposição ao domínio bruto da turba semialfabetizada.[4]

A obra *The Private Papers of Henry Ryecroft* [Os Documentos Privados de Henry Ryecroft], publicada em 1903 (ano da morte de Gissing), é o livro de um *tory* natural:

> E pensar que, certa vez, denominei-me socialista, comunista ou qualquer coisa que quiserdes do tipo revolucionário! Não por muito tempo, sem dúvida, e a todo momento suspeitei que havia algo em mim que escarnecia sempre que meus lábios pronunciavam tais coisas. Ora, não há homem vivo que tenha mais senso de propriedade que eu; jamais viveu homem algum que tenha sido, em cada fibra, um individualista mais veemente.[5]

Essa época moderna – como o personagem de Jack Louco grita em *The Nether World* [O Mundo Inferior], de 1889 – é, literalmente, o Inferno; mas o Estado socialista será o círculo mais profundo.

Os primeiros benfeitores de George Gissing, Frederic Harrison e John Morley, converteram-no, por um tempo, ao positivismo. A natureza solitária de Gissing, porém, logo demonstrou-lhe a terrível solidão da existência humana privada de finalidades e de uma análise da vida moderna, seja nos bairros pobres, de onde urdiu a reputação soturna, seja entre as pessoas da moda que veio a conhecer posteriormente, na breve carreira, revelaram a tendência inevitável de uma sociedade que perdera a sanção da conduta moral. Nunca restaurou a própria fé, mas seus retratos dos clérigos da antiga escola – o sr. Wyvern em *Demos*, de 1886, ou o reitor em *Born in Exile* [Nascido no Exílio], de 1892 – revelam seu anseio por certezas desaparecidas.

---

[4] Idem. Ibidem, p. 326-27.

[5] George Gissing, *The Private Papers of Henry Ryecroft*. London, 1903, p. 113.

Repudiou o agnosticismo intolerante da juventude, quando escrevera que não podia condescender em ser convertido por homens que estavam convencidos simplesmente por sentimentos. "Instituir vossos dogmas em bases científicas, em clara relação com a hierarquia do conhecimento humano, incoerentemente vos garantem lugar em nosso sistema" – assim dissera à irmã Ellen em 1880.[6] Duas décadas depois, confessou sua tolice; a ciência, seja especulativa, seja aplicada, é o principal instrumento para aumentar a miséria de nossa época:

> Temo e detesto a "ciência" por ter certeza de que por muito tempo, se não para sempre, será a inimiga sem remorsos da humanidade. Eu a vejo destruindo toda a simplicidade e a delicadeza da vida, toda a beleza do mundo; eu a vejo restaurando o barbarismo sob a máscara da civilização; eu a vejo obscurecendo a mente dos homens e endurecendo seus corações; eu a vejo trazer um tempo de vastos conflitos, que se perderão na insignificância das "mil guerras do passado" e, provavelmente ou não, soterrarão todos os avanços diligentes da humanidade em um caos ensanguentado.[7]

O rapaz que escreveu *Workers in the Dawn* [Trabalhadores no Amanhecer], de 1880, transbordando de socialismo ruskiano, aspirava ser "o porta-voz do partido radical avançado". Entretanto, a reforma social tomou o caminho do positivismo, assim como George Gissing alcançou a maturidade e viu os habitantes de ruas pravas por aquilo que eram: quatro anos depois, Waymark,[8] no romance *The Unclassed* [Os Classe Baixa], de 1884, disseca o próprio socialismo juvenil de Gissing, uma mistura de sentimentalismo e egoísmo.

---

[6] *Letters of Gissing to Members of His Family*. Algernon e Ellen Gissing (ed.). London, 1927, p. 71.

[7] George Gissing, *The Private Papers of Henry Ryecroft*. London, 1903, p. 268-69.

[8] Osmond Waymark é o personagem principal do romance *The Unclassed*. Jovem bem-educado, sobrevive como professor e conhece um filho de imigrante italiano que se sentia um pária social, com quem desenvolve profunda amizade. (N. T.)

Sempre divirto-me esquadrinhando meu antigo eu. Não era um hipócrita consciente, naqueles dias de radicalismo violento, de palestras no clube dos trabalhadores e coisas do tipo; o erro é que me compreendia ainda muito imperfeitamente. O zelo em nome da massa sofredora não era, nem mais nem menos, nada além de um zelo disfarçado por minhas próprias paixões vorazes. Era pobre e afoito, a vida não tinha prazeres, o futuro parecia sem esperanças, ainda assim, transbordava de desejos ardentes, cada nervo em mim era uma febre que bradava por ser aplacada. Identificava-me com o pobre e o ignorante; não fazia da causa deles a minha, mas da minha causa a deles. Delirava por liberdade porque eu mesmo era escravo do desejo insatisfeito.[9]

Depois disso, Gissing renunciou ao socialismo em todas as variantes, declarando a intenção de dedicar-se à arte literária; no entanto, sua arte, nos anos seguintes, foi a revelação da miséria social.

Assim como Waymark, não nascera para ser um radical. Não podia amar o pobre e o ignorante: tomados em conjunto, eram-lhe detestáveis, repugnantes como o horror industrial e a depravação urbana que os cercava. As massas sofredoras não podiam governar as próprias paixões: não estavam aptas a governar a sociedade. Esse é o tema de *Demos*, de 1886, em que o herói socialista da classe trabalhadora, Richard Mutimer, acaba por se tornar um patife socialista da classe trabalhadora, corrompido pela ambição e prosperidade, no desenrolar do romance. O jovem fidalgo rural arruinado que destrói os projetos filantrópicos de Mutimer é um homem melhor e mais sábio. Gilbert Grail, em *Thyrza*, de 1887, é um tipo diferente de trabalhador, humilde e generoso, mas os bairros miseráveis o deformam. A melhor história do proletariado londrino de George Gissing é *The Nether World*, de 1889, de uma maneira terrível, o mais convincente dos primeiros romances – "certamente, em alguns aspectos, sua obra mais

---

[9] George Gissing, *The Unclassed*. London, 1884, cap. XXV.

robusta, *la letra con sangre*", diz Thomas Seccombe (1866-1923), "em que as gotas rubras da angústia, relembradas em estado de tranquilidade comparativa, são expressas de maneira poderosíssima".[10] Gissing rompera com o socialismo; falava agora de *deveres*, não de direitos. A única reforma possível era a reforma do próprio caráter.

Clerkenwell, onde o arco dos hospitalários ressurge, enegrecido, das ruínas de uma época submersa, é o coração do romance *The Nether World*. "Vai onde possas em Clerkenwell, em cada palmo há múltiplos indícios de trabalho pesado, intoleráveis como um pesadelo." A luta do personagem decente contra a corrupção da pobreza é o fio que une as pessoas tensas desse livro impiedoso; ao terminar, não resta felicidade para ninguém; mas nessa altura dificilmente se pensaria em felicidade. Felicidade à parte, duas pessoas, de certo modo, venceram a pobreza, pois aferraram-se aos deveres com resignação obstinada; foram verdadeiros ao que havia de melhor neles mesmos. *The Nether World* começa em um cemitério e termina em outro. Sidney Kirkwood e Jane Snowdon, perdida a esperança e negado o amor, encontraram-se em uma manhã de primavera, três anos depois de a vida lhes castigar, uniram as mãos por sobre uma tumba, disseram adeus, e seguiram caminhos diferentes, de volta à monotonia do dever. Da degradação da vida urbana – cuja versão mais assustadora era Shooter's Garden, insuportavelmente monótono, mesmo na aridez decente de Crouch End – George Gissing não percebe refúgio algum, a não ser a aceitação estoica e o autoaperfeiçoamento. Dos sonhos de Sidney Kirkwood de justiça social, do zelo de Clara Hewett pelo sufrágio universal, sorri, cheio de compaixão. Nesse mundo árduo de Gissing, todo o dever do homem é manter-se de pé na fortaleza do próprio caráter.

Os últimos romances de George Gissing, em grande parte, são um protesto prolongado contra as frustrações e a solidão da vida

---

[10] Thomas Seccombe, introdução a *The House of Cobwebs*, p. xxvi.

moderna em todas as classes sociais. Esse é o mundo do excesso de educação de *New Grub Street*, de 1891, no qual Harold Biffen toma veneno no parque. É o mundo da mulher livre e miserável esboçada em *The Emancipated* [A Emancipada], de 1890, em *The Odd Women* [As Mulheres Estranhas], de 1893, em *In the Year of Jubilee* [No Ano do Jubileu], de 1894, e em *The Whirlpool* [O Turbilhão], de 1897. Esse é o mundo de egocentrismo ruinoso e simulado de *Denzil Quarier*, de 1892, de *Born in Exile* [Nascido no Exílio], de 1892, e de *Our Friend the Charlatan* [Nosso Amigo, o Charlatão], de 1901. E todo o esforço de Gissing é uma obra de conservadorismo moral. A determinação fanática dos reformadores modernos de tornar as classes trabalhadoras insatisfeitas é uma maldição para todos. "É uma das grandes falácias de nossa época", diz Wyvern em *Demos*.

> Não, essas reformas se dirigem às pessoas erradas; começam na extremidade errada. Levantemos nossas vozes, caso nos sintamos impelidos para assim fazer pelas antigas e simples regras cristãs, e façamos o melhor possível para fisgar os bem-educados pelos ouvidos.[11]

Tal pregador é Gissing em seus últimos livros. No entanto, tem pouca esperança de regeneração social.

O secularismo arrogante do pensamento moderno está destruindo tudo o que há de belo em nossa literatura e filosofia; a voz do antigo pároco está abrindo passagem para sepulcros caiados como o reverendo Bruno Chilvers, de *Born in Exile*, que declara em privado:

> Os resultados da ciência são a mensagem divina de nossa época; negligenciá-los, temê-los, é permanecer sob a antiga lei, ao passo que a nova exige nossa adesão, repetir o erro judaico das eras passadas. Menos São Paulo e mais Darwin! Menos Lutero e mais Herbert Spencer![12]

---

[11] George Gissing, *Demos*. London, 1886, cap. XIX.
[12] George Gissing, *Born in Exile*. London, 1892, parte V, cap. I.

E o novo coletivismo, seja chamado de socialismo seja de algum nome mais palatável aos filisteus, que são os mestres destes tempos, é programado para apagar a variedade e a individualidade que tornam tolerável até mesmo a mera vida da matéria. "Não viveremos o bastante", escreveu Gissing em 1887, "para ver a democracia obter todo o poder que espera!"[13] Em 1879, esperara que o ano de 1900 viesse a ser fértil em grandes coisas; mas ao chegar a virada do século, viu a bocarra de uma monstruosa caducidade social.

> A barbarizarão do mundo prossegue alegremente. Sem dúvida, haverá uma guerra contínua ainda por muitos anos. Dá-me náuseas ler os jornais; volto-me, o mais que posso, aos antigos poetas [...]. Quem sabe quais horrores fantásticos nos reserva o mundo? Há, ao menos um século e meio, a civilização está em um estado muito ruim.[14]

Harvey Rolfe, nas últimas páginas de *The Whirlpool*, resmunga um endosso ao novo imperialismo: libertar-nos-á da nossa amaldiçoada confusão moral.

O livreto airoso e sério chamado *The Private Papers of Henry Ryecroft*, expressando um epicurianismo enobrecido, foi publicado em 1903, enquanto George Gissing, em Saint-Jean-Pied-de-Port, no sul da França, estava morrendo de tuberculose, com pouco mais de quarenta anos de idade. É o testamento de um homem que amou tudo o que há de venerável na Inglaterra, das lareiras aos sinos de igreja; e como uma influência conservadora, é possível que tenha feito mais para recordar aos homens sérios sobre a verdade e a beleza que reside nos modos antigos do que todos os discursos *tories* em Hansard neste século. Gissing repudia toda a heresia inovadora e, para o que resta de um mundo melhor, diz ele, devemos nos apegar com a tenacidade dos homens suspensos sobre um abismo. Não é amigo do povo. "Todo instinto do meu ser é antidemocrático e temo pensar o

---

[13] *Letters of Gissing*. Op. cit. p. 199.
[14] Idem. Ibidem, p. 47, 371.

que nossa Inglaterra se tornará quando Demos governar de maneira irresistível." Os homens tomados como massa se tornam criaturas evidentes, prontas para qualquer mal.

> A democracia é cheia de perigos para todas as esperanças mais aprazíveis da civilização, e o recrudescimento, na companhia que não deixa de ser natural, do poder monárquico baseado no militarismo, torna a perspectiva bastante dúbia. Se tiver, porém, de chegar um Senhor da Carnificina, as nações arrancarão o pescoço, umas das outras.[15]

Contra os terrores da mentalidade de massa e do impulso anárquico, a principal proteção é a tradição política inglesa: os ingleses estão acima da teoria política abstrusa.

> A força, em termos políticos, resta no reconhecimento da conveniência, complementada pelo respeito ao fato consagrado. Uma das circunstâncias que lhes é particularmente clara é a adequação às mentalidades, aos temperamentos, aos hábitos de um sistema de política que foi instituído pelo efeito lento de gerações, no reino cercado por mar. Nada têm com ideais: nunca se preocupam em pensar nos Direitos do Homem. Se com eles falardes (tempo o bastante) sobre os direitos do lojista, do camponês ou do vendedor de carne para gatos, dar-vos-ão ouvidos, e quando analisados os fatos de tais casos, encontrarão um modo de, com eles, lidar. A essa característica chamam de Senso Comum. Para eles, ponderadas todas as coisas, é de grande auxílio; podemos até dizer que não foi pouco o lucro do restante do mundo com isso. Que esse Senso Incomum poderia, vez em quando, colocá-los em melhor posição, nada acresce ao argumento. O inglês lida com as coisas como elas são e, antes de mais nada, aceita a própria existência.[16]

A democracia é estranha à tradição inglesa e ao sentimento enraizado; o futuro da Inglaterra depende da reconciliação da ideia aristocrática (e o espírito de deferência que Walter Bagehot,

---

[15] George Gissing, *The Private Papers of Henry Ryecroft*. Op. cit., p. 56.
[16] Idem, Ibidem, p. 131.

arrependido, vira desaparecer quarenta anos antes) com os problemas da multidão acinzentada.

> O inglês democrata é, pelas leis da própria natureza, um caso perigoso; perdeu o ideal pelo qual guiou os instintos rudes, pródigos e dominadores; em lugar do Ilustríssimo, nascido para coisas nobres, construiu uma simples plebe, nascida, mais provavelmente, de todo tipo de mesquinharia. E, em meio a toda demonstração de autoconfiança, o homem é assombrado pelo receio.[17]

Assim, as convicções de Edmund Burke ecoam no princípio do século XX por intermédio de um romancista do "mais baixo estrato social" do condado fabril de West-Riding, em uma era em que o líder mais popular do Partido Conservador é um industrial radical de Birmingham, bem-sucedido em encontrar ouro e diamantes na África do Sul para os 42 milhões de pessoas de uma Grã-Bretanha em que a vitalidade vitoriana se esvaía. Quanto ao futuro da Inglaterra, como o via Joseph Chamberlain, ou como o via Sidney Webb, George Gissing sentia uma repulsa irresistível. Numa nação encoberta por fábricas e despersonalizada, não é provável que, "a palavra 'Lar' venha a ter somente um significado especial, indicando a morada comum de trabalhadores aposentados que recebem pensão por idade avançada". Até mesmo o conforto, outrora uma característica especial da Inglaterra, parecia perecer, extinto pelas novas condições sociais e políticas

> Os que veem os vilarejos de tipo novo, os quarteirões de classes trabalhadoras das cidades, a elevação de "apartamentos" a moradia de ricos, têm pouca escolha, a não ser pensar assim. Logo chegará o dia em que a palavra "conforto" continuará a ser usada em muitas línguas, mas a coisa que significa não poderá, de modo algum, ser descoberta.[18]

Essa será a fome espiritual do "mundo dos mortos" espalhada por toda a sociedade; e George Gissing contempla a possibilidade

---

[17] Idem. Ibidem, p. 136-37.
[18] Idem. Ibidem, p. 203, 256.

desse Inferno socialista bem arranjado como se, à semelhança de Farinata, tivesse enorme desprezo pelo Inferno. Esse será o auge de nossas revoluções sociais. Alguns, ainda homens, então, apegar-se-ão a constituições abaladas e a belezas esmaecidas enquanto houver fôlego.

3. ARTHUR BALFOUR: SEU CONSERVADORISMO ESPIRITUAL E A MARÉ DO SOCIALISMO

Arthur Balfour, um dos mais interessantes e menos exitosos líderes partidários dos últimos cem anos, sem dúvida, teria endossado a observação de George Gissing de que a política prática é a distração do semialfabetizado. Era um filósofo, mas não um pensador político original: como seu tio, Lorde Salisbury, combinou a desconfiança na generalização política com a indiferença à popularidade. Isso não é depreciar seus talentos como político: um daqueles cavalheiros afortunados que andam sobre a neve fresca sem deixar vestígios, era um mestre da ambiguidade e do acordo, quando preferia, e, por um tempo, conseguiu agradar a quase todos. A amabilidade de sua natureza, de fato, o levou – apesar da acuidade em perceber as motivações dos homens e a sua destreza política – às principais inconsistências e fracassos: a lei de educação de 1902, o Sionismo e a Declaração Balfour e a evasão educada de toda política real acerca da reforma tributária. Como conservador, seu princípio de ação, como o de Lorde Salisbury antes dele, era a postergação astuta e o aperfeiçoamento. Mais que o socialismo de Sidney Webb ou de George Bernard Shaw, o conservadorismo de Lorde Salisbury e de Arthur Balfour tinha o direito de denominar-se Fabiano.

Esse era o tipo de conservadorismo que George Saintsbury (1845-1933) louvava e, após 1867, por certo, era uma reação prudente ao noivado de Benjamin Disraeli do conservadorismo com a Democracia *Tory*. Em consequência a um sinal de alerta bem fundamentado, os conservadores repudiaram o nivelamento emocional do torismo de Lorde Randolph Churchill, o que levou Arthur Balfour a dissociar--se do "quarto partido" deste, de John Eldon Gorst (1835-1916) e de Drummond-Wolff (1899-1982). Escreve George Saintsbury:

> Há certas redes que, embora dispostas à vista do pássaro, com outros pássaros já nelas capturados – mais que isso, com todo o processo de distribuição e resultados da captura revelados com liberalidade repetidas vezes – mantêm a fatalidade, é conhecimento bastante comum. [...]. Por pouco, o mais moderno é o que é chamado de democracia *tory*.[19]

Arthur Balfour salvou, por um lado, o conservadorismo da rede da democracia *tory*, e talvez por outro, da rendição incondicional, a marca de neoconservadorismo de Birmingham. *Sir* John Eldon Gorst, poucos meses depois da derrota dos *tories* em 1906, ainda pensava na fé inquestionável que o povo depositava na principal esperança do torismo, "de que a Igreja e o Rei, os lordes e os comuns e todas as instituições públicas têm de ser mantidas até agora e somente até agora, ao promoverem o bem-estar e a felicidade das pessoas comuns". A devoção sentimental de Randolph Churchill e de John Gorst a um "povo" abstrato, de algum modo indiferente às classes, aos interesses econômicos e à falibilidade individual era uma perversão da ideia de nacionalidade de Benjamin Disraeli e nada mais. O próprio Disraeli repudiara, havia muito, a ideia de "povo". Sob a liderança de Balfour, depois de 1891, os conservadores afastaram-se dessa confiança na *vox populi*, que Archibald Primrose (1847-1929), 5º Conde de Rosebery, definiu como o lobo do radicalismo na pele de cordeiro do torismo. Observa o professor William Lawrence Burn (1904-1966):

> Será que Gorst quis dizer que qualquer mudança, ainda que revolucionária, era louvável, desde que conduzida por um governo *tory* ou

---

[19] George Saintsbury, "A Second Scrapbook". In: *Scrap Books*, 3 vols. London, 1922-1924, p. 318.

conservador? Poderia a espada de Dâmocles cair a qualquer momento desde que o fio fosse cortado por uma espada *tory*?[20]

Essa afeição pelo partido acima do princípio era o que Lorde Salisbury (enquanto era ainda o Visconde Cranborne) achou inquietante em Benjamin Disraeli. Numa época repleta de tremendas mudanças sociais e econômicas, a simples fé no povo nunca bastaria; as próprias pessoas, até onde podemos dizer que existam como um corpo homogêneo, não sabem o que querem ou onde se situam, uma vez que a mudança tenha varrido os marcos familiares; e Salisbury e Balfour esforçaram-se para oferecer uma liderança aristocrática nos moldes antigos e a precaução em uma época de ação de massa.

Assim a Cila do conservadorismo do século XX foi, por ora, afastada; mas aí permaneceu Caríbdis, que era o radicalismo metamorfoseado de Joseph Chamberlain e o interesse industrial que representava, também democrático, mas dificilmente sentimental – em vez disso, imperialista, não conformista e secular, desdenhoso do interesse territorial e inclinado à mudança material, talvez por meio de uma legislação paternalista. O charme e o tato de Arthur Balfour tinham alguma relação com a domesticação desses auxiliares góticos para a legião *tory*, reconciliando os objetivos deles com os princípios conservadores, de modo que Chamberlain serviu, de bom grado, sob o comando de Balfour, quando Salisbury retirou-se da vida pública. "Nem sempre podemos evitar que as coisas vão para o Inferno", escreveu Salisbury em 1924, "mas podemos fazê-las ir lentamente e, às vezes, desviá-las do caminho diabólico." Essa era a política de Salisbury e de Balfour, tanto com os recrutas sindicalistas quanto com os negócios da Grã-Bretanha. O grande princípio do sólido conservadorismo militante, acrescentou Salisbury, é este: "Lute o tanto que puder fazê-lo de modo consistente, preservando-se tanto quanto

---

[20] W. L. Burn, "English Conservatism". In: *The Nineteenth Century*, jan. 1949, p. 11.

puder, mas protele a luta com concessões graduais e insignificantes, onde for possível".[21] Balfour agiu com base em pressupostos semelhantes. No entanto, tais manobras não evitaram a vitória liberal de 1906 nem a vitória trabalhista de 1924.

Pôr a culpa em Arthur Balfour – como a maioria dos conservadores fez em 1911, quando, praticamente, compeliram-no a renunciar como líder – é uma reação confusa diante da impotência que o Partido *Tory* sentiu, uma vez que todas as disputas familiares da época vitoriana começaram a passar, e uma nova espécie de luta de classes suplantou as controvérsias políticas e morais que foram temas de debates parlamentares desde 1832. Balfour era um homem do século XIX, os conservadores sentiam, um virtuoso magnífico que demonstrava desdém pela política e economia – um diletante, ou algo bem parecido, na idade do ferro. Queriam mentes seguras, práticas – e, quando as conseguiram, em Bonar Law (1858-1923), Stanley Baldwin (1867-1947) ou em Neville Chamberlain (1869-1940), descobriram que precisavam de um tipo diferente de liderança, afinal, e voltaram-se para Winston Churchill (1874-1965). Arthur Balfour, então, lutava não simplesmente com o espírito alterado de uma era, mas contra a constituição alterada do próprio partido. O conservadorismo ainda era a fé dos cavalheiros rurais, mas tinham deixado de dominar os conselhos. As reformas de 1884 e 1885, embora tenham diminuído muito a influência da classe dos proprietários de terras, ainda assim só refletiram um eclipse econômico do interesse rural que era anterior. Quando *Sir* Robert Peel abandonou as *Corn Laws*, o dique da prosperidade agrícola foi rompido, mas uma prosperidade geral na Inglaterra escondeu, por uma geração, a extensão do dano. A depressão agrícola de 1877 infligiu a toda Grã-Bretanha rural a pobreza, mitigada muito lentamente; e Benjamin Disraeli, convencido desde a queda de Peel que um partido comprometido com deveres

---

[21] George Saintsbury, *A Last Scrapbook*, p. 155-58.

protecionistas agrícolas não poderia esperar governar a Inglaterra, não fez tentativa alguma de abrigar os proprietários de terra e a população rural atrás de um paredão de novos tributos – embora os poderes continentais já tivessem adotado tais medidas para aferir o despovoamento rural e a urbanização excessiva. A Alemanha, a França e os outros Estados da Europa precisavam de camponeses para ingressar nas fileiras dos exércitos recrutados; não a Grã-Bretanha. Essa ainda podia recrutar bastantes agentes de polícia nos vilarejos e, com isso, as classes dominantes das cidades sentiam-se satisfeitas. Em meados do século XX, a Inglaterra não teria dificuldade de encontrar até recrutas de polícia numa sociedade que mal alocava mais de 5% da força de trabalho na agricultura.

Arthur Balfour, portanto, como membro eminente da antiga aristocracia rural da Grã-Bretanha, a classe detentora de tempo livre, riqueza e antecedentes rurais que dominaram a Inglaterra desde tempos imemoriais, não era um real representante dos conservadores do século XX. A riqueza, bem como a população, passara para as ocupações e regiões manufatureiras, e o poder político recusava a separar-se por muito tempo do dinheiro e da força. Os dezenove anos de supremacia sindicalista, que terminaram em 1906, observa R. C. K. Ensor (1877-1958), "podem ser vistos como um reagrupamento bem-sucedido das famílias governantes para manter a posição, apoiado e modificado pela aliança com o mais hábil líder dos arrivistas – Chamberlain".[22] Mesmo que Balfour tivesse sido um político prático mais hábil, as antigas classes governantes da Inglaterra não teriam prolongado por muitos anos a rendição a uma democracia urbana que esquecera a ideia de deferência. Balfour não falhou, a não ser até onde toda a sua ordem fracassou; e eles não abandonaram os deveres, mas os deveres foram arrebatados de suas mãos relutantes. A aristocracia britânica, como o conjunto mais inteligente e consciencioso da

---

[22] R. C. K. Ensor, *England 1870-1914*. Oxford, Clarendon Press, 1936, p. 388.

classe alta que o mundo ocidental já conheceu, nunca se tornou decadente; simplesmente foi inundada, de modo que, depois de 1906, foi compelida à impotência, enquanto a propriedade seguia a influência política, ingressando na custódia das cidades e das multidões industriais. Dessa aristocracia, Balfour era digno de ser líder nos últimos anos de ascendência – embora menos como estadista, talvez, do que como um grande cavalheiro de muitos talentos.

"Fico mais ou menos feliz quando elogiado; não muito desconfortável quando insultado, mas tenho momentos de inquietação quando explicado", disse a respeito de si. Sua natureza sutil não será explicada aqui e, nesse quesito, ninguém arriscou, visto que não há uma biografia satisfatória de Lorde Balfour. Na esfera do pensamento social conservador, nada que Balfour disse ou fez importa tanto quanto o que ele foi, ou melhor, que cultura e que classe exemplifica perfeitamente. À luz dos últimos tempos, a própria indolência e indiferença de Balfour parecem virtudes, agora que a autoridade política está nas garras do energúmeno e do estatístico. D. C. Somervell (1885-1965) o compara com William Lamb (1779-1848), 2º Visconde Melbourne:

> É medida da distinção pessoal que tal homem tenha alçado a posição de primeiro-ministro, vendo que tinha ou parecia ter tão pouco interesse na maioria dos problemas das pessoas que governava [...]. Balfour, também, era uma rosa outonal, uma flor do mais fino aroma, a florescer, perigosamente, no fim da estação, quando as geadas já começavam a chegar.[23]

Importava-se muito mais com música e filosofia do que com política; e embora pouco tenha escrito sobre política que valha a pena ser lido hoje, seus estudos especulativos em teologia têm valor permanente, conservador, no mesmo sentido que foi o feito de John Henry Newman.

---

[23] D. C. Somerwell, *British Politics since 1900*. London, 1950, p. 49.

A essência dos quatro volumes filosóficos de Arthur Balfour – *A Defense of Philosophic Doubt* [Uma Defesa da Dúvida Filosófica], de 1879; *The Foundations of Belief* [Os Fundamentos da Crença], de 1895; *Theism and Humanism* [Teísmo e Humanismo], de 1915; e *Theism and Thought* [Teísmo e Pensamento], de 1923 – é bem parecida com a máxima de Blaise Pascal (1623-1662) de que o coração tem razões que a Razão desconhece. Balfour é cético como Newman é cético: gravemente consciente de que os postulados da ciência moderna não se baseiam no conhecimento absoluto, mas são derivados de fontes similares às da convicção religiosa. Se somente os dados das pesquisas físicas e das provas sensoriais fossem permitidos aos homens pensantes, então labutaríamos para sempre nas agonias da dúvida. Arthur Balfour concorda nisso com Francis Bacon, se em nada mais de que o que começa na dúvida pode terminar em certeza. Um elevado ceticismo é preparação para a sabedoria – não o ceticismo limitado, destrutivo, do egoísta, deliberadamente em busca da descrença, mas, ao contrário, um reconhecimento intelectual do desejo de comprovação. O ceticismo não precisa destruir a crença; pode servir, ao contrário, para expor a complacência injustificada dos descrentes. Balfour tem esperanças em um ceticismo esclarecido que ofereça à consideração cética das alegações da ciência "exata", a restauração de alguma porção de confiança entre os homens,

> que se rendem, vagarosos e a contragosto, ao que concebem ser um argumento irrespondível, convicções das quais dificilmente podem se apartar; que, por bem da verdade, estão preparados para desistir do que costumavam pensar como guia nesta vida, esperança na outra, para se refugiarem nalgum substituto estranho de religião, fornecido pela ingenuidade desses últimos tempos.[24]

---

[24] Arthur James Balfour, *A Defense of Philosophic Doubt*. 2. ed. London, 1920, p. 326-27.

Um cético verdadeiramente razoável descobrirá a imprudência desses estranhos substitutos, entre eles o positivismo; e, assim, o ceticismo é o instrumento da piedade. Levou Balfour ao teísmo, a crença em um ser que não é simplesmente uma unidade nebulosa ou uma identidade, mas,

> um Deus a quem os homens podem amar, um Deus a quem os homens podem rezar, que toma partido, que tem propósitos e preferências, cujos atributos, como quer que sejam concebidos, deixam ilesa a possibilidade de uma relação pessoal entre Ele e aqueles que criou.[25]

A verdade daquilo que Samuel Taylor Coleridge chamou de razão, e que John Henry Newman chamou de senso ilativo, é o que Arthur Balfour antepõe tanto contra o materialismo naturalista quanto contra o idealismo anticristão. Os homens que exigem provas materiais e mensuráveis do transcendente perguntam o que não está na natureza; esforçam-se por resolver mistérios ao negar, simplesmente, que os mistérios existem.

> Buscam por provas de Deus, como homens buscam por provas de fantasmas ou bruxas. Diz-nos quais problemas Sua existência resolveria. E quando essas tarefas forem alegremente cumpridas, voluntariamente o colocarão entre as causas hipotéticas pelas quais a ciência se esforça por explicar o único mundo que conhecemos de modo direto, o mundo familiar da experiência diária.

No entanto, isso é tratar Deus como se Ele fosse uma entidade, uma parte separável da realidade, quando "Ele é, Ele mesmo, a condição do conhecimento científico".[26] Conhecimento, amor, beleza não podem perdurar em um mundo que só reconhece a natureza; têm, todos, raízes e consumação em Deus, e as pessoas que negam Deus devem perder tanto a definição como a estima pelo conhecimento, pelo

---

[25] Arthur James Balfour, *Theism and Humanism*. London, 1915, p. 21.
[26] Idem. Ibidem, p. 273-74.

amor e pela beleza.[27] Arthur Balfour, como Joseph Joubert, sugere que não é difícil conhecer Deus, visto que não se tente defini-lo. Religião e ciência não são hostis ou exclusivas, devidamente compreendidas; ambas devem confiar nas intuições e insinuações além da simples prova dos sentidos; e os homens que se empenham por reduzir a religião a uma moralidade de questão de fato, o elevar a ciência ao estado de um credo dogmático, fecham os olhos às fontes de sabedoria que distinguem os homens civilizados dos seres primitivos.

Uma confiança semelhante na autoridade, nos usos consagrados e na intuição moral constituem a política de Arthur Balfour. Esses eram os princípios burkeanos e, como Edmund Burke, Arthur Balfour sabia como aplicá-los na administração prática, como atesta seu desempenho quando secretário para a Irlanda. Entretanto, para um homem tão erudito e, vez ou outra, tão prático, curiosamente, tinha uma visão curta nas grandes profecias políticas e esperanças. A lei de Educação de 1902 é um exemplo desse defeito: "Não percebi que a lei significaria mais despesa e mais burocracia", confessou mais tarde. Outro, é a sua condução da resistência conservadora ao governo Liberal em 1906, ao empregar a vasta maioria *tory* na Câmara dos Lordes para aniquilar a legislação inovadora dos liberais jubilosos e dos trabalhistas – que levaram ao Ato Parlamentar de 1911 e a redução dos lordes quase à impotência. Os erros de julgamento podem ser facilmente consertados quando envolvem nada além de questões de política governamental; mas quando envolvem mudança orgânica, o efeito é suscetível a ser permanente. Foi um infortúnio Balfour ser o líder do conservadorismo em um período que o gosto pela mudança orgânica se tornava, ele mesmo, quase institucional. A própria lentidão de Balfour em perceber tais probabilidades, assim como o desagrado por economia e pelas finanças, tornou-o representante

---

[27] Arthur James Balfour, *Theism and Thought: a Study in Familiar Beliefs*. London, 1923, p. 32-33.

do interesse conservador antiquado, o legado dos Cecil e de outras grandes casas. Balfour era a voz perspicaz e erudita da Grã-Bretanha tradicional, ainda galante, em meio ao atropelado século XX. "A diferença entre mim e Joe", Arthur Balfour disse a respeito de Joseph Chamberlain, "é a diferença entre a juventude e a velhice: eu sou a velhice."[28] Isso era muito verdadeiro. O socialismo estatal de Chamberlain e o imperialismo industrial eram a onda do futuro, ao passo que o prestígio das antigas classes governantes da Inglaterra terminou com Balfour. Henry Adams, que via em si e em seus irmãos os representantes de uma América antiga moribunda, reconheceu em Arthur Balfour sua contraparte inglesa. Acerca da renúncia de Arthur Balfour como líder dos conservadores, Henry Adams escreveu para o irmão Charles Francis Adams Jr. (1835-1915) que as personalidades fortes e interessantes estavam desaparecendo do mundo:

> As *Vidas* de nossos contemporâneos agora enchem as prateleiras, e nenhum nos oferece o que pensar. Desde a Guerra de Secessão, creio que não produzimos uma figura que será relembrada pelo período de uma vida [...]. O que é mais curioso, creio que as figuras não existiram. Os homens não nasceram.
>
> Se tivessem existido, deveria ter me unido a elas, pois delas precisei muitíssimo. Como a vida acabou, morro só, sem um galho do qual cair. Poderia muito bem ser uma marmota solitária nas velhas colinas Quincy enquanto o inverno chega. Não deixamos seguidores, nenhuma escola, nenhuma tradição [...]. Interessa-me bastante ver que Arthur Balfour sucumbiu aqui às mesmas condições. Não pode forçar a geração vindoura. Expressa isso demasiado bem.[29]

Por certo, Arthur Balfour não deixou nenhum herdeiro político. Bonar Law, que o sucedeu, apoiou o partido conservador

---

[28] Julian Amery, *The Life of Joseph Chamberlain*. 4 vols. Macmillan & Co., 1951, IV, p. 464.
[29] W. C. Ford (ed.), *Letters of Henry Adams*. 2 vols. Boston/New York, 1930 e 1938, II, p. 576.

transformado, o partido da indústria e do comércio. Das eleições gerais de 1906 até a ressurgência conservadora em 1922, uma enxurrada de legislação radical fragmentou a antiga sociedade de onde veio Balfour. O poder político tinha, de fato, se esvaído das mãos dos estadistas do tipo antigo, que formaram e dirigiram a opinião pública; mas, como dissera *Sir* James Fitzjames Stephen, o poder a que o Estado renuncia será tomado por outras organizações e indivíduos. A teoria benthamita de soberania deve ser entregue aos cuidados de inúmeros indivíduos que compõem a sociedade; cada um a agir por si e a exercer um peso igual na decisão das questões públicas, alcançou o auge no *Plural Voting Act* [Lei de Voto Plural] de 1913 e no *Representation of the People Act* [Lei de Representação do Povo] de 1918; depois disso – com exceções de não muita significância – o princípio de uma pessoa, um voto iria operar de modo irreprimido. O eleitorado agora consistia em dezoito milhões de homens e mulheres, cada um supostamente a votar de modo inteligente após considerar os problemas em questão. No entanto, o poder político, ao desafiar o decreto parlamentar, recusou a ser atomizado. A influência de que as antigas classes e corpos foram privados foi assumida pela nova classe – pelos sindicatos trabalhistas, em especial, e pelos partidos políticos reorganizados, estritamente disciplinados, que continuaram a interrogar os membros independentes do Parlamento. O individualismo econômico e político que a escola benthamitas esperara ser o resultado do sufrágio universal nunca existiu um momento sequer; em vez disso, os líderes políticos apressaram-se por lisonjear e a satisfazer o desejo popular por legislação positiva, facilitando o novo coletivismo. A lei de Disputas Comerciais de 1906, a lei de Finanças de 1909-1910, o decreto parlamentar de 1911, a lei dos sindicatos de 1913 e a dispendiosa despesa estatal foram os resultados imediatos da confusão conservadora. O trabalhismo estava muitíssimo forte naquele momento; as pensões por idade começaram; e o restante do Estado de Bem-Estar estava a tomar forma. Lloyd George iniciara esse programa de fazer os ricos pagarem uma compensação. A igualdade política estava completa; à igualdade de condição, a mentalidade reformadora estava atraída de modo irresistível.

Dois anos depois da catástrofe de 1906, Arthur Balfour falou no Newnham College sobre decadência. "O caráter nacional é sutil e esquivo", disse:

> Não para ser expresso em estatísticas ou medido por métodos grosseiros que satisfazem o moralista prático ou o estadista. E quando, por intermédio de um Estado antigo e ainda poderoso, espalha-se um espírito de profundo desencorajamento, quando à reação contra os males recorrentes fica cada vez mais débil, e o barco se eleva com menos ânimo a cada onda sucessiva, quando o saber definha, o empreendimento enfraquece e o vigor se desvanece, então, creio, estar presente algum processo de degeneração social que devemos, necessariamente, reconhecer e que, na pendência de análise satisfatória, deve, de modo conveniente, ser indicada pelo nome de "decadência".

Não há sociologia que possa determinar precisamente se uma nação alcançou um estado de decadência. Parece que a decadência é tão normal nas comunidades quanto o progresso. Com relação à nossa sociedade, no entanto, "quaisquer que sejam os perigos diante de nós, não existem, até então, sintomas de pausa ou retrocesso no movimento progressivo que por mais de mil anos é característico da civilização ocidental".[30] O professor C. E. M. Joad, em 1948, tentou expressar uma definição mais concisa de decadência: a perda de um objetivo na vida. Os líderes conservadores, apesar da influência de Disraeli e de Stephen, muitas vezes não pensam diretamente em termos de finalidades sociais, mesmo depois de 1906.

Na primavera de 1914, Althur Balfour palestrou nas Gifford Lectures sobre teísmo e humanismo na Universidade de Glasgow; e com os honorários comprou um par de portões de jardim de ferro

---

[30] Arthur James Balfour, *Essays Speculative and Political*. London, 1921, p. 32, 49.

fundido para sua propriedade em Whittinghame. Nos arabescos vemos os números "1914". Daquele ano em diante o movimento da civilização ocidental estremeceu até parar; e os sintomas mórbidos do tédio social haviam se espalhado diante da sociedade de Balfour quase uma década antes.

4. OS LIVROS DE W. H. MALLOCK: UMA SÍNTESE CONSERVADORA

Como resumir a obra de William Hurrell Mallock (1849-1923), que perfaz vinte e sete volumes, excluindo o efêmero? W. H. Mallock é lembrado, principalmente, por um livro, *The New Republic* [A Nova República], de 1877, e esse é o primeiro, composto enquanto ainda estava em Oxford – "o romance mais brilhante já escrito por um aluno de graduação", disse o professor Geoffrey Tillotson (1905-1969), com justiça.[31] [É, também, o feito mais brilhante nesse *gênero*, depois de Thomas Love Peacock (1785-1866); e, talvez, se iguale ao melhor de Peacock]. No entanto, outros livros de Mallock ainda valem a pena ser vistos – os estudos teológicos e filosóficos, os romances didáticos, os volumes fervorosos de expostulação política e de estatística social, até mesmo os livros de versos.

"Tinha uma agudeza surpreendente, grande poder argumentativo, conhecimento amplo e preciso, excelente estilo", disse George Saintsbury a respeito de W. H. Mallock.

> Parecera – e pareceu, creio, para alguns – estar nos bastidores de um Aristófanes (446-386 a.C.) ou de Jonathan Swift (1667-1745) de grau não muito menor [...]. E, ainda, depois do principal sucesso infame de *The New Republic*, nunca "parou". Atribuir isso aos princípios que defendia é cravar nos que não gostam desses princípios a própria zombaria favorita de "o partido estúpido". *Nós* conhecemos cérebros

---

[31] Geoffrey Tillotson, *Criticism and the Nineteenth Century*. Londres, 1951, p. 124.

quando os vemos, ainda que pertençam aos inimigos. Qual era exatamente a falha, a tolice, a "gota do mal"[32*], não sei – talvez reste na falta de gosto e de têmpera.[33]

Nas últimas duas ou três décadas, o interesse por W. H. Mallock de algum modo ressurgiu, provavelmente estimulado por aquele ressurgimento conservador que Mallock esperava, cujos lineamentos previu. *Is Live Worth Living?* [A Vida Vale a Pena?], *Social Equality* [Igualdade Social], de 1879, e *The Limits of Pure Democracy* [Os Limites da Democracia Pura], 1917, juntamente com a encantadora autobiografia de Mallock, *Memoirs of Life and Literature* [Memórias da Vida e da Literatura], de 1920, merecem a atenção de qualquer um que se interesse pela mentalidade conservadora. Mallock morreu em 1923, um tanto esquecido, mesmo na ocasião; mas não houve quem a ele se equiparasse entre os conservadores ingleses desde então. Passou a vida em uma luta contra o radicalismo moral e político: em volume e profundidade, muito além de seus dons de perspicácia e de estilo, sua obra não foi superada pelo conjunto dos escritos conservadores de qualquer país.

Por herança de um cavalheiro do interior, de família antiga, por inclinação de poeta, W. H. Mallock transformou-se em um panfletário e em um estatístico, nos moldes benthamitas, tudo por amor à antiga vida inglesa que descreve com carinho nas *Memoirs of Life and Literature* – casas esplêndidas, boa conversa, vinhos e jantares, a tranquilidade de dias imemoriais. Esse pode ser um conservadorismo de satisfação, mas Mallock o defendia por meio do conservadorismo de intelecto. Por sua causa, passou a vida entre compêndios de estatísticas governamentais e relatórios dos encarregados pelo imposto de renda; sem assistência, fez o que a equipe de pesquisa

---

[32*] Em inglês "*dram of eale*". Ver: William Shakespeare, *Hamlet*, Ato 1, Cena 4. (N. T.)

[33] George Saintsbury, *A Second Scrapbook*, p. 178-80.

do Centro de Política Conservadora agora executa em conjunto. "Ao longo de quase todos os livros é notada a aspiração a uma verdade que dará à alma algo mais que uma 'resposta empoeirada'; está evidente em todos os lugares", afirma *Sir* John Squire.³⁴ Na busca por essa verdade, atacou algumas das personagens mais formidáveis de seus dias – Thomas Henry Huxley, Herbert Spencer, Benjamin Jowett (1817-1893), Benjamin Kidd (1858-1916), Sidney Webb, George Bernard Shaw. E nenhum desses escritores, nem mesmo Shaw, saiu-se bem na luta com Mallock.

Na meninice, W. H. Mallock "inconscientemente pressupôs, na realidade, se não em demasiadas palavras, que qualquer revolta ou protesto contra a ordem instituída era, de fato, uma impertinência, mas não era, diversamente, de grande importância".³⁵ Sua primeira aspiração como conservador era a restauração do gosto clássico na poesia. Ao crescer, todavia, veio a perceber

> que toda a ordem das coisas – literárias, religiosas e sociais – que a poesia clássica supunha e que, anteriormente, tomara como impregnável, era atacada por forças que era impossível ignorar.

Voltou-se para a defesa da religião ortodoxa contra os positivistas e outros adoradores da ciência cética. Ainda que por toda a vida tendesse ao catolicismo ("Se o cristianismo exprime qualquer coisa definida – qualquer coisa mais que uma disposição de sentimento precária – a única forma lógica disso é a representada pela Igreja Ecumênica de Roma"), e ao observar, de modo complacente, que sua obra *Doctrine and Doctrinal Disruption* [Doutrina e Ruptura Doutrinária], de 1900, impelira certos anglicanos sérios a ingressarem na comunhão romana, ainda assim, ingressou na Igreja de Roma somente no leito de morte.

---

³⁴ John Squire, introdução a *The New Republic*, p. 10.
³⁵ W. H. Mallock, *Memoirs of Life and Letters*, 2. ed. London, 1920, p. 251-52.

Foi o *tory* radical, John Ruskin, que encorajou os sentimentos de reverência e piedade no ultraconservador W. H. Mallock; e Ruskin (como o "Sr. Herbert"), ao pregar do púlpito improvisado na inesquecível *villa* de The New Republic, expressa o objetivo do esforço geral de Mallock quando diz que nós, modernos, não podemos propagar novamente os deuses dos gregos:

> O ateísmo do mundo moderno não é o ateísmo dos antigos: a longa noite escura do inverno não é a curta noite clara do verão esvanecido. O filósofo grego não pode obscurecer a vida, pois não sabe que fonte misteriosa de luz recaiu sobre ela. O filósofo moderno sabe, e sabe que isso é chamado Deus, e, conhecendo assim a fonte da luz, pode, imediatamente, extingui-la. O que vos restará quando essa luz for extinta? Será que a arte, a pintura, a poesia vos seríeis de conforto? Disséreis que esses eram espelhos mágicos que refletiam a vossa vida para vós mesmos. Bem – seriam eles muito melhores que os espelhos de vossas salas de estar, caso nada tenham a refletir senão a mesma orgia apática? Pois isso é tudo o que vos estais, por fim, reservado; a única alternativa não é estar numa orgia apática para poucos, mas numa anarquia nunca sonhada para todos. Não temo isso, contudo. Uns sempre serão fortes, uns sempre serão fracos; e, ainda, caso não exista Deus algum, nenhuma fonte de ordem divina e paternal, não existirão, credes, aristocracias, serão ainda tiranias. Ainda existirão ricos e pobres, e isso significará, então, felizes e miseráveis; e os pobres serão – como as vezes penso que ainda são – nada a não ser uma massa do maquinário a gemer, sem ter nem mesmo a aparência de racionalidade; e os ricos, só aparentando, nada serão a não ser um grupo de marionetes dançantes, espalhafatosas, do mecanismo que cuidamos manter em movimento.[36]

Mallock, assim como Ruskin, era um artista e um moralista. Para ele, a noção de progresso material era grotesca e hedionda. "O sr. Saunders" (Professor Clifford), em The New Republic, define o progresso como "uma melhoria tal que possa ser aferida por estatísticas,

---

[36] W. H. Mallock, *The New Republic*. London, Rosemary Library Edition, n.d., p. 281.

assim como a educação nesse saber possa ser testada por verificações." Mallock viu como as falácias estatísticas estavam destruindo a civilização e refletiu nos diálogos maravilhosos de *The New Republic*. Sessenta anos depois, em toda a Inglaterra, dificilmente restou uma casa de campo em que tal companhia pudesse se encontrar confortável – não, de fato, muito restou da sociedade para que assim possamos falar; vislumbrou essa perspectiva; e, então, Mallock, "algo de homem do mundo, algo de poeta, de erudito, de lógico, um estilista, um crítico, meticuloso, mas não sem coração, um realista com um toque de místico" (como Squire o descreve), esbordoou socialistas e positivistas por meio século. *The New Republic*, que assustou terrivelmente Benjamin Jowett e Thomas Henry Huxley, John Tyndall (1820-1893) e W. K. Clifford (1845-1879), foi sucedido por uma sátira aos positivistas, *The New Paul and Virgínia, or Positivism on an Island* [Os novos Paulo e Virgínia, ou Positivismo em uma Ilha], de 1878, em que Mallock abandona o infeliz professor W. K. Clifford (sob a alcunha de professor Paul Darnley) juntamente com Virginia St. John, uma jovem de antecedentes vívidos, que "encontrava-se, aos trinta anos, senhora de nada, a não ser de uma grande fortuna". A seguir, em 1880, publicou *Is Life Worth Living?*, provavelmente o ataque mais sério e rigoroso a que foi sujeitado o espírito do positivismo. Expôs o ateísmo e o agnosticismo a uma análise calculada para demonstrar os resultados no campo da moral, apelando "ao intelecto, ao senso de humor, e ao que é chamado de um conhecimento do mundo" em vez de a uma pura emoção religiosa.

A mensagem de *Is Life Worth Living?* é a exposição mais completa da declaração de fé do autor: de que a moralidade e a felicidade não podem subsistir sem o fundamento da religião sobrenatural. O "trabalho em equipe" que os positivistas alardeiam como substituto para a piedade nunca pode erigir a *Civitas Dei*.

> As condições sociais, podemos esperar que continuem a melhorar é verdade; podemos esperar que o mecanismo social, aos poucos, venha

a funcionar de modo mais suave. Entretanto, a menos que saibamos algo positivo em contrário, o resultado de todo esse progresso pode não ser nada senão um tédio mais imperturbável ou uma sensualidade mais desalmada. As pétalas de rosa podem ser pousadas mais suavemente e, ainda assim, o homem que nelas se encontra pode estar mais entediado ou mais degradado.

Quando o homem perde a visão dos fins morais, começa a degradação. Vem a autocensura, sem a possibilidade de absolvição, o próprio tédio e a indiferença.[37] Os pensadores positivistas, cuja primeira instrução fora religiosa e que pouco conheciam do mundo, imaginam que as próprias emoções domesticadas e limitadas são tudo o que a humanidade tem a disciplinar. Caso tenham êxito em revolucionar as convicções morais e o caráter da maioria dos homens, aprenderão quão próximo o bestial está por debaixo da crosta da humanidade. Mesmo os que ainda têm o desejo habitual de fazer o certo são corrompidos pela indiferença moral que se segue, bem próxima à irreligião.

> Toda a perspectiva que os cerca se tornou moralmente sem cor, e isso pode ser discernido na postura para com o mundo exterior, o que, um dia, vem a ser para com o mundo interior. Um estado mental como esse não é sonho. É o mal do mundo moderno – um mal de nossa geração, que não pode escapar a nenhum dos olhos que sobre ele recaem. Revela-se a cada momento ao nosso redor, na conversação, na literatura e na legislação.

Contra a lógica da negação científica não há recurso senão encarar a cruel questão com bravura: perguntarmo-nos se a religião ortodoxa é verdadeira ou falsa. Pode a fé perdida ser recuperada? Devemos aceitar a contenda positivista de que as provas externas devem determinar a validade da religião ou devem a tradição e a disciplina da Igreja convencer-nos de que o ateísmo, em si mesmo, não é

---

[37] W. H. Mallock, *Is Life Worth Living?*. London, 1880, p. 148.

científico? O homem que venera os ancestrais e pensa na posteridade postar-se-á, resoluto, diante desses vândalos do intelecto que reduzem às cinzas a civilização moderna:

> Sobre este império, como sobre o de Roma, por fim, recaiu a calamidade. Uma hoste de bárbaros intelectuais sobre ela irrompeu e ocupou, pela força, toda extensão e alcance. O resultado foi assombroso. Caso os invasores fossem apenas bárbaros, poderiam ter sido facilmente repelidos, mas eram bárbaros armados com a mais poderosa das armas da civilização. Eram um fenômeno novo na história: demonstraram-nos verdadeiro conhecimento nas mãos da verdadeira ignorância; e a obra dessa combinação, até então, é ruína, não reorganização. Poucos dos grandes movimentos, no início, estiveram cônscios da própria e verdadeira tendência; mas nenhum grande movimento os confundiu como o positivismo moderno. Ao observarmos que detém, demasiado bem, o verdadeiro instinto da cegueira e, demasiado mal, a orientação adequada desse ponto de vista, aferrou as presas no mundo do pensamento somente para participar a própria confusão. O que resta diante dos homens agora é reduzir essa confusão à ordem pelo emprego paciente e calmo do intelecto.

Passados anos da publicação desse livro comovente. W. H. Mallock voltou-se, de anos de filosofia e moral, para a economia política e a sociologia. A ascensão da federação social-democrata, a popularidade das ideias de Henry George (1839-1897), e até mesmo as noções econômicas do antigo mentor John Ruskin o alarmaram com muita intensidade: *Social Equality* [Igualdade Social], o primeiro de seus sete livros a respeito de política, foi o resultado surgido em 1882. As ideias de Mallock passaram por um certo refinamento, e as tabelas de estatísticas por algumas emendas durante o interregno entre a publicação deste e de seu último livro de sociologia, *The Limits of Pure Democracy*, mas os princípios e o método não se alteraram. O propósito de Mallock era estabelecer um sistema de pensamento conservador com bases científicas. Os radicais, ao reivindicar a ciência para si, inventavam ou pervertiam as estatísticas de modo a servir aos próprios propósitos. O desdém dos antigos *tories* pela economia política tendeu a impedir os conservadores de responder às falsas estatísticas com as verdadeiras; e Mallock, com pouco apoio da maioria dos líderes conservadores, comprometeu-se a corrigir o equilíbrio.

Quase desde o início, o partido conservador foi lamentavelmente deficitário na abordagem da economia política. Edmund Burke detinha uma maestria admirável no assunto e William Pitt, o *Jovem*, entendia de finanças, mas, [salvo por William Huskisson e John Charles Herries (1778-1855), nenhum deles fora propriamente um líder de homens] desde os últimos anos do governo de Lorde Salisbury, os economistas foram liberais, e os liberais trucidaram, repetidas vezes, os conservadores nesse campo. "As dificuldades no modo de formular o verdadeiro conservadorismo científico, que as multidões sejam capazes de compreender, sou o último a ignorar", escreveu Mallock em 1920.

> Há dificuldade de formular verdadeiros princípios gerais. Há dificuldade de coletar e verificar fatos estatísticos e históricos aos quais devem se acomodar os princípios. Há a dificuldade de pôr os sentimentos morais e sociais em harmonia com as condições objetivas que nenhum sentimento pode alterar de modo permanente. Há a dificuldade de transformar muitas análises de fato em uma síntese moral e racional à luz da qual os seres humanos possam viver; e, aos poucos sentindo minha direção, sou tentado a indicar qual seria a natureza de tal síntese. Ao fazê-lo percebo que os problemas da vida se reúnem com aqueles, comumente chamados de religiosos e, dos quais, nos meus primeiros anos, minha razão solitária ocupou-se.[38]

No momento em que os antigos liberais sucumbiam às teorias do socialismo, a necessidade de uma economia conservadora era inclemente.

Os antigos argumentos conservadores eram obsoletos, escreveu W. H. Mallock. Os direitos dos usos consagrados, as influências

---

[38] W. H. Mallock, *Memoirs of Life and Letters*, p. 135.

tradicionais, o antigo respeito pela propriedade, tudo foi estraçalhado pelas ondas sucessivas de pensamento econômico e político desde Jean-Jacques Rousseau. Os conservadores não podiam mais confiar nessas antigas verdades: nossas tradições tinham de ser acolhidas, em vez de utilizadas como defesas.

A ideologia, o sistema "científico" e o método estatístico foram empregados exclusivamente por inovadores.

> Tudo o que guarda qualquer semelhança com o pensamento organizado ou com um sistema pertenceu à parte atacante; e, excetuada a força, a nada foi oposto senão a um dogmatismo obsoleto que não pode nem mesmo explicar-se.[39]

Não adianta objetar que as doutrinas radicais simplesmente são um atrativo à inveja; esse é o início da questão, pois se a doutrina da igualdade é verdadeira "devemos considerar a inveja como um guia tão sadio na política quanto a reverência pelos homens religiosos é considerada na religião". A questão suprema a ser determinada, então, é apenas esta: a doutrina da igualdade social é verdadeira ou falsa? Os radicais estão certos quando dizem que a perfeição da sociedade requer igualdade? A civilização e os pobres ganhariam com a instituição da igualdade? Qual é o relacionamento entre progresso e igualdade? Em certa medida, Mallock desenvolve respostas para todas essas questões em *Social Equality*, mas seus argumentos ganham força em *Labour and the Popular Welfare* [Trabalho e o Bem-Estar Popular], de 1894.

Quando cientificamente considerado – assim se desenvolve o argumento de Mallock em todas as obras políticas – a doutrina da igualdade será exposta como falácia, pois a igualdade é a morte do progresso. Ao longo da história, todo tipo de progresso, cultural e econômico, foi produzido pelo desejo dos homens pela *desigualdade*. Sem a possibilidade de desigualdade, um povo prossegue

---

[39] W. H. Mallock, *Social Equality*, p. 22.

no nível monótono de mera subsistência, como os camponeses irlandeses. Permitida a desigualdade, a pequena minoria de homens hábeis transforma o barbarismo em civilização. A igualdade não beneficia ninguém. Frustra o homem de talento e reduz o pobre a uma pobreza ainda mais abjeta. Em um Estado civilizado densamente povoado, significa quase fome para o pobre. A desigualdade produz a riqueza das comunidades civilizadas: oferece a motivação que induz os homens de capacidades superiores a se esforçar pelo benefício geral. Cerca de um dezesseis avos da população britânica, nesta era, é responsável por produzir dois terços da renda nacional.[40]

Como os socialistas deixam de reconhecer o imenso valor das capacidades superiores que seriam suprimidas em um sistema de igualdade social? O erro fundamental é a teoria trabalhista da riqueza, como apresentada por Karl Marx, que tirou os rudimentos de David Ricardo. O trabalho (a despeito de Marx) *não* é a causa da maioria de nossa riqueza: sozinho, o trabalho produz apenas a mera subsistência. O homem, naturalmente, não é um animal de trabalho: sem um incentivo especial, trabalhará o menos possível para manter sua vida. "O trabalho em si não é mais causa de riqueza do que a pena de William Shakespeare é a causa de ter escrito *Hamlet*. A causa está nos motivos, dos quais o trabalho é o indicador externo." O motivo principal é a desigualdade e o principal produtor de riqueza não é o trabalho, mas a *capacidade*. W. H. Mallock defende a importância de grandes homens contra Thomas Babington Macaulay e Herbert Spencer. O gênio individual é uma força social tremenda, e os talentos de grandes homens livram o pobre de afundar no barbarismo. Reduzi grandes homens, ou simplesmente homens de vigor e talento, ao tédio da igualdade, e diminuireis proporcionalmente a multidão dos homens.

---

[40] W. H. Mallock, *Labour and the Popular Welfare*. London, 1895, p. 233.

A capacidade, a principal faculdade produtiva, é um monopólio natural: não pode ser redistribuída pela legislação, embora possa ser esmagada.

> A capacidade é uma espécie de empenho por parte do indivíduo que é capaz de afetar simultaneamente o trabalho de um número indefinido de indivíduos e, assim, acelerar ou aperfeiçoar a realização de um número indefinido de tarefas.

Em suma, é a faculdade que direciona o trabalho; que gera invenções, vislumbra métodos, supre a imaginação, organiza a produção, a distribuição e a proteção, mantém a ordem. Em um Estado civilizado, capacidade e trabalho não podem existir em separado e, portanto, não podemos estimar com exatidão perfeita a proporção de riqueza produzida por ambos, mas, da renda nacional (em 1894) de um bilhão e trezentos milhões de libras, o trabalho produziu não mais que quinhentos milhões de libras, ao passo que oitocentos milhões, ao menos, foram, de modo demonstrável, produto da capacidade. O trabalho sem a capacidade é simplesmente o esforço primitivo do homem natural para obter subsistência. Ao reconhecer que a humanidade não pode prosperar pelo simples trabalho, a sociedade, até aqui, esforça-se para incentivar a capacidade ao proteger os incentivos.

O capital, atacado de modo tão amargo pelos socialistas, é apenas o fundo de produção de toda a sociedade; é o controle do intelecto sobre o trabalho. A herança da propriedade, detestada pelo partido do progresso, é um dos incentivos mais importantes para a capacidade, ao satisfazer o instinto de legado e, simultaneamente, gerar condições de poupança e acumulação de capital. Ao admitir as pretensões da capacidade, a sociedade obteve ganhos tremendos para a classe trabalhadora, que o trabalho, sozinho, nunca teria obtido. Durante os primeiros sessenta anos do século XIX, a renda das classes trabalhadoras, *per capita*, cresceu tão imensamente que por volta de 1860 igualava-se ao total de renda de todas as classes em 1800 – como se, em 1800, toda a riqueza da Grã-Bretanha estivesse dividida entre as classes trabalhadoras. E o processo continuou. Em 1880, somente a renda da classe trabalhadora era igual à renda que *todas* as classes receberam em 1850. "Isso representa um progresso, que o socialista mais bravio nunca teria sonhado prometer." De fato, não só a riqueza das classes trabalhadoras aumentou de maneira absoluta, mas cresceu proporcionalmente; os ricos e as classes médias agora têm uma parcela menor da renda total do que tinham anteriormente, isso porque o trabalho, ao deixar de ser um simples esforço manual não qualificado, adquire talentos especiais e, portanto, partilha das recompensas da capacidade.[41]

Se esse processo continuar (Mallock escreve em 1894) por mais trinta anos, ao final desse período, os trabalhadores terão suas rendas dobradas. No entanto, a cupidez ignorante das classes mais pobres ameaça o progresso. É natural buscar por maior prosperidade, mesmo pela ação do governo; mas se essa prosperidade imaginada é obtida por despojar outros elementos da sociedade, asfixiará a capacidade e levará, em pouco tempo, a uma pobreza geral e, ao fim, à barbárie. A busca por uma igualdade social absoluta, baseada na premissa de uma justiça natural imaginada, é tão ruinosa quanto a pretensa economia obtida pela abolição da monarquia, poupando, assim, um milhão de libras por ano – que, contudo, vem a ser menos de seis centavos e meio por pessoa na população. "Custa menos a cada indivíduo manter a rainha que lhe custaria beber à saúde dela algumas garrafas de cerveja."[42] O socialista, pronto a abolir o governo instituído da Grã-Bretanha para liberar o trabalhador de pagar seis centavos, cometeria a tolice não menos grave de abolir os incentivos à capacidade.

---

[41] W. H. Mallock, *Social Reform* (1914), p. 331.

[42] W. H. Mallock, *Labour and Popular Welfare*. London, 1895, p. 147.

Essas ideias são aplicadas ao gerenciamento dos negócios em *Aristocracy and Evolution* [Aristocracia e Evolução], de 1898. Os sociólogos, em geral, ignoraram o fato da desigualdade congênita, afirma W. H. Mallock no princípio. Mais do que nunca, em nossa sociedade, a direção da economia está nas mãos de comparativamente poucos. Nosso capital salarial e todo o nosso sistema de produção requer direcionamento feito por um pequeno número de homens que representam a capacidade. Tanto isso é justo quanto oportuno. O "partido do progresso" estupidamente depreciou o papel dos homens fortes e inteligentes na civilização. Na verdade, são a mente da sociedade; a opinião pública, como criação espontânea das massas, nunca existiu. O que chamamos de opinião pública é formada ao redor de homens excepcionais. Do encorajamento e do reconhecimento desses homens depende a civilização. O homem médio deve ser ensinado a embelezar a sua parte, não a escapar disso. A democracia apresenta uma tendência perigosa a repudiar a liderança – a insistir que os homens que lidam com grandes negócios devem ser:

> excepcionais somente para qualidades tais como a atividade prática e a rápida apreensão dos desejos das outras pessoas, que lhes permitirá fazer o que o mestre de muitas cabeças ordenou-lhes fazer, mas devem ser deficientes em qualquer força mental ou originalidade que possa tentá-los agir em desarmonia com o temperamento do mestre no momento, o que é a mesma coisa, em quaisquer atos além da compreensão do mestre, mesmo que tais atos possam ser para seu futuro benefício.[43]

Aboli essa verdadeira liderança da capacidade restrita por uma moral tradicional e por um sistema político, e as classes trabalhadoras, após um intervalo de terror em que estariam perdidas como tantas outras ovelhas, submeter-se-iam a novos mestres, cujas regras seriam mais severas, mais arbitrárias e menos humanas que as dos antigos.

---

[43] W. H. Mallock, *Aristocracy and Evolution*. London, 1898, p. 180.

Embora nossa sociedade, como todas as comunidades civilizadas, requeira princípios aristocráticos para ter êxito na administração, muito obstante permaneça uma sociedade de livre associação e esforço voluntário, a necessidade de direção por comparativamente poucos não consuma a sujeição dos muitos. Isso porque os serviços da capacidade são assegurados por recompensas adequadas: a compulsão não é exigida onde homens são persuadidos por incentivos. Os fabianos afirmam a prontidão em apagar essa cooperação voluntária; falam, em vez disso, de uma "lei do dever cívico", que sugere punição aos que se esquivam. Entretanto, embora o socialismo possa ser capaz de obrigar ao trabalho pelo chicote do feitor, nenhum Estado pode compelir a capacidade a realizar sua função natural. Sob compulsão, a capacidade desce ao nível do mero trabalho; nenhum homem exercerá talentos incomuns, caso não receba recompensa alguma; e a fuga de Sidney Webb para a escravidão econômica (pela qual os fabianos creem que evitam o temor da carência) realmente resultaria em uma escassez permanente para todos. A obra de Mallock *A Critical Examination of Socialism* [Um Exame Crítico do Socialismo], de 1908, em que esses conceitos são explicados, continua a ser, talvez, a dissecação mais lúcida dos erros coletivistas.

Na edição revista de *The Limits of Pure Democracy* [Os Limites da Democracia Pura], lançada em 1919, as ideias sociais de W. H. Mallock são resumidas à luz da Revolução Russa. O produtor primário de nossa riqueza moderna, imensamente aumentada desde o início do século XIX, é a mentalidade diretiva; no entanto, a mentalidade diretiva ou capacidade recebe como recompensa nada mais que um quinto desse incremento. A humanidade não deve reclamar das recompensas da mentalidade diretiva, mas surpreender-se por serem tão modestas. Na política e no esforço produtivo, a autoridade dos poucos é derivada não de uma simples sanção legal qualquer ou de alguma teoria de direito divino, mas da natureza: a aristocracia ou a oligarquia dos tempos modernos é um fenômeno de benefício geral.

> Em qualquer Estado grande e civilizado, *a democracia só compreende a si mesma pela cooperação da oligarquia* [...] muitos podem prosperar somente pela participação nos benefícios que, de modo semelhante ao conforto material, à oportunidade, à cultura e à liberdade social, não seriam possíveis a ninguém, a menos que os muitos submetam-se à influência ou autoridade de poucos supercapazes.[44]

O socialismo, primeiramente, repudia essa liderança legítima, e então, em reação à própria falha, exige um ditador. Da aplicação da democracia pura na Rússia virá uma tropa de novos oligarcas sórdidos, dominada por um tirano que, secretamente, repudia as ideias das quais surgiu, e ainda continuará a exortar as massas à "revolução" e à "democracia" enquanto prossegue a selar a resistência a um novo absolutismo, necessário porque a revolução tornou a vida de todos intolerável.

Da ameaça dupla do ateísmo e do retrocesso social, podemos ser salvos, caso tenhamos a coragem de enfrentar nossas incumbências. Por um lado, devemos reviver no coração aquelas convicções religiosas que não são verdadeiramente inconsonantes com o conhecimento moderno, mas o transcendem; por outro, devemos neutralizar o apelo dos socialistas à inveja, por convencer as multidões de homens de que a sociedade é conduzida para o benefício deles. Mallock une as questões de fé religiosa e conservadorismo social nos últimos romances, pouco lidos hoje em dia. O agnosticismo prepara as veredas para o caos social. Compreendendo mal as lições da ciência moderna, os positivistas e seus aliados atacam os recursos morais privados dos homens:

> A ciência, como supõem, ao ter expulso Deus da natureza, praticamente olhou com respeito para a mudança assim efetuada como

---

[44] W. H. Mallock, *The Limits of Pure Democracy*. London, 1919, p. 392.

comparável à perda humana de uma espécie de mestre-escola, que, de fato, lhes geria as coisas, entretanto, isso de muitas maneiras era bastante objetável; e, ao estar morto o mestre-escola, conceberam a raça humana como deixada em uma condição livre, ainda que, em vez disso, em desamparo, a construir a si mesma, desafiando a natureza, um pequeno universo privado, como uma espécie de Dotheboys Hall que livrou-se de seu Squeers[45*], e cujos órfãos propõem, dali em diante, educar e administrar a si mesmos. No entanto, tais agnósticos praticamente deixaram de perceber que o que era, em teoria, para eles um truísmo; e que a mesma cadeia de raciocínio que os libertara de um Deus inteligente os reduziu a meros fantoches daquela natureza que o programa esclarecido que propunham fazia oposição.[46]

Assim, Mallock escreveu em *The Reconstruction of Belief* [A Reconstrução da Crença], de 1905. A nova democracia de Dotheboys Hall recusa-se a ser conduzida com base nos princípios da razão pura; a feroz paixão pessoal e o desdém pela civilização são suas características morais. E os arranjos sociais do "partido do progresso", compelindo todos a negociar com base no próprio estoque de razão, ao negar a desigualdade natural entre os homens, ao repudiar a liderança e confundir confisco com aumento de riqueza, são os equivalentes mundanos da anarquia espiritual a que o positivismo nos convida. Mallock esforçou-se, por cinquenta anos, para contrabalançar essa revolução intelectual com uma campanha de propaganda sincera e lúcida, confiando que:

> o dano moral, religioso, social e político que o pensamento "avançado" fez, pode com o tempo, pelo desenvolvimento racional do pensamento conservador, ser desfeito, e as verdadeiras fés, redespertadas,

---

[45*] Dotherboys Hall é a escola para crianças rejeitadas em Yorkshire, dirigida pelo cruel e caolho mestre-escola Wackford Squeers, personagem do romance *Nicholas Nickleby*, de Charles Dickens, lançado em 1839. (N. T.)

[46] W. H. Mallock, *The Reconstruction of Belief*. London, 1892, p. 303.

das quais dependem as santidades, as estabilidades e a civilização da ordem social.⁴⁷

Não subestimou a dificuldade desse trabalho conservador, mas nunca perdeu a esperança, embora tenha vivido entre o que parecia a muitos a dissolução da cultura inglesa.

O otimismo democrático plausível e o progressismo evolucionário de Benjamin Kidd (que era o objeto especial da crítica de Mallock em *Aristocracy and Evolution* [Aristocracia e Evolução]), popularizado na obra *Social Evolution* [Evolução Social], de 1894, escrito por Kidd, teve influência imediata sobre a opinião pública muito mais forte que os livros de Mallock ou mesmo de Herbert Spencer – e Mallock sabia disso. Kidd e sua escola, desistindo do *ser* na busca do *vir a ser*, abandonou o passado por uma fé complacente no futuro da humanidade em evolução. W. H. Mallock sabia que a batalha não era com tipos tais como Kidd. Entretanto, depois da virada do século, Mallock deve ter se sentido o defensor aborrecido da minoria proscrita: os darwinistas sociais dominaram a mentalidade inglesa e americana até *Sir* Edward Grey (1862-1933) ver as luzes extinguirem-se por toda a Europa.

"Do ponto de vista evolucionista, nem o homem ou a sociedade era de uma determinada natureza e, portanto, não podiam ser estudados como tal", observa Ross J. S. Hoffman (1902-1979):

> Consequentemente, a filosofia conservadora do tipo que analisa a natureza das instituições e busca apreender os princípios pelos quais vivem, fazer juízos a respeito delas tendo por referência as normas permanentes da natureza humana e descobrir os meios de conservar e fazer prosperar os bons valores, veio a parecer irrelevante ao objeto da discussão. Essa é a razão primeira por que há tão pouca filosofia e filosofia social conservadora digna desse nome nos últimos anos deste século.⁴⁸

---

⁴⁷ W. H. Mallock, *Memoirs of Life and Letters*. 2. ed. London, 1920, p. 273.
⁴⁸ Ross Hoffman, *The Spirit of Politics and the Future of Freedom*. Milwalkee, 1951, p. 45.

Em certa medida, a confiança de Mallock baseava-se na expectativa de melhoria material constante na condição de toda a população, como fora, tão perceptivelmente, o curso da economia entre 1850 e 1890, mas o retardamento da indústria britânica depois de 1900 e o golpe terrível da guerra, fizeram as classes pobres tender ainda mais para a ideia de uma redistribuição radical da renda, em vez de seu aumento cooperativo. Mesmo assim, Mallock não se desesperou, pois sabia que as ideias, a longo prazo, têm um poder imenso. Se a mentalidade conservadora, de fato, planeja deter a decadência da civilização ocidental, Mallock merecerá grande crédito por ser o autor de uma apologética conservadora racional. Depois da primeira descarga de entusiasmo, não esperava mover montanhas.

> Argumentos são como a semente, ou como a alma, como Paulo a concebeu, comparando-a à semente. Não são ativados até que morram. Enquanto permanecerem, para nós, em forma de argumentos, não funcionam. A obra começa somente, após um tempo e em segredo, quando imergem na memória e lá deixaram-se permanecer; quando a hostilidade e a desconfiança com que foram considerados fenece; quando, imperceptivelmente, fundem-se no sistema mental e, ao tornarem-se dele parte, realizam uma virada na alma.[49]

Os livros de W. H. Mallock ajudaram nessa transformação sutil; e a influência deles pode continuar a filtrar, na sociedade, o que é o temperamento do tempo presente.

5. O CONSERVADORISMO SOTURNO ENTRE GUERRAS

> Salvo aqueles cuja luta pela vida é tão difícil que não lhes resta tempo para o desejo ou para o autoengano, o mundo se torna uma questão de agir e de faz de conta, conferindo tal falsidade a todo valor, tal perspectiva torta a todo acontecimento, de maneira que, quando adveio a

---

[49] W. H. Mallock, *Is Life is Worth Living?*. London, 1880, p. 241.

maior tragédia na história humana, todas as nações ficaram igualmente surpresas e despreparadas, embora cada uma tenha, na realidade, nada feito, ao não se preparar para isso, consciente ou inconscientemente, durante o meio século anterior. A guerra, por certo, era o triunfo final do sistema. Todo homem, ao redor do mundo, foi forçado a lutar para tornar o mundo seguro para a democracia, acreditasse nela ou não – ainda que a própria guerra, sem dúvida, se devesse à própria forma de governo pela qual, naquele momento era incitado a lutar, e a pessoa, de certo modo, especialmente inadequada para o prosseguir de uma guerra exitosa [...]. Os povos de todos os países permitiram apenas aos mais brutalizados e hipócritas de seus conterrâneos chegar no topo e os governar, provando, assim, quanto adquiriram pela educação e por outras bênçãos devidas ao sistema.

Sir Osbert Sitwell, *Triple Fugue*.

Do conservadorismo britânico entre as duas guerras mundiais é difícil escrever qualquer coisa que valha a pena ler. Stanley Baldwin, um homem corajoso, resgatou seu partido da confusão ruinosa com Lloyd George, mas não podemos nos voltar para Baldwin para ideias gerais. Quanto aos soldados rasos dos conservadores na Câmara dos Comuns, Stanley Baldwin os descreveu para John Maynard Keynes como "uma porção de homens austeros que parecem ter lucrado muito com a guerra". O primeiro-ministro ainda nutria maior desdém, com razão, pelos barões da imprensa barata que aspiravam dominar o Partido Conservador. O conservadorismo no período entre guerras poderia considerar-se afortunado, caso fosse bem-sucedido em agarrar-se ao que tinha, como ao irromper a greve geral de 1926; a ação positiva, naquela época de crescente aflição econômica, dificilmente foi cogitada pelas reformas sociais de Neville Chamberlain; segundo o modelo que seu pai estabelecera, foram meras melhorias de vida na Era das Massas, a diferir em grau, em vez de em espécie, do programa dos socialistas; o trabalho de Winston Churchill no erário público foi desfeito nos anos da depressão. Os políticos conservadores da década de 1930, observa o professor William Lawrence Burn (1904-1966), quase nada fizeram para repelir a vinda de um novo Leviatã:

> Ao abandonar o conceito de antiga aristocracia de governo nada fizeram para criar uma nova aristocracia: fiaram-se, confiantemente, na destreza de guiar os cavalos bravios da democracia; eram jogadores que embolsariam seus ganhos e pagariam, satisfeitos, sem buscar alterar as regras do jogo. O que fazem para manter a família como a unidade básica da sociedade? Pode haver respostas a essa pergunta, mas não são, em retrospecto, muito óbvias [...]. Uma certa tolerância e uma eficiência infalível, das quais Baldwin e Chamberlain eram, respectivamente, representantes; e, em acréscimo, se neutralizariam diante dos impactos mais desagradáveis da sociedade. Permitiu-se continuar o processo de proletarização, mas a pessoa que fosse suficientemente rica poderia abster-se de, com ele, estabelecer contato. A principal diferença hoje é que o processo de proletarização foi acelerado, ao passo que a maioria das exceções foi suprimida.[50]

E o pensamento conservador, à parte da atividade política, sofreu do mesmo mal. G. K. Chesterton (1874-1936) e Hilarie Belloc (1870-1953), ainda que fora da verdadeira descendência das ideias conservadoras, ainda que sentimentalmente democráticos e economicamente fantasiosos, mais fizeram para nutrir o antigo impulso conservador durante aqueles períodos de trevas do que aqueles que deveriam ter transmitido a tradição de Edmund Burke. O distributismo, embora envolva falácias individualistas, ofereceu mais de uma resposta aos males da vida moderna que as pensões e doações dos partidos conservador, liberal e trabalhista; G. K. Cherterton em *Orthodoxy* [Ortodoxia], de 1908, de certa maneira, ecoa as ideias de Samuel Taylor Coleridge e de John Henry Newman; Hilarie Belloc em *The Servile State* [O Estado Servil] refletiu os postulados

---

[50] W. L. Burn, "English Conservatism". In: *The Nineteeth Century*, fev. 1949, p. 72.

de Bolingbroke e de Benjamin Disraeli. No entanto, Belloc e Chesterton foram apenas uma tropa auxiliar no conservadorismo. Onde estavam os marechais?

Alguns, como George Wyndham (1863-1913), foram subjugados pela feiura da vida política do século XX e morreram antes do tempo; outros, como F. E. Smith (1872-1930), nunca cumpriram sua promessa inicial. E muitos outros homens jovens, cujos interesses e heranças deveriam ter defendido a causa conservadora, foram seduzidos a dela apartarem-se pelo aturdimento geral da mentalidade britânica nessa era, por esperanças apaixonadas de inspiração russa e pela atenção diligente dos pensadores coletivistas. O deão W. R. Inge (1860-1954) resume tudo isso no melhor de seus ensaios "*Our Present Discontents*" ["Nossos Descontentes Atuais"] no primeiro volume de *Outspoken Essays* [Ensaios Francos]. Esses eram os dias da hegemonia intelectual fabiana, quando o radicalismo social, por fim, começara a forçar o caminho para ingressar em Oxford e em Cambridge; esses eram os frutos da especulação idealista do tipo que Lorde Keynes descreve existir entre os homens reunidos em torno do professor G. E. Moore (1873-1958):

> Repudiamos todas as versões da doutrina do pecado original, de haver fontes insanas e irracionais de maldade na maioria dos homens. Não estávamos cientes de que a civilização era uma crosta fina e precária, erigida pela personalidade e pela vontade de uns poucos e mantida somente por regras e convenções habilidosamente comunicadas e astuciosamente preservadas. Não temos respeito pela sabedoria tradicional ou pelas limitações dos costumes [...]. Como causa e consequência de nosso estado de espírito geral, mal entendemos completamente a natureza humana; a nossa, inclusive.[51]

Poucos da geração mais nova viram além dessa postura de negação: T. E. Hulme (1883-1917), por exemplo, que morreu na guerra.

---

[51] J. M. Keynes, *Two Memoirs*. Londres, 1949, p. 99-100.

A ideologia democrática, disse Hulme, é, na verdade, um corpo de pensamento de classe média originado no século XVIII e não guarda verdadeira relação com o movimento das classes trabalhadoras. O impulso revolucionário de nossa época, inflamado por essa união da aspiração do século XVIII com o novo descontentamento proletário não pode gerar vida social, por ser, em si, senil.

> O socialismo liberal ainda vive no remanescente do pensamento de classe média do último século. Quando o pensamento vulgar de hoje é pacifista, racionalista e hedonista e, por ser assim, acredita expressar as convicções inevitáveis dos homens instruídos e emancipados, traz todo o *pathós* das marionetes em uma única peça, coisas mortas a gesticular como se estivessem vivas. Nossos jovens romancistas, como aquelas fontes romanas em que a água verte da boca de máscaras humanas, jorram, como se de modo espontâneo, das profundezas do próprio ser, um romantismo enlameado que veio, na verdade, de um longuíssimo cano".[52]

O credo fabiano, contudo, continuou a ser propagado, penetrando de modo constante em um novo estrato da sociedade e, atualmente, encontra-se expresso no *Left Book Club* [Clube dos Livros Esquerdistas] e no professor negligenciado e amargurado, ele mesmo, muitas vezes representante daquele proletariado intelectual que é o produto particular das economias modernas e do humanitarismo moderno.[53]

Lorde Birkenhead (F. E. Smith), no ano em que faleceu, publicou uma profecia um tanto extravagante intitulada *The World in 2030 A.D.* [O Mundo em 2030 d.C.]. Se levada a sério ou não, é um livro estranho para ser escrito por um *tory*, pois o mundo em 2030 d.C.,

---

[52] T. E. Hulme, *Speculations: Essays on Humanism and the Philosophy of Art*. London, 1936, p. 254.

[53] A descrição do professor de Colm Brogan (1902-1977) em *The Democrat at the Supper Table* [O Democrata à Mesa de Jantar] é digna de Peacock, Holmes ou Mallock.

como Birkenhead o imaginou, teria eliminado a doença, a guerra, a pobreza – e, substancialmente, a natureza humana. Seria um mundo governado pelo psicólogo e pelo estatístico, a praticar a ectogênese, a viver de nutrição sintética, emancipado de qualquer vestígio de mistério e da antiga rede de individualidade. Teria sido o sonho de Jeremy Bentham – ou, para alguns, o abismo dos cobiçosos, no quarto círculo de Dante Alighieri (1265-1321), onde estão todas as criaturas perdidas do Inferno, as despidas de personalidade de modo mais terrível, eternamente inominadas:

> Da sua ignóbil vida a oscuridade
> Vestígio não deixou, que ora apareça.[54]

George Saintsbury, ao passar por dois desconhecidos em uma ponte ficou assustado ao ouvir um deles dizer ao companheiro, "Lá vai o maior *tory* da Inglaterra". Seu crítico anônimo foi certeiro, Saintsbury era o herdeiro mais direto do torismo entre todos os homens pensantes da década de 1920. E o professor Saintsbury, ao escrever sobre as utopias benthamitas e socialistas como a sociedade que Lorde Birkenhead sugeriu, achou-as medonhas e assustadoras:

> Posto de lado todo o pensamento de crime e agonia que teria de transcorrer para se chegar à utopia socialista; chega-se a ela, de algum modo, por uma ação fictícia; poderia aí, mesmo na ocasião, ser algo mais odioso que um grande desperdício de um bem-estar proletário-*cocqcigrue*;[55] todos tão bons quanto o presidente; todos tão "bem-educados" quanto os demais; todos posicionados, racionados, regulados por algum tipo de "Estado" abstrato – tão iguais e, realmente, tão livres quanto porcos em um chiqueiro, e não merecendo muito mais que um nome de homem, as oportunidades humanas de

---

[54] Dante Alighieri, *Divina Comédia*. Trad. José Pedro Xavier Pinheiro. Inferno, canto VII, v. 53-54. (N. T.)

[55] *Cocqcigrue* é uma criatura imaginária que personifica o absurdo absoluto. (N. T.)

posição, posse, talento e ancestralidade e tudo aquilo que nos diferencia dos bárbaros?[56]

Aqui acena a alternativa à sociedade conservadora. A não ser pela possibilidade de retribuição providencial no pressuposto humano, a tomar forma de uma guerra terrível, o molde mental conservador permanece como a única barreira efetiva ao triunfo dessa nova existência.

---

[56] George Saintsbury, *A Scrap Book*, p. 48.

Irving Babbitt (1865-1933)

Capítulo 12 | Conservadorismo Crítico:
Babbitt, More, Santayana

> Se a catástrofe de nossa liberdade pública deve ser miraculosamente postergada ou evitada, ainda assim, devemos mudar. Com o aumento da riqueza, haverá um aumento do número daqueles que escolherão o ócio literário. A curiosidade literária tornar-se-á um dos novos desejos da nação; e, ao avançar o fausto, nenhum apetite será negado. Depois de algumas eras, teremos muitos pobres e poucos ricos, muitos imensamente ignorantes, um número considerável de educados, e poucos eminentemente eruditos. A natureza, nunca pródiga nos dons, produzirá alguns homens de talento que serão admirados e imitados.
> Fisher Ames, "American Literature"

1. PRAGMATISMO: O DESAZO DA AMÉRICA

No início da Primeira Guerra Mundial, os Estados Unidos, em certo grau, cumpriram a profecia de Fisher Ames (1758-1808). Uma democracia expansiva e complacente, faustosa e muitas vezes entediada, exibindo grande pobreza e grande riqueza, mas pouquíssima daquela estabilidade privada modesta que os fundadores planejaram, em que quase todos eram educados e quase ninguém analfabeto, tornaram-se o Estado mais poderoso do século – de fato, de muitos períodos históricos, talvez. Como nação, os americanos eram ricos, mas o verdadeiro tempo ocioso permaneceu um bem escasso, pouco recomendado; às vezes, desprezado e, portanto, é surpreendente que essa época tenha sido merecedora de um conjunto de crítica filosófica e literária mais substancial do que qualquer outra na história americana anterior – proporcional, de fato, ao melhor do pensamento e das letras na Inglaterra. Uma nação madura, ainda que despreze os feitos intelectuais, não pode fugir da obrigação de tolerar uns poucos homens de ideias.

Três desses homens, de modo excelso, foram pensadores conservadores, remando contra as vertiginosas correntes sociais progressistas dos anos das presidências de Warren G. Harding (1865-1923), de J. Calvin Coolidge (1872-1933) e de Herbert C. Hoover (1874-1964), respectivamente, entre 1921 e 1923, 1923 e 1929, e 1929 e 1933. Dois deles, Irving Babbitt (1865-1933) e Paul Elmer More (1864-1937) eram herdeiros da mentalidade puritana da Nova Inglaterra, embora tenham transcendido aquela tradição severa; e o terceiro, George Santayana (1863-1952), verdadeiramente um cosmopolita, criado na fé católica e brioso de seu sangue espanhol, ainda foi fortemente influenciado pelo gênio da Nova Inglaterra. Massachussetts e seus vizinhos, nesse momento, eram quase insignificantes no mapa dos Estados Unidos e, dificilmente, a representação no congresso era pouco maior, mas ainda estimulavam uma nação que, muitas vezes, tratava a civilização como nada além de um tecido material.

Esses anos de vulgaridade e soberba igualmente produziram, ou provocaram, outros pensadores conservadores. Seria interessante escrever sobre Ralph Adams Cram, o maior arquiteto e um herdeiro dos românticos, que falou em defesa do medievalismo de Henry Adams ou de Albert Jay Nock, que venerava quatro pensadores escolhidos de modo estranho – Edmund Burke, Thomas Jefferson, Herbert Spencer e Henry George –, e escreveu uma autobiografia moderadamente desdenhosa, *Memoirs of a Superfluous Man* [Memórias de um Homem Supérfulo], de 1943, que provavelmente é uma influência conservadora, duradoura no pensamento americano; ou os sulistas agrarianos, entre eles Donald Davidson (1893-1968) e Allen Tate (1899-1979), que esforçaram-se para recordar à América as virtudes do Antigo

Sul. Até H. L. Mencken (1880-1956) tinha seu lado conservador, demonstrado com virulência excêntrica em *Notes on Democracy* [Notas sobre a Democracia], de 1926. Havia uma espécie de imprensa conservadora, superior ao conservadorismo vulgarizado dos jornais diários e das revistas impressas em papel lustroso: certas qualidades sulistas, a revista literária *Bookman* de vida breve e a igualmente evanescente *The American Review*. Se este livro pretendesse ser uma história dos movimentos intelectuais americanos, muito também deveria ser dito sobre o renascimento do tomismo nas universidades. No entanto, este livro não é tal história – ao contrário, somente um ensaio a sugerir o avanço de certas ideias conservadoras; e, por isso, foram escolhidos aqui Babbitt, More e Santayana de maneira um tanto arbitrária, como os representantes mais significativos do impulso conservador americano após 1918.

Se fôssemos compelidos a selecionar um político prático americano nos dois grandes partidos durante este século, que reconheceu um sistema consistente de ideias conservadoras ou radicais, para onde nos voltaríamos? Theodore Roosevelt, jovem ou velho, defendia principalmente a expansão e a anágua-calça[1], como disse Henry Adams; Grover Cleveland, na realidade, foi um conservador melhor. William Howard Taft foi um presidente passável e um bom presidente da Suprema Corte, mas não era um filósofo. Henry Cabot Lodge, o pupilo de Adams, era um escritor competente e um político sagaz, mas nada mais que isso. Woodrow Wilson, que leu Edmund Burke, era um labirinto de contradições. O senador Robert A. Taft Sr. (1889-1953) foi corajoso o bastante para denominar-se um "conservador liberal", mas a maioria dos líderes partidários dos últimos anos recuam diante de qualquer sistema de pensamento; assim como Franklin Delano Roosevelt, fogem do princípio com a agilidade consumada dos homens que estão enamorados da própria popularidade. Entretanto,

---

[1] Theodore Roosevelt Jr. foi grande defensor dos direitos das mulheres e do sufrágio feminino. (N. T.)

enquanto a filosofia política enfraquecia entre os políticos, ela prosperava entre os professores: Irving Babbitt, Paul Elmer More e George Santayana, que nunca ingressaram na política prática, viam a confusão túrbida da sociedade americana e mapearam as correntes. More e Babbitt ajudaram na regeneração espiritual da vida americana; neles, o interesse apático de Henry Adams foi substituído por um esforço obstinado para efetuar uma reforma moral conservadora.

É possível que esse seja um sinal ameaçador para qualquer sociedade – Burke teria pensado assim – quando homens de letras assumem o fardo largado por um diminuto remanescente de estadistas filosóficos ultrapassados. Se isso é verdade ou não, por certo, os elementos conservadores de uma nação estão ameaçados quando a população rural começa a declinar; e essa tendência significativa começou em 1916, ano em que a população rural americana (embora quase desde o início da república estivera em declínio relativo, comparada ao total da população) chegou ao ápice de quase trinta e três milhões de pessoas e principiou a declinar em números, de modo absoluto e, aparentemente, irremediável. As virtudes e lealdades rurais, aliadas à influência e ao vigor das pequenas cidades rendiam-se à centralização social que os irmãos Adams detestavam e previram, e à industrialização, que surgira lado a lado com a democracia, e que agora ameaçava dominar seus companheiros. A América de Thomas Jefferson e de John Adams estava se apagando; o plano de Alexander Hamilton, afinal, triunfava, ainda que Hamilton pudesse ter se espantado com a face presunçosa e muitíssimo intolerante de sua criação. Era uma sociedade dominada por um sentimentalismo nebuloso e um apetite concreto, a despertar para o conhecimento da própria força medonha, pronta a apadrinhar ou a assenhorar-se do resto do mundo, temerosa da responsabilidade, impaciente com conselhos. Poderia ser impedida de destruir o próprio passado, estilhaçar a própria constituição e, depois, voltar-se às outras nações para reforçar uma vaga aspiração de civilização universal materialista, secular, uniforme, apaixonada pela mediocridade, enferma pela destruição da liderança? A América do século XX era, de modo incomparável, mais forte que a França jacobina e diferia tanto em objetivo como em estrutura; ainda que os conservadores não pudessem ter êxito em direcionar e atenuar essas ondas de força social, as consequências para a civilização poderiam ser mais opressoras que as da Revolução Francesa. Esse é um problema que está além dos recursos dos políticos; não pode ser compreendido senão pela filosofia moral e pela fé religiosa, se é que pode sê-lo. Ainda lutamos com isso, com mais dificuldade que antes; e a grande contenda na sociedade americana é a investida das forças de enaltecimento moral e político nas forças de estabilidade moral e política.

As tendências beligerantes expansivas e naturalistas da época encontraram em John Dewey (1859-1952) seu apologista. Não há estilo filosófico mais empolado, contudo, os postulados de Dewey, por isso, são simples e bem compreensíveis. Iniciou com um naturalismo consciencioso, como o de Denis Diderot e do Barão d'Holbach, a negar toda a esfera dos valores espirituais: nada existe a não ser a sensação física, e a vida não tem outro propósito senão a satisfação material. Levou a um utilitarismo que fez com que as ideias benthamitas chegassem a um ápice lógico, tornando a produção material o objetivo e o padrão do esforço humano; o passado é lixo, o futuro, incognoscível, e o presente é a única preocupação do moralista. Propôs uma teoria educacional derivada de Jean-Jacques Rousseau, ao declarar que a criança nasce com "um desejo *natural* de fazer, de distribuir, de servir" e deve ser estimulada a seguir a própria inclinação, e o ensinar é apenas uma abertura de caminhos. Defendia um sentimento de coletivismo igualitário que tem por ideal a uniformidade social; e rematou essa estrutura com a economia marxista, vislumbrando um futuro dedicado à produção material eficiente para a satisfação das massas, um Estado de planejadores. Todo o radicalismo desde 1789 encontrou lugar no sistema de John

Dewey: e esse componente intelectual destrutivo se tornou prodigiosamente popular, em pouco tempo, entre aquela multidão perturbada de semialfabetizados e entre as pessoas de pretensões mais sérias, que se viram perdidas num mundo ressequido, que Charles Darwin e Michael Faraday (1791-1867) haviam cortado as raízes. Por ser intensamente lisonjeiro à presunçosa mentalidade moderna, por desdenhar completamente da autoridade, os livros de Dewey eram um reflexo do descontentamento do século XX: e a névoa cinzenta do futuro utilitário para o qual Dewey conduziu a geração vindoura não era, de imediato, repulsivo a um povo que havia se submetido ao domínio da sensação. A veneração estava morta no universo de Dewey; a emancipação indiscriminada era quem comandava. Esse era o desejo imperialista da América que dera, ao século XX, uma máscara filosófica. Babbitt, More e Santayana, de vários modos, desafiaram essa apoteose do apetite.

2. O HUMANISMO DE IRVING BABBITT: O DESEJO MAIS EXCELSO EM UMA DEMOCRACIA

Como se reconhecessem nele o adversário mais descomunal, os autores de esquerda atacaram Irving Babbitt com vituperações um tanto surpreendentes, caso recordemos que esses insultos foram direcionados a um professor contemplativo de Literatura Comparada de Harvard. Oscar Cargill (1883-1954), na obra *Intellectual America* [América Intelectual], de 1941, exclama de modo furioso:

> Não sabemos em que sectarismo supersticioso do século XVIII Babbitt foi criado, mas essa falta de controle, salivar à simples menção de *ciência* ou *democracia*, lembra o cançonetista rural de hinos ou o apontador de sermões, e não um cosmopolita.

Harold Laski, em *The American Democracy* [A Democracia Americana], de 1948, afirma que Irving Babbitt não conquistou discípulo algum. Ernest Hemingway (1899-1961), encolerizado pela fé de Babbitt na dignidade humana, diz querer saber quão cavalheiresco Babbitt será ao morrer. De fato, Babbitt era um cidadão de Ohio, grande e sério, que trabalhou em um rancho do Oeste na juventude, que estudou em Harvard e em Paris, vagou a pé pela Espanha, lutou contra as correntes que outros navegaram para chegar ao sucesso e morreu com notável fortaleza, a trabalhar, até o fim, para convencer os Estados Unidos de que o homem não pode continuar humano a menos que restrinja os apetites. Ainda que amistoso com a religião, continuou a desconfiar de todas as igrejas; embora detestasse a corrupção dos princípios americanos, ainda é um dos mais completos autores nativos da América. Aristóteles, Edmund Burke e John Adams eram seus mentores no pensar social. Ao fundar a escola americana de Filosofia, que chamou de Humanismo, deixou para trás uma influência que deve perdurar muito depois de Laski quase ser esquecido na London School of Economics. Nele, o conservadorismo americano atinge a maturidade.

O coração e a essência do sistema intelectual de Irving Babbitt, diz seu aliado Paul Elmer More, estão contidos em uma nota de rodapé à crítica babbittiana de Jean-Jacques Rousseau em *Literature and the American College* [Literatura e o *College* Americano], de 1908, seu primeiro livro:

> O maior dos vícios, segundo Buda (563-483 a.C.) é a rendição preguiçosa aos impulsos do temperamento (*pamâda*); a maior virtude (*appamâda*) é o oposto, o despertar da preguiça e da letargia dos sentidos, o exercício constante da vontade ativa. As últimas palavras do Buda moribundo aos discípulos foram uma exortação à prática dessa virtude de modo incessante.

As artes disciplinares da *humanitas* – o exercício do arbítrio, que distingue o homem do animal – morrem por descuido em nossa era; ao menoscabar o reino do espírito que tanto Buda quanto Platão descrevem, o homem moderno é corrompido por um naturalismo grosseiro, reduzindo todas as coisas a um nível único percebido pelos sentidos, sufoca o eu superior, que é regido pela lei para o homem, em contraste com a lei para a coisa que governa os sentidos; assim, comete suicídio. Ao ter destruído o eu superior, o homem condena, também, seu eu inferior, pois sem o direcionamento do poder do arbítrio, resvala na anarquia das feras. Em nossa época, a tarefa do humanista é recordar a sociedade de sua realidade espiritual. Irving Babbitt e seus companheiros não têm piedade para com o humanitarista, distinto do verdadeiro humanista. Os humanitaristas, na tradição de Francis Bacon e de Jean-Jacques Rousseau são sentimentalistas que pensam que todos os problemas humanos podem ser resolvidos pela aplicação de remédios físicos. O método utilitário indiscriminado dos humanitaristas produz hostilidade para com aquela hierarquia de valores que erige distinções entre o santo e o pecador, entre o erudito e o bárbaro. Tencionando uma condição igualitária para a sociedade, o humanitarista tenta extirpar aquelas essências espirituais no homem que tornam possível a verdadeira vida *humana*.

Os inimigos de Irving Babbitt, de pronto, rotularam essa defesa da autodisciplina espiritual e da subordinação dos sentidos de "puritanismo", como se isso fosse sua condenação *per se*. E é puritano, o credo do humanismo – no sentido em que Platão e Santo Agostinho eram puritanos. Irving Babbitt e Paul Elmer More rejeitaram o calvinismo com repugnância, como um sistema de determinismo corrosivo; a fé deles baseava-se na premissa do livre-arbítrio e, ainda assim, permanecia demasiado fiel àquele algo a que a antiga austeridade da Nova Inglaterra sobreviveu em ambos americanos do Meio-Oeste e lhes deu a resolução férrea de falar a favor do dualismo e da vida do espírito em uma época dedicada aos sentidos e à sentimentalidade. O humanista, escreveu Babbitt em seu primeiro livro:

> Acredita que o homem de hoje, se não fizer, como o homem do passado, de tomar o jugo da doutrina e da disciplina definitivas, deve, ao menos, reverenciar algo maior que o seu eu comum, chame esse algo de Deus ou, como o homem do Extremo Oriente, chame isso

de eu superior ou, simplesmente, a Lei. Sem esse princípio interior de restrição o homem só pode oscilar de modo violento entre extremos opostos, como Rousseau, que disse não haver para ele "nenhum termo intermediário entre tudo e nada".[2]

A salvação da civilização é contingente do reviver de alguma coisa como a doutrina do pecado original.

Para um estudioso do conservadorismo social, o livro mais importante entre os sete volumes de Irving Babbitt é *Democracy and Leadership* [Democracia e Liderança], de 1924; e uma vez que (como observa More), Babbitt é um autor "giratório", toca nos pontos essenciais de seu sistema em cada um dos livros, em vez de desenvolver as ideias em sequência. Um exame minucioso de seu ensaio audaz oferece um ponto de vista tolerável de todo o seu sistema humanístico. Foi publicado em 1924, quando se colhiam milionários americanos como cogumelos; e Babbitt desfazia dos milionários assim como dos jacobinos. "Uns tantos Harriman e estaremos perdidos", escrevera dezesseis anos antes. Sabia que os Rockefeller e os Harriman representavam as mesmas forças que John Dewey representara: defendiam a ilusão de que os homens podiam ser melhorados por princípios utilitários. Se, como disse Lloyd George, o futuro será muito mais tomado que o presente por problemas econômicos – ora, o futuro será superficial. Aquele naturalismo que começara, ao menos, no princípio da Renascença, foi tornado "científico" por Bacon e popularizado por Rousseau, agora progredira a um grau que punha em perigo a estrutura da vida social. Os antigos baluartes da predisposição e dos usos consagrados foram demolidos pela popularização das ideias naturalistas em cada um dos segmentos da sociedade; e o humanista só podia opor esse radicalismo por dar aos homens um sistema alternativo de ideias.

> O progresso, segundo a lei natural, foi tão rápido desde a ascensão do movimento baconiano que cativou a imaginação do homem e o estimulou ainda mais para a concentração e para o esforço na linha

---

[2] Irving Babbitt, *Literature and the American College*. Boston, 1908, p. 60.

naturalista. A própria mágica da palavra "progresso" parece cegá-lo para o insucesso do progresso segundo a lei humana.[3]

Babbitt escreveu em 1919. Os humanistas, nesse momento, deveriam recordar ao mundo que há a lei do homem e a lei das coisas, ou resignarem-se à catástrofe. Formas e restrições não prevenirão a sociedade de se destruir, se faltarem as ideias.

> A tentativa de opor barreiras externas e mecânicas à liberdade do espírito criará, a longo prazo, uma atmosfera de abafamento e arrogância, e nada é mais intolerável que a presunção. Os homens foram guilhotinados na Revolução Francesa, como sugere Bagehot, simplesmente porque eles ou seus antepassados foram presunçosos. A aceitação inerte da tradição e da rotina, cedo ou tarde, ajuntar-se-á com o brado de Fausto: *Hinaus ins Freie*![4]

Talvez não tenha existido geração mais presunçosa que a de Irving Babbitt, e mesmo os radicais na audiência, envoltos na própria e interessante arrogância inconsciente, muito certos da felicidade proletária evolutiva, chamaram o professor Babbitt de obscurantista porque predissera a vinda do caos.

Jean-Jacques Rousseau, o primeiro entre os teóricos da democracia radical, foi o primeiro dos notáveis a desprezar a civilização, dando respostas erradas a questões corretas. Negou a dualidade da experiência humana e confiou no regime dos sentidos como meio para a felicidade geral. O sonho sentimental de Jean-Jacques Rousseau [e de Walt Whitman (1819-1892)] de fraternidade democrática é, como as teorias utilitárias, um aspecto particular do humanitarismo ou do movimento naturalista. O humanitarismo omite a pedra angular do arco da humanidade, que é o arbítrio:

> Contra expansionistas de todo tipo, não hesito em afirmar que o é especificamente humano no homem e fundamentalmente divino, é uma

---

[3] Irving Babbitt, *Rousseau and Romanticism*. Boston, 1919, p. 374.

[4] Idem. Ibidem, p. 25.

determinada qualidade de arbítrio, uma vontade que é sentida na relação entre o seu eu comum e a vontade de reprimir.[5]

Essa força, característica do homem, de invocar a repressão dos impulsos do sentido, até mesmo dos impulsos da razão, é o que o torna *humano*. A capitulação de Rousseau ao desejo, a rendição dos utilitaristas à avareza, findam na desumanização de nossa raça. Se a reforma social é substituída por autorreforma, a anarquia emocional logo desfaz todo o projeto do humanitarista. Em *Literature and American College*, de 1908, Babbitt distinguiu o humanista do humanitarista; em *The Masters of Modern French Criticism* [Os Mestres da Crítica Francesa Moderna], de 1912, analisou a queda dos padrões e a ascensão do relativismo; em *The New Laokoon* [O Novo Laocoonte], de 1910, averiguou a anarquia na literatura e na arte que é consequência do declínio dos padrões; em *Rousseau and Romanticism* [Rousseau e Romantismo], de 1919, disse que a imaginação mantém o equilíbrio de força entre a natureza mais suprema e a mais vil do homem e que a imaginação idílica de Rousseau corrompeu as aspirações do homem moderno. Ora, em *Democracy and Leadership* estava tentando

> mostrar que a liderança verdadeira, boa ou má, sempre existirá, e que a democracia torna-se uma ameaça à civilização quando busca fugir à verdade [...]. Sobre o surgimento de líderes que recuperem, de algum modo, as verdades da vida interior e repudiem os erros do naturalismo dependerá a própria sobrevivência da Civilização Ocidental.

Democracia e Liderança é, talvez, a obra mais pungente sobre política jamais escrita por um americano – e isso exatamente porque não é bem um tratado político, mas, na verdade, uma obra de filosofia moral. "Quando estudado com algum grau de meticulosidade", Babbitt escreveu no primeiro parágrafo, "vemos o problema econômico

---

[5] Irving Babbitt, *Democracy and Leadership*. Boston, 1924, p. 6.

incorrer no problema político, e o problema político, no problema filosófico, e o problema filosófico ser quase totalmente indissolúvel, ligado, por fim, ao problema religioso." Muitos cientistas políticos prestaram pouca atenção a esse livro. No entanto, se a ciência é mais que o acúmulo e a classificação de dados físicos, a visão babbitiana de política é ciência em um plano elevado.

A política moderna, como a civilização moderna em geral, diz Babbitt, há muito foi exposta à influência desintegradora do naturalista.

> O naturalista não olha mais para o homem como sujeito a uma lei própria distinta da lei da ordem material – a lei, a aceitação a que conduz, no plano religioso, aos milagres d'outro mundo, cujos melhores exemplos encontramos nos cristãos e nos budistas, e a aceitação dos quais, neste mundo, levam à subjugação do eu comum e dos impulsos espontâneos à lei da medida que encontramos em confucianos e aristotélicos.

Em política, o pai da negação moderna de um arbítrio superior – isto é, de um sistema moral a que o homem pode recorrer a partir da própria natureza inferior – é Nicolau Maquiavel, que, com a aversão que todos os naturalistas apresentam pelo dualismo, não permite que os homens tenham a obediência dividida, uma fidelidade tanto ao Estado mundano quanto à cidade de Deus. Ainda assim, Maquiavel e seus seguidores não são verdadeiros realistas:

> A nêmesis, ou o julgamento divino, ou do que quer que chamemos, que cedo ou tarde alcança os que transgridem a lei moral não é algo que tenhamos de assumir com base na autoridade, seja em grego, seja em hebraico; é uma questão de observação atenta.

Com Thomas Hobbes, essa negação de moralidade ingressa no pensamento político inglês e continuamos a sofrer desse veneno.

> Se devemos refutar Maquiavel e Hobbes, temos de demonstrar que há algum princípio universal que tende a unir os homens até mesmo além das fronteiras nacionais, um princípio que continua a agir mesmo

quando os impulsos egoístas não são mais controlados pelas leis de um determinado Estado com o apoio de sua força organizada.

O temperamento utilitarista encorajado por John Locke degradou ainda mais o conceito venerável do serviço público como um dever consagrado e "se o princípio aristocrático continuar a ceder à negação igualitária da necessidade de governo parlamentar, de liderança, poderá, por fim, tornar-se impossível".

Sobre as ruínas da ideia medieval de governo que Maquiavel e seus seguidores destruíram, Rousseau erigiu uma espécie de dispositivo político quase religioso, completado pelos próprios mitos de sua imaginação idílica, inspirado pela noção de a piedade ter primado sobre as emoções humanas. A doutrina sentimental da Vontade Geral, que Rousseau produziu para cimentar seu sistema, desde o início, era repleta de perigos.

> Por esse artifício Rousseau livrou-se do principal problema que preocupava os pensadores políticos na tradição inglesa – a saber, como salvaguardar a liberdade do indivíduo ou das minorias diante de uma maioria triunfante e despótica.

O novo dualismo falacioso de Rousseau, que pressupõe o cidadão no âmbito privado e o cidadão como membro da comunidade pode oferecer uma escusa para a mais aniquiladora das tiranias do que qualquer coisa que o próprio Rousseau tenha condenado.

Edmund Burke, prossegue Irving Babbitt, percebeu tudo isso; e Burke sabia, melhor que qualquer outro, que o único tipo de conservadorismo que pode sobreviver é um conservadorismo imaginativo. Entretanto, a forte tendência do período debilitou esse atrativo nos símbolos da imaginação do conservadorismo tradicional: o amor baconiano pela novidade e pela mudança, por descoberta em descoberta, a esperança de estarmos caminhando em direção a algum "acontecimento divino remoto", desfez as defesas das inclinações, dos usos consagrados e de "uma sabedoria acima da reflexão" nas quais Burke confiara para salvar o próprio liberalismo. Os conservadores modernos, ou liberais, devem encontrar outros instrumentos e métodos.

Esses novos instrumentos de conservação necessitarão ser engenhosos, pois devem ser empregados contra o tremendo instinto imperialista da democracia moderna. É um erro supor (como disse o Conde de Mirabeau) que democracia e imperialismo são contrários, correrão juntos em nossa época, como ocorreu na Atenas de Péricles (495-429 a.C.) e na França revolucionária. O Japão, se convertido à democracia, será muitas vezes mais perigoso do que quando era governado por uma aristocracia conservadora, satisfeito com o presente arranjo de coisas. Oito anos mais tarde, Irving Babbitt retornou a esse tema em *On Being Creative* [Sobre Ser Criativo], de 1932, comentando o pavor de André Sigfried (1875-1959) da "consciência [americana], ainda mais arrojada, de seus 'deveres' para com a humanidade".[6] O imperialismo é um aspecto da antiga presunção expansionista do homem, que os gregos sabiam que traria o *hubris*, depois a cegueira e, por fim, a nêmesis. "O homem nunca se precipita de maneira tão confiante como quando, às vezes, parece estar à beira do abismo." A humildade, que Burke tinha em alta conta entre as virtudes, é a única limitação efetiva a essa vaidade congênita, contudo, nosso mundo quase esqueceu-se da natureza da humildade. Antes, a submissão aos ditames da humildade tornou-se palatável ao homem por intermédio da doutrina da graça; essa doutrina requintada foi subvertida pela soberba moderna, a autoconfiança que irradia de Jean-Jacques Rousseau e de Ralph Waldo Emerson; "e não é tão claro quanto desejaríamos que a civilização europeia possa sobreviver ao colapso dessa doutrina". O próprio Babbitt nunca abraçou a ideia da graça, mas percebeu sua importância transcendente, como o fizeram Blaise Pascal e os jansenistas, e o retorno frequente a esse tópico prefigura o fascínio dos romancistas e apologistas cristãos pela doutrina da graça durante as últimas décadas.

---

[6] Irving Babbitt, *On Being Creative*. Boston, 1932, p. 232.

Com a derrocada da doutrina da graça e com a confusão teológica admitida pela Reforma, uma doutrina das obras começou a encontrar espaço – mas um conceito quase totalmente divorciado da antiga nomenclatura teológica. Francis Bacon expôs essa exaltação do labor como superior à piedade e à contemplação; John Locke levou-a ao extremo utilitário no *Second Treatise of Government* [Segundo Tratado do Governo], de 1689; Adam Smith a ecoou; David Ricardo expandiu a ideia. Karl Marx reduziu o "trabalho" a um ponto de vista puramente quantitativo.

> A tentativa de aplicar a concepção utilitário-sentimental de trabalho e, ao mesmo tempo, de eliminar a competição resultou, por um lado, na Rússia, num despotismo implacável, e, por outro, numa servidão degradante.

Como iremos escapar desse conceito falacioso de natureza do trabalho? Os humanitaristas têm culpa nesse erro. "Mesmo quando não recaem em falácias quantitativas rudes, concebem o trabalho como lei natural e de mundo exterior e não no sentido de vida interior."

No entanto, "trabalho" é, realmente, algo muito diferente disso; e Irving Babbitt recorre a Buda e a Platão para sua definição. O trabalho verdadeiro, a obra superior, é o labor do espírito, a autorreforma e isso nos leva à natureza da justiça. "A definição platônica de justiça de fazer o próprio trabalho ou de cuidar da própria vida talvez nunca seja superada." A única liberdade verdadeira, acrescenta Babbitt, é a liberdade para trabalhar. "É, de fato, a qualidade do trabalho do homem que deve determinar seu lugar na hierarquia que toda sociedade civilizada exige." Os que trabalham com a mente devem figurar acima dos que trabalham com as mãos, mas os homens envolvidos em uma obra genuinamente ética são ainda mais superiores. Qualquer civilização verdadeira deve liberar determinados cidadãos da necessidade do trabalho com as mãos, de modo que possam participar daquele tempo ocioso que é uma preparação indispensável para a liderança.

Esses líderes em mente e espírito devem ser ensinados a ficar acima das posses materiais, e isso não pode ser realizado sem uma obra verdadeiramente ética ou humanista.

Proclamar igualdade nalguma base que não requeira tal esforço será irônico. Por exemplo, esse país se confiou, na Declaração de Independência, à doutrina da igualdade natural. O tipo de individualismo que, desse modo, foi encorajado levou a desigualdades monstruosas e, com a decadência dos padrões tradicionais, à ascensão de uma plutocracia bruta [...]. O remédio para tal fracasso do homem no topo não repousa, como o agitador nos faria crer, em inflamar os desejos do homem que está na base; nem em substituir a verdadeira justiça por alguma quimera de justiça social.

Tal substituição, em geral, leva a ataques fanáticos à propriedade e, logo, à poupança e à indústria. Provoca a supressão da competição, que é necessária para despertar o homem da indolência nativa. A partir da confusão de decretar uma igualdade absoluta, sem qualquer base ética propriamente compreendida, a América nunca se recuperou: "Ainda não está claro se será possível combinar o sufrágio universal com o grau de segurança para a instituição da propriedade que requer tanto a verdadeira justiça quanto a civilização genuína". A inflação da moeda corrente será a forma mais comum e sutil desse perigo.

Todo homem deve encontrar felicidade no trabalho ou não a encontrará de modo algum. Em nossa época, todavia, a multidão dos homens está enfastiada com a labuta – uma consequência, em parte, dos mal-entendidos dos humanitaristas a respeito da essência do trabalho. A incapacidade de definir amor e liberdade trouxe-nos semelhante perplexidade nessas vastas questões. Em essência, o erro dos humanitaristas é produto da própria ignorância da vontade ética do homem, do fato de que a única paz verdadeira é a paz espiritual. Sob a tutela dos humanitaristas, perdemos de vista os padrões; sua restauração depende da preservação da vida civilizada e de nossa humanidade.

> O comercialismo está lançando sua grande pata sebenta em tudo (até mesmo na busca irresponsável das emoções); de modo que, o que quer que a democracia teoricamente possa ser, às vezes, somos tentados a defini-la de maneira prática como um melodrama padronizado e comercializado [...]. Somos inclinados, de fato, a perguntar, em determinados estados de espírito, se o resultado líquido do movimento que tem varrido o Ocidente por várias gerações pode não ser uma grande massa de mediocridade padronizada; e se neste país, em particular, não corremos o risco de produzir, em nome da democracia, uma das marcas mais insignificantes da espécie humana que o mundo já viu.

O que foi isso que persuadiu a América a aceitar o teste quantitativo em todas as coisas, de modo que "o americano lendo o jornal de domingo em um estado de prostração indolente talvez seja o símbolo mais perfeito do triunfo da quantidade sobre a qualidade que o mundo já viu"? A perda da verdadeira liderança tanto é causa como efeito de nossa deficiência em padrões. "Devemos, portanto, no interesse da própria democracia, buscar substituir a doutrina do homem direito pela doutrina dos direitos do homem." Amiúde, a democracia não tem sido nada além de uma tentativa de eliminar os princípios qualitativos e seletivos em favor de teorias abstratas de vontade geral. Nos Estados Unidos, essa luta entre o verdadeiro e o falso liberalismo, entre a democracia qualitativa e quantitativa, foi substancialmente a disputa entre a liberdade de George Washington e a liberdade de Thomas Jefferson. Jefferson desejava emancipar os homens do controle externo, mas nunca compreendeu, como sabia Burke, como o poder externo e o interno sempre deveriam se manter proporcionais, de modo que cada diminuição de poder por parte do Estado, a menos que resultasse em prejuízo para a sociedade, fosse acompanhada por um aumento de autocontrole nos indivíduos. O epicurista e especulativo Jefferson não apreciava a ideia de autodisciplina rígida, da qual a estirpe dos Adams era devota; e o exemplo de Jefferson encorajou as tendências individualistas expansivas e rudes dos americanos. O controle judicial, incompatível com Jefferson tanto na forma política quanto na ética, continua a ser a principal garantia de nossa liberdade, mas foi terrivelmente danificada por nossa propensão ao imperialismo e ao juízo quantitativo.

A Constituição Federal, a Suprema Corte e outros freios ao impulso popular imediato são para a nação o que a vontade suprema é para o indivíduo. Onde nossa sociedade tem êxito, normalmente, o tem em consequência dessa influência restritiva na estrutura intelectual e política; onde falha, muitas vezes se dá em consequência de nosso humanitarismo sentimental.

> Estamos tentando fazer funcionar, não os Dez Mandamentos, mas o humanitarismo – e não está funcionando. Se nossos tribunais são tão ineficientes em punir o crime, a principal razão é não ter o apoio da opinião pública, e isso porque a opinião pública é, em grande parte, composta de pessoas que criaram simpatia por azarões substitutos de todas as outras virtudes.

O energúmeno utilitarista, com sua ênfase no "trabalho exterior", move-se cada vez mais para a desumanização da sociedade:

> O tipo de eficiência que nossos senhores comercialistas buscam requer que a multidão dos homens seja privada dos atributos humanos específicos e se tornem meras engrenagens numa imensa máquina. No ritmo atual, até mesmo o quitandeiro de uma cidade remota do interior não terá o incentivo necessário para estipular o preço de meio quilo de manteiga.

Onde estamos na descoberta de líderes que possam nos redimir de tudo isso? O grande mérito deles deve ser a humildade, nada mais servirá. Assim, o cientista está desqualificado, pois sabemos de sua presunção, e o aristocrata artista seria igualmente desagradável. Confiar na divindade da média, dispensar, por completo, a liderança – uma noção popular – ainda é a pior tolice, e a inconstância do público fez até o reformador radical perder a fé no sonho. Não, nessa hora em que nossa necessidade de liderança é desesperada, quando nosso poderio se estende para além dos mares e tateia, cego, por faltar-lhe direção, ele não nos impedirá de "evoluir, sob a liderança do sr. H. L. Mencken, para nietzschianos de segunda categoria". A liderança só pode ser restaurada pelo processo lento e doloroso de desenvolver a gravidade moral e a seriedade intelectual, voltando-nos à força das doutrinas tradicionais – à honestidade com que encaram o fato do mal. Nossa indolência espiritual só pode ser superada pelo reexame dos primeiros princípios

> A base em que toda a estrutura da nova ética foi erigida é, como vimos, a presunção de que o embate significativo entre bem e mal não está no indivíduo, mas na sociedade. Se desejarmos, mais uma vez, construir algo com segurança, devemos recuperar, de alguma forma, a ideia de "guerra civil na caverna".

Precisamos analisar a definição que temos de trabalho – que depende de nossa definição de natureza. O que indicamos por "liberdade", por sua vez, depende de nosso sentido de "trabalho". A regeneração é contingente, então, de recorrer aos métodos socráticos, a englobar essas definições e as de "justiça" e de "paz". Isso não é mera questão das escolas de pensamento.

> Virá o tempo, se de fato ainda não veio, em que os homens serão justificados por afirmar a verdadeira liberdade, até mesmo, poderá ser, à custa da própria vida, contra as invasões monstruosas do Estado materialista.

Devemos nos expurgar da noção de que a igualdade pura é consoante com a liberdade e a humildade. A necessidade de restauração dos padrões em nossa vida significa que devemos determinar algum centro ético. O estado ético é possível, a natureza humana é suscetível ao bom exemplo. No entanto, o centro ético deve ser mais que nossa adulação atual do "serviço". O verdadeiro líder não é um simples humanitarista, suas sanções provêm da vontade e da consciência.

Tudo dito, somos levados novamente à questão do arbítrio. As escolas de pensamento político "idealista" e "realista", ambas enraizadas no naturalismo, não bastarão em nossa época. Qualquer um que transcenda o naturalismo

> deixa de ser, na mesma medida, um idealista humanitário ou um realista maquiavélico. Toma ciência de uma qualidade da vontade que distingue o homem da natureza física e é, ainda assim, natural, no sentido de ser uma questão de percepção imediata e não de autoridade exterior.

Não existe um poder independente de nossos sentidos, independente até mesmo de nossa realidade comum, ao qual podemos recorrer contra nós mesmos? Em juízo perfeito, os homens têm ou não têm alma? Na resposta que a pessoa der a esse questionamento repousa a base da política; pois se os homens não têm almas, se não existe uma vontade suprema, então podem muito bem ser tratados como peças de um maquinário – de fato, não podem ser tratados de outro modo. Babbitt contempla a política de uma altura demasiado vertiginosa para muitos alcançarem; mas posto isto, a política não pode ser discutida, de modo algum, satisfatoriamente, em outro nível.

Um plano é ainda mais alto, observa Irving Babbitt no final de seu livro desconexo, porém, nobre: esse é o plano da graça. "Tradicionalmente, o cristão associa a liberdade e a fé em uma vontade superior à graça." No entanto, Babbitt não pode persuadir-se a escalar tal rochedo; não tem certeza real se existe e esforça-se a expressar o sistema em "termos funcionais", trabalho ético, a atividade da natureza mais excelsa do homem, como distinta da comunhão com Deus. Portanto, estaca abruptamente diante de Edmund Burke, de Richard Hooker e dos escolásticos. Paul Elmer More chegou a acreditar que ninguém ousaria parar nesse nível de trabalho, mas continuar energicamente por buscar certeza na fé religiosa.

Não foi feita justiça a Babbitt aqui. Sua grande erudição só é sugerida; sua mente intrincada é obscurecida pela brevidade deste resumo. Uniu os elos rompidos entre política e moral e isso é obra de gênio. Sabia que a conservação das coisas antigas que amamos deve estar fundamentada em ideias válidas da mais excelsa ordem, caso o conservadorismo deva resistir ao naturalismo e a sua progênie política. "O conservador, hoje em dia", observa em um dos inúmeros momentos de presciência acurada:

> Está interessado em conservar a propriedade em si, e não está, como Burke, em conservá-la porque é quase um apoio indispensável da liberdade individual, uma coisa verdadeiramente espiritual.

Os ensinamentos de Irving Babbitt já exerceram alguma influência ao guiar pensadores conservadores americanos a posições mais defensáveis. Sua influência pode crescer, atraindo para a austera causa do trabalho e da vontade a série de homens que uma nação economicamente madura deverá buscar, caso seja algo mais que uma máquina.

3. PAUL ELMER MORE SOBRE JUSTIÇA E FÉ

Na North Avenue, em Cambridge, certa vez, Irving Babbitt subitamente cerrou as mãos e exclamou para Paul Elmer More. "Por Deus, homem, és um jesuíta disfarçado?" Babbitt esforçou-se por toda a vida a praticar a tolerância para com as igrejas; mas foi diferente com More e com aquelas observações críticas profundas, retrucando com algo como um sorriso. "Nunca fui capaz de responder a essa pergunta de maneira satisfatória."[7]

Embora nascido no Missouri, Paul Elmer More destacava-se de modo notável na tradição do pensamento da Nova Inglaterra – como, de fato, e muito do que hoje é tido como "oriundo do meio-oeste" é, na verdade, transplante da mentalidade e do caráter da Nova Inglaterra. Com raro senso de dedicação para sua geração, quando ainda jovem, retirou-se para o vilarejo de Shelburne, em New Hampshire,

---

[7] Paul Elmer More, "On Being Human". In: *New Shelburne Essays*, III, 3 vols. Princeton, 1928-1936, p. 27.

de modo a encontrar tempo livre e distanciamento necessários para argumentar, de maneira inteligente, com a complexidade moderna; e então, ao retornar para o mundo, armado intelectualmente, bem como um profeta, lutou como conferencista, ensaísta e editor do *The Nation* com o pragmatismo de William James, o naturalismo de John Dewey, o sentimentalismo dos socialistas e a arrogância de um povo que esquecera a verdade do dualismo. Disciplinou-se no domínio do estilo da prosa em língua inglesa e, como crítico das ideias, talvez não tenha existido quem se lhe equiparasse, na Inglaterra ou na América, desde Samuel Taylor Coleridge. "Todas as diferenças de opinião", o cardeal Henry Edward Manning (1808-1892) observara, certa vez, "são, no fundo, teológicas." A adesão de More a esse princípio tornou-se sua maior força; ao principiar totalmente cético, terminou como o pensador anglicano mais eminente da história dos Estados Unidos, possivelmente, o teólogo americano mais erudito de qualquer comunhão.

O primeiro dos onze volumes dos *Shelburne Essays* de Paul Elmer More foi publicado em 1904. Ao longo dessa série crítica elogiosa, ao longo dos cinco volumes de *The Greek Tradition* [A Tradição Grega], ao longo dos *New Shelburne Essays* [Novos Ensaios Shelburne], publicados na última década de sua vida, perpassa uma continuidade firme: a insistência de que para a nossa salvação neste mundo e no outro, devemos nos voltar para as coisas do espírito, aceitar a dualidade da natureza humana, recordando que o presente momento é de pouca consequência no misterioso plano da existência. Se, com William James, renunciarmos a nós mesmos no fluxo do tempo e da mudança, atrairemos a catástrofe interna e externa:

> Às vezes, ao refletir comigo mesmo como essa ilusão diária cativa e empobrece, cada vez mais, nossa vida mental ao cortar toda a rica experiência do passado; é como se estivéssemos no mar numa embarcação enquanto o nevoeiro se espessasse, limitando nossa visão a um círculo cada vez menor, apagando as reluzentes luzes distantes no horizonte e as alturas do céu, lançando uma cortina de fumaça sobre as próprias ondas ao nosso redor, até que nos movêssemos por uma

obscuridade soturna, sem notar qualquer outro viajante no mar, salvo quando, através do nevoeiro, o som de um alarme ameaçador chega aos nossos ouvidos.[8]

Muito versado em Edmund Burke e em John Henry Newman, Paul Elmer More compreendeu que, quando, dessa maneira, a geração deixa de unir-se espiritualmente com outra geração, primeiro a civilização depois a existência humana em si, devem exaurir-se. Os homens ignorarão o passado e o futuro, veio a crer, sem uma crença universal na realidade do transcendente. O homem deve levar uma vida dupla, escreveu More ao concluir o primeiro volume dos *Shelburne Essays*, em equilíbrio entre uma lei para o homem e uma lei para as coisas, nunca perdendo a distinção entre seu dever público e privado. Nossa confusão social moderna, considerada do ponto de vista intelectual, é consequência da confusão da esfera da moralidade privada com a esfera da atividade pública. Esse é o enorme erro dos humanitaristas. Quando o impulso religioso é reduzido a mera "irmandade dos homens", o fratricídio não está distante. Quase ao fim do terceiro volume dos *Shelburne Essays*, de 1936, More repetiu essa declaração:

> A arma efetiva da Igreja em sua campanha contra os males desnecessários da sociedade, o instrumento disponível para colocar em jogo alguma parcela de verdadeira justiça como algo distinto da impiedosa lei da competição e da igualmente implacável vontade de poder do proletariado, é a restauração, na alma humana, de um sentido de responsabilidade que se prolonga para além do túmulo.[9]

Pleonexia, o "desejo de poder perpétuo e incansável que só finda na morte" não pode ser contido por força alguma neste mundo – somente por uma avaliação humana interior que tem origem sobrenatural.

---

[8] Paul Elmer More, *Shelburne Essays*, VII, 11 vols. Boston, 1904-1921, p. 201-02.

[9] Paul Elmer More, "On Being Human". In: *New Shelburne Essays*. III, op. cit., p. 158.

Com os instintos religiosos suprimidos ou aturdidos, nossa sociedade deve descobrir o caminho de volta à permanência ou morrer. O romantismo moderno e a ciência moderna, ainda que superficialmente antagônicas, partilham um impressionismo desastroso; ambos se renderam à teoria do fluxo incessante, sem princípio de juízo, a não ser o prazer mutável do indivíduo. Isso é pragmatismo, o câncer de nosso intelecto. Em tais tempos, o homem de consciência deve declarar, corajosamente, que é um reacionário: distintamente disforme em filosofia e letras, tornar-se-ão disformes em sociedade, a aceitação impotente da mudança, a levar ao individualismo de Richard Cobden ou ao coletivismo de Karl Marx – em ambos os casos, o sufocamento da civilização pelas forças materiais; ou, por sua vez, ao cair esse baluarte, então, a anarquia. "O dito exteriorizou a força que indica alegria na mudança e aquele que vier a questionar a mudança é reacionário e afeminado." Ainda assim, não seria o reacionário nada além de um covarde diante da inovação, nada mais que um escravo do passado?

> A reação pode ser e, num sentido verdadeiro, é algo totalmente diferente desse sonho fútil; é, em essência, responder ação com ação, para se opor à confusão de circunstância à força da discriminação e da seleção, dirigir a vaga maré de mudança referindo-se à lei coexistente do fato imutável, trazer as experiências do passado aos diversos impulsos do presente e, assim, seguir adiante em uma progressão ordenada. Se qualquer rapaz, ao sentir em si o poder de realizar, hesita ao ser chamado de reacionário, na melhor acepção do termo, por causa da acusação de efeminado, deixemo-lo tomar coragem.[10]

Um manual para uma reação sincera e inteligente à filosofia da mudança contínua é *Aristocracy and Justice* [Aristocracia e Justiça], de 1915, o nono volume dos *Shelburne Essays*. Como os homens podem ser salvos de si mesmos? Como devem ser salvos de uma lassidão errante, produto de uma filosofia evolucionária condescendente, que

---

[10] Idem. Ibidem, p. 268-69.

deve terminar (se não nos prender) em uma catástrofe que a guerra iniciada em 1914 é apenas um prenúncio? Na esfera da sociedade, os homens demandam uma aristocracia para lhes guiar corretamente. Para reconhecer essa aristocracia, devemos ser franca e generosamente reacionários.

> Devemos responder à questão aberta: como a sociedade será guiada, recém-liberta de regimes plutocráticos mascarados, a ser persuadida por uma aristocracia nacional que nada tem da insígnia de um antigo uso consagrado para impor sua autoridade?[11]

Persuadir a democracia vitoriosa de que deve ressuscitar a aristocracia: isso é um tremendo problema prático de nossa política.

O jargão "a cura da democracia é mais democracia" é mentiroso, a verdadeira cura não deve ser mais democracia, mas uma democracia *melhor*. A melhoria nunca pode vir da própria multidão, deve ser obra da aristocracia natural que

> não exige a restauração do privilégio herdado ou uma recidiva no domínio rude do dinheiro; não é sinônimo de oligarquia ou plutocracia. Ao contrário, clama por algum mecanismo ou certa consciência social que assegurará a seleção, em meio à comunidade como um todo, dos "melhores" e a eles outorgará "poder"; é a verdadeira consumação da democracia.

O primeiro passo para a criação ou ressurreição da aristocracia natural deve ser uma reforma em nossas instituições de ensino superior.

Como uma grande árvore antiga, nossa sociedade está morrendo desde o topo. As classes educadas estão em risco de se tornarem as traidoras da civilização que as sustenta – iludidas pelo humanitarismo, ignorando, talvez, os próprios deveres.

> Noutros tempos, o entendimento era para que a combinação das forças da ordem não fosse dura o bastante para resistir às investidas

---

[11] Paul Elmer More, *Shelburne Essays*. IX, op. cit., p. 21.

sempre ameaçadoras dos que a invejavam de modo bárbaro ou que a desejavam de modo imprudente; ao passo que, hoje, a dúvida é se os defensores naturais da ordem devem, eles mesmos, ser leais às certezas, pois não parecem mais recordar claramente a palavra de comando que lhes deve unir na liderança.

Idealistas como G. Lowes Dickinson (1862-1932) contavam com um "distanciamento lento, semiconsciente de todos [os líderes da sociedade moderna] que têm inteligência e força moral do interesse e apoio ativo da classe".[12] (Os Harriman, que Babbitt desdenhava numa geração como os espécimes inabaláveis da avareza utilitária se tornaram, na geração seguinte, os zelotes do estado de bem-estar social.) A decadência da venerável disciplina intelectual humanista na educação superior, das quais a decadência das inovações do reitor Eliot em Harvard são sintoma, é a causa primordial dessa desorientação ou traição da clerezia.[13] Esquecemo-nos da magna carta de nossa educação – *Boke Named the Governour*, elaborada em 1531, por *Sir* Thomas Elyot (1490-1546):

> O projeto do humanista deve ser descrito, numa palavra, como o disciplinar da faculdade superior da imaginação para a finalidade que o aluno deve contemplar, como se numa visão sublime coubesse toda a extensão do ser em sua amplitude, do mais inferior ao mais superior, sob o decreto divino de ordem e subordinação, sem perder de vista a veracidade imutável no âmago de toda a evolução, "o único louvor e sobrenome da virtude". Esse não é um ponto de vista novo, nem nunca foi esquecido. Foi o significado pleno da religião para Richard Hooker,

---

[12] Idem. Ibidem, VII, p. 191.

[13] A palavra "clerezia" aqui é empregada no sentido tencionado por Julien Benda (1867-1956) no livro *La trahison des clercs* (traduzido em português como *A Traição dos Intelectuais*). Para fugir à interpretação marxista de intelectual, optamos por "clerezia", por se aproximar mais do que Benda queria indicar por aquela classe de pessoas com erudição e bom gosto (que podem ou não ser professores, clérigos, etc.), cujo dever é salvaguardar a integridade dos ideais morais de sua era. (N. T.)

de quem tudo foi transmitido, do que há de melhor e menos efêmero na Igreja Anglicana. Foi a base, expressa da maneira mais modesta, da concepção de *Sir* William Blackstone da Constituição britânica e da liberdade sob a égide da lei. Foi a semente da teoria de governo de Edmund Burke. É a inspiração de uma ciência mais sublime, que aceita a hipótese da evolução como ensinada por Charles Darwin e Herbert Spencer, e ainda assim curva-se em reverência diante da força inominada e incomensurável abrigada como propósito místico dentro de um universo revelado.[14]

Por faltar tal educação, os homens não têm nenhum apoio no passado, estão à mercê de todo vento de doutrina.

Para uma verdadeira liberdade – a liberdade da verdadeira distinção, não a feroz liberdade niveladora da inveja – os líderes da sociedade necessitam de uma educação liberal. Com tal disciplina, podem servir como uma verdadeira aristocracia natural, a mediar entre a plutocracia e a democracia igualitária. A alma dessa disciplina humanista é o estudo dos clássicos; ensinam ao homem o significado do tempo e "confirmá-lo em seu melhor juízo contra as solicitações efêmeras e vulgarizantes do momento". Quando nossas universidades e faculdades dedicam-se em produzir especialistas, técnicos e empresários, privam a sociedade de uma aristocracia intelectual e, logo, destroem a própria tranquilidade social sobre a qual a especialização moderna e os feitos técnicos se fundam.

Ainda assim, os meios certos para assegurar a vida de uma aristocracia natural não é uma questão tão importante quanto o princípio sobre o qual uma verdadeira aristocracia dirigirá os negócios da humanidade. Esse princípio é a justiça, e a existência da civilização nela se ampara. Mas como a justiça pode ser definida? Paul Elmer More oferece uma série de definições, com o propósito de demolir o termo sentimental de "justiça social" que foi um instrumento tão útil ao radicalismo. Dito de modo bem simples, a justiça é "o ato da

---

[14] Paul Elmer More, *Shelburne Essays*. IX. Op. cit., p. 56.

distribuição correta, dar a cada homem o que lhe é devido", mas isso, para ter significado real, requer uma definição melhor de *correção* e *dever*. Quando analisamos mais detidamente o impulso denominado justiça, vemos que é "o estado interno da alma quando, sob o comando da vontade à retidão, a razão guia e os desejos obedecem" – ou, de modo breve, "justiça é felicidade, felicidade é justiça". O que é, então, justiça social? More condena a imparcialidade da "vontade de poder" de Friedrich Nietzsche e seu oposto, o ideal socialista, humanitário, de igualdade absoluta. A justiça social, ao contrário, é "uma tal distribuição de poder e de privilégio, e de propriedade como símbolo destes, como, de imediato, irá satisfazer as distinções de razão entre o superior e não ofenderá os sentimentos do inferior". Não existe regra absoluta para alcançar esse equilíbrio, não mais que um código absoluto de moral para a conduta individual, mas o mesmo critério a ele aplicado é nosso meio de abordar a justiça individual: "a justiça social e a justiça pessoal, ambas, são medidas pela felicidade". O legislador deve distinguir satisfatoriamente entre superioridade e egoísmo, mérito especial e contentamento público. É obra de mediação, de acordo, e devemos nos render ao fato de que juntamente com a justiça sempre deve restar alguma privação individual ou escassez, a que estamos muito propensos a chamar de "injustiça". Não somos criaturas perfeitas ou perfectíveis, e se devemos estar em harmonia com a natureza, não devemos condenar a natureza das coisas [como Richard Porson (1759-1808) tentando apagar a imagem refletida da chama de uma vela] e pleitear aquela justiça absoluta que não habita este mundo.

A propriedade, sem a qual a civilização não sobrevive, é, realmente,

> a ampliação daquela injustiça natural [a igualdade inicial dos homens] que deveis deplorar como injustiça não natural, mas que, não obstante, é uma necessidade fatal. Essa é a verdade, terrível se assim escolheis torná-la para vós mesmos, não sem seu aspecto benevolente para os que sejam os preferidos da sorte ou não, que são verdadeiros – ao menos, inelutáveis.

A menos que possamos chamar a civilização de erro, qualquer tentativa de ignorar a desigualdade natural e a desigualdade com propriedades é, por certo, causar a infelicidade geral. "A segurança da propriedade é o dever primeiro e totalmente essencial de uma comunidade civilizada." A vida é uma coisa primitiva; a partilhamos com as feras, mas a propriedade é marca somente do homem, o meio da civilização; portanto, diz More em uma frase audaz que causou fúria aos opositores humanitaristas: "Ao homem civilizado, *os direitos de propriedade são mais importantes que o direito à vida*".

Ele vai ainda mais longe. A propriedade é tão importante para a verdadeira existência humana que, mesmo se os homens roubarem sob a proteção da lei (visto que nenhum conjunto de leis é perfeito), "é melhor que o roubo legal exista junto com a manutenção da lei, do que o roubo legal ser suprimido à custa da lei". A pior coisa que pode acontecer à lei é o excesso de ampliação, sua expansão a campos em que não pode ser competente; então, o desrespeito pela lei em todas as competências tornar-se-á geral. Caso negueis o fato, o fato vos controlará. Isso é verdade para a propriedade.

> Podeis, até certo ponto, controlá-la e torná-la subserviente à natureza ideal do homem, mas no momento em que negue os seus direitos ou que vos comprometei em legislar-lhes desafiando, devereis, por um tempo, abalar os próprios fundamentos da sociedade, e, certamente, por fim, tornareis a propriedade vossa déspota em vez de serva e, assim, produzireis uma civilização materializada e aviltada.

Quando a propriedade é incerta, floresce o espírito do materialismo. Em tais tempos de escassez, o ócio intelectual é popularmente denunciado como anormal e antissocial; o acadêmico é detestado.

> Há algo, ao mesmo tempo, cômico e perverso no espetáculo daqueles homens de propriedade que tiram vantagem do tempo livre para sonhar os vastos planos especulativos que lhes tornaria as próprias carreiras soberbas impossíveis.

A propriedade privada, a produção e a distribuição são indispensáveis ao progresso da sociedade, e precisamos nos fortalecer "contra os encantos insidiosos de um idealismo mal empregado". Transferimos as antigas prerrogativas da propriedade para o trabalho que produz propriedade e nossas instituições veneráveis, sobretudo, a Igreja e a universidade estão em um terrível risco. "Se a propriedade está segura, pode ser um meio para um fim, ao passo que se está insegura será o próprio fim."

Em um século em que o princípio aristocrático, a ideia clássica de justiça e a instituição da propriedade estão de todo ameaçadas, que posição efetivamente os conservadores tomam? Grandes vantagens têm os radicais – as seduções da lisonja, o oportunismo que lida com as necessidades materiais imediatas à exclusão de considerações remotas, a força das simpatias humanitárias.

> Não é estranho, portanto, que a história da Inglaterra desde a Revolução de 1688, com intervalos de tímidos adiamentos, foi o registro de uma produção gradual ao impulso constante de oportunismo.

O conservador pode apelar à imaginação dos homens, mas deve estar certo de que a própria imaginação é sólida e verdadeira. O conservador deve certificar-se da retidão da própria moralidade. Agora, tem de lutar contra a nova moralidade, aquela paixão vaga, mas virulenta que, se tem de indicar alguma coisa, "significa a reconstrução da vida no plano da sarjeta". O humanitarismo, ao usurpar o lugar da Igreja, esforça-se por ignorar a existência do pecado e a elevar a afinidade à teoria social, deixando fora do cômputo a responsabilidade social. Afinidade e justiça são confundidas.

Ao ser confrontado com tais probabilidades desalentadoras, o conservador deve retirar-se para um espaço, de modo que relembrará "que essa natureza não é simples e singular, mas dual", uma reflexão de valor ético incalculável. Nele existe um eu mais verdadeiro, um exame interno, "Imutável, em meio à mudança contínua, de validade eterna, acima dos valores mutáveis do momento". Guiado por essa intuição, saberá que a obrigação da sociedade não é a lei primordial e não é fonte de integridade pessoal, mas é secundária à integridade pessoal. Acreditará que a justiça social é, por si, desejável, mas defenderá que é muito mais importante, primeiro, pregar a responsabilidade de cada homem para consigo mesmo, pelo próprio caráter.

Ao abjurar o jargão, descobrirá a força moral que ainda pode bastar para defender a antiga moralidade contra o humanitarismo coletivista e sentimental que, sem a oposição conservadora, devoraria, incontinenti, o próprio sustento.

E, a título de conclusão, More intenta, como definição final de justiça: "a moralidade eterna de distinções e de direção voluntária, oposta à, assim denominada, nova moralidade flutuante". A liderança aristocrática e a sociedade voluntária são naturalmente aliadas; a moralidade de fluxo rapidamente resvala do estágio do humanitarismo para o estágio da compulsão coletiva. A política leva à moral.

A moral, por sua vez, deve levar à fé religiosa. No último volume dos *Shelburne Essays*, More sugere que o medo é um fator inevitável na conduta humana; e, ausente o temor religioso, o homem logo fica sujeito a medos mais imediatos e mais difíceis de aliviar, o medo da guerra de classes, ou da destruição, ou da sujeição à máquina.

> Ao contemplarmos o mundo convertido em uma grande máquina e gerido por engenheiros, aos poucos nos tornamos cientes de sua falta de sentido, do vazio do valor humano; a alma é asfixiada nessa glorificação da eficiência mecânica. E, quando começamos a sentir a fraqueza de tal credo, quando confrontados pelos verdadeiros problemas da vida, descobrimos a incapacidade de impor quaisquer freios às paixões dos homens ou proporcionar qualquer governo que possa dirigir-se à lealdade do espírito. E contemplando essas coisas compreendemos o medo que está corroendo os órgãos vitais da sociedade.

Os humanitaristas, tendo desfeito antigas lealdades e usos consagrados, encontram-se sem defesas diante do chefe, do líder sindical, do policial político, da impiedosa máquina da sociedade que eles mesmos acolheram. O medo, assim como a injustiça e o pecado, não será erradicado do mundo, mas o medo da civilização moderna é um terror particularmente hediondo. O que há para ser feito? "É como se, antes de tudo, precisássemos, de algum modo ou de outro, fazer retornar à sociedade o temor a Deus."[15]

Dito isso, Paul Elmer More voltou-se para a segunda grande fase de sua contribuição para a filosofia e letras americanas, um estudo do platonismo e do cristianismo que chamou de *The Greek Tradition* [A Tradição Grega]. Em *Platonism* [Platonismo], de 1917, e na obra *The Religion of Plato* [A Religião de Platão], de 1921, analisou o dualismo platônico, com as esferas distintas de ideia e matéria, reconhecendo na constituição do homem a existência de uma força além dele mesmo. More delineou a revolta dos sistemas monistas estoico e epicurista contra esse dualismo na obra *Hellenistic Philosophies* [Filosofias Helenistas], de 1923. Depois, em *The Christ of the New Testament* [O Cristo do Novo Testamento], de 1924, escreveu a maior obra de apologética cristã, atacando os modernistas com todo o peso de sua erudição e toda a majestade de seu estilo. A crença na encarnação está em conformidade com a razão: pois, o sobrenatural, se tem de ser apreendido com clareza pelo homem, deve se fazer sentir de formas naturais e, as provas históricas para os poderes de Cristo transmitem convicção esmagadora. "Ao menos do cristianismo, o que quer que possa ser dito de outras formas de fé", escreveu posteriormente em *The Catholic Faith* [A Fé Católica], de 1931, "uma coisa é certa, depende da revelação, e sem a revelação, a crença do cristão é uma hipótese infundada."[16] Com *Christ the Word* [Cristo, a Palavra], de 1927, More completou sua defesa da ortodoxia; e embora esses livros não possam ser apropriadamente discutidos aqui, deu o golpe mais sério no modernismo teológico do século XX, ao instituir, vigorosamente, aquela premissa do dualismo metafísico, cuja base as

---

[15] Idem. Ibidem, XI, p. 256.
[16] Paul Elmer More, *The Catholic Faith*. Princeton, 1931, p. 170.

ideias mais críticas e sociais de More foram erigidas. Herdeiro da mentalidade puritana, More percebera que no puritanismo, com todo seu poder obstinado, ainda restara apenas uma negação corajosa; e retornou a uma afirmação tão audaz no século XX quanto fora o dissenso puritano no século XVII.

"Os *Shelburne Essays* e os cinco volumes de *The Greek Tradition*", Walter Lippmann certa vez escreveu,

> são mais que uma obra monumental de crítica literária. São um registro da contínua descoberta religiosa em uma natureza que combina, em proporções primorosas, uma sensibilidade delicada com um instinto pragmático de realidade. Não faz diferença especial se concordamos com todos os seus juízos particulares; lê-lo é entrar em uma esfera de ideias austera e elevada e conhecer um homem que, à guisa de crítica, está preocupado, autenticamente, com os primeiros e derradeiros objetos da experiência humana.[17]

Nada mais nas letras americanas, por unir constância e capacidade de execução, iguala-se ao intrincado contraminar de More ao naturalismo radical na filosofia e ao humanitarismo radical na controvérsia social. More decidiu neutralizar a influência de homens como John Dewey, "com uma panaceia refinada para as calamidades da história", apaixonada por neologismos, a ânsia por mudança e, por certo, os pragmatistas parecem desgraçadamente simples ao lado de More. Para ele, pecado e redenção, justiça e graça eram realidades que os naturalistas só podiam ignorar à custa de brutalizar a sociedade e, após oito décadas de controvérsia, a maré parece voltar-se devagar a favor de More.

Sabia que um conservadorismo superior requer imaginação; sabia que requer algo ainda mais raro e mais nobre, consagração. Afirmou More, em 1921:

---

[17] Citado em: Robert Shafer, *Paul Elmer More and American Criticism*. New Haven, 1935, p. 271.

> É verdade que a religião, ou a filosofia religiosa, como seus amigos e inimigos perceberam desde o início, é o paliativo do descontente e o freio na inovação, mas o conteúdo de um mundo de valores imateriais que oferece é um contrapeso necessário à inveja mútua e à ganância materialista do homem natural, e o conservadorismo que inculca não é o aliado do privilégio soturno e predatório, mas de um melhoramento ordenado.[18]

Esses são os sentimentos de um filósofo reacionário que dignificou a reação, que recordou a uma geração apressada que os passados americano, inglês, cristão e grego não estão mortos e que a corrente do ser em que os pragmatistas chapinham pode estar escoando no Mar Morto. Entre o pessimismo de Henry Adams e a fé sólida de Paul Elmer More há um abismo, e essa presença sugere que ambas teorias deterministas dos irmãos Adams e a confiança naturalista do positivismo em algum "acontecimento divino remoto" podem recuar diante de um teísmo ressuscitado.

Com Irving Babbitt e Paul Elmer More, as ideias conservadoras americanas experimentaram um revigoramento, provando o coquetismo da história e o mistério da Providência.

4. GEORGE SANTAYANA SOTERRA E O LIBERALISMO

"Ele me temia", George Santayana escreveu ao amigo Andrew Green,

> era um Mefistófeles disfarçando-me de conservador. Defendi o passado porque outrora fora vitorioso e trouxera à luz algo belo; mas não tinha expectativas claras de coisas melhores no futuro. Viu avultarem-se, por trás de mim, espectros pavorosos de morte e de verdade.[19]

---

[18] Paul Elmer More, "On Being Human". In: *New Shelburne Essays*. III, op. cit., p. 143.

[19] George Santayana, *The Middle Span*. 1945, p. 149.

Assim como Green, o público instruído da América muitas vezes era enfeitiçado e, ao mesmo tempo, perturbado pelo desapaixonado e versátil Santayana – que, embora exercesse uma forte influência no pensamento americano, raramente confessava-se americano; quarenta anos de associação com os Estados Unidos não foram suficientes para banir o nascimento espanhol que estimava e a posição cosmopolita – uma mistura de catolicismo estético com ceticismo – de onde vislumbrava as ideias americanas e inglesas com urbanidade excêntrica. No romance divertido, discursivo e melancólico chamado *The Last Puritan* [O Último Puritano], de 1935, percebemos quão profundamente penetrou no caráter e nas instituições anglo-americanas e como realmente não as assimilou. Como pensador conservador, iluminou a sociedade britânica e americana com uma luz exótica, no entanto, sua disciplina era Inglaterra e Nova Inglaterra. Edmund Burke, por exemplo, trespassa os livros de Santayana [*Winds of Doctrine* (Ventos da Doutrina), de 1913, um título extraído de Burke e de São Paulo], e até mesmo a tradição distinta das cartas da Nova Inglaterra que Santayana dissecou estava entrelaçada em sua educação. Ainda que não fosse parte da sociedade americana, mesmo assim, estava inserido nessa sociedade de um modo que Alexis de Tocqueville nunca conseguiu.

Depois do humanismo teísta de Irving Babbitt e de Paul Elmer More, o materialismo de George Santayana pode parecer um enfraquecimento da fibra conservadora, um posfácio a Henry Adams. Entretanto, a metafísica de Santayana, embora em desacordo com o dualismo, repudia o tipo comum de mecanismo, expõe o egoísmo dos idealistas e, com um cutucão bem-humorado, envia o pragmatismo de James para o berçário.

> O mundo intelectual de minha época alienou-me intelectualmente. Foi uma Babel de princípios falsos e de desejos cegos, um jardim zoológico da mente e não tive desejo algum de ser uma das feras.[20]

---

[20] Idem. Ibidem, p. 35-36.

Algo helenista inunda o pensamento de Santayana, ao concordar com Platão que o único conhecimento das ideias pode ser o literal e o exato, ao passo que o conhecimento prático, necessariamente, é mítico na forma. Entretanto, como os moralistas helenistas, não pode aceitar um dualismo consumado.

> Dobrar o mundo o desespiritualizaria na esfera espiritual; dobrar a verdade tornaria ambas as verdades hesitantes e falsas. Há apenas um mundo, o mundo natural, e somente uma verdade a seu respeito, mas esse mundo tem, nele, uma vida espiritual possível, que não se volta para um outro mundo, mas à beleza e à perfeição que este mundo sugere, aborda e carece.[21]

O espírito só vive por meio da matéria; o propósito divino, que delineamos em nossos mitos, é real, mas manifesta-se somente de maneiras naturais; nada é imortal, nem mesmo as formas de beleza a que se dedicam os livros de Santayana. Seu naturalismo não é irreligioso, diz ele; a religião e a poesia da mitologia não são mera ciência infantil, mas perduram como "sutis criações de esperança, ternura e ignorância"; verdadeiro, num sentido sublime, que fatos isolados abjetos nunca poderiam realizar. O cristianismo, tão fecundo em virtude e beleza não tem inimigo em si. Entretanto, não pode subscrever com sua razão a essas veneráveis ortodoxias. Todas as coisas perecem, entre elas as opiniões mais antigas, e o filósofo sorrirá de modo tolerante diante do progresso e da decadência, contente com a imensa variedade de caráter e de fenômenos. Se essa urbanidade cósmica diminui a consistência de Santayana e sua vontade, ainda assim, somente um pensador heroico pode ceder, alegremente, à contemplação do fluxo, demasiado terrível, até mesmo para Heráclito (535-475 a.C.) ou Empédocles (495-435 a.C.). Muitas vezes, o imperturbável George Santayana, em Boston, Berlim, Londres, Ávila ou Roma, é como a descrição feita por Sêneca do filósofo Estilpo (360-280 a.C.),

---

[21] George Santayana, *The Realm of the Spirit*. New York, 1940, p. 219.

tranquilo, em meio ao saque de Megara, indiferente à catástrofe, indiferente ao conquistador Demétrio (337-283 a.C.) que, entronizado, surpreende-se diante do filósofo. O que ele perdeu? Boas filhas, sua casa? Tudo isso nada é, somente "coisas adventícias que seguem o fluxo da fortuna", a permanência não é nada; ele mantém seu eu, e todas as consolações das belezas e mistérios naturais.

Tamanha placidez tinge o pensamento social de Santayana:

> De minha parte, ainda que pudesse viver para ver isso, não deveria temer a dominação futura, qualquer que seja. Temos de viver nalguma época, sob algum modismo. Descobri, em épocas e lugares diferentes, ser bem possível respirar o ar liberal, o católico e o alemão; nem, estou certo, o comunismo seria desvantajoso para uma mente livre e suas emoções esplêndidas. Fanáticos, como Tácito, disse acerca de judeus ou cristãos, que são consumidos pelo ódio à raça humana que os ofende; ainda assim, eles mesmos são humanos, e a natureza neles se vinga, e algo razoável e doce borbulha da fonte mesma da loucura deles.[22]

Sob a tolerância generosa, contudo, Santayana adere a um padrão firme e altivo para julgar dominações e potestades: uma boa sociedade é bela, uma sociedade má é feia. Nessa base, erige seu conservadorismo e a condenação da direção que a vida moderna tomou.

No curso de uma conversa com John D. Rockefeller (1839-1937), George Santayana mencionou a população da Espanha, e o milionário, após uma pausa, murmurou: "Devo dizer-lhes no escritório que não vendam muito petróleo para a Espanha". Aqui, em uma frase vemos a arrogância e a aridez da época moderna. "Vejo, pelos olhos da minha mente", acrescenta Santayana,

> o ideal do monopolista. Todas as nações devem consumir as mesmas coisas, na proporção de sua população. Toda a humanidade, então, formará uma democracia perfeita, abastecidas com provisões de um

---

[22] George Santayana, *Soliloquies in England and Later Soliloquies*. New York, 1922, p. 188.

único centro de administração, como se para beneficiarem-se, já que assegurariam para si tudo ao menor preço possível.²³

Essa utopia utilitarista, profetizada por Henry Adams e por Brooks Adams como o triunfo do mais barato, faz morrer de fome o mundo do espírito e o mundo da arte como nenhum outro controle consegue fazer. O ápice do liberalismo, a realização das aspirações de Jeremy Bentham e de John Stuart Mill, e dos porta-vozes democratas franceses e americanos, também é a consumação do capitalismo. É comunismo. John Rockefeller e Karl Marx eram, apenas, agentes da mesma força social – um apetite cruelmente antagônico à individuação humana, pelo qual o homem tem lutado pela razão e pela arte.

Por meio século, desde o primeiro livro abordando questões sociais, *Reason in Society* [Razão na Sociedade], de 1905, até o último, *Dominations and Powers* [Dominacões e Potestades], de 1951, Santayana, de modo consistente, desdenhou da inovação que espolia o mundo em nome da eficiência e da uniformidade, e foi plausivelmente rápido em defender a conservação da harmonia social e da tradição. "Um reformador, ao cortar muito próximo da raiz da árvore, nunca sabe o quanto pode estar sentindo", escreveu em 1905. "É possível que seu próprio ideal perca o apoio secreto se o que condena tiver desaparecido completamente." O individualismo é o único ideal possível e se os indivíduos estão subordinados ao Estado, somente isso satisfará a devoção às coisas racionais e impessoais, um individualismo superior. Por um tempo, democracia e individualismo exibem um crescimento paralelo, mas, logo, a legislação democrática atreve-se a regular todas as coisas, e o liberalismo industrial, apoiado pela democracia, aspira a substituir a individualidade pela padronização eficiente; assim o homem que ama a beleza e a variedade esforçar-se-á [como Sócrates em *Dialogues in Limbo* (Diálogos no Limbo), de 1926] a furar as bolhas dos planejadores sociais que esqueceram o verdadeiro propósito da sociedade, a vida do intelecto e a arte.

---

²³ George Santayana, *The Middle Span*. Op. cit., p. 134.

> É lamentável ter nascido em uma época em que a força do caráter humano estava decaindo, quando a corrente da atividade material e do conhecimento material estava subindo tão alto a ponto de afogar toda a independência moral.

Diz Peter Alden[24] em *The Last Puritan* [O Último Puritano]. Essa decadência da verdadeira humanidade foi acelerada por todo o movimento "liberal", escreveu Santayana em 1926:

> O confortável mundo liberal era como uma grande árvore cujo tronco já está quase bem serrado, mas ainda de pé com todas as folhas farfalhando e nós, cochilando sob sua sombra. Ficamos inexprimivelmente surpresos quando ela caiu e quase nos esmagou; alguns falam de colocá-la novamente de pé, de maneira segura, sobre as raízes cortadas.[25]

O envoltório da cristandade, contudo, fora rompido e um novo espírito, de uma democracia emancipada, ateia e internacional está a nos arrastar para um futuro socialista industrial. O liberalismo, que dantes professava defender a liberdade, agora é um movimento de controle da propriedade, do comércio, do trabalho, dos entretenimentos, da educação e da religião; somente o vínculo matrimonial é lasso nos liberais modernos.

> Os filantropos agora estão preparando uma sujeição absoluta do indivíduo, de corpo e alma, aos instintos da maioria – o mais cruel e retrógrado dos mestres; e não estou certo de que a máxima liberal "a maior felicidade para o maior número" não perdeu o que fosse justo ou generoso na intenção e veio a significar a maior indolência da maior população possível.

Isso não é a perversão do liberalismo, mas simplesmente é a progressão natural. O liberalismo (afortunadamente) sempre foi um

---

[24] No romance de Santayana, Peter é o pai do personagem principal, Oliver Alden. Conflituoso desde o início da vida, sempre em busca de paz, mais para o fim da vida opta por passar os dias sozinho em seu iate, utilizando drogas, e acaba por suicidar-se. (N. T.)

[25] George Santayana, *Winds of Doctrine*. New York, 1926, p. vi.

estado secundário, vivendo como um saprófita em um tecido de uma era anterior, herdando monumentos, sentimentos e hierarquia social. "O liberalismo não vai muito fundo, é um princípio adventício, um mero afrouxamento de uma estrutura mais antiga."[26] Claramente, em nossa época, é simplesmente uma transição da cristandade, da aristocracia e da economia familiar a um coletivismo utilitário irresistível. Pelos horrores da competição e julgamento de guerra, os liberais foram desacreditados. O ensaio de Santayana "A Ironia do Liberalismo", incluso em *Soliloquies in England* [Solilóquios na Inglaterra], de 1922, é um sermão fúnebre nas aspirações de Jeremy Bentham, de Richard Cobden e de J. S. Mill. O liberalismo moderno – embora os antigos fossem mais sábios – queria desfrutar, simultaneamente, da liberdade e da prosperidade. Prosperidade envolvendo sujeição às coisas, contudo, logo parece que o verdadeiro amor dos liberais não é pela liberdade, mas pelo progresso; e por "progresso" os liberais querem indicar expansão.

> Se recusares a mover-te na direção prescrita, não és simplesmente diferente, estás detido e és perverso. O selvagem não deve permanecer um selvagem, nem a freira uma freira, e a China não deve manter sua muralha.

A tradição é suspeita para o liberal; insiste na reforma, na revisão, na reformulação:

> Um homem sem tradições, se pudesse ser apenas materialmente bem-provido, seria mais puro, mais racional e mais virtuoso do que se herdeiro de alguma coisa. *Weh dir, dass du ein Enkel bist!*[27*] Benditos os órfãos, pois merecerão ter filhos; benditos os americanos!

Entretanto, é lógico, a aplicação de doutrinas liberais levaria a um mundo nietzschiano, se é que leva a algum lugar, e ninguém

---

[26] George Santayana, *Soliloquies in England*. Op. cit., p. 176.
[27*] *Ai de ti, que és um neto!* (N. T.)

que experimentou o sistema liberal atual parece gostar disso; pois, caso ele reprima a tendência nietzschiana, torna-se desoladamente oco. Mesmo para os ricos, um sistema liberal é uma agonia de dúvida e hesitação.

> Não encontro sentido de segurança moral entre eles, nenhuma liberdade feliz, nenhuma autoridade sobre nada. Ainda assim, essa é a própria nata da vida liberal, o sucesso brilhante pelo qual a cristandade foi derrubada, e o campesinato aborrecido elevado à mão de obra fabril, a vendedores e a motoristas.

Quando o propósito da vida é imitar os ricos, e a "oportunidade", em geral, está disponível, um desencorajamento generalizado é a consequência. Não é paradoxo, este: o homem médio, antes contente no seu ofício e antiga simplicidade está irremediavelmente fora da competição na corrida pela riqueza, exaure-se muito cedo e permanece apenas no tédio. Apesar das pretensões, o sistema liberal degradou as massas. O homem medíocre:

> Torna-se, então, um habitante daqueles quarteirões repugnantes, à sombra das pontes das estradas de ferro, cervejarias e gasômetros, onde as luzes turvas de uma taverna espreitam através da chuva em cada esquina, e oferecem a única alegria que lhe resta na vida.

Nominalmente alfabetizado, esse populacho é manipulado pela imprensa, infectado por toda a variedade de superstição, ameaçado pelo anunciante e pelo propagandista.

> O liberalismo simplesmente abriu um campo em que cada alma e cada interesse corporativo pode lutar com todos os outros por domínio. Quem quer que saia vitorioso nessa luta dará um fim ao liberalismo: e a nova ordem, que julgar-se-á salva, terá de defender-se na era seguinte contra uma nova safra de rebeldes.

Os liberais de hoje se tornam defensores da tirania do Estado em todos os campos, oferecem como desculpa suas intenções de libertar o povo, "Mas libertar o povo de quê? Das consequências da liberdade".

No prefácio de *Dominations and Powers*, George Santayana escreveu de seu convento romano. "Se uma tendência política acende minha ira, é precisamente a tendência do liberalismo industrial de nivelar por baixo todas as civilizações a um único modelo reles e monótono." Até o bem-estar material, a longo prazo, está ameaçado pela evolução material dessa descrição; o melhor que podemos esperar é um abrandamento gradual da marcha econômica. Uma individualidade atômica oca substitui o verdadeiro caráter individual: "quando todos são uniformes, a individualidade de cada unidade é apenas numérica". Os homens têm, então, de fato, de se tornar as moscas de verão de Edmund Burke. Nessa lenta cegueira organizada, o cavalheirismo (que Santayana louva quase no mesmo tom de Burke) está morto, suplantado por uma inquietação servil por estarmos seguros. Os estandartes do liberalismo são arrebatados pelos comunistas, pois os liberais falharam nas aspirações, no conforto material e na liberdade moral. O liberalismo

> permitiu à humanidade ficar mais numerosa e mais exigente no padrão de vida; multiplicou os instrumentos para poupar tempo e trabalho, mas, paradoxalmente, fez com que a vida ficasse mais célere do que jamais fora antes, e o trabalho, em si, mais monótono e menos recompensador. As pessoas foram libertas, política e nominalmente, por terem adquirido o direito ao voto, e escravizadas economicamente ao serem arrebanhadas em manada sob empregadores anônimos e líderes trabalhistas autoimpostos. Nesse ínterim, o liberal rico, que esperava ficar mais rico e assim o fez ao empreender individualmente, tornou-se mais pobre e mais inativo como classe e, de modo mais óbvio, afastou-se do ócio aristocrático, dos esportes e da liderança social e intelectual benevolente que supunha estar apto a exercer. Nada foi racionalizado pelo regime liberal, exceto o mecanismo de produção. A sociedade, nesse meio tempo, fora perturbada e ficara desesperada e, os governos, tanto foram incapacitados pela impotência intelectual como transformados em partidos tirânicos.[28]

---

[28] George Santayana, *Dominations and Powers*. New York, 1951, p. 348.

Ao agir na ilusão de que uma rendição graciosa asseguraria a paz geral, os liberais relaxaram a ordem tradicional. "Quando concedemos tudo o que pedem", acreditam, "todos ficarão satisfeitos; e se, então, qualquer remanescente pitoresco da ordem tradicional permanecer de pé, deveremos, por fim, ser capazes de desfrutá-lo com segurança e com sã consciência." No entanto, o mais caro amigo e aliado do liberal, o reformador, tem uma vontade própria a realizar, uma intolerância secreta e absorvente pela antiga ordem ou por qualquer coisa em desarmonia com o próprio plano engenhoso. Enquanto existir qualquer oposição à realização de seu ego, não permitirá a paz na sociedade. E esse ego, algum dia, ficará em paz? A primeira metade do século XX demonstrou aos liberais que sua própria riqueza, seus gostos e sua liberdade intelectual estão destinados a desaparecer na próxima reforma.

> A concupiscência da carne, a concupiscência da visão e o orgulho da vida exaurem e matam as canduras das quais se alimentam, e a onda de lava da cegueira primitiva e violência devem, talvez, emergir, para instituir os fundamentos de algo incomumente humano e igualmente transitório.

A arrogância da presente geração de reformadores é a "liberdade" da uniformidade, estilo russo ou americano, em que o homem se sente satisfeito porque a opinião pessoal está erradicada e não conhece nenhuma outra condição. Sejam educados para "ser como Stálin" ou para "ajustarem-se ao grupo" segundo a noção de John Dewey, a tendência desses Estados gigantescos ruma para uma população ovina, ainda que obtida, na Rússia, por compulsão severa; na América, por contágio e atração. A busca militante por unanimidade leva uma sociedade hipnotizada pelo psicólogo estatístico, cujas cordas e fios de arame da psique humana traz nas mãos, permitir manejá-los. Seu objeto é o proletariado, "uma palavra moderna horrenda para uma coisa horrenda", uma enorme multidão de exilados no próprio país, que nada tem em comum, senão as meras capacidades físicas e vitais do homem, e quaisquer traços de civilização que neles tardem, estão a morrer, rapidamente, na sociedade incerta e perturbada. Não têm arte, não têm religião, não têm amigos, não têm perspectiva; o trabalho para eles é um mal, de modo que a principal ocupação é diminuir o trabalho e aumentar o salário. Ao falhar esse esforço a longo prazo (pois multiplicam-se como animais), os proletários tornam-se iguais numa coisa, por certo: na miséria. Por quanto tempo uma elite de administradores e estatísticos, eles mesmos destituídos de imaginação pela educação, em grande parte gananciosa e presunçosa, pode manter essa sociedade unida? Santayana insinua ter certa esperança em converter esse corpo de administradores numa timocracia, mas, ao negligenciar os meios, recai, rapidamente, em outro tópico.

O mestre-escola Cyrus P. Whittle, em *The Last Puritan*, é um tipo de reformador zelote implacável que acordava com essa sociedade de planejadores sociais. Sua alegria era difamar todos os homens distintos; mas tinha seu fervor secreto, sua espécie de religião.

> Não só a América era a maior coisa da Terra, mas em breve iria varrer tudo mais; e na alegria deslumbrantemente delirante dessa consumação, esqueceu-se de perguntar o que poderia acontecer depois. Gloriou-se no ímpeto do puro processo, na onda ascendente dos acontecimentos, mas as mentes e os seus propósitos eram somente a espuma na crista da onda, e teve o prazer irônico de demonstrar como tudo aquilo aconteceu, e foi creditado aos esforços de homens grandes e bons, realmente acontecendo contra a vontade e expectativas deles.

Afeição e medo misturam-se na análise da América de Santayana, especialmente em *Character and Opinion in the United States* [Característica e Opinião nos Estados Unidos], de 1920. Um novo tipo de americano, estranho à veracidade acre do velho ianque, fez sua aparição – "o órfão inexperiente, atrevido, cosmopolita, pretensioso nos modos, mas não muito certo em sua moralidade". O radicalismo social está no sangue americano, se bem que por seu individualismo e camaradagem grosseira "terá de esforçar-se para avançar um socialismo mimado na América". A preocupação americana com os padrões quantitativos, a insistência na conformidade, são ameaçadoras para o futuro.

> A América é toda pradaria, varrida por um tornado universal. Embora sempre tenha pensado ser, num sentido célebre, a terra da liberdade, mesmo quando estava coberta de escravos, não há país em que as pessoas vivam sob compulsões mais avassaladoras.

A civilização deve, de fato, ser remoldada por essa nação confiante e arrogante, com Cyrus P. Whittles derrubando tudo que não seja incontestavelmente americano?

A tradição das liberdades inglesas e americanas (que distam um mundo da "liberdade absoluta"), agora lutam contra "uma democracia internacional de muitos deserdados, guiados pelos poucos deserdados" que

> aboliriam aqueles interesses privados que são os fatores de qualquer cooperação e que reduziriam todos a tornarem-se membros forçados e a prestar serviços forçados em um rebanho universal sem propriedade, família, país ou religião.[29]

Uma sociedade guiada pelos "nibelungos no subsolo que labutam o ouro que nunca irão utilizar", criaturas do utilitarismo limitado que os liberais aprovaram ameaçam tornar o proletariado universal. A civilização ocidental abusou de todo o conceito de produção, complicando a vida sem enobrecer a mente; e isso é especialmente verdade na América. O materialismo, confundido com tradição, é transformado numa espécie de religião, e, cada vez mais, a América tende para uma cruzada universal em prol desse credo de produção mecanizada e de consumo em massa. Os americanos raras vezes percebem o terror que jaz sob seus pés:

---

[29] George Santayana, *Character and Opinion in the United States*. New York, 1920, p. 226.

Uma civilização bárbara, construída sobre o impulso cego e a ambição, deve temer despertar uma repulsa mais profunda do que jamais seria desperta por aquelas belas tiranias, cavalheirescas ou religiosas, contra as quais as revoluções passadas se dirigiram.[30]

Que esperança resta para salvar a vida da razão e a tradição das liberdades? Santayana, que tende a crer que as forças materiais são os verdadeiros agentes da mudança histórica, reprova nossos "referidos acontecimentos aos ideais conscientes e ao livre-arbítrio dos indivíduos".[31] Ainda assim, não é de todo inútil desafiar a época: quando Charles I (1600-1649) pôde escolher morrer como traidor por resistir à vontade aparente de seu povo ou levá-los à ruína moral, seu sacrifício alcançou, em parte, o propósito, abrigando as raízes profundas da Igreja e da monarquia, preservando um refinamento da vida e sentimento ingleses.[32] O amante da razão e da beleza contenderá, fortemente, com uma monotonia mecanizada e brutal, e é concebível que possa, assim, modificar qualquer influência, de modo que, nalguma medida, a nobreza de mente, sob jugo, perdurará.

George Santayana deixou a América em 1912; também abandonou Londres e Oxford, após alguns anos, retirando-se desse mundo vertiginoso, um homem muito idoso, para o mais conservador de todos os lugares, Roma: Roma, onde nada morre senão de caducidade extrema, onde o fantasma de Nero (37-68 d.C.), metamorfoseado em um corvo monstruoso, empoleirou-se em um galho por um milênio e onde o último dos Stuart permanece lânguido, no mármore de Antonio Canova (1757-1822) sob o domo de São Pedro. Ali, a agonia de uma sociedade cega, a queimar nas próprias fornalhas, o perseguiu, de modo que a Abadia de São Bento, em Monte Cassino foi reduzida a pó enquanto escrevia em seu claustro, e Nuremberg, o

---

[30] George Santayana, *The Life of Reason: The Phases of Human Progress – Reason in Society*. 5 vols. New York, 1948, p. 69.
[31] George Santayana, *The Middle Span*, p. 169.
[32] George Santayana, *Dominations and Powers*. Op. cit., p. 384.

grande centro medieval de ofícios, desvaneceu pelas técnicas modernas. Continuou a escrever, nobremente sadio numa geração de frenesi e, certamente, uma geração que teve um Santayana guarda alguma chance de regeneração.

5. AMÉRICA EM BUSCA DE IDEIAS

A não ser sob pressão de um acontecimento enorme, as ideias gerais só escoam com vagar para as mentes e para a consciência nas sociedades democráticas. Os efeitos imediatos dos escritos de Irving Babbitt, de Paul Elmer More e de George Santayana na condução dos assuntos na América eram imperceptíveis. A influência deles, na opinião privada, ficou restrita a pequenos círculos e indivíduos dispersos na vastidão dos Estados Unidos. Até mesmo a Primeira Guerra Mundial não abalou a confiança americana na forte tendência das coisas; nesse desenlace, parecia, antes, uma defesa dos impulsos liberais, humanitários e pragmáticos e reforçou tremendamente, por energias terríveis, três impulsos sociais que os conservadores críticos detestavam: a conversão do poder político para fins humanitários niveladores, o desenvolvimento de um novo e complexo imperialismo americano e a contaminação de todos os segmentos da sociedade por um hedonismo brutal.

O instrumento do primeiro impulso era o imposto de renda progressivo, que Woodrow Wilson, como o grande liberal curiosamente semelhante, William Ewart Gladstone, abraçou apenas como um expediente temporário – mas que, novamente como Gladstone, não conseguia apartar do corpo social após ter acabado a emergência. Juntamente com o imposto sobre herança, esse dispositivo era irresistivelmente tentador aos reformadores sociais, quase impossível restringir às necessidades estritas de um governo comum: como dissera John Randolph of Roanoke, a propriedade deve seguir o poder; e um povo há muito detentor do sufrágio universal, desde o princípio comprometido com a igualdade social, e só agora começando a morder a isca dos planejadores sociais – esse povo não podia mais ser impedido de fazer experiências com esse novo motor pulsante de mudança. O poder de tributar, por certo, é o poder de destruir; os humanitaristas confiantemente acreditaram que, também, esse era o poder de criar. Os direitos de propriedade, em uma nação cada vez mais industrializada e a experimentar o crescimento de um proletariado de origem estrangeira, inevitavelmente, seriam contrastados com os direitos do homem. Paul Elmer More, como Burke, dissera que esses direitos não eram separáveis, sendo a propriedade o maior dos direitos sociais da humanidade, mas esse não é um lema popular. A única questão a surpreender é que a transferência de riqueza, de proprietários a pessoas sem propriedade, via legislação positiva, desde 1918, não tenha ido adiante ainda mais rápido – levando em conta a confusão intelectual dos proprietários e das pessoas conservadoras nos Estados Unidos.

Quanto ao imperialismo, o apetite nacional, que absorvera a Louisiana, o Sudoeste, a costa do Pacífico, o Havaí, Porto Rico e as Filipinas, era mais voraz do que nunca e, como antes, revestia-se de trajes variegados de liberalismo e destino manifesto. A açoitar o México e a Nicarágua estava o imperialismo americano de tipo antigo, um tanto distante, e seria enfrentado por um tipo antigo de oposição, mas um imperialismo mais insidioso e portentoso, aplaudido, em vez de denunciado pelos humanitaristas, começou a tomar forma: uma resolução de que todo o mundo deveria ser induzido a abraçar os princípios e modos de vida americanos, fundamentada na imensa presunção de que a sociedade americana é o produto superior final do talento humano. As recomendações do coronel Edward Mandell House (1858-1938)[33] ao presidente Wilson para uma exploração comum da

---

[33] Edward Mandell House, embora tenha a alcunha de Colonel (coronel), nunca teve posto militar algum. Na verdade, era diplomata, político e conselheiro do presidente Wilson. (N. T.)

África pelas grandes potências prefiguram essa ambição: e logo depois da guerra tornam-se muito mais claras, e a inspiração profética impele Bertrand Russell (1872-1970) a prever a vinda da ocupação militar americana da Europa em nome do interesse do capitalismo americano, e Georges Duhamel (1884-1966) é levado a escrever *America the Menace* [América, a Ameaça], de 1931, e C. E. M. Joad a descrever *The Babbitt Warren: A Satire of United States* [A Coelheira Babbitt: Uma Sátira dos Estados Unidos][34], de 1926. Um novo imperialismo, econômico em vez de militar, talvez ainda mais cultural que econômico, era um impulso de origens muito mais profundas que as alegações dos credores americanos. Era mais wilsoniano que rooseveltiano, e as simpatias democráticas de cruzados, previamente, a voz de protesto contra o engrandecimento, que desde a época de Wilson tendeu a representar a "participação ativa" nos assuntos da Europa e da Ásia. Irving Babbitt disse que o Japão deveria adotar a democracia, que essa deveria ser vista com tremor; e na América, as simpatias populares endossadas pela americanização do mundo com abandono imoderado pela reserva aristocrática. Como expressão da desaprovação moral nacional, a hostilidade para com o Japão e a Alemanha que precedeu a Segunda Guerra Mundial tinha algo da antiga altivez da Nova Inglaterra de princípio, mas foi fortemente marcada pela intolerância fanática da oposição e pela arrogância presunçosa característica dos reformadores da Nova Inglaterra. Logo, a mesma opinião democrática, impaciente por vitória, aprovou o renascimento dos métodos que o general Sherman introduzira na campanha de guerra americana. Cada vez mais, não guiados por nenhum objetivo bem compreendido ou qualquer confiança consistente naquela

---

[34] Vale notar que Babbitt foi um termo que entrou na língua inglesa desde a publicação do romance *Babbitt* (1922), de Sinclair Lewis (1885-1951), como alguém que, à semelhança do personagem principal do romance, é um homem de negócios ou profissional que segue, sem pensar, os padrões de classe média prevalecentes. (N. T.)

verificação interior que os humanistas definiram, a política exterior americana veio a assemelhar-se com a aspiração de Cyrus P. Whittle.

No campo da moral, a religião inclinava-se, com constância, para o credo do "serviço" que Irving Babbitt e que Paul Elmer More analisaram; as ideias educacionais de John Dewey, ao desaprovar todas as verificações, internas ou externas, tomaram conta das escolas, e o Teapot Dome[35] era apenas uma bolha na superfície do caldeirão americano de confusão ética. O intento da nação de gratificação dos apetites escolheu para a presidência o traste de Warren G. Harding, a mediocridade de J. Calvin Coolidge e a frustração honesta de Herbert C. Hoover. Os Estados Unidos tinham percorrido uma longa distância desde a piedade de John Adams e a simplicidade de Thomas Jefferson. O princípio da verdadeira liderança, ignorado; os objetos imortais da sociedade, esquecidos; o conservadorismo prático, degenerado em mera louvação da "iniciativa privada"; a política econômica quase totalmente submissa a interesses especiais – a nação estava a convidar catástrofes que compeliriam a sociedade a reexaminar os primeiros princípios.

Franklin Delano Roosevelt, o representante da indignação humanitária, ascendeu, como consequência imediata. Felizmente para as tradições americanas, Roosevelt não era, na realidade, um radical – era menos dado à inovação que Joseph Chamberlain ou Lloyd George. Infelizmente, para o conservadorismo americano, Roosevelt, que não tinha um sistema de ideias, aceitou, repetidas vezes, sugestões de reformadores sociais e pensadores doutrinários. Entretanto, o sucesso de Roosevelt fez com que americanos de tendências conservadoras começassem a pensar; e os benefícios desse despertar ainda

---

[35] O escândalo do Teapot Dome no início da década de 1920, durante o governo do presidente Warren G. Harding, envolveu a segurança nacional, grandes companhias petrolíferas, com pagamento de subornos nos níveis mais altos do governo dos Estados Unidos. Foi o maior escândalo da história do país antes de Watergate na década de 1970. (N. T.)

são incalculáveis. O humanitarismo liberal nos Estados Unidos viu-se constrangido, para dizer o mínimo, quando a Segunda Guerra Mundial foi vencida – vencida à custa de Hiroshima e Nagasaki e de tudo o que isso significou para a consciência americana, vencida à custa de uma centralização destruidora no país, e da manutenção de exércitos permanentes no exterior. O liberalismo americano demonstrou todas as fraquezas e vacilações que George Santayana descreve. No entanto, após o *New Deal* e o *Fair Deal*[36], que direção seguir?

A América vitoriosa necessitava, mais do que antes na história, de um verdadeiro conservadorismo, para redimi-la do arbítrio desgovernado e do apetite. Na disciplina humanista de Babbitt, na exaltação teísta de More, na humildade urbana de Santayana, o espírito de tal conservadorismo subsiste. Podem ser tais ideias transmitidas para a grande multidão inquieta do povo americano que vota, labuta e luta por dólares? Se não puderem, pode pairar a infinitamente repressiva e monótona dominação futura esboçada por Santayana, seja chamada de "comunismo" ou de "estilo de vida americano". O novo conservadorismo americano deve realizar algo mais difícil do que castigar a Rússia: deve corrigir-se.

---

[36] Referência aos programas governamentais implementados, respectivamente, pelas administrações presidenciais americanas de Franklin Delano Roosevelt (1882-1945), entre 1933 e 1937, e de Harry S. Truman (1884-1972), entre 1945 e 1953. Ambas as políticas foram caracterizadas pela expansão dos gastos públicos, pela criação de programas sociais governamentais, pela ampliação da burocracia estatal e pelo crescimento da intervenção do governo na economia. (N. T.)

T. S. Eliot (1888-1965)

Capítulo 13 | A Promessa Conservadora

> Eu, que pranteio as idas reminiscências da humanidade,
> Os feixes de palha, como castelos de ouro,
> Flamejantes, ao longe, no horizonte,
> As vozes dos sacerdotes e os brados dos guerreiros,
> Unidos para criar um mito, vivificante,
> Posso dizer quão fundo descemos,
> Quão amortecidos, entorpecidos, o quanto fomos condenados –
> Sem a esperança do jogador de uma vida de perdas e ganhos,
> Em que o primeiro prêmio é uma semana numa colônia de férias,
> E o último, a explosão duma estrela.
> *Sir* Osbert Sitwell – *Demos, o Imperador*

1. A DOENÇA DO RADICALISMO

Os conservadores foram derrotados, contudo não dominados. O que dizer, todavia, dos adversários? As esperanças dos jacobinos foram destruídas pelo Diretório; foram postos por terra, sob os pés de Napoleão Bonaparte; e seus fantasmas, exorcizados em 1848 e em 1871. Os benthamitas foram examinados, de maneira efetiva, pelos escritores românticos, pelo próprio pedantismo e pelo novo coletivismo, de modo que se dissiparam como força coerente depois de 1870. Os positivistas sucumbiram aos próprios absurdos e, embora o positivismo ainda revolva na consciência popular, como movimento, parece uma tartaruga rastejante sem cabeça. Socialistas sentimentais, da escola de Charles Kingsley e William Morris, submergiram no atoleiro do marxismo ou expiraram no clima árido da industrialização do século XX. O marxismo e suas ramificações foram odiosos aos olhos britânicos e americanos pelas demonstrações práticas do marxismo aplicado na Rússia e na China.

Em ambas as nações de língua inglesa, as convicções conservadoras mantiveram a continuidade política e intelectual por dois séculos, ao passo que os partidos radicais que detestavam a tradição foram sucessivamente dissolvidos, não aderindo entre si a princípio comum algum, senão à hostilidade ao que quer que fosse instituído. O socialismo britânico, ainda que muitas vezes exitoso em alcançar o poder, repetidamente adoeceu e entregou a liderança política aos conservadores.

Na América, nenhum homem público importante confessa-se socialista, e quando um político eminente, Henry A. Wallace (1888-1965), flertou com os coletivistas doutrinários, foi repudiado pelos antigos admiradores. A "Nova Esquerda" americana, a posar fantástica nos anos de 1960, rapidamente indispôs-se contra o público e começou a extinguir-se em pequenos atos de violência isolados. O liberalismo, o populismo, o fascismo, o sindicalismo e quase todas as outras ideologias organizadas do "partido do progresso" foram desacreditadas nos Estados Unidos e na Grã-Bretanha.

Os conservadores recuaram muito desde a irrupção da Revolução Francesa; vez ou outra, fugiram precipitadamente, mas não se desesperaram quando vencidos no campo. Os radicais foram capazes de despertar o apetite pela novidade e a paixão da inveja entre os povos modernos; os conservadores foram capazes de se fortificarem na inércia e na tradição do homem, e essas ainda são muralhas poderosas. Por certo, os conservadores foram derrotados, forçados a sair da vala para a paliçada. Ainda hoje, quando as fileiras radicais são dizimadas e afligidas pela ferocidade do extermínio mútuo, os conservadores têm oportunidade de recobrar terreno como não fora visto desde o dia em que o radicalismo moderno lançou o desafio à sociedade de usos consagrados para decorar "essa sacada infernal do Hôtel de Ville" com cabeças humanas em lanças.

Quanto os conservadores perderam, desde 14 de julho de 1789, ficou insinuado nos capítulos precedentes desse prolongado ensaio. O que retiveram, na Grã-Bretanha e nos Estados Unidos, permanece maior do que o que perderam. Pudessem os celebrantes da Festa da Razão ver a civilização anglo-americana de 1972, ficariam atônitos ao descobrir que a fé cristã ainda perdura em ambos os lados do Atlântico. Se as igrejas da Grã-Bretanha não estão, de modo geral, em boas condições, ainda assim estão pouco mais fracas do que estavam em 1789. Os sacerdotes latitudinários (muitos dos quais, sabia Edmund Burke, nutriam simpatias revolucionárias no início dos problemas na França) têm sucessores mais diligentes, se não mais conservadores. A América que Thomas Jefferson descreveu para um governador turco como "uma nação não cristã" é, simultaneamente, o lar de um protestantismo robusto e um importante sustentáculo de Roma. Como predisse Alexis de Tocqueville, as épocas democráticas alteraram a prática da religião, mas não operaram a ruína das convicções religiosas. Assim, a base de qualquer ordem conservadora, a sanção religiosa, permanece toleravelmente assegurada.

Quanto às instituições políticas, a forma exterior das coisas pouco se alterou, tanto na Grã-Bretanha quanto nos Estados Unidos, e mesmo a constituição interna, essa mudou apenas de maneira ordenada, com poucas exceções. A Constituição inglesa ainda depende da Coroa no Parlamento; ainda reconhece os antigos direitos dos ingleses. A Câmara dos Comuns se mantém como um corpo poderoso de críticas; a Câmara dos Lordes, embora reduzida em autoridade, oferece um freio aos apetites do momento; o soberano e a ideia de monarquia são respeitados por todas as facções políticas importantes. Nos Estados Unidos, a Constituição Federal perdura como o documento conservador mais atilado da história política; o equilíbrio de interesses e poderes ainda funciona, embora ameaçado pela recente centralização, e quase ninguém que tenha partidários populares advoga a derrubada das instituições políticas americanas.

A propriedade privada, que tanto os elementos aristocráticos e da classe média de empenho conservador creem ser indispensável para uma sociedade ordenada, permanece como uma instituição de imenso poder nos Estados Unidos e na Grã-Bretanha, e poucos propõem sua abolição. A "nacionalização" perdeu o apelo na Grã-Bretanha; o apetite geral por propriedades privadas duradouras nunca foi maior na América do que é hoje. Impostos de renda e o crescimento das corporações podem ter danificado o fundamento da propriedade privada, mas o edifício permanece de pé, sem perigo iminente de colapso.

Tanto o respeito pelo uso instituído como o desejo de continuidade não estão mortos entre os povos de língua inglesa. Apesar das forças disruptivas da comunicação de massa, o transporte veloz, a padronização industrial, a imprensa barata e outros meios de comunicação de massa, e a lei de Gresham agindo nos assuntos da razão, apesar dos efeitos radicais da especulação científica vulgarizada e a moralidade privada enfraquecida, apesar da decadência da economia familiar e dos laços familiares, a maioria dos homens e mulheres no século XX ainda sentem veneração por aquilo que os ancestrais afirmaram e construíram, e expressam uma ânsia patética por encontrar estabilidade em tempo de mudanças contínuas. Assim, o desenraizamento da humanidade pela proletarização ainda não é irreparável, e os conservadores devem recorrer a uma emoção de potência não satisfeita.

Das seis premissas do credo conservador que estão listadas no capítulo introdutório deste livro, nessa ocasião ao menos quatro continuam a mover a maioria das pessoas na América e na Grã-Bretanha. A derrota conservadora é mais prejudicial no que diz respeito ao princípio da liderança – a ideia de ordem e classe – e também no problema de combinação da reverência com o espírito de autoconfiança, moral e social. A dificuldade mais notável do conservadorismo de nosso tempo é que os líderes conservadores confrontem-se com um povo que veio a ver a sociedade, vagamente, como uma massa homogênea de indivíduos idênticos, cuja felicidade pode ser obtida por uma direção que vem de cima, por meio de legislação ou por intermédio de algum projeto de instrução pública. O esforço conservador, mais uma vez, é ensinar a humanidade que o embrião das afeições públicas (nas palavras de Burke) são os "pequenos pelotões a que pertencemos na sociedade". Uma tarefa para os líderes conservadores é reconciliar o individualismo – que sustentou a vida do século XIX, mesmo enquanto deixava morrer à míngua a alma oitocentista – com o senso de comunidade que corria forte em Edmund Burke e John Adams. Se os conservadores não podem redimir as multidões modernas da mentalidade de massa vigente, então um coletivismo miserável, a empobrecer o corpo e a alma, pende sobre a Grã-Bretanha e a América – o coletivismo que submergiu a Europa Oriental e muito da Ásia e da África, o coletivismo (como escreveu George Orwell) de "homens modernizados que pensam em *slogans* e falam em balas de revólver".[1]

A perspectiva desse coletivismo, a assustar até mesmo alguns radicais obstinados do Ocidente, é o impulso imediato por trás do renascimento de um conservadorismo popular na Grã-Bretanha e nos Estados Unidos. É verdade, o coletivismo americano ou britânico não seria idêntico ao comunismo da União Soviética ou da China. Na Inglaterra, na descrição de A. L. Rowse (1903-1997) de educação "progressista", é aplicável ao coletivismo britânico em geral:

> Observai que há certo sabor de totalitarismo nisso: é justamente a forma que nosso totalitarismo pode tomar – agradável, irrequieto, burocrático, raso, insípido, como o sonho de um funcionário público inferior, sem vigor ou poder, perigo ou iniciativa, os padrões estabelecidos por pessoas que não conseguem escrever inglês, que não

---

[1] George Orwell, *Coming up for Air*. New York, Harcourt, Brace and Company, 1950. Parte III, cap. 1, p. 188. (N. T.)

têm poesia, visão ou audácia, sem a capacidade de amar ou odiar. É muito inglês, muito classe média baixa. Como detesto toda essa concepção de vida – tamanha a diferença com os grandes períodos de nossa história, a pompa e a cor do elisabetano, o gosto e a vitalidade criativa, os contrastes, a variedade rica e conflituosa, a fertilidade prolífera dos vitorianos; o mundo de William Shakespeare e o mundo de Charles Dickens.[2]

Nos Estados Unidos, onde a obediência à lei positiva e à norma, visivelmente, é menos comum que na Inglaterra, o novo coletivismo provavelmente seria um tormento de proibição amplificado – uma confusão de ultraje, crime, corrupção, evasão, repressão e moralidade decadente em que somente o violento e o vicioso podem prosperar. Mesmo todo o aparato elaborado do Estado total moderno não basta para governar de modo tolerável um país tão populoso, tão vasto e tão arraigado no individualismo como a república americana.

Liberais e socialistas, em ambos os lados do Atlântico, podem ficar tão alarmados como ficaram Tweedledum e Tweedledee diante do "corvo imenso, escuro"[3] quando confrontados pelo formado do Estado total moderno. Entretanto, não estão mais bem preparados do que estava o par de gêmeos, ao lutar com a ameaça.

Subordinar o insucesso do liberalismo americano do século XX a uma análise detida seria empregar força excessiva para um resultado insignificante. Basta citar um dos autores mais perspicazes e independentes do século XX, Malcolm Muggeridge (1903-1990), que chama o liberalismo de desejo de morte:

> O liberalismo será visto, historicamente, como *a* grande força destrutiva de nossa época; muito mais do que o comunismo, o fascismo, o nazismo ou qualquer outro credo lunático que cause tal devastação

---

[2] A. L. Rowse, "University Education for All?". In: *The National Review*. London, nov. 1949.

[3] Lewis Carroll, *Alice Através do Espelho e o Que Alice Encontrou Por Lá*. Trad. Maria Luiza X. de A. Borges. Rio de Janeiro, Zahar, cap. 4. (N. T.)

imediata [...]. É o liberalismo que torna o porco gadareno tão agitado; enquanto a humanidade seguir para a última extinção em cinzas, a voz do liberal será ouvida ao proclamar a consumação, por fim, da vida, da liberdade e da busca da felicidade.[4]

Recordamos a descrição de Matthew Arnold da confusão dos liberais de seu tempo, quando nos *Essays in Criticism* [Ensaios de Crítica] faz os liberais exclamarem:

> "Tenhamos um movimento social, organizemos e reunamos um partido para buscar a verdade e um novo pensar, chamemos de *Partido Liberal*, e deixemos que todos adiram e suportem uns aos outros." [...] Desse modo a busca pela verdade torna-se, realmente, um negócio social, prático, agradável, quase a requerer um diretor, um secretário e propagandas, com o entusiasmo de um escândalo ocasional [...] mas, em geral, muita agitação e muito pouca reflexão. Agir é demasiado fácil, como diz Johann Wolfgang von Goethe (1749-1832), pensar é muito difícil!

O liberalismo americano desse tipo resvala para uma morte árida – alguns dos partidários são persuadidos a uma esquisitice política, a se tornarem companheiros de viagem ou a rumar ao golfo fora do alcance [como no romance de Lionel Trilling (1905-1975), *The Middle of the Journey* (O Meio da Jornada)], outros recaem na apatia, e outros ainda se tornam conservadores: um movimento, este último, semelhante ao curso dos talentos crescentes da Inglaterra depois de 1793. Aos jovens, às "minorias" militantes e aos descontentes em geral, o liberalismo americano se tornou uma "instituição" sombria. "Hoje, o Parque; amanhã, o mundo" eram os dizeres em uma placa gigante no Grant Park durante as manifestações da Nova Esquerda na convenção democrata, em 1968, em Chicago. Era contra a presunção liberal que se levantavam aqueles extremistas. Ainda que a Nova Esquerda não possa

---

[4] Malcolm Muggeridge, "Books". In: *Esquire*, set. 1965.

dominar o mundo mais do que toma conta do parque, sua ira deve bastar para derrubar o castelo de cartas liberal.

O colapso do liberalismo britânico é ainda mais catastrófico. Como partido parlamentar, os liberais estão praticamente extintos. No governo de H. H. Asquith, entre 1908 e 1916, o liberalismo esforçou-se por permanecer nalgum lugar um pouco à direita do trabalhismo; Roy Lewis (1913-1996) e Angus Maude (1912-1993) resumem os últimos dias de esperança do liberalismo em *The English Middle Classes* [As Classes Médias Inglesas]:

> O liberalismo, em suma, devia receber os despojos do governo como comissão pelo trabalho do intermediário honesto na redistribuição do poder e da riqueza entre as classes e as multidões. O trabalhismo foi instado a dar-lhe a mão por um momento: "se fazendeiros e comerciantes são ameaçados com uma guerra de classes, certamente ficarão amuados e encruarão em completo torismo". O problema político do trabalhismo foi bem delineado – como ganhar o apoio da classe média para um novo acordo que seria, em grande parte, para a desvantagem material da *bourgeoisie*. Não foi até 1945 que o problema pareceu estar resolvido e, quando a poeira baixou, não foi notado que o "intermediário honesto" estava morto.[5]

O dilema intelectual daqueles liberais que sobreviveram ao colapso do próprio partido ficou sugerido na inquietação de William Beveridge (1879-1963), 1° Barão de Beveridge, arquiteto do Estado de Bem-Estar britânico, nos últimos anos. Consternado diante da imoralidade e egoísmo do populacho, demasiado pronto a admitir que somente tem de receber da autoridade centralizada – sem muito esforço pessoal – a parcela de um fundo comum inexaurível, Lorde Beveridge (ao resenhar, para o *The Spectator*, o livro de B. S. Rowntree (1871-1954) e G. R. Lavers, *English Life and Leisure* [Vida e Lazer Ingleses], em 1951) escreveu: "Pode um

---

[5] Roy Lewis e Angus Maude, *The English Middle Classes*. London, 1949, p. 64.

país, cujo destino (ao menos em parte) está nas mãos de um povo tão irresponsável e tão ignorante, esperar ser bem governado?".⁶ Sugeriu que o direito de voto ficaria na contingência de passar por algum teste de inteligência, abandonando, assim, as puras noções democráticas. Em um programa de rádio no dia 31 de dezembro de 1951, observou: "de algum modo, temos de continuar uma tradição aristocrática na Grã-Bretanha sem os aristocratas". Quanto aos meios para solucionar esse paradoxo, foi vago. A tais lamentações de humanitarismo, geralmente, os liberais dos últimos dias estão reduzidos.

Quanto aos socialistas, parecem impotentes sob a sombra gigantesca do coletivismo marxista, assim como os progressistas, os quais derrotaram ou absorveram. Nos Estados Unidos é raro descobrirmos socialistas puros, professos – até mesmo Norman Thomas (1884-1968), após findar a campanha, admitiu que o empreendimento econômico privado é tolerável, e mais que tolerável em muitos campos. Sem o apoio dos sindicatos trabalhistas, nenhum inovador socialista americano pôde ganhar terreno, e qualquer matiz de socialismo que outrora existira entre alguns líderes sindicais desvaneceu-se quase à invisibilidade.

Os socialistas britânicos são divididos em facções. Até mesmo os conceitos de sociedade de "nova cidade" e de "casa de conselho" dependem da energia do público e de uma crença viva e, quanto mais próximo o socialismo parece abeirar-se de uma sanção substancial nos anos recentes, menos o público apoia, ou mesmo consente, que estava próximo: o zelo morreu. O entusiasmo semirreligioso dos antigos socialistas sentimentais e o espírito não conformista desviaram-se para preocupações seculares, e deixaram de animar esses reformadores há três décadas. C. E. M. Joad confessou nas páginas do *New Stateman and Nation*:

---

⁶ Lord Beveridge, "English Life and Leisure". In: *The Spectator*, 8 jun. 1951.

> O socialismo não é mais um credo a conjurar. É como um chapéu que perdeu a forma porque muitos o usaram; certo ou errado, poucos de nós, agora, nos voltamos para ele para reviver as primeiras esperanças.

Ao descobrir que falta à maioria dos homens motivos para desempenhar os deveres na sociedade, no momento em que diminuem as recompensas comuns para a integridade comum, os socialistas ficam consternados; começam a conjecturar se sua teoria acerca da natureza humana pode estar errada. G. D. H. Cole (1889-1959) concluiu que "o socialismo é um sistema impraticável, sem um novo ímpeto social como o que os comunistas conseguiram lhe dar", e propôs, de modo vago, mais "democratização" e descentralização do Estado de Bem-Estar. P. C. Gordon Walker (1907-1980), em certa época secretário de Estado para as relações da *Commonwealth*, tornou-se francamente esperançoso quanto à concepção de novas compulsões:

> O novo Estado também irá, diretamente, aumentar a autoridade e a pressão social por novos poderes de punição e compulsão. Longe de debilitar-se, como em teoria ocorre tanto com os individualistas quanto com o Estado total, o novo Estado, se deve vir a existir e servir à melhor sociedade, deve criar novas ofensas e as punir.[7]

E. H. Carr (1892-1982) expressou-se de maneira ainda mais sincera:

> O burro precisa ver a vara, bem como a cenoura [...]. Confesso que estou menos horrorizado que algumas pessoas diante da perspectiva, que parece ser inevitável, de um poder supremo daquilo que é chamado direção do trabalho, a repousar em algum braço da sociedade, seja em um órgão do Estado, seja nas organizações sindicais.[8]

Começamos a ouvir as frases do *Ingsoc*[9] de George Orwell. Logo após a derrota trabalhista nas urnas em 1959, Aneurin Bevan

---

[7] P. C. Gordon Walker, *Restatement of Liberty*. London, 1951, p. 319.
[8] E. H. Carr, *The New Society*. London, 1951, p. 57-58.
[9] Acrônimo de "socialismo inglês" no idioma fictício novilíngua do romance *1984*. (N. T.)

(1897-1960) disse à Câmara dos Comuns que, quando no governo, os socialistas nunca encontraram meios de reconciliar o planejamento socialista com a democracia – e assim, num certo sentido, deixaram o poder escapulir de suas mãos, perplexos. Aldous Huxley, já em 1927, detectara o caráter semirreligioso do socialismo britânico e as dúvidas da certeza de aceitar aquele credo:

> Nos primeiros estágios do grande movimento que tornou todo o Ocidente democrático, havia apenas descontentamento e o desejo por mudanças relativamente pequenas no modo de governo, de modo a aumentar a eficiência e fazê-lo servir aos interesses dos descontentes. Uma filosofia foi criada para justificar os descontentes nas demandas por mudança; a filosofia foi elaborada; as conclusões foram esboçadas de maneira implacável e descobriu-se que, dados os pressupostos sobre os quais a filosofia estava fundada, a lógica exigia que as mudanças nas instituições existentes deveriam ser, não poucas, mas vastas, extensas e abrangentes [...]. Ao tornar um dogma familiar, automaticamente, o tornamos correto [...]. A transformação da teoria da democracia em teologia criou um desejo por progresso rumo a mais democracia em inúmeras pessoas, cujos interesses materiais de modo algum são prejudicados, e até são ativamente desenvolvidos pela forma de governo existente que desejam mudar. A disseminação do socialismo entre as classes médias, a concessão espontânea de reformas humanitárias pelos detentores do poder para aquelas vantagens materiais teria ocorrido para exercer o poder de maneira cruel e não abrir mão de nada – esses são fenômenos tornados tão familiares que quase deixamos de comentá-los.[10]

Aí, em um ou dois parágrafos, está a história do radicalismo desde 1789. Quando, por fim, a sociedade igualitária foi alcançada de modo ilimitado na Rússia e todos os democratas sociais fora do partido comunista perceberam que era a igualdade na miséria, esses dogmas foram rebentados. "Sem um novo ímpeto social como o que

---

[10] Aldous Huxley, *Proper Studies*. London, 1927, p. 24-28.

os comunistas conseguiram lhe dar [...]." Essa frase ameaçadora é uma sentença de morte para a fé fabiana em que G. D. H. Cole baseava sua existência.

A doutrina benthamita do autointeresse racional e a doutrina rousseauniana da benevolência humana, ambas, eram pálido reflexo; aí permaneceram o agente policial e o campo para "sabotadores" como na Rússia ou, ainda, os antigos fundamentos da moralidade e do dever que os conservadores sempre acreditaram: sanções religiosas, tradição, hábitos e o interesse privado contido por instituições consagradas. Ainda resta saber se, neste século, os conservadores podem pensar em restaurar as antigas causas da integridade. A alternativa para essa recuperação não parece ser o liberalismo ou o socialismo, mas algo ainda mais impiedoso.

2. A NOVA ELITE

> Aqueles que põem fé na lei do mundo
> Não controlada pela lei de Deus,
> Em sua altiva ignorância só provocam desordem,
> Tornando-a mais rápida, procriam doenças fatais,
> Degradam aquilo que exaltam.[11]

T. S. Eliot – "Assassínio na Catedral"

Um século após Thomas Babington Macaulay predizer o crescimento de um proletariado nas cidades americanas, o que Arnold Toynbee (1889-1975) chama de "proletariado interno" começou a agir bem como Macaulay esperara. Simultaneamente, o "proletariado externo", os joguetes da ideologia, amargurados e empobrecidos, na Ásia, na África, na Europa Oriental e em boa parte da

---

[11] T. S. Eliot, "Assassínio na Catedral". In: T. S. Eliot, *Obra Completa – Volume II: Teatro*. Trad. Ivo Barroso. São Paulo, Arx, 2004, p. 35. (N. T.)

América Latina, começaram a ameaçar os lugares dos poderosos em Washington e em Londres.

A contestação das "coisas permanentes", das grandes tradições da ordem social civil, tornou-se tão violenta como era nos dias de Edmund Burke. Doutrinas armadas são mais assustadoramente armadas. A era liberal de complacência aproxima-se do fim, e se em algum momento são necessários imaginação moral e poder de decisão, esse momento é agora.

Por mais moribundas que as ideologias do liberalismo e do socialismo do tipo antigo tenham se tornado, o desejo por mudança nunca carece de meios. Por todo o mundo, uma nova teoria e sistema niveladores parecem tomar corpo: a "revolução cultural" na China, ainda que abandonada, era apenas a forma mais extrema desse fenômeno que varreria para longe o patrimônio do homem civilizado. Sempre existem dois aspectos da ordem: a ordem exterior da comunidade e a ordem interior da alma. Assim, em nossos anos, os conservadores confrontam-se com a tremenda tarefa dúplice de restaurar a harmonia da pessoa e a harmonia da república: nenhuma pode perdurar, caso a outra se renda aos nominalmente democratas.

Teoria e sistema revolucionários novos trariam, primeiramente, anarquia e, depois, a servidão total; os instrumentos, para ambos, são mais eficazes do que foram em qualquer outro período. A nova ordem, erigida sobre as ruínas, seria o que Alexis de Tocqueville chamou de "despotismo democrático", mas muito mais rigoroso do que esperaria que essa tirania se tornasse. De certo modo, seria o que James Burnham (1905-1987) chamou de "revolução gerencial": uma superburocracia arrogando para si funções que não se referem propriamente à agência ou ao gabinete; a economia planejada, englobando não só a própria economia, mas toda a gama de atividades humanas morais e intelectuais; a grande forma de *Planwirtschaft*, de planejamento estatal por causa do próprio planejamento, socialismo estatal desprovido dos propósitos generosos que originalmente animaram alguns dos primeiros socialistas.

De maneira confusa, mesclado com a noção de alguma conspiração deliberada misteriosa contra a liberdade, George Orwell teve êxito ao despertar o pavor do público britânico e americano contra a nova dominação em seu romance *1984*, tanto quanto Aldous Huxley tinha despertado anteriormente um alerta vago com seu *Brave New World* [Admirável Mundo Novo] (Podemos acrescentar que essa nova ordem apresenta grande semelhança com o regime do Anticristo na fábula de Vladimir Soloviov (1853-1900), escrita em 1900: "Vós sereis como deuses", é o dito às massas descontentes pelo evangelho da nova dispensação, mas aqueles que divergem acabam nas fornalhas.)

Ideias de eficácia e de beneficência do "planejamento" para fins socialistas ajudaram a abrir caminho para esse Beemote; mas sua realidade seria ainda mais cruel para os socialistas do tipo antigo do que as piores visões do capitalismo de velha cepa. No novo estilo de coletivismo, o poder é amado por causa do próprio princípio; a regulamentação torna-se um fim, em vez de um meio, e o Estado mantém a disciplina industrial.

Democracia, no sentido antigo, deve ser sacrificada à Nova Sociedade; liberdade, no sentido antigo, deve ser esquecida. Por quanto tempo a sociedade planejada pode preservar a teoria e a forma do socialismo? É possível que a nova ordem sirva a fins tão alheios ao velho humanitarismo como não ser mais socialista que "democracias do povo", como a Albânia, são democráticas? ("Liberdade?", exclamou Vladimir Lênin (1870-1924). "Liberdade? Para quê? Para quê?").

George Orwell descreveu as classes e as ocupações das quais os gerentes e planejadores do novo Estado absoluto estão sendo recrutados, "compostas em grande parte, de burocratas, cientistas, técnicos, organizadores de sindicatos, especialistas em publicidade, sociólogos, professores, jornalistas e políticos profissionais [...] cuja origem está na classe média assalariada e nas camadas mais altas da classe trabalhadora" e que " foram moldados e congregados pelo mundo estéril da indústria monopolista e do governo centralizado", educados além das capacidades, destituídos de propriedade, destituídos de fé religiosa, destituídos de ancestrais ou expectativas de prosperidade, buscando recompensa, por meio da aquisição de poder, da solidão e das aflições inominadas. Exatamente desses elementos da sociedade é que foi recrutado o pessoal da burocracia e do partido na revolucionária Europa Oriental, na China e em partes da África. A servidão intelectual dessa classe é descrita, de modo inesquecível, por um dos que a experimentou – Czeslaw Milosz (1911-2004) em *The Captive Mind* [A Mente Cativa]. Ainda que o comunismo polonês tenha sido brando, comparado ao empreendimento chinês, uma destruição sistemática da ordem da alma, ainda mais catastrófica, pode ser concebida. Os mestres da Nova Sociedade são, eles mesmos, servis. Não são socialistas como William Morris ou Cunninghame Graham (1852-1936) ou mesmo Henry Mayers Hyndman; não se parecem com Norman Thomas ou Clement Attlee (1883-1967), são a nova elite, embora não constituam aristocracia de nascimento ou natural. São, ao mesmo tempo, carcereiros e encarcerados.

O Conde de Saint-Simon e Auguste Comte foram os pais dessa sociedade totalmente planejada – daquilo que Andrew Hacker chama "o espectro do homem previsível". Algumas sementes desse desvio de regra também podem ser detectadas no utilitarismo, apesar do individualismo dos discípulos de Jeremy Bentham. Wilhelm Röpke (1899-1966), o profundo pensador social na linha de Jacob Burckhardt (1818-1897), chama o ideal dos planejadores totais de "eterno sansimonismo" e descreve o sonho deles como:

> aquela reação mental que é o resultado de uma mistura da *hubris* do cientista natural e da mentalidade engenhosa daqueles que, com o culto ao "colossal", combinam o impulso egoísta para afirmarem-se; aqueles que construiriam e organizariam a economia, o Estado e a sociedade segundo leis supostamente científicas e projetos, ao passo que reservam

mentalmente para si os principais *portefeuilles*. E, assim, observamos esses engenheiros sociais coletivistas do tipo de um H. G. Wells (1866-1946) ou de um Karl Mannheim (1893-1947) que, de modo bem explícito, admitem o ponto de vista da "sociedade como máquina" e que, assim, seriamente, gostariam de ver realizado o pesadelo de um verdadeiro Inferno de civilização provocar a instrumentalização completa e a funcionalização da humanidade.[12]

Isso não seria capitalismo, nem ainda socialismo; é o Estado colossal criado por amor a si mesmo. Os socialistas podem ajudar a erigir essa estrutura; não suportarão administrá-la ou desfrutá-la. A Nova Sociedade, se construída nesse modelo, à primeira vista, pareceria um arranjo conveniente para reforçar a igualdade de condição. Mas, essa estrutura – como se um instinto chthoniano[13] tivesse inspirado essa construção – facilita, em especial, finalidades bem diferentes, a gratificação de uma ânsia por poder e a destruição de todas as instituições antigas no interesse de novas elites dominantes. É "uma força medonha", tal como no romance homônimo de C. S. Lewis.

O grande Plano requer que o público seja constantemente mantido em um estado emocional que muito recorda o das pessoas em guerra: ao faltar isso, diminuem a obediência e a cooperação, pois as antigas motivações para o dever perdem-se de vista na sociedade-máquina. "Trabalho, sacrifício e a realização de metas devem ser massacradas no público ao dormir e acordar, ao comer e ao beber", ressalta John Jewkes (1902-1988).

> O estadista deve adotar todos os truques e artifícios para moldar o homem econômico ideal para esse propósito. A cupidez ("a era de ouro

---

[12] Röpke, *Civitas Humana*. London, 1948, p. 63.

[13] Referência às criaturas míticas do *Ciclo de Cthulhu*, criadas como espécie por Brian Lumley e inspiradas pelo universo ficcional de H. P. Lovecraft (1890-1937). Os chthonianos, cujo nome deriva do termo grego "*chthon*", que significa "terra", são criaturas gigantescas em forma de polvo, que escavam a terra e causam, em conjunto, terremotos. (N. T.)

logo está por vir"); o patriotismo limitado ("nossa comunidade deve manter-se de pé"); o medo ("a luta pela sobrevivência"); e o ódio (Os retardatários devem ser expulsos da Terra): a utilização de todos esses são métodos, agora, bem firmes da economia planejada.[14]

Quando a fé em uma ordem transcendente, o dever de família, a esperança de progresso e a satisfação com a tarefa desvanecem da vida rotineira, o Grande Irmão parece mostrar ao burro a vara em vez da cenoura. Um novo elemento expressivo na sociedade espera desempenhar o papel de Grande Irmão, para gerir todos os interesses humanos. "Há muitos, em todos os partidos, que anseiam o tempo em que, praticamente, toda a população será dependente do Estado para todas as amenidades da vida", diz Douglas Jerrold (1863-1964):

> Os que assim o fazem são representantes da classe mais poderosa dos dias atuais que, como as classes dirigentes que os precederam, agem em aliança velada para finalidades comuns. Essa classe é a nova aristocracia da caneta e da escrivaninha, os organizadores e administradores profissionais, que não só controlam o governo executivo (ele mesmo, uma província de importância muitíssimo aumentada) mas também o maquinário do trabalho organizado e do capital organizado, e que agora desejam assumir não só a direção de todos os grandes empreendimentos produtivos, mas por controle educacional e por doutoramento, a vida privada de todos os cidadãos.[15]

Essa Nova Sociedade requer uma Nova Moralidade – bem como Jean-Jacques Rousseau esforçou-se por oferecer uma nova moralidade para sua era da emancipação imaginária. No entanto, os sistemas morais não são prontamente construídos por engenheiros sociais. Derrubados os antigos imperativos religiosos e éticos, a compulsão deve tomar seu lugar, caso a grande roda da circulação deva manter-se a girar. Quando a ordem interna da alma é decadente, a ordem externa

---

[14] John Jewkes, *Ordeal by Planning*. London, 1949, p. 228.
[15] Douglas Jerrold, *England: Past, Present and Future*. London, 1950, p. 307-08.

do Estado deve ser mantida por meio de uma severidade impiedosa, estendendo-se até aos relacionamentos mais privados. Alguns zelotes da nova ordem não relutam em aceitar essa perspectiva.

Pois, ao sentir a crescente oposição, os planejadores radicais apresentam uma beligerância cada vez maior. Se a democracia não pode ser induzida, então a democracia deve ser inspirada pelo temor. O terrorismo de tais grupos, como os "maoístas" em terras muito diferentes da China, não é a única forma que esse movimento assume. A retórica de certas figuras políticas menos violentas sugere a prisão à *libido dominandi*. Existe A. J. P. Taylor (1906-1990), um socialista inglês que deseja que o país "seja regido por pessoas que nunca usaram cartola". Fica contrariado com fazendeiros que esperam bons preços agrícolas; quando o planejamento social está totalmente impregnado, o rústico aprenderá seu lugar. "O camponês não mais nos respeita; nossa última oportunidade é fazer com que eles nos temam. Devemos pôr-lhes grilhões antes que nos deixem morrer de fome." Karl Marx sabia que o socialismo pressupõe a economia do excedente; e para isso, as cidades devem manter posição de vantagem.

> Desejava findar a luta de uma vez por todas ao liquidar o campesinato; mas no insucesso dessa solução utópica, as cidades devem praticar a doutrina que é a base da vida civilizada: nós temos as metralhadoras e eles não as têm.[16]

Tal é a mentalidade e tal é a perspectiva da nova elite da Nova Sociedade. Durante o remanescente do século XX, é possível que o principal esforço dos conservadores imaginativos seja resistir às ideias de uma sociedade total, pela recuperação de uma ordem que tornará o Estado total desnecessário e impraticável. Entretanto, a simples discussão e lamentação não resiste ao crescimento do *Planwirtschaft*; facções conservadoras cometem, com frequência, tal

---

[16] A. J. P. Taylor, "Town versus Country". In: *The New Stateman and Nation*, 20 out. 1951, p. 439.

erro. Se, por volta do ano 2000, a justiça, a liberdade e a esperança ainda forem características gerais do pensamento social e da comunidade ocidental, o crédito pelo renascimento das normas privadas e públicas pode pertencer à escola da verdadeira reforma e do conservadorismo crítico, que é uma influência crescente na América e mesmo na Grã-Bretanha.

Nesses países, em geral, deve demorar uma geração antes que um corpo de ideias instigue o público de maneira que baste à ação intencional: o aforismo de John Maynard Keynes de que as falas nas salas de aula de hoje tornam-se os jargões das multidões das ruas de amanhã é algo como uma hipérbole. Nos Estados Unidos, a recuperação intelectual das ideias conservadoras começou no início dos anos 1950; assim, talvez, os americanos sigam um caminho rumo ao revigoramento da ordem pública e privada.

O destino será determinado pela qualidade de imaginação moral. Em outros livros, este autor tocou na situação particular dos atuais descontentes e os possíveis remédios; seria inconveniente sugerir um programa conservador no presente ensaio prolongado que é, principalmente, um exercício na história das ideias. Ainda assim, deve ser dito aqui que o pensador conservador de hoje se dirige a determinadas dificuldades primárias da ordem social civil moderna. Se falhar, muito deve desmoronar.

Em essência, o corpo de crenças daquilo que chamamos de "conservadorismo" é uma afirmação da normalidade nos assuntos da sociedade. Existem padrões que podemos restaurar; o homem não é perfectível, mas pode alcançar um grau tolerável de ordem, de justiça e de liberdade. Tanto as "ciências humanas" quanto os estudos humanísticos são meios para averiguar as normas da ordem social civil e para informar o estadista e o público retratado das possibilidades e dos limites das medidas sociais.

O conservador do século XX está preocupado, sobretudo, com a regeneração do espírito e do caráter – com o problema perene da ordem interna da alma, a restauração da compreensão ética e da sanção religiosa sobre a qual se fundamenta qualquer vida digna de ser vivida. Esse é o máximo do conservadorismo, mas isso não pode ser realizado como um programa deliberado de reforma social; no "cristianismo político", como observa Christopher Dawson (1889-1970), "há uma tendência, em especial entre os povos protestantes de língua inglesa, de tratar a religião como um tipo de tônica social para extrair um grau a mais de empenho moral do povo".[17] Se o afã conservador não for mais que isso, não será bem-sucedido. A recuperação da compreensão moral não pode ser simplesmente um meio para a restauração social: deve ser um fim em si mesmo, embora venha a produzir consequências sociais. Nas palavras de T. S. Eliot (1888-1965): "Se não quisermos Deus (e Ele é um Deus ciumento), devemos reverenciar Hitler ou Stálin".[18]

O conservador está preocupado com o problema da liderança, que tem dois aspectos: a preservação de uma certa medida de reverência, disciplina, ordem e classe, e a purgação de nosso sistema de educação, de modo que o aprendizado possa tornar-se liberal no sentido originário da palavra. Somente a liderança pode redimir a sociedade do domínio da elite ignóbil.

O conservador está preocupado com o fenômeno do proletariado – palavra que não significa somente pobre. A multidão dos homens modernos deve encontrar posição social e esperança na sociedade: a verdadeira família une ao passado as expectativas de futuro, o dever, bem como o direito, recursos mais importantes que o entretenimento e os vícios das massas com os quais o proletariado moderno (que pode ser afluente) busca esquecer a perda de um objeto. A degeneração da família a uma mera ocupação doméstica comum ameaça a essência do caráter humano reconhecível, e a praga do tédio social,

---

[17] Christopher Dawson, *Beyond Politics*. Sheed & Ward, 1941, p. 21.
[18] T. S. Eliot, "The Idea of Christian Society". In: *Christianity and Culture*. New York, Houghton Mifflin Harcourt, 1960, p. 73. (N. T.)

espalhando-se em círculos cada vez mais amplos a quase todos os níveis da existência civilizada, pode trazer um futuro mais sombrio que o círculo da vida no decadente sistema romano. Restabelecer o propósito do trabalho e da existência doméstica, devolver as antigas esperanças, as visões e pensares anelantes de posteridade, requererá uma imaginação arrojada.

O conservador está preocupado com a resistência à doutrina armada, com o agadanhar da ideologia. Esforça-se para restaurar a reta razão da verdadeira filosofia política; insiste que, embora não possamos criar o paraíso terreno, podemos tornar nosso próprio inferno terreno por um amor excessivo pela ideologia. E, declara que, enquanto essa retomada da normalidade política está em processo, devemos manter posição firme – muitas vezes, por decisões diplomáticas e militares difíceis – diante dos adversários da ordem, da justiça e da liberdade.

O conservador está preocupado com a recuperação da verdadeira comunidade, as disposições locais e a cooperação; com aquilo que Orestes Brownson chamou de "democracia territorial", o esforço voluntário, uma ordem social distinta pela multiplicidade e diversidade. A comunidade livre é a alternativa ao coletivismo compulsivo. É na decadência da comunidade, em particular no nível dos "pequenos pelotões", que o crime e a violência aumentam vertiginosamente. Nessa esfera, medidas "liberais" equivocadas causaram um prejuízo que não pode ser desfeito por décadas ou gerações, em especial, nos Estados Unidos. A "renovação urbana", impropriamente chamada (na verdade, muitas vezes, a criação de desertos e selvas urbanos), composta por um misto de motivos humanitários e especulativos, causou desenraizamento, na maioria das cidades americanas, de classes e comunidades locais inteiras, sob o disfarce dúbio de regulamento federal; a construção desordenada de rodovias teve as mesmas consequências. A revolta urbana, o aumento rápido de grandes crimes e o tédio que estimula o vício dos narcóticos são produtos da tolice de tais programas. Na expressão de Hannah Arendt (1906-1975): "Os que não têm raízes sempre são violentos". Portanto, é disso que o conservador fala, da necessidade de raízes na comunidade, não de mais medidas de "bem-estar social para as multidões".

E, é claro, o conservador está preocupado com uma série de outras questões primárias e com uma gama muito mais ampla de questões prudenciais para as quais as respostas devem variar conforme as circunstâncias e o tempo. Com Jacob Burckhardt, o conservador do século XX aparta-se dos "terríveis simplificadores". Como, com muita verdade, observa H. Stuart Hughes (1916-1999): "O conservadorismo é a negação da ideologia". Não existe um conjunto de fórmulas simples pelo qual todos os males dos quais a carne é herdeira sejam, apenas, eliminados. No entanto, existem princípios de moral e de política aos quais devem se voltar os homens pensantes.

> E, quanto mais completamente compreendemos nossa tradição política, mais prontamente todos os recursos nos estão disponíveis e, menos provavelmente, estaremos dispostos a abraçar as ilusões que aguardam o ignorante e o incauto.

Assim disse um erudito discípulo de Edmund Burke, Michael Oakeshott (1901-1990), na palestra inaugural ao assumir a cátedra na London School of Economics and Political Science, que anteriormente fora ocupada por acadêmicos radicais como Graham Wallas (1858-1932) e Harold Laski. Essas falácias, prosseguiu, são

> a ilusão de que em política podemos prosseguir sem uma tradição de comportamento, a ilusão de que a simplificação de uma tradição é, em si, guia suficiente, e a ilusão de que em política há, nalgum lugar, um porto seguro, um destino a ser alcançado ou mesmo uma vertente detectável de progresso. O mundo é o melhor dos mundos possíveis e tudo nele é um mal necessário.[19]

---

[19] Michael Oakeshott, *Political Education*, p. 28.

Esse é um mundo à parte da mentalidade do planejador total. "Como um impulso negativo, o conservadorismo se baseia em uma certa desconfiança da natureza humana, ao acreditar que os impulsos imediatos do coração e as visões da mente, provavelmente, são guias enganosos." Assim escreveu Paul Elmer More, em 1915: "Mas essa desconfiança da natureza humana está intimamente unida a outro fator mais positivo do conservadorismo – a confiança no poder controlador da imaginação". Nesse mesmo ensaio sobre Benjamin Disraeli, More observou que "o conservadorismo é, em geral, a intuição do gênio, ao passo que o liberalismo é a eficiência do talento".[20] Por volta da década de 1980, os conservadores estavam, mais uma vez, utilizando aqueles poderes da imaginação e da intuição. A Nova Elite pode crer necessário contar com os filósofos ressuscitados.

3. O ERUDITO CONFRONTA O INTELECTUAL

> Tanto os sucessos quanto os fracassos na experiência social americana fortaleceram a crença conservadora clássica – por certo, a crença medieval ortodoxa – de que todos os interesses humanos estão propriamente unidos segundo uma hierarquia de valores. Alguns aspectos da vida existem, ou seja, por causa de outros, e esses últimos são mais importantes.
>
> Rowland Berthoff, *An Unsettled People*

Ao aumentar o poder do governo centralizado, os líderes políticos – imersos em deveres administrativos de complexidade crescente e compelidos a funções cerimoniais – têm menos tempo para refletir. O último presidente americano a ter pensamento próprio foi Herbert C. Hoover; o último primeiro-ministro britânico de distinção

---

[20] P. E. More, *Aristocracy and Justice*, p.168, 186. Ver também: A. H. Dakin, *Paul Elmer More*. Princeton, 1960, p. 159.

intelectual foi Arthur Balfour.[21] Portanto, assim acontece quando discutimos o pensamento social nas décadas recentes, raramente voltamo-nos para aqueles que ocupam altos postos políticos: as ideias expressas por esses homens são introduzidas em suas mentes por outros, e as próprias palavras, comumente, provêm de datilógrafos, membros do quadro de anônimos ou quase anônimos de funcionários – que, por sua vez, muitas vezes ecoa as expressões de homens públicos influentes ou de acadêmicos. Para o historiador, o sociólogo, o cientista político e o poeta (de qualquer crença política), o historiador do pensamento social no século XX deve buscar por ideias seminais. Tais escritores e acadêmicos de tendência conservadora, em especial nos Estados Unidos, reafirmaram firmemente a crença durante os últimos trinta anos.

Por volta de 1950, Lionel Trilling pôde negar que o pensamento conservador sobreviveu na América. "Nos Estados Unidos nesta época", escreveu:

> O liberalismo não só é a dominante, mas, até mesmo, a única tradição intelectual. É fato incontestе que hoje em dia não há ideias conservadoras ou reacionárias em circulação geral. Isso não quer dizer, é claro, que não há impulso para o conservadorismo ou para a reação. Tais impulsos, certamente, são muito fortes, talvez, ainda mais fortes do que a maioria reconheça. No entanto, o impulso conservador e o impulso reacionário não se expressam, com algumas exceções isoladas ou eclesiásticas, em ideias, mas tão somente em ação ou em atitudes mentais irritadiças que buscam assemelhar-se a ideias.[22]

Os conceitos liberais tornaram-se improdutivos e vazios, prosseguiu Trilling, mas não pôde distinguir um corpo de ideias alternativo.

---

[21] Winston Churchill, na verdade, foi um jornalista ativo e historiador popular, mas a crítica severa de T. S. Eliot à retórica de Churchill e ao raciocínio político, provavelmente, será sancionada pelo juízo das épocas posteriores.

[22] Lionel Trilling, *The Liberal Imagination: Essays on Literature and Society*. New York, 1950, p. ix.

Na época em que escreveu, bem verdade, a tradição conservadora parecia estar atrofiada: permaneceu eloquente somente entre os sulistas agrarianos dos últimos dias como Donald Davidson (1893-1968), Allen Tate (1899-1979), Cleanth Brooks (1906-1994) e Richard M. Weaver (1910-1963) ou clérigos tais como Bernard Iddings Bell (1886-1968). Ainda assim, dificilmente Trilling teria escrito aquelas linhas, a menos que um renascimento potente das ideias "tradicionais" e "consagradas pelo uso" se fizesse sentir – seja por escritores que se denominavam conservadores, seja por homens que preferiram a liberdade da ligação a esse ou outro rótulo político. Desde 1950, talvez duzentos livros sérios de matiz de pensamento conservador foram publicados na América e um considerável número na Grã-Bretanha; apareceram vários periódicos professadamente conservadores, e uma bibliografia de importantes ensaios conservadores pode exigir tantas páginas quanto contém o presente volume. Em edições anteriores deste livro, foi feita certa tentativa para discutir ou para mencionar uma variedade de pensadores conservadores recentes, mas seu número cresceu tão consideravelmente que devemos nos contentar com efêmeros espécimes representativos, até mesmo uma simples lista de nomes seria embaraçosa e incompleta.

Por volta de 1950, a influência do "intelectual liberal" parecia assegurada. Os homens propensos ao conservadorismo não estão ávidos pela designação de "intelectuais", pois esse termo em si mesmo está relacionado ao culto secular do Iluminismo racionalista. O que ocorreu após 1950 foi o seguinte: os pensadores conservadores demonstraram que "intelectuais" não desfrutam do monopólio da capacidade intelectual e que o intelectualismo e a reta razão não são termos sinônimos. Os principais poetas do século XX, de fato, nunca tinham se submetido à hegemonia do intelectualismo liberal: basta mencionar, no momento, os nomes de T. S. Eliot, de W. B. Yeats (1865-1939) e de Robert Frost (1874-1963). Entretanto, depois de 1950, também ocorreu um renascimento da convicção conservadora naquilo que chamamos de "estudos sociais" ou de "ciências humanas".

Não foram apenas os conservadores que ficaram cansados da arrogância dos "intelectuais" autoproclamados. Na época em que foi publicada a primeira edição deste livro, alguém escreveu a Bertrand Russell perguntando a respeito de sua definição de "intelectual". Russell respondeu francamente.

> Nunca me denominei intelectual e ninguém nunca ousou chamar-me disso em minha presença. Creio que um intelectual deva ser definido como uma pessoa que aparenta ter mais intelecto do que tem, e espero que essa definição não sirva para mim.

Por ter grande familiaridade com o significado das palavras, Russell falou com certa autoridade sobre o emprego moderno de "intelectual". A palavra tem uma história interessante. No século XVII, foi, de fato, empregada como substantivo, principalmente para descrever a pessoa que detém todo o conhecimento derivado da razão pura. Tinha, mesmo na ocasião, e anteriormente, uma implicação denegridora. O termo mais comum para esse conceito era "intelectualista". Francis Bacon escreveu de maneira mordaz, em *The Advancement of Learning* [O Progresso da Erudição], sobre o intelectualista como um metafísico abstrato: "Sobre esses intelectualistas, comumente tomados como os filósofos mais sublimes e divinos, Heráclito fez justa reprimenda". David Hume destruiu os intelectuais do século XVIII, que tomaram a razão como guia para toda a natureza do homem; eram raciocinadores *a priori*, nos moldes de John Locke. Samuel Taylor Coleridge – como Hume, ainda que não empregasse a palavra "intelectual" – atacou-os como devotos de um mero entendimento, "uma mera faculdade reflexiva", distinta da razão, ou órgão do suprassensível.

Como substantivo descritivo de pessoas, "intelectual" quase não aparece nos dicionários do século XIX. À medida que o termo foi empregado, passou a indicar os "sofistas e calculadores", de quem Edmund Burke desdenhava, os *philosophes* abstratos; era uma categoria igualmente desprezada, embora por motivos diferentes, pelos românticos e pelos utilitaristas. Estava intimamente ligado ao secularismo sem imaginação: Newman atacou *Sir* Robert Peel por sucumbir a isso. Levando tudo isso em consideração, "intelectual" indicava o que Bacon sugeriu: uma pessoa que superestima o conhecimento. Por implicação, o intelectual descurou da imaginação, dos poderes da percepção, do pensamento abstrato e de toda a esfera do ser que está além da percepção racional privada.

O emprego de "intelectual" no século XX parece derivar do jargão marxista. Está diretamente relacionado à noção de um corpo de pessoas eruditas e altamente racionais, extremamente opostas às instituições sociais consagradas – proscritos, em certo sentido homens que saem da caverna de Odolam, extirpados, apaixonados pela mudança. A palavra sugere uma oposição entre a vida do intelecto e a vida da sociedade – ou, ao menos, uma hostilidade entre "pensadores sociais avançados" e os detentores de propriedade e poder. Na definição dos dicionários do século XX, um intelectual é "a pessoa de uma classe ou grupo que professa ou supõe ter um juízo esclarecido a respeito de questões públicas ou políticas".

Até os anos 1920, Londres e Nova York pouco sabiam desses intelectuais. "O sr. Trotsky do Café Central", em Viena, podia andar pelas ruas e fazer uma revolução, mas não tinha companheiros anglo-saxões. Os eruditos americanos e britânicos, *grosso modo*, não eram alienados. E isso continua a ser verdadeiro hoje, como sugerem as observações de Bertrand Russell, que muitos dos ingleses e americanos mais bem-educados são hostis à racionalidade refinada. Só quando uma hostilidade doutrinária para com a religião tradicional, o "capitalismo" e as formas políticas instituídas começa a fazer-se sentir na Grã-Bretanha e na América, que a influência crescente do marxismo e de outras ideologias europeias nos anos de 1920 e os indefinidos descontentes da Depressão fizeram uma série de americanos e ingleses bem-formados começarem a se intitular "intelectuais".

De início, os intelectuais americanos foram identificados com um movimento político e social chamado, de modo impreciso, "liberalismo" – muito diferente, em alguns aspectos, do liberalismo inglês que pensava emular e variava completamente do secularismo moderado à franca simpatia com a União Soviética. Com frequência, esteve relacionado, filosoficamente, com o pragmatismo e com vários empreendimentos experimentais em educação e moralidade prática. Tendeu, de modo rápido, a se tornar uma ideologia, com dogmas e lemas seculares. Lionel Trilling emprega, deliberadamente, os termos "liberal" e "intelectual" quase como sinônimos.

Podemos acrescentar que existiram motivos para essa deserção da ideologia por muitos americanos bem-letrados. A inquietude das pessoas de reflexão em um país, aparentemente entregues ao comprar e gastar, a condição do professor mal remunerado em um meio de ganância, o declínio do antigo respeito americano pelo aprendizado – uma decadência que, na verdade, parece aumentar de modo alarmante em proporção direta à facilidade com a qual os diplomas de segundo grau e de faculdade foram obtidos, com base no princípio de que o que quer que seja barato tem pouco valor – todas essas influências tenderam a produzir a alienação do acadêmico e do escritor da sociedade americana consagrada. Os "intelectuais" apareceram na América quando as obras da razão começaram a perder terreno no prestígio público.

Esse termo "intelectual" tem sido identificado com "liberal" [progressista], e não é de surpreender que Lionel Trilling não tenha descoberto intelectuais conservadores; poderíamos, igualmente, ter procurado por carnívoros vegetarianos. Mas, na verdade, o homem de força intelectual não precisa ser alienado de seu patrimônio cultural e de sua sociedade; pode ser um membro daquilo que Coleridge chamou de clerezia. Eis um modelo mais antigo que o de Trilling: o acadêmico americano como descrito no discurso de Orestes Brownson *"The Scholar's Mission"* [A Missão do Acadêmico], no Dartmouth College, em 1843:

> Percebo o erudito não como um simples pedante, um diletante, um epicurista literário ou um dândi; mas um homem sério, robusto, totalmente amadurecido, que sente que a vida é um assunto sério e que ele tem uma parcela importante a exercer nesse drama marcado por acontecimentos interessantes, e deve, portanto, fazer o melhor possível para desempenhar bem a sua parte, de modo a deixar para trás, no bem que fez, uma recordação grata de sua existência. Pode ser um teólogo, um político, um naturalista, um poeta, um moralista ou um metafísico, mas, seja o que for, está ali de corpo e alma, com propósitos e aspirações excelsos, nobres – em uma só palavra, *religiosos*.

Por volta de 1950, havia necessidade de tais homens eruditos: Trilling descobrira estar a imaginação liberal praticamente falida. A *"intelligentsia* liberal", um corpo desenraizado de pessoas intelectualmente presunçosas, com base num modelo europeu, eram, de modo manifesto, incompetentes para oferecer direção intelectual para um povo pelo qual sentiam desprezo ou um pesar condescendente e irreal. "O erudito não é alguém que se posta acima das pessoas", dissera Brownson,

> e olha para as pessoas com desdém. Não menospreza as pessoas, mas tem por elas um amor profundo e duradouro, que o ordena a viver e a trabalhar e, se necessário for, a sofrer e a morrer para a redenção deles, mas nunca olvida que é, delas, instrutor, guia, chefe, não o eco, o escravo, a ferramenta.

Homens eruditos com esse caráter, a recordar, com T. S. Eliot, que participam de uma tradição e seria débil se a tradição faltasse, começaram a desafiar os intelectuais liberais quase na mesma época em que Trilling duvidava de sua existência.

Se as universidades, em geral, estavam submetidas à ascendência dos intelectuais progressistas, ainda assim, o público simpático aos pensadores conservadores era maior que aos liberais. Nos assuntos externos, por volta de 1950, tanto a América quanto a Grã-Bretanha tinham se posicionado contra a "doutrina armada", a ideologia ancorada nas armas das potências comunistas. Nos assuntos domésticos, a ameaça da sociedade de massa, do "despotismo democrático" de Tocqueville ingressara na consciência pública. Poderia haver alguma alternativa à ideologia e à centralização imprudente? De uma forma ou de outra, essa pergunta fora feita por uma grande parte do público letrado. Assim, os acadêmicos de mentalidade conservadora, caso tivessem imaginação e pudessem escrever razoavelmente bem, encontraram, para si mesmos, o campo preparado. Na América, as votações da opinião pública começaram a mostrar uma proporção cada vez maior do público autodenominado "conservador" – o que quer que o homem médio queira por isso indicar. Essa proporção cresceu de maneira constante, com o avanço do revivescer das ideias conservadoras. Nesse molde, segundo as eleições, as pessoas que se denominavam "conservadoras" constituíam, de muito, o maior elemento isolado da população americana – de fato, se combinarmos a eles os que se denominam "moderados" ou "razoáveis", três quartos do público americano se classificam opostos ao progressismo e ao radicalismo.

Nas disciplinas sociais, de maneira admirável, para a surpresa do elemento há muito dominante em muitas das sociedades instruídas, uma inclinação conservadora – obra de uma minoria, mas de uma minoria vivaz – tornou-se discernível. Ao batalhar por coesão social e uma porção de estabilidade, os cientistas sociais conservadores argumentavam, as disciplinas deveriam fazer mais pela sociedade do que jamais fizeram na fase meliorista.

Seria bom para acadêmicos nas ciências humanas, afirmaram, dirigirem-se aos assuntos da verdadeira comunidade, local e voluntária, em vez de abrir as veredas para um coletivismo totalitário. Hoje, o pequeno pelotão é oprimido por forças de consolidação e centralização, mas deve ser reanimado. Se expirar, a sociedade é largada ao tédio e à apatia.

Seria bom dirigir as energias para o exame das associações voluntárias e privadas, em vez de planejar novas atividades para o Estado unitário. Seria bom admitir certa imaginação moral às pesquisas; olhar para os profundos significados na crença religiosa, em vez de jogar o velho jogo de explodir as "superstições da infância da raça"; abandonar a noção estéril e, às vezes, pouco sincera de uma "ciência sem valoração" e reafirmar a existência de uma ordem moral.

Seria bom para eles renovar a definição clássica de justiça, "a cada um o que é seu", reconhecer a diversidade e a variedade, em vez da padronização, como metas da sociedade tolerável; admitir as virtudes da ordem e da classe; encorajar o desenvolvimento da liderança talentosa, em vez de entoar loas à mediocridade universal.

Seria bom para os acadêmicos das ciências humanas afirmar com franqueza a permanência, oposta à mudança em princípio, pois o desejo do homem por continuidade figura entre os impulsos mais profundos, e esse anseio, muitas vezes, é frustrado no século XX. Se a necessidade do século XVIII foi de emancipação, a necessidade do século XX é de raízes. Quando, por influência de tais estudos, os políticos e o público tiverem adquirido alguma compreensão de comunidade, de fontes da volição, de ética social, de atrações da diversidade e de necessidade de raízes na cultura e no lugar, tornar-se-á possível, então, confrontar de modo inteligente a desordem desta época – e aplicar remédios inteligentes, do modo como os pensadores conservadores raciocinaram. No entanto, se os formadores de opinião das ciências humanas não oferecerem nada melhor que as hipóteses superficiais do humanitarismo dos últimos tempos e os paliativos tênues de uma legislação massificada de bem-estar social – ora, essa era deve aguardar o retorno dos "deuses dos cabeçalhos dos cadernos de cópia".[23]

---

[23] Referência ao poema de Rudyard Kipling, publicado em 1919, que previu a decadência do império inglês pela perda das antigas virtudes e por uma espécie de complacência generalizada em que ninguém pagava pelos próprios pecados. Os "cabeçalhos dos cadernos de cópia" do título do poema fazem

Desde 1950, um corpo considerável de literatura nesse campo da ciência social reformada foi publicado: na história, na sociologia, na teoria política, na economia, na psicologia e até mesmo na filosofia pura (se isso puder ser classificado aqui como uma das ciências humanas). Para propósitos de um exame bem detido, confinamo-nos aqui a um dos primeiros estudos desse tipo, que permanece nas primeiras fileiras: *The Quest for Community* [A Busca pela Comunidade] (intitulado, em edição posterior de *Community and Power* [Comunidade e Poder]) de Robert Nisbet (1913-1996), em 1953.

O dr. Nisbet aspira restaurar o verdadeiro significado de termos tais como "comunidade", "liberalismo", "individualidade" e "democracia". Busca salvar o conceito e a realidade da comunidade e restaurar a especulação sociológica dessa paixão pelo dogma e método benthamitas. Principia, de modo sincero e confiante:

> Podemos parafrasear as famosas palavras de Karl Marx e dizer que um espectro assombra a mentalidade moderna, o espectro da insegurança. Por certo, a característica marcante do pensamento contemporâneo acerca do homem e da sociedade é a preocupação com a alienação pessoal e a desintegração cultural. Os temores dos conservadores oitocentistas na Europa Ocidental, expressos diante de um pano de fundo de crescente individualismo, secularismo e deslocação social, tornaram-se, em grau extraordinário, as intuições e as hipóteses dos estudiosos do homem e da sociedade no tempo presente. A preocupação cada vez maior com a insegurança e com a desintegração é acompanhada por um respeito profundo pelos valores da posição social, da afiliação e da comunidade.[24]

Alexis de Tocqueville é de grande importância em *The Quest for Community* – como o é nos livros de John A. Lukacs (1924-2019),

---

referência a um tipo muito comum de caderno que havia na Inglaterra do século XIX, em que as crianças copiavam várias vezes provérbios ou máximas edificantes que vinham escritas no alto das páginas. (N. T.)

[24] Robert A. Nisbet, *The Quest for Community*. New York, 1953, p. 3, 25, 31, 37, 187, 245, 278-79.

um historiador filosófico cuja obra, em parte, se compara aos estudos sociológicos de Robert Nisbet. O pavor de Tocqueville ao despotismo democrático, a preocupação com as liberdades locais, associações e indivíduos, e a advertência contra as forças corruptoras do engrandecimento material e da consolidação são os tópicos primordiais com os quais Nisbet se preocupa na análise da natureza da verdadeira comunidade:

> A família, a associação religiosa e a comunidade local – esses, insistem os conservadores, não podem ser vistos como produtos externos do pensamento e do comportamento do homem; são, em essência, anteriores ao indivíduo e esteios indispensáveis da crença e da conduta. Libertemos o homem dos contextos da comunidade e não obteremos liberdade e direitos, mas a solidão intolerável e a sujeição aos medos e paixões demoníacas. A sociedade, escreveu Burke em uma citação célebre, é a sociedade dos mortos, dos vivos e dos que hão de vir. Mutilemos as raízes da sociedade e da tradição e o resultado deve, inevitavelmente, ser o isolamento de uma geração de sua herança, o isolamento dos indivíduos de seus confrades e a criação de multidões desbaratadas, sem rosto.

O problema moral mais imponente de nossa época, argumenta Nisbet, é o problema da perda e da recuperação da comunidade. Ansiamos desesperadamente por um sentido de continuidade em nossa existência e por um sentido de direção; esses, negados à maioria de nós pela ruína da família, pela supressão da antiga organização de guildas, pela retração do espírito local perante o Estado centralizado e pela condição de abandono da crença religiosa. O resultado mais notável da destruição revolucionária da sociedade tradicional – resultado, também, da industrialização em massa – é a criação da turba solitária: um conjunto de indivíduos sem verdadeira comunidade, ciente de que não importa a ninguém e, muitas vezes, convencido de que nada mais tem importância. A investida à religião institucional, aos métodos econômicos antiquados, à autoridade familiar e às acanhadas comunidades políticas libertaram o indivíduo de quase tudo, verdadeiramente: no entanto, essa liberdade é uma coisa terrível, a liberdade de um bebê abandonado pelos pais para fazer como lhe aprouver. Em reação a essas liberdades negativas, logo as massas confusas e ressentidas tendem a qualquer fanatismo que prometa amenizar a solidão – os partidos comunista e fascista, a dissidência lunática do dissenso, o Estado total e suas ilusões.

> Cada vez mais, os indivíduos buscam escapar da liberdade da impessoalidade, do secularismo e do individualismo. Buscam por comunidade no casamento, acrescendo, diversas vezes, uma tensão intolerável a um elo que já cresceu institucionalmente frágil. Buscam por isso numa religião fácil que, com frequência, leva à vulgarização do cristianismo de um modo que o mundo jamais vira antes. Buscam no consultório do psiquiatra, no culto, nas ritualizações sem função do passado e em todas as outras ocupações regulares de alívio da exaustão nervosa.

O coletivismo, a antítese da verdadeira comunidade, "vem a revelar-se para muitas mentes como uma fortaleza de segurança, não só contra os conflitos institucionais, mas contra os conflitos de crença e valor que são internos ao indivíduo". Não é a pobreza que induz as massas a apoiar os partidos totalitários, mas o anseio por certeza e por sentir-se membro de algo.

> Dizer que o trabalhador bem alimentado nunca sucumbirá ao engodo do comunismo é um absurdo, assim como dizer que o intelectual bem alimentado nunca sucumbirá. A presença ou ausência de três refeições ao dia, ou mesmo a simples fruição de um emprego, não é um fator decisivo. O que é decisivo é o quadro de referência. Se, por um ou outro motivo, a sociedade imediata de um indivíduo vier a parecer afastada, sem propósito e hostil, se as pessoas vierem a sentir isso de modo geral, serão vítimas de discriminação e exclusão, assim, nem todos os alimentos e empregos do mundo as impedirão de buscar pelo tipo de cessação que advém do pertencer a uma ordem moral e social dirigida às próprias almas.

As instituições declinam quando são privadas de função; assim, a família está a desintegrar diante de nossos olhos, não em razão do "desajustamento sexual" e das "tensões familiares" (expressões caras a determinados sociólogos), mas porque está privada das antigas vantagens econômicas e educacionais. Assim se dá com a aristocracia, com o governo local, com a guilda, com a Igreja e com outros elementos que uniram os homens por tantos séculos. É de duvidar se as novas associações voluntárias ajudaram, em considerável medida, a suprir o senso de comunidade que essas instituições fomentaram e, assim, os planejadores sociais, que algum dia esperaram arrumar facilmente as coisas apenas por um cálculo benthamita,

> com frequência se veem a lidar não só com o estrato superior das decisões que os predecessores pressupuseram ser a única exigência de uma sociedade planejada, mas, muitas vezes, com problemas desconcertantes que chegam até aos próprios recessos da personalidade humana.

Toda a história e, em especial, a história moderna, nalgum sentido, é o relato do declínio da comunidade e a consequente ruína fundada nessa perda. Em tal processo, o triunfo de nosso Estado moderno é o fator mais eficaz. "A influência individual mais decisiva na organização social ocidental tem sido a ascensão e a evolução de um Estado territorial centralizado." Há absoluta razão considerar o Estado na história como, empregando a expressão que Otto Friedrich von Gierke (1841-1921) aplicou à doutrina da Vontade Geral de Jean-Jacques Rousseau, "um processo de revolução permanente". Hostil para com toda instituição que age como controle ao poder, o Estado-nação está empenhado, desde a ruína da ordem medieval, em extirpar, uma por uma, as funções e prerrogativas da verdadeira comunidade – aristocracia, Igreja, guilda, família e associação local. O que o Estado busca é um platô sobre o qual a multidão de indivíduos solitários, embora reunidos em rebanho, labutem, anonimamente, para a manutenção do Estado. O serviço militar compulsório universal, a "força de trabalho móvel" e o campo de concentração são somente os desdobramentos mais recentes desse sistema. A "tendência pulverizadora e pavimentadora da história moderna", que Frederic William Maitland (1850-1906) discerniu, foi originada pelos "conflitos momentosos de jurisdição entre o Estado político, as associações sociais que lhe eram intermediárias e o indivíduo". Os mesmos processos podem ser traçados na história da Grécia e de Roma e, deles derivaram, a longo prazo, o tédio social e a morte política. Todos aqueles dons da variedade, da diferença, da competição, do brio popular e a associação congenial, que caracterizam o que há de mais varonil no homem, são ameaçados pela influência do Estado onicompetente dos tempos modernos, determinado, para a própria proteção, a nivelar os baluartes da comunidade tradicional.

A libertação das garras defuntas do passado foi o objetivo dos entusiastas da emancipação romântica e da "vontade do povo". Entretanto, porque os homens que ignoram o passado estão condenados a repeti-lo, essa esperada emancipação do uso consagrado veio a tornar-se, no século XX, uma tirania mais absoluta e inescapável do que qualquer coisa já conhecida na Antiguidade, para não dizer no Antigo Regime, ao longo da metade da Europa e por grande parte do restante do mundo. A "revolução permanente" significa insegurança permanente e injustiça permanente. O sonho sombrio de Karl Marx (cujo "enfraquecimento do Estado" era, em parte, apenas um truque terminológico e, noutra, autoengano) é a culminação lógica das doutrinas niveladoras e centralizadoras popularizadas, sob máscaras diferentes, de Rousseau e Bentham. Marx previu a derradeira fusão de todas as coisas em um todo amorfo e descaracterizado – até mesmo, "a abolição gradual da distinção entre campo e cidade, por meio de uma distribuição mais uniforme da população no campo". E, como os antigos elementos da verdadeira comunidade foram amputados, os homens foram induzidos, cada vez mais, a realizar o sonho de Marx, buscando, no imenso Estado impessoal, um substituto para todas as antigas associações que, vagamente, sabiam ter perdido.

O século XIX, diz Robert Nisbet, foi muitas coisas, mas, sobretudo, foi o século em que emergiram as massas políticas, criadas pela nova industrialização e pela destruição do costume e da comunidade.

> Entre o Estado e as massas desenvolveu-se um elo, uma afinidade, que, embora expressa – em nacionalismo, em democracia unitária ou em socialismo marxista –, tornou a comunidade política na mais luminosa das visões. Nele, repousa a salvação da miséria econômica e da opressão. Nele, repousa um novo tipo de liberdade, de igualdade e de fraternidade. Nele, assenta-se o direito e a justiça. E nele, acima de tudo, repousa a comunidade.

Assim, a comunidade total, o Estado onipotente, encontrou nas novas multidões agitadas o instrumento para seu triunfo. Esse Estado total pretende destruir todos os rivais ao seu poder e subordinar todos os relacionamentos humanos à sua força. O lema do Estado total varia de país para país e de ano para ano; isso realmente não importa, unir as massas contra as minorias e contra as associações veneráveis. "Pode ser igualdade radical assim como desigualdade, piedade devota assim como ateísmo, trabalho assim como capital, irmandade cristã assim como as multidões trabalhadoras." Em todas as suas formas, contudo, o totalitarismo moderno não é construtivo, mas ruinoso. Os partidos nazista e fascista foram instrumentos destrutivos, possibilitados pela histeria e solidão das multidões que, entusiasticamente, os apoiaram: embora, vez ou outra, essas ideologias se esforcem por disfarçar com conversa de "família" e "tradição", e isso não é nada além de uma fraude: sua natureza e seu objeto eram revolucionários. "Longe de ser, como por vezes é arrazoado de maneira absurda, um produto linear do conservadorismo do século XIX, o totalitarismo é, de fato, o exato oposto disso," A ordem totalitarista destrói as minorias pela força e pelo terror, mas emprega a adulação e o suborno para preservar o apoio das massas. O moderno Estado total nunca é uma criação *impopular*.

Por se desenvolver no desenraizamento das massas, o Estado total detesta e se empenha para obliterar o conhecimento do passado.

> Um sentido de passado é muito mais básico à manutenção da liberdade do que a esperança pelo futuro [...]. Daí o esforço implacável dos governos totalitários para destruir a memória. E, consequentemente, as técnicas engenhosas para abolir as fidelidades sociais nas quais a memória ganha força e poder de resistência.

Os líderes do liberalismo passado supuseram que o homem basta a si mesmo e essa pressuposição era falaciosa, pois o homem não pode subsistir sem comunidade. O individualismo e a soberania popular, os dois principais objetos dos liberais, foram destruídos pelas massas e pelo Estado total. No entanto, os conservadores que nunca abandonaram a ideia de comunidade, ainda guardam a vitalidade e, com eles, resta a esperança para deter o poder do totalitarismo político.

> Qualquer que seja o significado intelectual básico do existencialismo, sua popularidade presente, em especial na Europa Ocidental, é mais um exemplo da atração fulgurante que o atomismo e solipsismo moral têm pelos deserdados e alienados. Quando até mesmo as ideias do liberalismo humanitário são enviadas pelo intelectual ao mesmo jazigo que guarda os ossos do capitalismo e do nacionalismo, sua emancipação é completa. Não está livre – em toda a sua miséria solitária.

Rousseau e seus discípulos estavam decididos a forçar os homens a ser livres; na maior parte do mundo, triunfaram; os homens estão libertos da família, da Igreja, da cidade, da classe social, da guilda; usam, todavia, as correntes do Estado e expiram de tédio ou de uma solidão sufocante.

> É absurdo supor que a retórica do individualismo do século XIX irá equilibrar as tendências presentes rumo à comunidade política absoluta. Alienação, frustração, o senso de solidão – esses, como

vimos, são os principais estados de espírito na sociedade ocidental do tempo presente. A imagem do homem é decididamente diferente daquilo que foi na época de Mill. É absurdo defender os pretensos encantos da libertação individual e da emancipação para populações cujos problemas mais ardentes são os que resultam, hoje, da libertação moral e social. Fazer isso, nada mais é senão facilitar o caminho do Grande Inquisidor. Para isso há o recurso [...] do profeta totalitário – "resgatar" as massas de indivíduos atomizados do individualismo intolerável.

Ainda assim, a verdadeira individualidade está desesperadamente carente em nossa época; e, igualmente, a verdadeira democracia – não a democracia unitária, como a de Turgot ou de Rousseau, mas a democracia que significa a participação genuína do cidadão nos assuntos comunitários; e assim é a liberdade – ainda que não seja o "liberalismo" dogmático do último século. Tudo isso são barreiras contra o poder total. Como a verdadeira individualidade, a democracia e o espírito liberal podem rivalizar com sucesso o Leviatã? Ora, primeiramente, ao agir com base no princípio de que a vontade é livre. Mais do que tudo, a influência que auxiliou o crescimento do Estado total tem sido o pressuposto de que esse é o curso inelutável da história. As profecias de Karl Marx, como as profecias de John Knox, eram da ordem daquelas que cumprem os próprios propósitos. Se a convicção da inevitabilidade do gradualismo triunfar na mentalidade dos homens poucos anos mais, "a transição da democracia liberal para o totalitarismo não parecerá tão árdua ou desagradável. De fato, quase não será notado, salvo pelos 'utópicos', os 'reacionários' e excêntricos similares".

A centralização e o coletivismo político, mesmo assim, não são decretados de modo irresistível, não obstante a corrente de opinião moderna entre os intelectuais. "Entre os intelectuais modernos o pecado cardeal é o de não permanecer na locomotiva da história, para usar a expressão persuasiva de Lenin." O intelectual moderno está completamente errado nessa hipótese, como está errado em tudo o mais. Os homens são seres racionais, não simplesmente criaturas das circunstâncias; ainda detêm esse poder para conter esse mal totalitário, que se torna uma necessidade somente para uma sociedade irremediavelmente descaída.

Para fiscalizar a centralização e usurpar o poder, Nisbet prossegue, necessitamos de um novo *laissez-faire*. O antigo *laissez-faire* fundamentava-se na incompreensão da natureza humana, uma exaltação da individualidade (no caráter privado, muitas vezes, uma virtude) à condição de dogma político, que destruiu o espírito de comunidade e reduziu os homens a muitos átomos equipolentes de humanidade, sem senso de irmandade ou de propósito. E esse antigo *laissez-faire*, uma vez confrontado com a força bruta das massas e a máquina intrincada do coletivismo, necessariamente entrou em colapso porque não tinha uma força comunal por trás de si; o indivíduo permaneceu sem defesa diante do comissário. Nosso novo *laissez-faire*, contudo, "segurará os fins da autonomia e a liberdade de escolha". Começará, não com o homem econômico abstrato ou o cidadão, mas com "a personalidade dos seres humanos como, na verdade, nos é dada por associação". O novo *laissez-faire* esforçar-se-á por criar condições "nas quais *grupos autônomos* devam prosperar". Reconhecerá como unidade de base social o *grupo*: a família, a comunidade local, o sindicato, a Igreja, a faculdade, a profissão. Buscará, não a unidade, não a centralização, não o poder sobre as multidões de pessoas, mas, em vez disso, a diversidade de cultura, a pluralidade de associação e a divisão de responsabilidades. Ao repudiar o erro do Estado total, restaurará o tipo de Estado pelo qual, como disse Burke, a providência projetara que os homens deveriam buscar a perfeição como pessoas. Em tal Estado, o primado da ética é reconhecido, e a verdadeira liberdade da pessoa, que subsiste na comunidade, será defendida ciosamente.

Com variações, o que Nisbet escreve é expresso por estudiosos muito bons durante as duas últimas décadas. As variações devem ser esperadas e bem-vindas: pois o conservadorismo não é uma ideologia, mas, ao contrário, um modo de ver a natureza humana e a sociedade. É desnecessário, de fato, que o acadêmico se autodenomine um "conservador" para partilhar, substancialmente, dos meios para recuperar a ordem na pessoa e na comunidade. Dar os nomes apenas dos escritores americanos das décadas recentes, preocupados com as "ciências humanas" preencheria este capítulo com uma lista demasiado longa. Esses acadêmicos estão unidos, ainda que vagamente, em afirmação das coisas permanentes em face das demandas de uma ideologia impaciente. Muitos deles – historiadores, economistas, teóricos políticos, sociólogos – escrevem bem e ocupam posições altas na academia. A longo prazo, de modo bem concebível, a influência deles será eficaz nas gerações vindouras de jornalistas sérios, editores, clérigos, professores, publicistas e outros formadores da opinião popular. Nenhum sistema radical de crenças novo apareceu para lutar contra eles: os adversários ideológicos são meros marxistas modernos ou anarquistas que nada aprenderam e nada esqueceram durante várias décadas passadas. Os acadêmicos conservadores são frustrados, contudo, pela apatia intelectual das democracias americana e britânica – por populações, ainda que só vagamente cientes, de que a ordem que conheceram deve ser renovada, ou então deve perecer. O que os pensadores conservadores de hoje têm de temer, então, não é a derrota em uma competição intelectual, mas, em vez disso, uma eucatástrofe: ou seja, o colapso de toda a estrutura moral e social da civilização moderna, antes que os argumentos possam mudar a mente e os cursos da multidão. Sabem que isso pode ser "a última hora antes da queda".

Esses acadêmicos não foram comovidos por aquelas profecias ideológicas que pretendem a autorrealização. Entre eles, a alegria continuará a irromper. Um historiador conservador das instituições históricas, Rowland Berthoff (1921-2001), fala por eles quando afirma que, apesar das desordens da vida americana, apesar do negligenciar da comunidade, muito resta a conservar e a renovar:

> Felizmente, o círculo curioso pelo qual a sociedade americana passou nos primeiros 360 anos, saiu de um senso crescente de que a boa sociedade não pode ser erigida simplesmente por colocar o indivíduo à deriva de todas as instituições e estruturas. Na melhor das hipóteses, muito do vigor e da atenção tinha de ser dedicado a manter a sociedade funcionando [...]. Na pior das hipóteses, o indivíduo apartado tornou-se temeroso, amargurado e incapaz de ver, além do sucesso material, um valor de vida mais excelso. Para uma liberdade maior – a liberação de vigor e talentos para a autorrealização cultural e espiritual – é evidente que o auxílio de uma estrutura social estável, bem fundamentada era tão necessária quanto os freios e contrapesos do novo sistema econômico. No final dos anos 1960, os americanos, talvez, estivessem mais próximos de assegurar ao indivíduo uma liberdade positiva e multilateral do que em qualquer outro período, ao menos em um século e meio. Se, na aspiração perene de uma grande sociedade, pudessem manter um equilíbrio razoável entre mudança e ordem, mobilidade econômica e estabilidade social, ainda poderiam acarretar um novo nascimento da liberdade, a cidade na colina, o farol para toda a humanidade, do muito agitado sonho americano.[25]

Aos intelectuais, os eruditos não cederam. E o saber deles está, hoje em dia, aliado à visão armada dos poetas.

4. O CONSERVADOR COMO POETA

> Pois, meu caro, por que abandonar uma crença
> Apenas por deixar de ser verdade.
> Aferre-se a ela por tempo suficiente e, sem dúvida,
> Tornar-se-á verdade novamente, pois é assim.
> A maioria das mudanças que cremos ver na vida
> Se devem a verdades mais ou menos favorecidas.
> Ao sentar-me aqui, e muitas vezes, queria

---

[25] Rowland Berthoff, *An Unsettled People: Social Order and Disorder in American History*. New York, 1971, p. 478-79.

> Poder ser monarca de uma terra deserta
> devotar-me e dedicar-me para sempre
> às verdades que persistem em retornar.
>
> Robert Frost, "The Black Cottage".

A regeneração da sociedade não pode ser um empreendimento totalmente político. Ao perder o espírito de consagração, as multidões modernas não têm melhor expectativa do que uma fatia maior daquilo que já possuem. Dante Alighieri diz que a danação é um estado terrivelmente simples: a privação da esperança – ou, como fala o Cristo nos *York Mysteries* [Mistérios de York]:[26]

> Vós, covardes malditos, fugi de mim,
> Para no Inferno viver, eternamente.
> Lá, nada além de pesar vereis,
> e ao lado de Satanás, o diabo, sentareis.

Como restaurar uma fé viva na multidão solitária, como recordar aos homens de que a vida tem finalidades – esse enigma, o conservador do século XX tem de enfrentar. Juntamente com as consolações da fé, talvez outros três interesses humanos impetuosos tenham dado o incentivo para o cumprimento da tarefa – e motivos para crer que a vida é digna de ser vivida – entre os homens e mulheres comuns: a perpetuação da própria existência espiritual ao longo da vida e o bem-estar dos filhos; a gratificação honesta do apetite aquisitivo por meio da acumulação e do legado da propriedade; a certeza confortante de que a continuidade é mais provável que a mudança – em outras palavras, a confiança dos homens de que participam de uma ordem natural e moral em que importam mais do que moscas de verão. Com

---

[26] *The York Mystery Plays* é um ciclo de 48 peças da história sagrada desde a Criação até o Juízo Final. Eram tradicionalmente apresentadas no dia da festa de *Corpus Christi* e realizadas na cidade de York, em meados do século XIV até a supressão em 1569. Compõem um dos quatro ciclos de peças de mistério inglesas que permaneceram completas até os dias de hoje. (N. T.)

brutalidade crescente, o temperamento moderno – primeiro, sob o capitalismo e, depois, sob o Estado socialista – ignorou esses anseios da humanidade. Assim, a frustração distorce o rosto da sociedade, assim como deteriora os traços dos indivíduos. O comportamento da sociedade moderna, agora, apresenta os sintomas de uma horripilante frustração consumada.

"Creio que seria, de fato, muito perverso adequar um menino ao mundo moderno", disse o desafortunado mestre de línguas clássicas Scott-King,[27] de Evelyn Waugh (1903-1966) em *Scott-King's Modern Europe* [A Europa Moderna de Scott-King], de 1947. Adaptar-se ou adaptar os outros à configuração das coisas que o planejador positivista tem em mente, ou à atual índole da sociedade, seria a conformidade ao pavoroso tédio. O descontentamento social triunfante é, ao mesmo tempo, a morte e o inferno de uma civilização. Portanto, o conservador busca ver além da sociologia humanitária.

Portanto, não ao estatístico, mas ao poeta, voltam-se muitos conservadores em busca de discernimento. Se há um pensador conservador fundamental no século XX, esse é T. S. Eliot, cuja era, nas letras humanas, é a sua. Todo o esforço de Eliot foi assinalar um caminho de fuga da Terra Desolada, rumo à ordem na alma e na sociedade.

"O conservadorismo é, com muita frequência, a conservação das coisas erradas", escreveu T. S. Eliot em *The Idea of a Christian Society* [A Ideia de uma Sociedade Cristã]. "O liberalismo é o relaxamento da disciplina; revolução, a negação das coisas permanentes." O conservadorismo de Eliot não é a atitude do dragão Fafnir ao murmurar: "Deixe-me descansar – Isto é meu".

Na cabeça de T. S. Eliot, as experiências conservadoras inglesa e americana estão unidas, pois assistiu a Irving Babbitt em Harvard e

---

[27] O personagem do romance distópico de Waugh é descrito como um adorador do passado e amante do conhecimento preciso. É caracterizado como representante das antigas virtudes da honestidade, decência, sanidade e heroísmo. (N. T.)

viveu a maior parte da vida em Londres. Sendo um dos homens mais gentis, Eliot ingressou, com alguma relutância, na controvérsia política, mas, uma vez na luta, armou-se de coragem.

Nas obras *The Idea of a Christian Society*, de 1939, e *Notes Towards the Definition of Culture* [Notas para uma Definição de Cultura], de 1948, o poeta e crítico mais influente de sua época, o espectador implacável da Terra Desolada da cultura moderna, tomou a defesa das crenças e costumes que nutrem a civilização, dolorosamente consciente de que "estamos destruindo nossos edifícios antigos para preparar o terreno onde os nômades bárbaros do futuro acamparão com suas caravanas mecanizadas".[28] Essa ameaça é iminente: nossa civilização mecânica já acostumou as massas da população à noção de sociedade como máquina:

> A tendência à industrialização ilimitada é criar conjuntos de homens e mulheres – de todas as classes – apartados da tradição, alienados da religião e suscetíveis à sugestão em massa: em outras palavras, uma plebe. E uma plebe não será menos plebe se estiver bem alimentada, bem vestida, bem alojada e bem disciplinada.[29]

Inimigo da democracia pura, Eliot acreditava na classe social e na ordem; por essa mesma razão, desconfiava da nova elite, recrutada na plebe de espiritualidade empobrecida. Educada em escolas estatais uniformes, nas novas ortodoxias do coletivismo secular; arrogante, com a presunção dos que governam sem as influências restritivas da tradição, da reverência e da honra familiar, tal elite nada mais é que um corpo administrativo. Não pode tornar-se guardiã da cultura, como as antigas aristocracias.

> As elites, em consequência, consistirão somente de indivíduos para os quais o único elo comum será o interesse profissional, sem coesão

---

[28] T. S. Eliot, *Notas para uma Definição de Cultura*. Trad. Geraldo Gerson de Souza. São Paulo, Editora Perspectiva, 2008. p. 135. (N. T.)

[29] T. S. Eliot, *The Idea of a Christian Society*. London, 1939, p. 21.

> social alguma, sem nenhuma continuidade social. Serão unidos apenas por uma parte, e essa, a parte mais conscienciosa de sua personalidade reunir-se-ão como pequenos comitês. A maior parte de sua "cultura" será apenas o que partilharem com todos os outros indivíduos que compõem sua nação.[30]

Nenhuma alta cultura é concebível em uma sociedade dominada por essa casta árida de burocracia. Podemos salvar a civilização que nos restou, ainda que maltratada como foi neste século?

> Devemos continuar a considerar até que ponto essas condições da cultura são possíveis, mesmo numa situação particular e numa época particular, compatível com todas as necessidades imediatas e prementes de uma emergência. Pois, uma coisa a evitar é o planejamento *universalizado*; uma coisa a determinar são os limites do planejável.[31]

Em tais passagens, foi ao âmago da questão. Muito cedo, Eliot denominou-se monarquista, em vez de conservador. Aí tinha em mente uma distinção entre torismo e a fusão sem imaginação de facções que criaram o partido conservador inglês entre as duas guerras mundiais. Com relação a princípio político, apesar disso, Eliot era bastante conservador – ou reacionário, como declarou a respeito de si mesmo. Isso ficou claro na palestra de 1956 no Conservative Political Center sobre "A Literatura da Política". Não foi acidental que o poeta dominante do século XX – que, com razão, via-se na linhagem de Virgílio (70-19 a.C.) e de Dante Alighieri – tenha tomado partido, de modo célebre, de defensor das normas na cultura e na ordem social civil.

Combinou em si, T. S. Eliot confessou, "um matiz intelectual católico, uma herança calvinista e um temperamento puritano". Hoje em dia, Dante Alighieri e John Milton guardam algo em comum contra os defensores daquilo que C. S. Lewis chamou de "a abolição do homem". Muito da popularidade inicial de Eliot pode ter se baseado

---

[30] T. S. Eliot, *Notes towards a Definition of Culture*. London, 1948, p. 47.
[31] Idem. Ibidem, p. 109.

no equívoco absurdo de suas intenções: um sentimento, em especial, entre os sem raízes e sem propósito da nova geração, que Eliot falava em nome da futilidade e da fatuidade da era moderna, todo gemido e sem estrondo – uma espécie de niilismo ritualista anglo-americano.

A verdadeira função de Eliot, por tudo isso, foi a de conservar e restaurar: topógrafo melancólico da Terra Desolada, mas um guia para a esperança pessoal recuperada e para a integridade pública. Ao expor os Homens Ocos, doentes pela vida sem princípios, Eliot – como Virgílio em época comparável – mostrou o caminho de volta às coisas permanentes.

> Quando escrevi um poema chamado *The Waste Land*, alguns críticos mais aprovadores disseram que expressara a "desilusão de uma geração", o que é um disparate. Posso ter expressado a própria ilusão de estarem desiludidos, mas isso não era parte de minha intenção.[32]

A batalha para defender as coisas permanentes não tem termo. Como T. S. Eliot escreveu no ensaio sobre F. H. Bradley.

> Se tomarmos o ponto de vista mais amplo e o mais sábio de uma causa, não há nada que possa ser uma causa perdida porque não há nada que possa ser uma causa ganha. Lutamos por causas perdidas porque sabemos que a derrota e o desânimo podem ser o preâmbulo da vitória de nossos sucessores, embora tal vitória seja, em si, temporária; lutamos mais para manter algo vivo do que na esperança de que algo triunfe.[33]

Em todo período, alguns esforçar-se-ão para demolir as coisas permanentes, e outros, as defenderão bravamente.

Não menos que os políticos, os grandes poetas movem as nações, ainda que a maior parte dos homens possa não conhecer o nome dos poetas. Quando um dos principais poetas e críticos do século põe

---

[32] T. S. Eliot, "Thoughts after Lambeth" (1931). In: *Selected Essays 1917-1932*. London/New York, Faber & Faber, p. 314. (N. T.)

[33] T. S. Eliot, "Francis Herbert Bradley (1927)". In: *Selected Prose of T. S. Eliot*. New York, Houghton Mifflin Harcourt, 1975, p. 200. (N. T.)

mãos à obra para redimir o tempo "para que a fé possa ser preservada viva ao longo da era das trevas que surge diante de nós; para renovar e reconstruir a civilização, para salvar o mundo do suicídio"[34] – ora, é concebível que possa desfazer o que Karl Marx e Sigmund Freud (1856-1939), para não citar os capitães e os reis. Tanto quanto qualquer homem de seu tempo, T. S. Eliot anteviu a destruição da ordem, e trabalhou para evitar a ruína total. No espetáculo paroquial *The Rock* [A Rocha], de 1934, seu coro entoa a advertência:

> É difícil para os que vivem próximo à Delegacia
> Acreditar no triunfo da violência
> Imaginais que a Fé já conquistou o mundo
> E que os leões dispensem agora os carcereiros?[35]

Poucos meses depois de *A Rocha* ter sido apresentada pela primeira vez, Adolf Hitler fez-se *Führer* alemão. Até o fim dos tempos, Eliot sabia, os leões precisariam de carcereiros e a fé encontraria mártires. Ao longo de todos os escritos de Eliot perpassa a ideia de uma comunidade de almas: um elo de amor e dever a unir todos os vivos, e também todos os que nos precederam e todos que nos seguirão nesse momento do tempo. Essa percepção pode ultrapassar em duração os dogmas ideológicos deste século.

É um propósito primordial da boa poesia reinterpretar e justificar as normas da existência humana. Em geral, o poeta sabe que não nascemos ontem. Por certo, alguns poetas são radicais: há o desafio prometeico de Percy Bysshe Shelley (1792-1822). E, ainda assim, nem o dissidente poético "romântico" nem o "proletário" dominaram por muito tempo a república das letras. Mal terminara o auge do entusiasmo revolucionário romântico, Percy Bysshe Shelley foi respondido

---

[34] T. S. Eliot, "Thoughts after Lambeth" (1931). In: *Selected Essays 1917-1932*, p. 332. (N. T.)

[35] T. S. Eliot, "Coros de 'A Rocha'", parte VI, p. 313. In: *T. S. Eliot: Obra Completa – Volume I: Poesia*. Trad., intr. e notas Ivan Junqueira. São Paulo, Arx, 2004. (N. T.)

por Samuel Taylor Coleridge, por William Wordsworth, por Robert Southey e por *Sir* Walter Scott; ao passo que, até mesmo Lorde Byron pensava que os primeiros princípios de Shelley não faziam sentido. Desde o início da literatura europeia até este século, os temas contínuos da poesia séria foram os da ordem e da permanência. Depois de algumas décadas de protesto e negação, a poesia do século XX retorna a uma afirmação de continuidade e das verdades permanentes.

Os *Collected Poems* [Poemas Coligidos], lançados em 1959, de John Betjeman (1906-1984), desfrutaram de uma popularidade rara desde os dias de *Childe Harold* e *Idylls of the Kind*. E Betjeman, de sagacidade *tory*, amante das coisas antigas, arquiteto e defensor da preservação, defendeu o que foi chamado de "conservadorismo de prazer": para a satisfação da geração unir-se a geração. Melhor que qualquer polemista, Betjeman – em *"The Planster's Vision"* [A Visão de Planster] – nos desperta para o perigo de um despotismo sem vida de um futuro possível, a sociedade totalmente planejada do visionário igualitário:

> Tenho uma visão de futuro, camarada,
> Em lavouras de soja, prédios operários
> Como lápis argênteos erguem alinhadamente:
> Milhões, em ondas, ouvem a chamada
> Dos microfones comunais, nos refeitórios
> "Certo ou errado, jamais! Tudo perfeito, eternamente".

Esse é o único poema de John Betjeman diretamente político. O conservador não precisa ser um político prático; por isso, o poeta conservador pode não se denominar conservador, nem mesmo sabe que sua primeira suposição tem algo em comum com as de Marco Túlio Cícero ou de Edmund Burke. Chega a hora em que os poetas de inclinação conservadora voltam-se para o verso político a respeito das controvérsias do momento: por exemplo, George Canning, John Hookham Frere (1769-1846) e outros membros do círculo da *Anti-Jacobin Review*. Entretanto, em geral, essa não é a obra mais duradoura deles. O impulso conservador, raras vezes, produz um poema político longo tão memorável quanto *Demos the Emperor* [Demos, o Imperador] de *Sir* Osbert Sitwell (1892-1969), com seu prólogo melancolicamente esplêndido.

Não muitas vezes, ao tratar de assuntos prudenciais e existenciais, porém muitas vezes nos pressupostos mais profundos acerca da alma, da justiça e da ordem, um poeta revela o pano de fundo político de sua visão. Desse modo, houve conservadores poéticos muito antes de "conservador" tornar-se um substantivo de política. Não sendo um mero defensor das instituições do momento, o poeta é leal às normas, não às facções; assim, com Ben Johnson (1572-1637), desnudará as tolices do tempo. Toda época é desorientada, no sentido de que o homem e a sociedade nunca são aquilo que têm de ser; e o poeta sente que nasceu para acertar o momento – entretanto, não por liderar uma marcha para alguma Nova Jerusalém, mas por reunir em sua arte as coisas permanentes. Mesmo os bons poetas, comumente considerados radicais – William Morris, para citar um deles –, muitas vezes não buscam um admirável mundo novo, mas, ao contrário, buscam restaurar o que outrora existiu, de modo que possa existir novamente.

Homero, "o cego que vê" olha com imenso desdém para a brutal e injusta "Era de Heróis", como observa Eric Voeglin (1901-1985) na obra *World of the Polis* [O Mundo da Pólis]. Por ser sobrevivente, talvez, de uma cultura mais antiga e melhor, Homero recorreu à assembleia dos deuses para julgar a sua época aviltada. Sófocles (497-406 a.C.), assíduo à verdade normativa em um século arruinado pelo sofismo, exortou aos atenienses que obedecessem às prescrições divinas, superiores aos éditos dos homens. Virgílio, ao buscar restaurar a civilização após uma geração de guerra civil, tomou por temas a suprema virtude antiga e a estimulante piedade romanas. Dante, ao perceber que a ordem medieval fora aniquilada pela ignorância, pelo egoísmo e pelo crime, descreveu em sua visão os reinos antagônicos da ordem e da desordem.

Nas letras inglesas, dominadas por convicções normativas e éticas de maneira mais contundente que qualquer outro corpo de literatura, o elenco de opiniões conservadoras quase nunca requer menção. A ênfase de John Milton na liberdade ordenada; a política de John Dryden (1631-1700), antecipando a política de Edmund Burke; os princípios *tories* de Jonathan Swift e de Alexander Pope (1688-1744); as doutrinas de ordenação e de subordinação, tão fortes em Samuel Johnson; o humanismo cristão conservador de Samuel Taylor Coleridge; a ligação apaixonada à tradição e à continuidade de W. B. Yeats – esses são muitos exemplos desse ponto. No entanto, não podemos empreender aqui uma pesquisa histórica da oposição dos poetas ao que Samuel Johnson, em *Irene*, de 1749, chamou de "lascívia pela inovação". Basta observar que a maioria dos poetas ingleses e americanos influentes do século XX foram conservadores das coisas permanentes.

Robert Frost pode ter expressado reservas brandas acerca da palavra "conservador", mas seu próprio conservadorismo político é inegável. Alguns críticos radicais gostam de citar uma observação prematura de Frost, de que nunca fora radical quando jovem, pois temia poder vir a ser um conservador quando idoso. Seja como for, Frost nunca flertou com o radicalismo, e o caráter conservador de seus últimos anos está insinuado em "*The Figure a Poem Makes*" [A Imagem que Faz um Poema], prefácio aos *Collected Poems* [Poemas Coligidos]. Aí, escreveu:

> Palavreamos sobre liberdade. Chamamos nossas escolas de livres porque não somos livres para nos mantermos fora delas até os dezesseis anos de idade. Abrimos mão dos pressupostos democráticos e, agora, de bom grado, libertamos as classes mais baixas para que sejam totalmente cuidadas pelas classes mais altas. A liberdade política nada é para mim. Aplico à esquerda e à direita [...]. Mais de uma vez devo ter perdido minha alma para o radicalismo, caso fosse a originalidade pela qual foi erroneamente tomado por seus jovens convertidos.

Para o neologista e o reformador doutrinário, Frost não tinha sentimento de compaixão. Harrison, em "*A Case for Jefferson*", de 1947, é freudiano e marxista, ainda que de pura linhagem ianque:

Adora, ao sábado, carne de porco e feijão.
A mente, todavia, da adolescência, saiu não:
Para ele, o amor ao país significa
explodir tudo em mica,
e fazer tudo de novo.

Um motivo para os sucessos populares de Frost, além do grande talento, é a afinidade com a antiga América e com visões de humanidade e arte ainda mais antigas. Da tradição veio a sua força.

Poeta *tory*, Rudyard Kipling profetizou que os deuses dos cabeçalhos dos cadernos de cópia retornariam com fogo e morticínio; e assim eles vieram novamente para o meio de nós e punem com fúria cada vez maior. Uma geração castigada busca por princípios de ordem. Os céus ficam negros e os conselheiros sensatos têm chance de falar, como escreveu G. K. Chesterton em *The Ballad of the White Horse* [A Balada do Cavalo Branco]:

Os sábios sabem que coisas pérfidas
Encontram-se escritas nas estrelas,
Acendem lâmpadas tristes, tocam cordas melancólicas,
Ouvindo as grandes asas púrpuras
Onde esquecidos Serafins
Inda planeiam a morte de Deus...

Ainda assim, defensores da ortodoxia, tais como Chesterton, seguem, alegremente, no escuro. Não é ao entusiasta liberal romântico, não é ao poeta proletário carrancudo, nem ao niilista versejador, a que a geração castigada pode se voltar. Devem olhar, em vez disso, para os defensores poéticos da normalidade, ainda que, por um tempo, tais poetas estejam obnubilados. Como Kipling expressou isso, em *"The Fabulists"* [Os Fabulistas], escrito durante a Primeira Grande Guerra dessa época de desventuras

Quando a tolice desesperada diariamente operar
Para em tudo o que temos causar confusão,
Quando a Preguiça zelosa, o fim da Liberdade pleitear,
E o medo acanhado, a honra mandar pro caixão,

Até na hora, antes da queda, exatamente,
Salvo se os homens quiserem, não serão ouvidos, absolutamente.

Os poetas da permanência começaram a agradar novamente. É até mesmo de imaginar que os conservadores estilo Fafnir possam vir a ouvi-los. Se isso vier a acontecer, algo pode ser extraído da definição do termo "conservador" do *Devil's Dictionary* [Dicionário do Diabo], de Ambrose Bierce (1842-1914?): "conservador, s.: estadista enamorado pelos males existentes, bem diferente do liberal, que deseja substituí-los por outros".

Na década presente, o liberalismo e o socialismo jazem prostrados e, em grande parte, não contam com a benevolência do público. Uma Nova Ordem, todavia, luta por surgir: uma ordem dos senhores do desgoverno, descrita por William Shakespeare em *Tróilo e Créssida*:

> Sobre a fraqueza dominara a força;
> O rude filho ao pai tirara a vida;
> Fora o direito a força: o justo e o injusto –
> Cuja tensão contínua equilibrada sempre é pela justiça –
> Acabariam perdendo o nome, como também esta.
> Todas as coisas no poder se abrigam,
> O poder, a vontade, que se abriga, por sua vez, na cobiça.[36]

Nada existe, mas pensar faz existir. Se os homens de negócios podem alcançar as mensagens dos poetas, as normas da cultura e da política podem perdurar, apesar das tolices do tempo. O indivíduo é tolo, mas a espécie é sábia; e, assim, o pensamento conservador recorre àquilo que G. K. Chesterton chamou de "a democracia dos mortos". Contra a arrogância do inovador implacável, o conservador de imaginação profere a maldição do cupido de George Peele (1556-1596):

> Os que trocam antigos por novos amores,
> Rogai aos deuses que mudem para pior.[37]

---

[36] William Shakespeare, *Tróilo e Créssida*, Ato I, Cena III, *Tragédias: – Teatro Completo*. Trad. Carlos Alberto Nunes. Rio de Janeiro, Agir, 2008, p. 240. (N. T.)

[37] George Peele, "Cupid's Curse", linhas 12-13. In: *Bartlett's Familiar Quotations*. 10. ed., 1919.

João Camilo de Oliveira Torres (1915-1973)

Posfácio à edição brasileira

EVOLUÇÃO HISTÓRICA DO CONSERVADORISMO NO BRASIL
ALEX CATHARINO

Ao longo dos treze capítulos do livro *A Mentalidade Conservadora*, de 1953, o filósofo, historiador e literato americano Russell Kirk (1918-1994) narra o desenvolvimento do conservadorismo anglo-saxão, desde as origens com Edmund Burke (1729-1797) até as contribuições de T. S. Eliot (1888-1965). A evolução da doutrina no Reino Unido e nos Estados Unidos em suas diferentes vertentes é apresentada neste trabalho, o que permite ver o atual movimento conservador nas duas nações como parte de uma tradição com mais de dois séculos.

Um número crescente de brasileiros se denomina como conservadores atualmente. Esta atitude pode parecer uma introdução acrítica de uma ideologia estrangeira, desprovida de quaisquer laços reais com o desenvolvimento de nossa tradição intelectual. Todavia, a recente popularidade dessas ideias no Brasil, em particular nas redes sociais, não é uma contaminação de nossa identidade política em decorrência da importação das reflexões de autores do contexto anglo-saxão, dentre os quais, além de Russell Kirk, destacamos Ludwig von Mises (1881-1973), F. A. Hayek (1899-1992), Eric Voegelin (1901-1985), Gertrude Himmelfarb (1922-2019), *Sir* Roger Scruton (1944-2020), Thomas Sowell e Theodore Dalrymple.

Os lançamentos de obras como *The Politics of Prudence* [A Política da Prudência],[1] de Russell Kirk, ou *How To Be a Conser-*

---

[1] Russell Kirk, *A Política da Prudência*. São Paulo, É Realizações, 2013.

vative [Como Ser um Conservador],² de Roger Scruton, são fundamentais para que o conservadorismo nacional rompa com os possíveis desvios autoritários do nacionalismo e receba o salutar influxo dos princípios universais dessa doutrina. No entanto, não devemos reduzir tal corrente em nosso país ao culto de divindades estrangeiras, pois é possível encontrar uma relevante tradição de pensamento conservador, manifesta nos escritos de copiosos autores, desde a chegada da família real portuguesa ao Brasil, em 1808, até os nossos dias.

I. A MENTALIDADE CONSERVADORA BRASILEIRA

Antes do lançamento desta edição de *A Mentalidade Conservadora*, a É Realizações publicou outros três importantes escritos de Russell Kirk, todos com ensaios de nossa autoria, além de uma obra sobre o pensamento kirkiano. O primeiro foi *A Era de T. S. Eliot: A Imaginação Moral do Século XX*,³ em 2011, seguido, em 2013, por *A Política da Prudência*. Em 2015, foi editado nosso estudo *Russell Kirk: O Peregrino na Terra Desolada*.⁴ Como terceiro livro do conservador americano, em 2016, aparece *Edmund Burke: Redescobrindo um Gênio*.⁵

O pensamento kirkiano foi divulgado, originalmente, no Brasil há mais de meio século pelo historiador e filósofo mineiro João Camilo de Oliveira Torres (1915-1973), que, ao longo do ano de 1963,

---

² Roger Scruton, *Como ser um Conservador*. Rio de Janeiro, Record, 2015.
³ Russell Kirk, *A Era de T. S. Eliot: A Imaginação Moral do Século XX*. São Paulo, É Realizações, 2011.
⁴ Alex Catharino, *Russell Kirk: O Peregrino na Terra Desolada*. São Paulo, É Realizações, 2015.
⁵ Russell Kirk, *Edmund Burke: Redescobrindo um Gênio*. São Paulo, É Realizações, 2016.

redigiu *Os Construtores do Império: Ideias e Lutas do Partido Conservador Brasileiro*,[6] lançado em 1968 pela primeira vez. Ao seguir percurso semelhante à metodologia camiliana, antes de discutir a evolução histórica da tradição conservadora brasileira, iremos distinguir esta das demais mentalidades políticas em nosso país.

No livro *A Ilustração Brasileira e a Ideia de Universidade*, publicado, originalmente, em 1959, o historiador, filósofo, jornalista e educador paulista Roque Spencer Maciel de Barros (1927-1999), ao analisar os principais tipos que integravam o cenário político-intelectual nas últimas décadas do Império, constata a existência de três posturas distintas, a saber:

> 1ª) A *Mentalidade Católico-Conservadora*, que, entendida como transposição do movimento religioso ultramontano europeu, caracterizou-se na esfera política pela defesa dos "direitos do passado contra as necessidades do presente e as exigências do futuro".[7] Ao se fundar em uma filosofia perene, esta rejeitava as modernas instituições políticas representativas do liberalismo e propunha que "só é juridicamente legítima a sociedade teocrática",[8] tendo defendido uma noção de religião estatal segundo a qual "o Estado está na Igreja"[9] e negado tanto a liberdade de consciência quanto o direito de livre associação sem o consentimento das autoridades eclesiásticas;

> 2ª) A *Mentalidade Liberal*, oriunda do ideal ético-jurídico do liberalismo clássico europeu, que buscava no contexto da ilustração brasileira "defender o patrimônio fundamental do liberalismo – a liberdade de consciência e as liberdades dela derivadas, a individualidade – contra uma nova visão de sociedade que insiste principalmente na igualdade e

---

[6] João Camilo de Oliveira Torres, *Os Construtores do Império: Ideais e Lutas do Partido Conservador Brasileiro*. Brasília, Edições Câmara, 2017.

[7] Roque Spencer Maciel de Barros, *A Ilustração Brasileira e a Ideia de Universidade*. São Paulo, Convívio/Editora Universidade de São Paulo, 2. ed., 1986. p. 28.

[8] Idem. Ibidem, p. 38.

[9] Idem. Ibidem, p. 42.

que sotopõe a coletividade ao indivíduo",[10] por entender que a "justiça não é o 'equilíbrio mecânico' da sociedade, sustentado por um igualitarismo artificial: é o crescimento orgânico de uma coletividade, em função das regras jurídico-políticas que garantem ao indivíduo, pelo menos teoricamente, obter resultados condizentes com o seu esforço", pois sabia que "não compete ao Estado promover a justiça pela intervenção sistemática nos negócios humanos, a fim de equilibrá-los: ele deve garantir as regras do livre jogo individual para o pleno florescimento da vida", mas, mesmo nessa função, não se deve confiar plenamente no governo "porque há sempre o perigo de ele ultrapassar os seus limites – e, isso sim, caracteriza a injustiça";[11]

3ª) A *Mentalidade Cientificista*, que, ao sustentar a crença segundo a qual "o mundo humano, os valores espirituais, a consciência são apenas fenômenos mais complicados do que os da pura ordem física – mas não de outra natureza",[12] levou os positivistas ortodoxos, na condição de antiliberais e antidemocráticos, a proporem no plano institucional uma substituição da "política 'metafísica' e 'empírica' de nossos estadistas pela política científica ditada pelo positivismo".[13] "Em vez de reclamar o direito à liberdade", o principal objetivo do cientificismo liberal foi fazer "da liberdade um direito",[14] via um projeto educacional e de reformas institucionais. Em ambas as vertentes, tais fatores levaram ao ideal republicano de governo em oposição ao regime monárquico.

O tipo denominado como "Mentalidade Católico-Conservadora" foi definido pelo filósofo, historiador e jurista paulista Ubiratan Borges de Macedo (1937-2007) com o termo "Tradicionalismo Político", para "não identificar uma ideologia com uma religião". Mesmo no *Syllabus Errorum*, publicado pelo papa Pio IX (1792-1878), como apêndice de sua carta encíclica *Quanta Cura*, promulgada em

---

[10] Idem. Ibidem, p. 65.
[11] Idem. Ibidem, p. 73.
[12] Idem. Ibidem, p. 107.
[13] Idem. Ibidem, p. 130.
[14] Idem. Ibidem, p. 160.

8 de dezembro de 1864, ter uma condenação formal do Magistério Romano a uma vertente do liberalismo, atualmente nominada de democratismo, "nunca houve adesão oficial da Igreja Católica a um tipo qualquer de conservadorismo ou tradicionalismo".[15] Segundo o filósofo, historiador e educador baiano Antônio Paim, o livro *A Ideia de Liberdade no Século XIX: O Caso Brasileiro*, de Ubiratan Borges de Macedo, lançado em 1977 com o título *A Liberdade no Império: O Pensamento sobre Liberdade no Império Brasileiro*, oferece duas importantes contribuições: a primeira é "a distinção entre o tradicionalismo e o conservadorismo liberal", a segunda é "o estabelecimento do significado da obra dos liberais no Segundo Reinado".[16] O tradicionalimo assim é a "defesa da tradição como fonte de verdade política contra o liberalismo".[17]

Mesmo sendo uma corrente minoritária no Império, diante da hegemonia do liberalismo, defendido pelos membros tanto do Partido Liberal quanto do Partido Conservador, é possível citar como expoentes do tradicionalismo os nome de Jeronymo Martiniano Figueira de Mello (1809-1878), Cândido Mendes de Almeida (1811-1881), Firmino Rodrigues Silva (1816-1879), padre Joaquim Pinto de Campos (1819-1887), Francisco de Paula Silveira Lobo (1826-1886), Leandro Bezerra (1826-1911), Tarquínio Bráulio de Souza Amaranto (1829-1894), Dom Antônio de Macedo Costa (1830-1891), José Soriano de Souza (1833-1895), José Maria Correia de Sá e Benevides (1833-1901) e Dom Frei Vital Maria Gonçalves de Oliveira, OFM Cap. (1844-1878). De acordo com Antônio Paim em *História das Ideias Filosóficas no Brasil*, lançado

---

[15] Ubiratan Borges de Macedo, *A Ideia de Liberdade no Século XIX: O Caso Brasileiro*. Rio de Janeiro, Expressão e Cultura, 1997, p. 47.

[16] Antônio Paim, *A Filosofia Brasileira Contemporânea – Estudos Complementares à História das Ideias Filosóficas no Brasil: Volume VII*. Londrina, CEFIL, 2000, p. 212.

[17] Ubiratan Borges de Macedo, *A Ideia de Liberdade no Século XIX*. Op. cit., p. 49.

originalmente em 1967, foi apenas durante a República que o tradicionalismo assumiu a verdadeira feição de "corrente política que se opõe frontalmente ao liberalismo e ao sistema representativo, em nome de valores tradicionais",[18] tal como é possível constatar em obras de Carlos de Laet (1847-1927), Jackson de Figueiredo (1891-1928), padre Leonel Franca, S.J. (1891-1948), Alexandre Correia (1890-1984), Alceu Amoroso Lima (1893-1983), Gustavo Corção (1896-1978), Hamilton Nogueira (1897-1981), Plínio Corrêa de Oliveira (1908-1995) e José Pedro Galvão de Sousa (1912-1992).

Na percepção de Ubiratan Borges de Macedo, a ideologia do tradicionalismo político foi "uma das mais perfeitas encarnações do espírito da contrarrevolução"[19], que, em nosso país, esteve relacionado principalmente à difusão das ideias de autores ultramontanos europeus. No contexto brasileiro os pensadores que mais influenciaram os tradicionalistas nacionais foram Joseph De Maistre (1753-1821), Louis De Bonald (1754-1840), Félicité de Lamennais (1782-1854), Gioacchino Ventura di Raulica (1792-1861), Juan Donoso Cortés (1809-1853), Jaime Balmes (1810-1848) e Louis Veuillot (1813-1883). O forte espírito contrarrevolucionário presente tanto nestes autores ultramontanos antiliberais quanto no liberalismo doutrinário, com feições mais conservadoras, de Benjamin Constant (1767-1830), François Guizot (1787-1874) e Alexis de Tocqueville (1805-1859) encontra seus fundamentos na crítica elaborada, em 1790, na obra *Reflections on the Revolution in France* [Reflexões sobre a Revolução em França], por Edmund Burke, o que exige distinguir o tradicionalismo do conservadorismo liberal.

Em outros ensaios de nossa autoria, a partir da perspectiva kirkiana, defendemos que "o cenário político-intelectual dos

---

[18] Antônio Paim, *História das Ideias Filosóficas no Brasil*. Londrina, Editora UEL, 5. ed. rev., 1997, p. 168.

[19] Ubiratan Borges de Macedo, *A Ideia de Liberdade no Século XIX*. Op. cit., p. 50.

últimos três séculos poderia ser descrito como um conflito entre três posturas distintas", o posicionamento reacionário, advogado por Henry St. John (1678-1751), 1º Visconde Bolingbroke; "a ideia liberal ou progressista, defendida por" Thomas Paine (1737-1809) e "a mentalidade conservadora, tal como apresentada pelo pensamento burkeano".[20] Ao buscar a utilização desta tipologia para compreender o embate ideológico durante o final do regime monárquico, percebemos que no campo das mentalidades, as lutas políticas não se deram entre três forças políticas, tal como proposto por Roque Spencer Maciel de Barros e por Ubiratan Borges de Macedo, mas entre quatro correntes, quer sejam:

1ª) A *Mentalidade Tradicionalista Reacionária*, sustentada pelos católicos ultramontanos, que ocupavam uma ala minoritária do Partido Conservador ou estavam dispersos no Partido Liberal, além da parcela dos que faziam parte de segmentos do clero e do laicato que não participavam de nenhuma agremiação partidária;

2ª) A *Mentalidade Liberal Conservadora*, defendida pela maioria dos membros do Partido Conservador, conhecidos como "saquaremas";

3ª) A *Mentalidade Liberal Moderada*, advogada por uma parcela significativa dos membros do Partido Liberal, os chamados "luzias";

4ª) A *Mentalidade Cientificista*, uma forma de progressismo proposta tanto pelos liberais radicais quanto pelos positivistas, que em sua maioria compunham os quadros do Partido Republicano, mas que, também, pode ser mapeada em alguns membros do Partido Liberal.

As mais recentes investigações historiográficas e a disponibilização de inúmeras fontes, tanto em livros quanto em arquivos digitais, nos

---

[20] Alex Catharino, "A Formação e o Desenvolvimento do Pensamento Conservador de Russell Kirk". In: Russell Kirk, *A Política da Prudência*. Op. cit., p. 36-37. Aprofundamos essa análise em: Alex Catharino, "A Escola Austríaca entre a Tradição e a Inovação". *MISES: Revista Interdisciplinar de Filosofia, Direito e Economia*, vol. I, n. 2 (jul.-dez. 2013): 305-23. Esp. p. 306-08.

permitiram chegar a tal conclusão. Mesmo assim, esta não invalida as reflexões precursoras do livro *A Ideia de Liberdade no Século XIX*. A contribuição ao entendimento do problema apresentada por nosso saudoso mentor Ubiratan Borges de Macedo não deve ser menosprezada, pois, como destacou Antonio Paim, este estudo pioneiro "ensejou a efetivação de diversas pesquisas que vieram a proporcionar um quadro mais ou menos completo da trajetória do tradicionalismo no Brasil".[21]

Nosso entendimento do conservadorismo brasileiro, em parte, é caudatário da narrativa de João Camilo de Oliveira Torres, que, a partir dos seis cânones apresentados em *A Mentalidade Conservadora* por Russell Kirk, explica esta doutrina como uma postura que se contrapõe a outras três. A primeira delas é o *imobilismo*, definida como "uma posição que não aceita qualquer espécie de mudança, que pretende que a situação atual se mantenha sem qualquer modificação". A segunda é o *reacionarismo*, uma disposição mais radical do que a pretensão imobilista de paralisar o tempo, pois tenta impedir que ocorra qualquer mudança progressista ou reforma conservadora; ao condenar "as transformações ocorridas numa determinada época recente" deseja um retrocesso ao passado para restaurar as condições históricas anteriores, em uma visão idílica semelhante às fracassadas tentativas "que o rio volte à fonte, que a árvore retorne à condição de semente". Por fim, temos como terceira o *progressismo*, fundada na crença da história ser "sempre um campo em que se realiza, automaticamente, um progresso continuado". Sem constituir um tipo autônomo, a forma mais aguda de progressismo "é o revolucionarismo, que quer destruir tudo e começar de novo". A atitude em relação ao tempo é o que diferencia as três concepções. O imobilista, na condição de prisioneiro do presente, e o reacionário, ao sonhar com o retorno de um passado mítico, "admitem que o novo é sempre mau". O progressista ou o revolucionário acreditam que "o novo é sempre

---

[21] Antônio Paim. *A Filosofia Brasileira Contemporânea*. Op. cit., p. 215.

bom". O verdadeiro conservador "acha que o novo poderá ser bom, se não diferir do velho".[22]

Os trechos de um discurso de Edmund Burke, em 7 de maio de 1782, na Câmara dos Comuns[23] foram utilizados por Russell Kirk ao apresentar o terceiro de seus "Dez Princípios Conservadores", definido nos seguintes termos:

> *Terceiro, os conservadores acreditam no que se pode chamar de princípio da consagração pelo uso.* Os conservadores percebem que as pessoas da era moderna são anões nos ombros de gigantes, capazes de enxergar muito além dos antepassados apenas por causa da grande estatura daqueles que os precederam. Portanto, os conservadores frequentemente enfatizam a importância da "consagração pelo uso" – isto é, da fruição das coisas estabelecidas pelo uso imemorial, de modo que a memória humana não corra às avessas. Há direitos cuja principal sanção é a antiguidade – e abrangem, muitas vezes, os direitos de propriedade. De modo similar, nossa moralidade é, em grande parte, consagrada pelo uso. Conservadores afirmam ser improvável que nós, modernos, façamos qualquer descoberta nova e extraordinária em moral, política ou gosto. É arriscado ponderar cada fato ocorrido tendo por base o julgamento e a racionalidade privados. *"O indivíduo é tolo [...] mas a espécie é sábia"*, declarou Burke. Na política, faremos bem se permanecermos fiéis a preceitos e precognições, e até a inferências, já que o grande e misterioso grêmio da raça humana obtém, pelo uso consagrado, uma sabedoria muito maior do que qualquer mesquinho raciocínio privado de um ser humano individual.[24]

O liberalismo conservador burkeano não é uma defesa reacionária do Antigo Regime, tal como a posição sustentada pelos ultramontanos que influenciaram o tradicionalismo brasileiro. Como poucos

---

[22] João Camilo de Oliveira Torres, *Os Construtores do Império*. Op. cit., p. 24.

[23] Edmund Burke, "Speech on a Motion made in the House of Commons for a Committee to Inquire into the State of the Representation of the Commons in Parliament, May 7, 1782". In: *The Works of the Right Honorable Edmund Burke, Volume VII*. Boston, Little, Brown and Company, 1866, p. 95.

[24] Russell Kirk, *A Política da Prudência*. Op. cit., p. 106-07.

analistas, o sociólogo, cientista político, ensaísta, crítico literário e diplomata carioca José Guilherme Merquior (1941-1991) compreendeu que "a essência do ataque de Burke contra a Revolução consistia em que os revolucionários tinham querido passar a borracha no passado", quando, ao contrário, poderiam ter revigorado a tradição dos "velhos direitos contra o absolutismo monárquico". Tal como ainda ressaltado no livro *O Liberalismo Antigo e Moderno*, "recorrendo ao mesmo argumento em favor dos velhos direitos", contra os abusos do monarca e do parlamento em relação aos direitos dos colonos, o estadista irlandês defendeu "os insurretos americanos quinze anos antes". Com base nesta compreensão é que se demonstra que não há contradição entre a posição liberal em relação aos Estados Unidos e a conservadora acerca da França, pois ambas as análises burkeanas estão fundadas na mesma ideia de "antiga constituição", que não deve ser entendida como "um conjunto imutável de normas", visto que o próprio Burke "sustentou um conceito antes flexível, adaptável à tradição, abrindo espaço para a consideração da mudança na *continuidade*".[25]

Ecoando a sabedoria burkeanas, Russell Kirk definiu como décimo princípio conservador o entendimento de que "a permanência e a mudança devem ser reconhecidas e reconciliadas em uma sociedade vigorosa".[26] Nas *Reflexões sobre a Revolução em França*, Edmund Burke afirmou que "um Estado sem meios de empreender alguma mudança está sem os meios para se conservar".[27] Em nosso livro *Russell Kirk: O Peregrino na Terra Desolada*, enunciamos que:

> Tal dinâmica entre mudanças e permanências é um fator decisivo para entender que o tradicionalismo advogado por Russell Kirk não é uma

---

[25] José Guilherme Merquior, *O Liberalismo Antigo e Moderno*. São Paulo, É Realizações, 3. ed., 2014, p. 142-43.

[26] Russell Kirk, *A Política da Prudência*. Op. cit., p. 111.

[27] Edmund Burke, "Reflections on the Revolution in France". In: *The Works of the Right Honorable Edmund Burke, Volume III*. Boston, Little, Brown and Company, 1865, p. 259.

> proposta reacionária que se volta contra toda e qualquer alteração na cultura ou na sociedade, nem uma defesa do *status quo*; mas um conjunto de conselhos prudenciais que nos alerta para os riscos de desconsiderarmos totalmente os valores e costumes testados historicamente pela tradição em nome da arrogância racionalista de erigir uma nova ordem social com base nos caprichos humanos.[28]

Ao elencar os quatro tipos e a diferenciação entre estes pelo modo como se relacionam com o tempo, a percepção de João Camilo de Oliveira Torres sobre o legítimo conservador está de acordo com a sua própria visão de filosofia da história. Na obra *Teoria Geral da História*, lançada em 1963, ressalta que "não há ruptura e sim continuidade, um prosseguimento da ação anterior – a nova situação surge na linha da permanência da anterior, de sua subsistência", pois os acontecimentos são "etapas de um mesmo processo", no qual as inerentes tensões entre permanências e mudanças, "por um simples desdobramento", são pertencentes "ao mesmo conjunto histórico", constituem desenvolvimentos naturais em um processo de continuidade, no qual "os homens se sentem à vontade e compreendem a relação entre o passado e o presente", evitando, assim, as rupturas artificiais que criam "incompreensões radicais entre as gerações".[29] Em uma passagem de *Os Construtores do Império* é destacado que "o conservador reconhece o tempo", mas nas dimensões do passado, do presente e do futuro, sem desejar de modo idealista sacrificar em favor de uma época particular as demais. Diferentemente do progressista, o conservador sabe que "os tempos pretéritos não foram trevosos nem ignorantes". O conservador "não nega o futuro", ao assumir um posicionamento distinto dos reacionários, por crer que "o dia de amanhã poderá trazer grandes alegrias se soubermos trabalhar".[30]

---

[28] Alex Catharino, *Russell Kirk*. Op. cit., p. 55-56.

[29] João Camilo de Oliveira Torres, *Teoria Geral da História*. Petrópolis, Vozes, 1963, p. 194.

[30] Idem, *Os Construtores do Império*. Op. cit., p. 24.

"A função do conservadorismo não seria outra senão a de consagrar, naturalizar e referir aos valores tradicionais as reformas que os outros fazem", segundo João Camilo de Oliveira Torres, para quem "os conservadores fazem com que o povo se acostume com as reformas, tirando-lhes o tom de agressiva novidade".[31] De acordo com Russell Kirk, "a posição chamada conservadora se sustenta em um conjunto de sentimentos e não em um sistema de dogmas ideológicos".[32] O filósofo britânico *Sir* Roger Scruton acentua que "o negócio do conservadorismo não é corrigir a natureza humana ou moldá-la de acordo com alguma concepção ideal de ser racional que faz escolhas", mas "compreender como as sociedades funcionam e criar o espaço para que sejam bem-sucedidas ao funcionar".[33]

Todavia, para o triunfo do consevadorismo em nosso país existe um desafio a ser superado. Em *Instituições Políticas Brasileiras*, de 1949, o jurista, historiador e sociólogo fluminense Francisco José de Oliveira Vianna (1883-1951) destaca:

> Não temos nenhuma mística incorporada ao povo; portanto, não tem o nosso povo – considerado na sua expressão de povo-massa – a consciência clara de nenhum objetivo nacional a realizar ou a defender, de nenhuma grande tradição a manter, de nenhum ideal coletivo, de que o Estado seja o órgão necessário à sua realização. Essa inexistência de uma mística que "trabalhe" o espírito do nosso povo-massa e de que o Estado seja um instrumento essencial de realização é que faz com que a vida da política e dos partidos no Brasil não tenha nenhum sentido nacional – e seja apenas o reflexo e expressão dos interesses dos localismos, dos provincialismos, dos partidarismos regionais.[34]

A missão a ser empreendida não é tarefa fácil, pois os atuais defensores brasileiros do conservadorismo necessitam entender que,

---

[31] Idem. Ibidem, p. 30.
[32] Russell Kirk, *A Política da Prudência*. Op. cit., p. 103.
[33] Roger Scruton, *Como ser um Conservador*. Op. cit., p. 181.
[34] Francisco José de Oliveira Vianna, *Instituições Políticas Brasileiras*. Brasília, Senado Federal, 1999, p. 328.

além da inexistência de uma mística incorporada ao povo, o nosso país é assolado por um tipo de mentalidade que Oliveira Vianna denominou de "marginalismo das elites políticas",[35] fator que impede que as lideranças mais progressistas atendam às demandas mais conservadoras da maioria da população. Todavia, há esperanças de sucesso para a empreitada de restaurar a tradição intelectual e política conservadora no Brasil, caso a nossa geração não se deixe orientar pelos falsos ídolos que pontificam nos meios de comunicação ou pelos demagogos que buscam apenas o poder. No plano teórico é possível atualmente compreender melhor a diversidade dos princípios filosóficos e das experiências históricas concretas, por intermédio dos trabalhos de autores internacionais que, cada vez mais, são publicados em nosso país, bem como pela redescoberta de nossa própria tradição conservadora, da qual João Camilo de Oliveira Torres é um dos pensadores mais significativos.

Os passos iniciais na cruzada para o reavivamento do pensamento conservador na idiossincrática realidade brasileira deverão passar, necessariamente, por um melhor entendimento das nossas elites intelectuais e dos futuros estadistas da verdadeira natureza do conservadorismo, da história desta corrente e da necessária evolução de algumas posições defendidas no passado, que se tornaram ultrapassadas no presente, de modo que se adequem ao novo contexto de nossa sociedade. Não podemos usar as experiências históricas distintas como um simples instrumento para justificar as posições ideológicas contemporâneas. O estudioso da história do conservadorismo brasileiro durante o período imperial, deste modo, "deve estar consciente dos riscos de querer tomar posição num debate de autores que viveram noutras épocas, cujas pessoas e contextos se extinguiram", pois, como alerta o jurista e cientista político carioca Christian Edward Cyril Lynch na tese de doutorado O Momento Monarquiano: O Poder Moderador e o Pensamento

---

[35] Idem. Ibidem, p. 356.

Político Imperial, tal atitude pode levar ao erro de se incorrer "num exercício tanto anacrônico quanto estéril".[36]

II. O DESPERTAR CONSERVADOR NO BRASIL

Os experimentos dos tradicionalistas brasileiros, que intentaram no passado uma transposição do ultramontanismo francês ou ibérico para a nossa realidade, e as teses dos racionários antiliberais, em nossos dias, mostram-se na prática como esquemas românticos, utópicos e muitas vezes autoritários, sem nenhum fundamento em nossa tradição. Influenciadas pelo conservadorismo anglo-saxão e pelo liberalismo doutrinário francês, as doutrinas teóricas e as *ações políticas concretas* adotadas no Brasil, ao longo do século XIX, não é fruto de formulações abstratas, mas é decorrente de uma resposta prática, fundada na experiência, que resultou da própria dinâmica de nossas instituições monárquicas, da constituição demográfica e econômica da sociedade, do tipo de sistema representativo vigente e da mentalidade das elites. No livro *O Espírito das Revoluções: Da Revolução Gloriosa à Revolução Liberal*, originalmente lançado em 1996, o cientista político, psicólogo social e diplomata carioca José Osvaldo de Meira Penna (1917-2017) assim resume a questão do liberalismo durante o Império:

> Ao contrário do que, há cem anos, tem a República alegado, com ênfase obsessiva no conceito de democracia em que pesem constante intervencionismo governamental assim como longos e repetidos períodos ditatoriais, o verdadeiro sentido do regime imposto pelo golpe militar em 1889 é o democratismo autoritário. A tirania estatal burocrática

---
[36] Christian Edward Cyril Lynch, *O Momento Monarquiano: O Poder Moderador e o Pensamento Político Imperial*. Tese de Doutoramento. Rio de Janeiro, Instituto Universitário de Pesquisas do Rio de Janeiro – IUPERJ, 2007, p. 19.

prosperou num terreno exuberante e tradicionalmente fertilizado pela combinação do democratismo ideológico com o dogmático positivismo comtiano, o ainda mais dogmático marxismo vulgar e a tradição patrimonialista pombalina, de modernização estatizante e centralizadora. É nessa gororoba o que constitui a peculiaridade exótica da filosofia política luso-brasileira.

Ora, algo como que um milagre singular, registrou o Brasil em oitenta anos, o que quer dizer entre 1808 e 1889, o florescimento de um regime liberal.[37]

Em 1949, no livro *A Libertação do Liberalismo*, a doutrina liberal foi classificada por João Camilo de Oliveira Torres como "*uma posição em face à vida, caracterizada pelo reconhecimento de que, sendo o homem um animal racional, poderá atingir o bem próprio de sua natureza pelo emprego de sua liberdade*".[38] Como resumimos, "*o objetivo principal dos liberais é implantar, em diferentes sociedades, as instituições que possibilitem a preservação da vida, da liberdade e da propriedade privada dos indivíduos, além de lutarem contra qualquer violação perpetrada por terceiros a tais direitos*".[39] O fato de tais definições abarcarem diferentes vertentes de liberalismo, desde as radicais progressistas revolucionárias até as moderadas conservadoras reformistas, exige que tal corrente política seja analisada não com base em princípios teóricos absolutos, mas a partir de seu desenvolvimento histórico, tanto na evolução das ideias quanto no modo como concretamente estas foram adotadas na prática em conjunturas nacionais distintas. No caso específico brasileiro, durante o período

---

[37] José Osvaldo de Meira Penna, *O Espírito das Revoluções: Da Revolução Gloriosa à Revolução Liberal*. Campinas, Vide Editorial, 2. ed., 2016, p. 443.

[38] João Camilo de Oliveira Torres, *A Libertação do Liberalismo*. Rio de Janeiro, Casa do Estudante, 1949, p. 247.

[39] Alex Catharino, "Fundamentos Teóricos do Liberalismo". In: Antônio Paim (Org.), *Evolução Histórica do Liberalismo*. São Paulo, LVM Editora, 2. ed., 2019, p. 21-55. Cit. p. 31.

imperial tivemos as experiências do Liberalismo Radical, do Liberalismo Doutrinário e do Liberalismo Cientificista, tal como exposto por Ubiratan Borges de Macedo em um ensaio no livro *Liberalismo e Justiça Social*, no qual enfatiza que a posição moderada doutrinária em nosso país sobrepujou as outras duas e *"se constituiu na ideologia dominante das instituições"*.⁴⁰

O liberalismo conservador burkeano foi introduzido em nosso país pelo filósofo, historiador, economista, jurista e estadista baiano José da Silva Lisboa (1756-1836), o futuro Visconde de Cairu, autor de uma vasta produção intelectual, orientada tanto pela doutrina política do conservadorismo quanto pelas teorias econômicas do liberalismo.⁴¹ Filho de um arquiteto português, José da Silva Lisboa nasceu em Salvador, onde iniciou aos oito anos o preparatório no convento carmelita, tendo estudado filosofia, gramática, latim, teoria musical e piano. Continuou a formação em retórica e oratória na cidade de Lisboa e, finalmente, ingressou na Universidade de Coimbra, em 1774, na qual seguiu os cursos filosóficos e jurídicos, além de grego e de hebraico.

Ao se formar em Direito Canônico e em Filosofia, entre os anos de 1778 e 1779, José da Silva Lisboa foi imediatamente indicado como professor substituto de grego e de hebraico do Real Colégio das Artes de Coimbra, para, em seguida, assumir na cidade de Salvador as cátedras tanto de filosofia moral, que ocupou por dezenove anos, quanto a de língua grega, na qual lecionou por cinco anos. Posteriormente assumiu, também, a cadeira de economia política, sendo o primeiro professor desta disciplina em nosso país. No ano de 1797 foi nomeado deputado e, posteriormente, secretário da Mesa

---

⁴⁰ Ubiratan Borges de Macedo, "O Liberalismo no Brasil". In: *Liberalismo e Justiça Social*. São Paulo, Ibrasa, 1995, p. 117-28. Cit. p. 119.

⁴¹ Mais informações sobre a vida e o pensamento do estadista, ver: Antônio Paim, *Cairu e o Liberalismo Econômico*. Rio de Janeiro, Tempo Brasileiro, 1968; Tereza Cristina Kirschner, *José da Silva Lisboa, Visconde de Cairu: Itinerários de um Ilustrado Luso-Brasileiro*. São Paulo, Alameda, 2009.

de Inspetoria da Agricultura e Comércio da Bahia. Com a chegada da família real portuguesa em Salvador, apresentou ao príncipe regente, o futuro monarca Dom João VI (1767-1826), uma exposição das vantagens da abertura dos portos brasileiros às nações amigas, que, em parte, resultou na Carta Régia, de 24 de janeiro de 1808.

Convidado por Dom João, seguiu com a família real para o Rio de Janeiro, onde foi nomeado para compor a Mesa do Desembargo do Paço e da Consciência e Ordens e assumiu o cargo de deputado da Real Junta do Comércio, Agricultura, Fábricas e Navegação do Estado do Brasil, além de outras funções políticas importantes. Na crise que culminou na Independência, em 7 de setembro de 1822, buscou a reconciliação entre o Brasil e Portugal, em um primeiro momento. Todavia, ao longo dos acontecimentos, decidiu apoiar as medidas tomadas por Dom Pedro I (1798-1834). Em decorrência da fidelidade ao trono brasileiro e aos diversos serviços prestados à pátria, foi agraciado pelo imperador com os títulos de Barão de Cairu, em 1825, e, em 1826, de Visconde de Cairu. Ao longo de todo o Primeiro Reinado e da Regência continuou a exercer diferentes cargos públicos, sendo nomeado para o Senado do Império, onde ocupou uma cadeira até sua morte.

Dentre os escritos do primeiro conservador brasileiro[42] merecem destaque os livros *Princípio de Direito Mercantil e Leis da Marinha*, de 1801; *Princípios de Economia Política*, de 1804; *Observações sobre a Franqueza da Indústria, e Estabelecimento de Fábricas no Brasil*, de 1811; *Memória dos Benefícios Políticos do Governo de El-Rey Nosso Senhor D. João VI*, de 1818; *Estudos do Bem-Comum e Economia Política*, de 1819; *Constituição Moral e Deveres do Cidadão*, de 1825; *História dos Principais Sucessos Políticos do Império do Brasil*, de

---

[42] Os arquivos em formato PDF de todos os livros de José da Silva Lisboa aqui mencionados, bem como a maioria das obras de outros autores brasileiros dos referidos no presente ensaio, estão disponíveis na Biblioteca Brasiliana Guita e José Mindlin da Universidade de São Paulo (USP), que pode ser consultada virtualmente no seguinte endereço: <https://www.bbm.usp.br/pt-br/>. Acesso em: 2 fev. 2020.

1826; e *Manual de Política Ortodoxa*, de 1832. A finalidade da maioria dessas obras era formar a consciência das elites brasileiras. Nesta tarefa havia um objetivo deliberado de prevenir a disseminação das ideias revolucionárias do Iluminismo francês, ao oferecer como alternativa ao radicalismo os ideais conservadores de reformismo lento e gradual, tal como defendido pelo Iluminismo britânico, visto que o autor acretitava que "o Regedor do Universo nada faz crescer de salto, mas por desenvolvimento dos germes da vida e produção física e social".[43] A sua visão reformista burkeana é resumida na seguinte passagem:

> Não nos persuadamos de que os nossos maiores nos deixaram todas as possíveis lições de sabedoria. Adotemos da Antiguidade o que é bom e venerável, e não o que se mostra irracional e caduco. Quando a órbita política torneia com tão vertiginoso movimento, é absurdo ficar-se estacionário, e não se seguirem novas regras. Quando o vento salta à proa, o bom piloto muda logo de rumo.[44]

O contexto da introdução por José da Silva Lisboa em nosso país dos escritos de Edmund Burke foi o da crise do Antigo Regime colonial português. Na época as ideias de Jean-Jacques Rousseau (1712-1778) e os acontecimentos da Revolução Francesa preocuparam o diplomata e estadista português Dom Rodrigo de Sousa Coutinho (1755-1812), o Conde de Linhares, que no lugar de combater tais ameaças com os tradicionais métodos inquisitoriais da censura, decidiu utilizar uma estratégia reformista ilustrada. Esta consistiu em antecipar as possíveis demandas da sociedade ao conscientizar nossas elites sobre a importância de concilição entre as reformas políticas, econômicas e sociais liberalizantes, por um lado, e, por outro lado, a preservação da ordem estabelecida pela autoridade monárquica.

Na busca de evitar o alastramento no Brasil das turbulências revolucionárias dos vizinhos hispânicos, entendidas como caudatárias

---

[43] Citado em: *Visconde de Cairu*. São Paulo, Editora 34, 2001, p. 320.
[44] Idem. Ibidem, p. 194.

do pensamento rousseauniano, o Conde de Linhares encarregou José da Silva Lisboa de organizar, traduzir e prefaciar uma coletânea de escritos de Edmund Burke, visto simultaneamente como um "insigne mestre de ciência prática de administração e política ortodoxa" e como "o mais valente antagonista da seita revolucionária", cujos trabalhos ensinam "realidades e não quimeras", ao traçarem a "exata linha divisória entre as *ideias liberais* de uma regência paternal e as *cruas teorias* de especuladores metafísicos ou maquiavelistas, que têm perturbado ou pervertido a imutável ordem social".[45] O resultado deste esforço foi originalmente publicado pela Imprensa Régia, em 1812, no formato do livro *Extratos das Obras Políticas e Econômicas do Grande Edmund Burke*, que em edição revista foi reeditado, em 1822, pela casa editorial lisboeta Viúva Neves e Filhos. Reunindo quatro escritos do pensador e estadista irlandês, incluindo *Reflexões sobre a Revolução em França*, para as pessoas de "todas as classes, que não podem ler o original", a coletânea era oferecida aos leitores como "antídoto contra o pestífero miasma e sutil veneno das sementes da anarquia e da tirania da França, que insensivelmente voam por bons e maus ares e por todos os ventos do Globo".[46] No prefácio do volume, o futuro Visconde de Cairu ressalta que "execrar revoluções não é defender desgovernos, nem excluir boas leis", para acrescentar que "quando o remedio é pior do que o mal, até as boas reformas são inúteis ou nocivas", para, por fim, ressaltar que "as revoluções são como os terremotos: tudo arruínam e nada reparam".[47]

Além de ter sido o responsável pela divulgação pioneira do pensamento burkeano em língua portuguesa, José da Silva Lisboa também difundiu as ideias de outros importantes autores da tradição liberal, dentre os quais se destacam o filósofo, historiador e jurista

---

[45] *Extratos das Obras Políticas e Econômicas de Edmund Burke*. São Paulo, LVM Editora, 3. ed., 2020, p. 32.

[46] Idem. Ibidem, p. 32.

[47] Idem. Ibidem, p. 35.

francês Charles-Louis de Secondat (1689-1755), Barão de La Brède e de Montesquieu; o médico e economista francês François Quesnay (1694-1774); o filósofo e historiador escocês David Hume (1711-1776), o filósofo e economista escocês Adam Smith (1723-1790); o filósofo e historiador escocês Adam Ferguson (1723-1816), o filósofo, economista e jurista inglês Jeremy Bentham (1748-1832); a romancista e historiadora francesa Anne-Louise Germaine de Staël-Holstein (1766-1817), mais conhecida como Madame de Staël; o economista inglês Thomas Malthus (1766-1834); o economista francês Jean-Baptiste Say (1767-1832); e o economista inglês David Ricardo (1772-1823). Elaborou a obra *Roteiro Brasílico ou Coleção de Princípios e Documentos de Direito Político*, uma coletânea, lançada em 1822, na qual foram publicados textos de muitos dos autores listados acima.

O receio de que os males propagados pela Revolução Francesa destruíssem a liberdade ordenada no Brasil foi uma característica do pensamento e da atuação pública de nosso primeiro conservador. Em um discurso no Senado do Império, na sessão de 6 de junho de 1832, já na época da Regência, a preocupação que os ventos revolucionários franceses ainda pudessem criar tormentas no ambiente brasileiro foi mais uma vez expressa pelo Visconde de Cairu ao se opôr a uma proposta de reforma, tendo advertido que tais medidas poderiam ser como "o compasso das inovações, dando vasto e ilimitado arbítrio aos deputados para tratarem o Brasil como tábua rasa, e autorizar e provocar a convocação de uma convenção nacional".[48] A noção burkeana de prudência era vista por Cairu como um "antídoto aos venenos que se estão vendendo por bálsamos em folhas volantes e periódicos regulares, em que se transcrevem doutrinas do

---

[48] *Annaes do Senado do Império do Brazil – Anno 1832: Livro I*. Os arquivos em formato PDF das transcrições dos *Anais do Senado do Império*, citados a partir de agora como *ASI*, estão disponíveis no seguinte endereço: <https://www.senado.leg.br/publicacoes/anais/asp/IP_AnaisImperio.asp>. Acesso em: 2 fev. 2020.

intitulado sofista de Genebra [Jean-Jacques Rousseau], escritor do *Contrato Social*".[49]

Por intermédio de José da Silva Lisboa, os ideais do liberalismo conservador influenciaram as elites políticas do Período Joanino e do Primeiro Reinado, tendo constituído uma força moderada, que se opunha tanto aos defensores do liberalismo radical, na linhagem do democratismo francês rousseauniano, quanto aos seguidores de uma postura reacionária, de matriz ibérica. Não obstante, foi nos anos do reinado de Dom Pedro II (1825-1891) que o conservadorismo teve maior influência na política brasileira, em parte, devido à consolidação do sistema representativo, com as salutares disputas entre os membros do Partido Liberal, apelidados pelos conservadores de "luzias", e do Partido Conservador, intitulados pejorativamente pelos liberais de "saquaremas". No livro *História do Liberalismo Brasileiro*, o professor Antônio Paim defende que "o Segundo Reinado passou a constituir-se experiência *sui generis* em nossa história, com cerca de meio século de estabilidade política, liberdade plena e grande atividade doutrinária".[50]

Um dos artífices intelectuais da defesa no Brasil do ideal de representação política foi o filósofo e estadista português Silvestre Pinheiro Ferreira (1769-1846), cujas obras apresentam uma perspectiva liberal influenciada pelas reflexões do filósofo e estadista suíço Benjamin Constant, dos iluministas britânicos e dos liberais doutrinários franceses.[51] As bases teóricas deste autor foram, em larga escala, as

---

[49] Tereza Cristina Krischner, "Burke, Cairu e o Império do Brasil". In: István Jancsó (org), *Brasil: Formação do Estado e da Nação*. São Paulo, Hucitec, 2003, p. 686.

[50] Antônio Paim, *História do Liberalismo Brasileiro*. São Paulo, LVM Editora, 2. ed., 2018, p. 24.

[51] Entre os escritos do filósofo português, ver em particular: Silvestre Pinheiro Ferreira, *Manual do Cidadão em um Governo Representativo*. Brasília, Senado Federal, 1998. 3 vols. Uma apresentação sintética do liberalismo de Silvestre Pinheiro Ferreira está disponível em: Antônio Paim, *História do Liberalismo Brasileiro*. Op. cit., p. 48-57.

mesmas da Constituição Política do Império do Brasil, outorgada em 25 de março de 1824.

Nas palavras de Christian Lynch, "o conceito de liberalismo no Brasil esteve estreitamente vinculado à compreensão da natureza da monarquia constitucional".[52] A carta política imperial unia os modernos elementos liberais com a tradicional base da herança lusitana. De acordo com o historiador e cientista político mineiro José Murilo de Carvalho, o documento brasileiro de 1824, ao ser comparado às constituições de outras monarquias do período, era o mais liberal de seu tempo.[53] No livro *A Consciência Conservadora no Brasil*, lançado originalmente em 1965, o advogado e filósofo mineiro Paulo Mercadante (1923-2013) destaca que:

> A Carta outorgada em 1824 trazia, em seu contexto, o espírito do ecletismo tendencial aspirado pela conciliação de 1822. Foi toda ela decalcada sobre o modelo do projeto da Constituinte de 1823, mas as arestas jacobinas cuidadosamente limadas. Em linhas gerais, as disposições eram tão generosas quanto as do projeto [anterior]. Além de superior quanto à distribuição das matérias, havia propriedade de linguagem e melhor sistema administrativo.
>
> A soberania popular era proclamada fonte de todos os poderes, o que se fazia por um príncipe ao arrepio da Santa Aliança. Os direitos individuais declarados: a inviolabilidade do lar, o sigilo da correspondência, a entrada e saída livre do território com suas pessoas e bens, a exigência de culpa formada para impor-se a prisão, os direitos de liberdade de pensamento, reunião e petição. Estabelecida como oficial a religião católica, permitidas porém todas as outras com o seu culto particular. Considerados cidadãos brasileiros os que tivessem nascido no Brasil ou os nascidos em Portugal e suas possessões que, residentes

---

[52] Christian Edward Cyril Lynch, "Liberal/Liberalismo". In: João Feres Júnior (Org.). *Léxico da História dos Conceitos Políticos do Brasil*. Belo Horizonte, Editora UFMG, 2. ed. rev. amp., 2014, p. 120-36. Cit. p. 120.

[53] José Murilo de Carvalho, *A Monarquia Brasileira*. Rio de Janeiro, Ao Livro Técnico, 1993, p. 25.

do Brasil na época em que se proclamou a Independência, a ela aderiram. Com relação à eletividade dos estrangeiros, a Carta aspava a exigência do lapso de doze anos de domicílio no Brasil dos nacionais nascidos em Portugal ou seu casamento com mulher brasileira.

A Constituição também organizara, como o projeto anterior, a estrutura dos poderes políticos, estabelecendo as disposições gerais e garantias dos direitos civis e políticos dos cidadãos. Tais garantias, ainda que abstratas e teóricas, estão escritas e protegidas pelo caráter constitucional para o efeito de não poderem ser alteradas pelas legislaturas ordinárias.

A pacificação de portugueses e brasileiros era expressamente reconhecida nas mudanças introduzidas. Preocupação também de transferência robora-se na adoção de duas câmaras. Fugia-se do modelo francês de câmara única para evitar o radicalismo, tornando possível librar o elemento liberal com o elemento conservador.[54]

A partir de 1831, na época da Regência, os agentes políticos se agregaram em torno de três facções liberais distintas:

1ª) o Partido Restaurador, também denominado "caramuru", cujos adversários acusavam-no de desejar o regresso de Dom Pedro I ao trono e de tentar manter inalterado o centralismo administrativo;

2ª) o Partido Liberal Moderado, conhecido como "chimango", que adotava uma postura reformista ao defender a manutenção do regime monárquico, por um lado, e, por outro, propor mudanças constitucionais para reduzir a centralização estatal;

3ª) o Partido Liberal Exaltado, chamado de "jurujuba" ou "farroupilha", que apoiava o federalismo e a democratização da sociedade, além de aceitar até mesmo uso do conflito armado para implementar este programa.

A morte prematura de Dom Pedro I em 1834 eliminou o maior fator de divergência entre os caramurus e os chimangos, que se uniram

---

[54] Paulo Mercadante, *A Consciência Conservadora no Brasil: Contribuição ao Estudo da Formação Brasileira*. Rio de Janeiro, Nova Fronteira, 3. ed., 1980, p. 85-86.

contra o radicalismo dos jurujubas, que derrotados em suas guerras separatistas perderam força política. O processo de consolidação de nosso sistema representativo é assim resumido por Antônio Paim:

> No seio do sistema representativo, por toda parte onde surgiu, surgiram duas grandes facções, geralmente denominadas de conservadores e liberais. Essa tradição deve-se à Inglaterra, onde primeiramente se formaram os Partidos Conservador e Liberal. A denominação deste último não significa que encarne preferentemente o ponto de vista do sistema representativo.
>
> Na verdade, tanto conservadores quanto liberais encontram-se nos marcos do liberalismo, isto é, daquela corrente de pensamento político que se bateu pela adoção de uma Constituição e pela eliminação do poder absoluto do Monarca, propugnando a sua divisão com uma parte da sociedade que, para tanto, eleve representantes.
>
> No Brasil, a grande divisão que se estabeleceu desde logo seria entre radicais e moderados. O processo de constituição dos partidos políticos compreende o isolamento dos radicais. Os moderados é que se fracionariam em conservadores e liberais.[55]

O magistrado, jornalista e estadista mineiro Bernardo Pereira de Vasconcelos (1795-1850) foi o criador do Partido Conservador, além de fonte doutrinária e principal articulador político da reação conservadora. Foi aluno na Universidade de Coimbra, experiência sobre a qual afirmou: "Estudei Direito Público naquela universidade e por fim saí um bárbaro: foi-me preciso até desaprender".[56] Ao retornar de Portugal dedicou a vida exclusivamente à política e aos estudos. Leu as obras de diversos autores clássicos, desde a Antiguidade até os seus dias, incluindo os principais representantes do liberalismo, com destaque para trabalhos de Thomas Hobbes (1588-1679), de John Locke

---

[55] Antônio Paim, *História do Liberalismo Brasileiro*. Op. cit., p. 126.

[56] Otávio Tarquínio de Sousa, *História dos Fundadores do Império do Brasil – Volume III: Bernardo Pereira de Vasconcellos*. Brasília, Senado Federal, 2015, p. 25.

(1632-1704) e dos iluministas franceses ou britânicos, bem como os escritos de Alexander Hamilton (1757-1804) e de outros pais da pátria americana. Admirava a experiência republicana dos Estados Unidos e a monarquia constitucional do Reino Unido, além de ter sido inicialmente um entusiasta do federalismo e, ao longo de toda a vida, um defensor da abolição da escravatura. No livro *Os Construtores do Império*, João Camilo de Oliveira Torres descreve assim este importante estadista conservador:

> Bernardo Pereira de Vasconcelos foi, sem dúvida, o fundador do Partido. Liberal exaltado no primeiro reinado, foi o líder do Regresso. Corpo doente, homem estranho, celibatário, combatido violentamente, era de inteligência extraordinária e notável capacidade de trabalho. Raros homens contribuíram tanto como ele para o progresso legislativo do Brasil – devemos-lhe: o Código Criminal do Império, a lei do Supremo Tribunal, o Colégio Pedro II, o Arquivo Nacional, o texto do Ato Adicional, o Conselho de Estado... Seus discursos são autênticas conferências.[57]

Ingressou na magistratura em 1820 e foi um atuante jornalista. Em 1824, foi eleito pelo Partido Liberal Exaltado para a Assembleia Legislativa, onde atuou até ingressar, em 1838, no Senado, onde permaneceu até a morte. Foi ministro da Fazenda, de 1831 a 1832, e, entre 1837 e 1839, ministro da Justiça. Durante a Regência foi para o Partido Liberal Moderado e, em seguida, fundou o Partido Conservador, diante da crise que ameaçava a unidade nacional. Assim justificou a mudança:

> Fui liberal, então a liberdade era nova no país, estava nas aspirações de todos, mas não nas leis, não nas ideias práticas; o poder era tudo; fui liberal. Hoje, porém, é diverso o aspecto da sociedade: os princípios democráticos tudo ganharam e muito comprometeram; a sociedade que até então corria risco pelo poder, corre agora risco pela desorganização e pela anarquia. Como então quis, quero hoje servi-la, quero

---

[57] João Camilo de Oliveira Torres, *Os Construtores do Império*. Op. cit., p. 55.

salvá-la e por isso sou regressista. Não sou trânsfuga, não abandono a causa que defendi no dia do seu perigo, de sua fraqueza: deixo-a no dia que tão seguro é o seu triunfo que até o excesso a compromete.[58]

Defendeu que "a sua vaidade não chegava ao ponto de sacrificar a verdade ao ridículo orgulho de ser coerente".[59] "Tudo muda em torno do homem, e que por isso não é de estranhar que ele também modifique suas ideias", afirmou em discurso no Senado do Império na sessão de 22 de julho de 1839, para acrescentar tanto que "é exigir muito da humanidade impor-lhe a obrigação de pensar sempre do mesmo modo e não modificar os seus pensamentos", quanto que "o que é condenável é mudar de opinião sem razão suficiente: este caráter é muito fraco: mas, quando se muda por amor dos princípios, pode tachar-se tal mudança?"; para arrematar: "eu faço consistir a firmeza do caráter em amar os princípios por causa da verdade".[60] A posição conservadora de Bernardo Pereira de Vasconcelos e de seu partido pode ser melhor compreendida por intermédio de uma passagem de uma intervenção dele no Senado, em 7 de outubro de 1843, quando afimou:

> Nós não somos os homens das teorias, os homens dos sistemas, os homens das utopias; somos os homens da prática, do positivo, os amigos das realidades; não damos um passo sem olhar para o presente, para o passado, e para o futuro, combinamos todos estes três tempos; o passado porque é o pai do presente, e o futuro porque deve ser o filho do presente; mas os nossos adversários seguem opinião contrária, olham só para o futuro, consideram-no isolado, assim como consideram a lei da despesa isolada da lei da receita! Olham para o futuro como isolado, como independente do passado, e é daí que vem a nossa divergência. Os nossos adversários adotam as suas regras, estabelecem a sua linha reta em finanças, são inexoráveis amigos dos princípios absolutos; nós

---

[58] Citado em: Otávio Tarquínio de Sousa, *História dos Fundadores do Império do Brasil – Volume III: Bernardo Pereira de Vasconcellos*. Op. cit., p. 191.

[59] Citado em: *Bernardo Pereira de Vasconcelos*. Org. e intr. José Murilo de Carvalho. São Paulo, Editora 34, 1999, p. 238.

[60] *ASI – Anno 1839: Livro I.*

queremos todo o progresso, mas progresso muito regulado. Queremos andar para adiante para assegurar a vida presente, a vida real.⁶¹

O historiador carioca Otávio Tarquínio de Sousa (1889-1959), em volume da clássica obra *História dos Fundadores do Império do Brasil*, de 1957, afirmou que os discursos de Bernardo Pereira de Vasconcelos no Senado são "dos mais notáveis que já se pronunciaram entre nós e bastantes para provar a sua inteligência, a sua dialética, a sua cultura".⁶² No plano teórico o Visconde de Cairu é comparado por vários comentaristas com Edmund Burke, contudo, acreditamos que no exercício político o senador mineiro é a figura que mais se aproxima do parlamentar irlandês. Em fala de 15 de maio de 1844, Vasconcelos citou explicitamente a importância de Burke, com referência ao trabalho de divulgação de Cairu, para criticar o racionalismo e o logicismo dos inovadores, tendo afirmado que "todos os erros, todos os absurdos, todos os atentados cometidos na França revolucionária", tal como ressaldados pelo irlandês, se devem "ao predomínio que na política obteve a lógica".⁶³ Ainda sobre esta temática, na sessão de 25 de maio de 1839, sustentou que não se deve "sujeitar a moral e a política ao domínio da Geometria", pois, ao fazer isto, cometerá o erro de negar "a regra trivial de que em política e moral não há princípios absolutos, que em tudo se não deve proceder sempre da mesma maneira", tendo, por fim, asseverado que "exemplos bem triviais mostram o engano dos apaixonados dos princípios absolutos".⁶⁴ Ao discutir o sexto de seus "dez princípios", enunciado como "os conservadores são disciplinados pelo princípio de imperfectibilidade", Russell Kirk afirmou que "por ser o homem imperfeito, uma ordem social perfeita jamais pode ser criada", visto que "objetivar a utopia é terminar em desastre", pois

---

⁶¹ *ASI – Anno 1843: Livro IX.*

⁶² Otávio Tarquínio de Sousa, *História dos Fundadores do Império do Brasil – Volume III: Bernardo Pereira de Vasconcellos*. Op. cit., p. 94.

⁶³ *ASI – Anno 1844: Livro I.*

⁶⁴ *ASI – Anno 1839: Livro I.*

"não fomos feitos para perfeição", ao passo que "os ideólogos que prometiam a perfeição do homem e da sociedade converteram grande parte do mundo no século XX em um inferno terreno".[65]

Mesmo tendo admirado o pensamento burkeano e a monarquia constitucional britânica, em uma fala no dia 19 de julho de 1840, Bernardo Pereira de Vasconcelos defendeu não ser apropriado "imitar ou plagiar os ingleses", pois "devemos estudar o nosso país, as nossas circunstâncias, e aplicarmos o remédio que elas reclamarem".[66] Em 28 de setembro de 1843, asseverou que "toda a Nação deve ter um egoísmo exaltado, que deve procurar governar-se segundo a sua natureza, e não arremedar os outros países".[67] Integrado aos mais caros princípios conservadores, tal como apresentados desde Edmund Burke até Russell Kirk, o senador brasileiro ressaltou, em discurso na sessão de 19 de junho de 1840, que "as instituições são próprias do lugar e do tempo; devem ser acomodadas não só aos povos, como também às épocas. Cada época tem a sua necessidade apropriada".[68] Devido a todas estas razões, em 3 de julho de 1840, declarou que "a legislação de um país não pode ser transportada para outro, senão em circunstâncias raríssimas".[69] Eis as lições de Bernardo Pereira de Vasconcelos que orientaram as práticas conservadoras do Brasil no passado, infelizmente esquecidas no presente.

III. ASCENSÃO DO CONSERVADORISMO NO BRASIL

De modo semelhante ao pensamento e à ação parlamentar de Edmund Burke que, juntamente com o exercício de estadistas como

---

[65] Russell Kirk, *A Política da Prudência*. Op cit., p. 108.
[66] *ASI – Anno 1840: Livro IV.*
[67] *ASI – Anno 1843: Livro VIII.*
[68] *ASI – Anno 1840: Livro III.*
[69] *ASI – Anno 1840: Livro IV.*

George Canning (1770-1827), *Sir* Robert Peel (1788-1850) e Benjamin Disraeli (1804-1881), marcaram a identidade do *Conservative Party* britânico no século XIX, as ideias e a atuação política de Bernardo Pereira de Vasconcelos moldaram o Partido Conservador brasileiro. O seu principal discípulo, aliado e continuador foi o jurista, magistrado e estadista Paulino José Soares de Sousa (1807-1866), Visconde de Uruguai, que, de acordo com João Camilo de Oliveira Torres, foi "uma das mais notáveis cabeças de estadista que o Brasil conheceu".[70]

A trajetória dele foi objeto do livro *A Vida do Visconde de Uruguai*,[71] de José Antonio Soares de Sousa (1902-1983), descendente do biografado. Filho de pai brasileiro e de mãe francesa, Paulino José Soares de Sousa nasceu em Paris, onde viveu até 1817, quando a família se mudou para Lisboa, tendo em 1818 seguido para São Luís do Maranhão. Ingressou em 1825 na Universidade de Coimbra, mas, devido à prisão em 1828, suspeito de participar da Revolução do Porto, e do posterior fechamento da instituição, não concluiu o curso em Portugal. Retornou ao Brasil para estudar na récem-criada Faculdade de Direito de São Paulo, na qual em 1831 se formou. Em 1832, ingressou na magistratura, tendo atuado até ser eleito deputado em 1835. Em 1849 assumiu vaga no Senado, e em 1853 no Conselho de Estado. Recebeu em 1854 o título de Visconde de Uruguai. Desempenhou inúmeras funções no Executivo, incluindo a de ministro da Justiça, de 1840 até 1843, e duas vezes a de ministro das Relações Exteriores, de 1843 até 1844 e de 1849 até 1853.

Dentre as realizações diversas do Visconde de Uruguai, destacam-se a centralização política que garantiu a unidade nacional, a separação entre administração estatal e poder judiciário, a reestruturação das forças policiais e da guarda nacional, a organização do sistema

---

[70] João Camilo de Oliveira Torres, *Os Construtores do Império*. Op. cit., p. 48.
[71] José Antonio Soares de Sousa, *A Vida do Visconde de Uruguai*. Rio de Janeiro, Companhia Editora Nacional, 1944.

eleitoral, a reforma no Código de Processo Criminal, o fim do tráfico de escravos e a definição de inúmeras fronteiras nacionais, tanto por tratados diplomáticos quanto via campanhas militares. No livro *Interpretação da Realidade Brasileira*, publicado originalmente em 1969, João Camilo de Oliveira Torres afirma que "o grande estadista conservador tinha consciência dos problemas e sabia colocar exatamente as coisas em seus lugares devidos".[72]

Em *A Democracia Coroada: Teoria Política do Império do Brasil*, de 1957, João Camilo de Oliveira Torres afirma que Paulino José Soares de Sousa tinha uma "dupla autoridade de pensador político e homem de ação, de jurista e de estadista. Conhecia a doutrina e viveu este saber nos diversos cargos que exerceu e nas grandes lutas em que se achou".[73] O Visconde de Uruguai legou um par de importantes tratados jurídicos: o *Ensaio sobre o Direito Administrativo*,[74] de 1862, e os *Estudos Práticos sobre a Administração das Províncias no Brasil*,[75] 1865. Ambos foram vistos por Antônio Paim como "fruto de meditação amadurecida, quando a borrasca havia passado e as instituições achavam-se consolidadas".[76]

---

[72] João Camilo de Oliveira Torres, *Interpretação da Realidade Brasileira*. Brasília, Edições Câmara, 2017, p. 138.

[73] João Camilo de Oliveira Torres, *A Democracia Coroada: Teoria Política do Império do Brasil*. Brasília, Edições Câmara, 2017, p. 158.

[74] Disponível na seguinte reedição: Visconde de Uruguai, *Ensaio sobre o Direito Administrativo*. Brasília, Ministério da Justiça, 1997. Juntamente com três discursos parlamentares do estadista, uma versão da obra foi copilada em: *Visconde de Uruguai*. Org. e intr. José Murilo de Carvalho. São Paulo, Editora 34, 2002. A importância da obra é explicitada em: João Camilo de Oliveira Torres, *Os Construtores do Império*. Op. cit., p. 153-55; Antônio Paim, *História do Liberalismo Brasileiro*. Op. cit., p. 119-22.

[75] Visconde de Uruguai, *Estudos Práticos sobre a Administração das Províncias no Brasil*. Rio de Janeiro, Typographia Nacional, 1865. O livro é analisado em: João Camilo de Oliveira Torres, *Os Construtores do Império*. Op. cit., p. 155-70.

[76] Antônio Paim, *História do Liberalismo Brasileiro*. Op. cit., p. 126.

O conhecimento teórico de autores estrangeiros não foi negligenciado por Paulino José Soares de Sousa, apesar de ressaltar que tais ideias necessitam ser adaptadas à realidade brasileira. Em seus dois tratados, utilizou os ensinamentos de Alexander Hamilton e de outros pais da pátria americana, bem como de Benjamin Constant, de François Guizot e de Alexis de Tocqueville como instrumentos para melhor compreender as instituições de nosso país.[77] O já citado Paulo Mercadante ressalta que "nem Uruguai nem Vasconcelos desprezavam os estudos alienígenas, porém faziam restrições à cópia sem exame e ao próprio estudo sem espírito crítico".[78] O conservadorismo dele foi sustentado por um "ecletismo esclarecido", que ao longo do capítulo 31 (Aplicação ao das Instituições Administrativas Inglesas, Americanas e Francesas) do *Ensaio sobre o Direito Administrativo* é assim explicitado:

> Para copiar as instituições de um país e aplicá-las a outro, no todo ou em parte, é preciso, primeiro que tudo, conhecer o seu todo e o seu jogo perfeita e completamente.
>
> Essas instituições, principalmente as inglesas, americanas e francesas, formam um todo sistemático e harmonioso. Cada uma das suas molas supõe o concurso e jogo de outras, certo espírito, hábitos, caráter nacional e certas circunstâncias, cuja falta não é possível suprir. Cada uma das suas partes sustenta e é sustentada pelas outras e com elas se liga. É necessário muito estudo, muito critério, para separar uma parte dessas instituições e aplicá-la a outro país diverso, cuja organização, educação, hábitos, caráter e mais circunstâncias são também diversos.
>
> O que uma nação deve ter em vista nas suas instituições é assegurar a liberdade, direitos, garantias e bem-estar dos cidadãos. [...]

---

[77] Sobre a influência do liberalismo doutrinário e de outras fontes teóricas liberais no pensamento conservador do Visconde de Uruguai, ver: Ubiratan Borges de Macedo, "Primórdios da Política de Potência no Brasil". In: *Metamorfoses da Liberdade*. São Paulo, Ibrasa, 1979, p. 221-43.

[78] Paulo Mercadante, *A Consciência Conservadora no Brasil*. Op. cit., p. 241.

> Há muito que estudar e aproveitar nesse sistema por meio de um ecletismo esclarecido. Cumpre, porém, conhecê-lo a fundo, não o copiar servilmente como o temos copiado, muitas vezes mal, mas sim acomodá-lo com critério como convém ao país.[79]

Tal como demonstrado por Antônio Paim, os escritos do filósofo, historiador e político francês Victor Cousin (1792-1867), fundador e principal expoente da Escola Eclética de Filosofia, exerceram grande influência no pensamento de autores portugueses e brasileiros, sendo a primeira vertente filosófica rigorosamente estruturada no Brasil,[80] fator que explica a grande permeabilidade do liberalismo doutrinário em nosso país. A recepção do liberalismo doutrinário em nosso ambiente político, por intermédio dos escritos de Silvestre Pinheiro Ferreira e de Paulino José Soares de Sousa, foi um dos fatores principais para os conservadores brasileiros terem aderido aos ideais liberais de constitucionalismo, de livre debate público, de governo representativo e de modernização.

Após os excessos do processo revolucionário e do autoritarismo napoleônico, o liberalismo doutrinário francês surgiu no início do século XIX como resposta moderada ao radicalismo da esquerda revolucionária e às ideias absolutistas dos tradicionalistas ultramontanos.[81] As principais teses políticas desta corrente teórica liberal foram resumidas por Christian Lynch nas duas passagens seguintes:

> Em primeiro lugar, o liberalismo doutrinário abandonava definitivamente os resíduos da linguagem republicana clássica, relativos às virtudes públicas e à condenação do partidarismo, para abraçar

---

[79] Visconde de Uruguai, *Ensaio sobre o Direito Administrativo*. In: *Visconde de Uruguai*. Org. e intr. José Murilo de Carvalho. Op. cit., p. 468, 503-04.

[80] Antônio Paim, *A Escola Eclética – Estudos Complementares à História das Ideias Filosóficas no Brasil: Volume IV*. Londrina, Cefil, 2. ed. rev., 1999.

[81] Uma análise sintética é apresentada em: Ubiratan Borges de Macedo, "O Liberalismo Doutrinário". In: Antônio Paim (Org.), *Evolução Histórica do Liberalismo*. Op. cit., p. 87-108.

francamente o relativismo epistemológico e moral que legitimava a livre manifestação política de divergências de opiniões e interesses, retirando do governo o monopólio do interesse público. As decisões que melhor convinham à sociedade e ao seu progresso moral e material, agitadas pela opinião pública, só poderiam emergir e prevalecer no decorrer de um debate público esclarecido e organizado entre os representantes eleitos da Nação na Câmara dos Deputados. Ao invés da linguagem exaltada, virtuosa e nacionalista do vintismo, entrava em cena a linguagem da moderação, dos interesses e do progressismo dos liberais anglófilos.[82]

Em segundo lugar, estava o governo moralmente obrigado a escutar a oposição, doravante considerada peça fundamental do governo representativo, na medida em que lhe fornecia a condição para um debate e, por isso, não poderia mais ser desqualificada como *facção*. Daí que se operava uma distinção qualitativa entre partido e facção [...]. Condição do progresso intelectual, o contraditório parlamentar só poderia emergir pelo debate civilizado entre partidos que defendessem princípios contrários, mas equilibrados; que se revezassem no poder, alternando sucessivamente a defesa da autoridade e da liberdade, para que o progresso se desse dentro da ordem. Em terceiro e último lugar, os liberais franceses defendiam que a Câmara dos Deputados deveria ter a mesma influência junto ao governo que, acreditavam, tinha a Câmara dos Comuns, do outro lado da Mancha, junto ao governo britânico. Através de uma interpretação evolucionária do texto constitucional, essa teoria flexibilizava o princípio da separação de poderes para reivindicar para a câmara baixa o direito de despachar os gabinetes que julgasse indignos de sua confiança. Do contrário, a opinião pública por ela representada não teria meios de influir os negócios públicos, comprometendo o governo representativo. A Coroa deveria assim, antes de escolher seus ministros, entrar em inteligência com a corrente majoritária da Câmara dos Deputados, que sem dúvida era quem melhor poderia exprimir os anseios da sociedade.[83]

---

[82] Christian Edward Cyril Lynch, *O Momento Monarquiano*. Op. cit., p. 152.
[83] Idem. Ibidem, p. 153-54.

Ao apresentar como nono de seus dez princípios "a necessidade de limites prudentes sobre o poder e as paixões humanas",[84] Russell Kirk acentua que "o conservador procura limitar e equilibrar o poder político, de modo que a anarquia ou a tirania não tenham chances de surgir", para concluir que "um governo justo mantém uma tensão saudável entre as pretensões da autoridade e as pretensões da liberdade".[85] O amor ao mesmo tipo de liberdade ordenada foi o que fez Paulino José Soares de Sousa apregoar "que se devem empregar todos os meios para salvar o país do espírito revolucionário, porque este produz a anarquia e a anarquia destrói, mata a liberdade, a qual somente pode prosperar com a ordem".[86] Estas palavras do Visconde de Uruguai sintetizam a busca pelo equilíbrio entre a liberdade e a ordem, a última manifesta pela defesa da legítima autoridade política. Eis a principal orientação dos conservadores do Império, que, em muitos aspectos, distingue os saquaremas dos luzias. A diferença entre os dois partidos, mais do que pela defesa de interesses, pode ser compreendida com base em uma verdadeira filosofia da história, explicitada assim por Christian Lynch:

> Em 1837, com a morte de Dom Pedro I em Portugal e a ameaça de separatismo das províncias, a ala direita dos moderados se destacou para aliar-se aos antigos realistas e fundar o Partido Conservador ou *saquarema*. Tratava-se, segundo seus líderes, de podar os excessos provocados pela reforma constitucional e restaurar a configuração institucional monarquiana de 1824. De fato, os *regressistas* entendiam que o progresso só poderia se dar dentro da ordem, e que, para isso, teriam de retrogradar, o tanto quanto possível, à época anterior ao predomínio "democrático" da Regência, ou seja, ao tempo do reinado de Dom Pedro I, quando pontificava o "princípio monárquico". Ao mesmo tempo que admitia a teoria do *governo das maiorias* (diverso

---

[84] Russell Kirk, *A Política da Prudência*. Op cit., p. 110.
[85] Idem. Ibidem, p. 111.
[86] José Antonio Soares de Sousa, *A Vida do Visconde de Uruguai*. Op. cit., p. 163.

de *parlamentarista*), o conservadorismo brasileiro absorveu o discurso monarquiano precedente, criando um governo parlamentar pautado pela tutela da Coroa. A fundação do Partido Conservador levou os demais moderados a criar seu próprio partido – Liberal ou *luzia*. Já por esse tempo, *liberal* deixara de ser meramente antônimo de *absolutista*, para se tornar sinônimo de pessoa de ideias avançadas, isto é, *progressistas* – contrários, portanto, aos *conservadores* ou *regressistas*. A filosofia da história, segundo a qual o motor da civilização era a luta entre a *unidade*, a *monarquia*, o *governo*, a *autoridade* ou a *ordem*, de um lado, e a *pluralidade*, a *democracia*, a *sociedade*, a *liberdade* ou o *progresso*, de outro, era o pano de fundo que orientava os grupos políticos para interpretar o funcionamento do governo parlamentar, do bipartidarismo e do papel da Coroa em torno de um consenso mínimo. Sua alternância no poder era fundamental para que a resultante dessa dialética fosse o *progresso dentro da ordem*.[87]

Esta salutar tensão política se estendeu por mais de meio século, desde o Regresso, no final da década de 1830, até o término do Império do Brasil, com o golpe militar, em 15 de novembro de 1889, uma quartelada que implementou o regime republicano. Na importante sessão no Senado, que aboliu a escravidão, em 13 de maio de 1888, a dinâmica partidária foi resumida pelo conselheiro Paulino Soares de Sousa (1834-1901), filho do Visconde de Uruguai, quando o senador destacou que "travou-se a luta entre os dois partidos nos termos estritos e legítimos do sistema constitucional – a ação promovida pelo Partido Liberal; a resistência, sustentada pelo Partido Conservador".[88] De acordo com a narrativa do historiador americano Jeffrey D. Needell, no livro *The Party of Order: The Conservatives, the State, and Slavery in the Brazilian Monarchy, 1831-1871* [O Partido da Ordem: Os Conservadores, o Estado e a Escravidão na Monarquia Brasileira, 1831-1871], os saquaremas "se referiam a si mesmos como *Partido Ordeiro* ou *Partido da Ordem*, em uma

---

[87] Christian Edward Cyril Lynch, "Liberal/Liberalismo". Op. cit., p. 131-32.
[88] *ASI – Anno 1888: Livro I*.

clara tentativa de contrastar com os luzias, a quem acusavam de desordem e anarquia".[89]

Em *Os Construtores do Império*, João Camilo de Oliveira Torres afirma que "podemos fixar a posição conservadora, em seu sentido autêntico, como aquele representado pelo Partido Conservador, no Império do Brasil, e, tradicionalmente, pelo Partido Conservador britânico".[90] No já citado *A Ideia de Liberdade no Século XIX*, nosso saudoso mentor Ubiratan Borges de Macedo defende que assim como na Grã-Bretanha, em nosso país "a diferença entre os dois partidos imperiais era tática e não ideológica", visto que, tal como ressaltado por outros analistas da temática, "ambos eram liberais, só com a diferença de que os conservadores eram pragmáticos apegados à terra e muito pouco amigos da retórica".[91] "Os conservadores eram, convém recordar, (...) igualmente liberais", afirma João Camilo de Oliveira Torres, pois "eles aceitavam os princípios gerais e os grandes dogmas da fé liberal", para acrescentar que "eles conheciam grandemente os tratadistas da época, franceses, ingleses, americanos", e, finalmente, concluir que "eram liberais de razão, não de paixão."[92] Citando dois trechos do Visconde de Uruguai, nosso amigo Christian Lynch afirma:

> No Brasil, o verdadeiro liberal era o conservador, que exigia, pela centralização, o robustecimento da autoridade do Estado, agente civilizador capaz de se impor à aristocracia rural, acessar a população rural subjugada no campo e fazer valer os direitos civis. Daí que Uruguai achasse que *"grande liberal por excelência é um verdadeiro tiranete, que quer dispor e dispõe de tudo ao seu talante, que o que se quer é substituir o que chamavam o filhotismo e a oligarquia por um*

---

[89] Jeffrey D. Needell, *The Party of Order: The Conservatives, the State, and Slavery in the Brazilian Monarchy, 1831-1871*. Stanford, Stanford University Press, 2006, p. 110.

[90] João Camilo de Oliveira Torres, *Os Construtores do Império*. Op. cit., p. 24.

[91] Ubiratan Borges de Macedo, *A Ideia de Liberdade no Século XIX*. Op. cit., p. 41.

[92] João Camilo de Oliveira Torres, *Os Construtores do Império*. Op. cit., p. 226.

filhotismo e oligarquia verdadeiros e maior" [sic]. Dado seu caráter pulverizador e particularista, a retórica *liberal* do *progresso* era veiculada por aqueles que queriam o privatismo e a fragmentação, isto é, um autêntico "regresso"; ao passo que a retórica *conservadora* da *ordem*, garantindo a unidade nacional e o interesse público, é que havia conseguido forjar o pouco de verdadeiro *progresso* que o país conseguira desde a Independência. Era justamente porque o conservador amava a liberdade *"que se devem empregar todos os meios para salvar o país do espírito revolucionário, porque este produz a anarquia, destrói, mata a liberdade, a qual somente se pode prosperar com a ordem"*. Este discurso liberal de direita encontrará seu zênite durante os primeiros vinte anos do reinado de Pedro II.[93]

Há uma importante distinção, que precisa ser evidenciada, quanto ao entendimento da representação pelos dois partidos monárquicos brasileiros, visto que, assim como advogado por Edmund Burke na famosa *Letter to the Sheriffs of Bristol* [Carta aos Delegados Eleitorais de Bristol],[94] escrita em 3 de abril e publicada em 5 de maio de 1777, "os conservadores pensavam que o representante deveria decidir conforme os ditames de sua consciência", enquanto que, tal como ainda descrito por Christian Lynch, no livro *Da Monarquia à Oligarquia: História Institucional e Pensamento Político Brasileiro (1822-1930)*, na concepção dos liberais "os representantes deveriam espelhar os interesses dos interessados, isto é, dos diversos setores e regiões".[95] Ao tratar do sistema representativo do Império, no livro *A Democracia Coroada*, João Camilo de Oliveira Torres resumiu assim suas características:

---

[93] Christian Edward Cyril Lynch, "Liberal/Liberalismo". Op. cit., p. 132.
[94] Edmund Burke, "Letter to the Sheriffs of Bristol". In: *The Works of the Right Honorable Edmund Burke, Volume II*. Boston, Little, Brown and Company, 1866, p. 189-246.
[95] Christian Edward Cyril Lynch, *Da Monarquia à Oligarquia: História Institucional e Pensamento Político Brasileiro (1822-1930)*. São Paulo, Alameda, 2014, p. 67.

É um sistema que reconhece a verdade principal da política: os homens estão permanentemente ameaçados de dois perigos: o espírito de aventura, que deseja reformar por amor à reforma, e o espírito conservador, que deseja a estabilidade e a fixidez. Lógico, pois o sistema bicameral é o caráter natural da divisão das correntes políticas em dois grandes partidos, "liberal" e "conservador". O primeiro, procurando ampliar as liberdades; o segundo, desejando conservar instituições úteis ameaçadas pela afoiteza do primeiro. Os conservadores lutam pelas conquistas da geração anterior. Mas como a história nem sempre é dialética, o conservador muitas vezes tem razão: podemos continuar a viagem, mas sem queimar os navios que nos trouxeram até a praia, manter os degraus da escada já utilizados e não os destruir. O conservador é o homem que defende o degrau ultrapassado; o liberal quer subir sem olhar para trás. Um liberal extremista destrói os degraus já utilizados; um ultraconservador não sobe. Em resumo: o conservador segura a escada para o liberal subir. E, por ser o Brasil monarquia, os partidos exercem função capital no andamento de nossa máquina política, pois que as grandes questões se decidiam no parlamento. Se na república se elege um presidente, mais por suas qualidades pessoais do que por suas ideias, na monarquia elege-se uma câmara, escolhe-se um partido, uma orientação dominante durante alguns anos: e da maioria, o monarca designa o *premier*. O sistema bicameral, porém, corrige os excessos do sistema de partidos e limita as demasias e o facciosismo da Câmara dos Deputados.[96]

Amparados em uma filosofia do progresso histórico, entendida como a resultante de uma constante tensão equilibrada entre o princípio da *ordem* ou da *autoridade*, de um lado, e o ideal de *liberdade* ou de *progresso*, de outro lado, durante o Segundo Reinado "os liberais e conservadores compreendiam seus lugares políticos no governo constitucional representativo",[97] tal como explicitado por Christian Lynch. O equilíbrio entre as duas forças é o que tornou possível aos estadistas do Império realizarem "o ideal supremo de uma Política

---

[96] João Camilo de Oliveira Torres, *A Democracia Coroada*. Op. cit., p. 132-33.

[97] Christian Edward Cyril Lynch, *O Momento Monarquiano*. Op. cit., p. 212.

efetiva", entendida por João Camilo de Oliveira Torres como a criação e preservação de "instituições exatamente adequadas às condições do país", permitindo aos governantes "tirarem o melhor partido, para a felicidade do povo, das possibilidades reais do meio".[98] A questão foi resumida por Paulino José Soares de Sousa quando afirmou:

> Conciliar é fazer concordar pessoas divididas por opiniões e interesses. Há sempre na sociedade interesses que não se pode fazer concordar; há sempre opiniões que não é possível homologar [...]. Há na sociedade humana uma ebulição constante que tende a transformá-la. Não está no poder do governo fazer a sociedade como ele entende; há de recebê-la tal qual ela é.[99]

Eis o cerne do realismo, do ceticismo e do reformismo, bem como da crença democrática no sistema representativo liberal, que caracterizaram o Partido Conservador brasileiro, cuja identidade foi forjada por Bernardo Pereira de Vasconcelos e por seu maior discípulo, mas que também se manifestou nos escritos e, principalmente, na ação de outros estadistas saquaremas. O único teórico brasileiro do período monárquico cujo feito alcançou patamar semelhante ao dos livros de Paulino José Soares de Sousa foi o magistrado, diplomata, jurista e estadista paulista José Antônio Pimenta Bueno (1803-1878), Marquês de São Vicente, autor do tratado *Direito Público Brasileiro e Análise da Constituição do Império*,[100] de 1857, obra marcada pelo mesmo realismo típico dos saquaremas, mas, sem negligenciar a importância da fundamentação teórica, calcada, também, no ideal de "ecletismo esclarecido". Em um nível um pouco abaixo dos tratados do Visconde de Uruguai e do Marquês de São Vicente, por causa da menor abrangência da análise, mas,

---

[98] João Camilo de Oliveira Torres, *A Democracia Coroada*. Op. cit., p. 590.

[99] José Antonio Soares de Sousa, *A Vida do Visconde de Uruguai*. Op. cit., p. 571.

[100] Disponível na seguinte edição: *Marquês de São Vicente*. Org. e intr. Eduardo Kugelmas. São Paulo, Editora 34, 2002. Para uma análise da obra, ver: João Camilo de Oliveira Torres, *Os Construtores do Império*. Op. cit., p. 170-81.

igualmente, de grande relevância para o conservadorismo, está o livro *Do Poder Moderador: Ensaio de Direito Constitucional*,[101] lançado em 1864 e escrito pelo jurista, professor e estadista paraibano Bráz Florentino Henriques de Souza (1825-1870), uma verdadeira abordagem filosófica, de um ponto de vista tradicionalista, acerca do objeto analisado, indo além das meras questões jurídicas.

Outro importante autor cujos escritos e atuação política refletem diversos ideais do conservadorismo foi o notório romancista, dramaturgo, ensaísta e parlamentar cearense José de Alencar (1829-1877), mais lembrado em nossos dias pelas obras literárias do que pela carreira pública, na qual, além de ter sido ministro da Justiça, entre 1868 e 1870, foi deputado eleito pelo Partido Conservador por quase duas décadas. Expresso em seus famosos romances com temáticas variadas como a indigenista em *O Guarani*, de 1857, *Iracema*, de 1865, e *Ubirajara*, de 1874; a urbana focada em perfis femininos em *Lucíola*, de 1862, *Diva*, de 1864 e *Senhora*, de 1875; a regionalita em *O Gaúcho*, de 1870, *O Tronco do Ipê*, de 1871, *Til*, de 1872, e *O Sertanejo*, de 1875, e histórica como em *Guerra dos Mascates*, lançado em duas partes nos anos de 1873 e 1874; o romantismo literário de José de Alencar, em muitos aspectos, assemelham-se aos escritos tanto do escocês *Sir* Walter Scott (1771-1832) e do americano James Fenimore Cooper (1789-1851), ambos discutidos por Russell Kirk em *A Mentalidade Conservadora*.

A entrada do romancista na vida política se deu em 1860, por intermédio do insigne senador Eusébio de Queirós Coutinho Matoso da Câmara (1812-1868), que ocupara o cargo de ministro da Justiça,

---

[101] Braz Florentino Henriques de Souza, *Do Poder Moderador: Ensaio de Direito Constitucional Contendo a Analyse do Tit. V, Cap. 1 da Constituição Política do Brazil*. Recife, Typographia Universal, 1864. O livro é analisado em: João Camilo de Oliveira Torres, *A Democracia Coroada*. Op. cit., p. 169-80; Idem, *Os Construtores do Império*. Op. cit., p. 181-91; Antônio Paim, *História do Liberalismo Brasileiro*. Op. cit., p. 122-25.

entre 1848 e 1852, tendo sido um dos mais importantes "cardeais" saquaremas. Influenciado pela perspectiva liberal de John Stuart Mill (1806-1873), publicou em 1868, O *Sistema Representativo*,[102] no qual, guiado pelo desejo de revigorar a hamonia entre os partidos políticos, teceu críticas ao voto censitário, à eleição direta de representantes e à escolha dos candidatos parlamentares por maioria simples, tendo recomendado uma reforma política que deveria diminuir o censo para aumentar a representação e adotar eleições indiretas, nas quais a representação parlamentar seria proporcional ao número total de votos de cada agremiação partidária.

Uma forte disposição burkeana, quase próxima do espírito *tory*, se manifesta tanto nos discursos parlamentares de José de Alencar quanto em sua obra *Cartas de Erasmo*[103], lançada originalmente entre os anos de 1865 e 1866 em três partes, sendo a primeira dirigida ao Imperador e a última ao povo. Em discurso na Câmara, rejeitou tanto as posturas reacionárias quanto o progressivismo, ao afirmar que "a superstição do futuro me parece tão perigosa como a superstição do passado. Este junge o homem ao que foi e o deprime; aquela arreda o homem do que é e o precipita", visto que "consiste a verdadeira religião do progresso na crença do presente, fortalecida pelo respeito às tradições, desenvolvida pelas aspirações do maior destino".[104]

O literato e estadista cearense em fala parlamentar fez a profissão de fé do seu conservadorismo ao acentuar que "se me chamo conservador, neste país, é porque ele tem a Constituição que todos nós admiramos, Constituição que considero o mais belo padrão de liberdade dos povos", para em seguida asseverar que "não possuísse o Brasil semelhante Constituição, que eu seria liberal, e estaria nas

---

[102] José de Alencar, "O Sistema Representativo". In: Wanderley Guilherme dos Santos (org), *Dois Escritos Políticos de José de Alencar*. Rio de Janeiro, UFRJ, 1991.

[103] Idem, *Cartas de Erasmo*. Rio de Janeiro, ABL, 2009.

[104] Idem, *Discursos Parlamentares*. Brasília, Senado Federal, 1979, p. 283.

fileiras dos reformistas".[105] Para ele a diferença entre luzias e saquaremas estava meramente no fato de que "o Partido Liberal marcha na vanguarda, aventa as ideias, aponta-as à opinião, lança-as na discussão", ao passo que "o Partido Conservador, ao contrário, não aceita doutrinas que não estejam bastante amadurecidas; em vez de antecipar-se, acompanha, segue atrás da opinião".[106] O conservadorismo de José de Alencar rejeitava as influências francesas e americanas, preferindo as fontes britânicas, cuja história constitucional e o modelo de representação política deveriam servir como exemplo para instruir os brasileiros, vistos por ele "ainda na infância deste sistema".[107] De modo semelhante a Bernardo Pereira de Vasconcelos, afirmou:

> A minha infância, senhores, foi liberal [...]. Hoje, porém, compreendo melhor a liberdade do que então a compreendia. O sentimento não mudou, mas a razão se esclareceu. Outrora, liberdade era para mim o entusiasmo popular, a eletricidade da multidão. Hoje, porém, considero como o verdadeiro cunho da liberdade a felicidade calma, tranquila do povo, a manifestação vivaz e enérgica da opinião pública.[108]

A verdadeira obra do conservadorismo brasileiro foi materializada na ação partidária dos saquaremas. Além de Bernardo Pereira de Vasconcelos, de Paulino Soares de Sousa e de Eusébio de Queirós Coutinho Matoso da Câmara, é possível fazer uma extensa lista de estadistas conservadores, na qual se destacam o pernambucano Pedro de Araújo Lima (1793-1870); o baiano José de Costa Carvalho (1796-1860), Marquês de Monte Alegre; o mineiro Honório Hermeto Carneiro Leão (1801-1856), Marquês de Paraná; o carioca José Joaquim Rodrigues Torres (1802-1872), Visconde de Itaboraí; o fluminense Luís Alves de Lima e Silva (1803-1880), Duque de

---

[105] Idem. Ibidem, p. 297.
[106] Idem. Ibidem, p. 202.
[107] Idem. Ibidem, p. 211.
[108] Idem. Ibidem, p. 83-84.

Caxias; o baiano José Maria da Silva Paranhos (1819-1880), Visconde do Rio Branco; e o pernambucano João Alfredo Correia de Oliveira (1835-1919). Estes foram os verdadeiros "construtores do império", que com dignidade e seriedade conseguiram balancear os princípios teóricos do conservadorismo com a realidade brasileira ao escudar o dogma partidário, segundo o qual "a liberdade somente está devidamente protegida se encontra o apoio de uma autoridade forte e imparcial".[109]

IV. O OCASO DO CONSERVADORISMO NO BRASIL

Os saquaremas defendiam que a garantia da liberdade era caudatária de preservação do Poder Moderador, entendido como um "poder neutro", acima das disputas partidárias, que pela imparcialidade e pela autoridade era a principal fonte de manutenção da ordem.[110] A maioria dos luzias tendia a identificar esta prerrogativa constitucional do monarca com a noção de arbítrio do poder pessoal. Duas soluções liberais foram propostas para resolver o problema dessa função, vista por alguns como um resquício de absolutismo. Os mais radicais, simplesmente, defendiam a eliminação do Poder Moderador. Todavia, a interpretação liberal dominante era a mesma defendida por Zacarias de Góes e Vasconcelos (1815-1877), tanto na obra *Da Natureza e*

---

[109] João Camilo de Oliveira Torres, *Os Construtores do Império*. Op. cit., p. 31.

[110] Entre as inúmeras referências que iremos utilizar nesta parte do texto acerca da temática do Poder Moderador, recomendamos principalmente a leitura da já citada tese de doutorado *O Momento Monarquiano: O Poder Moderador e o Pensamento Político Imperial*, escrita por Christian Edward Cyril Lynch, bem como as respectivas passagens nas seguintes obras: João Camilo de Oliveira Torres, *A Democracia Coroada*. Op. cit., p. 153-92; Paulo Mercadante, *A Consciência Conservadora no Brasil*. Op. cit., p. 195-205; João Camilo de Oliveira Torres, *Os Construtores do Império*. Op. cit., p. 193-203; Antônio Paim, *História do Liberalismo Brasileiro*. Op. cit., p. 117-47.

Limites do Poder Moderador,[111] de 1860, quanto em alguns discursos parlamentares do estadista luzia,[112] de acordo com a qual as decisões do monarca deveriam ser referendadas pelos ministros, o que tornaria o imperador, de fato, o chefe do Poder Executivo, ao passo que o Poder Moderador passaria a ser uma atribuição do Conselho de Estado, além dessa instância ficar subordinada ao Poder Legislativo, de modo que fosse implementado no país um verdadeiro regime parlamentarista, nos moldes britânicos. Em uma passagem de *O Presidencialismo no Brasil*, de 1962, João Camilo de Oliveira Torres destaca a resposta aos luzias do saquarema Bráz Florentino Henriques de Souza, no já mencionado *Do Poder Moderador*, no qual "mostra que o parlamentarismo levado a consequências exigidas pelos liberais, isto é, à responsabilidade dos ministros pelos atos do Poder Moderador, seria o fim da monarquia".[113]

No livro *O Ocaso do Império*, de 1925, o já citado Francisco José de Oliveira Vianna destacou que "foi esse Poder Moderador feito poder pessoal que deu ao Brasil uma longa fase de moralidade, legalidade, justiça, liberdade", pois, na ausência da atuação moderadora exercida pelo monarca "os partidos em oposição só teriam podido ascender ao poder (vemo-lo hoje claramente) pela torpeza do assassínio político ou pela violência das revoluções armadas".[114] Em *A Ideia Revolucionária no Brasil*, lançado postumamente em 1981, João Camilo de Oliveira Torres ressaltou que "na sistemática imperial, o Poder Moderador nada podia por si, senão repor as coisas em

---

[111] Zacarias de Góes e Vasconcelos, *Da Natureza e Limites do Poder Moderador*. Brasília, Senado Federal, 1978.

[112] Idem, *Discursos Parlamentares*. Alberto Venâncio Filho. Brasília, *Câmara dos Deputados*, 1979.

[113] João Camilo de Oliveira Torres, *O Presidencialismo no Brasil*. Brasília, Edições Câmara, 2018, p. 104.

[114] Francisco José de Oliveira Vianna, *O Ocaso do Império*. Rio de Janeiro, ABL, 3. ed., 2006, p. 90.

seus lugares, senão ser o poder ordenador".[115] Em um dos melhores estudos históricos sobre a temática, o livro *Teatro de Sombras: A Política Imperial*,[116] publicado originalmente em 1988, nosso ex-professor José Murilo de Carvalho destaca a grande importância do Poder Moderador para o funcionamento do sistema representativo monárquico na seguinte passagem:

> Pode-se dizer que a interferência do Poder Moderador favorecia antes que dificultava a representação da minoria, na medida em que tornava temporária a derrota de um dos partidos. Na verdade, era ela que possibilitava a existência do bipartidarismo. Em sua ausência, dificilmente haveria possibilidade de conflito regulado. Ou o conflito seria extralegal ou suprimido mediante arranjos de dominação como o que se desenvolveu na República Velha com a criação dos partidos únicos estaduais.[117]

O processo de transição do modelo representativo bipartidário no Segundo Reinado para uma etapa institucional oligárquica no período republicano é explicado por Christian Lynch como um desdobramento involuntário do êxito das instituições monárquicas na "consecução de seus objetivos de criação de uma ordem nacional articulada e integrada".[118] Assim descrito no livro *Brazil: The Forging of a Nation, 1798-1852* [Brasil: O Forjamento de uma

---

[115] João Camilo de Oliveira Torres, *A Ideia Revolucionária no Brasil*. Brasília, Edições Câmara, 2018, p. 478.

[116] Juntamente com o importante estudo *A Construção da Ordem: A Elite Política Imperial*, originado na tese de doutorado *Elite and State-Building in Imperial Brazil* [Elite e Construtores do Estado no Brasil Imperial], defendida pelo autor em 1975 na Stanford University, publicado como livro no ano de 1980, a obra *Teatro de Sombras: A Política Imperial*, de 1988, foi relançada a partir de 1996 em um único volume na seguinte edição: José Murilo de Carvalho, *A Construção da Ordem: A Elite Política Imperial / Teatro de Sombras: A Política Imperial*. Rio de Janeiro, Civilização Brasileira, 4. ed., 2008.

[117] José Murilo de Carvalho, *Teatro de Sombras*. Op. cit., p. 406.

[118] Christian Edward Cyril Lynch, *Da Monarquia à Oligarquia*. Op. cit., p. 65.

Nação, 1798-1852], pelo historiador americano Roderick J. Barman, a consolidação do Brasil como verdadeira nação ocorreu no período entre 1842 e 1852 por intermédio de uma série de importantes mudanças na dinâmica política, dentre às quais o autor destaca que "o mais significativo desenvolvimento político foi provavelmente a emergência de partidos políticos organizados".[119]

O sistema bipartidário imperial tinha diversos limites, dentre os quais emergia a preponderância dos poderes constitucionais do monarca que, tal como acentuado por Jeffrey D. Needell, encontrava como únicos contrabalanços efetivos "o Parlamento bicameral, especialmente a Câmara dos Deputados, e a própria Constituição".[120] No livro *Interpretação da Realidade Brasileira*, publicado originalmente em 1969, João Camilo de Oliveira Torres ressaltou que "se o império foi flor de requintado liberalismo, isto se deve mais à maneira perfeita com que D. Pedro II foi o Poder Moderador, do que ao esforço dos liberais".[121] A fraqueza dos partidos diante do Poder Moderador foi ascentuada pelo historiador carioca Ilmar Rohloff de Mattos, na obra *O Tempo Saquarema: A Formação do Estado Imperial*, ao afirmar que "à sombra da magnificência imperial, luzias e saquaremas pareciam semelhantes".[122]

Existem motivos para o famoso brocardo "nada tão parecido com um conservador, como um liberal no poder", algumas vezes expresso como "nada mais parecido com um saquarema do que um luzia no poder". Como explicitado por João Camilo de Oliveira Torres, em *Os Construtores do Império*, a razão dessa máxima é o fato

---

[119] Roderick J. Barman, *Brazil: The Forging of a Nation, 1798-1852*. Stanford, Stanford University Press, 1988, p. 218.

[120] Jeffrey D. Needell, *The Party of Order*. Op. cit., p. 35.

[121] João Camilo de Oliveira Torres, *Interpretação da Realidade Brasileira*. Op. cit., p. 52.

[122] Ilmar Rohloff de Mattos, *O Tempo Saquarema: A Formação do Estado Imperial*. São Paulo/Brasília, Hucitec/INL, 1987, p. 191.

de os liberais do Império, sempre terem se utilizado "de linguagem eloquente para fustigar desmandos do espírito autoritário dos conservadores", na maioria das vezes "culpando o poder pelos diferentes males" com uma retórica inflamada que ignorava "conscientemente as origens sociais de muitas questões", ao passo que ao assumir os "os postos de comando, usavam os mesmos processos dos conservadores, quando não os superavam".[123]

Todavia, cabe destacar os pontos divergentes entre as duas agremiações partidárias. No livro *A Construção da Ordem*, publicado originalmente em 1980, José Murilo de Carvalho aponta que "os liberais eram por maior autonomia provincial, pela Justiça eletiva, pela separação da polícia e da Justiça, pela redução das atribuições do poder moderador", para de imediato acrescentar que "os conservadores defendiam o fortalecimento do poder central, o controle centralizado da magistratura e da polícia, o fortalecimento do Poder Moderador".[124] Como realçado por João Camilo de Oliveira Torres na conclusão de *Os Construtores do Império*, "os liberais defendiam os cidadãos contra o poder", ao passo que "os conservadores queriam a grandeza do Império, grandeza política e econômica".[125]

De acordo com a exposição camiliana, os saquaremas e os luzias se distinguiam, particularmente, em três posições fundamentais em relação às questões práticas, que se tornaram características fundamentais da atuação política dos conservadores brasileiros durante o período imperial. A primeira, e mais importante, é a defesa intransigente do Poder Moderador,[126] já discutida no presente ensaio. A segunda é a insistência na necessidade de manutenção do Senado vitalício e das prerrogativas do Conselho de Estado, este último com atribuições

---

[123] João Camilo de Oliveira Torres, *Os Construtores do Império*. Op. cit., p. 56-57.

[124] José Murilo de Carvalho, A Construção da Ordem. Op. cit., p. 205-06.

[125] João Camilo de Oliveira Torres, Os Construtores do Império. Op. cit., p. 240.

[126] Idem. Ibidem, p. 193-203.

políticas, administrativas e judiciárias,[127] ao passo que muitos liberais defendiam o fim tanto deste órgão quanto da vitaliciedade dos senadores. A terceira e última, não menos importante, é o reconhecimento da necessidade de centralização política e constitucional,[128] em contraponto aos anseios daqueles que buscavam transformar o Império do Brasil em uma monarquia federativa. Não apenas nas reflexões teóricas apresentadas tanto por José Antônio Pimenta Bueno, o Marquês de São Vicente, no *Direito Público Brasileiro e Análise da Constituição do Império*, em 1857, quanto por Paulino José Soares de Sousa, o Visconde de Uruguai, no *Ensaio sobre o Direito Administrativo*, em 1862, e no *Estudos Práticos sobre a Administração das Províncias no Brasil*, em 1965, mas, principalmente, nos discursos parlamentares na Câmara dos Deputados e no Senado, os saquaremas em diversas ocasiões demonstraram que a visão dos luzias acerca desses três pontos estava em total desacordo com o texto do documento constitucional de 1824 e, acima de tudo, com as condições sociais concretas no país. Ao defender um equilíbrio entre a autoridade e a liberdade, o projeto monarquiano dos conservadores brasileiros "permitiu ao governo constitucional representativo adaptar-se pragmaticamente à herança do despotismo ilustrado na América Portuguesa", tal como resumido por Christian Lynch:

> Ao saudar no monarca o primeiro representante da soberania nacional, o monarquianismo permitiu veicular o liberalismo possível numa terra cuja fragilidade social impunha ao Estado forjar a nova ordem como condição das reformas preconizadas pelo espírito da ilustração; ela daria à alta burocracia brasileira a incumbência de organizar, num quadro liberal, a defesa da centralização política em torno do poder pessoal do Imperador, assim como proceder à abolição do tráfico de escravos, à civilização dos índios e à imigração estrangeira.[129]

---

[127] Idem. Ibidem, p. 207-14.
[128] Idem. Ibidem, p. 203-07.
[129] Christian Edward Cyril Lynch, *O Momento Monarquiano*. Op. cit., p. 11.

É importante fazer uma digressão sobre a temática da centralização, um ponto da agenda saquarema incompreendido na atualidade. Mesmo tendo antecendes na Regência, foi durante o Segundo Reinado que surgiram as mais eloquentes propostas de federalização da monarquia. A principal exposição na época foi a do jornalista e parlamentar alagoano Aureliano Cândido Tavares Bastos (1839-1877), em 1870, no livro *A Província: Estudo sobre a Descentralização no Brasil*.[130] A questão foi discutida por João Camilo de Oliveira Torres em *A Formação do Federalismo no Brasil*,[131] lançado originalmente em 1961. O embate entre luzias e saquaremas sobre a temática é objeto dos estudos *Centralização e Descentralização no Império: O Debate entre Tavares Bastos e o Visconde de Uruguai*,[132] de Gabriela Nunes Ferreira, e *Visconde de Uruguai: Centralização e Federalismo no Brasil, 1823-1866*,[133] de Ivo Coser. Em linhas gerais, a posição dos saquaremas era um meio para proteger a unidade da ordem jurídica central, garantidora das liberdades individuais e das instituições, contra os impulsos revolucionários das oligarquias locais. Ao passo que o ideal federalista de alguns luzias era uma tentativa de replicar no Brasil uma visão idealizada do modelo americano, sem levar em consideração as especificidades brasileiras do período.

Tal como notado por Oliveira Vianna, em *O Ocaso do Império*, o principal teórico do ideal de descentralização, "assentava toda a sua

---

[130] Aureliano Cândido Tavares Bastos, *A Província*. Brasília, Senado Federal, 1997.

[131] João Camilo de Oliveira Torres, *A Formação do Federalismo no Brasil*. Brasília, Edições Câmara, 2017. Ver, também: Idem, *A Democracia Coroada*. Op. cit., p. 389-94.

[132] Gabriela Nunes Ferreira, *Centralização e Descentralização no Império: O Debate entre Tavares Bastos e o Visconde de Uruguai*. São Paulo, Editora 34, 1999.

[133] Ivo Coser, *Visconde de Uruguai: Centralização e Federalismo no Brasil, 1823-1866*. Belo Horizonte, Editora UFMG, 2008.

concepção doutrinária em bases puramente americanas".[134] No entanto, ao contrapor o livro de Tavares Bastos com a principal fonte teórica utilizada, fica evidente que o Visconde de Uruguai foi quem compreendeu melhor a proposta de Alexander Hamilton, juntamente com John Jay (1745-1829) e James Madison (1751-1836). Nos 85 ensaios em jornais de Nova York, entre 27 de outubro de 1787 e 4 de abril de 1788, assinados com o pseudônimo coletivo de Publius, e coligidos na obra *The Federalist* [O Federalista], os três autores defendem a ratificação da Constituição dos Estados Unidos, um instrumento centralizador, que deu para a União o poder central de resguardar a segurança nacional, facilitar as relações com potências estrangeiras, limitar os abusos das oligarquias locais, criar obstáculos às lutas entre facções internas, evitar insurreições e promover o desenvolvimento econômico.[135]

No terceiro capítulo de *A Mentalidade Conservadora*, Russell Kirk demonstra que não apenas Alexander Hamilton mas também outros, como John Adams (1735-1826), Fisher Ames (1758-1808) e John Marshall (1755-1835), eram favoráveis ao modelo centralizador implementado pela carta constitucional americana, aprovada em 17 de setembro de 1787 e ratificada em 21 de junho de 1788. Na obra *De la démocratie en Amérique* [A Democracia na América], lançada originalmente em dois volumes, respectivamente, em 1835 e em 1840, Alexis de Tocqueville constata que no país não há centralização administrativa, mas existe centralização governamental.[136]

Fundado no "ecletismo esclarecido", o Visconde de Uruguai utilizou os ensinamentos de Hamilton, Jay e Madison, em *O Federalista*, tendo aprimorados tais princípios teóricos à nossa realidade ao seguir "de perto as proposições de Tocqueville em *A Democracia na*

---

[134] Francisco José de Oliveira Vianna, *O Ocaso do Império*. Op. cit., p. 61.

[135] Alexander Hamilton; James Madison & John Jay, *O Federalista*. Brasília, Editora Universidade de Brasília, 1984.

[136] Alexis de Tocqueville, *A Democracia na América*. Belo Horizonte/São Paulo, Itatiaia/Editora Universidade de São Paulo, 1987, p. 73-81.

América" e estabelecer "a distinção entre duas espécies de centralização", como notou Ilmar Rohloff de Mattos cuja análise ressalta que, para o ilustre saquarema, a centralização política ou governamental "consistia em concentrar em um mesmo lugar ou na mesma mão o poder de dirigir os interesses que são comuns em todas as partes da Nação", enquanto a centralização administrativa visava "concentrar o poder de dirigir os interesses particulares de cada parte da Nação".[137] No tratado *Ensaio sobre o Direito Administrativo*, o Visconde de Uruguai apresenta assim esta distinção:

> O direito constitucional e político regula as grandes feições da organização política, isto é, a forma de governo, as atribuições dos poderes políticos e as garantias do cidadão. Tem por fim a ordem política e a direção do país nas vias gerais da conservação e do progresso.
>
> O direito administrativo refere-se mais propriamente à autoridade administrativa e à administração. Supõe uma organização política à qual se acomoda, e que não regula. Tem por fim principal a aplicação das leis de ordem pública, a gerência e direção de interesses que não são meramente políticos.
>
> Não se pode dar organização política sólida e duradoura sem centralização. A administrativa, porém, pode dispensá-la mais ou menos.[138]

"Os defeitos da centralização e o valor positivo da unificação", foram destacados pelo Visconde de Uruguai, que "por uma compreensível deficiência de vocabulário", como notou João Camilo de Oliveira Torres, "emprega em ambos os casos o termo 'centralização'", além de concluir que:

> Podemos reconhecer a justeza da posição de Uruguai (e de todos os conservadores) ao analisarmos os resultados da obra centralizadora. Em primeiro lugar, a unidade nacional. Isto já foi muito bem assinalado

---

[137] Ilmar Rohloff de Mattos, *O Tempo Saquarema*. Op. cit., p. 196.

[138] Visconde de Uruguai, *Ensaio sobre o Direito Administrativo*. In: *Visconde de Uruguai*. Org. e intr. José Murilo de Carvalho. Op. cit., p. 90.

por todos, embora nem sempre se reconheça a contribuição positiva do Partido Conservador, seus órgãos, sua política, seus homens. Se considerarmos a extensão territorial do Brasil, as deficiências de comunicação, a fraca densidade da população e muitos outros fatores negativos sentimos que, de fato, não era tarefa simples manter unidos os tecidos ralos do vasto corpo político que era o Império do Brasil.

E também, o estabelecimento de uma ordem jurídica uniforme para todo o país, com reflexos da maior importância, como podemos ver na Abolição, que representa a obra-prima da política centralizadora. Se a única fonte do Direito não fosse a lei votada pela Assembleia Geral do Império e sancionada pelo Imperador, se as províncias tivessem, ademais, um governo efetivamente próprio, teríamos tido a repetição da guerra de Lincoln, em condições muito piores, pois as duas províncias escravagistas – Minas e Rio – controlavam e dominavam a capital do país. A guerra terminaria com a vitória da escravidão, embora com a perda de alguma província extremada. Seria o fim.[139]

Todavia, o modelo de centralização defendido tanto pelos federalistas americanos quanto pelos saquaremas foi uma pauta conjuntural imposta pelas necessidas específicas do período, não sendo um princípio intrínseco à agenda do conservadorismo. Nas *Reflexões sobre a Revolução em França*, em 1790, Edmund Burke denunciou que a hegemonia do poder central foi "a causa da destruição de todos os antigos limites das províncias e jurisdições, eclesiásticas e seculares, e da dissolução de todas as combinações antigas de coisas".[140] No livro segundo de *L'Ancien Régime et la Révolution* [*O Antigo Regime e a Revolução*], de 1856, Alexis de Tocqueville analisa os diferentes aspectos da centralização francesa como um resquício do Antigo Regime, não sendo uma criação do período revolucionário ou do regime imperial napoleônico, além de destacar o modo pelo qual a preponderância de Paris sobre as províncias foi uma das precondições da

---

[139] João Camilo de Oliveira Torres, *Os Construtores do Império*. Op. cit., p. 207.
[140] Edmund Burke, *Reflections on the Revolution in France*. Op. cit., p. 493.

revolução, ao uniformizar e alienar os homens em pequenos grupos sem liberdade política, tutelados pela administração central, inebriados por um ideal desregrado de liberdade e vivendo em péssimas condições materiais.[141]

Os riscos da centralização não eram preocupantes apenas na França durante o Antigo Regime e após a Revolução, sendo um problema grave, também, nos Estados Unidos. No período anterior à Guerra de Secessão, travada entre 1861 e 1865 pela presidência de Abraham Lincoln (1809-1865), o crescimento dos poderes da União em detrimento da autonomia dos Estados foi denunciado por conservadores sulistas como John Randolph of Roanoke (1773-1833) e John C. Calhoun (1782-1850), abordados por Russell Kirk no quinto capítulo de *A Mentalidade Conservadora*. O cerne do problema foi discutido, em 1938, no livro *The Attack on Leviathan* [O Ataque ao Leviatã],[142] de Donald Davidson (1893-1968), cujas ideias influenciaram tanto o sociólogo pernambucano Gilberto Freyre (1900-1987) quanto Russell Kirk, que analisa este conservador sulista americano no sétimo capítulo de *A Política da Prudência*.[143]

"Governos centralizados produzem indivíduos irresponsáveis", conforme destacou *Sir* Roger Scruton em *Como ser um Conservador*, visto que "o confisco da sociedade civil pelo Estado leva a uma recusa generalizada dos cidadãos de agirem por vontade própria".[144] Sustentado pelas advertências de Edmund Burke e de Alexis de Tocqueville contra o centralismo, Russell Kirk espera "que a geração emergente de conservadores tenha a coragem necessária para impedir

---

[141] Alexis de Tocqueville, *O Antigo Regime e a Revolução*. Brasília/São Paulo, Editora Universidade de Brasília/Hucitec, 1989, p. 77-139.

[142] Donald Davidson, *Regionalism and Nationalism in the United States: The Attack on Leviathan*. Intr. Russell Kirk. New Brunswick, Transaction Publishers, 1991.

[143] Russell Kirk, *A Política da Prudência*. Op. cit., p. 177-90.

[144] Roger Scruton, *Como ser um Conservador*. Op. cit., p. 40.

o triunfo dos centralizadores".[145] No livro *Virtue and the Promisse of Conservatism: The Legacy of Burke & Tocqueville* [Virtude e a Promessa do Conservadorismo: O Legado de Burke e de Tocqueville], o jurista e cientista político americano Bruce Frohnen afirma que "a ênfase de Kirk na necessidade de respostas prudentes para as circunstâncias variadas e mutáveis o levou a seguir Burke e Tocqueville ao enfatizar a importância da autonomia local".[146] De modo semelhante ao pensamento kirkiano, Scruton continua sua crítica à centralização:

> No lugar de um governo centralizado, Burke elabora um argumento em prol de uma sociedade configurada de modo ascendente pelas tradições desenvolvidas a partir da necessidade natural de nos relacionarmos. As tradições sociais importantes não são apenas costumes arbitrários que devem sobreviver ou não no mundo moderno. São formas de conhecimento. Contém resquícios de muitas tentativas e erros conforme as pessoas tentam ajustar a própria conduta à das demais. Para usar a linguagem da teoria dos jogos, elas são soluções descobertas dos problemas de coordenação que surgem ao longo do tempo. Existem porque dão informação necessária sem a qual a sociedade não pode ser capaz de se reproduzir. Caso as destruamos de modo negligente, eliminaremos as garantias oferecidas de uma geração para a geração posterior.
>
> Ao debater tradição, não estamos discutindo normas arbitrárias e convenções, mas *respostas* que foram descobertas a partir de *questões* perenes. Essas respostas estão implícitas, compartilhadas e incorporadas nas práticas sociais e nas expectativas inarticuladas. Aqueles que as adotam não são necessariamente capazes de explicá-las e ainda menos de justificá-las. Por essa razão, Burke as descreve como "predisposições" e as defende sob o argumento de que, apesar de o capital de razão em cada indivíduo ser pequeno, há um acúmulo de razão na sociedade que questionamos e rejeitamos por nossa conta e risco.[147]

---

[145] Russell Kirk, *A Política da Prudência*. Op. cit., p. 299.
[146] Bruce Frohnen, *Virtue and the Promise of Conservatism: The Legacy of Burke & Tocqueville*. Lawrence, University Press of Kansas, 1993, p. 169.
[147] Roger Scruton, *Como ser um Conservador*. Op. cit., p. 40.

Mesmo tendendo a dar razão aos conservadores na maioria das vezes, João Camilo de Oliveira Torres ao discutir o problema afirmou que "Tavares Bastos alinha casos infinitos mostrando reinar a centralização absoluta", para acrescentar que "o Visconde de Uruguai mostra com enorme dispêndio de exemplos que as assembleias viviam legislando sobre o que não lhes competia".[148] O historiador mineiro destacou a dificuldade para se discriminar "atribuições respectivas do governo geral e das províncias", pois estas se encontravam dispersas em "vários artigos da Constituição, do Ato Adicional e da lei de interpretação deste último", o que o levou a concluir que "a questão pertencia, antes, ao plano da Hermenêutica do que ao da legislação".[149] Após longa análise, ressalta que:

> Seja como for, liberais e conservadores sentiam perfeitamente que, dadas as condições concretas do povo brasileiro, não lhes era possível manter o domínio político senão usando da autoridade que lhe conferia o Estado, na pessoa do imperador. Chamados a organizar gabinetes, montavam e desmontavam máquinas partidárias valendo-se dos órgãos de ação da autoridade no plano local, e das mercês, títulos e honrarias. E, estudando a questão com objetividade: ser-lhes-ia possível outro caminho? As condições concretas do país permitiriam estabelecer bases de um regime democrático fundado na confiança livremente expressa do eleitorado? Seria ingenuidade esperar isto.[150]

Fundada na defesa do Poder Moderador e da unidade da autoridade política central, em detrimento dos anseios federalistas das oligarquias locais, a ação política dos saquaremas foi o principal elemento tanto para garantir a manutenção da unidade do Império quanto para forjar a identidade nacional brasileira. Como exposto por Roderick J. Barman, "no final da década de 1830 um

---

[148] João Camilo de Oliveira Torres, *A Formação do Federalismo no Brasil*. Op. cit., p. 100.

[149] Idem. Ibidem, p. 101.

[150] Idem. Ibidem, p. 140.

dos mais efetivos argumentos usados em favor da recentralização foi que esta poderia eliminar o faccionalismo e a corrupção da política provincial".[151] No livro *Estratificação Social no Brasil*, lançado originalmente em 1965, João Camilo de Oliveira Torres defende que "a 'centralização' não somente mantinha divididas as oligarquias locais como também criava situações de ostracismo e derrota, que as enfraqueciam grandemente".[152] Em concordância com esta afirmativa, é possível concluir que "as práticas institucionais e a ideologia do governo constitucional, da 'liberdade ordenada', representadas pelo Partido da Ordem", como frisou Jeffrey D. Needell, "eram adequadas para proteger das oligarquias brasileiras os interesses sociais e econômicos".[153]

Em um ambiente eminentemente agrário, com pequena vida urbana, sem a existência de uma verdadeira sociedade civil e de uma opinião pública organizada, na qual a constituição do Estado foi anterior à formação da cidadania, a concretização do projeto luzia seria a subjugação da maior parte da população aos caprichos das oligarquias locais, o que ocorre na experiência republicana. Nas palavras de Christian Lynch, "o exercício do poder político na República Velha foi caracterizado por uma prática distante do liberalismo democrático americano", almejado por alguns republicanos, ao fazer que "a autonomia e a estabilidade do Estado imperial", defendidas pelos saquaremas, cedessem "lugar a um quadro em que as instituições foram tomadas de assalto pelas aristocracias rurais estaduais".[154] Em *Os Bestializados: O Rio de Janeiro e a República que não foi*, José Murilo de Carvalho afirma que "a República, ou os vitoriosos da República, fizeram muito pouco em relação à expansão de direitos

---

[151] Roderick J. Barman, *Brazil*. Op. cit., p. 227.

[152] João Camilo de Oliveira Torres, *Estratificação Social no Brasil*. Brasília, Edições Câmara, 2018, p. 49.

[153] Jeffrey D. Needell, *The Party of Order*. Op. cit., p. 321.

[154] Christian Edward Cyril Lynch, *O Momento Monarquiano*. Op. cit., p. 381.

civis e políticos", o que representa um fracasso das demandas liberais, visto que as medidas de inspiração democratizante visando "desconcentrar o exercício do poder", desacompanhadas de uma "expansão significativa da cidadania política", tiveram como resultado prático "entregar o governo mais diretamente nas mãos dos setores dominantes, tanto rurais quanto urbanos".[155] Em *Interpretação da Realidade Brasileira*, João Camilo de Oliveira Torres assim resumiu o problema:

> Muito embora dentro da lógica brasileira da primazia do Estado como condição e causa formal do ser social, a república foi uma anomalia, se a considerarmos no quadro ideológico que inspira as revoluções republicanas. A república e a federação foram, no Brasil, decretadas por um governo que as forças armadas instituíram em virtude do declínio do Poder Moderador. Não houve o povo em revolta contra tiranias, reais ou fictícias; tomadas de bastilhas e lutas de barricadas. O povo levou muito tempo a entender o que se passava em torno. Extinto, por assim dizer, o Poder Moderador, devido à doença do Imperador D. Pedro II, reduzido a uma "sombra de rei", e como se achava o país, por assim dizer, ao léu, a guarnição militar do Rio decide estabelecer novo governo, que, por força de ideias que estavam circulando por aí e na ordem do dia, decidiu adotar a república e a federação.[156]

Acreditamos que o ocaso do Império foi, também, o ocaso do conservadorismo no Brasil. O golpe republicano eliminou a figura visível da autoridade constitucional, encarnada no monarca com suas prerrogativas de Poder Moderador, tendo deixado um vácuo que, em diferentes momentos, os militares buscaram ocupar e que, atualmente, os magistrados do Superior Tribunal Federal (STF) parecem querer usurpar. Uma das mais nefastas consequências do novo regime é que "a prática republicana consiste basicamente no abandono do

---

[155] José Murilo Carvalho, *Os Bestializados: O Rio de Janeiro e a República Que Não Foi*. São Paulo, Companhia das Letras, 1999, p. 45-46.

[156] João Camilo de Oliveira Torres, *Interpretação da Realidade Brasileira*. Op. cit., p. 58.

princípio de representação".[157] A vitória do projeto luzia de descentralização foi a maior derrota do Partido Liberal, pois a experiência republicana, desde o início, foi marcada por diferentes formas de autoritarismo, que fortaleceram ainda mais a centralização estatal.

V. A SOMBRA DO CONSERVADORISMO

A íntima relação entre o conservadorismo no Brasil e a monarquia leva ao questionamento sobre a possibilidade de existência de uma legítima política conservadora em nosso país no regime republicano. Como uma sombra difusa do explendor saquarema, alguns estadistas mantiveram a chama acesa no início da República Velha, na qual atitudes conservadoras aparecem em três remanescentes do Império, um verdadeiramente saquarema e dois luzias que evocaram a tradição contra os erros da época.

O primeiro foi o advogado, parlamentar, diplomata, geógrafo, professor, jornalista e historiador carioca José Maria da Silva Paranhos Júnior (1846-1912), o Barão do Rio Branco, provavelmente a mais incontroversa figura no panteão nacional, que, mesmo na condição de último dos saquaremas, formado na tradição do Partido Conservador, teve o grande mérito de "isolar-se das lutas internas, para apreciar unicamente o interesse nacional em conjunto".[158] O patrono da diplomacia brasileira era filho do já mencionado senador e diplomata baiano José Maria da Silva Paranhos, o Visconde do Rio Branco, originalmente um membro do Partido Liberal, entre 1847 e 1849, que ingressou em 1853 no Partido Conservador, no qual permaneceu até a morte em 1880, tendo ocupado a pasta de ministro das Relações Exteriores por três vezes, de 1855 a 1857, de 1858 a 1859, e de 1868

---

[157] Antônio Paim, *História do Liberalismo Brasileiro*. Op. cit., p. 156.
[158] João Camilo de Oliveira Torres, *A Democracia Coroada*. Op. cit., p. 233.

a 1870, além dos cargos de ministro da Fazenda e, simultaneamente, de presidente do Conselho de Ministros, entre 1871 e 1875. O futuro Barão do Rio Branco, título recebido em 1888, seguiu os passos do pai, tendo ingressado, em 1868, na política como deputado eleito pelo Partido Conservador, e, em 1876, na diplomacia.

O fato de ser um monarquista convicto não impediu o Barão do Rio Branco de ocupar ininterruptamente o cargo de ministro das Relações Exteriores, desde 1902 até a morte em 1912, nos governos de Francisco de Paula Rodrigues Alves (1848-1919), Afonso Pena (1847-1909), Nilo Peçanha (1867-1924) e Hermes da Fonseca (1855-1923). Esta atuação levou João Camilo de Oliveira Torres a denominar estas presidências de "Regência Rio Branco", pois "mudavam-se governos; ficava o Barão, respeitado, solene, soberano, Poder Moderador da política, dirigindo, como de praxe nas monarquias, a política exterior, zelando pela tradição, mantendo a continuidade histórica".[159] No período em que esteve à frente do Itamaraty, consolidou as atuais fronteiras brasileiras, sendo um continuador da política externa pragmática dos conservadores Bernardo Pereira de Vasconcelos, Visconde de Uruguai e Visconde do Rio Branco. "O mesmo pragmatismo caracteriza os escritos políticos do barão, nos quais não se encontram opiniões de publicistas ou teóricos", pois, de acordo com as palavras de Christian Lynch, "aparentemente, Rio Branco adotava o conservadorismo prescritivo aprendido no convívio doméstico e público com os próceres saquaremas".[160]

O segundo remanescente é o filho do magistrado e estadista baiano Tomás Nabuco de Araújo Filho (1813-1878), um saquarema que se tornou luzia, tendo ocupado as funções de deputado, senador e duas vezes ministro da Justiça, de 1858 até 1859 e de 1865 até 1866.

---

[159] Idem, *O Presidencialismo no Brasil*. Op. cit., p. 104.

[160] Christian Edward Cyril Lynch, "Um Saquarema no Itamaraty: Por uma Abordagem Renovada do Pensamento Político do Barão do Rio Branco". *Revista Brasileira de Ciência Política*, n. 15 (set.-dez. 2014): 279-314. Cit. p. 299.

O jurista, parlamentar, jornalista, poeta, historiador, e diplomata pernambucano Joaquim Nabuco (1849-1910), ao seguir os passos do pai, foi membro do Partido Liberal, mas durante a República atuou como um conservador. Na autobiografia *Minha Formação*, de 1900, faz a seguinte reflexão:

> Olhei a vida nas diversas épocas através de vidros diferentes: primeiro, no ardor da mocidade, o prazer, a embriaguez de viver, a curiosidade do mundo; depois, a ambição, a popularidade, a emoção da cena, o esforço e a recompensa da luta para fazer homens livres (todos esses eram vidros de aumento)...; mais tarde, como contraste, a nostalgia do nosso passado e a sedução crescente de nossa natureza, o retraimento do mundo e a doçura do lar, os túmulos dos amigos e os berços dos filhos (todos esses são ainda prismas); mas em despedida ao Criador, espero ainda olhá-la através dos vidros de Epicteto, do puro cristal sem refração: a admiração e o reconhecimento...[161]

Nascido no Recife, Joaquim Nabuco morou durante a infância longe dos pais, que vivian na Corte, tendo ficado no Engenho Massangana, em Pernambuco, aos cuidados da madrinha, de quem recebeu sua educação inicial. Após a morte dela, em 1857, passou a viver com os pais no Rio de Janeiro, onde estudou, a partir de 1859, no Colégio Dom Pedro II, tendo recebido, em 1865, o título de bacharel em Letras. Ingressou na Faculdade de Direito de São Paulo em 1866, mas três anos depois se transferiu para a Faculdade de Direito do Recife, pela qual se formou em 1870. Empreendeu longa viagem, entre 1873 e 1874, na qual visitou a França, a Inglaterra, a Suíça e a Itália, tendo conhecido várias personalidades famosas. Acreditava que "a felicidade é a admiração do belo em companhia daqueles com quem estamos em harmonia".[162]

---

[161] Joaquim Nabuco, *Minha Formação*. Intr. Gilberto Freyre. Brasília, Senado Federal, 1998, p. 243.

[162] Idem, *Pensamentos Soltos*. Rio de Janeiro/São Paulo, Civilização Brasileira/Companhia Editora Nacional, 1937, p. 96.

A carreira política de Joaquim Nabuco começou em 1878, quando foi eleito pelo Partido Liberal para a Câmara dos Deputados, na qual se notabilizou pela luta em favor da abolição da escravatura e pela defesa da reforma constitucional, tendo se retirado por um tempo da vida pública após a derrubada da monarquia. Ocupou, de 1905 até a morte prematura, em 1910, o cargo de embaixador do Brasil nos Estados Unidos, onde ministrou conferências divulgando nossa cultura em prestigiosas universidades e, também, militou pelo pan-americanismo. Foi um dos fundadores da Academia Brasileira de Letras (ABL), em 1897, e legou vasta obra. Afirmou que a pesquisa histórica "é com efeito o único campo em que me seria dado ainda cultivar a política, porque nele não terei perigo de faltar à indulgência, que é a caridade do espírito, nem à tolerância, que é a forma de justiça a que eu posso atingir".[163]

Três períodos distintos marcaram a atuação de Joaquim Nabuco, que na década de 1880 militou na campanha abolicionista, na de 1890 foi uma voz quase solitária em defesa da monarquia, e na de 1900 apoiou o pan-americanismo. Em *Interpretação da Realidade Brasileira*, João Camilo de Oliveira Torres apresenta a respectiva síntese:

> Joaquim Nabuco, em sua vibrante existência, atravessou três fases: o tribuno do povo, o historiador, o diplomata.
>
> Na fase da sua vida em que os seus princípios pessoais estavam em coerência com a organização brasileira, Nabuco foi herói de plenitude: o tribuno do povo. Quebrada a harmonia entre o indivíduo e a nação, refugiou-se na história: tornou-se uma figura comum nas épocas de contradição: o historiador saudosista, *à la recherche du temps perdu*[164] e autor de sua autobiografia. A terceira fase foi a do diplomata: uma fuga real, sem, contudo, largar de servir à pátria.

---

[163] Idem, *Minha Formação*. Op. cit., p. 243.

[164] A sentença em francês *"à la recherche du temps perdu"*, título do romance de Marcel Proust (1871-1922), lançado em sete volumes entre os anos de 1913 e 1927, é comumente traduzida como "em busca do tempo perdido".

Apesar dos serviços prestados em todas estas circunstâncias, o jovem Nabuco da Abolição se fixará mais do que todas as outras atitudes no espírito e na recordação do povo brasileiro.[165]

Tomou a política "como vocação intelectual", ao passo que "a necessidade de cultivar interiormente a benevolência", diante da conjuntura histórica, foi o fator que o levou "a trocar definitivamente a política pelas letras".[166] Gilberto Freyre, ao tratar dos discursos parlamentares de Joaquim Nabuco ressalta:

> Daí ter-se mostrado, quase sempre, Joaquim Nabuco, além de racional, intuitivo, ao procurar, quase intuitivamente, conciliar, como homem público, aparentes opostos, entre os quais, seu monarquismo e seu federalismo. Mais: seu elitismo e seu populismo. E dentro de sua própria personalidade, e através de sua personalidade, seu procedimento de parlamentar, a, para ele, "eloquência" e a, também para ele, "elegância". O ânimo dionisíaco e o ânimo apolíneo.[167]

O pensamento dele, mesmo na fase como abolicionista, é marcado por um conservadorismo estético, sustentado em um "idealismo prático", expresso pela posição moderada aristotélica, entre o idealismo platônico e o pragmatismo maquiavélico, adotada como meio de rejeição ao utopismo rousseauniano. Em *Balmaceda*, de 1895, alerta sobre os riscos do "manejo de ideias novas, tão atraente para os principiantes, ao qual se pode dar o nome de política silogística", e alerta que esta "é uma pura arte de construção no vácuo. A base são teses, e não fatos; o material, ideias, e não homens; a situação, o mundo, e não o país; os habitantes, as gerações futuras, e não as atuais".[168]

---

[165] João Camilo de Oliveira Torres, *Interpretação da Realidade Brasileira*. Op. cit., p. 283.

[166] Idem, *Minha Formação*. Op. cit., p. 243.

[167] Gilberto Freyre, "Introdução". In: *Joaquim Nabuco*. Sel. e intr. Gilberto Freyre. Brasília, Edições Câmara, 2. ed. ampl., 2010, p. 69.

[168] Joaquim Nabuco, *Balmaceda*. Rio de Janeiro, Typographia Leuzinger, 1895, p. 16-17.

Ao falar dos que são levados por "um espírito amigo da novidade", cita uma frase de Edmund Burke para alertar que "a versatilidade desses espíritos alvissareiros não é um simples vício intelectual, ou uma doença atáxica do espírito". Continua com a afirmação que "a novidade que os fascina é a que eles podem lançar em circulação como moeda sua, com a sua efígie", visto que "se acontece ser a ideia nova lançada contra eles, qualquer superstição nacional, por mais antiga, lhes serve de reduto contra ela". Por fim, conclui:

> No fundo, o fenômeno é um relaxamento causado pela desordem das leituras, é a atrofia das defesas naturais do espírito, um gasto contínuo, inútil, de atividade mental, inabilitando o espírito para qualquer produção forte, o coração para todo sentimento seguido. O homem torna-se uma espécie de títere de biblioteca, deixa de pensar por si, de contar consigo, é o eterno sugestionado, em cujo cérebro se sucedem rapidamente em combinações extravagantes, as quimeras alheias, os sistemas antípodas; não é mais, em sentido algum, uma individualidade, é um feixe de incompatíveis. Um espírito assim, posto no governo do Estado, é o mais perigoso de todos, a sua marcha política só pode ser um perpétuo zigue-zague, as suas construções um perfeito labirinto, até que, de repente, se vê sem saída, e então, se é um homem de ação e de vontade, além disso de orgulho, ele bater-se-á como um fanático até a morte, isto é, fará, sem o sentir, da última novidade que o seduziu a sua fé definitiva e imortal.[169]

As críticas feitas ao caudilho chileno José Manuel Balmaceda (1840-1891) tinham como alvo o "marechal de ferro" Floriano Peixoto (1839-1895), cuja obra política, tal como resumida por João Camilo de Oliveira Torres, foi "estabelecer a base prática do regime: o poder do presidente".[170] Três aspectos do florianismo reaparecem em momentos distintos de nossa experiência presidencialista, a saber: 1º) a mística do presidente como salvador da pátria; 2º) a quebra das

---

[169] Idem. Ibidem, p. 183-85.
[170] João Camilo de Oliveira Torres, *O Presidencialismo no Brasil*. Op. cit., p. 197.

frágeis armações legais do sistema; 3º) a preponderância da presidência em relação aos demais órgãos do Executivo, bem como as relações pouco ortodoxas desta com os poderes Legislativo e Judiciário. Essas três características não foram exclusividade da República da Espada, entre o governo provisório do marechal Deodoro da Fonseca (1827-1892), a partir de 1889, e a posse, em 1894, de Prudente de Morais (1841-1902), o primeiro civil eleito para a presidência. Os períodos seguintes foram marcados pela supremacia presidencial em detrimento da institucionalidade como instrumento para satisfazer as demandas das oligarquias locais ou de outros grupos, tal como é possível constatar desde a vigência da "política do café com leite", a partir de Manuel Ferraz de Campos Salles (1841-1913), passando tanto pela ditadura de Getúlio Vargas (1882-1954) quanto pelas presidências de Jânio Quadros (1917-1992) e de João Goulart (1919-1976), até o Regime Militar e a vigente Nova República. A monarquia brasileira foi mais "republicana", no sentido de "coisa pública" ou de "bem comum", do que o autoritário regime republicano. O próprio Joaquim Nabuco assim se expressa sobre a questão:

> Eu era monarquista porque a lógica me dizia que não se devia absolutamente aproveitar para nenhuma fundação nacional o ressentimento do escravismo; por prever que a Monarquia Parlamentar só podia ter como sucessora revolucionária a Ditadura Militar, quando sua legítima sucessora evolutiva era a Democracia Civil; por pensar que a República no Brasil seria a pseudorrepública que é em toda a América Latina. Eu dizia que a República não poderia funcionar como governo livre; e que, desde o dia em que ela fosse proclamada, desapareceria a confiança, que levamos tantos anos a adquirir sob a Monarquia, de que a nossa liberdade dentro da lei era intangível.[171]

O novo regime, um golpe militar apoiado pela espúria aliança entre o oportunismo dos republicanos e o ressentimento dos

---
[171] Joaquim Nabuco, *A Abolição e a República*. Recife, Ed. UFPE, 1999, p. 60.

escravagistas, unidos para impedir a instauração do Terceiro Reinado com a futura coroação da princesa Isabel (1846-1921), foi visto como "um verdadeiro estelionato".[172] Christian Lynch demonstra que Joaquim Nabuco desenvolveu um esquema em três etapas para explicar o desenvolvimento político,[173] que tendo como base as reflexões de Alexis de Tocqueville e de John Stuart Mill acerca do processo de democratização das sociedades, defendia existir uma evolução das nações inciada com um "momento *tory*" de construção autoritária do Estado nacional, sucedido por um "momento *whig*" de implementação liberal do Estado de Direito, e, finalmente, o "momento democrático" de incorporação cívica da maioria dos cidadãos.

Diante dos retrocessos políticos, que, em um primeiro momento, impediu o advento da democratização com a quartelada republicana, que, em uma segunda etapa, destruiu as bases do Estado de Direito com o despotismo da República da Espada, e que ameaçava esfacelar o Estado nacional e fragmentar a unidade do país com guerras civis, como as duas Revoltas da Armada, em 1891 e de 1893 a 1894, e a Revolução Federalista, entre 1893 e 1895, Joaquim Nabuco encontrou no ofício de historiador o caminho para defender a pátria, tal como expresso no já citado livro *Balmaceda* e na obra *Um Estadista do Império*, lançada em três volumes entre 1897 e 1899, sendo esta última uma biografia do pai. Descrito como um "espírito de autoridade, gradualmente penetrado de liberalismo, isto é, de tolerância e de equidade, mas equiparando sempre as aspirações e processos revolucionários à pura anarquia e subversão social",[174] o senador Tomás Nabuco de Araújo Filho tem a trajetória utilizada para explicar as três etapas do desenvolvimento imperial brasileiro.

---

[172] Idem, *Escritos e Discursos Literários*. Recife, Ed. UFPE, 1901, p. 63.

[173] Christian Edward Cyril Lynch, "O Império É Que Era a República: A Monarquia Republicana de Joaquim Nabuco". *Lua Nova*, n. 85 (2012), 277-311.

[174] Joaquim Nabuco, *Um Estadista do Império*. Rio de Janeiro, Topbooks, 1997, p. 320.

A primeira fase de construção e manutenção do Estado nacional foi efetuada na Independência e no Regresso por forças conservadoras. A segunda foi marcada pelos avanços do Estado de Direito e do sistema representativo, tendo ocorrido a partir da Conciliação por intermédio dos esforços, ao longo de todo o Segundo Reinado, dos liberais moderados, tanto os luzias quanto os saquaremas. A terceira etapa poderia ter ocorrido após a Abolição da escravatura, com o advento do Terceiro Reinado, que provavelmente daria ensejo a um processo de democratização. A partir desta percepção, a Proclamação da República pode ser entendida como uma ruptura da continuidade entre o passado e o futuro. "O condão deixado pela fada no berço da nossa nacionalidade foi quebrado e lançado fora", afirma Joaquim Nabuco, ao destacar que "a Independência, a Unidade Nacional, a Abolição, nenhuma dinastia jamais insculpiu na sua pirâmide um tão perfeito *cartouche*", para finalmente concluir:

> Quando eu pensava no papel representado pela casa reinante brasileira, Dom Pedro I, Dom Pedro II, Dona Isabel, e nas condições de unanimidade, espontaneidade, e finalidade nacional necessárias para ela o poder de novo desempenhar de acordo com a sua lenda, o problema excedia a minha imaginação, e parecia-me um atentado contra a História querer-se acrescentar, a não ser por mão de mestre, de uma segurança, de uma delicadeza, de uma felicidade a toda prova, um novo painel àquele tríptico...
>
> Por outro lado, durante os anos que trabalhei na *Vida* de meu pai a minha atitude foi insensivelmente sendo afetada pelo espírito das antigas gerações que criaram e fundaram o regime liberal que a nossa deixou destruir...[175]

Ao utilizar literalmente uma sentença da biografia de Edmund Burke,[176] escrita por John Morley (1838-1923), o estadista e litera-

---

[175] Idem, *Minha Formação*. Op. cit., p. 240.
[176] "Burke's Utilitarian Liberalism and His Historic Conservatism". In: John Morley, *Burke*. London, Macmillan, 1888. p. 137.

to pernambucano qualificou o pai como "o guia mais seguro dos espíritos positivos, que aliam, como Burke, o liberalismo utilitário e o conservantismo histórico".[177] De acordo com a descrição do filho em *Um Estadista do Império*, o senador Nabuco teria sido "um idealista prático, um espírito sempre com um grande objetivo diante de si, às vezes longínquo, difícil, complexo, mas procedendo em tudo com espírito positivo, legislando para a sociedade presente e procurando nela seus pontos de apoio e seus meios de ação".[178] Esta descrição, tal como outras aqui citadas, que fez do pai são aplicáveis, também, ao próprio Joaquim Nabuco, que defendemos ser o mais significativo representante de um liberalismo dotado do mesmo tipo de disposição conservadora apresentada por Russell Kirk.

Por fim, o terceiro e último dos três grandes remanescentes do Império foi o jurista, estadista, diplomata e literato baiano Rui Barbosa (1849-1923), que, contra o autoritarismo da República, manifestou uma espécie de conservadorismo na defesa de princípios liberais. "No governo constituído após a Proclamação da República participavam pelo menos três correntes de opinião", como destacado por Antônio Paim, sendo estas "os liberais, os positivistas e os militares sem muita formação doutrinária, mas em cujo seio surgiram grupos exaltados, por isso mesmo denominados jacobinos", sendo que "os liberais eram liderados por Rui Barbosa", a chefia do governo estava com o marechal Deodoro da Fonseca, "um conceituado militar", e "a hegemonia estava com os positivistas, embora estes não se achassem unidos quanto às características que deveriam imprimir ao novo regime".[179]

No livro *O Positivismo no Brasil*, lançado pela primeira vez em 1947, João Camilo de Oliveira Torres destaca que o início do novo regime foi muito favorável aos positivistas, apesar do jurista e estadista baiano "incomodar um pouco" estes "com o seu liberalismo e

---

[177] Joaquim Nabuco, *Um Estadista do Império*. Op. cit., p. 1126.
[178] Idem. Ibidem, p. 81.
[179] Antônio Paim, *História do Liberalismo Brasileiro*. Op. cit., p. 155.

com a sua grande e sempre crescente influência no ânimo do marechal Deodoro".[180] O historiador mineiro relata que "desde cedo, a República passou a oscilar entre os dois polos"; de um lado estava "o liberalismo individualista e jurídico de Rui Barbosa", e do outro o positivismo propagado pelo militar republicano Benjamin Constant Botelho de Magalhães (1836-1891), tendo concluído que o equilíbrio entre as duas posições antagônicas foi rompido "favoravelmente ao *metafisismo democrático*, mais de acordo com as opiniões correntes em nossas classes cultas de então".[181] Na mesma obra, afirma que "não se levou em consideração a proposta positivista", para acrescentar que "Rui Barbosa organizou a República segundo os mais perfeitos moldes da liberal-democracia jurídica".[182]

De acordo com Antônio Paim em *A Escola Cientificista Brasileira*,[183] o processo de estruturação no Brasil da mentalidade cientificista do positivismo é marcado por cinco etapas. A primeira ocorreu no Império com a adesão da elite técnica aos postulados de Auguste Comte (1798-1857), criador do positivismo, divulgados tanto por Miguel Lemos (1854-1917) e Raimundo Teixeira Mendes (1855-1927), os principais expoentes do Apostolado Positivista, quanto pelo já mencionado Benjamin Constant, o fundador da República. O segundo momento é a derrota do Apostolado Positivista no início do período republicano, devido à atuação de Rui Barbosa, que impediu a implementação de uma ditadura republicana em nosso país. Na terceira fase temos a ação de Júlio de Castilhos (1860-1903), que, diante do fracasso da investida do Apostolado Positivista na esfera nacional durante a assembleia constituinte, formulou no plano

---

[180] João Camilo de Oliveira Torres, *O Positivismo no Brasil*. Brasília, Edições Câmara, 2018, p. 204.

[181] Idem. Ibidem, p. 114-15.

[182] Idem. Ibidem, p. 97.

[183] Antônio Paim, *A Escola Cientificista Brasileira – Estudos Complementares à História das Ideias Filosóficas no Brasil: Volume VI*. Londrina, Cefil, 2002.

local as bases teóricas do castilhismo. A quarta etapa foi a reelaboração do castilhismo por Getúlio Vargas, que transportou-o para todo o país ao fazer uma adaptação da doutrina às demandas do período. Por fim, aparece a versão positivista do marxismo, elaborada por Leônidas de Rezende (1889-1950) e João Cruz Costa (1904-1978), segundo a qual muitas das teses que atualmente circulam com o rótulo de "marxista", na verdade, provêm do arsenal positivista.

Em muitos aspectos, na atualidade o antídoto liberal de Rui Barbosa ainda pode ser utilizado com eficácia contra esta mazela. Nascido em Salvador, ingressou na Faculdade de Direito do Recife, em 1866, e dois anos depois se transferiu para a Faculdade de Direito do Largo de São Francisco, em São Paulo, pela qual, em 1870, formou-se. Iniciou a carreira de jornalista como estudante. Em 1897, foi um dos fundadores da Academia Brasileira de Letras (ABL). Na condição de "trabalhador incansável", ressaltada por Antônio Paim, "deixou uma obra de amplitude inusitada".[184] A coleção dos escritos de Rui Barbosa, consituída por 137 tomos,[185] foi organizada pelo historiador carioca Américo Jacobina Lacombe (1909-1993), que também elaborou diversos trabalhos sobre o estadista e polímata baiano, sobre o qual, em *À Sombra de Rui Barbosa*, afirma que a obra "é a maior do Brasil, em extensão: uma capacidade de trabalho inteiramente fora do comum, aplicada regularmente durante uma existência relativamente longa".[186] Todavia, devemos lembrar que Rui Barbosa "não escreveu um só livro, mas artigos, discursos e pareceres", conforme ressaltado por João Camilo de Oliveira, que em *Interpretação da Realidade Brasileira*, defende que esta é "uma obra extraordinária, mas visando

---

[184] Idem, *História do Liberalismo Brasileiro*. Op. cit., p. 167.

[185] As *Obras Completas de Rui Barbosa* (OCRB) estão disponíveis em: <http://www.casaruibarbosa.gov.br/rbonline/obrasCompletas.htm>. Acesso em: 16 fev. 2020.

[186] Américo Jacobina Lacombe, *À Sombra de Rui Barbosa*. São Paulo, Companhia Editora Nacional, 1978, p. 157.

diretamente à ação, tendo em vista um fato concreto, a solução de um problema".[187] Como ressaltou Américo Jacobina Lacombe, "Rui foi essencialmente político e disso se prezava".[188]

A vida política foi iniciada como um luzia aos 28 anos, em 1877, quando foi eleito deputado provincial. No ano seguinte foi eleito para a Câmara dos Deputados, na qual atuou ao longo da década de 1880 em favor da reforma eleitoral, durante o gabinete liberal do conselheiro José Antônio Saraiva (1823-1895), tendo sido o relator da Lei Saraiva, que instituiu o Título de Eleitor, proibiu o voto de analfabetos e estabeleceu eleições diretas para todos os cargos eletivos. No livro *A Formação do Federalismo no Brasil*, João Camilo de Oliveira Torres afirma que "nos dias finais do regime, Rui Barbosa concentraria em torno da 'federação' toda a força opulenta e frondosa de sua argumentação".[189]

O parlamentar luzia baiano não participou da conspiração que derrubou a monarquia, pois como narra Américo Jacobina Lacombe, "a 15 de novembro ele foi tomado de surpresa pelo movimento de tropas".[190] Em *Cartas de Inglaterra*, afirmou que não se separou "do partido liberal em 1889 como republicano", mas que se afastou "dele como federalista", pois tomou essa atitude "fazendo questão dessa reforma, que teria dilatado", tal como sempre defendeu, "a existência da monarquia".[191] Todavia, decidiu apoiar o novo regime, tendo ocupado, durante o governo provisório de Deodoro da Fonseca, a pasta da Fazenda, entre 1889 e 1891, sendo eleito senador em 1890 e

---

[187] João Camilo de Oliveira Torres, *Interpretação da Realidade Brasileira*. Op. cit., p. 347.

[188] Américo Jacobina Lacombe, *À Sombra de Rui Barbosa*. Op. cit., p. 148.

[189] João Camilo de Oliveira Torres, *A Formação do Federalismo no Brasil*. Op. cit., p. 100.

[190] Américo Jacobina Lacombe, *À Sombra de Rui Barbosa*. Op. cit., p. 36.

[191] Rui Barbosa, *Cartas de Inglaterra*. Rio de Janeiro, Typographia Leuzinger, 1896, p. 403.

reeleito em todos os pleitos até 1921. A "primeira luta" contra o autoritarismo foi "dirigir o Governo no sentido de uma constituinte".[192] Nos debates na Assembleia Nacional Constituinte, Júlio de Castilhos "foi um dos líderes positivistas, tendo defendido as teorias políticas comtistas elaboradas por Miguel Lemos e Teixeira Mendes", contudo, não teve "o menor êxito", de acordo com João Camilo de Oliveira Torres, "graças à ação dos grupos liberais, capitaneados por Rui Barbosa".[193] "A Constituinte iniciou, pois, uma reação do comtismo em todos os setores da vida nacional", dando início ao que o historiador mineiro denominou "reinado dos juristas e estadistas do regime imperial".[194] O "liberalismo jurídico, defendido pelo verbo flamante de Rui Barbosa", associado ao "bom senso dos políticos conservadores", criou a "Constituição liberalíssima de 1891", ao passo que o "apostolado positivista ficou de fora, olhando os conselheiros do Império tomarem conta da República, que um positivista havia fundado".[195] "O elemento essencial dessa reação" foi "o binômio liberal-conservador, que movera o Império", assim explicado:

> Na prática, todos os deputados eram liberais. Consideravam as práticas demojurídicas as melhores possíveis para a realização do bem comum. Na teoria uns eram mais ou menos conservadores, católicos e monarquistas. Muitos dos adesistas permaneceram fiéis ao velho regime; em teoria, é claro.
>
> Outros dos constituintes eram liberais em matéria e forma. À frente deles se achava Rui Barbosa. Numa assembleia constituinte estava em seu elemento natural o ilustre baiano, jurista e orador de temperamento. Orador de recursos quase infinitos como era, seria o dono da Constituinte. Jurista notável, poderia elaborar uma constituição de acordo com a mais perfeita técnica. Foi o que aconteceu. O liberalismo

---

[192] Américo Jacobina Lacombe, À Sombra de Rui Barbosa. Op. cit., p. 38.
[193] João Camilo de Oliveira Torres, O Positivismo no Brasil. Op. cit., p. 168.
[194] Idem. Ibidem, p. 104.
[195] Idem. Ibidem, p. 188.

jurídico de Rui – síntese de todas as doutrinas liberais do mundo – orientou todos os trabalhos da assembleia.[196]

Tal como destacado por Américo Jacobina Lacombe, o jurista baiano não era somente "o membro mais culto do Governo, era o que tinha uma visão mais profunda das transformações necessárias ao país".[197] "Raramente um pensador político teve ocasião de construir a cidade ideal a seu modo", ressaltou João Camilo de Oliveira Torres, ao explicar que Rui Barbosa, "como os legisladores das lendas antigas", delineou "no papel todo o quadro institucional, sem maiores limitações, sem interferências mais fortes", visto que "era a única pessoa no governo provisório que entendia perfeitamente do assunto", entretanto, ao mesmo tempo "não nutria dúvidas acerca da exequibilidade de tudo aquilo", pois, "desconhecia, por princípio e formação, a influência da história na formação dos regimes", visto que "tinha a lei unicamente como criação da vontade do legislador".[198]

"Rui Barbosa tem o seu nome indissoluvelmente ligado à primeira Constituição republicana", acentua Américo Jacobina Lacombe, e acrescenta que o jurista "reivindicou várias vezes, e solenemente, a sua autoria",[199] para concluir que "a influência de Rui na primeira Constituição é decisiva e incontrastável".[200] Em *O Idealismo na Constituição*, lançado em 1939, o documento constitucional, promulgado em 24 de fevereiro de 1891, é assim descrito por Francisco José de Oliveira Vianna:

> Esta Constituição resume, entretanto, nas suas páginas, tudo o que havia de mais liberal nas correntes idealistas da época; de modo que nos artigos deste código fundamental podemos ver uma bela síntese de toda a ideologia republicana dos primeiros dias. Esta ideologia era uma mistura

---

[196] Idem. Ibidem, p. 185-86.
[197] Américo Jacobina Lacombe, *À Sombra de Rui Barbosa*. Op. cit., p. 39.
[198] João Camilo de Oliveira Torres, *A Formação do Federalismo no Brasil*. Op. cit., p. 148.
[199] Américo Jacobina Lacombe, *À Sombra de Rui Barbosa*. Op. cit., p. 105.
[200] Idem. Ibidem, p. 106.

um tanto internacional e por isto mesmo heterogênea do democracismo francês, do liberalismo inglês e do federalismo americano.[201]

O texto da Constituição da República dos Estados Unidos do Brasil estabelecia logo no início o federalismo. Em seguida determinava a atuação específica do Legislativo, do Executivo e do Judiciário, sendo este último, na figura do Superior Tribunal Federal (STF), visto por Rui Barbosa como um "poder arbitral, neutral, terminal, que aparte os contendentes, restabelecendo o domínio da Contituição",[202] ao limitar os abusos do Executivo, cuja fraqueza do Legislativo não teria força suficiente para conter. Finalmente, o documento trata do cidadão brasileiro, sendo concluída com uma arrojada declaração de direitos.

Todavia, a carta de 1891 não foi suficiente. Deodoro da Fonseca, eleito indiretamente em 25 de fevereiro, em alguns meses de governo, em 3 de novembro, deu um golpe, ao fechar o Congresso e decretar estado de sítio. Tais medidas foram a causa da primeira Revolta da Armada, em 23 de novembro, que levou à renúncia do presidente. No lugar de serem convocadas novas eleições, conforme determinava a carta política, a presidência foi assumida por Floriano Peixoto, o vice-presidente, eleito na chapa de oposição. O nacionalismo e o centralismo foram caracteríticas do governo de Floriano, que, assim como Deodoro, acabou por decretar estado de sítio em 12 de abril de 1892. Diante da cença na impossibilidade de uma restauração monárquica, a solução oferecida por Rui Barbosa seria a escolha, pelos cidadãos de bem, "entre a república degenerada pela ditadura, ou a república regenerada pela Constituição".[203]

---

[201] Francisco José de Oliveira Vianna, *O Idealismo na Constituição*. Rio de Janeiro, Companhia Editora Nacional, 1939, p. 141.

[202] Rui Barbosa, "Trabalhos Diversos". In: *Obras Completas: Volume XL, Tomo VI*. Rio de Janeiro, Fundação Casa de Rui Barbosa, 1991, p. 237.

[203] Idem, "Trabalhos Jurídicos: Estado de Sítio". In: *Obras Completas: Volume XIX, Tomo III*. Rio de Janeiro, Ministério da Educação e Cultura, 1956, p. 16.

Nesta batalha recorreu ao pensamento de Edmund Burke, o "maior gênio político de uma idade de gênios",[204] pois entendeu a necessidade de conciliar "o gênio da tradição inteligente com a prática do progresso cauteloso".[205] Na luta contra a ditadura de Floriano Peixoto, a estratégia de Rui Barbosa foi apelar tanto aos "conservadores brasileiros" quanto aos "republicanos constitucionais",[206] tendo convocado ambos os grupos a se unir contra o autoritarismo militar em um *partido conservador republicano*, capaz de defender os "interesses conservadores, e considerar o abismo que separa demagogos de democratas, e jacobinos de republicanos", além de destacar que o jacobinismo "é a negação do verdadeiro espírito republicano".[207] Esta facção revolucionária francesa foi mencionada como alusão aos grupos exaltados dos militares brasileiros. Ao tomar como base o relato burkeano, o estadista baiano descreve os jacobinos como uma "confraria feroz que impôs à revolução a ditadura da ignorância, da malvadez e da improbidade, que matou a república, preparando a prostituição do diretório e o absolutismo do império", para destacar que estes ainda assombram "o mundo por seus crimes, por sua corrupção e por sua imbecilidade".[208] Ao defender uma posição moderada, afirmou com veemência:

> Não estive ontem, não estou hoje, não estarei amanhã com os violentos. Advoguei, advogo, advogarei sempre a lei contra eles. Não conheço nem relações, nem conveniências, que me obriguem a alistar-me ao seu serviço. "Defendi sempre a liberdade dos outros", dizia Burke. Esta deveria ser a divisa de todos os homens de Estado.[209]

---

[204] Idem. Ibidem, p. 341.

[205] Idem. Ibidem, p. 17.

[206] Idem. Ibidem, p. 24.

[207] Idem. Ibidem, p. 32.

[208] Idem. Ibidem, p. 31.

[209] Idem. Ibidem, p. 329.

Devido à oposição ao florianismo, quando em decorrência da eclosão da segunda Revolta da Armada, em 1893, houve um endurecimento da ditadura, Rui Barbosa decidiu ir para o exílio, inicialmente em Buenos Aires e, por fim, em Londres. Os dois anos em que esteve exilado possibilitaram "uma nova visão da política brasileira", tal como apontado por Américo Jacobina Lacombe, "visto de longe o Brasil apareceu-lhe com um aspecto diverso".[210] Em *O Presidencialismo no Brasil*, João Camilo de Oliveira Torres relata que o estadista e polímata baiano "seria um dos primeiros a comparar o Império com o novo regime, em benefício da monarquia".[211] Tal análise aparece nas já citadas *Cartas de Inglaterra*, uma coletânea de artigos para o *Jornal do Comércio*, que talvez seja "o único livro que compôs sem ser um trabalho de circunstância", visto que, mais do que uma crítica aos problemas da época, "constituem uma série de ensaios em que, pela primeira vez, tenta rever suas posições filosóficas e políticas".[212] Reconheceu que "sob a república atual, as nossas liberdades são incomparavelmente inferiores às que nos restavam sob a monarquia".[213]

> Obrigado a escolher, para a república inevitável, a mais satisfatória das formas, há um regime, ao qual eu não daria jamais o meu voto, porque esse é o mais tirânico e o mais desastroso dos regimes conhecidos: a república presidencial com a onipotência do congresso; o arbítrio do poder Executivo, apoiado na irresponsabilidade das maiorias políticas; a situação autocrática, em que se coloca, neste sistema, o chefe do Estado, se ao seu poder e ao dos partidos que ele encarna se não opuser a majestade inviolável da constituição escrita, interpretada, em última alçada, por uma magistratura independente.[214]

---

[210] Américo Jacobina Lacombe, *À Sombra de Rui Barbosa*. Op. cit., p. 42.
[211] João Camilo de Oliveira Torres, *O Presidencialismo no Brasil*. Op. cit., p. 192.
[212] Américo Jacobina Lacombe, *À Sombra de Rui Barbosa*. Op. cit., p. 42.
[213] Rui Barbosa, *Cartas de Inglaterra*. Op. cit., p. 340.
[214] Idem. Ibidem, p. 340.

Após a posse de Prudente de Morais na presidência, Rui Barbosa retornou ao Brasil para atuar na política até falecer. Nas onze eleições diretas para a presidência ocorridas desde 1894 até a sua morte, em 1923, recebeu votos em todos os pleitos, mesmo tendo iniciado somente quatro campanhas eleitorais e concorrido oficialmente como candidato apenas em 1910 e em 1919, nas quais foi derrotado, respectivamente, pelo marechal Hermes da Fonseca e por Epitácio Pessoa (1865-1942). Conforme destacou João Camilo de Oliveira Torres, em *Interpretação da Realidade Brasileira*, "Rui lutou até morrer. Quando parou de falar, o mundo que seu verbo construíra veio abaixo. Parecia que somente a sua palavra sustentava a república".[215]

VI. EM BUSCA DO CONSERVADORISMO PERDIDO

O início do novo regime, após a República da Espada, manteve um pouco da obra política do Segundo Reinado, mesmo que como uma mera sombra. Em parte, os três remanescentes do Império atuaram como uma espécie de consciência do período, ao lembrarem dos princípios salutares do passado recente. No entanto, ao longo da década de 1920 estas vozes se calaram, pois Joaquim Nabuco, Barão de Rio Branco e Rui Barbosa deram seus últimos suspiros, respectivamente, em 1910, 1912 e 1923.

Quando o último dos três estadistas faleceu, também, já estavam mortos os quatro políticos que foram parlamentares na última década do regime monárquico e que entre 1894 e 1909 ocuparam a presidência, dando estabilidade parcial ao novo governo durante o período que, em *Interpretação da Realidade Brasileira*, João Camilo de Oliveira Torres denominou "república dos conselheiros".[216]

---

[215] João Camilo de Oliveira Torres, *Interpretação da Realidade Brasileira*. Op. cit., p. 347.
[216] Idem. Ibidem, p. 319.

Esta alcunha se justifica devido ao fato dos presidentes Prudente de Morais e Campos Sales terem sido originalmente luzias que deixaram o Partido Liberal, em 1873, quando o Partido Republicano foi criado, ao passo que Rodrigues Alves e Afonso Pena até a extinção, em 1889, do Partido Conservador, quando o golpe republicano implementou o sistema de partido único, mantiveram-se como saquaremas.

Os presidentes Nilo Peçanha e marechal Hermes da Fonseca, mesmo sem terem ocupado durante o Segundo Reinado nenhum cargo eletivo, tiveram no período algum tipo de atuação política. Tendo assumido a presidência em 14 junho de 1909, na condição de vice-presidente e em decorrência da morte de Afonso Pena, e ocupado o cargo até 15 de novembro de 1910, o primeiro deles participou das campanhas abolicionista e republicana, além de ter sido eleito para a Assembleia Constituinte, na qual teve a oportunidade de atuar ao lado de muitos dos antigos luzias e saquaremas. Já o segundo, presidente do Brasil entre 1910 e 1914, ao se formar na academia militar, foi nomeado assistente de ordens do príncipe Gastão de Orléans (1842-1922), o Conde d'Eu, marido da princesa Isabel, ao passo que durante o regime republicano foi secretário de seu tio, o presidente Deodoro da Fonseca, e ocupou a função de ministro da Guerra no governo de Afonso Pena. O presidente Venceslau Brás (1868-1966), que governou entre 1914 e 1918, foi o primeiro titular do cargo que não teve qualquer tipo de atuação pública durante o Segundo Reinado, tendo iniciado uma sequência ininterrupta de titulares na presidência que não participaram da vida política monárquica.

A desastrosa experiência republicana, com políticos sem a formação partidária oferecida no exercício do sistema representativo e com a inexistência de instituições fortes para limitar o arbítrio do poder pessoal, foi agravada cada vez mais pela "política dos governadores". Em *O Presidencialismo no Brasil*, João Camilo de Oliveira Torres explicou os governos entre 1914 e 1930 como uma "dança sobre o abismo", na qual era visível "os cegos conduzindo cegos". Este relato enfatiza que o período foi assinalado por duas grandes fases, cada uma de sete anos, sendo a primeira de estagnação, marcada por um "beletrismo perfunctório", que refletia o "artificialismo" e a "mediocridade", ao passo que a segunda é caracterizada por revoluções. A época foi assim resumida pelo historiador mineiro:

> Ninguém acreditava a sério no regime; a derrota de Rui fora um *test* decisivo. O baiano era um símbolo e o oráculo: realizava o ideal máximo da cultura brasileira para a época – falava mil línguas, era "bom orador", invencível em gramática, sabia Direito como ninguém. Era o gênio – recebia um culto por vezes imprudente de tão exagerado. Fora o autor do regime. A Constituição que todos consideravam perfeita, tão perfeita que ninguém pensava em pôr em prática para não a ofender com o sujo contato da realidade, era obra sua. Mas, diante de Hermes, que, certa ou erroneamente tornara-se símbolo do "militarismo", do regime do domínio da força sobre o direito, que a crítica política, com bastante injustiça, considerava uma nulidade, diante de um candidato que representava a força, a incultura, o despotismo (não que Hermes fosse isto, mas por assim acharem os homens do tempo), Rui fora esmagado, tranquilamente, irremissivelmente. O regime tornara-se um equívoco, uma burla, um jogo sem sentido: para os senhores do poder, que não aspiravam senão a nele permanecer, tudo continuava bem. As novas gerações, porém, começaram aos poucos a desconfiar que havia algum erro em tudo aquilo.[217]

Diante do agravamento da política oligárquica, dois caminhos antagônicos foram apresentados como alternativas à crise republicana. O vitorioso foi o revolucionário, que agravou ainda mais o problema, sendo consolidado na Revolução de 1930, que colocou o ditador Getúlio Vargas no poder. Todavia, um remédio conservador foi oferecido pelo príncipe Dom Luís Maria de Orléans e Bragança

---

[217] Idem, *O Presidencialismo no Brasil*. Op. cit., p. 275.

(1878-1920), que, além de fazer uma lúcida análise da conjuntura brasileira, nos textos do *Manifesto de 1909* e do *Manifesto de 1913*, ambos dirigidos ao Diretório Monarquista,[218] apresentou uma proposta reformista de restauração da monarquia.

Atualmente a história do "Príncipe Perfeito", tal como Dom Luís foi cognominado, é pouco conhecida.[219] Este segundo filho varão de Dona Isabel e do Conde D'Eu, nascido em Petrópolis, passou a maior parte da infância no Palácio Isabel, atual Palácio Guanabara, no Rio de Janeiro. Em decorrência do golpe militar republicano de 1889, foi decretado o banimento da família imperial, e o príncipe, aos onze anos, foi para o exílio com os pais, que se instalaram, em 1890, no Castelo d'Eu, na Normandia. Juntamente com os irmãos Dom Pedro de Alcântara (1875-1940) e Dom Antônio Gastão (1881-1918), foi enviado pela mãe para estudar na academia militar austríaca Theresianum, em Wiener-Neustadt. O espírito aventureiro o levou a escalar em 1896 o Monte Branco, o mais alto da cordilheira dos Alpes, bem como a empreender viagens expedicionárias pelo sul da África, pela Ásia Central e pela Índia, e, finalmente, pela América do Sul, cujos relatos são objetos, respectivamente, dos seus livros *Dans les Alpes* [Nos Alpes], de 1901; *Tour d'Afrique* [Tour da África], de 1902; *À travers l'Indo-Kush* [Através do Indocuche],

---

[218] O texto integral dos dois documentos está disponível na rede virtual e pode ser consultado em: <http://imperiobrasileiro-rs.blogspot.com/p/dom-luiz-de-orleans-e-braganca-o_16.html>. Acesso em: 20 fev. 2020. Trechos do segundo manifesto, redigido em Montreux no dia 6 de agosto de 1913, foram transcritos e analisados em: João Camilo de Oliveira Torres, *O Presidencialismo no Brasil*. Op. cit., p. 269-74; Idem, *Interpretação da Realidade Brasileira*. Op. cit., p. 319-33.

[219] A biografia do Príncipe Imperial é objeto do seguinte livro: Teresa Malatian, *Dom Luís de Orléans e Bragança: Peregrino de Impérios*. São Paulo, Alameda Casa Editorial, 2010. Ver, também, a respectiva biografia de sua mãe, na qual o príncipe em questão é objeto de inúmeras passagens: Roderick J. Barman, *Princesa Isabel do Brasil: Gênero e Poder no século XIX*. São Paulo, Unesp, 2005.

de 1906; e *Sous la Croix-du-Sud* [Sob o Cruzeiro do Sul], de 1912. No ano de 1908 se casou com a princesa Dona Maria Pia de Bourbon (1878-1973), das Duas Sicilias, cuja união gerou os príncipes Dom Pedro Henrique (1909-1981), Dom Luís Gastão (1911-1931) e Dona Pia Maria (1913-2000). Ao eclodir em 1914 a Primeira Guerra Mundial alistou-se como voluntário no exército britânico, juntamente com Dom Antônio Gastão, para defender a França da invasão do Império Alemão. Em decorrência de enfermidade contraída nas trincheiras durante o conflito, faleceu em 1920, na cidade de Cannes, onde residia com a família.

Devido à renúncia de Dom Pedro de Alcântara aos direitos dinásticos, assinada no dia 30 de outubro de 1908 em documento firmado com a princesa Dona Isabel, na condição de chefe da Casa Imperial, reconhecido tanto pelo Diretório Monarquista brasileiro quanto por diversos monarcas europeus, Dom Luís Maria tornou-se o herdeiro presumido da coroa. Nos parágrafos seguintes iremos nos valer tanto dos escritos do próprio Dom Luís quanto das análises de João Camilo de Oliveira, em *O Presidencialismo no Brasil* e em *Interpretação da Realidade Brasileira*, para explicar as atividades políticas deste pretendente ao trono brasileiro, visto pelos pais como o único membro da família imperial capaz de defender a causa monárquica em nosso país.

O príncipe Dom Luís foi um "espírito culto e ágil, muito bem informado sobre as coisas do Brasil",[220] tendo sido dotado de "brilhantes qualidades intelectuais, ampla informação sobre a situação do país e estava em dia com as questões agitadas na Europa",[221] permitindo que assumisse com propriedade a função de arauto da causa imperial. Os dois manifestos do Príncipe Perfeito, escritos em 1909 e em 1913, ofereciam uma solução autêntica aos problemas

---

[220] João Camilo de Oliveira Torres, *Interpretação da Realidade Brasileira*. Op. cit., p. 319.

[221] Idem, *O Presidencialismo no Brasil*. Op. cit., p. 269.

nacionais no período, devido ao fato de serem "a expressão da linha da história do Brasil e a que conciliava os estilos do governo com as emoções mais íntimas da alma popular".²²² O resultado principal desses textos foi provocar "um dos poucos debates ideológicos de profundidade dessa época",²²³ além de criar "uma razoável agitação nos já confusos quadros da política brasileira"²²⁴ no final da "república dos conselheiros" e no início da nova etapa fundada pelo governo do marechal Hermes da Fonseca.

Em seus dois manifestos, Dom Luís "apresentava sugestões para o caso da restauração e analisava a situação do país, naquele vintênio de regime presidencial".²²⁵ Os textos expõem "como seu espírito atilado e avisado soube ver certos aspectos da realidade nacional que, geralmente, escapavam à maioria".²²⁶ As palavras severas em linguajar de oposição caíram, "verdadeiramente, como uma bomba", o que fez o manifesto de 1913, em particular, ter sido "largamente discutido pela imprensa e no parlamento".²²⁷ Dentre as reações ao documento, merece destaque o opúsculo *O Império Brasileiro e a República Brasileira Perante a Regeneração Social*,²²⁸ de Raimundo Teixeira Mendes, no qual o líder do Apostolado Positivista, ao reafirmar os postulados da "teoria dos três estados" de Auguste Comte, reinterpreta de modo idealista a história do Brasil, como meio de rechaçar a crítica objetiva de Dom Luís, cujo realismo

---

²²² Idem, *Interpretação da Realidade Brasileira*. Op. cit., p. 328.
²²³ Idem, *O Presidencialismo no Brasil*. Op. cit., p. 269.
²²⁴ Idem, *Interpretação da Realidade Brasileira*. Op. cit., p. 328.
²²⁵ Idem, *O Presidencialismo no Brasil*. Op. cit., p. 269.
²²⁶ Idem. Ibidem, p. 270.
²²⁷ Idem, *Interpretação da Realidade Brasileira*. Op. cit., p. 319.
²²⁸ Raimundo Teixeira Mendes, *O Império Brasileiro e a República Brasileira Perante a Regeneração Social*. Rio de Janeiro, Igreja e Apostolado Positivista do Brasil, 1913. Uma breve análise da obra aparece em: João Camilo de Oliveira Torres, *O Positivismo no Brasil*. Op. cit., p. 56-62.

em relação às condições sociais, políticas e econômicas concretas do país é semelhante ao mesmo tipo encontrado anteriormente em muitas reflexões de alguns saquaremas.

Conforme assinalado por João Camilo de Oliveira Torres, em *Interpretação da Realidade Brasileira*, ao tratar do manifesto lançado por Dom Luís em 1913, "algumas de suas observações são, hoje, perfilhadas por historiadores e sociólogos, muitos dos quais ignoram a mera existência deste documento".[229] Um dos poucos analistas clássicos que leu e comentou o manifesto foi Gilberto Freyre, que no livro *Ordem e Progresso*,[230] lançado originalmente em 1957, incorporou diversos pontos da crítica do príncipe à experiência republicana, em especial a análise do problema do "coronelismo" e a explicação sobre os "dois Brasis", a separação abismal entre o desenvolvimento da cidade e do campo. A leitura dos dois manifestos de Dom Luís permite uma visão clara dos maiores problemas que assolavam o regime no período, muitos deles ainda vigentes em nossa época, como, por exemplo, a subserviência dos poderes Judiciário e Legislativo aos interesses do Executivo, o alto grau de corrupção nas três esferas de poder em todos os níveis, o desperdício nas finanças públicas e a crescente carga tributária, o enriquecimento artificial dos centros urbanos às custas das regiões produtoras rurais, o uso das instituições públicas para atender aos interesses das oligarquias e à restrição de liberdades individuais. Como percebeu João Camilo de Oliveira Torres "os problemas envelheceram, mas permanecem sem solução".[231]

O programa restaurador de Dom Luís, definitivamente, não é um projeto reacionário, pois apresenta uma proposta reformista avançada para a solução da crise republicana, em uma linha semelhante

---

[229] Idem, *Interpretação da Realidade Brasileira*. Op. cit., p. 319.

[230] Gilberto Freyre, *Ordem e Progresso*. São Paulo, Global, 6. ed. rev., 2004.

[231] João Camilo de Oliveira Torres, *Interpretação da Realidade Brasileira*. Op. cit., p. 321.

à de Joaquim Nabuco, na qual sugere um certo grau de federalização da monarquia e uma maior democratização da sociedade. Além de descrever realisticamente os problemas da República com grande imparcialidade, a ponto de reconhecer que alguns desses são heranças do período colonial e do próprio Império, o príncipe ressalta que independentemente da honestidade e da capacidade dos governantes existe a falta de autoridade desses líderes, desprovidos da neutralidade do Poder Moderador, era ineficiente diante do excesso de arbítrio dos oligarcas, o que faz o regime ser um "governo de poucos, contra todos e para poucos". A falta de legitimidade democrática da República, também é apontada no livro *Sob o Cruzeiro do Sul*, no qual ao falar sobre o golpe militar que derrubou a monarquia brasileira e implementou o regime republicano, afirma que "na realidade, durante toda a revolução, o povo brasileiro, totalmente alheio ao movimento das classes armadas, permaneceu mergulhado em um estupor que o impediu de expressar sua opinião sobre os fatos realizados".[232]

Acerca do modo como a população recebeu a "Proclamação da República", quase todos os analistas do evento citam com frequência uma frase do jornalista republicano Aristides Lobo (1838-1896) em um artigo, escrito em 15 de novembro de 1889 e publicado três dias depois no *Diário Popular*, de acordo com a qual "o povo assistiu àquilo bestializado, atônito, surpreso, sem conhecer o que significava".[233] A historiadora Maria Tereza Chaves de Mello assim explica o mote:

> A construção historiográfica fez do bestializado não um surpreendido pelo fato, como quis dizer o autor da frase. Aristides referia-se a

---

[232] Prince Louis d'Orléans-Bragance, *Sous La Croix du Sud: Brésil, Argentine, Chili, Bolivie, Paraguay, Uruguay*. Paris, Ed. Librairie Plon, 1912, p. 10.

[233] O texto integral do artigo está disponível na rede virtual e pode ser consultado em: <https://imagensehistoria.wordpress.com/tema-1-republica-velha/carta-de-aristides-lobo/>. Acesso em: 20 fev. 2020.

novum, a um mínimo temporal, único e irreversível, a uma experiência de surpresa. O que está embutido na interpretação canônica é a não-participação popular no evento como sinal do desapreço do povo brasileiro pela República e, por derivação, sua vinculação à Monarquia.

Essa interpretação de raiz monarquista foi posteriormente esposada e difundida pelos intelectuais desiludidos com a República, quando então se reforçou o que, no tal artigo, se seguia ao bestializado, ou seja, que, "sem conhecer o que significava", o povo acreditou "estar vendo uma parada", como um governo "puramente militar".

Juntando-se tais significações, o que se divulgou através dos bestializados é que não havia motivo para se desejar a queda da Monarquia, pois o imperador era popular. Ficou então entendido que aquele fato histórico foi resultado de uma simples insubordinação da caserna que teria brindado o país com um regime militarista. Ou seja, como o sistema imperial seria modificável – monarquia democrática, monarquia federativa, reformas –, a proclamação da República é explicada como um ato de força.

Essa versão foi relida pelos enaltecedores da Revolução de 1930, que não descuraram da forma republicana, mas realçaram a exclusão social, o militarismo e o entrangerismo da fórmula implantada em 1889. Isto porque o Brasil brasileiro teria nascido em 1930. Antes dessa data o que se contava era uma mesma e longa história de oligarquias, monocultura agrário-exportadora, dependência externa etc.[234]

No entanto, diferentemente da conservadora e reformista proposta monarquista de Dom Luís, o antídoto revolucionário oferecido, no golpe de Estado em 3 de novembro de 1930, pelo caudilho gaúcho Getúlio Vargas e seus partidários contra os males da Velha República foi ainda pior do que a mazela que prometiam curar. A primeira medida tomada pelo novo governo desse herdeiro do castilhismo foi implementar uma ditadura, por intermédio do fechamento

---

[234] Maria Tereza Chaves de Mello, *A República Consentida: Cultura Democrática e Científica do Final do Império*. Rio de Janeiro, FGV Editora, 2007, p. 9-10.

do Congresso Nacional, das Assembleias Legislativas Estaduais e das Câmaras Municipais, além de ter cassado a Constituição de 1891, que foi arquivada, ter enviado para o exílio políticos contrários ao regime e ter fechado os jornais de oposição. Uma síntese dos quinze anos da Era Vargas, entre 1930 e 1945, foi descrita por João Camilo de Oliveira Torres com as seguintes palavras:

> Assumindo o poder em 1930, primeiro numa fase revolucionária, depois passando a governar dentro dos quadros da constituição liberal de 1934, e por fim, como ditador dentro do regime que instituiu em 1937, Getúlio Vargas, rio-grandense de formação positivista, político objetivo e seguro de si mesmo e ao mesmo tempo cético e bem-humorado, conseguiu provocar em torno de si fundas divisões de forças políticas. Raramente na história do Brasil um homem alcançou despertar emoções tão desencontradas – desde a veneração quase religiosa até o ódio. O seu regime, aquele feito à sua imagem e semelhança, que é a constituição autocrática de 1937, caracterizou-se por duas dominantes: a mais rígida ditadura na história do país e uma política social.[235]

Em linhas gerais, o varguismo é caracterizado por três pontos, a saber: 1º) O alargamento do primado da presidência, que se tornou o único poder guarnecido efetivamente de poder; 2º) A diminuição da autonomia dos Estados federados, visto que a União passou a deter todos os poderes; 3º) O aumento da esfera de intervenção estatal, ao eliminar os últimos resquícios de liberalismo clássico nas instituições de nosso país. Conforme notou João Camilo de Oliveira Torres, um dos legados da Era Vargas foi a criação do que denominou "presidencialismo puro", cuja essência é explicitada nas respectivas sentenças:

> Tivemos, assim, a exacerbação do poder presidencial tornado o poder único do Estado, como a atualização de tendências visíveis antes e que eram consideradas anômalas.

---

[235] João Camilo de Oliveira Torres, *O Presidencialismo no Brasil*. Op. cit., p. 296.

O poder presidencial, isto é, do chefe de partido erigido em diretor da política nacional, que vimos em ascensão, colocando na sombra a autoridade majestática do Imperador e, depois, tomando-lhe o lugar, agora, livre de peias e limitações, estende-se no esplendor de sua glória, sem rivais, sem iguais, sem freios – um e único – e todos os mais, dele dependem, em tudo e por tudo. Era o apogeu.[236]

A exacerbação do "presidencialismo puro" legada pelo varguismo esteve presente em todos os governos seguintes, independentemente do aparato constitucional, tal como é possível constatar no Período Democrático, entre 1945 e 1964, com a Constituição de 1946; no Regime Militar, entre 1964 e 1985, com a Constituição de 1967; e na Nova República, desde 1985 até os nossos dias, com a Constituição de 1988. A nefasta herança da Era Vargas permeia o imaginário nacional e continua presente em nossos dias, não apenas no poder excessivo do presidente, bem como na imagem quase majestática deste, mas, também, no centralismo político, no ideal do desenvolvimentismo econômico, no corporativismo empresarial, no trabalhismo sindicalista e, acima de tudo, nas diferentes intervenções governamentais tanto na economia quanto na cultura, em especial na educação.

Em uma passagem de *Interpretação da Realidade Brasileira*, João Camilo de Oliveira Torres defende a posição do economista austríaco Ludwig von Mises, segundo a qual "um dirigente de empresa que recorresse ao governo em defesa de seus interesses estaria cometendo um suicídio ideológico total".[237] Com base nessa constatação do pensamento misesiano, denuncia as práticas intervencionistas na legislação trabalhista, na estrutura sindical e na dependência dos produtores agrícolas e dos empresários em relação ao protecionismo e aos programas governamentais, além de atestar que, devido ao fato que "tivemos o Estado antes de ter povo",[238]

---

[236] Idem. Ibidem, p. 289.
[237] Idem. *Interpretação da Realidade Brasileira*. Op. cit., p. 46.
[238] Idem. Ibidem, p. 54.

há uma grande crença do brasileiro no poder estatal. O problema é assim explicado:

> Uma das consequências desta situação de reconhecimento expresso, por parte do povo, da legitimidade e da prioridade da ação oficial está na fé que o brasileiro médio deposita "no governo". Um dos aspectos curiosos é revelado pelo insistente mito do herói-salvador. Raro o brasileiro que não acredita em alguém "que vai salvar o país". Ou, pelo menos, numa revolução salvadora – sempre se espera algo de uma ação política que será a definitiva realização de todas as aspirações coletivas.
>
> Ora, o século XIX legou-nos uma verdade que não devíamos desprezar: o fundamento da liberdade é a soberania da razão, nunca a soberania da vontade – seja do povo, seja do rei, seja de um homem de gênio...[239]

"Se no passado monarquista o Estado moldava apenas a elite política", tal como notado pelo cientista político capixaba Bruno Garschagen, "a partir do governo Vargas, com a democratização do ensino, o governo passou a modelar a sociedade por meio da escola".[240] Ainda no livro *Pare de Acreditar no Governo: Por que os Brasileiros não Confiam nos Políticos e Amam o Estado*, é destacado que "nossa cultura política se constituiu tanto de cima para baixo, por aqueles que controlavam o poder no âmbito federal, estadual e municipal, quanto de baixo para cima, pelos partidos e militantes de ideologias intervencionistas", além de ser apontado que foram a ação e a omissão da maioria dos cidadãos que permitiram "que o governo se transformasse no principal agente social", motivo pelo qual "algo tão importante quanto a política fosse deixada na mão daqueles que

---

[239] Idem. Ibidem, p. 51.

[240] Bruno Garschagen, *Pare de Acreditar no Governo: Por Que os Brasileiros Não Confiam nos Políticos e Amam o Estado*. Rio de Janeiro, Record, 2015, p. 264.

parecem representar o que temos de pior".²⁴¹ Após fazer um amplo percurso histórico para explicar o chamado "paradoxo de Garschagen", essa contradição na mentalidade brasileira que faz os cidadãos desconfiarem dos políticos e, simultaneamente, quase idolatrarem o Estado, o autor alerta que:

> O processo de desestatização de nossa sociedade passa pela constatação de que não estamos condenados à tradição política autoritária e intervencionista e que existe alternativa ao modelo político e ideológico em vigor. O desafio é árduo e gigantesco; solucionar o paradoxo do estatismo para pararmos de acreditar no governo e de amarmos o Estado.²⁴²

Na hipótese de a experiência conservadora em nosso país ser analisada com base na definição do cientista político americano Samuel P. Huntington (1927-2008), de acordo com a qual o conservadorismo não passa de uma ideologia "situacional" ou "posicional", caracterizada como um "sistema de ideias empregado para justificar qualquer ordem social estabelecida", tendo como essência a "afirmação apaixonada do valor das instituições existentes",²⁴³ os conservadores brasileiros teriam que defender o varguismo, pois este permeabilizou tanto as instituições concretas nacionais quanto o imaginário da maioria dos cidadãos. Por outro lado, uma visão reacionária proporia uma restauração monárquica utópica, sem nenhuma adaptação às novas condições, na qual o Brasil deveria retroceder ao momento anterior à quartelada de 1889, o que, ao fazer tábula rasa da experiência republicana de mais de um século, acabaria por ser um projeto tão revolucionário quanto as tentativas de se implementar um regime comunista em nosso país.

---

²⁴¹ Idem. Ibidem, p. 269.
²⁴² Idem. Ibidem, p. 275.
²⁴³ Samuel Huntington, "Conservatism as Ideology". In: *American Political Sciency Review*, vol. 51, n. 2, jun. 1957, p. 454-73. Esp. p. 455.

Todavia, acreditamos que a definição oferecida por João Camilo de Oliveira Torres é a mais adequada para entender o que é o conservadorismo. No livro *Os Construtores do Império*, ao tomar como fundamento teórico os seis cânones apresentados em *A Mentalidade Conservadora* por Russell Kirk, o historiador mineiro assim elucida a natureza dessa doutrina:

> Poderíamos definir conservadorismo do seguinte modo: é uma posição política que reconhece que a existência das comunidades está sujeita a determinadas condições e que as mudanças sociais, para serem justas e válidas, não podem quebrar a continuidade entre o passado e o futuro. Podemos dizer que o traço mais característico da psicologia conservadora consiste, exatamente, no fato de que não considera viáveis as transformações e mudanças feitas sem o sentido da continuidade histórica – mais: o conservador acha impraticáveis e condenadas ao suicídio todas as reformas fundadas unicamente na vontade humana, sem respeito às condições preexistentes. Podemos reformar – por meio de um processo de cautelosa adaptação do existente às novas condições – nunca o estabelecimento de algo radicalmente novo[244].

Na trajetória em busca do conservadorismo perdido ao longo da experiência republicana, os escritos camilianos são uma referência obrigatória. Ao analisar o pensamento católico brasileiro, em um ensaio da coletânea *Metamorfoses da Liberdade*, Ubiratan Borges de Macedo advoga que, entre todos os filósofos políticos de nosso país, José Pedro Galvão de Sousa e João Camilo de Oliveira Torres são os autores dos trabalhos mais sérios e fecundos nesse campo.[245] Na obra *O Pensamento Católico no Brasil*, o escritor e jornalista carioca Antônio Carlos Villaça (1928-2005) afirma que o mineiro "teve

---

[244] João Camilo de Oliveira Torres, *Os Construtores do Império*. Op. cit., p. 23.
[245] Ubiratan Borges de Macedo, "O Pensamento Católico no Brasil". In: *Metamorfoses da Liberdade*. Op. cit., p. 205-10. Cit. p. 209.

papel discreto, mas profundo, na vida intelectual brasileira".²⁴⁶ No livro *Ideias Católicas no Brasil*, o filósofo paulista e monge beneditino Dom Odilão Moura, O.S.B. (1918-2010), defende que o historiador e filósofo é "a mais brilhante representação do pensamento católico mineiro", além de afirmar que, ao lado do escritor João Guimarães Rosa (1908-1967) e do poeta Carlos Drummond de Andrade (1902-1987), "projetou-se acima dos demais de sua terra", para descrever assim o fato de ele, de modo diverso desses conterrâneos, ser dotado de um profundo senso religioso:

> Não só na vida, como homem bom e amável, manifestou-se cristão, bem como em toda sua imensa obra cultural, toda ela fundamentada na doutrina católica. Filósofo e historiador, a sua diversificada e penetrante inteligência foi enriquecida de vasta cultura e dotada de grandes intuições.²⁴⁷

Na condição de "figura peculiar no panorama político e religioso brasileiro", João Camilo de Oliveira Torres, ao longo de "seu desenvolvimento intelectual foi testemunha de importantes eventos históricos brasileiros e mundiais" tendo, de acordo com o cientista da religião mineiro Rodrigo Coppe Caldeira, recebido uma variedade de "influências filosóficas e teológicas que marcariam sua forma de interpretar o mundo e o cristianismo", ao legar "uma obra monumental, de livros de ciência política, história, filosofia e teologia, a livros infantis".²⁴⁸ A impressionante erudição

---

²⁴⁶ Antônio Carlos Villaça, *O Pensamento Católico no Brasil*. Rio de Janeiro, Civilização Brasileira, 2006, p. 268.

²⁴⁷ Dom Odilão Moura, O.S.B., *Ideias Católicas no Brasil: Direções do Pensamento Católico do Brasil no Século XX*. São Paulo, Convívio, 1978, p. 180.

²⁴⁸ Rodrigo Coppe Caldeira, "O Catolicismo Militante em Minas Gerais: Aspectos do Pensamento Histórico-Teológico de João Camillo de Oliveira Torres". *Revista Brasileira de História das Religiões*, ano IV, n. 10, maio 2011, p. 233-78. Cit. p. 235.

do historiador e filósofo mineiro também é manifestada no surpreendente conhecimento de inúmeros trabalhos produzidos por autores obscuros em nosso país na época em que sua obra foi elaborada, entre os quais, atualmente, muitos começam a receber a atenção merecida por parte de um público mais amplo, como, por exemplo, o historiador galês Christopher Dawson (1889-1970), do qual, além de o ter citado em diversas obras, traduziu o livro *Progress and Religion* [Progresso e Religião].[249]

O saudoso Ubiratan Borges de Macedo, ao tratar da influência de Jacques Maritain (1882-1973) na filosofia brasileira, em outro ensaio de *Metamorfoses da Liberdade*, destacou que "João Camilo de Oliveira Torres deixou uma imponente obra historiográfica sobre o Segundo Império".[250] No já citado *A Ideia de Liberdade no Século XIX*, o mesmo autor defende *A Democracia Coroada* e *Os Construtores do Império* como trabalhos que "trouxeram nova luz sobre as ideias"[251] da elite dirigente na sociedade imperial. Sobre os estudos históricos camilianos, Dom Odilão Moura, O.S.B., afirmou que "lendo os seus livros de História, logo se percebe que por detrás do historiador está o filósofo".[252] As linhas mestras das reflexões historiográficas do pensador católico mineiro, assim foram apresentadas pelo jurista e filósofo gaúcho Marcus Boeira:

> Partindo do *locus* mais específico da história nacional para o amplo espaço das tensões civilizacionais, a história é entendida, por ele, não como um amálgama de fatos desconexos ou como um esquema ideológico condicionante das experiências humanas e civilizacionais,

---

[249] Christopher Dawson, *Progresso e Religião*. Rio de Janeiro, Agir, 1947. A obra recentemente foi reeditada com nova tradução na seguinte edição: Christopher Dawson, *Progresso e Religião: Uma Investigação Histórica*. São Paulo, É Realizações, 2012.

[250] Ubiratan Borges de Macedo, "Maritain e a Filosofia no Brasil". In: *Metamorfoses da Liberdade*. Op. cit., p. 211-17. Cit. 215.

[251] Idem. *A Ideia de Liberdade no Século XIX*. Op. cit., p. 40.

[252] Dom Odilão Moura, O.S.B., *Ideias Católicas no Brasil*. Op. cit., p. 180.

mas como uma narrativa de sentido. Busca decifrar o sentido por trás das sociedades e culturas, algo que pince o caos reinante da observação primeira da empiria histórica e o condicione a um sentido meta-histórico. Em outras palavras, a *mise-en-scène* da narrativa fundacional brasileira é permeada por um sentido alicerçado pelas instituições do Império e simbolizado pela personalização política do imperante.

Tratar do pensamento de um autor é, em certa medida, desobstruir a nebulosidade que nos impede de contemplar o fundo que orienta toda sua investigação. Em Oliveira Torres, a história do Brasil e de suas instituições constitui o cerne de uma abordagem que unifica rotas aparentemente contraditórias, mas que convergiram para a formação da unidade nacional: o catolicismo e o liberalismo constitucional. A articulação entre as ideias liberais e a tradição católica aparece como fundamento decisivo para o desenvolvimento da independência e das instituições políticas subsequentes, que desenharam o consenso político no Império. Ou, nas palavras do próprio João Camilo, que constituíram a *Democracia Coroada*.[253]

Duvidamos que alguém questione o fato de a mais famosa produção intelectual do autor ser *A Democracia Coroada*, considerada obra "clássica no que respeita ao Império Brasileiro"[254], como enfatizou o historiador fluminense Vicente Tapajós (1917-1998). No desempenho da arte de Clio, o ofício do historiador como guardião da memória, João Camilo de Oliveira Torres "era mestre no manuseio das fontes na pesquisa histórica", como testemunhou Dom Odilão Moura, O.S.B., para acrescentar que "de posse dos fatos passados,

---

[253] Marcus Boeira, "O Liberalismo Constitucional e o Império Brasileiro: Uma Análise de Conjunto da Obra de João Camilo de Oliveira Torres". *MISES: Revista Interdisciplinar de Filosofia, Direito e Economia*, vol. II, n. 1, jan.-jun. 2014, p. 183-96. Cit. p. 184-85.

[254] Vicente Tapajós, *Dicionário Bibliográfico de Historiadores, Geógrafos e Antropólogos Brasileiros – Volume II: Sócios Que se Afastaram no Período 1962/1991*. Rio de Janeiro, Instituto Histórico e Geográfico Brasileiro, 1992. p. 164.

interessava-se antes de tudo por demonstrar o relacionamento causal dos mesmos".²⁵⁵

Esta constatação do monge beneditino, entretanto, diverge do posicionamento de uma das mais influentes escritoras de trabalhos historiográficos em nossos dias. No décimo capítulo do livro *Da Monarquia à República: Momentos Decisivos*, ao analisar as diferentes narrativas sobre as origens do governo republicano brasileiro, a historiadora paulista Emília Viotti da Costa enquadrou a obra de João Camilo de Oliveira Torres na corrente dos autores que *"ao utilizar os documentos testemunhais, sem submetê-los à devida crítica, aderiram sem percebê-lo à versão dos monarquistas"*.²⁵⁶ Esta visão uspiana não é partilhada por outros eminentes especialistas, contudo, no lugar de aqui utilizar textos de outros autores, acreditamos que o melhor argumento contra esse tipo de crítica é o próprio argumento elaborado em *Os Construtores do Império*, de acordo com o qual:

> O estudo da História do Brasil no século XIX tem sido, convém dizê-lo francamente, influenciado pelas posições pessoais dos historiadores. Se, por um lado, a primeira geração, quase toda ligada ao Partido Liberal, ou, então, à nova situação política, desestimava a política "saquarema", – e isto pode ser visto no próprio Joaquim Nabuco – modernamente, por influência de Oliveira Vianna, tem predominado critério diferente, embora associado e diretamente relacionado, de que as tradições de liberdade eram frágeis e exóticas. Curiosamente, Oliveira Vianna, procurando demonstrar o exotismo da democracia e a sua inadequação à realidade brasileira, à qual somente seria compatível um tipo de governo de base autoritária e aristocrática, serviu-se de critérios liberais e acabou fazendo injustiça aos conservadores, que, contudo, admirava. Admirava, mas compreendia muito pouco. O resultado foi uma visão da História que nos apresentava a experiência política do Império como uma surrealista experiência de

---

²⁵⁵ Dom Odilão Moura, O.S.B., *Ideias Católicas no Brasil*. Op. cit., p. 180.
²⁵⁶ Emília Viotti da Costa, *Da Monarquia à República: Momentos Decisivos*. São Paulo, Editora da Unesp, 6. ed., 1999, p. 394.

parlamentarismo britânico numa nação de fazendeiros de café. Tomada a coisa ao pé da letra, na verdade assim foi. Mas acontece que estamos diante de uma verdadeira caricatura do Império, visto com olhos de liberais, em imagem corrigidas pelas tendências antidemocráticas modernas de Oliveira Vianna e seus discípulos marxistas, de parte a parte unidos na mesma preocupação de considerar exotismo o regime democrático.[257]

No intuito de evitar o uso do passado como justificativa de posições ideológicas, o conservador deverá reconhecer o "conjunto de símbolos permanentes da civilização brasileira",[258] para usar uma expressão do historiador carioca José Honório Rodrigues (1913-1987). Ao longo do desenvolvimento histórico da cultura e das instituições políticas, os tipos e as formas sociais que constituem a imagem genuína do caráter nacional, tanto em seus aspectos positivos quanto negativos, são caudatárias da tradição católica ibérica. Todavia, o crescimento em nosso país da influência cultural e política das igrejas evangélicas de denominações variadas nas décadas mais recentes é outro fator que não poderá ser desconsiderado. No livro *História das Ideias Religiosas no Brasil: A Igreja e a Sociedade Brasileira*, publicado originalmente em 1968, ao ressaltar que "o socialismo não nos liberta da alienação capitalista: é outra alienação, apenas", João Camilo de Oliveira Torres afirma que:

> Somente a visão cristã do universo, considerada como fundada numa visão histórica e trans-histórica do homem (a Queda projetou o homem num modo de existência alienada e a Redenção é um esforço de remissão e desalienação que o levará à existência autêntica), somente a visão cristã da História abolirá a alienação, teórica e prática.[259]

---

[257] João Camilo de Oliveira Torres, *Os Construtores do Império*. Op. cit., p. 225.

[258] José Honório Rodrigues, *Aspirações Nacionais: Interpretação Histórico-política*. Rio de Janeiro, Civilização Brasileira, 4. ed., 1970, p. 6.

[259] João Camilo de Oliveira Torres, *História das Ideias Religiosas no Brasil: A Igreja e a Sociedade Brasileira*. São Paulo, Editorial Grijalbo, 1968, p. 322.

Essa cosmovisão cristã é um dos elementos fundamentais do tipo de conservadorismo defendido por Russell Kirk, ao explicitar a necessidade de todos que se "preocupam com a ordem moral e com a sobrevivência de uma alta cultura, precisam retornar à fonte da cultura: a percepção religiosa do que somos, ou deveríamos ser, aqui embaixo".[260] De modo semelhante às perspectivas kirkiana e camiliana, em conferência ministrada em 1940, com o título "Uma Cultura Ameaçada: A Luso-Brasileira", Gilberto Freyre afirmou:

> O sentimento cristão de dignidade da criatura, que confunde com o sentido de pessoa humana, anterior ao próprio cristianismo, é um daqueles sentimentos tradicionais, uma daquelas realidades básicas sem as quais não se explica a civilização moderna da Europa, da América, de várias outras partes do mundo. Civilização cujas deficiências são decerto enormes; civilização que precisa de ser reorganizada no mais profundo de sua economia e de sua vida, sem que entretanto se justifique o abandono de toda a rotina pela aventura de alguma organização inteiramente nova, brutalmente contrária a tudo que é sentimento, forma e estilo da vida tradicional.[261]

Mais do que ser a defesa das pautas de algum político e das ideias de qualquer pensador, ou de assumir a postura de uma mera reação à agenda cultural progressista, os conservadores brasileiros necessitam assumir a posição de restauradores da base moral cristã e da herança histórica para redimir nossa cultura e nossas instituições políticas dos desvios do passado recente. No ensaio "Sou um Conservador", incluído na compilação póstuma de textos jornalísticos *O Homem Interino*, o filósofo e historiador católico mineiro afirmou:

> Da primeira vez que um jornal disse que sou um cidadão conservador, a ideia surpreendeu-me, mas não me chocou. Fiquei até muito honrado [...]. Depois, a natureza é conservadora. Como se desdobra para

---

[260] Russell Kirk, *A Política da Prudência*. Op. cit., p. 269.
[261] Gilberto Freyre, *Uma Cultura Ameaçada e Outros Ensaios*. São Paulo, É Realizações, 2010, p. 22-23.

conservar a vida! [...]. Talvez seja um conservador: alegro-me pelas construções, entristeço-me pelas demolições [...]. Dizer que "tudo vai mal" me parece perder tempo, prefiro dizer como devemos fazer para que tudo vá bem. Sou, pois, um conservador, não há dúvida alguma. Mas, se considerarmos o conteúdo de minhas ideias, seria realmente um conservador? [...]. Ou quem sabe, sou um verdadeiro conservador, isto é, aquele que procura manter a continuidade e a vida, assim conseguindo o progresso? [...]. Se é ser conservador defender a liberdade, a democracia efetiva, a justiça, obviamente sou um conservador [...]. Talvez seja este o verdadeiro conservadorismo: ao invés de destruir a ordem social, ao invés de arrasar todas as instituições humanas, criar um clima em que todos possam viver em paz e liberdade. De fato, sou um conservador: quero a vida, não morte.[262]

O verdadeiro sentido do conservadorismo em nosso país é algo que parece desconhecido até mesmo para muitos que se denominam como conservadores. Um dos caminhos para a melhor compreensão dessa doutrina seria por intermédio de uma história do conservadorismo brasileiro, nos moldes executados por Russell Kirk em *A Mentalidade Conservadora*, mas que, infelizmente, nem mesmo João Camilo de Oliveira Torres conseguiu executar de modo sistemático em um único volume.

Nosso longo texto de posfácio para esta obra sobre a tradição conservadora anglo-saxônica é somente um esboço da desafiadora empreitada que intencionamos realizar. Acreditamos que a disposição conservadora dos membros da nova geração necessita ser enriquecida por intermédio do ideal de "ecletismo esclarecido" proposto pelo Visconde de Uruguai, tal como ocorreu no Império com os saquaremas. Atualmente, a leitura tanto dos estudos de João Camilo de Oliveira Torres citados ao longo deste ensaio quanto de livros como *A Mentalidade Conservadora* e *A Política da Prudência*, de Russell Kirk,

---

[262] João Camilo de Oliveira Torres, *O Homem Interino*. São Paulo, [S. E.], 1998, p. 166-68. Citado em: Rodrigo Coppe Caldeira, "O Catolicismo Militante em Minas Gerais". Op. cit., p. 262-63, 266.

podem servir como referências iniciais para uma melhor formação pessoal daqueles que foram chamados para a missão gratificante de "restaurar e redimir o próprio patrimônio"[263], que impedirá o suicídio político e cultural do nosso país.

Cidade Imperial de Petrópolis, Rio de Janeiro
Fevereiro de 2020

---

[263] Russell Kirk, *A Política da Prudência*. Op cit., p. 350.

Russell Kirk (1918-1994)

Índice Remissivo

A

Abolicionistas, 269, 379-80, 384, 403
Abstrações, Burke sobre, 97
Admirável Mundo Novo, Brooks Adams, 670
Advancement of Learning, Bacon, 682
Afetação, Babbit sobre, 432
Aids to Reflection, 252
American Commonwealth, Bryce, 508-09
American Democrat, 326, 330-32, 335
American Republican, Brownson, 392
Americanos, Santayana sobre, 393
An Unsettled People, Rowland Berthoff, 679
Ancient Law, Sir Henry Maine, 481, 484
Anglicanismo, 443
Annual Register, 101
Antigo Regime e a Revolução, O (A. de Tocqueville), 102, 204, 337, 358, 762-63
Antigo Regime, 30, 34, 36, 105, 200, 339, 341, 347, 352, 692, 719, 728, 762-63
Antigos republicanos, 329
Anti-Jacobin Review, 235, 705
Apologia pro Vita Sua, Newman, 409, 431, 434, 442
Appeal from the New Whigs to the Old, Burke, 143, 147, 152
Aristocracia,
  Burke sobre, 101, 155-59
  Coleridge sobre, 257-60
  John Adams sobre, 198-201
  Mallock sobre, 592
  More sobre, 629-31
  na moderna Bretanha, 572
  Tocqueville sobre, 357-58, 360-61
Aristocracy and Evolution, Mallock, 592, 596
Aristocracy and Justice, P. E. More, 628-79
Assassínio na Catedral, Eliot, 668

B

Ballad of the White Horse, 708
Boke Named the Governour, 630
Born in Exile, Gissing, 560-64

C

Câmara dos Lordes, 95, 237, 240, 261, 422, 486, 576, 659
Capitalismo, 366, 417, 534, 542, 544, 642, 653, 670, 672, 683, 694, 700
Capitalistas,
  Brooks Adams sobre, 542
  Henry Adams sobre, 534

Captive Mind, Czeslaw Milosz, 671
Cartismo, 319, 413-14
Case for Conservatism, Hogg, 385
Catolicismo Romano,
  Brownson sobre, 387-94
  Burke sobre, 388-89
  Lecky sobre, 492
  Mallock sobre, 582
  Newman sobre, 434-35
Cavalheiros, Cooper sobre, 336
"Celestial Railroad, The", Hawthorne, 401
Centralização,
  Brooks Adams sobre, 545-46
  Tocqueville sobre, 348-49
Cercamento, 95, 104, 108
Character and Opinion in The United States, Santayana, 648-49
Civilização, Brooks Adams sobre, 542-46
Clero, 156, 256-59, 262, 717
Coletivismo, 661, 690, 695, 701
Community and Power, ver *Quest for Community*
Comunidade, o problema da, 688-95
Conhecimento,
  Balfour sobre, 574-75
  Newman sobre, 435-45
  Peel sobre, 436
  Utilitaristas sobre, 440-41
Coningsby, Disraeli, 407, 416, 419, 422
Conservadorismo sulista, 267-68, 293
Conservadorismo,
  definição de, 11-12, 17, 21-22
  definição de Bierce, 709
  More sobre, 679
  no século XX, 9, 675-78
  ressurgimento na América desde 1950, 680-81, 685-88
Constituição,
  Adams sobre, 179
  Americana, 489
  Brownson sobre, 392-93
  Burke sobre, 99
  Calhoun sobre, 284
  Canning sobre, 242
  Coleridge sobre, 263-65
  Disraeli sobre, 418-20
  Inglesa, 107, 130, 260, 417-19, 427, 659
  Maine sobre, 489
  More sobre, 631
  Randolph sobre, 275-78
Constitution of Church and State, de Coleridge, 252, 260
Contarini Fleming, 409
Contra o arrendamento, Movimento, 335
Contrato social, Burke sobre, 103, 113
Contrato, Maine sobre, 479, 483-87
Convenção Constitucional da Virgínia de 1829-1830, 277, 286, 307
Convenção de Hartford, 181
Conveniência, Burke sobre, 104
Costume, 102
Cristandade,
  Burke sobre, 46-49
  Henry Adams sobre, 534
  Lecky sobre, 492-94
  Leonard Woolf sobre, 121-22
  Nisbet sobre, 693
  Stephen sobre, 460
  ver também Igreja
Critical and Historic Essays, Macaulay, 321
Critical Examination of Socialism, Mallock, 593

D
Dangers of American Liberty, Ames, 179-81
Dartmouth College, 685

Darwin e Darwinismo, 87, 488, 509, 515, 536, 550, 564, 596, 610, 631,
Decadência, social, 226, 542,
Declaração de Independência, 280-81, 332, 620
Degradation of the Democratic Dogma, H. e B. Adams, 536, 547
Deísmo, 199, 368
Democracia na América, Tocqueville, 337-61
Democracia
  Ames sobre, 181-82
  Babbitt sobre, 610-16
  Beveridge sobre, 665
  Brooks Adams sobre, 547, 549-50
  Brownson sobre, 388-90
  Bulwer Lytton sobre, 452
  Calhoun sobre, 292-93
  Cooper sobre, 324, 326
  Disraeli sobre, 427-29
  Gissing sobre, 565-66
  Godkin sobre, 519-29
  J. Q. Adams sobre, 370, 375
  John Adams sobre, 172, 381
  Lowell sobre, 514, 516
  Macaulay sobre, 314-26
  Maine sobre, 387-90
  Mallock sobre, 592-97
  P. E. More sobre, 629
  Randolph sobre, 285
  Sitwell sobre, 598
  Tocqueville sobre, 336-51
Democracy and Leadership, Babbitt, 613, 615
Democracy and Liberty, Lecky, 456, 491-97, 502
Democrat at the Supper Table, Brogan, 601
Demos, Gissing, 560, 562-64
Demos, the Emperor, Sir Osbert Sitwell, 706

Development of Christian Doctrine, Newman, 434, 439
Devil's Dictionary, Bierce, 709
Dialogues in Limbo, Santayana, 642
Direitos consagrados, 309
Direitos do Homem, 105, 137, 139, 143, 146, 150, 158, 282, 290, 388, 481, 566, 621, 652
  Randolph sobre, 273-77
Direitos Humanos, Declaração Universal dos, 137
Direitos naturais, 105, 128, 137-39, 142-43, 145, 148, 155, 158, 189, 277
  Burke sobre, 128, 137, 139-42
  John Adams sobre, 196-97
Direitos políticos,
  Burke sobre, 368
  Calhoun sobre, 272
  Disraeli sobre, 300, 320
  John Adams sobre, 214-15
  Macaulay sobre, 321
  Randolph sobre, 268
  ver também *Reform Bill*
Discourse on the Constitution, Calhoun, 289, 296, 299
Discussão,
  influência da sobre o governo, 450-454
  J. F. Stephen sobre, 4682-71
Disquisition on Government, Calhoun, 296
Dominations and Powers, 642, 646, 650
Dublin, 80-81, 94, 409, 444, 448, 494
Dúvida,
  Balfour sobre, 574
  Newman sobre, 435-37

E
"Earth's Holocaust", Hawthorne, 401
Economia política, Mallock sobre, 586-87

Edinburgh Review, 221, 312, 316, 320
Educação,
    Babbitt sobre, 614-15
    Coleridge sobre, 249
    Disraeli sobre, 448
    John Adams sobre, 193
    Lecky sobre, 494-500
    Lowell sobre, 518
    Macaulay sobre, 312, 326
    na Inglaterra de hoje, 661-62
    na Inglaterra Liberal, 445-48
    Newman sobre, 435-51
    P. E. More sobre, 632
    Tocqueville sobre, 358-59
Educação de 1902, 447, 556, 568, 576
Education of Henry Adams, 532, 536, 540
Elites, Eliot sobre, 701-02
Emancipação católica, 80, 239
Energia, Henry Adams sobre, 538-41
English Life and Leisure, Rowntree e Lavers, 664-65
English Middle Classes, Lewis e Maude, 664
Ensaios sobre Davila, John Adams, 167, 187-90, 192-93
Entendimento, Coleridge sobre, 248-49
Era da Razão,
    Burke sobre, 103, 105, 115, 124
    John Adams sobre, 186
Escândalos de Yazoo, 274
Escócia, 12, 52, 55, 101, 222, 227-30, 281, 364
Escravidão, 268-69, 272, 302-03, 339, 371, 373, 378-80, 382, 386, 395, 466, 501, 511, 593
Estilpo, 640

F
"Fabulists", Kipling, 708

Fase, regra da, Henry Adams sobre, 537
Federalist, 489
Federalistas, 82, 167-69, 172, 179-80, 182, 216-18, 270, 308, 347, 373, 531, 765
Felicidade, Stephen sobre, 465
Força, Stephen sobre, 462-65
Fragment on Government, Bentham, 470
Fraternidade, Stephen sobre, 456, 464, 466, 468, 475

G
Gênio do Cristianismo, O, Chateaubriand, 66
Governo, Burke sobre, 152-53
Graça, doutrina da, Babbitt sobre, 618-19
Grammar of Assent, Newman, 409, 434
Greek Tradition, P. E. More, 626, 636-37
Gregos e progresso, Maine sobre, 479
Guerra Civil Americana, 363, 369, 426, 706

H
Habilidade e trabalho, Mallock sobre, 588-90
"Hall of Fantasy, The", Hawthorne, 401
Harvard College, 529
Heavenly City of the Eighteenth Century Philosopher, Becker, 132
Heidenmauer, Cooper, 329-30
História,
    Brooks Adams sobre, 544-48
    Burke sobre, 128
    Henry Adams sobre, 530
    Maine sobre, 477-85
    Tocqueville sobre, 352
History of European Morals, Lecky, 491-92

Humanistas,
    Babbitt sobre, 612
    More sobre, 630-31

I
Idea of a Christian Society, Eliot, 25, 39, 700-01
Idea of a University, Newman, 434, 441, 444-46
Ideologia, 684-86
Igreja,
    Burke sobre, 126-27, 138-39
    Coleridge sobre, 250
    Newman sobre, 436-37
Igualdade,
    Ames sobre, 183
    Babbitt sobre, 612, 618-19
    Burke sobre, 151-59
    Calhoun sobre, 289-90
    Cooper sobre, 326-29
    John Adams sobre, 195-201
    Lowell sobre, 514-15
    Maine sobre, 486-89
    Mallock sobre, 586-89
    Marx sobre, 411-12
    Randolph sobre, 274-78
    Stephen sobre, 456
    Tocqueville sobre, 336-51
Imperialismo americano, 651-52
Imposto de Renda, 325, 498, 451, 481, 651
Impostos *causa mortis*, 498-99
Imprensa, 23, 65, 183, 246, 304, 333, 368, 452, 519-20, 527, 530, 557, 598, 607, 645, 660, 729, 791
Índia, Burke e Macaulay sobre, 315-16, 478
Individualidade,
    Berthoff sobre, 698
    Burke sobre, 208
    Nisbet sobre, 688, 693
    Santayana sobre, 643
    Tocqueville sobre, 613
Industrialismo, 34, 81, 176, 228, 231, 236, 241, 307-08, 313, 363
Inovação, Randolph sobre, 280
Intelectual, definição de, e intelectualismo, 679-85
Is Life Worth Living?, Mallock, 584-85

J
Jacobinismo, 159-61, 188, 235, 236, 784
Japão, 335, 529, 618, 653
Jeffersoniano, 179, 290, 368, 531
Judeus, 407, 416-17, 432, 534, 641
Justiça,
    Ames sobre, 183-84
    Burke sobre, 140-49
    Maine sobre, 477-79
    P. E. More sobre, 632-34

L
Laissez-faire,
    definição de Nisbet, 696
    Godkin sobre, 525
Last Puritan, Santayana, 393, 639, 643, 648
Law and Opinion in England, Dicey, 450
Law of Civilization and Decay, Brooks Adam, 541-42
Lei natural, 138, 140-41, 149, 158, 226, 613, 619
Lei,
    Bentham sobre, 225
    Brownson sobre, 387-91
    Burke sobre, 229-31
    Maine sobre, 482-83, 486
    P. E. More sobre, 633-35
    Randolph sobre, 272
    Scott sobre, 228-30
    Tocqueville sobre, 388-89

Letra Escarlate, A, Hawthorne, 397-99
Letter to a Member of the National Assembly, Burke, 106
Letters of Publicola, J. Q. Adams, 188, 371
Letters of Runnymede, Disraeli, 419, 423, 427
Liberal Education, Newman, 442-47
Liberalismo, 32, 34, 37, 94, 206-08, 224-25, 238, 240, 244, 262, 265, 295, 311, 314-15, 323, 328, 365, 407-10, 412, 417, 426, 441-42, 452, 455, 461, 477, 486, 490, 495, 506, 526, 555-57, 618, 621, 638, 642-46, 655, 658, 662-64, 668-69, 679-80, 684, 688, 694-95, 700, 709, 713-16, 719-20, 724-26, 731-32, 734, 740-42, 747, 750, 753, 756, 758, 766, 768, 775, 777-81, 783, 795, 802
Liberdade,
   Burke sobre, 103
   Calhoun sobre, 274-76
   Cooper sobre, 313-14, 328
   Frost sobre, 707
   John Adams sobre, 202-07
   P. C. Gordon Walker sobre, 666
   Randolph sobre, 269-70
   Stephen sobre, 456, 463-64, 466, 468, 472, 474-75
Liberty, Equality, Fraternity, J. F. Stephen, 455-56, 462-63, 467, 469, 471, 476
Life of Franklin Pierce, Hawthorne, 380
Liga de Representação Trabalhista, 457
Limits of Pure Democracy, Mallock, 581, 586, 593
Literature and the American College, Babbitt, 611, 613

M
Maiorias concorrentes, 298, 301
Mal, a ideia de, e a mentalidade radical, 379-80, 386-87
Maldição do Cupido, 709
Man versus the State, Spencer, 456
Manifesto Tamworth e "The Tamworth Reading Room", 419, 431, 435
Maoístas, 674
Marble Faun (O Fauno de Mármore), Hawthorne, 396
Marxismo, 34, 107, 222, 225, 305, 352, 412, 453, 495, 548, 658, 683, 725, 779
Materialismo, Tocqueville sobre, 354-55
Meliorismo, 87, 292
Mercantilismo, Alexander Hamilton e, 176
Metafísica, 85, 97, 143, 160, 247, 250, 252, 283
Middle of the Journey, Trilling, 663
Milionários, Babbitt sobre, 613
Mistérios de York, 699
Moralidade,
   Ames sobre, 183
   Hawthorne sobre, 382-83, 399-401, 4023
   J. F. Stephens sobre, 506-10510
   John Adams sobre, 193-94
   Mallock sobre, 580-83
   More sobre, 635-36
Mosses from an Old Manse, Hawthorne, 397
Movimento de Oxford, 432-34
Mudança,
   Brooks Adams sobre, 546-47
   Burke sobre, 80-81
   Maine sobre, 478-79
   no Sul, 309
   Randolph sobre, 267
   Tocqueville sobre, 360
Mulher, Brooks Adams sobre, 547

N
Nação, conceito de, 150
Nation, The, 510, 519-20, 527-28, 626, 662
Naturalismo, Babbitt sobre, 609-13, 615, 624-26
Nature and Sources of the Law, J. C. Gray, 200
Natureza, Burke sobre, 109
Nether World, Gissing, 497, 560, 562-63
New Empire, Brooks Adams, 542, 545, 548
New Republic, Mallock, 580, 582-84
North American Review, 401, 530
Notas para uma Definição de Cultura, Eliot, 25, 701
Nova Esquerda, 658, 663

O
O Capital, Marx, 409-11
On Being Creative, Babbit, 618
on Liberty, Mill, 458
Opinião pública, 19-20, 65, 69, 157, 224, 304, 326, 343, 353, 357, 364, 452, 469-70, 520-21, 527-28, 549, 555-56, 578, 592, 596, 622, 686, 743, 752, 766
Organização das Nações Unidas, 137

P
Padronização, Tocqueville sobre, 359-60
Palavras, J. F. Stephen sobre, 476
Parceria, 250
Parliament Act de 1911, 425
Partido Liberal Inglês, 370
Partido Republicano, 218, 274, 295, 373, 507, 513, 518, 717, 787
Partido Trabalhista Inglês, 457, 500
Pecado, 394
e a mentalidade radical, 386-87, 394
e Hawthorne, 395-96
Emerson sobre, 394-95
ver também Mal
Pessimismo, John Adams sobre, 399
Physics and Politics, de Bagehot, 452, 469
Popery Laws, Tracts on the, Burke, 122, 143, 226
Popular Government, Maine, 456, 477, 486-88, 494
Positivismo, 87, 102, 161, 455, 460-61, 509, 548-49, 560-61, 475, 584, 586, 595, 638, 657, 714, 725, 777-78, 781, 791
Preconceito, Burke sobre, 129
Prescrição, Burke sobre, 37, 547
Presunção, Burke sobre, 115
Princípio, Burke sobre, 110-11
Private Paper of Henry Ryecroft, de Gissing, 560-61, 565-66
Problema do trabalho, Godkin sobre, 525
Progresso,
    Babbitt sobre, 606-07
    Baudelaire sobre, 399
    Gissing sobre, 559-63
    Henry Adams sobre, 540-42
    J. F. Stephen sobre, 474-76
    John Adams sobre, 192-93
    Maine sobre, 483-85
    Mallock sobre, 583
    Tocqueville sobre, 339-41, 369-72
Proletariado, 54, 223, 245, 263, 316, 320, 325, 365, 414, 418, 449, 458, 461, 517, 559, 562, 601, 627, 647, 649, 652, 668, 676
Propriedade, 485-86, 632-33
Protestantismo,
Brownson sobre, 388
    Leslie Stephen sobre, 492

Providência, crença na, 73, 89, 113-16, 118-19, 160, 208, 372, 378, 393, 493, 534
Prudência, virtude da, 104
Público, Burke sobre, 98-100
Puritanismo, 381, 397-98, 612, 637

Q
Quarterly Review, Brownson, 31, 276, 388
Quest for Community, Nisbet, 688

R
Radicais filosóficos, 178
Radicais, radicalismo, 19, 38, 55, 219, 227, 232-35, 238, 503, 507, 553-54
Razão,
  Burke sobre, 94
  Coleridge sobre, 234-37
  Disraeli sobre, 365
Reação, More sobre, 629
Reason in Society, Santayana, 642, 650
Rebelião de Shay, 169
Reconstrução depois da Guerra Civil, 375
Reconstruction of Belief, Mallock, 595
Reflexões sobre a Revolução na França, Burke, 29, 99, 118, 142-43, 146, 151, 154, 158, 163, 247
Reform Bill, de 1832, 260, 264, 318
Reforma Econômica de Burke, 230-31
Reforma Eleitoral,
  Burke sobre, 100-01
  ver também *Reform Bill*
Reforma Jurídica, Scott, 221
Regicide Peace, Burke, 73, 106, 141-42, 145, 164
Regra da maioria,
  Burke sobre, 152-53
  Calhoun sobre, 271
  Tocqueville sobre, 372

Religião,
  Babbitt sobre, 388
  Brownson sobre, 387-94
  Burke sobre, 91-106
  Coleridge sobre, 252-259
  Eliot sobre, 676, 685, 700, 702, 704
  Henry Adams sobre, 534-35
  J. F. Stephen sobre, 460-65
  John Adams sobre, 179, 188
  Lecky sobre, 493-95
  Mallock sobre, 583-87
  na Inglaterra e nos Estados Unidos modernos, 661
  Newman sobre, 431-32
  P. E. More sobre, 606, 608, 612
  Santayana sobre, 639, 641
  Tocqueville sobre, 361, 70, 383, 388
  Utilitaristas sobre, 221-22, 422, 433
Republicanos, 167, 169-70, 275, 329, 382, 507, 513, 766, 774, 784
Repúblicas, John Adams sobre, 209-10
Revolução Americana, 83, 168-70, 239
Revolução Francesa, 21, 30, 34, 55, 72, 80 83, 91-92, 96-97, 108, 167, 178, 188, 196, 205, 218, 227, 236, 252-53, 312, 364, 372, 407, 419, 512, 544, 609, 614, 658, 728, 730
Rise and Influence of Rationalism, Lecky, 493
Rock, The, Elliot, 704
Rockingham Whigs, 95
Roma, 46, 73, 318, 326, 409, 413, 543, 582, 586, 640, 650, 659, 692
Romances Waverly, 228
Românticos, 92, 126, 128-29, 221-265, 326, 369, 341, 606, 657, 683, 724
Romantismo, 129, 601, 615, 628, 750

S
"Scholar's Mission", Brownson, 685

Scott-King's Modern Europe, Waugh, 700
Senso comum e os ingleses, 566
Shelburne Essays, P. E. More, 533, 541, 625-29, 631, 635-38
Simplicidade na estrutura política, 205
Soberania,
   Austin e Maine sobre, 483-84
   John Adams sobre, 174
Socialistas e socialismo, 24, 34, 69, 87, 163, 255, 305, 323, 316, 352, 359-60, 383, 387, 421, 427, 448, 450, 456-59, 477-78, 496, 486, 495, 500-02, 517, 519, 523, 532, 534-35, 537-38, 541, 544-45, 555-56, 559, 561-65, 568, 577, 584, 587, 589-90, 593-94, 598, 601-02, 626, 649, 657-58, 662, 665-74, 693, 709, 804
Sociedade Fabiana, 495, 600, 668
Sociedade planejada, ou *Planwirtschaft*, 669-70, 674, 691
Soliloquies in England, Santayana, 641, 644
Sufrágio, 100-01, 155, 213-14, 224, 238, 243, 287, 298, 301, 304, 318-19, 322, 429, 455, 459, 486-88, 501, 508, 525, 563, 578, 607, 620, 652
Sulistas agrarianos, 606, 681
Supremacia econômica americana, Brooks Adam, 543
Sybil, Disraeli, 409, 414, 416, 419, 423-24, 500

T
Tancred, Disraeli, 416
Terra Desolada, 10, 38, 41, 43, 46, 700-01, 703, 712, 720
The Blithedale Romance, 400
Tories, 14, 31, 95, 104, 106, 113, 178, 180, 235-41, 241, 243-44, 323, 347, 369, 409, 414-16, 419-21, 425, 428-29, 456-57, 495, 553-54, 556, 565, 569, 587, 707
Trabalhador, Disraeli sobre, 430
Trabalho e habilidade, Mallock sobre, 586-93
Trabalho, Babbitt sobre, 619-25
Tractários, 432-33
Tradição, Burke sobre, 81-82
Transcendentalismo, 380-81, 385, 387, 389, 506
Treinamento militar universal, Lecky sobre, 502
Tributação, 95, 168, 286, 366, 495-98, 502, 547
   Lecky sobre, 456-57
Tróilo e Créssida, Shakespeare, 709
Two Memoirs, Keynes, 225, 600

U
Uma força medonha, C. S. Lewis, 672
Unforeseen Tendencies of Democracy, Godkin, 521
Unitarismo, 188, 290, 369, 381, 387
Utilitarismo, 87, 110, 161, 189, 222, 225, 228, 231, 234, 265, 323, 368, 410, 413, 417, 435, 440, 450, 457-60, 465-68, 470, 482, 609, 649, 671

V
Veneração, Burke sobre, 160-62
Vindication of Natural Society, Burke, 141
Vindication of the English Constitution, Disraeli, 419, 427
Vontade, Babbitt sobre, 617

W
Warden, Trollope, 128
Whigs, americanos, 368
World in 2030 A. D., 601
World of the Polis, 706

Russell Kirk (1918-1994)

Índice Onomástico

A

Adams, Abgail, 197
Adams, Charles Francis, 382, 506, 510, 512, 519, 530, 539, 577
Adams, Henry Brooks, 14, 285, 364, 373, 386, 507, 510, 520, 527, 528-42, 547, 549, 551, 577, 606-08, 638-39, 642
Adams, John, 13, 31, 84, 89, 112, 163, 166-68, 170-71, 178-79, 182-83, 185-203, 206, 208-16, 218-19, 268, 280-81, 290, 297, 305, 325, 363, 365, 368, 373, 375, 380, 385, 387, 399, 463, 467, 509, 530-31, 535-36, 539, 542, 546, 548, 608, 611, 654, 661, 760
Adams, John Quincy, 14, 17-80, 186, 363-64, 369-72, 374-80, 531, 533, 539
Adams Jr., Charles Francis, 382, 506, 510, 512, 519, 530, 539, 577
Adams, Peter Chardon Brooks, 507, 541
Addington, Henry, 1º Visconde Sidmouth, 235
Agostinho de Hipona, Santo, 27, 385-86, 612
Alcott, Louisa May, 382, 401
Alexander, Roy, 58
Alexandre, o Grande, 167, 236, 338, 351, 459, 536, 716
Alighieri, Dante, 28, 602, 699, 702
Ames, Fisher, 171-72, 179-85, 214, 605, 760
Angus Edmund Upton Maude, Barão Maude de Stratford-upon-Avon, 664
Aquino, Santo Tomás de, 28, 115, 533
Arendt, Hannah, 678
Aristides, 340, 793
Aristófanes, 27, 325, 580
Arnold, Matthew, 53, 73, 89, 117, 165, 248, 313, 448, 474, 663, 668
Ashley-Cooper, Anthony, 7º Conde de Shaftesbury, 426
Asquith, Herbert Henry, 208, 558, 664
Aurélio, Marco, 27, 378, 386, 540, 551
Austin, John, 264, 463, 480, 483

B

Babbitt, Irving, 14, 52, 59, 129, 135, 383, 388, 467, 500, 530, 540, 605-08, 610-19, 62-25, 630, 638-39, 651, 653-54, 655, 700
Bacon, Francis, 210, 223, 275, 317, 318, 410, 438, 574, 612, 613, 619, 682, 683

Bagehot, Walter, 86, 126, 313, 420, 426, 428, 450-52, 456-57, 469, 566, 614
Baldwin, Joseph Glover, 94, 571, 598-99
Baldwin, Stanley (1867-1947), 1º Conde Baldwin de Bewdley, 94, 571, 598-99
Balfour, Arthur, 14, 31, 228, 447, 554, 558-59, 568-80, 680
Bantock, Geoffrey Herman, 442
Barbès, Armand, 351
Barca, Aníbal, 73
Barker, Ernest, 456, 462-63, 479
Baudelaire, Charles, 399
Becker, Carl, 132
Bell, Bernard Iddings, 14, 51, 110, 163, 448, 681
Belloc, Joseph Hilarie Pierre René, 257, 599, 600
Benda, Julien, 630
Bentham, Jeremy, 110-11, 127, 139, 149, 179, 201, 222-26, 229, 231-32, 246-48, 262-63, 265, 321, 323, 343, 375, 407, 410, 425, 432-33, 435-37, 440, 442, 463, 465, 468, 470, 474, 476, 480, 490, 558, 602, 642, 644, 671, 692, 730
Benton, Joel, 514
Berthoff, Rowland Tappan, 679, 697-98
Bevan, Aneurin, 666
Bierce, Ambrose, 709
Bilbo, Theodore G., 306
Biran, Maine de, 126
Birch, Nigel, Barão Rhyl, 426
Birrell, Augustine, 97, 313
Blaine, James G., 507
Blanqui, Louis Auguste, 351
Bonald, Louis Gabriel Ambroise De, 31, 36, 82, 716

Bonaparte, Napoleão, 89, 141, 189, 352, 657
Bonar Law, Andrew, 571, 577
Bosanquet, Bernard, 465
Boutwell, George Sewall, 507
Bradley, Francis Herbert, 19, 46, 465, 703
Bright, John, 245, 410, 450
Brinton, Crane, 222, 252, 443
Brissot, Jacques Pierre, 283
Brogan, Colm, 601
Brogan, Denis William, 496
Brooks, Cleanth, 370, 373, 507, 510, 527-28, 530, 533, 535, 539, 541-50, 642, 681
Brougham, Henry, 1º Barão de Brougham and Vaux, 234-36, 446-47
Brown, John, 384, 395
Brownson, Orestes, 14, 32, 364, 387-88, 391-93, 677, 685
Brown, Stuart Garry, 59-60
Brutus, Marcus Junius, o Jovem, 545
Bryce, James, 1º Visconde de Bryce, 89, 508
Buchanan, Scott, 59
Buckle, Henry Thomas, 92, 126-27, 425, 430, 448, 482
Buda, 611, 619
Bulwer-Lytton, Edward George Earle Lytton, 1.º Barão de Lytton, 450, 452
Bunyan, John, 398, 403
Burckhardt, Carl Jacob Christopher, 671, 678
Burke, Edmund, 9-13, 16, 21, 27-31, 36, 40-42, 45, 47, 52, 55, 72-73, 79-85, 87, 89, 91-165, 169, 171, 173-74, 177, 179, 187-89, 196, 201-02, 204-09, 213, 222, 224, 226-31, 235-36, 239, 242, 244, 247-48, 250, 253, 256, 263, 270,

274, 276, 280, 287, 297, 302, 309, 311-16, 320-21, 337, 340, 352, 361, 368-69, 372, 384, 386, 388, 397, 399, 401, 408, 416-17, 419, 426, 434, 451, 457, 462, 465, 475-76, 478, 481, 485, 493-95, 502-03, 511-12, 515, 517-18, 522, 525, 540, 567, 576, 587, 599, 606-08, 611, 617-18, 621, 624-25, 627, 631, 639, 646, 652, 659, 661, 669, 678, 683, 689, 696, 705, 707, 711-12, 716, 719-20, 728-29, 731, 737-38, 747, 762-64, 773, 776-77, 784

Burnham, James, 17, 669
Burn, William Lawrence, 17, 569, 570, 599
Burr, Aaron, 179, 199
Butler, Benjamin Franklin, 247, 507
Butler, Joseph, 247, 507
Byron, George Gordon, 6º Barão Byron, 235, 441, 705

C
Cabot, George, 180, 530, 607
Calhoun, John C., 13, 32, 178, 267-72, 275, 284, 288-96, 298-309, 347, 368, 378, 763
Calvino, João, 295, 466
Canning, George, 31, 83-84, 165, 234-45, 371, 409, 416, 705, 739
Canova, Antonio, 650
Cargill, Oscar, 610
Caritat, Marie Jean Antoine Nicolas de, Marquês de Condorcet, 92
Carlyle, Thomas, 82, 91-92, 383, 384, 428, 463
Carolina, John Taylor da, 15, 188, 190, 194, 196, 199, 218, 288, 291, 293-94, 297, 307
Carr, Edward Hallett, 666

Cary, Lucius, 2º Visconde de Falkland, 83
Cavendish-Bentinck, William Henry, 3º Duque de Portland (1738-1809), 84
Cavendish, Spencer Compton (1833-1908), 8º Duque de Devonshire e Marquês de Hartington, 53
Cecil, David, 95, 577
Cecil, Hugh, 1º Barão Quickswood, 435, 577
César, Júlio, 432, 536
Chadwick, Edwin, Sir, 410
Chalmers, Gordon Keith, 54, 56, 67
Chamberlain, Joseph, 451, 478, 486, 548, 553, 554, 556, 558, 567, 570-72, 577, 598-99, 654
Chamberlain, Neville, 451, 478, 486, 548, 553-54, 556, 558, 567, 570, 571-72, 577, 598-99, 654
Chandler, Zachariah, 507
Charles I, rei, 53, 650
Chastenay, Louise-Marie-Victorine de, Madame, 267
Chateaubriand, François-René de, 31, 66
Cheney, Brainard, 58
Chesterton, Gilbert Keith, 39, 599, 600, 708-09
Chinard, 209
Churchill, Winston, 31, 106, 400, 421, 451, 569, 571, 598, 680
Cícero, Marco Túlio, 27, 113, 122, 128, 140, 161, 705
Clay, Henry, 94, 268, 276, 294, 368, 376
Cleveland, Grover, 509, 607
Clifford, William Kingdon, 583-84
Cloots, Anacharsis, ver Jean-Baptiste du Val-de-Grâce, Barão de Cloots, 98, 105

Cobban, Alfred, 92, 121-22
Cobbett, William, 257
Cobden, Richard, 245, 410, 435, 628, 644
Coke, Edward, 170
Coleridge, Henry Nelson, 13, 29, 31, 67, 77, 83, 86, 92, 108, 126, 137, 165, 221-37, 246-55, 257-65, 408, 410, 416-17, 426, 433, 441, 494, 500, 575, 599, 626, 682, 684, 705, 707
Commager, Henry Steele, 519-20
Comte, Auguste, 87, 455, 459-61, 463-64, 467, 473-74, 531, 549, 671, 778, 791
Condillac, Étienne Bonnot de, 126
Conkling, Roscoe, 507
Coriolano, Caio Márcio, 67, 73
Cram, Ralph Adams, 487, 530, 606
Croker, John Wilson, 31, 84
Curtis, L. P., 60, 520
Cushing, Caleb, 23º Procurador-Geral dos Estados Unidos, 514

D
Dalberg-Acton, John Emerich Edward, 1º Barão Acton (1834-1902), 91
Davidson, Donald Herbert, 24, 606, 681, 763
Davis, Jefferson, 306, 506-07, 511
Descartes, René, 248, 440, 536
Dewey, John, 448, 609-10, 613, 626, 637, 647, 654
Dicey, A. V., 65, 450
Dickens, Charles, 413, 448, 595, 662
Dickinson, Goldsworthy Lowes, 630
Diderot, Denis, 110, 194, 609
Dionísio de Halicarnasso (sec. I a.C.), 209
Disraeli, Benjamin, 1º Conde de Beaconsfield, 14, 31, 53, 96, 155, 165, 235, 242, 244-45, 257-58, 300, 312, 320, 325, 365, 407-10, 412-30, 435, 447-48, 450-53, 459, 462, 477, 495, 497, 500, 510, 516, 554, 558, 568-71, 579, 600, 679, 739
Douglas, Dunbar, 4º Conde de Selkirk, 108, 673
Drinkwater, John, 153
Drucker, Peter, 550-51
Drummond-Wolff, Henry, 569
Dryden, John, 707
Duhamel, Georges, 653
Dundas, Henry, 97
Dupont, Charles, 93
Dwight IV, Timothy, 171, 215, 290

E
Edwards, Kate, 18, 20-21, 199, 384
Eliot, Charles William, 521
Eliot, George, 460
Eliot, Thomas Stearns, 10-11, 25, 39, 41-42, 45, 51, 65, 668, 676, 680-81, 685, 700-04, 711
Elyot, Sir Thomas, 630
Emerson, Ralph Waldo, 381-87, 394-96, 400-01, 506, 618
Engels, Friedrich, 409, 413, 490, 503
Ensor, Robert Charles Kirkwood, 572
Everett, Edward, 506

F
Feiling, Keith, 86, 236, 415-16
Feiling, Keith Grahame, 86, 236, 415-16
Filmer, Robert, 83
Fílon de Alexandria, 122
Fontaine, Jean de La, 202
Forbes, Duncan, 315, 410
Ford, Henry (1863-1947), 374, 550, 577

Forrest, Nathan Bedford, general, 47, 269
Forster, Edward Morgan, 316
Fox, Charles James, 96, 106, 108-09, 111, 139, 208, 555
Francisque de Corcelle, 360
Franklin, Benjamin, 22, 168, 189, 208-09, 314, 380, 394, 405, 507, 607, 654-55
Frere, John Hookham, 705
Freslon, Alexandre Pierre, 338, 353
Freud, Sigmund, 704
Frost, Robert Lee, 74, 681, 699, 707, 708
Froude, Richard Hurrell, 432
Fuller, Thomas, 182, 382, 401

G

Gair, Sidney, 51, 52, 54-55, 59
Galilei, Galileu, 536
Gall, Franz Josef, 461
Garrison, William Lloyd, 364, 379, 382, 506, 511
Gascoyne-Cecil, Robert, 3º Marquês de Salisbury, 89, 554
Gaskell, Charles Milnes, 551
Gasset, José Ortega y, 70, 327
Gay, Peter, 59-60
Genêt, Edmond-Charles, 83, 187
Gentz, Friedrich von, 82, 417
George, David Lloyd, 558
George, Henry, 586, 606
George III, rei da Inglaterra, 93, 105, 239, 419
Gibbon, Edward, 128
Gierke, Otto Friedrich von, 691
Gissing, George Robert, 14, 413, 497, 559, 560-68
Gladstone, William Ewart, 96, 312, 320, 325, 420, 429, 451, 458, 477-78, 483, 486, 498, 554, 651

Godkin, Edwin Lawrence, 506, 510, 513-14, 517-22, 524-28
Godwin, William, 111, 218, 222, 235
Goldsmith, Oliver, 80, 94
Gordon, George, Lorde, 54, 56, 67, 108, 235, 666
Görres, Joseph, 84
Gorst, John Eldon, 569
Graham, Robert Bontine Cunninghame, 407, 671
Granger, Gideon, 170
Grant, Ulysses S., 309, 485, 507, 530, 533, 536, 663
Graves, Robert, 70, 86
Gray, Alexander, 411-12
Gray, J. L., 411-12
Gray, John Chipman, 200
Green, Andrew, 638-39
Green, Thomas Hill, 465
Gregg, Andrew, 276
Greville, Charles John, Sir, 240
Grey, Charles, 2º Conde Grey, 260, 262
Grey, Sir Edward, 1º Visconde Grey of Fallodon, 596
Grote, George, 313, 354, 410
Grote, Harriet, 311, 313, 354
Guizot, François, 30, 82, 489, 716, 741

H

Hacker, Andrew, 671
Halévy, Elie, 501, 557
Hallowell, John H., 207
Hamilton, Alexander, 84, 94, 170-80, 182, 185-86, 214-16, 218, 262, 270, 293, 361, 367, 373, 489, 533, 608, 716, 735, 741, 760
Hampden, John, 244
Hannah, John, 62, 678
Harcourt, William, 498, 555, 559, 661, 676, 703

Harding, Warren Gamaliel, 433, 606, 654
Harmsworth, Alfred Charles William, 1º Visconde de Northcliffe, 520
Harmsworth, Harold Sidney, 1º Visconde de Rothermere., 520
Harrington, James, 182, 209
Harrison, Frederic, 57, 460, 560, 707
Hartley, David, 247, 249
Hastings, Warren, 96, 97, 104-05, 119
Hawkes, Jacquetta, 70
Hawthorne, Nathaniel, 14, 364, 380, 387, 394-403, 405, 506
Hayek, F. A., 17, 22-23, 60-61, 711
Hayes, Rutherford Birchard, 19º Presidente dos Estados Unidos, 513
Hay, John, 531
Hazlitt, William, 92, 110
Hearn, Lafcadio, 126
Hearnshaw, Fossey John Cobb, 79, 85, 264, 339, 412
Hearst, William Randolph, 520
Hegel, Georg Wilhelm Friedrich, 84, 85, 128, 164, 263, 323, 352, 359, 382, 384, 411, 465, 481
Heksher, August, 57
Helvétius, Claude Adrien, 110, 158
Hemans, Felicia Dorothea, 69
Henry, Patrick, 274-75, 545
Hewett, John Prescott, 563
Hicks, Granville, 113
Higginson, Thomas Wentworth, 514, 519
Hill, David Bennett, 20-21, 74, 293, 339, 465, 522
Hitler, Adolph, 361, 676, 704
Hobbes, Thomas, 83, 130, 174, 182, 223, 463, 616, 734
Hoffman, Ross J. S., 138, 596
Hogg, Quintin, Barão Hailsham of St Marylebone, 385
Home, Henry, Lorde Kames, 170, 328, 405
Hooker, Richard, 28, 37, 83, 85, 97, 103, 113, 124, 161, 247, 369, 386, 415, 434, 541, 624, 630
Hoover, Herbert Clark, 606, 654, 679
House, Edward Mandell, 9, 130, 148, 396-97, 413, 423, 506, 563, 652, 719
Howard, Charles, 11º Duque de Norfolk, 108, 199
Howard, John, 199, 499
Howard, Thomas, 3º Conde de Effingham, 108, 199
Hughes, H. Stuart, 678
Hughes, Thomas, 511, 515
Hulme, Thomas Ernest, 600, 601
Hume, David, 41, 84, 94, 128, 132, 138-39, 174, 209, 250, 368, 682, 730
Huskisson, William, 237, 243-45, 416, 587
Huxley, Aldous, 70, 667, 670
Huxley, Thomas Henry, 461, 548, 582, 584
Hyde, Edward, 1º Conde de Clarendon, 83
Hyndman, Henry Mayers, 500, 671

I

Inge, William Ralph, 336, 600
Irving, Edward, Reverendo, 232
Irving, Washington, 387, 395

J

Jacks, M. L., 448
Jackson, Andrew, 94, 274, 294, 371, 377, 379, 533, 716
James, William, 443, 626
Jay, John, 15, 17, 173, 175, 489, 529, 535, 606, 760

Jefferson, Thomas, 94, 104, 111, 141, 167, 169-70, 173, 175, 178, 185, 187, 192, 197, 200, 208, 216, 218, 268, 270, 274-277, 280, 284, 289, 294, 296, 306, 308, 323, 325, 375, 506-07, 509, 511, 529, 531, 548, 606, 608, 621, 654, 659, 707

Jeffrey, Francis, 10, 20, 42, 44, 221, 233, 745-46, 756, 766

Jenkinson, Robert Banks, 2º Conde de Liverpool, 235

Jenyns, Soame, 108

Jerrold, Douglas, 673

Joad, Cyril Edwin Mitchinson, 339, 579, 653, 665

Joana d'Arc, 73

John, Henry St., 1º Visconde de Bolingbroke, 83, 717

Johnson, Andrew, 17º Presidente dos Estados Unidos, 494, 507, 513

Johnson, Ben, 20, 706

Johnson, Samuel, 28, 84, 94, 96, 105, 110, 112, 113, 118, 141, 162, 183, 189, 194, 368, 494, 707

Joubert, Joseph, 88, 202, 267, 576

K

Kant, Immanuel, 247

Keble, John, 250, 432, 439

Kent, James, 308, 329

Keynes, John Maynard, 225, 598, 600, 675

Kidd, Benjamin, 582, 596

Kingsley, Charles, 255, 658

Kipling, Joseph Rudyard, 548, 687, 708

L

Lafayette, ver Marie-Joseph Paul Yves Roch Gilbert du Motier, 167

Lamb, William, 2º Visconde Melbourne, 95, 573

Lancaster, Joseph, 259

Laski, Harold J., 106, 213, 313, 339, 341, 370, 510, 610-11, 678

Laud, William, 541

Lavers, G. R., 664

Le Bon, Gustave, 538

Lecky, William Hartpole, 429, 456-57, 460, 462, 491-503, 521

Lee, Robert E., general, 18, 20-1, 269, 306, 366, 506

Leibnitz, Gottfied Wilhelm, 536

Lennox, Charles, 4º Duque de Richmond, 101, 108

Lewis, C. S., 403, 672, 702

Lewis, Percy Wyndham, 17, 54, 339

Lewis, Roy, 664

Lewis, Sinclair, 653

Lincoln, Abraham, 85, 290, 470, 503, 505, 512-13, 762-63

Lindbom, Tage, 71-72

Lippmann, Walter, 178, 637

Locke, John, 97, 111, 125-26, 139, 149, 170, 182, 209, 223, 247-48, 319, 410, 463, 617, 619, 682, 734

Lodge, Henry Cabot, 530, 607

Lovecraft, H. P., 672

Lowell, James Russell, 382, 395, 505-06, 509-19, 528, 549-50

Lowe, Robert, 1º Visconde de Sherbrooke,, 82, 320, 325-26, 447

Lumley, Brian, 672

Lushington, Charles Manners, 446

Lyttleton, George, 4º Barão Lyttleton, 371

M

Mably, Gabriel Bonnot de, 111, 133, 193, 360

Macaulay, Thomas Babington, 13, 84, 311-26, 328, 337, 344, 496, 513, 519, 524, 589, 668

MacCunn, J. H., 117
Machen, Arthur, 527
MacIver, Robert Morrison, 114
Mackintosh, James, 92
Mackintosh, William Archibald, 103, 110
Madison, James, 19, 173, 175, 216, 218, 268, 286, 371, 489, 531, 760
Magno, Carlos, 460, 470, 491
Maine, Henry James Sumner, 126, 456-57, 460, 462, 477-81, 483-91, 494, 503, 521
Maistre, Joseph de, 31, 36, 82, 391, 528, 716
Maitland, Frederic William, 692
Malik, Charles Habib, 54
Mallock, William Hurrell, 580-89, 591-97, 601
Malthus, Thomas Robert, 190, 265, 488, 730
Mannheim, Karl, 35-36, 672
Manning, Henry Edward, 626
Maquiavel, Nicolau, 124, 209, 337, 490, 616-17
Marshall, John, 171, 180, 216-19, 271, 274, 286, 557, 760
Marx, Karl, 85, 87, 323, 343, 351, 407, 409, 410-12, 414-15, 417-18, 426, 453, 496, 503, 531, 542, 549, 589, 619, 628, 642, 674, 688, 692, 695, 704
Mather, Cotton, 381, 541
Maugham, W. Somerset, 162
Maurice, Frederick Denison, 255
Mayhew, Henry, 413
McKinley, William, 549
Mencken, Henry Louis, 332, 607, 623
Metternich, Klemens von, príncipe von Metternich-Winneburg zu Beilstein,, 82, 239, 417
Meyer, Frank S., 17, 60

Miller, Arthur, 403
Mill, James, 231, 247, 263, 315, 319, 321, 410, 432, 437, 465
Mill, John Stuart, 66, 79, 223, 246-48, 264, 313, 450, 455, 458-61, 463-64, 467, 469, 473, 475, 496, 524, 531, 555, 642, 751, 775
Milosz, Czeslaw, 671
Milton, John, 113, 209, 247, 276, 464, 702, 707
Mises, Ludwig von, 17, 22-23, 366-67, 711, 796
Monroe, James, 218, 268, 286, 373
Moore, George Edward, 24, 600
Morelly, Étienne-Gabriel, 111, 193, 359, 360
More, Paul Elmer, 14, 19, 24, 52, 59, 126, 229, 443, 533, 540-41, 605-08, 610-13, 624-27, 629, 631-33, 635-39, 651-52, 654-55, 679
Morley, John, 1º Visconde Morley of Blackburn, 89, 312-13, 461, 560, 776
Morris, William, 323, 500, 658, 671, 706
Morton, Levi Parsons, 507
Motier, Marie-Joseph Paul Yves Roch Gilbert du, Marquês de Lafayette, 167
Muggeridge, Malcolm, 71, 662-63

N

Newman, John Henry, cardeal, 14, 250, 365, 399, 407, 409-10, 412-15, 430-32, 434-53, 455, 465, 494, 574, 575, 599, 627, 683
Newton, Isaac, 536, 538
Nícias, 171
Nietzsche, Friedrich, 533, 632
Nisbet, Robert, 10, 25, 688-89, 693, 696

Nock, Albert Jay, 17, 51, 200, 529, 535, 606
North, Frederick, 2º Conde de Guilford, 95, 126, 401, 528, 530, 625

O
Oakeshott, Michael, 31, 37, 678
O'Connell, Daniel, 80
Orwell, George, 70, 557, 661, 666, 670
Owen, Robert, 387

P
Paine, Thomas, 83, 92-93, 103, 105, 111, 128, 137, 158, 186, 189, 222, 235, 290, 308, 368, 371, 717
Pares, Richard, 60
Parker, Theodore, 92, 382, 506
Parkman, Francis, 395
Parrington, Vernon, 174, 212, 296, 388, 510
Pascal, Blaise, 574, 618
Peacock, Thomas Love, 580, 601
Pearson, Karl, 536, 539-40
Peel, Robert, 1º Baronete, 31, 84, 234, 240, 245, 369, 409, 413, 419-20, 430, 435-36, 440-41, 451, 571, 683, 739
Pelham-Holles, Thomas, Duque de Newcastle, 121
Péricles, 73, 618
Phillips, Wendell, 379
Picard, Max, 17, 71
Pickering, Timothy, 171, 215, 373
Pierce, Franklin, 380, 394, 405
Pinckney, Charles Cotesworth, 271
Platão, 27, 41, 87, 117, 191, 209, 211, 247-48, 443, 611-12, 619, 636, 640
Pocahontas, 267
Poe, Edgar Alan, 387

Políbio, 117, 209
Pope, Alexander, 28, 707
Porson, Richard, 632
Pound, Nathan Roscoe, 17, 503
Preston, Thomas, Capitão, 187, 419
Price, Richard, 111, 204, 209, 222, 280, 496
Priestley, Joseph, 111, 222
Primrose, Archibald, 5º Conde de Rosebery, 421, 569
Pulitzer, Joseph, 520
Pusey, Edward Bouverie, 432

Q
Quincy, Josiah, 14, 174, 177-80, 186, 215, 363-64, 369-80, 531, 533, 539, 577

R
Randall, Henry Stephens, 314, 323, 507
Randall, Samuel J., 314, 323, 507
Ransom, John Crowe, 57-58
Reade, William Winwood, 459
Regnery, Henry, 10, 16-18, 20, 51, 65
Renan, Ernest, 490
Ricardo, David, 278, 408, 465, 589, 619, 730
Ripley, George, 382, 387, 401
Riqueti, Honoré Gabriel, Conde de Mirabeau, 93
Rivarol, Antoine de, 119
Roanoke, John Randolph of, 13, 15-16, 31, 51, 84, 94, 174, 178-79, 199, 218, 267-68, 275, 279-80, 289-90, 365, 651, 763
Robespierre, Maximilien François Marie Isidore de, 91
Rochefoucauld, François de La, Duque, 167-90
Rockefeller, John Davison, 613, 641-42

Roosevelt, Franklin Delano, 22, 208, 314-15, 520, 531, 548-49, 607, 654-55
Roosevelt Jr., Theodore, 607
Röpke, Wilhelm, 671-72
Rossiter, Clinton, 60
Rousseau, Jean-Jacques, 81, 87, 92, 110-11, 113, 115, 128, 139-41, 147, 149, 158, 187, 193-95, 202, 204, 218, 222-23, 229, 256, 263, 280, 308, 323, 368, 382, 384, 387, 448, 475, 485, 487, 588, 609, 611-18, 673, 691-92, 694-95, 728, 731
Rouvroy, Claude Henri de, Conde de Saint-Simon, 413
Rowntree, Benjamin Seebohm, 664
Royer-Collard, Pierre Paul, 340
Ruskin, John, 318, 583, 586
Russell, Bertrand, 3º Conde Russell, 9-21, 23-26, 2-29, 31-34, 37-49, 51-52, 54-55, 57-59, 61-63, 65, 108, 260, 264, 319, 382, 505, 507, 510-14, 516, 519, 526, 539, 549, 653, 682-83, 711-12, 717-22, 737-38, 744, 750, 760, 763-64, 777, 799, 805-07
Russell, John, 6º Duque de Bedford, 108, 260, 264, 319, 526

S

Saintsbury, George Edward Bateman, 553, 568-69, 571, 580-81, 602-03
Santayana, George, 10, 14, 16, 47, 52, 67, 70, 393, 530, 605-08, 610, 638-39, 640-44, 646, 648-51, 655
Savigny, Friedrich Carl von, 481
Savile, George, 1º Marquês de Halifax, 28, 83
Say, Jean-Baptiste, 278, 324, 730
Schlegel, Karl Wilhelm Friedrich von, 84, 247

Schlesinger Jr., Arthur, 370
Schopenhauer, Arthur, 529
Scott, John, 1º Conde de Eldon, 181
Scott, Walter, 13, 31, 54, 59, 83, 165, 221-22, 226-28, 231, 233, 235, 265, 705, 750
Seccombe, Thomas, 563
Secondat, Charles-Louis de, Barão de La Brède et de Montesquieu, 28, 97, 730
Sêneca, o Jovem, 27, 115, 318, 640
Senior, Nassau William, 313, 358-59
Seward, William Henry, 513
Shaw, Bernard, 495, 568, 582
Shelley, Percy Bysshe, 474, 704-05
Sheridan, Richard Brinsley Butler, 94, 108, 275
Sherman, William T., 309, 653
Sidney, Algernon, 51-52, 54-55, 59, 182, 209, 447, 495, 520, 563, 567-68, 582, 593
Sièyes, Emmanuel Joseph, abade, 110, 138
Sigfried, André, 618
Smith, Adam, 94, 103, 176, 278, 465, 478, 485, 619, 730
Smith, Harrison, 57
Smith-Stanley, Edward, 12º Conde de Derby, 108
Smith, William, 295
Sófocles, 27, 327, 706
Soloviov, Vladimir Sergueyevich, 670
Solzhenitsyn, Alexander, 71
Somervell, David Churchill, 227, 573
Southey, Robert, 83, 92, 108, 110, 165, 222, 255, 316, 317, 318, 705
Spencer, Herbert, 82, 311, 456, 463, 477, 479, 501, 548, 553, 564, 582, 589, 596, 606, 631, 713, 717
Stálin, Joseph, 361, 647, 676

Stanhope, Philip, 4º Conde de Chesterfield, 131
Stephen, James Fitzjames, 14, 94, 111, 455-457, 460, 462-71, 474-477, 486, 489, 494, 503, 578-79
Stephen, Leslie, 227, 368, 463-64, 468, 492, 510
Stephens, Alexander, 314, 323, 506
Stevenson, Robert Louis, 113
Stevens, Thaddeus, 507
Stewart, Robert, 2º Marquês de Londonderry e Visconde Castlereagh,, 239, 367
Stolberg, Friedrich Leopold Graf, 84
Story, Joseph, 89, 95, 329
Stowe, Harriet Beecher, 381
Strachey, John, 459
Sumner, Charles, 379, 382
Sumner, William Hyslop, 506
Swift, Jonathan, 28, 209, 580, 707

T
Taft Sr., Robert A., 607
Taft, William Howard, 106, 531, 607
Taine, Hippolyte, 84, 124
Tate, John Orley Allen, 54, 606, 681
Taylor, Alan John Percivale, 188, 190, 196-97, 199, 218
Taylor, Henry Osborn, 530, 540
Thibon, Gustave, 71
Thomas, Norman, 59, 665, 671
Thomas, Norman Mattoon, 194
Thomson, David, 155, 539
Thomson, William, 1º Barão Kelvin (1824-1907), 155, 539
Thoreau, Henry David, 384, 395
Tillman, Benjamin, 509
Tillotson, Geoffrey, 580
Tocqueville, Alexis de, 14, 31, 82, 84, 102, 204, 214, 273, 308, 310-14, 323, 328, 331, 336-41, 343-44, 346-48, 350-55, 357-61, 370, 372, 374, 383-84, 388, 393, 459, 475, 521, 525, 531, 639, 659, 669, 686, 688-89, 716, 741, 760, 762-64, 775
Tolstói, Liev, 533
Trilling, Lionel, 59, 663, 680-81, 684-85
Trollope, Anthony, 413, 433
Tucker, Nathaniel Beverley, 273, 276, 305
Turgot, Anne Robert Jacques, 110, 187, 189, 196-97, 201, 204-05, 208, 212, 236, 280, 695
Twain, Mark, ver Samuel Langhorne Clemens, 331
Tyndall, John, 584

V
Viereck, Peter, 57
Vitória, rainha do Reino Unido, 408, 556
Vivas, Eliseo, 51
Voeglin, Eric, 706
Voltaire, ver François-Marie Arouet, 105, 110-11, 149, 181, 189, 195, 368

W
Walker, Patrick Chrestien Gordon, Barão Gordon Walker, 666
Wallace, Henry Agard, 658
Wallas, Graham, 126, 135, 678
Ward, William George, 465, 676
Warren, Mercy Otis, 96, 104-05, 119, 203, 606, 653-54
Washington, George, 10, 18, 20, 23, 56-58, 169, 172, 279, 373, 376, 378, 387, 395, 517, 528, 534, 536, 542, 547-48, 621, 669
Waterhouse, Benjamin, 186

Watson-Wentworth, Charles, 2º Marquês de Rockingham, 95
Waugh, Arthur Evelyn St. John, 393, 700
Ways, Max, 56
Weaver, Richard, 24, 51, 681
Webb, Sidney, 447, 495, 567-68, 582, 593
Webster, Daniel, 32, 268, 276, 368, 514
Wellesley, Arthur 1º Duque de Wellington, 181
Wells, Herbert George, 102, 672
Wendell, Barrett, 379, 463, 483, 530
Wentworth-Fitzwilliam, William, 4º Conde Fitzwilliam, 109
Whitehead, Alfred North, 126
Whitman, Walter (Walt), 381, 614
Wilberforce, William, 499
Wiley, Basil, 247
William III, rei da Inglaterra, 418
William Pitt, o Jovem, 84, 97, 108, 165, 236, 239, 419, 555, 587
William Pitt, o Velho, 73, 165
Wilson, Woodrow, 31, 84, 109, 313, 607, 651-53
Winters, Yvor, 396, 532
Woolf, Leonard, 120, 121
Wordsworth, William, 83, 92, 108, 165, 222, 705
Wykeham, William of, 448
Wyndham, George, 17, 54, 339, 600

Y

Yeats, William Butler, 681, 707
Young, George Malcolm, 95, 414, 433-34, 555-56

Do mesmo autor, leia também:

A mais completa obra sobre Edmund Burke e seu pensamento. Neste incrível volume, com textos inéditos, e especialmente elaborados para a versão brasileira do livro de Russell Kirk, os leitores descobrirão que Burke foi "o primeiro estadista a reconhecer que não há resposta coerente ao Iluminismo além do conservadorismo social e político". Um livro para todos que se interessam pelo pensamento burkiano, escrito por seu mais original discípulo americano.

Este livro é a melhor introdução à vida, às ideias e às obras literárias de T. S. Eliot. A clara percepção de Russell Kirk dos escritos de Eliot é enriquecida com uma leitura abrangente dos autores que mais influenciaram o poeta, bem como por experiências e convicções similares. Kirk segue o curso das ideias políticas e culturais de Eliot até as verdadeiras fontes, mostrando o equilíbrio e a sutileza de seus pontos de vista.

facebook.com/erealizacoeseditora
twitter.com/erealizacoes
instagram.com/erealizacoes
youtube.com/editorae
issuu.com/editora_e
erealizacoes.com.br
atendimento@erealizacoes.com.br

RUSSELL KIRK CENTER
FOR CULTURAL RENEWAL